A. Edward Newton

藏書之愛

THE AMENITIES OF BOOK-COLLECTING AND KINDRED AFFECTIONS

A MAGNIFICENT FARCE AND OTHER DIVERSIONS OF A BOOK-COLLECTOR

THE GREATEST BOOK IN THE WORLD AND OTHER PAPERS

THIS BOOK-COLLECTING GAME

END PAPERS: LITERARY RECREATIONS

Greetings A. Edward Newton

國家圖書館出版品預行編目

藏書之愛 / A. 愛德華．紐頓原著；陳建銘編譯．-- 二版．-- 臺北市：麥田．城邦文化出版：家庭傳媒城邦分公司發行，2011.10
面； 公分．--（人間閱讀；12）
譯自：The amenities of book-collecting and kindred affections and other papers
ISBN 978-986-173-667-9（精裝）

1. 藏書

029 100016170

人間閱讀12

藏書之愛

原　　著　A. 愛德華・紐頓
編　　譯　陳建銘
設　　計　鄭宇斌（二版）
特約編輯　黃美娟
校　　對　呂佳真（二版）
責任編輯　蕭秀琴
發 行 人　涂玉雲
出　　版　麥田出版
10483台北市中山區民生東路二段141號5樓
電話：（02）2500-7696　傳真：（02）2500-1967
發　　行　英屬蓋曼群島商家庭傳媒股份有限公司城邦分公司
10483台北市中山區民生東路二段141號11樓
電話：886-2-25007718　傳真：886-2-25001990
網址：www.cite.com.tw　Email: service@readingclub.com.tw
郵撥帳號：19863813
戶名：書蟲股份有限公司
香港發行所　城邦 (香港) 出版集團有限公司
香港灣仔駱克道193號1樓
電話：852-25086231　傳真：852-25789337
馬新發行所　城邦 (馬新) 出版集團有限公司
Cite (M) Sdn. Bhd. (458372U)
11, Jalan 30D / 146, Desa Tasik, Sungai Besi,
57000 Kuala Lumpur, Malaysia.
電話：603-90563833　傳真：603-90562833
印　　刷　中原造像股份有限公司
初　　版　2004年11月
二版一刷　2011年9月
定價：NT$1500元 / 售價：NT$990元 / HK$330

ISBN : 978-986-173-667-9

藏書之愛

A. 愛德華・紐頓——原著
陳建銘——編譯

Alfred Edward Newton
阿弗烈・愛德華・紐頓（一八六四～一九四〇）

美利堅合眾國費城商界人士，卡特電器設備製造公司主持人暨經營者。餘暇以閱讀、藏書自娛。屢次造訪倫敦，多為購置心儀古籍、手稿。

與芭蓓特・艾德罕結縭多年，膝下育有子、女各一：長女卡洛琳與次男E.史威夫特。一家人適居費城市郊戴爾斯福郡橡樹丘、紐頓本人設計興建之宅舍。

一九一八年，散文集《藏書之樂及其相關逸趣》問世，不但立即暢銷，並成為同類著作之經典。此後他繼續發表許多與藏書、旅遊相關的文章且一一結集出版，皆廣受讀者歡迎。

紐頓生前為葛羅里亞俱樂部的忠實會員，並曾自組「安東尼・特洛羅普學會」。

譯按：以上為某名人錄中所登載的紐頓正式簡介，雖然可從中得知此君中、晚年生平梗概，但我個人覺得這種陳述方式實在太不「紐頓」（newtonian）了，況且全文對於他最精采的早年事蹟未置一詞。我將手邊各種資料重組一次，以更接近紐頓氣質的文句另擬一則：

阿弗烈・愛德華・紐頓，土生土長費城人，幼時一度短居紐澤西。此君雖僅接受過區區數年正規教育，反而提供他自學契機；少年紐頓於中輟學業後自商販學徒起家，酷愛文學之餘困知勉行，亦頗成一番氣象。平生最愛蘭姆、狄更斯、布雷克、特洛羅普、哈代等英國大家，亦心儀約翰生博士、鮑斯威爾當代英倫文藝氣氛，倫敦成為其最鍾愛城市自不殆言，自一八八四年首度造訪，此後頻頻出入，專程前往、隨念轉赴，公幹、私遊兼有之。

紐頓聚書多年頗得成績，偶然為文論述藏書點滴，不意大受歡迎，此後集稿陸續成書，除其中一、二種刁鑽版本論著外，各書皆長年暢銷不輟（直至二十世紀中葉始退熱潮）。生前雖不見遠大抱負（除藏書一事），然興趣、工作皆屢獲貴人襄助，一路步步高升，直至坐擁藏書萬卷、位居職場龍頭；乃因此自況曰：「鴻福齊天。」藏書、著書之餘，紐頓亦喜好出版，頻頻以自藏珍本印行小冊、複製畫葉分贈親朋好友。所結交俱為俊彥鴻儒，屢屢不吝出借珍藏，供各界治學研究，於文化之功甚偉。

紐頓乃性情中人，生性風趣健談，為文妙語如珠；以赤誠厚待諸友眾人，其間亦不乏戲謔親暱，友人稱他作「今之匹克威克」。雖屢屢於文中自曝「敬內」（「懼內」）德性，實則紐頓伉儷感情甚篤，歷次出遊皆出雙入對。

第二次世界大戰前夕之一九四〇年深秋，經過長達一年的癌症摧折，紐頓終不治故去（享年七十有六），引起（大西洋）兩岸書友、讀者不勝唏噓；翌年大戰勃發，藏書之黃金年代就此暫告終結，紐頓生前深愛之老倫敦亦歷盡劫數不復往昔矣。

§中文版目錄§

A. E. N. 一九三五年於自宅「橡丘齋」書房留影。

藏書誠有樂，禍害尤其多

一年多前，我初試拙筆斗膽譯出《查令十字路84號》，那部小書在愛書人的小圈子裡似乎引起小小的回響，出版公司的編輯每隔一陣子碰到我總不忘好心賜告：銷售數字越來越可觀，又印行幾刷云云（當然，絲毫不敢高攀《牙套》、《靚湯》或《教你詐》、《蛋白女》之屬）；所有結果都令我大感意外：一來，我乃區區一介門外漢，竟然也能（或，也敢）涉足翻譯；再者，在這個沒有氣質的地方，居然還有不少人甘願買書來讀（或許真該感謝咱們的公共圖書館一向效能不彰）。套句 A. 愛德華．紐頓得知他的書居然能接二連三再版時脫口而出的話：「Bewildering！」

該書出版不久後，我讀到楊照的文章[1]，他在該文結尾登高呼籲眾愛書同志放心大膽效法他「理直氣壯」起來：

> 很不幸的，在台灣，太少人這樣面對書，少到他們都感受到自己的稀奇，變得膽怯退縮，無法理直氣壯。膽怯退縮到根本不相信這種書，在台灣會有市場。他們羨慕海蓮．漢芙近乎狂傲的理直氣壯，因為太羨慕了，所以不敢相信可以把如此這般理直氣壯帶進台灣來。
>
> 《查令十字路84號》終於有了台灣版中譯本，「愛書人」們可以開始試著更理直氣壯了些嗎？

善哉斯言！在下正是芸芸眾「膽怯退縮的讀者」之一，也是當初不敢如此這般「理直氣壯」看好那部小書銷路的傢伙。我從翻找父親的書架啟蒙；後來學會在書店打書釘，遇到不讓白看的店家便轉戰他處或萬不得已乖乖掏腰包；窮途末路之餘再從國外郵購尚無中文譯本的書（有時候也不得不重買被譯壞了的原書），一路走來始終不曾理直氣壯過。雖屢屢動念，想推薦幾部我心目中的好書給出版界的朋友進行中譯以饗無數國人（或其中極少數的愛書同胞）；但是顧慮各出版社普遍營運慘澹，加上每每在書店被所謂「暢銷排行榜」的惡形惡狀嚇得六神無主，我便自反而縮，回頭悶讀自己中意的書作罷。漢芙想必鼓舞了一批原本「膽怯退縮」的讀者，楊照更適時揭竿起義（再次感謝因為讀了唐諾和楊照的文章而逛進查令十字路的讀友）；楊照在文章中還扯出一部問世於二十世紀初葉的名著《藏書之樂及其相關逸趣》。我猜，八成是某位出版界高人讀過那篇文章之後，果真理直氣壯起來了；而他們響應楊照的具體作法居然是：再度發難、嘗試另一部後市不怎麼看好的書（真希望事後能證明我又錯了）。

這裡先小小地糾正楊照，那部書其實早在十年前就有了中文譯本：由趙台安、趙振堯兩位先生合譯的《聚書的樂趣》，一九九二年收在北京三聯書店「文化生活譯叢」之下，與李約瑟、吉朋、勞倫斯、葛林等名家並列。前一陣子，我收到朋友轉寄來的電子郵件，其中夾帶一篇〈窮愛書人之歌〉，乍讀之下我覺得有點兒眼熟，並循線在某網站看到幾位愛書網友（這個詞兒怎麼唸怎麼彆扭）正在四處流傳這首詩，我翻找出一直不堪卒讀的三聯譯本，不由得教我心急如焚。蓋那首詩正是出自趙譯本，該版本舛誤、闕漏頗多。天可憐見，吾島同胞若壓根從未聽過、從沒讀過那部書也就罷了，但是錯陋譯文鳩佔鵲巢可萬萬不能坐視。恰好稍早出版社來電囑我中譯這部書，由於我若干年前即讀過紐頓的幾部著作，深知此項任務艱辛可期——二十世紀初莊諧並濟的文體、古籍版本專業術語之刁鑽、英語文藝傳統之堂奧、風土國情的差別異變……在在都是坎坷前途，更甭提我個人絲毫不具備翻譯或文學專業的資歷、造詣。前幾天我上網查資料，看到有人在某留言板開了一個天大的玩笑。該匿名留言者自稱「曾與畢業於T大考古系的《查令十字路84號》譯者陳建銘在E書店共事⋯⋯」。為了避免以訛傳訛，我鄭重在此坦白招供：鄙人非但不是她（或他？）所指那所T大的畢業生，連另一所T大短短四年的一半也沒本事唸完，勉強湊足一年半的大學生涯也多半沒待在課堂裡；漢芙寫過的一句話可資自況：「我非但一丁點兒學問都沒有，連大學也沒上過哩！」[2]但回頭思及紐頓原書已絕版多時，雖然在國外的舊書店並不罕見，若非首版附原書衣的本子，價格也還算便宜，但畢竟不便苛求每位有心讀者都去找原書來讀（雖然我認為那才是上上策）；另一個更迫切的危機則來自極有可能會被傳布的北京三聯版（據悉最近大量重刷），我知道島內有不少愛書人「不幸」讀過那個本子，因一時失察不慎引用，其中若干誤譯因而大剌剌地傳染了某些國人文章。我心一横，再度不自量力、硬著頭皮攬下譯務。

若干年前，我的確有幸曾在一家十分聞名、來客甚多的大書店裡頭一方門可羅雀、冷冷清清的小角落忝任古書部門負責人（記憶所及，除了「成天窩在店內看書」之外，我好像從沒負過什麼責）。囿於時空條件，當時所能經營的品目自然與紐頓在文章中所提及的各種珍稀善本有著雲泥般的差野；既無緣寓眼，只好寄情各種版本書目，並順道讀讀中外古今的藏書提要、書話文集，聊備飲鴆止渴之娛——周作人嘗云：「看看書目雖不能當屠門大嚼，也可以算是翻食單吧。」依此類推，讀書話文章就彷彿進伙房觀廚師施展手藝了。漢芙、紐頓和其他許多人的著作，便是在那樣的環境條件下囫圇吞入肚的。

「藏書」在中國從來不是新鮮物事，「書話」在中文世界自有極其悠久輝煌傳統，光是近代名家，較合乎規格（述說蒐訪梗概、旁論版本源流、兼談掌故逸聞）的，稍早有黃丕烈、繆荃孫、葉昌熾、傅增湘、葉德輝、雷夢水……；晚近則有周越然、周作人、鄭振鐸、葉靈鳳、唐弢、黃裳……；今日尚可見的馮亦代、姜德明、黃俊東、董橋、彭歌……；而此時此地的隱地、舒國治、吳興文、鍾芳玲、傅月庵……等人的文章亦各存機妙；更甭提每位寫作者在其筆耕生涯中，皆不免或多或少沾帶過此類文章幾回。既有那麼多優秀的中文著作，或許正是無須假以外求的部分原因。

不過近年以來，連本土書話也迅速式微，原因很多也很明顯。但我認為：與其奢盼大家多讀、多買、多翻譯、多出版外國書話，倒不如設法提倡本土書話的產能、流通量。或者有人喟嘆今非昔比：古舊籍冊數量日稀；大量機械複製的印刷品早已泯滅版本差異；而目下出版物文質俱劣云云。話說回來，誰說買新書就肯定生不出有意思的書話來著？或許正因舊書日益難尋，反倒相對提高了鑽故紙的樂趣和挑戰性亦未可知哩。眷戀舊書的人最易罹患這種「萬事莫如昨日好」的愁緒，我建議大家不妨以明天的眼光觀今日之書市，好好地淘書、買書、讀書、護惜書。如此一來，在這方既熱且潮、又窄又吵的海島上，「藏書」一途庶幾始能粗具樂趣。

就這一層意義來看，於此時此地千里迢迢地重新翻譯、出版這部上了年紀的外國書，不是稍嫌太鹵莽、唐突了嗎？這倒也不盡然。紐頓的書話文章當年曾適時開展了西方書話的另一番氣象，以《藏書之樂》作為藏書書寫的一個粗略斷代，前人的作品泰半出自學者、作家或書賈之手，內容偏重校讎、鑒賞、評價等功能，總與普通讀者隔著一大段距離。身為一名另有day job的藏書家，紐頓本人對「藏書」此一行當的理解和目光並不侷限於光鮮、孤高的一面（由《藏書之樂》副題中的“kindred affections”亦可作「連帶併發的同類症狀」解，即可看出紐頓的慧黠與淘氣），他不揣己陋（其實他精得很）屢屢在文章中自曝、自嘲藏書家種種拙態洋相；讀過他的文章，大家才恍然自覺人人亦皆可成為一名common collector；書話一體自此開始百家齊鳴，而各種藏書文集也紛紛問世。我寄盼這個中譯本多少也能在咱們這兒再扮演一次它當年的角色。

翻譯紐頓的文章，除了對自己的語文能力和文史知識造成相當程度的考驗之外；我在翻譯作業進行期間，雖然憑藉正當理由得以重溫這些雋永文章而又「度過許多愉快的夜晚」；但我本身其實是個傾向注視半截空水杯的人，對凡事總偏好以「負面表列」抱持最壞的看法；置身國事紛亂如麻、朝野吠鬥不休的囂譟島嶼，朝前看，雲深霧重、前途茫茫；往後瞧，坑坑疤疤、幾無建樹。值此時節，耽讀如此沁脾清肺的絕妙散文，從中親炙久遠前的文藝大家、紙上玩賞誘人的珍稀古籍，無寧是極度不切實際的奢侈行徑。我面對紐頓的文章，心底每每泛生這樣的踟躕。

但我想起一部成績平平卻頗能動人的老電影。由威廉．惠勒（William Wyler）執導的〈忠勇之家〉（*Mrs. Miniver*, 1942），影片描述一個英國中上階級家庭在戰前、戰時的日常生活之驟變與不移的處世情操，用以鼓舞當時仍深陷戰區的英國子民。我印象很深刻的兩場戲是：密尼佛家的獨子小文（Vin）甫自牛津返鄉過節，年輕小伙子剛從高等學府學到許多新穎知識，對於自身所處的社會乃至整個世界，都萌生了嶄新的看法、議論。巧逢貴族後裔卡蘿（Carol）小姐登門造訪，大家閨秀應對進退一派得體，看在小文眼裡卻十足封建遺毒。滿腦子平權思想頓時化成一頓譏諷數落，得了理又不肯饒人，兩個小朋友一見面就鬧僵；事後小文回想卡蘿種種，益發覺得錯待千金，同時也按捺不住相思情愫，當晚親赴村里舞會場外守候（他古板得連舞會也不屑參加），並央人遞紙條將卡蘿喚出來，對自己先前的失態向小姐道歉。善良、溫婉又爽朗的卡蘿並未掛懷，仍大方地邀小文陪她一道回舞池。當時歐陸已是一片烽火，戰雲隨時籠罩英倫。一頭熱血正打算從軍報國的小文，即使花前月下仍忍不住問卡蘿：「說真格的，妳覺得現在是合適玩樂的時候嗎？」美麗的卡蘿小姐如此回答他：「難道你認為大家現在都該板起臉孔？（Is this a time to lose one's sense of humour?）」

是啊，幽默並非逃避，有真勇氣、具大智慧的人方能發揮幽默感（我指的當然是像紐頓先生、卡蘿小姐那種高級幽默；此間政客伶伎成天伶牙俐齒、嘻皮笑臉自非此屬），其實，幽默才是面對困境時最高明的態度。紐頓本人也經歷過經濟恐慌、第一次世界大戰、大蕭條等晦暗的時代，他卻始終抱持開闊的胸襟；倘若當時有人詰問紐頓：「還藏什麼書呢？現在頂要緊的就是拚經濟呀！」他一定也會說：「難不成，咱們都該板著臉孔拚嘍？」我們的社會之所以會搞得如此伊於胡底，令大家深感無可解脫的癥結，或許正是因為我們都喪失了幽默感——不管是教訓別人的還是被別人教訓的全都成天板著臉。此時此地出版中譯版《藏書之樂》，或多或少也應該能點醒其他只會道貌岸然的人罷。

此次收入中文譯本的篇章，分別選自紐頓的五部同類著作，恰分為五卷都十九章。挑選的標準稍有參差，但約略以「較符合『藏書』旨趣」與「有特殊的文藝趣味」者為原則（唯一的例外是完全不涉及藏書的〈志願人人有，我的不算多！〉）。當然，未收錄的其他文章亦盡是字字珠璣逗趣、篇篇雋永可讀，惟考量篇幅有限，或其內容與今日此間讀者的距離更大，只有割愛遺珠一途。但我仍將五部書的完整目錄翔實列出，由讀者們自行一一睹目遐想。萬一「理直氣壯」的人夠多；加上這部中譯本意外撈得回本，那麼，其他諸如：臧否戈德溫行誼的〈荒唐哲學家〉、記述約翰生軼事的〈鮑斯威爾其人其書〉、〈高夫廣場幽魂未散〉、〈亦諧亦莊的約翰生詞典〉、緬懷城市餘暉的〈聖殿門今昔〉、〈風華絕代老倫敦〉、〈一八八〇年代的倫敦〉、闡論英法國情民風差異的〈人比人果真氣死人？〉、剖析名家名作的〈奧斯卡・王爾德〉、〈華特・惠特曼〉、〈持平論布雷克〉……等光看標題就意趣橫生的文章，甚至紐頓的其他幾部著作：關於旅遊的嘻笑之作《糊塗旅行家》（*A Tourist in Spite of Himself*, 1930）、寓學問於閒散的《賽馬日，漫遊散錄》（*Derby Day, and Other Adventures*, 1934）、收錄三篇專題演講稿的《版本學與偽版本學》（*Bibliography and Pseudo-Bibliography*, 1936）……終有一天也都有機會以方塊字重新出土面世亦未可知。此外，書末的幾篇附錄來自我手邊碰巧擁有的幾份相關資料，託中譯紐頓得道之福一併升天，我會在各附錄文前分別稍作簡短說明。

最後附帶一提：耽溺淘書逸樂、藏書雅趣的人為數甚多並不足為奇，但最能切膚知曉藏書甘苦冷暖的人或許未必是藏書家本人，而往往是他（或她）身邊的伴侶。放眼古今中外，如李清照、趙明誠：一旦搜得佳帖善本，兩人便蹭在一塊兒「校勘整集簽題……摩玩舒卷，指摘疵病，夜盡一燭而率」；或像法地曼伉儷[3]、戈爾德史東夫婦[4]那樣：鶼鰈徜徉於浩瀚書海；在典籍世界中分享精美、共體踽躓，此等境界恐怕是所有愛書人之無上烏托邦。不幸地，我們較常看到的例子往往是：某一造戀書成痴、積冊無度；另一造則不勝其擾之餘，還得連帶蒙受其kindred affections。藏書誠有樂，禍害尤其多，犖犖大者包括：龐大的藏書量所造成的環境低劣、空間窄縮；終日耽讀導致四體不勤、目光短狹、食不知味……和——最教人忿恨難消的——另一半（或稱the worse half）的冷落怠慢。

翻開《藏書之愛》，紐頓的窩心獻辭頃刻映入眼簾（紐頓書中不時出現的紐頓夫人身影亦頗令人莞爾玩味）[5]；而我頻頻在此類著作中讀到作者或感激、或歌頌、或憐憫無辜的另一半（the better half）的題獻辭；除了紐頓之外，威廉・哈里斯・阿諾德[6]、約翰・卡特[7]、尼可拉斯・A. 巴斯班斯[8]……一干人等（怎麼搞的全是男人？）全幹過這種得了便宜還賣乖的勾當。

遵循此項優良傳統，我似乎宜將此回譯作獻給我的妻子。雖然她在婚前對我的惡習早已略知一二，但是婚後十餘年，她眼見我變本加厲、毫無節制地購置、堆累書籍卻又疏於整頓，每逢中級地震，我們在自己的小公寓裡就能目擊走山、土石流；甚至當我為了實驗何種紙頁易受蟲害而走火入魔地學威廉·布雷德斯豢養蠹魚、白蟻[9]的時候，她也只能搖頭吁嘆所嫁非人。吾愛書籍；亦愛吾妻，我從未敢稍加思量兩者在我心目中的地位究竟孰輕誰重，只祈盼餘生永遠無須在書籍和她之間做唯一的痛苦選擇。她自然並非厭惡書籍（她自己的書也不算少，只是她既沒有又舊又破又髒的書，也從來不買「先買回家擱著，總有一天一定會讀」的書），而是比我更能感受大量書籍所帶來的實質禍害。

但我終究未敢剽學紐頓，為太太在「愛書人的天堂」預約一席之地——我堅持：當那一刻來臨，我的妻子值得晉身更清爽、整潔的境界。

二〇〇二年十月

【註釋】

1 〈一種溫文爾雅的瘋狂——讀海蓮．漢芙的《查令十字路84號》〉(《中國時報》2002.4.18)。

2 見《查令十字路84號》(時報文化出版）頁13。其實漢芙本人曾經上過紐約大學，只是在學期間不及年餘，校方即因經濟大恐慌而遣散學生。

3 Anne and George Fadiman，妻子是《愛書人的喜悅》(*Ex Libris, Confessions of a Common Reader,* 1998。中文版由劉建台翻譯，雙月書屋出版，一九九九年二月第一版）作者。

4 Nancy and Lawrence Goldstone，太太帶頭寫出《舊書與珍本——書海任遨遊》(*Used and Rare, Travels in the Book World,* 1997)、《略有破損——書林頻駐足》(*Slightly Chipped, Footnotes in Booklore,* 1999)、《窩心落款——新英格蘭偽書及其他書本故事》(*Warmly Inscribed: The New England Forger and Other Book Tales,* 2001)、《烈焰餘燼——一位大無畏學者的偉大事蹟，一個招致死罪的異端邪說，與一部絕無僅有的珍本》(*Out of the Flames: The Remarkable Story of a Fearless Scholar, a Fatal Heresy, and One of the Rarest Books in the World,* 2002)。

5 美國波特蘭的鮑威爾書店（Powell's Books）最近開價六百美元販售一部經過特別裝幀、紐頓親筆簽贈給他太太的首版《藏書之樂》，上頭的落款是：「致令我生命如此快活並助我寫成此書的愛妻芭蓓特．E. 紐頓。A. E. 紐頓識於一九二〇年六月十六日獲賓大頒贈學位之日。」(見第四頁附圖）

6 威廉．哈里斯．阿諾德（參見譯文第一卷 I 譯註72）在其著作《披荊斬棘話藏書》(*Ventures in Book Collecting,* 1923）中的題獻辭：「致吾妻」(TO MY WIFE)。

7 約翰．卡特（John Carter）在其著作《藏書之鑒賞及技巧》(*Taste and Technique in Book Collecting,* 1948）中的題獻辭也是：「致吾妻」(To My Wife)。

8 尼可拉斯．巴斯班斯（Nicholas A. Basbanes）在其著作《一任瘋雅——愛書家、藏書癖與無怨無悔的執迷》(*A Gentle Madness: Bibliophiles, Bibliomanes, and the Eternal Passion for Books,* 1995）中的題獻辭：「獻給康絲坦．V. 巴斯班斯」(For Constance V. Basbanes)、在《堅忍卓絕——漫述書籍世界中的人、事、史、地》(*Patience & Fortitude: A Roving Chronicle of Book People, Book Places, and Book Culture,* 2001）中的題獻辭則是：「給CVB，且讓我倆攜手再共度二十五個年頭」(For CVB, and the next quarter-century)。

9 威廉．布雷德斯（參見譯文第四卷Ⅲ譯註38）曾在《書的敵人》中提及某日收到書商特地為他保留的一尾肥碩書蟲，布雷德斯如獲至寶，雖然以上好的古版書頁殘片悉心餵食，但由於水土不服（布雷德斯自己推測），豢養三週後仍一命嗚呼。我養過不只一隻，也都沒能活過三個禮拜，想必它們一旦遠離書架，不能飽噬群書，便賭氣不碰嗟來之食也。此訓堪為每尾「生涯一蠹魚」誡。

【編排體例】

中譯本所使用的插圖，大體依照紐頓原書架構，但由於原書均為二十世紀前葉的產物，印刷品質多半未臻理想，於是我除了自紐頓身後舉辦的拍賣會三大冊目錄（出版於一九四一年，圖版品質比前作略有改善）中取用同樣圖片加以頂替之外，亦自其他未收章節挪借部分可用圖版，或從我自己手邊的圖書翻找出比紐頓原書更多、或品質更好的圖片加以補充（幸好我的興趣和紐頓有那麼一丁點兒雷同）。希望此舉能讓中文譯本在視覺感受上更豐富些。另外，考量版面編排及翻製後的品質，部分採自原書的插圖皆較原圖尺幅略小；而原書的彩色扉畫囿於技術及印刷成本，一律改以黑白印製（殊甚可惜），置於各卷卷首背面。譯本各卷卷首的小圖為紐頓自用的五款藏書票票面圖案，自一九四一年的紐頓拍賣會目錄中複製而來。

內文圖說文字前的符號：■表示該文原置之圖版；●表示該圖自其他未收錄文章挪借（因使用時機改變，說明文字或經譯者改寫，並註明出處篇名），以上兩種情形的圖說字體皆使用「仿宋體」；◎表示譯者自行補充的圖片，原則上置於每頁邊欄，盡量不干擾內文，圖說字體則使用「細圓體」。

原有註釋（標示＊符號）依照原書編排方式置於該頁地腳；鑒於原文大量出現或許會令此間讀者不易明瞭的人、事、術語等，則由譯者另行編寫譯註統一列在各章正文之後。由於譯註佔用篇幅甚多，我原本要求自己須努力將每一則譯註編寫得有趣堪讀而不只徒具參考功能（以免落人口實，說我故意灌水撐篇幅），但工程繁浩加上力有未逮，結果恐難盡如人意，若因此造成蛇足，盼「眾看倌」（gentle readers）能予以海涵。至於比較為讀者熟知或對行文影響不大的若干語詞（如某些地名、人名）則以括弧內置原文（字級縮小）直接列於詞後而不另加贅釋。

至於原先計畫編製的紐頓著作目錄，也因篇幅過大只能放棄，僅在譯註中酌情述其一二。目前可見最齊備的紐頓著作資料見於「橡樹丘書店」店主羅勃．弗列克（Robert D. Fleck）於一九八六年編製的百餘頁目錄（列為該店書目86號，此目錄有兩種版本：限量印行兩百部的精裝附插圖本和不附插圖的平裝本），它在此次翻譯工作上給予我極大協助。

我始終覺得國人編書、讀書往往忽視索引極為遺憾且不智，許多書籍讓我受益最深的部分正是書後的索引資料。當我一頭栽進譯註編寫工作的時候，便決定要為中譯本編製簡單的索引（僅註明章節，而非頁碼位置）。由於譯註只於該詞首度出現時附記，原文不只一次提及的人名、書名，書末的人名、書名索引也可讓大家查到該詞首度出現的章節，進而找出譯註的位置；而綜觀此索引亦可略得紐頓興趣所繫（如「約翰生」出現次數忒多）；至於其他名詞、術語則因數量實在過於龐雜，今版從略（我的意思是：若「今版」果真有人買、有人讀、也有人的確需要查考的話，「後出版本」或許可以考慮增編名詞索引罷）。

§總目錄§

【第一卷】

【第二卷】

【第三卷】

【第四卷】

【第五卷】

【附錄】

【索引】

◆第一卷◆

藏書之樂，及其相關逸趣

The Amenities of Book-Collecting and Kindred Affections

1918

◆紐頓自用藏書票之一◆

■漫畫家筆下兩位維多利亞時代的偉大文士：W. M. 薩克雷與查爾斯・狄更斯[1]

§第一卷目錄§

獻辭

倘使，天堂誠如尤金・菲爾德[2]所言：特別為愛書人保留的西天樂土之內，僅有寥寥少數女性同胞躋身其中[3]，我亦絲毫不以為意。有一位女士必能在那兒佔有一席之地，因我將力薦她獲得保障名額，讓她得以在天界繼續與我共享書趣，一如她於凡間孜孜不悔、堅忍伴我二十八載。這位女士就是我的太太。

A. 愛德華・紐頓，一九一八年十月

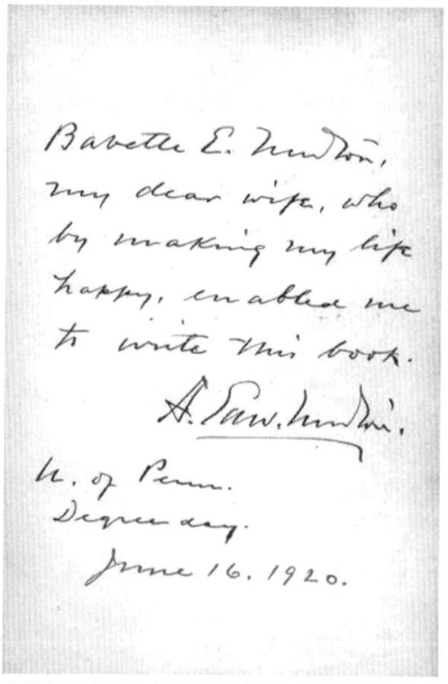

◎紐頓於簽贈給太太的《藏書之樂》空白扉頁上的題辭：
Babette E. Newton, my dear wife, who by making my life happy, enable me to write this book.

A. Edward Newton

N. of Penn.
Degree day.
June 16. 1920.

第四版說明

《藏書之樂》自問世以來，各方要求重印的呼聲始終不曾間斷。因此，當敝社決定籌印第四版時，我們先致函紐頓先生，並就新版本是否要加以修訂、內容是否予以更動等事宜徵詢他的高見。他的答覆十分有個性：「當然不改！大家之所以購買我的書，擺明了就是衝著裡頭的錯誤，我說什麼都不能教他們失望。」[4]

出版社[5]謹識，一九二二年五月

第三版前言

「匪夷所思！」放下手中的信，我不禁發出驚呼。這封信是出版社寄來通知我：《藏書之樂》第三版六千冊即將進廠印製（如此算起來，此書的發行量將達一萬五千冊之譜），信中還說：若「無任何異議或修改」的話，新版將依原版式印行云云。環顧書齋——我曾在這間斗室裡，裁斷過許許多多重大非凡（獨獨對我個人而言）的決定；我使出慣用伎倆，當下宣布：「就那麼送廠吧，其他問題可否等到印下一版的時候再說呢？全體無異議通過……」一旦做出決議，我馬上抓起帽子、拎了外套，趕搭最近一班開往紐約的火車，打算跟我的太座在那兒會合，然後夫妻倆滿心歡喜地共度我們的「白石婚」[6]——結婚三十週年紀念日。

一登上火車車廂，我便開始天人交戰，納悶自己是否不該如此怠忽職守，我心知肚明書中還有好幾個小錯誤猶待訂正。但我最後還是決定落跑，何況這麼一溜還為那趟旅程平添不少樂趣。不過，只要眼睜睜放任那些錯誤擱著不改，遲早總會有人出面揭發。即使我是因為個人才疏學淺才犯下那些錯誤，但我彷彿聽見一名初出茅廬的律師指著我的鼻子說：「才疏學淺並不足以構成犯行藉口。」話是沒錯，可是，那是我絕無僅有的藉口呀。

有一天，我收到某位教師的來信。他開頭先灌了我幾碗迷湯，接著便開始不動聲色、一點一點地露出馬腳。該來的躲不了，這位文友最後寫道：「在第九十九頁倒數第二行（譯本第139頁第14～16行），您犯了一個吾輩文法學者所謂分詞子句不連結的錯誤。將不定詞子句拆開錯置，在行文中偶一為之或許無傷大雅；然而，分詞子句乃萬萬不容許拆開運用。」

等不及讀完全部信文，我趕緊把書拿出來，找到那段闖禍的句子。讀起來的確是有那麼一丁點兒怪怪的，可是到底是什麼毛病我也說不上來。我當下決定要對這個不連結的分詞子句伸出援手（目睹姑娘落難，英雄豈有袖手旁觀之理）。但是我得先搞清楚它的問題究竟出在哪裡。我抓起話筒，撥了一通「長途電話」，找到我的老朋友歐斯古[7]——普林斯頓大學英文系的大當家。「查理，」我告訴他，「有人逮著我的小辮子啦。」

「一點都不令人意外，小紐，」他回我，「我老早就料到會有這麼一天。從實招來，你到底幹了什麼好事？」

「我忘了連結分詞子句了。」

「連結啥？」他大叫一聲。

「分詞啦。」我大呼，「有人逮到我的書裡頭有一個分詞子句不連結。你還記得我寫的《藏書之樂》吧？」

「當然。」他說。

「那就好，」我說，「在第九十九頁倒數第二行，我寫了：『翻開一冊於一、二年前出版的書店目錄，裡頭有一部小牛皮原裝的本子，標價為兩千五百元。』這個句子有什麼毛病啊？」

「嗐，這種句子虧你寫得出來，」查理說，「這個句子主格不明啦，就這麼回事兒。你沒說清楚究竟是誰翻書……你剛剛是說倒數第二行啊，這個嘛，」（我聽到一記竊笑）「這個不連結也沒太離譜啦，如果從頁首第二行就開始不連結，那可就嚴重了。我不會因為這點兒小瑕疵就抹殺一整本書的。到底什麼人找碴啊？」

「一個在哈……教書的老師。」我差點兒說漏了嘴。

「可真難得！」查理說，「我真納悶他哪來的閒錢買書哦。」

「他大概是拿這部書抵貂皮大衣，充當禮物送太太，」我說，「我大部分的書也都是用這一招買來的。」接著我們又聊了一會兒我剛買的那部布雷克[8]之後才掛上電話。

心中一塊大石頭落地，我也鬆了一口氣。

《藏書之樂》問世至今一直頗受好評，儘管內容錯誤百出——或許我該這麼說：這正是它之所以受到青睞的主要原因——仍絲毫無損眾讀者自另一部大同小異的版本中獲益或受害的程度。此刻我所能做的就是繼續好好地寫文章、挑對篇名；現在頂多只要再操煩一些教人頭痛又所費不貲的機械過程，這部書就即將重現江湖了。屆時，我相信每位明察秋毫的讀者依舊會對本書第三版感到滿意。

A. 愛德華・紐頓，一九二〇年七月十二日

緒論

在這個世界上，最有意思的東西就是「人」(「女人」自然也包括在內)，其次便是「書」。藉由書籍，人們得以理解最深奧的秘密。雖然大多數人都說不出其然或其所以然，但是任何一個曾經出書的人（如果他和出版商處得還不錯的話）只要花一點篇幅，便可以說清楚書籍何以致之。

若干年前，有一位非常有學問的朋友出了一部書。他在前言中提醒「眾看倌」宜略過第一章不讀。言下之意，他似乎暗示大家(連我也信以為真)：其餘章節均耐讀易懂，但事實卻完全不是那麼一回事。說穿了，那部書根本就不是打算要寫給「眾看倌」看；充其量只是一部出自學究之手、專供學究們研讀的書罷了。

如今，我卻反其道而行。我這部書乃專為那些在「勞碌營生」之餘，仍自許為熱愛閱讀的人（即：吾輩芸芸眾生之中為數何其多的族類）而寫。鑒於這是我破天荒的頭一部作品，謹容我在此談談它的來龍去脈。

一九一三年的某個秋日午後，我的某位好友（亦是我有幸共事多年的事業夥伴）提醒我該找時間好好地休個假了，他還硬塞給我一冊《地理雜誌》(Geographical Magazine)。那一期的專題是「埃及」；於是，耐不住雜誌上炫目照片的誘惑，我當下便決定要給自己來一趟溯尼羅河之旅。

光陰似箭，也不過才隔了幾個禮拜光景，我的太太和我已經置身地中海，乘坐在一艘航向亞歷山卓的汽船上。我們剛停靠過熱那亞，不日即可抵達那不勒斯。就在此時，一股思鄉之情悄悄襲上我的心頭。一想起我曾在倫敦度過無比愉悅的假期，相形之下，埃及頓時變得索然乏味。尼羅河源遠流長，數千年來滔滔不絕，未來想必亦將繼續奔流不輟；而倫敦等著我蒐尋探訪的書籍卻片刻不待人。我只好硬著頭皮請示太座，一見她對我的臨時動議沒有表示強烈反對，我們便在那不勒斯下船。先到羅馬的友人住處盤桓幾個禮拜，接著便「火速兼程」踏上前往倫敦的征途。

行文至此，讀者們一定也發覺了，我實在不夠格當旅人遊客。然而對於倫敦，我卻始終百遊不倦。倫敦處處可見深厚的文藝遺產、名勝史蹟——更別提街上櫛比鱗次的商店、逛不完的舖子，陳列著我毫不戀棧的各色各樣玩意兒；當然還有那些又髒又舊的書肆，裡頭擺滿了我覬覦的東西。

◎理察．勒迦涅

某個陰沉沉的日子，我在查令十字路上以一先令淘到一部理察．勒迦涅[9]的絕妙好書《英格蘭遊記》[10]。勒迦涅同我一樣德性，似乎也對旅行不甚在行——他鮮少抵達出發前原本設想好的目的地，途中不是迷了路，就是臨時改變主意；一旦他在某間舒適的旅店落腳，草草吃過一頓飯、點上菸斗、翻開一本書，原定的行程便就此無疾告終。

我對旅行的想法正與他如出一轍！我上一回讀《匹克威克外傳》[11]正值在義大利北部旅遊的期間。當小汽艇在義大利的湖光山色間流連穿梭時，我卻老是待在密不通風的吸菸艙裡手不釋卷。

正當我在倫敦忙著一間接一間逛店尋寶時，腦際突然閃過一個念頭：何不提筆寫點關於那些藏書的文章呢？談談我於何時何地尋獲那些書、聊聊它們各自所費幾何、分別購自何人（其中大都是我所熟識的人）之手……諸如此類的事兒。於是，一等假期結束，我回顧那段時日中令我開懷的點點滴滴，寫成一篇〈海外得書記〉；隨後又寫出〈海內得書記〉，我當初原本是打算將兩篇文章湊合起來，印成一冊我姑且稱之為《藏書之樂》的小書，分贈長年以來不斷給予我無限包容的諸位親朋好友[12]。一九一四年七月，大戰爆發前夕，我才剛把書稿送進印刷廠，隔沒幾天，歐洲就風雲變色了。如今，終戰之日仍遙遙無期，大家都惶惶不可終日。有那麼一陣子，任誰也沒有興致開卷展讀一部書。深感自己一時衝動幹了傻事，我終究還是識相地將稿子從印刷廠抽回來，擱在一旁，然後回首投入正常事務——即「勞碌營生」——之中。

拜倫嘗曰：「所有的塗塗寫寫，終究僅為博君一粲。」[13]這些年以來，我一直按捺不住這種「塗塗寫寫」的癮頭。這股感覺的強度與日俱增，而我也逐漸想通：就算是打仗，我們依然應該努力讓自己過正常日子；原有的生活規模畢竟還是得盡可能地維持該有的樣子。於是，出版那部小書的念頭又在我心中重新燃起。

◎拜倫勛爵

朋友們屢屢建議我不妨將那幾篇文章投到《大西洋月刊》發表。我並不清楚他們和那份辦得有聲有色的雜誌之間究竟有什麼瓜葛，但我實在經不起老把《大西洋》掛在嘴邊的一干人不斷慫恿。於是，當我某天又無意間瞥見那篇稿子，心裡頭便嘀咕：把稿子寄給編輯瞧瞧橫豎也花不了幾毛錢。那個時候，我甚至連《大西洋》的編輯是哪位仁兄都不曉得哩。所以，各位不難想像，當下面這封信寄達的時候，我高興成什麼德性了。

紐頓先生鈞鑒：

閣下之珠璣妙文吾業已拜讀完畢，亦連帶感染了您對書籍所抱持的高度熱情。環視自己的書房，發現它竟然如此乏善可陳，令我汗顏良久。我相信《大西洋月刊》的眾多讀友必將與我同有此感。能夠承蒙您不吝惠賜大作，敝社倍感榮幸。

艾勒里·塞吉威克[14]敬上

一九一四年十月三十日

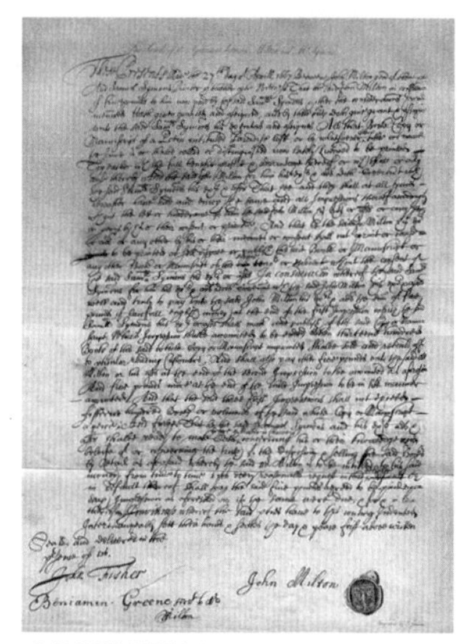
◎《失樂園》的版權合約

過沒多久，一張面額可觀的支票翩翩送抵我的手中，想起當年彌爾頓寫《失樂園》所拿到的菲薄酬勞[15]（那張收據現在還陳列在大英博物館裡），我不禁樂陶陶而醺醺然。我的文章不僅發表了，而且是刊登在那本以審稿嚴峻著稱的雜誌上；我個人甚至還因此被誇讚了幾句。能博得如此賞識，其他的也就無關緊要了；而且拜那次無心插柳之賜，我開始和許多讀者、藏書家開開心心地打起交道；甚至還覺得能與眾多素昧平生的人稱兄道弟。

我並不奢望單靠一回膽大妄為就能輕易博取塞吉威克先生的珍貴友誼，於是幾年前，我又冒昧投了另一篇題為〈荒唐哲學家〉[16]的稿子給他。我寫那篇文章的時候自己開心得要死，雖然明知它是一篇大開時代倒車之作，我依然覺得那篇文章或許也能夠通過編輯判官的利眼。後來，我再度收到塞吉威克先生的來函，他在信中寫道：

◎《大西洋月刊》

兩天前，我將您的文章帶回家賞讀，它賜予我整整半個鐘頭的愉快時光。我在此必須對您說（相信換作是其他任何編輯也會對您說同樣的話）：此時為文評斷戈德溫[17]功過畢竟稍嫌不妥。然而您的大作確實妙趣橫生，令我無從割捨。說實話，在下從事編輯工作的過程中逐漸領悟到：一篇文章只要可讀性極高，自然有權展示於公眾面前，若編輯欲擅作主張必將徒然。經過再三審慎考慮，最後決議如下：我們很樂意採用您的大作並將擇期於敝刊披露。

不久之後那篇文章果然順利刊登出來，接下來我又陸續發表了其他幾篇。由於那些文章頗受讀者好評，讓《大西洋》的編輯們考慮將它們集結重印以廣流傳。於是，再湊合幾篇從未在雜誌上發表過的文章，這部書便問世了；書中全部插圖均出自我自己的藏書。我正是有意以此將個人歷時三十六載的藏書精華一網打盡。這部書或許沒有什麼了不起，但套用一句愛爾蘭人提及自己豢養的狗的慣用說法：「牠是俺自個兒的。」外界就算把我的書稱作「紐頓的逸趣大全」[18]，應該也算合理貼切罷。

前文曾提及我寫〈荒唐哲學家〉時多麼樂不可支，其實，我寫其他文章又何嘗不是呢？雖然明知吾友約翰生博士[19]古有明訓：「若為金錢故，著書皆蠢事。」[20]我甘冒大不韙，照樣幹了這樁蠢事。我之所以動筆寫作，純粹只是為了樂趣，而各位讀者閱讀這些文章，自然也該徹頭徹尾抱持相同目的；任何人都別指望讀過我的書之後會放聲大笑。大家如果沒忘掉的話，依照戈爾德史密斯[21]的說法：放聲大笑不啻暴露內在的虛空[22]。而我只斗膽祈盼慧眼獨具的讀者們皆能藉由展讀我的書，得以消磨片刻還算愉快的光陰。

◎山繆・約翰生博士

最後請容我再贅言幾句。本人雖然購買、收藏「簽贈本」[23]，但在此敬告諸位：我並不打算讓任何一部我自己寫的書成為「簽贈本」，我相信所有的朋友都不至於因此怪我小氣。一部書能達到何等流傳成績端賴其自身價值；任何人只要發現這部書出現在某人手中、某圖書館的桌上、某藏書家的書架裡（姑且不論因這項行為透露其睿智或昏庸），都可以有十足的把握相信：那部書必然是某人自掏腰包花錢購買（不管他付出的是此間流通的貨幣或郵務代金）。當然，或許您此刻乃是不費分文自圖書館借到這部書。那麼，我在此奉送您一個良心建議：馬上拿去歸還。「汝當自己去買。」[24]萬一有人對這樁銀貨兩訖的買賣結果仍舊感到心不甘情不願的話，請逕自向出版社投訴，您或許還有機會從他們身上撈回一點好處；就算從那兒也討不到便宜，至少，您還保有一項別人無從剝奪的權利，而且應該多多少少能讓您發洩心頭之恨，您大可——狠狠地臭罵兩句。

作者謹識

一九一八年四月七日

於賓州戴爾斯福「橡丘齋」[25]

【譯註】

1 此圖乃搭配〈偉大的維多利亞時代文壇耆宿〉(譯本未收)。

2 尤金・菲爾德(Eugene Field, 1850-1895):愛爾蘭裔美國記者兼詩人。一八八三年至一八九五年於《芝加哥晨報》(*Chicago Morning News*,後來更名為《芝加哥紀實報》)主筆詩歌專欄「抑揚頓挫」(Sharps and Flats),他的絕大多數詩作都在此專欄先行發表。集結出版的著作有《西部詩小典》(*A Little Book of Western Verse*, 1889)、《鼓號齊鳴》(*With Trumpet and Drum*, 1892)、《沙賓農莊的回聲》(*Echoes from the Sabine Farm*, 1892)、《沉吟地》(*Lullaby Land*, 1894)。其最受稱道的成就是他專注創作的大量童詩,至今猶膾炙人口。例如《*Dutch Lullaby*》(即有名的Wynken, Blynken, and Nod三少年故事)、《悼兒詩》(*Little Boy Blue*, 1888)等。

3 此處所指尤金・菲爾德文句,乃出自其遺著《書痴留情錄》(*The Love Affairs of a Bibliomaniac*, New York: Charles Scribner's Sons, 1896)中〈書齋拉雜談〉("My Workshop and Others")以他自己的詩作〈與迪柏丁幽冥對語〉("Dibdin's Ghost")第五段八句為該章開場詩:"The women-folk are few up there, / For 't were not fair, you know, / That they our heavenly bliss should share / Who vex us here below! / The few are those who have been kind / To husbands such as we: / They knew our fads and didn't mind." / Says Dibdin's ghost to me."。

◎《書痴留情錄》

4 紐頓的自我調侃。在特別講究版本的藏書家眼中,內容有錯誤(尤其是印刷失誤)的書具有特殊的蒐藏價值。

5 指「大西洋月刊出版社」(The Atlantic Monthly Press)。《藏書之樂》首版於一九一八年八月問世,一九一九年三月發行第二版,一九二〇年八月發行第三版,此譯本所採用的第四版則於一九二二年五月出版。收錄在《藏書之樂》之中的文章,大部分都曾先在《大西洋月刊》上發表。《大西洋月刊》於一八五七年由Francis Underwood在波士頓創辦,包括愛默生、荷姆斯(參見本卷 I 譯註64)、詹姆士・羅威爾(參見本卷 I 譯註23)與Harriet Beecher Stowe等文壇人士都曾先後參與出力。此刊物最初的創刊宗旨:以文學途徑消弭奴隸制度、提供美國走向優質文化指引方針。《大西洋月刊》歷年一貫堅持推廣美國文學(亦未完全排斥英國作家的文章),綜觀其歷史,它鼓勵了許多有色人以及女性寫作者,其中不乏許多於日後卓然有成的作家。《大西洋月刊》共刊登過四十篇紐頓文章,茲列出篇目如下(依照發表時間先後次序):

1.〈藏書之樂I(海外篇)〉("The Amenities of Book-Collecting") 一九一五年三月(第115卷第3號)
2.〈藏書之樂II(海內篇)〉("The Amenities of Book-Collecting") 一九一五年四月(第115卷第4號)
3.〈荒唐哲學家〉("A Ridiculous Philosopher") 一九一七年九月(第120卷第3號)
4.〈此情可待成追憶——蘭姆生平外一章〉("'What Might Have Been': An Episode in the Life of Charles Lamb") 一九一八年五月(第121卷第5號)
5.〈半路才女〉("A Light-blue Stocking") 一九一八年六月(第121卷第6號)
6.〈一語成讖永難忘——永懷哈利・愛爾金・威德拿〉("A Word in Memory: A Remembrance of Harry Elkins Widener") 一九一八年九月(第122卷第3號)
7.〈聖殿門今昔〉("Temple Bar Then and Now") 一九一八年十月(第122卷第4號)
8.〈悽慘兮兮的書店業〉("The Decay of the Bookshop") 一九二〇年一月(第125卷第1號)

9.〈走上寫作這條路〉（"On Commencing Author"） 一九二〇年三月（第125卷第3號）
10.〈大難不死〉（"20"） 一九二〇年九月（第126卷第3號）
11.〈有個文案，賣書不難〉（"A Slogan for Booksellers"） 一九二〇年十月（第126卷第4號）
12.〈一天二十五小時〉（"Twenty-five Hours a Day"） 一九二一年八月（第128卷第2號）
13.〈風華絕代老倫敦〉（"My Old Lady, London"） 一九二一年九月（第128卷第3號）
14.〈「在帕歐里轉車」〉（"Change Cars at Paoli"） 一九二二年八月（第130卷第2號）
15.〈父子促膝談〉（"A Dialogue between Father and Son"） 一九二三年五月（第131卷第5號）
16.〈莎士比亞與「老維克」〉（"Shakespeare and the 'Old Vic'"） 一九二三年十月（第132卷第4號）
17.〈舉世最偉大的小書〉（"The Geatest Little Book in the World"） 一九二三年十二月（第132卷第6號）
18.〈一八八〇年代的倫敦〉（"London in the Eighteen-Eighties"） 一九二四年三月（第133卷第3號）
19.〈睽違倫敦四十載〉（"London-Forty Years Later"） 一九二四年八月（第134卷第2號）
20.〈人比人果真氣死人？〉（"Are Comparisons Odious?"） 一九二四年九月（第134卷第3號）
21.〈倫敦覓屋記〉（"House-Hunting in London"） 一九二六年七月（第138卷第1號）
22.〈鄉間覓屋記〉（"House-Hunting in the Country"） 一九二六年八月（第138卷第2號）
23.〈蒐書之道〉（"This Book-Collecting Game"） 一九二六年十二月（第138卷第6號）
24.〈亦莊亦諧的約翰生詞典〉（"The Pathos and Humor of Dr. Johnson's Dictionary"）
一九二七年四月（第139卷第4號）
25.〈糊塗旅人遊斯堪地那維亞〉（"A Tourist in Spite of Himself: In Scandinavia"）
一九二八年五月（第141卷第5號）
26.〈糊塗旅人遊巴黎〉（"A Tourist in Spite of Himself in Paris"） 一九二八年六月（第141卷第6號）
27.〈糊塗旅人遊埃及〉（"A Tourist in Spite of Himself in Egypt"） 一九二九年十一月（第144卷第5號）
28.〈糊塗旅人遊耶路撒冷〉（"A Tourist in Spite of Himself: In Jerusalem"） 一九三〇年二月（第145卷第2號）
29.〈糊塗旅人遊千篇一律之鄉〉（"A Tourist in Spite of Himself: In Standard Land"）
一九三〇年九月（第146卷第3號）
30.〈自己的書〉（"Books of Ones Own"，後改題"On Forming A Library"，譯本第五卷Ⅱ）
一九三一年十月（第148卷第4號）
31.〈經濟前途茫茫的倫敦〉（"London in a Financial Fog"） 一九三二年三月（第149卷第3號）
32.〈西行散記〉（"Westward"） 一九三二年五月（第149卷第5號）
33.〈帝國的課題〉（"The Course of Empire"） 一九三二年九月（第150卷第3號）
34.〈糊塗旅人到赫斯特別墅一遊〉（"The Tourist in Spite of Himself-At the Hearst Ranch"）
一九三二年十月（第150卷第4號）
35.〈維也納與我〉（"Vienna and I"） 一九三三年六月（第151卷第6號）
36.〈全國大賽馬記勝〉（"The Grand National"） 一九三三年九月（第152卷第3號）
37.〈布達佩斯與我〉（"Budapest and I"） 一九三三年十一月（第152卷第5號）
38.〈旅人遊舊金山〉（"A Tourist in San Francisco"） 一九三四年一月（第158卷第1號）
39.〈紐頓論布列克史東〉（"Newton on Blackstone"） 一九三七年一月（第159卷第1號）
40.〈悼才子E. V. 盧卡斯〉（"E. V. Lucas: The Passing of a Wit"） 一九三八年十一月（第162卷第5號）

6 結婚三十週年紀念日應為「珍珠婚」，紐頓此處使用的字眼是「白石」（White Rock）。

7 查爾斯・葛洛斯范能・歐斯古（Charles Grosvenor Osgood, 1871-1964）：美國學者、教育家。他於耶魯大學畢業（學士：一八九四年；博士：一八九九年）後便在母校執教，前耶魯大學校長查爾斯・西摩爾（Charles Seymour）曾受教於他的門下，直到一九〇五年受到當時普林斯頓大學校長伍卓・威爾遜（參見本卷Ⅳ譯註56）之聘，從此在普林斯頓任教長達四十餘年。他非常熱中教職，對學生的開導、照拂可謂無微不至。他曾說：教書對他而言，是一種「以某種開放的主題為媒介，讓人與人之間得平等相待的形式」，頗接近「教學相長」的理念。他每週都在自宅書房中舉辦不拘形式的「爐邊研討會」，讓學生能更容易親近學術。他很早就具備對古典音樂和古典繪畫的鑒賞力，但他在學術領域著力最深的依然是英文文學。他開的「英文文學與古典作品」長久以來便是最熱門的學生選修課程。一九三五年他銜命撰寫課堂用英文文學教本，成書稱為《英倫之聲》（*The Voice of England*），咸認為是有史以來編寫得最好、最易理解的教科書。一九三七年，歐斯古自願退休，轉而埋首寫作。其作品包括：廣受推崇讚譽的《詩以霽華》（*Poetry as a Mean of Grace*, 1941）、數部史賓賽（他最喜愛的詩人）評註詩集（一九五六年）、首版於一九三〇年，修訂再版於一九五六年的《薄伽丘論詩》（*Boccaccio on Poetry*）等。歐斯古長壽的一生始終好學不倦，這有賴於他於教職之外樂於參與各個不同領域事務並廣結善緣，其中甚至包括棒球好手貝比・魯斯（Babe Ruth），當然，A. 愛德華・紐頓亦在其至交之列；他還當過長老教會的祭司、普林斯頓公共圖書館管理委員、甚至加入共濟會以開闊交遊。

8 威廉・布雷克（William Blake, 1757-1827）：英國詩人、畫家、雕刻家、書籍設計者。未曾受過正規學校教育，早期詩作收錄成《詩草》（*Poetical Sketches*, 1783）由其友人（Flaxman、Mrs. Mathew等人）出資出版；除了為自己的詩集雕、繪插圖之外，布雷克亦為其他書籍繪製大量插圖或裝幀，包括愛德華・楊的《夜思錄》、布雷爾（Blair）與湯瑪士・葛雷的詩集、《約伯記》和《神曲》……等。布雷克的作品（書籍、手稿、畫作）是紐頓的主要收藏對象之一。

9 理察・勒迦涅（Richard Le Gallienne, 1866-1947）：英國作家、評論家。受（十九）世紀末文藝氛圍吸引，一八八七年自行出版處女作《酖詩成癮》（*My Ladies Sonnets and Other Poems*），翌年捨棄已從事七年的會計師生涯，從利物浦轉赴倫敦，立志成為文人。一八九〇年代長期為文藝刊物《黃書誌》（The Yellow Book）撰稿，並與葉慈、王爾德等人交遊。一九〇一年移居美國，一九二七年返歐，在法國南部度過餘生。作品有：詩集《對開集》（*Volumes in Folio*, 1889）、小說《追尋黃金女郎》（*The Quest for the Golden Girl*, 1896）、憶舊雜文集《浪漫的九〇年代》（*The Romantic '90s*, 1926）、《巴黎閣樓隨筆》（*From a Paris Garret*, 1936）等。

10《英格蘭遊記》（*Travels in England*）：理察・勒迦涅的遊記作品。一九〇〇年倫敦葛蘭特・理察斯（Grant Richards）出版。

11《匹克威克外傳》（*Pickwick Papers*）：狄更斯的小說。完整書名為*The Posthumous Papers of the Pickwick Club*。初以分冊（參見本卷Ⅲ譯註48）形式刊行（1836-1837），書籍單行本首版於一八三七年倫敦查普曼與霍爾（Chapman & Hall）出版。故事中的匹克威克先生是一位單純、善良的好好先生；紐頓友人屢屢將他比作「當今之匹克威克」。

◎《匹克威克外傳》第二章情節之一「匹克威克先生逐帽」，出自1836分冊版，Robert Seymour繪

12 除了致力蒐羅圖書之外，紐頓亦熱中私人出版，並不時興起成立一家正規出版社的豪願。每逢年節（特別是每年聖誕節），他經常自行編印小冊子寄贈親朋好友。紐頓私家印行的出版品大致可分為兩類──第一類：自著或心儀作家的文集（以「A.愛德華・紐頓社」的名義印行）；第二類：節日應景的小冊子（內容多為自著的單篇雜文，或用古詩人的應景詩作。參見附錄Ⅱ譯註12）或複製畫葉（通常都標示“Printed for the Friends of A. Edward Newton”）。

第一部私人印行的書為愛德華・司威夫特（Edward Swift，實為紐頓本人，後來紐頓以此為其子的名字）的《詩人之故居》（*The Homes of the Poets*）。此項私家出版的習慣自一八八七年起，陸續出版了五十餘種出版品，以下酌列數種：《讀狄更斯雜錄》（*Sketches from Charles Dickens*, 1888）、《山繆・約翰生博士肖像》（*Dr. Samuel Johnson*, 1922，約書亞・雷諾茲爵士原畫複製）、《我的書齋》（*My Library*, 1926）等。此處提及的《藏書之樂》小冊子，後來於一九一八年出版，收錄〈海外得書記〉、〈海內得書記〉與兩頁喬恩西・廷克（參見本卷Ⅱ譯註19）的評論（轉載自《耶魯評論》）。這些少量印行的小冊子、複製畫葉如今在書市皆成罕見珍品。

13 "The end of all scribblement is to amuse."：引自拜倫於一八一〇年十月三日寫給友人法蘭西斯・哈吉森（Francis Hodgson）的信，其中論及文友華特・史考特（參見本卷Ⅳ譯註14）剛出版的詩集《湖畔女郎》（*Lady of the Lake*, 1810）的部分內容。

14 艾勒里・塞吉威克（Ellery Sedgwick, 1872-1960）：美國作家、刊物編輯。一九〇八年至一九三八年擔任《大西洋月刊》編輯並兼任出版部門總監。著作有：憶述其長年編輯生涯的散文集《快樂的職業》（*The Happy Profession*, 1946），書中述及他與紐頓結緣的經過。

15 據約翰・彌爾頓（John Milton, 1608-1674）與出版商山繆・西蒙斯（Samuel Simmons）於一六六七年四月二十七日簽署的出版合約詳載，此部西方文學史上的扛鼎詩集《失樂園》當初僅以區區五英鎊讓渡首版版權。

16〈荒唐哲學家〉（"A Ridiculous Philosopher"）：參見本章譯註5。

17 威廉・戈德溫（William Godwin, 1756-1836）：英國哲學家、作家。以《關乎政治正義之探究》（*Enquiry Concerning Political Justice*, 1793）一書博得聲譽。一七九七年與作家瑪麗・伍爾史東克來夫特（Mary Wollstonecraft, 1759-1797）結婚，後者於同一年因難產而死，女兒亦名瑪麗（後適詩人雪萊，即作家瑪麗・雪萊）。一八〇五年至一八二五年之間戈德溫從事出版兼書店業，期間曾為蘭姆姊弟印行《莎士比亞故事集》（*Tales from Shakespeare*）與自著（以愛德華・鮑德溫為筆名）的童話書。其他著作有：小說《卡勒伯・威廉斯的冒險》（*Adventures of Caleb Williams*, 1794）與《聖里昂》（*St. Leon*, 1799）、《喬叟傳》（*Life of Chaucer*, 1803）、論文集《探尋者》（*The Enquirer*, 1797）、《論民眾》（*On Population*, 1820）、《英國共和史》（*History of the Commonwealth*, 1824-1828）、《人類思想》（*Thoughts of Man*, 1799）等。

◎威廉・戈德溫，James Northcote繪（1802）

18「紐頓的逸趣大全」（"Newton's Complete Recreations"）：紐頓諧擬以薩克・沃爾頓（Izaak Walton, 1593-1683）名著《釣叟智言，或沉思者的逸趣》（*The Compleat Angler, or the Contemplative Man's Recreations,* 1653），世稱「沃爾頓的垂釣大全」（"Walton's Angler"）。

◎以薩克・沃爾頓，Jacob Huysmans繪（1673）

19 山繆・約翰生博士（Dr. Samuel Johnson, 1709-1784）：十八世紀英國作家、評論家、詞典編纂者。出身貧苦的書商家庭，曾就讀牛津潘布魯克學院（Pembroke College）但並未取得文憑。一七三五年以匿名發表譯作《阿比西尼亞之旅》（參見本卷Ⅳ譯註52）未獲成功，同年結婚（參見第四卷Ⅳ譯註26），在家鄉（Lichfield）開設私塾亦表現平平。一七三七年他與弟子大衛・加雷克（參見本卷Ⅰ譯註122）前往倫敦打天下。他先在愛德華・凱夫（Edward Cave）的印刷坊工作，由於凱夫印行《紳士雜誌》（*Gentleman's Magazine*，一七三一年創刊），約翰生便為該雜誌撰寫雜文、短詩、傳記和國會議事報導。一七三八年出版長詩《倫敦》（參見本卷 I 譯註143）；一七四七年以《李察・薩維奇先生傳》（參見第四卷Ⅲ譯註37）逐漸闖出名號；一七四七年發表《英語詞典編纂芻議》（參見第四卷Ⅳ譯註35）；一七四九年出版《志業徒勞》（參見第四卷Ⅲ譯註36）被譽為他的最佳詩作；約翰生最被後世推崇的功業即耗時八年、於一七五五年出版的《英國語文詞典》（*A Dictionary of the English Language*，一七五六年出版精簡版）。山繆・約翰生一生事蹟得以留傳至今，端賴鮑斯威爾（參見本卷 I 譯註59）的《約翰生傳》（*Boswell's The Life of Samuel Johnson*, 1791）。鮑斯威爾與約翰生結識於一七六三年，從此鮑斯威爾便努力蒐集資料、細心觀察，巨細靡遺地寫下兩人交遊二十年的歷程。紐頓隨後各章頻頻提及此位在英語世界極其重要的人物，引用的來源多出自鮑斯威爾所著、膾炙人口的《約翰生傳》，部分引自萊斯利・史蒂芬爵士的《英國文人列傳》（參見本卷 I 譯註4）中的《山繆・約翰生卷》（一七九八年）。鮑斯威爾的這部曠世經典在台灣僅見節譯本（羅珞珈、莫洛夫譯，志文，一九七六年初版），頗令人遺憾。至於原文版，目前較好的版本是R.W.查普曼（參見第四卷Ⅲ譯註50）輯註、J.D.富利曼（J. D. Fleeman）修訂、被列入「世界經典系列」（The World's Classic）的牛津大學出版社版，此版本平裝一厚冊，經濟實惠（亦是我平日用來翻查的本子），惟蠅頭小字讀來頗辛苦；我心儀良久的另一個貴重版本則是由克雷門・蕭特（參見第四卷Ⅳ譯註9）編輯的十卷本（New York: Doubleday, Page, for Gabriel Wells, 1922），即所謂「聖殿門版」（"Temple Bar Editon"），限量印行七百八十五部，內含許多圖版，附鮑斯威爾的《赫布里底群島紀行》（參見本卷 I 譯註94），還收錄A. L. Reade、伯雷爾、G. K. Chesterton、紐頓、廷克等人的序文。另外，「約翰生」或有人譯為「約翰遜」、「約翰孫」，但此人飽讀詩書、滿腹經綸；出口便成章、下筆有如神，且不論成就、為人，絲毫不足以為「遜」；況且，son何以能為「孫」呢？紐頓此處暱稱「吾友約翰生」乃因他深愛約翰生之故，一九三〇年他榮任大不列顛約翰生學會（Johnson Society of Great Britain，一九二八年成立，現已成為跨國組織）的首位美國籍會長。

◎鮑斯威爾《約翰生傳》首版

20 這句話的原文為：「除了傻瓜之外，沒有人會看在錢的分上寫作。」（"no man but a blockhead writes a book except for money."）見萊斯利・史蒂芬的《山繆・約翰生傳》第二章。

21 奧立佛・戈爾德史密斯（Oliver Goldsmith, 1728?-1774）：十八世紀愛爾蘭裔英國作家。原在愛丁堡與雷頓（Leyden）習醫，赴歐陸遊歷後於一七五六年落腳倫敦，從事過許多不同職業（從內科醫師到門房），並偶為《每月評論》（*Monthly Review*）鬻文寫稿。一七六一年他與約翰生相識，旋即成為莫逆至交，並陸續寫出許多成功的作品，包括：詩作《旅人》（*The Traveller*, 1764）、小說《威克菲爾德牧師》（*The Vicar of Wakefield*, 1766）、劇作《委曲求全》（*She Stoops to Conquer*，一七七三年在科芬園劇院首演）等。他文采甚佳但談吐拙劣，加上生性放蕩不羈每每舉債度日，鮑斯威爾的《約翰生傳》提及戈爾德史密斯的軼事篇幅頗多。

22 指戈爾德史密斯的長篇詩作《荒村》（*The Deserted Village*, 1770）中的詩句：「看門狗吠不敵靜煦微風，／高聲狂笑暴露內在虛空。」（"The watch-dog's voice that bay'd the whispering wind, / And the loud laugh that spoke the vacant mind."）。

23「簽贈本」（presentation books）：經作者親筆簽名、題辭、落款後贈送給某人的書；版本定義有別於只有作者簽名、無特定餽贈對象的「簽名本」（signed copy）或「題字本」（inscribed copy）。關於簽贈本，蘭姆曾有一妙喻：「簽贈本者……受作者親贈，不能拿去賣錢的書也；倘使作者乃素昧平生之人，他無非想藉此舉與你攀交情；若為熟識的同行，則表示他希冀你亦回贈一部你寫的書，而那部書只算償人情，也是換不了錢的。」（見《伊利亞續筆》中的〈尋常謬論〉）其實，蘭姆未免太溫柔敦厚又天真，君不見從古至今有那麼多作家簽名、題辭的書在古籍市場上流通，都是受贈者有書堪賣直須賣，拿去換錢全不手軟？

24 “Go ye rather to them that sell and buy for yourselves.”：語出聖經《新約・馬太福音》第二十五章：「十童女的比喻」。五個聰明的童女告訴另外五個向她們借燈油的愚拙童女：「我們的（燈油）也不夠用了，不如你們自己去店家買你們自己的（燈油）罷。」（“But the wise answered, saying, Not so; lest there be not enough for us and you: but go ye rather to them that sell, and buy for yourselves.”）

25 橡樹丘（Oak Knoll）是作者在戴爾斯福郡（Daylesford）的宅邸所在地的舊時地名，他以此稱呼其自宅暨書齋。專營書誌學及「與書籍相關的書籍」的「橡樹丘書店」（Oak Knoll Books，一九七六年開業），其店名由來即源自於此，並援用紐頓最常使用的一款藏書票（參見本卷Ⅱ）票面圖案作為該店商標；不過該店實際店址位於德拉瓦州（Delaware）新堡郡（New Castle）。店東因讀紐頓著作而迷上藏書，進而放棄原所學本業（化工）轉行經營舊書買賣。參見鍾芳玲的迷人著作《書店風景》（大地地理，1997、2002）中的專文介紹。

◎「橡樹丘書店」例行目錄

I 海外得書記

假使我早年所接受的教育正確無誤（其實我個人對此頗多懷疑）的話，當初上帝創造人類壓根就沒存心讓咱們在世上享福。我們降生到凡間擺明了全活該劬筋勞骨，而大家果真也都捱苦受罪不遺餘力——這真是一個要命的世界。然而，這也是我們唯一能夠安身立命的世界。於是，儘管各人學養高低有別，每個人都竭盡所能、全力以赴，同時還不忘挖空心思發明出一大堆小把戲，好讓咱們打發活著的時間。

眾所周知，消磨時間最好的方式就是工作，那的確也是咱們幹得最多的一件勾當。當工作其實也並非那麼要緊時，我們就說那是為了文明發展不得不然；有時候，某些行當已臻化境，儼然成了一項運動，我們還因此稱呼此類運動健將為「產業界大哥」，我甚至親耳聽過其中一位這麼對我說：「全世界最棒的運動就是賺錢。」當然，今非昔比。

然而，為了讓一輩子辛勤忙碌養家糊口的人也能偶爾透透氣，林林總總的娛樂——講技巧的、靠運氣的、甚至你連想都沒想過的遊戲；室內玩的、戶外耍的各種運動，不一而足紛紛應運而生。那些玩意對於懂得怎麼玩的人來說，自然是如魚得水，但我就像那老吃鱉而拒絕和大夥兒玩「抽王八」的小鬼。我老早以前就有了覺悟：不管玩什麼，我都免不了當王八，於是我決定另闢蹊徑。我不時讀點書，而且一直蒐羅不輟。

好多年以前，我在火車上一時興起與鄰座乘客攀談（實在是蠢得可以），我開口問那位仁兄：平日都從事哪些消遣來著，而他竟如此回答：「打牌嘍。以前我也看過不少書喲，不過我想找點能讓我更投入的事兒，想來想去，還是打牌比較好嘍。」真是教人洩氣的答案。

◎賀拉斯．葛瑞里的「西行裝束」

不得不承認：並非所有人都能時時保持一卷在手。對於那些無法看得下書、或不管幹啥事都虎頭蛇尾的人而言，倒還有一件勾當可以拿來當作自娛的嗜好，那就是——收集。放眼天下，值得讓吾輩收藏家廣納博取又可自樂陶陶的有趣物事何其不可勝數。賀拉斯．葛瑞里[1]嘗曰：「年輕人，大膽西進吧！」我以下提出的建議不但同樣彌足珍貴，而且比較容易達成：年輕的朋友，好好地培養一件嗜好吧！培養兩件尤佳——一件可供室內進行、另一件能在戶外施展。駕馭兩件嗜好比驅策雙駒[2]，既穩當保險又無往不利。

吾輩收藏家忒愛呼朋引伴；我們深切瞭解獨樂樂不如眾樂樂的道理，且喜於身體力行。我還必須招認：當吾輩收藏家互相炫耀自己珍藏的寶貝時，看著對方露出又羨又妒的神情，我們並不以為忤。不過，一般而言，我們並不至於讓別人難受，而且我們的嗜好對任何人都不會構成危害。一群人閒聊的過程當中，如果話題扯到我們厭惡的汽車經，尤其是關於囉哩八唆的零件配備，我們便會識趣地將話題轉移到另一個人的嗜好上，即便他不巧是個集郵迷。對於其他人來說，我們的嗜好或許十分可笑荒唐，但是在林林總總的廣泛興趣——從蒐集郵票印花到購藏真跡名畫（百萬富翁的玩意兒）——之中，沒有別的事比藏書這個話題更能教大家輕輕鬆鬆打開話匣子，一聊就聊到天南地北、無遠弗屆的了。

且聽我道來。如果你先嘗試過別的——不管那是哪項運動、嗜好——那麼你就能領略藏書之樂了。藏書具備其他嗜好的所有長處卻無其缺點。任何一種嗜好當然都能獲得樂趣（要不然咱們何苦來哉）；但是坐擁書籍並不會招致太多負擔，充其量，只要準備一口結實、乾爽的櫃子供儲存之用便已足夠。

收藏書籍不像蒔花弄草，需要頻頻呵護、時時照料。曾經有人寫詩歌詠「古書與鮮花」，詩句讀來合仄押韻、煞是好聽不在話下。但我得這麼說：古書恆古，而且必然還會越來越古；而鮮花卻肯定無法長鮮，只要雨水多那麼一點、陽光強那麼一些，它就香消玉殞了。

就算是得人疼的寵物，總歸也都是要嗚呼歸西的，不管多麼養尊處優（或許那正是害它喪命的主因）。有一回，我為了讓一隻因為長乳牙痛得死去活來的狗能睡得安穩些，特別把他（或她、還是牠？）牽進我的臥房過夜，結果第二天早上醒來一看，那隻四條腿的已經跳樓自盡了。

至於蒐集繡毯，那種樂趣到頭來也是一場空。畢竟那玩意兒不能隨時放在身邊、到處走來走去，從外頭買了想偷偷帶回家也鐵定會被當場拿獲。撇開那些麻煩不談，它們也缺乏任何拍賣記錄可資查考行情，其市場價格更是沒個準頭。我從沒聽過哪個人敢說自己付公道價錢買地毯，肯花大錢的更是沒半個。「您瞧瞧我這塊胥拉札克（Scherazak）地毯，」某位朋友曾經這麼向我吹噓，「只花了我九塊錢，這種毯子一旦值錢，少說也值五百元哪。」結果，等到他不得已必須將那件寶貝脫手的時候，由於市場轉趨疲軟，那塊地毯只賣了十七塊五。而且毯子裡頭忒會藏蟲躲蝨，那就更甭提了——簡直可以另闢章節加以深入探討。

最慘的是：關於地毯的書籍可以說一丁點兒文藝價值都沒有。關於這一點我再清楚不過了，談論地毯的書多如牛毛，我自己手上也有幾部，但其中沒有一部值得賞讀。既然都寫成書了還沒有價值，那麼退而求其次，地毯收藏家光看地毯目錄就能開心麼？我常想：對一個鎮日操勞的上班族來說，單單一冊書目就足以讓他消磨一整天了。可是有誰瞧過哪個地毯收藏家嘴裡叼著筆、兩眼盯著一冊地毯目錄沉吟半晌？

畫片[3]目錄倒還多少具備這種趣味性。一談到這玩意，我才稍微有點兒興頭。畫片目錄裡頭的說明文字勉強還算言之有物，風景畫片頗能引人遐思神往，古人肖像亦每每教人興起研究畫主傳記的豪情壯志。至於那些對小插圖、紋樣、鑲飾情有獨鍾的人，版畫目錄也可以讓大家各取所需。即使最財大氣粗的人也能夸夸而談、頭頭是道：寬邊鑲飾怎麼說都比窄邊的好。畫片的市場行情也容易查核、比對；而登錄其成交價格（不論數字是否令人滿意）亦講得出一番道理；況且畫片還能服服貼貼地收存在圖夾裡。不過話說回來，若要當作可長可久的嗜好，書籍畢竟還是略勝一籌。

學者們經常對藏書家冷嘲熱諷，說他們甘心含辛茹苦、花錢費力，只為求得某部心儀作家的首版書；一聽到有人批判他們崇拜的作家時，更是心如刀割；甚至恨不得要和周圍每個人辯個清楚、硬著頭皮傻呼呼地死命捍衛自己的立場。他們何不學學萊斯利．史蒂芬[4]，凡是遇到哪個人無福消受約翰生博士不修邊幅的粗魯言談，只消悠悠吐出一句：「秀才遇到兵，有理講不清。」[5]不就結了嗎？

◎萊斯利．史蒂芬

我個人對於一、兩代以前很流行的「文仕書房必備圖書」之類的論調頗不以為然。湯瑪斯．佛洛格納爾．迪柏丁[6]的書始終無法引起我多大的興趣；奧杜邦[7]的《鳥類圖譜》和羅勃茲[8]的《聖域》如今又安在哉？還不是全給掃進撞球檯、床舖底下去了。

◎約翰．奧杜邦

真正偉大的巨著目下所剩幾稀矣，其價格亦奇昂無比，以致尋常藏書家幾乎休想能收而藏之。藏書界的風潮遞嬗之劇一如其他領域，阿爾丁版[9]與埃爾澤佛版[10]的書一一被打入冷宮，大家對經典的興趣也大為銳減，我們的目光轉移到另外那些咱們告訴自己總有一天能夠閱讀（即那些我們多少認識且活在我們熟悉年代的作家）的書籍上頭。我自己寧可要一部後世重新裝幀[11]的第一書名頁版《失樂園》*、或是《釣叟智言》，也不想要任何一部阿爾丁版或埃爾澤佛版。

◎大衛．羅勃茲

◎阿爾丁著名的海豚纏錨標誌，此商標曾被其他印刷坊抄襲，後來使用權幾度易手，現由倫敦專業古書店Pickering & Chatto（一八二〇年開業）擁有使用權

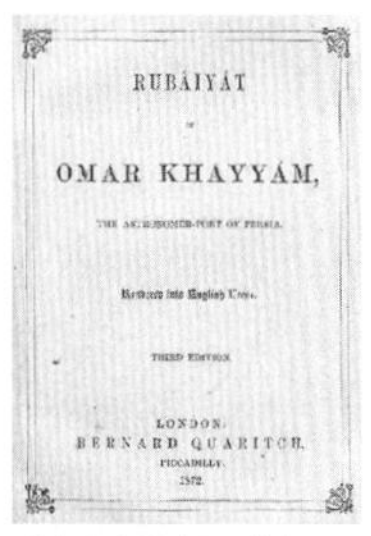
RUBÁIYÁT
OF
OMAR KHAYYÁM,
THE ASTRONOMER-POET OF PERSIA.
Rendered into English Verse.
THIRD EDITION.
LONDON:
BERNARD QUARITCH,
PICCADILLY.
1872.

◎夸立奇版《魯拜集》

我認為，正是由於這種心態日益普遍，才會導致某些近代作家（好比說，像是雪萊[13]、濟慈[14]、蘭姆[15]，一路到與咱們同輩的史蒂文生[16]等人）的首版書價格均節節高升。那幾位作家要是曉得他們的作品今日如此備受推崇；居然有人甘願付出天價購求一部當初甫出版旋即宣告夭折絕版的書，怎能不嘖嘖稱奇呢？而當年夸立奇書店[17]將費茲傑羅[18]的《魯拜集》當成「滯銷書」，以一便士賤價拋售的公案，相信大家都依然記憶猶新，如今那部書的價位只有等重的黃金條塊差可比擬；至於另一部「滯銷書」──濟慈的《恩底彌翁》[19]，曾被倫敦某書商以每本四便士收購，後來價位也轉瞬飆升到數百元之譜；我自己則花了三百六十元才買到──不過，我的本子一度為華滋華斯[20]所藏，書名頁上還有他的簽名落款。

話說回來，蒐集書籍若能做到「今無遺漏；古不偏廢」就相當難能可貴了。比佛利・周[21]短短一句「舊書無限好」[22]深深說進每個藏書家的心坎裡；我還記得羅威爾[23]也說過：「古籍經過時間的淬礪，忒是教人心安。」[24]諸如此類的金玉良言，每每（最要命的是：總在千鈞一髮之際）驅使我掏出大把鈔票買下《金蘋果守護者，羅勃・海立克[25]君高尚、聖潔兼備的作品集》這類美不勝收、羊皮原裝[26]的首版書。

Paradiſe loſt.
A
POEM
Written in
TEN BOOKS
By JOHN MILTON.

Licenſed and Entred according to Order.

LONDON
Printed, and are to be ſold by Peter Parker under Creed Church neer Aldgate; And by Robert Boulter at the Turks Head in Biſhopſgate-ſtreet; And Matthias Walker, under St. Dunſtons Church in Fleet-ſtreet, 1667.

■第一書名頁首版《失樂園》書名頁

吾輩藏書家都知曉培根的名言：「有些書只宜淺嚐；有些書則適合囫圇吞下；只有極少書值得細嚼慢嚥。」[27]若換成另一種說法則是：有些書是拿來讀的；有些書則是用來收藏的。用來讀的書、架上五呎[28]、或百部好書……那種書大家或多或少都聽過書名。不過，此刻我念茲在茲的則是可列為收藏品的書籍，和蒐集這種書籍的種種逸趣。因為，一切說穿了──

書痴情有鍾，

吾心亦隨之。[29]

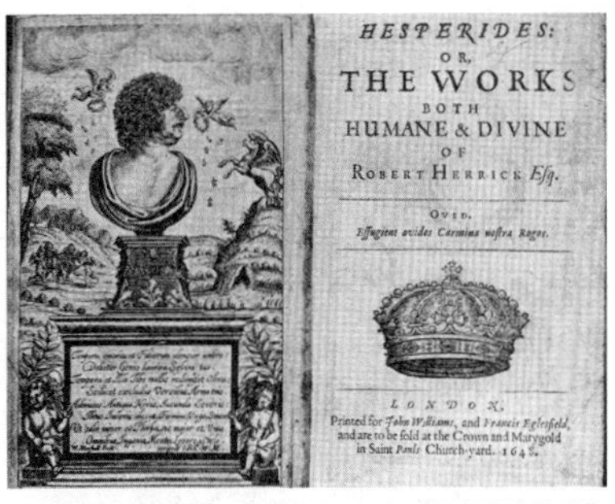

◎《金蘋果守護者》（原載一九四一年《紐頓藏書拍賣會目錄》）

不過我也並非所有門類都一概兼收不論。悉尼・史密斯[30]曾有一問：「美國書何值一顧歟？」[31]我確信有人已針對此一大哉問給過答案了；同時我也十分確定，要是拿這道問題考我，我絕對答不出來。「美洲學」[32]（並非悉尼・史密斯的原意）的確從未引我入勝，對「黑字本」[33]亦不曾感到興趣。我根本犯不著窮經累牘、白頭皓首去學習如何鑒別卡克斯頓[34]版本。卡克斯頓版的本子不屬我的收藏路數，只偶爾經眼幾份零葉[35]，那種書在我的心目中，活像戈爾德史密斯對待他的宗教一般——只擱在心裡頭頂禮膜拜就夠了[36]。

◎法蘭西斯・培根

我也不同某些人一般見識，他們所有的藏書悉數購自夸立奇書店。向夸立奇書店買書，說穿了簡直就和德國人打獵沒啥兩樣——換句話說：不過就是搬一張舒適的椅子，安坐在牆洞邊，不管獵物大、小，先全部趕進牆根後頭，等著一隻冒出來便宰一隻。我向來不興「守株待兔」這一套，我不追流行亦不趕風潮，不管置身任何地點（最主要還是在倫敦）都能展開捕獵。但是並非每個人都非得從倫敦起步不可，隨處駐紮、隨時捕獵才算高明。

◎悉尼・史密斯

我曾經費了好大工夫搜尋富蘭克林[37]版的《老卡托》[38]，不久前我在縣內一處農家的閣樓裡成功尋獲一部，但不幸的是：等到我有緣與它相認，它早已經過三番兩次輾轉易手、書價也飆升到三百元了。雖然每個人的藏書生涯未必都從倫敦起步，但遲早還是都得上

* 附圖（見頁26）乃第一書名頁（first title-page）首版《失樂園》。原屬哈堅[12]藏書。書前空白扉頁（fly-leaf）有哈堅先生的落款：「因原始裝幀百般殘破已不堪修繕，現依原式以小牛皮重裝。」就在進行裝修的過程中，才發現這一張書名頁是包含在整份印帖（signature）之中，而不像同年再刷的版本以獨立紙張印製書名頁後再插貼在書首，後者因而被稱為「第二書名頁首版」。兩種版本於此高下立判。

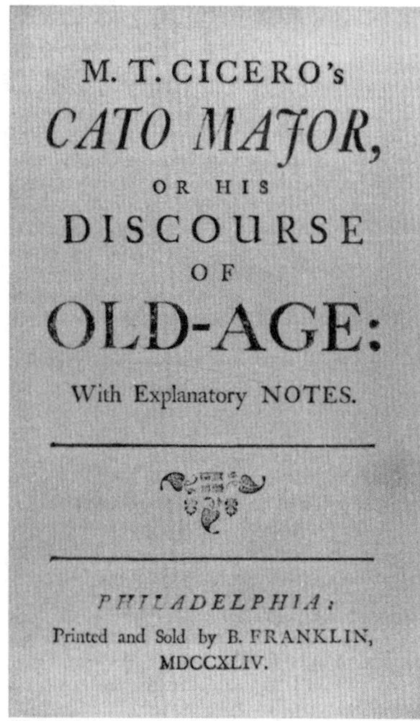
M. T. CICERO's
CATO MAJOR,
OR HIS
DISCOURSE
OF
OLD-AGE:
With Explanatory NOTES.
PHILADELPHIA:
Printed and Sold by B. FRANKLIN,
MDCCXLIV.

■富蘭克林版西塞羅《老卡托》首版書名頁

那兒去，她是當今全世界最大、最好，但未必最便宜的書籍市場。

我所購藏的頭一部書籍是波恩[39]版的兩卷本《蒲伯譯註，荷馬的伊里亞德與奧德賽》[40]。對一個小毛頭來說，算是個挺不賴的起頭。我在自己龍飛鳳舞、牽絲帶鉤的簽名底下所記載的日期是一八八二年。

我滿心歡喜地研讀那部書，不過當我後來終於弄明白，蒲伯譯本和荷馬原書根本是兩碼事的時候，我還悵然若失了好一陣子。從此之後我就學乖了。咱們這些藏書的人最好還是等學者們先將那些麻煩事兒都搞清楚之後再謀定而動。

我一直都喜歡蒲伯。讀蒲伯的詩總能令人感到意念源源不絕而生，而又不至於教人如墜五里霧、丈二金剛摸不著腦袋。當約翰生博士面對「何者可謂詩？」的質問時，他答以：「要我回答何者不是詩容易多了，」[41]他顯然藉機拖延時間好想出周延的答覆：「要是連蒲伯寫的都不算詩的話，別的就更甭提了。」

若干年後，當我自奧斯卡・王爾德[42]的口中得知，要厭惡詩的途徑有二：一是原本就不喜歡它；另一種則是死心塌地擁戴蒲伯[43]。我這才發覺自己對蒲伯的認知顯然是不合時宜了。

我於一八八四年首度造訪倫敦，一到了那兒，我立刻拜倒在約翰生博士和蘭姆的石榴裙下，接著便一發不可收拾！

◎亞歷山大・蒲伯

一八八四年的倫敦放眼望去依然盡是一片狄更斯時代風貌。打從我頭一回在河濱道（Strand）、霍爾本（Holborn）一帶閒晃以來，當地的變遷比起過去整整一百年的更迭更劇烈。狄更斯的倫敦一如約翰生的倫敦般轉瞬間一去不復返，幾乎煙消霧散。歷史地標一個

◎威廉・汀斯利

接一個消失，最後，郡委會還一口氣將亞威契（Aldwych）和國王路（Kingsway）鏟除殆盡。然而，我永難忘懷頭一位和我愉快閒聊的書店主人——弗來德・哈特（Fred Hutt），他的書店最初開設在克雷蒙法學院徑（Clement's Inn Passage），後來一度遷至紅獅徑（Red Lion Passage），現在則已不復存在。天可憐見！一九一四年初我重訪倫敦打算光顧他的店，卻發現連書店的影子都沒了。他在三兄弟之中排行老么，三個全是賣書郎。

Bockhampton
Dorchester
Dec 20: 1870

Sir,
I believe I am right in under=standing your terms thus – that if the gross receipts reach the costs of publishing I shall receive the £75 back again, & if they are more than the costs I shall have £75, added to half the receipts beyond the costs (i.e. assuming the expenditure to be £100 & the receipts £200 I should have returned to me £75 + 50 = 125.) Will you be good enough to say too if the sum includes advertising to the customary extent, & about how long after my paying the money the book would appear?

Yours faithfully
Thomas Hardy.

■湯瑪斯・哈代寫給他的第一位出版商「老汀斯利」的信
許多年前我在倫敦以五先令買到這封信。最近一期的麥格氏[52]書目中列了另一封哈代寫給阿瑟・賽蒙斯[53]的親筆函，內容相仿但沒那麼有意思，日期是一九一五年十二月四日，標價十五基尼。

◎哈代

哈特先生為我上了版本學的第一課。我則在他的店裡買了我的第一部《耶誕頌歌》[44]，那個本子的章節標法是「第壹章」（Stave I）而不是「第一章」（Stave One）[45]，綠色的蝴蝶頁。當時的標價（三十先令）令我望而卻步，稍早前我見過一個本子甚至標價二十基尼[46]。我還向哈特先生買了史溫朋[47]的《詩歌集》，一八六六年的莫克松[48]版，他特別為我指出第222頁上頭的排印鉛字違常處。我當時沒接受他的高見，不肯以高於兩英鎊的價錢買下《孤注一擲》[49]，誰曉得當初一時自作聰明，以致眼睜睜看著那部書從我手邊溜走，直到後來它竄升到四十英鎊，我才不得已咬著牙買下來。不過我當時還是以五先令向他買到一封湯瑪斯・哈代[50]寫給他的頭一個出版商「老汀斯利」[51]的親筆信。由於信文透露了他那部處女作的來龍去脈，我特別在此將原函刊登出來，各位可以從信文中讀到，哈代的第一部作品其實是他自己花錢印的。

三十年前購入哈代那封親筆信只花了我區區幾先令，當時壓根沒料到我日後居然能買到他最有名的小說完整手稿，反正事情就那麼發生了。完全出乎我的意料，當《遠離狂囂》[54]的草稿出人意表地出現在倫敦書市，作者一得知此事，還曾經表示他「原以為原稿早已化作春泥護花去了」[55]。整部手稿僅短少一頁，後來也由哈代先生本人親手將之補齊。隨之而來的所有權歸屬問題，則以公開拍賣、標售所得捐給大英紅十字會的方式圓滿解決[56]。我不好明講原本買下該手稿的書商是故意放水讓我得標，不如說：雙方對於那筆能讓任何藏書家光宗耀祖的交易都心存默契吧。雖說那只是一份草稿，但是上頭刪改、潤飾的痕跡卻極其有限，刊登在這裡的其中一頁可見一斑。

惟有曾經上窮碧落下黃泉、處心積慮蒐羅哈代完整著作的人，才能夠體會如今要尋獲《孤注一擲》和「布面原裝」的《綠木樹下》[57]有多麼難如登天。

■《遠離狂囂》手稿一葉

3

may be called a small silver clock: in other words it
was a watch as to shape & intention, & a small clock as to
size. This instrument, being several years older than Oak's
grandfather, had the peculiarity of going either too fast or not
at all. The smaller of its hands, too, occasionally slipped round
on the pivot, & thus, though the minutes were told with the greatest
precision, nobody could be quite certain of the hour they belonged
to. The # stopping peculiarity of his watch Oak remedied by
thumps & shakes, when it always went on again immediately,
& he escaped any evil consequences from the other two defects
by constant comparisons with & observations of the sun & stars,
& by pressing his face close to the glass of his neighbours windows
when passing by their houses, till he could discern the hour
marked by the green-faced timekeepers within. It may be
mentioned that Oak's fob, being painfully difficult of access
by reason of its somewhat high situation in the waistband of
his trousers (which also lay at a remote height under his
waistcoat) the watch was as a necessity pulled out by
throwing the body extremely to one side, compressing the
mouth & face [to a mere mass of wrinkles] on account of the exertion required, & drawing
up the watch by its chain, like a bucket from a well.

But some thoughtful persons, who had seen him walking
across one of his fields on a certain December morning—
sunny, & exceptionally mild—might have regarded
Gabriel Oak

我對藏書的熱愛與我對倫敦的熱愛始終雙雙攜手並進。打從一開始，倫敦便以其豐饒的文學、歷史遺產深深吸引著我。即使二十年前某個陰霾的臘月天經歷過那場意外——我被路人從一輛翻覆的馬車下拖出來，緊急送往聖巴多羅買醫院[58]，隨後被診斷出「脛骨與腓骨接縫處粉碎性複雜骨折」——我依然能夠不改其色，效法鮑斯威爾[59]說：「有一座名為倫敦的城市，我深深地迷戀她，猶似被熾烈的不倫之愛沖昏了頭。」[60]

◎十九世紀末倫敦市中心的皮卡底里圓環

長久以來，倫敦的書店便是無數散文、詩歌恆常歌詠的主題。無論品味雅與俗、也不管囊袋飽滿或羞澀，人人都能在那兒討個盡興。這一天我在霍爾本的狹巷僻弄內的寒磣小舖穿梭；另一天我便到葛拉夫頓街（Grafton Streeet）和龐德街（Bond Street）的通衢名店遊逛，兩者皆能令我感到同等的愜意愉悅。

「八九年秋，我在倫敦『傾家蕩產』。」[61]我可沒資格學人家撂那種大話，原因很簡單：那一年我根本沒去倫敦。但是，正如同尤金・菲爾德，每回一到倫敦，我也不消一會兒就會內心充實、囊空如洗。

我和老夸立奇十分熟稔。多年前的某個冬日，我造訪他開設在皮卡底里（Piccadilly）大街上的舊店，我們坐在陰森森但擺滿珍稀善本的小房間裡一塊兒喝下午茶。他向我數落他的兒子阿弗列[62]。這位被同業們譽為古書界拿破崙的德高望重老者一口咬定阿弗列絕無法在他死後克紹箕裘：「這小子對書本壓根不感興趣。一想到得幹那麼多苦活兒才能維繫老子多年來辛苦打造的基業，他就打退堂鼓了。」夸立奇對自己的崇高地位非常自豪，他確實也當之無愧[63]。

不過老先生這一回可說是失算了。他的兒子不僅適時接下棒子，還在父親原有的基礎上百尺竿頭更進一步。阿弗列繼承書店之後，店號仍沿用父親的名字，他在工作上展現的幹勁和精明絲毫不輸給他老子。當他順利地讓伯納德・夸立奇的金字招牌持續發揚光大，不僅令所有人對他刮目相看，恐怕連他自己都大吃一驚呢，因此，當他去世的時候，英語世界各大報刊均刊登他的訃聞並巨細靡遺地追述他的生平，就像報導一則與國際民生相關的公共議題。

◎聖巴多羅買醫院

查令十字路[65]則是另一處愛書人尋獵書籍的瑯嬛福地。那是一條又髒又亂的街道，樓房全是新起的，沒啥看頭。但是沿著馬路兩側幾乎每隔

■伯納德・夸立奇

「書目之中所附加的文學價值或許鮮為人知。我無意佯稱我對此知之甚詳，但我確知：一冊編纂精良的目錄如何惠我良多，而伯納德・夸立奇的目錄當為其中佼佼首選。」——奧立佛・溫戴爾・荷姆斯[64]

一間店面就是一爿書舖，有耐心的人一走進那座寶山鮮少空手而歸。

幾年前某天，我掏到兩冊手稿，古舊、柔細的摩洛哥羊皮正對開裝幀，品相極差，外表因飽受風霜顯得殘破不堪。書名冠著《賚奉新編——一介老婦的贅言冗談》（*Lyford Redivivus, or A Grandame's Garrulity*）。經我仔細翻讀，那是一部可歸為姓名類賸之屬的書。其中一冊全是密密麻麻的塗改筆跡，另一冊則顯然是謄本。雖然兩冊手稿均未署名或顯示作者為何人，但我只瞄了一眼便馬上看出那些清晰爽朗、力透紙背的筆跡均出自皮歐濟夫人[66]之手。至於價格，那簡直低得就像是撿到的一樣，我二話不說趕緊掏腰包將兩冊手稿買回家。過了幾個月之後，我展讀愛德華・曼金寫的小書《皮歐濟大全》[67]——此乃首部關於特勞爾－皮歐濟夫人的書。當我一讀到底下這段敘述時，著實大吃一驚：

■《賚奉新編》手稿上的手寫標題

Lyford Redivivus
or
A Grandame's Garrulity.
By
An Old Woman

一八一五年初，我前往夫人〔即皮歐濟夫人〕位於巴斯（Bath）的住宅拜訪她，此行之目的乃為了審讀夫人有意付梓的一部書稿。幾句簡單的寒暄之後，我們便在桌前坐定。桌面上擺著兩部手稿冊頁，其中一冊是她的著作的謄本，上頭寫滿了她的一手好字。標題是《賚奉新編》，其靈感得自某部印行於一六五七年的簡明古本，那是一部依字母順序排列、專門記載男性、女性名字以及其字源的論著。皮歐濟夫人的著作亦大致依循雷同架構：首先列出教名或常名，以「查綠蒂」(Charity) 一名為例，後頭緊接著列出此名之由來；凡使用該相同名字的名仕要人、凡夫俗子之掌故軼聞亦酌錄若干；並巧妙地安插恰到好處的警世睿語、傳記大綱、短詩等。

翻閱約莫十數則條目之後，我益發覺得其內容趣味盎然、栩栩生動，且饒富新意。所有條目皆附希伯來文、希臘文、拉丁文、義大利文、法文、居爾特文與撒克遜文的引句。全書字裡行間散發博學氣息，頁頁飽富知識性，並且各頁版面皆經悉心編排，呈現出恰如其分的樣式，我當下篤定認為這必將是一部相當受大眾歡迎的書。當時夫人已高齡七十有五，我自然對她頌揚有

■伯納德・阿弗列・夸立奇
「當他順利地讓伯納德・夸立奇的金字招牌持續發揚光大，不僅令所有人對他刮目相看，恐怕連他自己都大吃一驚呢。」

加，不只對作品內容，其書法之秀逸飄揚、變化萬端亦在在令人讚嘆。夫人彷彿頗為感激，並殷殷囑我代她向倫敦某出版商推薦這部書。我後來亦遵照她的要求，將書稿送交一位同等傑出之文士審核、潤飾，但該文士對此事與我並無共識。我從此再也沒有聽到《賚奉新編》的消息，亦不知此書如今落入何人之手。

不多時，此書落入我的手中，而我如今審讀這部書的時候又添了一層全新的興致。

我在此洩了底。沒錯，我處心積慮蒐羅饒富人性趣味的書籍——即所謂「大有來頭的書」。由於我一向排斥使用外來語[68]，有一回我向一位布萊恩．梅瓦[69]的教授霍爾布祿克（Richard T. Holbrook）博士討教，希望能從他口中套出一個英文的同義詞。「我只能憑空自創一個，」他說，「你聽過其來有自（whereabouts）吧？」我當然聽過。「那麼你覺得用其來有故（whenceabouts）怎麼樣？」我認為這個字造得極妙。

近年來，簽贈本、關聯本[70]大行其道，理由說出來尋常無奇：蓋那種書儘管各有各的高明處，但每一部絕對都是舉世無雙的孤本。我在此奉勸那些只要一看到空白頁或書名頁上有作者落款就忍不住心蕩神馳的人一句話：「乖乖拜倒在石榴褲下吧。」[71]——而且事不疑遲。每當這種書造成某人的銀行戶頭元氣大傷時，我只怨嘆自己財不如人，而不是自己需索無度。

前幾天，我瀏覽阿諾德[72]的《書籍、尺牘交易帳》[73]時，讀到他於一八九五年購入一八一七年版濟慈《詩集》[74]簽贈本花了七十一元，一九〇一年拍賣脫手時以五百元*成交。過了幾年，有人拿了另一部簽贈本向我兜售，上頭有濟慈題給至友查爾斯與瑪麗．考登

* 關於這部書的轉手歷程，詳見本書第三章（即譯本III）。此書後來在一九一八年五月十四日的哈堅藏品拍賣會中以一千九百五十美元成交，得標者正是筆者在下我。

Preface

Truth is like Oyl says the Old Proverb — It swims at the Top. at the Top and on the Title page of this Book, it is swimming now. For can a truer Proof of Garrulity be produced, than that of writing the Motto out in two Languages? when one would have been sufficient to most Readers, — & to the Wise, — — one Word. But my Readers will have detached Words enough in the Course of a little Work. meant for the mere Amusement of a vacant hour, & just good enough to keep Worse Books out of their Hands.

I remember a Gentleman who carried recommendatory Letters with him to Ireland ... when asked concerning his Reception when he returned ... said he had been received once at every house; I expect to be read once by every one who has a Name, if it is but to look for his own: and I do flatter my=
=self few Names are wanting here by which Christians have been baptiz'd either in Wisdom or in Folly; either by Custom or Approbation; either by thoughtless Levity, or illunderstood Devotion. Surnames must be ex=
=cluded. or the Book would be too big for the Subject, and it is at least cheaper for those who read, when the Subject is too big for the book.

Names, called in Latin Nomina quasi Notamina, were first imposed for Distinction of Persons, and with one Name each Person was contented, till the Romans after their League with the Sabines took their new Friend's Names in Addition, and called their own Pra nomina ... This was

◎《寶奉新編》前言（原載一九四一年《紐頓藏書拍賣會目錄》）

◎威廉・薩克雷，出自Duyckinick, Evert A.《歐美名人肖像集》（*Portrait Gallery of Eminent Men and Women in Europe and America*. New York: Johnson, Wilson & Company, 1873）

◎薩克雷和兒童一起看戲

一克拉克[75、76]的落款。當時開價一千元，就在我著手籌措書款時，那部書卻從此失去音訊，而且至今再也不曾現身。最教我頓足捶胸的一次是眼睜睜看著鮑斯威爾簽贈給約書亞・雷諾茲[77]的《約翰生傳》獻呈本[78]過我的藏書室大門而不入，後來輾轉成了已故好友哈利・威德拿[79]的藏書。那些書上似乎全寫著「我再也不要被買來賣去了」。

翻開我自己的書帳，倒也不全是教人扼腕的慘敗記錄。我所收藏的《名利場》簽贈本就具備極其有趣的「其來有故」——威爾遜[80]的《薩克雷[81]氏合眾國見聞錄》裡頭記載著它的身世：

> 此君逢見童生尤感開懷。話說薩克雷氏巡遊各處演說，這日著訪費城，遇一男童，即面賞五元現大洋。童母見小兒揣錢入囊，期期以為不可。薩克雷氏殷殷相勸：此般犒賞實無足掛齒，乃英倫常風耳。口舌徒然，金幣悉數奉還。閱三月，此童喜獲《名利場》乙部，展其扉頁則驚見其名「亨利・李德」赫然在目，其下尚有作者親筆落款署名：W. M. 薩克雷敬贈，一八五六年八月。

幾年前的某一天，我在皮卡底里大街上遛達，目光被某家書店櫥窗裡張貼的一張剪報吸引，連帶讓我留意到店內陳列著一部約翰生與多德[82]的往覆書札冊頁。我花了好幾個鐘頭仔細審讀內容，雖然店家索價不菲，但是與該冊頁非比尋常的有趣內容相較之下仍是相當划算。我當下決定非買下它不可。

每當我打算要大肆揮霍一番之前，總喜歡設法先取得太座的首肯以便師出有名（而我往往也都能得逞）。我照例先向她稟奏那樁盤算中的買賣，但是她這回卻以其料事如神的直覺當場駁回我的請求，她提醒我別忘了當我們出門時，國內的景氣是何等低迷；生意報表一份比一份不堪入目，「那筆錢，」她鐵口直斷，「只怕等到你回國時就得派上用場了。」她所言甚是，令我百口莫辯。於是，我把心一橫，決定不管三七二十一先買了再說。隔天一大早我再度造訪那家書店，結果那部冊頁竟然已經被別人捷足先登了，我大失所望。當時心中懊喪不消說自然是錐心刺骨，不過當我們打道回府的時候，發現舉國正陷在一九〇七年經濟情勢緊張的泥淖當中[83]。不但所有的擔保品貶得一文不值，連現金也變得遍貸難得。於是我大力讚頌太座英明，還強調自己當初遵照她的懿旨行事，足證我是多麼乖巧聽話。

不料，過了六個月之後，我竟然與那部冊頁再度相逢。某位紐約書商以高於先前倫敦要價五成的價格向我兜售。當我開門見山指出他於何時、何地、以什麼價錢買到它的時候，他大吃一驚。我猜想他當時是以九折的同行價買到的，於是我擺明了對他說：「我打算以當初倫敦店家開出的原價買下這玩意兒。想必你已經探詢過不少買家，那麼你一定明白，根本找不到任何人像我這麼蠢，對約翰生如此死心塌地。你要是能大撈一票早就賣掉了，哪還輪得到我呢？我勸你見好就收吧。」一陣討價還價還是免不了的。但我看出他鬥志漸失便乘勝追擊。最後，我簽下支票，留住了那件寶貝。

那一整批文件包括若干件與多德偽造文書案的相關親筆手稿，其中十二件乃約翰生博士手跡。一七七八年，「時運不濟」的牧師威廉・多德博士鋃鐺入獄，有人指控他假冒門生切斯特菲爾德勛爵(Lord Chesterfield)之名，偽造金額高達四千五百英鎊的債券，他因該項罪名被判處極刑。約翰生透過兩人的共同朋友愛德蒙・艾倫[84]設法，多方奔走企圖營救多德逃過一劫。他以自己或妻子的名義，不斷修書、請願、陳情，向國王、皇后和其他權貴為多德辯護。事後，約翰生極力撇清他和那件事的關係。冊頁中共有三十二件手稿述及那件事，而約翰・豪金斯爵士[85]曾在他的《約翰生傳》中使用那批材料，至於鮑斯威爾，他雖然也曾經從中引用部分資料，但他本人是

■約書亞・雷諾茲為約翰生的女兒露西・波特(Lucy Porter)所繪製的約翰生博士肖像。成圖約於一七七〇年。此圖版由魏生(Watson)版刻否曾經親眼看過這批文件卻不無疑問。*

位於大馬路（Pall Mall Place）上的皮爾森（Pearson）書店所發行的書目，無論就開本、版式或其精美程度都無人能出其右──教人不禁覺得那簡直不像書商目錄，而是一冊「美裝本」[87]，想從中挑出一部價格低於一百英鎊的書無異緣木求魚，裡頭的泰半品目動輒都以數千英鎊計。此刻，我的書桌上就擺著一冊，裡頭列著一部卡克斯頓版的《托利品老年論友誼》[88]，存世僅四部的其中一部，標價是兩千五百英鎊。話說回來，只要我的財力許可，我也會樂意買下它。

我向皮爾森買過約翰生手抄的祈禱文──即柏克貝克・希爾[89]聲稱「猶未出版便已遁入某藏家書櫥」[90]的那份手稿[91]。抄本上的落款寫得清清楚楚：一七八四年九月五日（約翰生歿於同年十二月十三日）書於艾胥勃恩（Ashbourne）。全文如下：

全能的主、慈悲的天父。我感激您、讚頌您的諸般垂憐、警醒吾心、延續吾命、康健吾身；讓我得幸在此謙遜緬懷吾輩仲裁人、救贖者──聖子耶穌基督的捨生。無上的主啊，謹容我虔誠懺悔我的罪；懇求聖靈引渡我進入光明來生；賜我勇氣面對無謂迷惘；誨我結成善果；助我一一履踐善行。奉主耶穌基督之名，當我終蒙您寵召，請接引我至喜樂淨土。阿門。

約翰生博士親手抄寫的祈禱文可謂極端稀罕。他曾仿照英格蘭聖公會祈禱書短禱文（Collects）的優美格律，寫出大量十四行散文詩。那些短詩雖然曾由喬治・史川恩[92]博士編輯並於一七八五年一度印行，但是泰半手稿也從此入藏牛津潘布魯克學院（Pembroke College）的圖書館內，導致同類手稿頓時洛陽紙貴。

＊ 參見本書第六章。[86]

Ashbourn Sept. 5. 1784

Almighty God and merciful Fa-
ther, to Thee be thanks and praise for all
Thy mercies, for the awakening of my
mind, the continuance of my life, the
amendment of my health, and the op-
portunity now granted of commemo-
rating the death of thy Son Jesus
Christ, our Mediator and Redeemer.
Enable me O Lord to repent truly of
my sins * Enable me by thy Holy Spi-
rit to lead hereafter a better life.
Strengthen my mind against useless
perplexities, teach me to form good

■約翰生博士手抄祈禱文一葉

我自皮爾森的手中買到一部品相精美且書口未裁[93]的《蘇格蘭西島遊記》[94]，裡頭夾著一張約翰生此書版權所得（一百英鎊）的收據；更值得大書特書的則是那紙寫給宏涅克夫人（即戈爾德史密斯口中「素馨姑娘」[95]的親娘）的短箋，上頭寫著：「約翰生先生特以此函恭祝宏涅克夫人及兩位千金於旅途中一路玉體安康、芳心愉悅；並祈盼託那廝老婆（約翰生戲稱夫人的千金）薄福，使小姐時時垂記在下不稍或忘。六月十三日，星期三。」這個日期為那群人的交遊譜上完美的句點。根據佛斯特[96]的考據，戈爾德史密斯於一七七〇年七月中旬隨宏涅克一家前往巴黎。這封短箋便是老博士對那一夥人的臨行話別。

陪老薩賓[97]先生在龐德街的店裡消磨一個早上，教人既愜意又難忘。極貴重、忒珍罕的籍冊一一在你面前展示，就像攤開新近出版的暢銷書一般稀鬆平常。也沒人強迫你非買不可；話說回來，當你正以為那些寶貝即將得手的時候，他反而捨不得輕易賣給你。往往你最想要的東西正是得教你狠狠破費的；加上他對哪幾件東西該賣給哪些人早在心底排好了順位。在他那兒要談成買賣不能說絕無可能，但得費一番周章。

他的兒子法蘭克會趁老頭子不在店裡的時候，三不五時偷偷賣掉一、兩部書。他直言不諱：「不先將舊貨脫手，哪能再進新貨呢？」我高舉雙手贊成，拜他如此通情達理之賜，我自他的手裡買到一部《英詩名家——愛德蒙・史賓賽[98]先生作品集》——一六七九年的對開善本，附漂亮的書名頁。照常理來說，「書名頁上的簽名」對一部書的價值而言並無多大助益，不過，當那個簽名是由本人親手寫的「約翰・濟慈」；再加上「一八一八年受瑟汶恩[99]親贈」的落款，那可就值得讓人雀躍三尺了。

約翰・濟慈！此君在詩的領域中排名僅次於依莉莎白時代的偉大詩家。他正是讀了史賓賽的《仙后》[100]之後才茅塞頓開、詩興勃

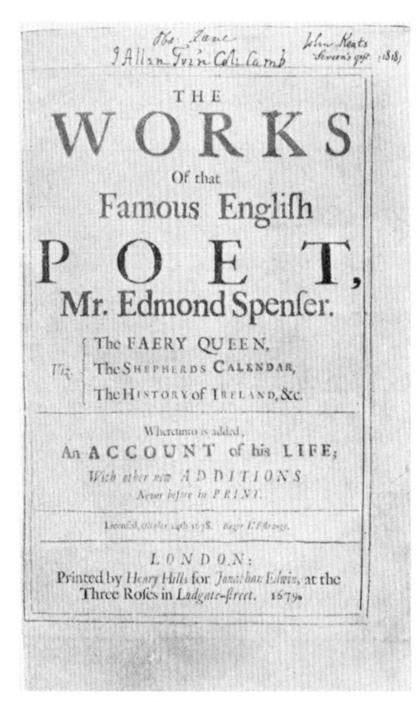

THE
WORKS
Of that
Famous Englifh
POET,
Mr. Edmond Spenfer.

Viz. The FAERY QUEEN,
The SHEPHERDS CALENDAR,
The HISTORY of IRELAND, &c.

Whereunto is added,
An ACCOUNT of his LIFE;
With other new ADDITIONS
Never before in PRINT.

LONDON:
Printed by Henry Hills for Jonathan Edwin, at the
Three Rofes in Ludgate-ftreet. 1679.

■約翰・濟慈藏本《史賓賽作品集》

●濟慈臥榻辭世肖像，約瑟夫・瑟汶恩繪（原載於《洋相百出話藏書》中的〈T Is Not in Mortals to Command Success〉）

發，而他早期作品亦大量襲染史賓賽詩風。瑟汶恩饋贈濟慈這部書的時候，兩人方結識不久，當時濟慈與一批文友正沉浸在依莉莎白時代的文藝氛圍之中。瑟汶恩從琳琅滿目的史賓賽詩集中挑出這麼一部上乘版本當禮物送給詩人，誠可謂寶劍贈英雄，簡直再合適不過了。

試想：濟慈書齋（和其他人的相比，規模算是小的）裡頭的藏書如今早已四散飄零；何況，裡頭勢必再也找不出第二部能像這部史賓賽詩集蘊含如此有趣典故的書。也請特別注意：濟慈那幾句詩——醇美本屬詩中物，／一旦成歌美猶甚……[101]——正是寫給我的曾表叔公喬治・費爾騰・馬修[102]的。容我再提一件事：當我首度造訪英國的時候，還花了好幾天工夫陪我那位曾表叔公的親妹妹，她打從黃毛丫頭起就和濟慈熟識。大家自然不難理解：當這麼一件寶貝落到我的手裡時，我有多麼血脈僨張了。

受到那樁交易的鼓舞激勵，我繼而在近期舉行的白朗寧[103]藏品拍賣會中成功標下一件極其稀有的珍品：一幅羅塞蒂[104]的墨筆畫像——「丁尼生[105]讀〈茉德〉[106]圖」。畫家親手在上頭題上：小樹背後的崆峒何其令吾憎厭。[107]還有白朗寧的親筆落款如下：

丁尼生於一八五五年九月二十七日週四晚，假曼徹斯特廣場鐸塞特街（Dorset St., Manchester Square）十三號舊宅，為在座的E.B.B.[108]、R.B.[109]、阿拉貝兒[110]、羅塞蒂等人讀詩。羅塞蒂即筆丁尼生朝著倚踞於沙發另一端的E.B.B.捧卷坐讀。

七四年三月六日，R.B.

記於沃威克新月地（Warwick Crescent）十九號[111]

◎丹特．加伯瑞．羅塞蒂

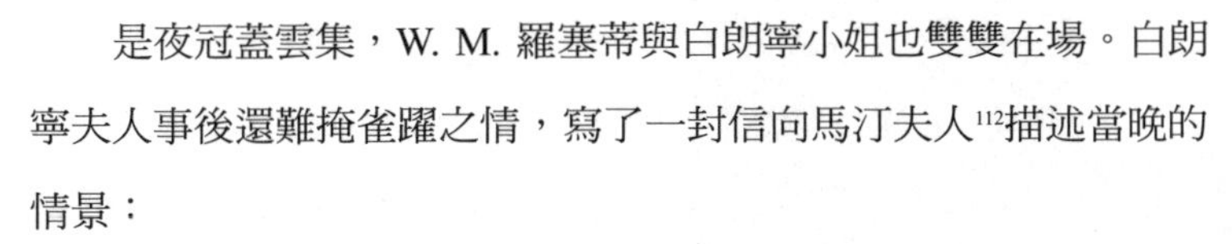
是夜冠蓋雲集，W. M. 羅塞蒂與白朗寧小姐也雙雙在場。白朗寧夫人事後還難掩雀躍之情，寫了一封信向馬汀夫人[112]描述當晚的情景：

◎羅勃．白朗寧

近日，桂冠詩人大駕光臨，令我們欣喜若狂。渠自威特島（Isle of Wight）到倫敦盤桓三、四日，其中兩天便同我們交遊，還與我們一塊兒吃飯、吸菸；在我們（和第二瓶紅酒）面前說出不少掏心話。最後以朗誦〈茉德〉作為晚宴壓軸，清晨二時半始告辭離去。倘非妾身已許，必然傾心於斯人無疑。此君的坦率、自信、出人意表的純真，在在令我目迷神往！試想他讀〈茉德〉時每每停頓讚嘆——「如此神來之筆！何等細膩婉約！優美至極！」甚是，詩文的確如他所言：細膩、婉約、優美；何況再加上此君語調悠揚宛若琴音，令人怦然心動，入耳已非詩文而成妙音。

◎依麗莎白．巴瑞特．白朗寧，Field Talfourd繪（1859）

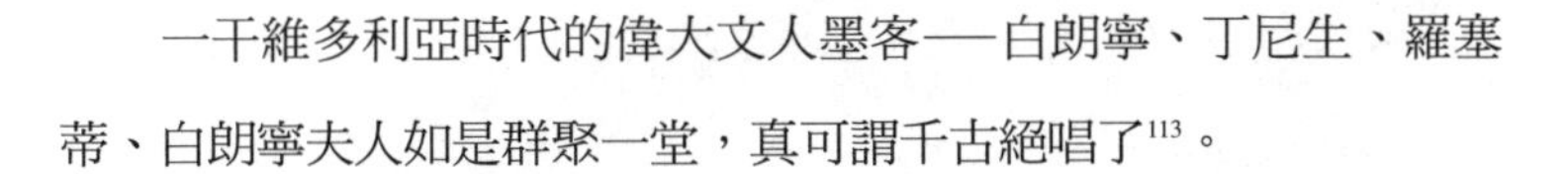
一干維多利亞時代的偉大文人墨客——白朗寧、丁尼生、羅塞蒂、白朗寧夫人如是群聚一堂，真可謂千古絕唱了[113]。

在西區的新牛津街（New Oxford Street）二十七號，有一家又窄又髒、保證你絕不會將它列入倫敦重點書店的小書舖——史賓塞書店[114]。店家如何經營、怎麼收購，自有他的一套法寶，犯不著顧客多加過問；不管是誰問起，他總笑而不答。妙就妙在：你上窮碧落下黃泉，怎麼也找不著的書，不管是簽贈本或是其他什麼刁鑽古怪的玩意兒，無論布面裝幀的、成集全套的，好像全都在他那兒。他還缺的就是為藏書家們編印幾冊書目，如果真有史賓塞書目，那包準好

PORTRAIT OF TENNYSON, READING "MAUD" TO ROBERT AND MRS. BROWNING, BY ROSSETTI

■羅塞蒂速寫「丁尼生為白朗寧伉儷朗讀《茉德》圖」

看透了。他老是叫大家拭目以待，不過他和咱們所有人同樣心知肚明：他是說什麼也不會真幹那檔事兒的。

如果勉強要算的話，他在另一方面倒是表現得挺慷慨大方——他肯放心地把你一個人丟在他店舖二樓的小房間裡，讓你獨自在裡頭忍受無以復加的龐然誘惑。什麼親筆書札翰墨啦、名詩初稿啦、密密麻麻寫滿作者親手修改批點的稀罕冊頁啦，堆得滿滿一屋子俯拾皆是；即使像完整無缺的《壁爐上的蟋蟀》[115]手稿那麼絕頂稀罕的東西，往往就埋藏在房內某個角落裡。

◎阿弗烈．丁尼生勳爵。白朗寧夫人當時所見想必是上圖模樣

有一天，我在那個房間的桌檯上翻找出一個繫著紅緞帶的破舊硬紙板文件夾，上頭的簽條標示「蘭姆」字樣。一打開卷宗，我赫然發現一封蘭姆寫給泰勒與賀西[116]的信件：「茲收到伊利亞（哎）去年的版稅三十二鎊，特此函謝……」[117]署名日期是：一八二四年六月九日。我打心底覺得要是這玩意兒能和我原有那部硬板簡裝[118]、書口未裁的《伊利亞隨筆》簽贈本擺在一塊兒，那簡直太相得益

◎一份珍貴的文件——蘭姆寫給書商J. A. 賀西的信函，充作版稅收據（原載一九四一年《紐頓藏書拍賣會目錄》No.594）

Dear Sir

I acknowledge with thanks the receit of £35 for Elias (alas) of last Year, and when I can, I will resume. Believe me that nothing but incapacity prevents me. Something may occur to set me off again.

Yours Ever C Lamb

9 June 1824

I shall call in a few days to see Clare & settle his coming to dine with us. Again yours

Pray don't send me 2 magazines every month but 1 is needful. — I hardly deserve that

彰了[119]。

◎亨利・雷布榭爾，Francis Carruthers Gould繪（約1910-12）

至於我與多貝爾[120]先生打交道的經過，多年前我在雷布榭爾[121]的《真相週報》中讀到的一段話可資說明：

> 我從西區某家書店的目錄上抄下這則書介：「大衛・加雷克[122]相關書：《愛成泡影，一則小鎮牧歌》[123]，首版，一七七二年，異常稀有，定價五基尼」；緊接著便收到查令十字路上著名的書商伯川・多貝爾寄來的書目。我在裡頭又見到「大衛・加雷克相關書：《愛成泡影，一則小鎮牧歌》，首版，一七七二年，硬板簡裝，定價十八便士」。前一部的買主這下子恐怕得再把多貝爾先生這一部一併買下來才能扯平了。

老多貝爾正是如此獨樹一格——他不僅是一名學者、古董鑒賞家，同時也是一位書商兼詩人*。置身一家地板上堆疊數落高達四、五呎高的書籍、僅留出幾條窄細的蜿蜒走道容人側身擠過、同時還得小心翼翼、提防兩側書牆應聲崩塌的書店裡頭，我們正想見到此號人物。伸手打算探抽書架上的書簡直就是異想天開。然而，在一片狼藉之中，我還是屢有斬獲。

當你向他探詢某部特定書籍，乍聽多貝爾先生客客氣氣地回覆：「沒有，抱歉」時，先甭忙著打退堂鼓。他之所以會那麼說，只是因為那個本子當下不巧沒擱在他的心眼上；他不一會兒便會想起來，或是為你找出另一件同樣有意思的好東西。稍安勿躁，且讓我們瞧瞧這家十八世紀的書店的價位多麼跟不上時代吧。

* 大戰初期，我曾經收到多貝爾先生寄來的信。他在信中告訴我：他的書店生意十分清淡，現在正為當局寫撈什子戰爭詩；還說：對一個老得拿不動槍桿子的老頭來說，還算是個不壞的消遣。我真搞不懂寫爛詩算哪門子不壞的消遣，正當我打算提筆告訴他我對此事的看法時，卻在《文藝殿堂》(Athenenaeum)上讀到他已溘然辭世的消息。

◎《四季詩詠》插圖

我曾經為了要湊齊我手上原有的收藏，窮耗數載尋覓一部沒啥特殊價值的小書。就在我即將萬念俱灰、正打算盡棄前功的時候，它居然在皮卡底里大街上的一家體面書店裡被我給找著了。當時那部書標價五基尼，貴得離譜，但我還是忍痛買了下來，然後將書塞進口袋裡。就在同一天，我便在多貝爾書店裡奮力鑽爬的過程中又意外發現另一部書況更好，而且標價才區區二鎊六便士的本子。我思及老雷筆下那個「亟待扯平」的傢伙，不正擺明了就是指我嗎？

我前面提過的華滋華斯藏本《恩底彌翁》也是從多貝爾那兒買來的；此外，還有一部狄茲拉勒[124]的舊體愛情小說《亨芮耶塔・譚波》[125]首版，題贈辭寫著：「謹呈威廉・貝克福[126]先進雅正」，裡頭有好幾頁被貝克福寫上一大堆可有可無的註記，看來他似乎白費不少工夫閱讀內文；我當然也不該漏掉湯姆遜[127]的《四季詩詠》[128]，那個本子是拜倫的簽贈本：「致尊貴的法蘭西絲・威德伯恩・韋伯斯特[129]」，上頭還有他親手寫的一首即興詩：

逝兮！——呼嘯狂捲的勁寒北風，
一併帶走枯黃秋瑟與清新春光。
逝兮！——趁夏日和風停息之時
盡情舒展汝之美翼並廣施妙意。

◎班雅明・狄茲拉勒

一個案牘勞形的人所收到的早班郵件裡，光是標明「私人信件」的就不可勝數——從各式各樣禮貌周到、洋洋灑灑的借貸信，到寥寥數語（如「請盡速繳清欠款」）的催帳單，不一而足。還好，在成堆的郵件底下，總還能翻出幾冊二手書商寄來的目錄——說起書本

■約翰生所屬教會，聖克雷蒙堂（St. Clement Danes），查爾斯．G. 歐斯古以鋼筆繪製

這玩意兒，要論趣味畢竟還是起碼非得二手的不成。的確，就像拿期票貼現，有越多信用可靠的人背書越好；在書籍的世界裡，最理想的背書方式就是貼上藏書票。我忒愛看到這樣子的書目說明：「此書原屬查爾斯．B. 富特[130]藏書，附書主藏書票。」

還有拍賣目錄，這些自然也得好好地瀏覽一番。不過拍賣目錄獨獨少了一項書商目錄才有的趣味元素──價格。沒列出價錢，讓拍賣目錄讀起來直教人一顆心七上八下、頓時血脈僨張、六神無主。

以卡克斯頓標誌為註冊商標、招牌──坐落於高霍爾本（High Holborn）聖吉爾斯教區（parish St.-Giles's-in-the-Fields）的詹姆斯．崔加司基斯[131]先生的書店──的目錄也寄達了。每回只要他的目錄一來，總得害我放下公事不幹，跟它耳廝鬢磨個半小時。趁這會兒我正匆匆翻頁，草草從中掏金瀝沙時，套用《約翰生傳》裡頭出現過的話，我不妨順道來上一句：「小詹討了個標致媳婦兒。」[132]賣書郎娶標致媳婦進門有啥好大驚小怪？原因無他：一來，崔加司基斯的媳婦確實標致過人；再者，即便這年頭，也找不到幾個漂亮姑娘肯嫁給書商當老婆。

湯瑪斯．戴維斯[133]（各位可千萬不要忘記，鮑斯威爾與約翰生的首度會面，便是透過這位老兄從中穿針引線，地點則是在他位於科芬園羅素街上的書舖裡）的漂亮媳婦正是那句話的導火線。據說，他的媳婦的姿色居然能教偉大的博士大人為之氣結語塞，當他帶頭唸主禱文正喃喃唸到：「主啊，請引領我遠離誘惑。」接著，他低頭湊近她的耳朵，以半獻殷勤半帶幽默的口吻說：「就是妳啦，親愛的。若不是妳，哪來的誘惑呀？」什麼因結什麼果乃古今皆然。

◎喬治．薩爾曼納查

Given to H: L: Thrale
by Dr. Sam: Johnson

■約翰生博士致特勞爾女士《喬治・薩爾曼納查回憶錄》上的親筆題簽

我向崔加司基斯買過《喬治・薩爾曼納查[134]回憶錄》，那是一七六四年問世的一部極有意思的書，不過我那個本子的價值主要是來自上頭的簽名和題贈落款：「H. L. 特勞爾[135]受山姆[136]・約翰生博士所贈」。我猜落款時間大概是一七七〇年前後。接著就是特勞爾的一貫作法——整本書從頭到尾全寫滿了註記、眉批。後來，薩爾曼納查的西洋鏡畢竟還是遭人揭穿，搞了半天，原來他只不過是個惡名昭彰的老騙棍罷了，只是他徹頭徹尾表現得如此必恭必敬，害人家約翰生博士還以為自己終於「覓得知音」哩；約翰生甚至曾經義正詞嚴袒護過他：「閣下，您怎能教我質疑薩爾曼納查！他和出家人一樣，從不打誑語呀。」[137]

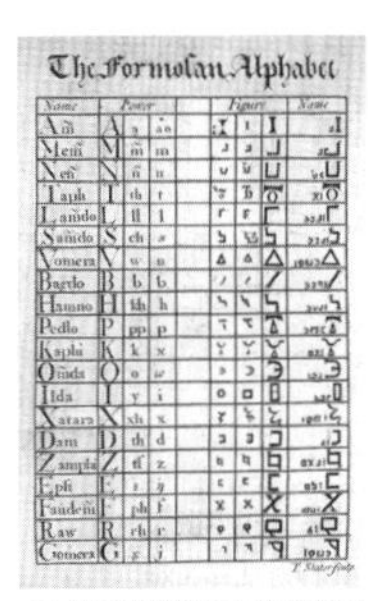

◎《福爾摩沙史地記實》書中虛構的台語字母表

在我的書架上和這部書雙雙並排的，則是這位老兄的另一部傑作《福爾摩沙史地記實》[138]，同樣也是滿紙荒唐言。

至於那部一七七六年版的《鹿腰腿肉》[139]——紙面簡裝[140]，書口未裁，還附一幀罕見的戈爾德史密斯肖像畫，由邦伯利[141]繪製（順道提醒大家：此人娶了戈爾德史密斯口中的「小逗子」[142]）——也是從崔加司基斯那兒買來的；另外還有一部《倫敦——仿尤維納利斯諷刺體的敘事詩》[143]，以及首部關於倫敦的專著：史托[144]於一五九八年首版的《倫敦調查》[145]。

◎《倫敦調查》圖版

我從其他管道獲得的《寒舍》[146]則是一部晚近甫問世的倫敦相關著作。此書除了內容十分討喜之外，對我而言還有另一層意義，因為上頭有秀外慧中的作者親筆題贈的落款：「謹以拙著敬呈A. E. N.

◎（上）奧古斯丁・伯雷爾

◎（下）奧古斯丁・伯雷爾自用藏書票

◎亞伯特親王

先生，承蒙大駕光臨『寒舍』，不勝感激，伊麗莎白・羅賓斯・潘迺爾[147]敬獻。」

接著，沿著霍爾本城廓往下走，便會晃進「大柵欄」[148]這條通往林肯法學院胡同的窄巷（一般人通常都不走這條小路），這兒也有一家我常逛的書舖——霍林斯書店（Hollings's）[149]。我光顧那家書店並非著眼於搜尋珍本奇書，而是他們擁有許許多多好書，雖然付錢時覺得差強人意甚至平庸無奇，但是等我塞進袖子、有驚無險地偷偷帶回家後，卻能帶給我許多樂趣。每回我和店長瑞德威（W. E. Redway）先生一聊就是幾個鐘頭，和他閒話家常總不免令我想起一位極受青睞的當代散文名家奧古斯丁・伯雷爾[150]（他好像已經棄文從政去了，真是暴殄天物）說過的一句名言：「二手書商乃是我最崇敬的族類……他們的目錄不啻真材實料的文學教材。」

根據書目裡頭的參考資料，可以循線找到一部你苦苦蒐求良久的書；偶爾還能以半價買到另一部更好或更有意思的本子。隨便舉個例子來說吧：前幾天我在一冊目錄上看到「五卷本《先親王傳》[151]，各卷皆有維多利亞女王陛下的落款。首卷出版時由於女王陛下尚未宣布登基為印度女皇[152]，是故，其名諱依舊冠上『皇后』（Queen）；餘四卷則一律署以『女皇』（Queen-Empress）」。

我收藏的本子共有七卷，前五卷正如上述，多出來的兩卷分別是《談話暨演講稿》和《吾夫親王年譜》。我的本子也全都有落款，其中《談話暨演講稿》上頭還有這麼一段極為感人肺腑的落款：

此致　陸軍少將A. 戈登閣下，並藉此追悼其偉大、英明的君主。

有幸蒙先王寵愛、心碎的遺孀

維多利亞皇后御筆

於奧斯本，一八六三年正月十二日

《吾夫親王年譜》上則寫著：

此致　陸軍少將、三等巴斯勛爵亞歷山大．戈登閣下，並藉此追念其偉大的君主。

有幸蒙先王摯愛、悲慟的遺孀

維多利亞女皇御筆

於一八六七年四月

第一卷上頭的落款這麼寫著：

此致　陸軍中將、巴斯騎士勛爵亞歷山大．戈登閣下，並以此追念其可親的君主。

維多利亞女皇御筆

於一八七五年正月

第二卷上的則是：

此致　陸軍中將、巴斯騎士勛爵亞歷山大．漢彌爾頓．戈登閣下。

維多利亞女皇御筆

於一八七六年臘月

第三卷成了：

此致　巴斯騎士勛爵亞歷山大．H. 戈登將軍閣下。

維多利亞女皇御筆

於一八七七年臘月

最後三卷的落款除了日期之外，全部一模一樣。教人眼熟的一式連寫體書法流利如昔，而喪夫之慟則隨著時間的推演漸次遞減；歲月撫平了內心的創傷。隨著各卷陸續問世直至終成全帙，女王陛下終於決定化悲痛為力量，皇威這才總算保住了[153]。

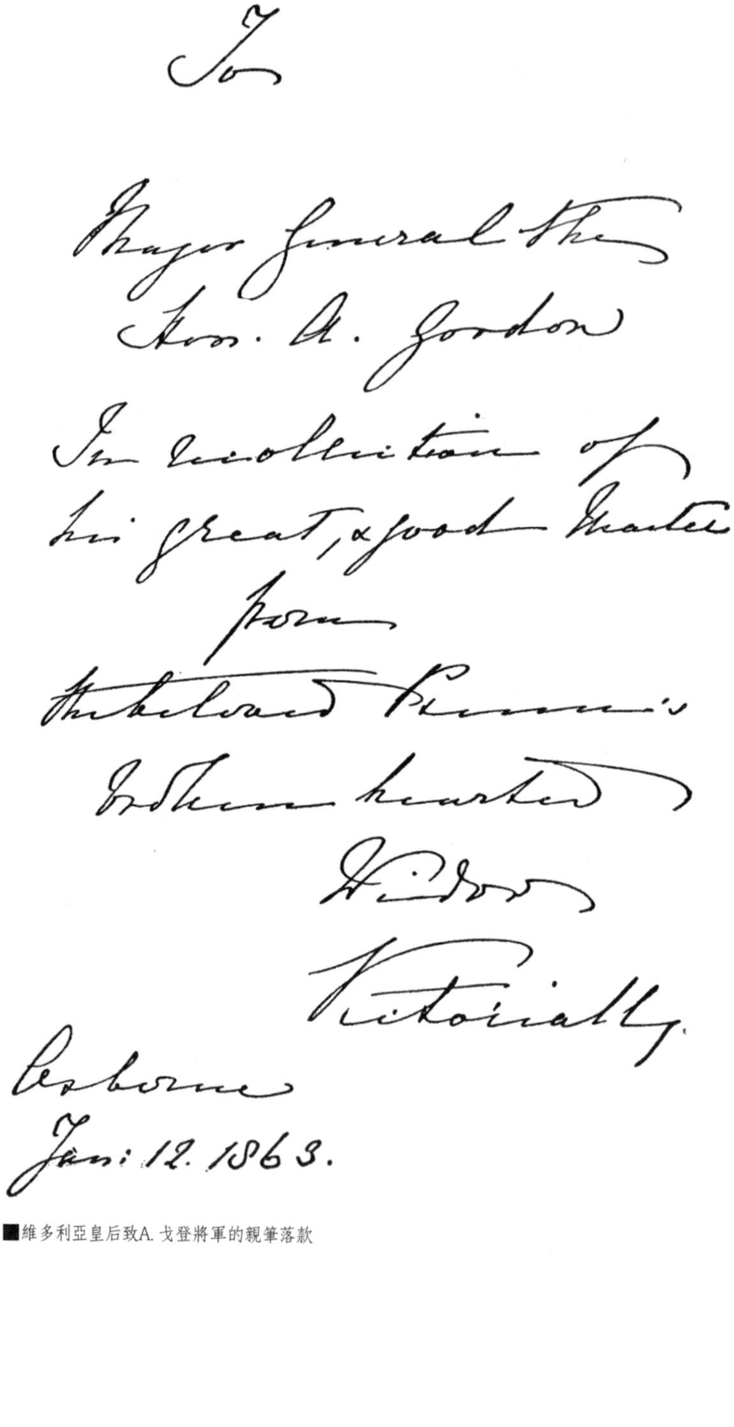

To

Major General the
Hon: A. Gordon
In recollection of
his great, & good Master
from
the beloved Prince's
broken hearted
Widow
Victoria R
Osborne
Jan: 12. 1863.

■維多利亞皇后致A. 戈登將軍的親筆落款

【譯註】

1 賀拉斯・葛瑞里（Horace Greeley, 1811-1872）：美國報人兼政黨領袖、探險家。一八三四年與約拿・溫徹斯特（Jonas Winchester）創辦《紐約客》（*The New Yorker*）雜誌並自任編輯直至一八四一年，他後來再創辦《論壇報》（*Tribune*），該刊物為一份具有自由黨（現今共和黨的前身）色彩、具高新聞標準且引領民眾視聽的傳媒。「西進論」乃葛瑞里屢屢於報章鼓吹的口號，呼籲年輕人勇於開拓大西部。「年輕人，大膽西進吧！」（“Go west, young man.”）從此成為鼓舞美國青年的名言，甚至被編入教科書之中。

2 「駕馭嗜好」（ridding hobby-horse）：所謂“hobby-horse”指的是自己樂在其中而別人未必能夠消受的嗜好。

3 書片（print）：在古籍市場上指舊式印刷圖片（現在只在版畫界使用的技法，如木刻、金屬雕版、石印、珂羅版等），往往取自古書裡的插圖葉。

4 萊斯利・史蒂芬爵士（Sir Leslie Stephen, 1832-1904）：英國哲學家、評論家、傳記作家。一八六四年赴倫敦獻身文學，初期為數份刊物撰寫評論，後來集結為《書中日月長》（*Hours in a Library*, 1874）；一八七六年出版《十八世紀英國思想史》（*History of English Thought in the 18th Century*），針砭數位重要作家在當時幾場哲學論戰中的立場；他曾為大部頭的《英國文人列傳》（*English Men of Letters*, 1878-1904）撰寫其中數部專書（包括約翰生、蒲伯、司威夫特、喬治・艾略特等人）；一八八二年至一八九〇年出任《全國名人錄》（*Dictionary of National Biography*）首任纂修人，並親自撰寫其中十八、十九世紀多位重要人士的傳略。他與首任妻子賀麗葉・瑪麗安（Herriet Marian，薩克雷的么女）產下凡妮莎・貝爾（Vanessa Bell, 1879-1961）；維吉尼亞・伍爾夫（Virginia Woolf, 1882-1941）則是他與第二任妻子茱莉亞・普林賽（Julia Prinsep）所生的女兒。

◎萊斯利・史蒂芬與維吉尼亞・伍爾夫父女

5 “It is quite useless to defend them to any one who cannot enjoy them without defence.”：引自史蒂芬《山繆・約翰生卷》第四章。完整原句應是：「當有人問他（指約翰生）難道不曾偶爾去尋歡時，他答以：『從來沒有，酒醉的時候除外。』對於無法敞開心胸接受如此這般驚人之語的人，實在沒有必要多作解釋。」（And being asked if man did not sometimes enjoy a momentary happiness, replied, “Never, but when he is drunk.” It would be useless to defend these and other such utterances to any one who cannot enjoy them without defence.）

6 湯瑪斯・佛洛格納爾・迪柏丁（Thomas Frognall Dibdin, 1776-1847）：英國版本學者、作家。一八〇二年以〈珍稀希羅經典的知識寶藏導論〉（“Introduction to the Knowledge of Rare and Valuable Editions of the Greek and Roman Classics”）一文獲史賓塞伯爵三世（參見本卷Ⅲ譯註11）賞識，被延攬為私家藏書編目員。著作有：《書痴書狂──此疑難雜症之久年症狀及其療方》（參見附錄Ⅱ譯註19）、《史賓塞藏書目錄》（*Bibliotheca Spenceriana*, 1814-1815）、《訪書十日談》（參見第四卷Ⅲ譯註17）、《法、德訪書訪古覓奇之旅》（參見附錄Ⅱ譯註18）。他的書目著作於十九世紀深受眾多愛書人珍視、擁戴。

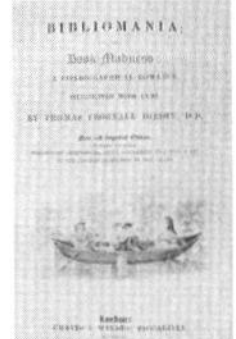
BIBLIOMANIA

◎《書痴書狂》（Chatto & Windus: London, 1876單卷本）

7 約翰・奧杜邦（John James Audubon, 1785-1851）：法裔美籍鳥類學家、生態畫家。父親尚・奧杜邦為法國派駐海外的商業徵信員，母親為克立奧爾人（Creole，西印度群島土著）。約翰・奧杜邦出生在海地，一八〇三年赴美，落籍在費城附近。他為了生計而從事鳥類圖繪，一八一九年破產後旅居密西西比州繼續觀鳥、畫鳥；一八二六年他攜帶作品赴英國尋求出版機會。《美洲鳥類圖譜》（*Birds of America*）於一八二七年至一八三八年陸續出版；另，出版《鳥類學傳》（*Ornithological Biography*, 1831-39）、與麥克葛立佛雷（MacGillivray）合作《北美鳥禽概說》（*Synopsis of the Birds of North America*, 1839）。奠下專業名聲之後，他於一八四一年返回紐約市，建立廣袤的莊園，現址目前闢為奧杜邦公園。與巴克曼（Bachman）合作的《北美胎生動物誌》（*The Viviparous Quadrupeds of North America*, 1845-1853）去世前未及完成。

◎《美洲鳥類圖譜》

8 大衛・羅勃茲（David Roberts, 1796-1864）：蘇格蘭裔旅行家、地理學家、畫家。年少時在印刷作坊擔任學徒，後來為巡迴雜技團與格拉斯哥、愛丁堡的劇團繪製布景畫。一八二二年落腳倫敦，在德魯里巷劇院（Drury Lane Theatre）工作。一八三一年起，他的足跡遍布歐陸與地中海流域，並以期間繪製的地景圖致富。他的風格一成不變，以油彩、水彩進行創作，並以石版印行精緻豪華的畫冊，包括六卷本《聖域畫紀》（*The Holy Land, Syria, Idumea, Arabia, Egypt & Nubia*, 1842-1849）。

◎《聖域畫紀》

9 阿爾丁（Aldines）版：泛指十五、十六世紀由威尼斯籍著名印刷工Teobaldo Manucci（1449-1515，拉丁名為Aldus Manutius或Aldo Manuzio）及其家族在威尼斯、羅馬印行的書。

◎阿爾丁，Giovon Bellino繪

10 埃爾澤佛（Elzevir或Elsevier）是荷蘭著名的書商、印刷、出版家族。此處乃指於一五八五年至一七一二年間由此家族印行的書。創業者路易士・埃爾澤佛（Louis Elzevir, 1546-1617）年僅約二十歲便離家到安特衛普闖蕩，一度在普蘭丁（Christopher Plantin, c.1520-1589，裝訂、印刷工、出版商）的作坊工作，一五八〇年定居萊登，開辦書籍裝訂、零售生意。埃爾澤佛家族印書始於一六一八年路易士的孫子以薩克（Isaac, 1596-1651）執業時；但真正拓展埃爾澤佛書籍達到普及的人則是波納凡圖拉（Bonaventura, 1583-1652）與亞伯拉罕（Abraham, 1592-1652，路易士的姪子）兩人，他們於一六二九年推出袖珍開本的拉丁文經典與法國文學作品系列，一直印行到一六六五年。在十六到十八世紀埃爾澤佛的書，幾乎遍及全歐洲大陸。一七二〇年代以降，埃爾澤佛的名聲隱沒長達一百六十年，直到一八八〇年才由鹿特丹書商羅伯斯（Jacobus George Robbers, 1838-1925）與其他幾名有心人，以埃爾澤佛為名成立新的出版社N.V. Uitgeversmaatschappij Elsevier，重燃埃爾澤佛香火，並襲用其原來的「不孤」（Non Solus）商標。

◎老埃爾澤佛的「不孤」商標

11 後世重裝本（contemporary binding）：非原始裝幀但仿照當時形制，經後人（書商或藏書者）重新裝幀的本子（通常比原本更豪華、講究）。此名詞中的「當代」（contemporary）並非字面上的意思，而是相對的形容詞；在古書領域中，出版和重裝之間必須相隔一定久遠的年代，才可以被稱作「後世重裝本」。

12 溫斯頓・H. 哈堅（Winston Henry Hagen, 1859-1918）：美國藏書家。哈堅藏書拍賣會（由安德遜藝廊主辦）於一九一八年五月舉行。

13 培西・畢希・雪萊（Percy Bysshe Shelley, 1792-1822）：十九世紀英國詩人。

14 約翰・濟慈（John Keats, 1795-1821）：十九世紀英國詩人。

15 查爾斯・蘭姆（Charles Lamb, 1775-1834）：十九世紀英國作家。傳世作品為一系列以「伊利亞」為筆名撰寫的雋永散文（參見本章譯註117）。據蘭姆的友人泰爾佛（參見本卷Ⅱ譯註8）憶述：「伊利亞」的筆名由來純粹出於意外，當蘭姆打算將一篇描述在南海公司（South-Sea House，蘭姆當時任職的金融單位）見習生涯的散文投稿給雜誌，猛然想起一名樂觀單純、成天捅樓子的外籍同事，便靈機一動，盜用他的名字來頂替。

◎查爾斯・蘭姆，出自《蘭姆作品集》（*The Works of Charles Lamb*, London: Edward Moxon,1852）

16 羅勃・路易士・史蒂文生（Robert Louis Stevenson, 1850-1894）：十九世紀蘇格蘭裔英國作家。傳世名著不計其數，包括：小說《金銀島》（*Treasure Island*, 1883）、《化身博士》（*The Strange Case of Dr. Jekyll and Mr. Hyde*, 1886）等。史蒂文生一生創作不輟，歿時留下未完成作品Weir of Hermiston與St. Ives（後經Arthur T. Quiller-Couch補寫，於一八九七年出版）。

17 伯納德・夸立奇書店（Bernard Quaritch Ltd.）：倫敦老字號古書店。創立者伯納德・夸立奇（1819-1899）生於德國，早年在諾德豪森（Nordhausen）、柏林兩地從事書籍商販。二十三歲時（1842）落戶倫敦，雖然人生地不熟，他仍只帶著一紙介紹函向當時的頂尖書商亨利・波恩（參見本章譯註39）謀職。夸立奇十分努力進取，據說他曾當面告訴老闆：「波恩先生，您乃英國首屈一指的書商；而我，必將成為全歐洲首屈一指的書商。」波恩瞭解他平日用功甚深，一點也不以為忤：「我相信你一定辦得到」。一八四七年十月夸立奇開設自營書店，後來果然經營得有聲有色。夸立奇書店目前仍在倫敦營業，經手最昂貴的珍本、古版書、手稿，其客戶遍及全球。伯納德・夸立奇逝世時，《倫敦時報》（舊譯《泰晤士報》）曾如是描述他的生平：「稱夸立奇為有史以來最偉大的書商絕非武斷說法。他的理想崇高；眼光犀利；買賣豪爽；勇敢進取、百無畏懼，他因而能在書林卓然而立，一如拿破崙、威靈頓於軍隊之中的地位。」

18愛德華・費茲傑羅（Edward Fitzgerald, 1809-1883）：英國學者、翻譯家。一八五三年出版《卡德隆六劇》（*Six Dramas of Calderón*），初時反應冷淡，直到後世才漸受重視。他耗費數十年光陰，矢志譯寫波斯古典名著《奧瑪・開儼的魯拜集》（*Rubáiyát of Omar Khayyám*），於一八五九年以佚名出版。由於費茲傑羅是夸立奇書店的常客，並與夸立奇結為摯友，於是將此譯作交由夸立奇書店印行。該書剛出版時乏人問津，夸立奇書店只好以一先令賤價求售；該書後來經「先拉斐爾兄弟會」（Pre-Raphaelite Brotherhood）的成員（尤以羅塞蒂最為積極）發掘其文學價值，並推崇其為曠世經典傑作。費茲傑羅《魯拜集》譯本於一八六八年、一八七二年、一八七九年一再重印發行，費茲傑羅以絕美英文譯出該書，不僅成為他畢生最重要的文學成就，該作品亦被視為英詩典範。台灣所見的《魯拜集》中譯本多以費茲傑羅英譯本為底本。

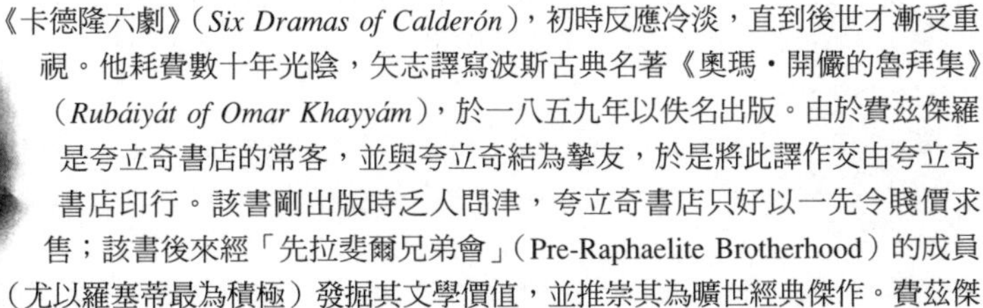

19《恩底彌翁》（*Endymion*）：約翰・濟慈的長篇詩作。一八一八年甫出版時曾被《布雷克伍雜誌》（*Blackwood's Magazine*）與《評論季刊》（*Quarterly Review*）痛批得體無完膚。「恩底彌翁」是希臘神話中的善良美少年。

20 威廉・華滋華斯（William Wordsworth, 1770-1850）：十九世紀英國詩人。

21 比佛利・周（Beverly Chew, 1850-1924）：美國藏書家。自大學時代便開始藏書，畢業後赴紐約市工作，趁地利之便蒐羅愈勤。他原收藏英、美作家的著作，後來自認無力兼顧，便將美國作品轉售給友人雅各・C. 張伯倫（Jacob C. Chamberlain, 1860-1905），從此以十六、十七世紀英詩為主要目標。由於他在古籍版本鑽研甚深，曾為所屬的葛羅里亞俱樂部（參見本卷Ⅳ譯註24）編製數部精湛的書目。版本學者亨利耶塔・巴特列（參見本卷Ⅲ譯註19）曾讚譽他為「收藏界的大師級人物」（"master spirit among collectors"）。其藏書部分遺贈葛羅里亞俱樂部（包括裝幀本與一批油畫原作）、兩千部珍本於一九一二年售予杭廷頓圖書館（後來購回其中一部分）、其他則分別於一九二四年十二月八日、一九二五年一月五日交由安德遜藝廊進行拍賣。參見第三卷Ⅱ。

22 指比佛利・周的詩作〈舊書無限好〉（"Old Books Are Best"）。該詩於一八八六年三月十三日的《評論報》（*Critic*）初次發表，後來收入布蘭德・馬修斯編選的《歌詠書籍》（參見本卷Ⅲ譯註8、9）。

23 詹姆士・羅素・羅威爾（James Russell Lowell, 1819-1891）：美國詩人、評論家、編者。原在哈佛大學習法，因深愛文藝而棄法從文。一八四三年自辦文學刊物《先驅者》（*Pioneer*），

僅發刊兩期旋即告終；翌年結婚，妻子Maria White鼓勵他自行創作。陸續出版《詩集》（*Poems*, 1844、1846）、《評論家寓言》（*A Fable for Critics*, 1848）、《畢蓋羅文粹》（*The Bigelow Papers*, 1848、一八六七年出版續篇）等書，其中《畢蓋羅文粹》中以北方方言寫成的嘲諷政論為他奠定文名。一八五五年至一八七六年羅威爾赴哈佛大學執教；教職之餘，他還接掌《大西洋月刊》的首任主編（一八五七年至一八六一年）；後轉至《北美評論》（*North American Review*）擔任編輯（一八六四年至一八七二年）。他的後期文章轉趨嚴謹，集結成《爐邊漫遊》（*Fireside Travels*, 1864）、《置身群書間》（*Among My Books*, 1870、續篇1876）、《西窗雜談》（*My Study Windows*, 1871）。一八七七年他被委任為公使奉派到倫敦（至一八八五年），他在當地頗受尊崇，駐英期間的演說集結成《細說民主，及其他言論集》（*Democracy and Other Addresses*, 1887），是他畢生思想的精華。

24 "There is a sense of security in an old book which time has criticized for us."：出自詹姆士・羅素・羅威爾的《西窗雜談》。原句應為"What a sense of security in an old book which Time has criticised for us!"。

25 羅勃・海立克（Robert Herrick, 1591-1674）：十七世紀英國詩人。《金蘋果守護者》（*Hesperides, or the Works both Humane and Divine of Robert Herrick, Esq.*），一六四八年首版。

26 原裝本（original binding）：早年書籍發行時，同一部書籍並沒有統一的裝訂形式（往往視作坊條件、書商與顧客的要求而有所分野）。新出版品擺在書舖裡通常以零葉形式販賣，或只施以較簡陋的裝訂（如紙板、木板，頂多加上質地較差的布或皮革）。所謂「原裝」（original）並非絕對、而僅是一個相對的概念。早期藏書界只要見到裝訂簡樸的本子，便將它歸為「原裝本」，因為後世重新裝幀本往往經過購買者延請工匠另行以較精緻的形式製作。近世由於版本學的考據日深，對此才訂出比較明確的定義，必須是維持出版當時裝訂狀態的書才有資格被稱為「原裝本」。

27 "Some books are to be tasted, others to be swallowed and some few to be chewed and digested."：

語出英國名哲法蘭西斯・培根（Francis Bacon, 1561－1626）的文章〈論讀書〉（“Of Studies”, 1625）。

28 指「哈佛經典叢刊」（The Harvard Classics）。「哈佛經典叢刊」於二十世紀初由當時哈佛大學校長查爾斯・威廉・愛略特（Charles William Eliot, 1834-1926，校長任期1869-1909）編選、紐約P. F. Collier & Sons出版社印行（二十世紀末葉由Grolier Enterprises按照原版式重刊），收錄希臘羅馬時代直至近代各類型不朽典籍凡百餘種合為四十九卷，外加一卷《序文、導讀暨索引、合編》（*The Editor's Introduction, Reader's Guide and Index*, 1909）。「架上五呎」（the five-foot shelf）意指五十本《哈佛經典叢刊》全部排在一起恰可佔滿五呎寬的架位，見《哈佛經典叢刊題解》（*Lectures on the Harvard Classics*, 1914）編者威廉・艾倫・奈爾森（William Allan Neilson, 1869-1946）前言末段：“The Five-Foot Shelf, with its introductions, notes, guides to reading, and exhaustive indexes, may claim to constitute a reading course unparalleled in comprehensiveness and authority.”。愛略特另輯選三十二部小說（奈爾森負責為每部作品撰寫評介、輯註）合為「哈佛經典小說叢刊」（The Harvard Classics Shelf of Fiction）凡二十卷。

29 “I am one of those who seek / What Bibliomaniacs love.”：引自尤金・菲爾德的詩作〈與迪柏丁幽冥對語〉（參見本卷緒論譯註3）第四段第三、四句。

30 悉尼・史密斯（Sydney Smith, 1771-1845）：十九世紀英國牧師、作家。一七九四年赴愛丁堡傳教兼習醫；一八〇二年與友人合辦文藝刊物《愛丁堡評論》（*Edinburg Review*）並親自撰稿。一八〇三年赴倫敦宣教並成為文藝圈的名人。後來曾在約克夏、桑默斯特等地傳教、行醫。他的文名高過其宗教地位，後世屢屢將他與司威夫特與伏爾泰相提並論。

31 完整原句應為：「寰宇之內，讀美國書、看美國戲、觀美國畫、賞美國雕像者幾稀也。」（“In the four quarters of the globe, who reads an American book, or goes to an American play, or looks at an American picture or statue?”）。語出悉尼・史密斯的論文，出自《賽柏特氏美利堅合眾國評論年刊》（*Review of Seybert's Annals of the United States*, 1820）。

32「美洲（國）學」（Americana）：泛指一切與美洲（其實僅指美國）相關的史料、論著、文藝作品。這個“-ana”字根可運用在任何名詞上，譬如前一陣子突然成為顯學、市場上亦頗為搶手的台灣史料、文獻就可稱為“Taiwaniana”（或“Taiwana”）或“Formosana”。

33「黑字本」（black letter）：使用黑體字（亦稱「花體字」、「哥德體」〔gothic〕印製的初期印本書。

◎威廉・卡克斯頓

34 威廉・卡克斯頓（William Caxton, ca.1422-ca.1491）：英格蘭地區首位印刷工。

35 零葉（single leaf/leaves）：較珍貴的初期印本書因價格甚高，已難得以全本在書市出現（即使出現，其價格亦無人能負擔），書商往往將殘本一葉一葉拆散，以單張內頁計價販賣。

36 此段典故出自《約翰生傳》，記述一七七三年五月七日約翰生、戈爾德史密斯、鮑斯威爾與幾位友人在飯局中的談話內容。席間鮑斯威爾丟出「社會寬容度」（toleration）為引子，大家展開熱烈討論。約翰生直言，當政者應有權力制止某些與社會相牴觸的言論，以維繫公共秩序與安寧；若要堅持理念（他以早年的激進宗教改革者為例），除了殉道一途，無從證明其信仰之堅貞。而戈爾德史密斯顯然想在虔誠信仰和明哲保身之間找出一條行得通的路子，於是在席間發表「識時務者為俊傑」的看法。

37 班傑明・富蘭克林（Benjamin Franklin, 1706-1790）：美國建國初年名人，身兼印刷工、出版商、作家、科學家與政治家等身分。

38《老卡托》（*Cato Major*）：羅馬時代哲學家、雄辯家西塞羅（Marcus Tullius Cicero, 106-43BC）的名著之一，即《論老年》（*De senectute*）的別名。西塞羅藉古羅馬政論家老卡托（Marcus Porcius Cato或Cato Censorius, 234-149BC）之口闡述哲思。西塞羅的其他同類哲學論著為《論友誼》（*De amicitia*）、《論責任》（*De officiis*）、《論大限》（*De finibus*）、《論品德》（*The Tusculan Disputations*）、《論造物主》（*De natura deorum*）等。

39 亨利・喬治・波恩（Henry George Bohn, 1796-1884）：十九世紀倫敦出版商兼古書商，旗下出版分門別類、為數眾多的「波恩文庫」（Bohn Libraries）。波恩結束營業後，剩餘出版品賣斷給喬治・貝爾父子出版社（George Bell and Sons）。

◎波恩版Grammont伯爵《查理二世朝回憶錄》（*Memoirs of the Court of Charles II*, 1884），扉畫是涅爾・關的肖像

40《蒲伯譯註，荷馬的伊里亞德與奧德賽》（*Pope's Homer, the Iliad and the Odyssey*）：十八世紀英國詩人亞歷山大・蒲伯（Alexander Pope, 1688-1744）在William Broome與Elijah Fenton的協助下英譯的荷馬史詩。《伊里亞德》發表於一七一五年至一七二〇年、《奧德賽》發表於一七二五年至一七二六年。「波恩版」於一八五八年出版。此書原稿（現藏大英圖書館）幾乎全部寫在用過的信紙背面，蒲伯因此被司威夫特（Jonathan Swift, 1667-1745）冠以「惜紙如金的蒲伯」（paper-sparing Pope）的綽號。

ODYSSEY
OF
HOMER.
ALEXANDER POPE, Esq;
VOLUME THE FIRST.
LONDON,

◎《蒲伯譯註荷馬》（1760）

41 原句應為：「唉呀，閣下，要舉出何者不是容易多了。大家都知道哪些有點兒像詩，但是要判別何者為詩顯非易事。」（"Why Sir, it is much easier to say what it is not. We all know what light is; but it is not easy to tell what it is."）。此段典故出自《約翰生傳》（一七七六年段）。

42 奧斯卡・王爾德（Oscar [Fingal O'Flahertie Wills] Wilde, 1854-1900）：十九世紀英國作家。

43 原句應為「要厭惡詩的途徑有二，一是討厭它；另一則是嗜讀蒲伯。」（"There are two ways of disliking poetry; one way is to dislike it, the other is to read Pope."）語出王爾德。王爾德還用同樣句型說過："There are two ways of disliking art. One is to dislike it. The other is to like it rationally."

44《耶誕頌歌》（*Christmas Carol. In prose. Being A Ghost Story of Christmas*）：狄更斯的應景小說之一（或譯《小氣財神》）。一八四三年倫敦出版，約翰・利屈配圖。

45 標示"Stave I"（紐頓原文誤植為"Stave 1"）與"Stave One"兩種版本皆可視為一八四三年倫敦首版，兩者的差異在於：前者乃對外發行的版本，後者則為試印版。根據埃克爾《查爾斯・狄更斯首版書目》（參見本卷Ⅱ譯註67）的記載：「一部全本書葉未開、其餘一應俱全的《耶誕頌歌》本子在紐約現身，帶來一個新的謎團，其章節起首標示"Stave I"。」

◎Alfred Bryan繪製的史溫朋漫畫肖像

46 基尼（guinea）：昔時英國貨幣單位。合一英鎊一先令。

47 阿爾傑農・C. 史溫朋（Algernon Charles Swinburne, 1837-1909）：十九世紀英國詩人、評論家。《詩歌集》（*Poems and Ballads*）首版印行於一八六六年，紐頓藏本在前蝴蝶頁上有作者的親筆落款：「阿爾傑農・查爾斯・史溫朋依書主J. Hain Friswell之囑謹誌於一八六八年三月二十一日。」

48 愛德華・莫克松（Edward Moxon, 1801-1858）：十九世紀英國出版商、詩人。一八三〇年在倫敦龐德街開業（後來移往多佛街）。愛德華・莫克松歿後由J. B. Payne與Arthur Moxon接手業務，一八七一年被Messrs Ward, Lock & Tyler出版社併購。

49《孤注一擲》（*Desperate Remedies*）：哈代正式發表的第一部小說，一八七一年倫敦汀斯利兄弟（Tinsley Brothers）出版。鑒於部分文學史家偶爾會將《綠木樹下》定為哈代的第一部小說，在此有必要稍微加以說明。哈代將自己的小說概分為三類：「虛構角色與情境小說」（Novels of Character and Environment）、「傳奇與奇幻小說」（Romances and Fatasies）、「紀實小說」（Novels of Ingenuity）。《綠木樹下》（1872）被歸為第一類，而《孤注一擲》（1871）則屬於第三類。

50 湯瑪斯・哈代（Thomas Hardy, 1840-1928）：英國小說家。

◎湯瑪斯・哈代

51「老汀斯利」（old Tinsley）：十九世紀倫敦出版商汀斯利兄弟經營人之中的哥哥威廉・汀斯利（William Tinsley, 1831-1902）。曾作回憶錄《一介老出版人的回憶散記》（*Random Recollections of an Old Publisher*, 1900）。

◎Harry Furniss繪製的威廉・汀斯利漫畫肖像（約1890）

52 麥格氏兄弟書店（Maggs Bros. Ltd.）：英國老字號古書商，一八五三年由Uriah Maggs（當時二十五歲）在倫敦開業，初期兼營文具、報刊、裝訂業務（當時一般書店的常態）。後來逐漸轉型為舊書店，至一八七〇年該書店標榜"Second-Hand Books, Ancient and Modern, in all Classes of Literature."。一八九四年Uriah退休後由兒子Benjamin與Henry共同經營（Charles後來加入），從此正名為「麥格氏兄弟書店」，成為倫敦數一數二的古書店，甚至名列歐洲數國皇室的專屬書商。此書店現今專營大部頭的嚴肅古典經典。

53 阿瑟・賽蒙斯（Arthur William Symons, 1865-1945）：英國詩人、翻譯者、文評家。與十九世紀文壇人士交遊甚廣。曾為多份刊物撰寫評論，編註過許多文集、自六種外國文字迻譯文學作品。曾出版自著《文學中的象徵主義運動》（*Symbolist Movement in Literature*, 1899）。一九〇八年精神崩潰，直至去世未見起色。

54《遠離狂囂》（*Far from the Madding Crowd*）：哈代的第四部小說作品，一八七四年Smith, Elder and Co.出版。書名擷自葛雷《輓歌》中的詩句：「遠離狂眾的卑劣囂鬥／念茲在茲乃至終不悔。」（"Far from the madding crowd's ignoble strife / Their sober wishes never learned to stray."）哈代另以此故事編寫了舞台劇版本，遲至一九二四年才由「哈代劇團」（the Hardy Players）搬上舞台演出。一九六七年曾被改編成電影（Frederic Raphael編劇、John Schlesinger導演），中文片名有〈瘋狂情人〉、〈冷暖情天〉、〈遠離狂亂的人群〉等幾種。

55 語出一九一八年一月二十三日哈代致《孔丘雜誌》（*The Cornhill Magazine*, 1860-1975，該刊曾多次刊登哈代文章）前任主編雷金納・史密斯（Reginald Smith，一八九八年至一九一六年間擔任《孔丘》編輯）的起首信文：「兄如此神通尋獲《遠離狂囂》手稿誠令人喜出望外！吾竊以為此稿已『化漿』多年早不存人間矣。另，兄委實善德過人──著意交付紅十字會義賣，惟不知能得人垂青否。」（"How surprising that you should have found the MS. of Far from the Madding Crowd! I though it 'pulped' ages ago. And what a good thought of yours—to send it to the Red Cross, if anybody will buy it."）蓋哈代於一八七四年將《遠離狂囂》投稿至《孔丘》，但雜誌社事後並未退還原稿。史密斯將此哈代兩葉信函與該手稿一併送交拍賣（參見下則譯註)。哈代曾擔心賣不掉，還表示：早知道就寫在好一點的紙張上頭。

56《遠離狂囂》手稿原佚失的第107頁經哈代本人於一九一八年一月補寫湊齊，於同年四月二十六日在倫敦由克利斯蒂、曼森與伍茲公司（Christie, Manson & Woods Ltd.）為紅十字會舉辦的義賣會上，被某紐約書商為紐頓標得。紐頓於一九二九年私家印行的小冊子《湯瑪斯・哈代：小說家乎？詩人乎？》（*Thomas Hardy -Novelist or Poet?*）中披露此函。

57《綠木樹下》（*Under the Greenwood Tree*）：湯瑪斯・哈代的小說，一八七二年出版。

58 聖巴多羅買醫院（St. Bartholomew's Hospital）：倫敦市內歷史最悠久的醫院。關於紐頓乘坐馬車在倫敦翻覆受傷及養病的經歷，他寫成一篇〈大難不死〉（"20"），另載於《洋相百出話藏書》（譯本未收）。

◎聖巴多羅買醫院，Tho. H. Shepherd原畫、A. Cruse版刻

59 詹姆士・鮑斯威爾（James Boswell, 1740-1795）：十八世紀英國傳記作家。代表作為一七九一年出版的《約翰生傳》。

◎鮑斯威爾漫畫肖像，顯示他一手拿著日記、一手捧著關於約翰生的資料

60 "There is a city called London for which I have as violent an affection as the most romantic lover ever had for his mistress."：語出一七六二年五月鮑斯威爾致友人安德魯・厄斯金（Andrew Erskine, ?-1793）信中的文句。厄斯金後來將此信收錄於《厄斯金、鮑斯威爾往復書簡》（*Letters between The Honourable Andrew Erskine, and James Boswell, Esq.*, 1763）中出版。鮑斯威爾當時嚮往倫敦的文藝氣氛，正因執意棄武從文前往倫敦而與家人鬧得不可開交。他多次於寫給友人的信中透露思慕倫敦的想法。

61 "I was 'broke' in London in the fall of '89'."：引尤金・菲爾德詩作〈親愛的老倫敦〉（"Dear Old London"）起首及各段尾句「『當我八九年秋在倫敦傾家蕩產。』」（"'When I was broke in London in the fall of '89.'"）。

62 阿弗列・夸立奇（〔Bernard〕 Alfred Quaritch, ?-1913）：伯納德・夸立奇之子。一八八九年入行，一八九九年老夸立奇去世後接掌夸立奇書店。

63 紐頓與老夸立奇之間的交情原本一直頗為友好，但他後來與夸立奇書店一度關係生變（當時已由小夸立奇接手經營）。導火線是美國首版《蒐書之道》（Boston: Little, Brown and Co., 1928）〈拍賣場風雲〉一文之中對該書店提出若干尖銳評語，小夸立奇認為有損書店商譽，甚至有意對紐頓提出告訴；後來紐頓於印行英國首版（London: George Routledge and Sons, 1930）時刪除該段文字，並於一九三〇年十月三十日的《倫敦時報文學副刊》（*The Times Literary Supplement*）上刊登道歉啟事；但紐頓口服心不服，於稍後（同年十二月）寄了一張措詞強硬的明信片給紐約書商Harry Stone發洩滿腔不滿（內容是："Owing to the discourtesy with which I have been treated by a prominent London book-seller, I have withdrawn from *THE BOOK-COLLECTING GAME* and request that you send me no further catalogues."）。我據以翻譯的《蒐書之道》版本為一九三〇年倫敦版，該段文字自已不存。為了查出到底是哪句話竟能惹出這麼大風波，我一直設法購買美國首版，但截至此譯本出版前夕仍難入手，在此向讀者致歉。

64 奧立佛・溫戴爾・荷姆斯（Oliver Wendell Holmes, 1809-1894）：十九世紀美國文人、作家。雖然習醫出身，其文學成就卻十分豐碩。一八四七年至一八八二年在哈佛大學擔任解剖學與生理學教授；一八五七年至一八五八年在《大西洋月刊》（自創刊號起）撰寫幽默專欄「早餐

桌暴君」(*The Autocrat of the Breakfast-Table*,一八五八年集結出版單行本),續寫「早餐桌邊的教授」(*The Professor at the Breakfast-Table*,一八六〇年集結出版單行本)與「早餐桌邊的詩人」(*The Poet at the Breakfast-Table*,一八七二年集結出版單行本);其他作品包括:詩集《多調歌》(*Songs in Many Keys*, 1862)、《季節更迭之歌》(*Songs of Many Seasons*, 1875)、《鐵門》(*The Iron Gate*, 1880)、《宵禁前夕》(*Before the Curfew*, 1887)、小說《愛爾西・凡納》(*Elsie Venner*, 1861)、《守護天使》(*The Guardian Angel*, 1867)、《恨之入骨》(*A Mortal Antipathy*, 1885)、散文《深深大西洋》(*Soundings from the Atlantic*, 1864)、《生命古卷舒頁》(*Pages from an Old Volume of Life*, 1883)、《歐遊百日》(*Our Hundred Days in Europe*, 1887)、以及John Lothrop Motley與愛默生的傳記(分別出版於一八七九年、一八八五年)。

◎奧立佛・荷姆斯,出自E. E. Brown《荷姆斯傳》(*The Life of Oliver Wendell Holmes*, 1884)

65 查令十字路(Charing Cross Road)位於倫敦市中心,新、舊書店、出版社大量聚集的街道。自十八世紀末直到一八七七年查令十字路開通前,倫敦的「書街」(“Booksellers' Row”)是荷里威爾街(Holywell Street)。

66 皮歐濟夫人(Mrs. Piozzi):即海絲特・林區・特勞爾－皮歐濟(Hester Lynch Thrale Piozzi, 1741-1821),原姓薩利斯伯里(Salisbury),一七六二年嫁給財主亨利・特勞爾;一七六五年結識約翰生,隨後數年,約翰生長期在特勞爾家中避暑養病,與特勞爾全家相交甚深。一七八一年亨利・特勞爾去世,她於一七八四年旋即與女兒的音樂教師義大利人加伯里耶(Gabriel)・皮歐濟再婚,並隨他移居義大利。約翰生於同年去世,她於是纂成《法學博士山繆・約翰生晚年逸事摭拾》(*Anecdotes of the Late Samuel Johnson, LL.D., during the Last Twenty Years of His Life*, 1786)作為兩人交遊二十年的紀念。返回英國後,她又發表《法學博士山繆・約翰生往復書簡》(*Letters to and from the late Samuel Johnson, LL.D.*, 1788),披露她與約翰生於一七七六年至一八〇九年之間上千封信函,該書於一九四二年經K.C.鮑德斯頓(K. C. Balderston)編成兩卷,以《特勞爾大全》(*Thraliana*)為名出版。一七九四年,膾炙人口的《不列顛語同義詞析疑》(*British Synonymy*)出版。

◎皮歐濟夫人,George Dance繪(1793)

67《皮歐濟大全》(*Piozziana; or, Recollections of the Late Mrs. Piozzi, with Remarks. By a Friend*):愛德華・曼金(Edward Mangin, 1772-1852)編著。一八三三年倫敦愛德華・莫克松出版。

68「來頭」(provenance):此字源自古法文。在博物館學的領域中,此詞代表「收藏源流」的意思,指某件文物收藏品歷來的完整轉手記錄。“provenance”也是藝品骨董交易上十分重要的資料,拍賣目錄或收藏目錄往往會翔實列出。

69 布萊恩・梅瓦學院(Bryn Mawr College):創立於一八八五年的老字號學府,坐落於費城布萊恩・梅瓦小城,以校園內的許多哥德式老建築物著稱。是美國最早的女子大學之一。

70 關聯本(association books):泛指其版本、內容或書寫過程、流傳經歷與某位名人或某起歷史事件沾帶關係的書。

71 “Yield with coy submission.”:引自彌爾頓《失樂園》(第四卷第304句至第311句):「她那幾綹未經梳理的金髮/宛若一襲面紗在腰肢垂掛/雖凌亂、卻又錯綜攏遢茂密複雜/一如藤根蔓樹,款款訴說/衷曲,但仍心旌搖晃,/她含苞獻身,他則雄心大放,/嬌柔羞澀,欲馴還驕／含情脈脈，半推半就。」（“She as a veil down to the slender waist / Her unadorned golden tresses wore / Dishevell' d, but in wanton ringlets wav'd / As the Vine curls her tendrils, which impli'd / Subjection, but requir' d with gentle sway, / And by her yielded, by him best receiv' d, / Yielded with coy submission, modest pride, / And sweet reluctant amorous delay.”）後世屢屢根據這幾句描寫夏娃（該書第一次出場）詩句，抨擊彌爾頓潛在的男性沙文心態。

72 威廉・哈里斯・阿諾德（William Harris Arnold, 1854-1924）：美國書商、作家、藏書家、版本學家。

73《威廉・哈里斯・阿諾德所藏書籍、尺牘交易帳》（*A Record of Books & Letters Collected by William Harris Arnold*）：一九〇一年，牙買加：梅里翁印書館（參見第四卷Ⅳ譯註40）出版。以手工紙限量印行一百一十六部、日本皮紙（Japanese vellum）四十九部。該書記錄一九〇一年阿諾德脫手拍賣藏書的成交價。

74《濟慈詩集》（*Poems by John Keats*）：一八一七年在雪萊的協助下出版。市場反應不佳。

75 查爾斯・考登-克拉克（Charles Cowden-Clark, 1787-1877）：英國作家、莎士比亞研究學者。他的父親約翰・克拉克是濟慈的啟蒙師，他本人則與濟慈相交極密切，並與蘭姆姊弟、雪萊、李・杭特、柯勒律治、哈茲里特……等名家都有往來。後來與阿弗列・諾維羅（Alfred Novello）合夥經營樂譜出版，一八二八年與諾維羅的姊姊瑪麗・維多利亞（Mary Victoria，參見下則譯註）結婚。他與妻子合作，寫出許多作品，包括數部莎士比亞與其他詩人的研究論集、記錄他與眾多作家的友誼的《作家交遊錄》（*Recollections of Writers*, 1878）。

76 瑪麗・考登-克拉克（Mary Victoria Cowden-Clark, 1809?- 1898）：查爾斯・考登一克拉克之妻。作品有《莎士比亞筆下的女性角色前傳》（*The Girlhood of Shakespeare's Heroines*, 1851-1852）三卷。若干失察的評論攻訐此書誤將莎士比亞的虛構人物當成史實。其實該書並非研究論著，而是依莎士比亞創造角色演繹出來的小說。

77 約書亞・雷諾茲（Joshua Reynolds, 1723-1792）：十八世紀英國畫家。

78 獻呈本（dedication copy）：指專為特定對象（通常為某人）創作的書。

79 哈利・愛爾金・威德拿（Harry Elkins Widener, 1885-1912）：美國珍本收藏家。出身費城豪門，生前收藏數量龐大的史蒂文生作品。二十七歲時乘坐「鐵達尼號」自倫敦返美，因而死於船難。他的大批藏書由其母捐贈哈佛大學圖書館，闢成「哈利・愛爾金・威德拿紀念特藏室」（Harry Elkins Widener Memorial Library），於一九一五年落成開放，現今規劃於該校的豪頓圖書館（Houghton Library）內，現藏量約三千三百件。其生前收藏以數量龐大的史蒂文生相關藏品著稱，羅森巴哈（參見本卷Ⅱ譯註18）於一九一三年為該批藏書編製書目。「哈利・愛爾金・威德拿紀念特藏室」於一九九七年開始大規模的修葺工程（WSR Renovation，一九九九年三月動工）即Widener Stacks Renovation（WSR Renovation）project，預計二〇〇四年春天全部完竣。參見本卷V。

◎約書亞・雷諾茲自畫像

80 詹姆士・葛蘭特・威爾遜（James Grant Wilson, 1832-1914）：蘇格蘭裔美國傳記作家。《薩克雷氏合眾國見聞錄》（*Thackeray in the United States*, 1852-3, 1855-6）兩卷本，一九〇四年紐約Dodd, Mead & Co.（倫敦Smith, Elder）出版。

81 威廉・麥克畢斯・薩克雷（William Makepeace Thackeray, 1811-1863）：十九世紀英國小說

家。代表作《名利場》(*Vanity Fair*),原書書名來自班揚的《天路歷程》(*Pilgrim's Progress*)第六章內容,中譯書名則引自《鏡花緣》中的典故(以往台灣譯本皆作《浮華世界》)。

◎威廉・薩克雷自繪漫畫肖像

82 威廉・多德(William Dodd, 1729-1777):十八世紀英國教士、作家。關於多德偽造文書下獄的這段公案,紐頓另寫成〈花花牧師〉("A Macaroni Parson",原書第十一章,譯本未收)。

83 一九〇七年十月十六日,華爾街股市無量暴跌,史稱「尼可波可信託股災」("The Knickerbocker Trust Panic"或"The Knickerbocker Trust Disaster",「尼可波可信託公司」乃當時破產倒閉的眾多金融機構之中最具規模的一家)。直至十一月四日,銀行家J. P. 摩根(參見本卷Ⅲ譯註14)號召同業集資二千五百萬美元進場穩定股市,一場金融風暴才暫告平息,但已造成產業界莫大內傷。

◎一九〇七年的華爾街

84 愛德蒙・艾倫(Edmund Allen, 1726-1784):十八世紀倫敦印刷商。

85 約翰・豪金斯爵士(Sir John Hawkins, 1719-1789):十八世紀英國作家。約翰生曾稱他為「一位非常不長袖善舞之人」("a very unclubable man",見鮑斯威爾《約翰生傳》一七六四年段)。豪金斯著作的《約翰生傳》出版於一七八七年(約翰生歿後三年、比鮑斯威爾的《約翰生傳》問世早了四年)。

86 指〈鮑斯威爾其人其書〉("James Boswell His Book"),譯本未收。

87「美裝本」(edition de luxe):指印刷、用紙俱精且裝幀豪華的書。

88《托利品老年論友誼》(*Tully, His Treatises of Old Age and Friendship*):參見本章譯註38。托利即西塞羅。

89 喬治・柏克貝克・(諾曼・)希爾(George Birkbeck [Norman] Hill, 1835-1903):英國學者、約翰生研究專家。曾編註六卷本《約翰生傳》(London: Clarendon Press, 1887)與《約翰生雜著集》(*Johnsonian Miscellanies*, 1897)等。

90 語出希爾編《約翰生雜著集》第一卷〈祈禱文暨冥思錄〉(Prayers & Meditations)序言。

91 在紐頓藏品拍賣目錄(一九四一年)中,這件手稿被冠以「吾所珍藏之約翰生相關藏品之中最有意思、最動人心弦的品目」("One of the most interesting and Pathetic Items in My Johnson Collection.")。紐頓於一九四〇年六月十三日(他去世前不久)寫下一段文字,鑲襯(參見本卷Ⅱ譯註69)於該手稿上:「吾竊以為此拉丁詩〈認清自己〉(原題乃希臘文)乃吾所珍藏之約翰生相關藏品之中最有意思、最動人心弦的品目。此品甚少人知亦鮮少出現,若吾所知無誤,僅問世於一八二五至二六年由塔伯伊、惠勒氏印行之上乘牛津版曾收之,吾庋藏該書大紙版乙部⋯⋯」("This Latin poem Know Thyself〔the title is in Greek〕is in my judgment one of the most interesting and pathetic items in my Johnson collection. It is very little known and appeared, if I am correctly advised, in the superb edition of Johnson's Works published by Talboys and Wheeler, Oxford, 1825-6, of which I have a large paper edition⋯")

92 喬治・史川恩(George Strahan, 1744-1824):倫敦出版商、印刷工。約翰生臨終前曾將一批手稿交給史川恩,後者據此編出《祈禱文與冥想集》(*Prayers and Meditations, composed by*

Samuel Johnson, LL.D. and published from his manuscripts, By George Strahan, A.M. Vicar of Islington, Middlesex; and Rector of Little Thurrock, in Essex, London: T. Cadell, 1785）。據鮑斯威爾所言：「此一備受推崇的集子……遠遠勝過他（約翰生）之前發表過所有的文集……約翰生的懿德與虔誠之心（在書中）表露無遺。」見《約翰生傳》（一七八四年十一月段）。

93 書口未裁（uncut）：印張摺疊裝訂後，書口保留原紙張毛邊未經裁切整齊的本子。另一個術語：「書葉未開」（unopened）則是指書口未裁且維持書疊摺線的本子。早期書籍皆以此形態出版，讀者買回後須自行一一裁開方能展閱，「書葉未開」的書必然也「書口未裁」，但「書口未裁」卻未必「書葉未開」。魯迅對於這種形態的書籍特別喜愛，曾命名為「毛邊本」。由於「書葉未開」表示該書處於「未經翻讀」（unused）的狀態，通常比書葉已開的本子更值錢。

94 約翰生與鮑斯威爾曾於一七七三年結伴遊歷蘇格蘭高地和赫布里底群島（Hebrides Is.），約翰生據此寫出《蘇格蘭西島遊記》（*A Journey to the Western Island of Scotland*, London: W. Strahan and T. Cadell, 1775）；鮑斯威爾則寫出《赫布里底紀行》（*Journey of a Tour to the Hebrides*, 1785）。

95 戈爾德史密斯心儀宏涅克夫人（Hannah Horneck, c.1726-1803）的千金瑪麗．宏涅克（Mary Horneck, 1750-1840），並為她取了「素馨姑娘」（"Jessamy Bride"）的暱稱。典出一七六八年在科芬園上演、由查爾斯．迪柏丁（Charles Dibdin）創作的喜歌劇《萊恩諾與克雷里莎，或父親學校》（*Lionel and Clarissa or A School for Fathers*）當中的花旦角色。一七六六年，戈爾德史密斯經由引介，結識宏涅克一家（瑪麗當時芳齡十四）；並隨宏涅克家族一同前往巴黎旅遊。

◎宏涅克家的兩位千金：凱薩琳與瑪麗，約書亞．雷諾茲原畫、Samuel William Reynolds版刻

96 約翰．福斯特（John Forster, 1812-1876）：英國文藝評論家。以編輯《反光鏡》（*Reflector*）起家；一八三二年在《正日》（*True Sun*）上撰寫劇評；一八四二年至一八四三年擔任《域外評論季刊》（*Foreign Quarterly Review*）主編；一八四六年編輯《每日新聞》（*Daily News*）；一八四七年至一八五五年編輯《考察者》（*Examiner*）。一八五六年與出版商Henry Colburn的遺孀Eliza Colburn結婚，得以與許多作家結緣。福斯特撰寫許多文學家傳記，包括《奧立佛．戈爾德史密斯平生事蹟》（*Life and Adventures of Oliver Goldsmith*, 1848）、《薩瓦吉．蘭鐸傳》（*Life of Savage Landor*, 1869）、《查爾斯．狄更斯傳》（*Life of Charles Dickens*, 1872-1874）、《司威夫特傳》（*Life of Swift*）第一卷（一八七六年）。他被認為是十九世紀首位專業傳記作家，由於他與眾多作家關係密切，蘭鐸、狄更斯、卡萊爾等人均指定他為遺作產權處理人。

97 約瑟夫．薩賓（Joseph Sabin, 1821-1881）於一八四八年攜眷赴紐約經營書畫買賣。後來併購M. Numan之後涉足書籍買賣並將店號改為J. Sabin & Sons（店址設於紐約市Nassau街84號）。一八六七年起約瑟夫編製美國學書目叢刊（*Bibliotheca Americana, or a dictionary of books relating to America*），每年發行六期直至他逝世後由Eames and Vail繼續出刊至一九三二年。一八七〇年次子法蘭克．T. 薩賓（Frank T. Sabin）遷返英國開設分店。此藝品店現仍由薩賓的後代經營（現址在倫敦市Albemarle街）。

98 愛德蒙．史賓賽（Edmund Spenser, 1552?-1599）：十六世紀英國詩人。《英詩名家——愛德蒙．史賓賽先生作品集》（*The Works of the Famous English Poet, Mr. Edmund Spenser*），一六七九年倫敦Henry Hills for Jonathan Edwin出版。

99 約瑟夫・瑟汶恩（Joseph Severn, 1793-1879）：英國肖像畫家。一八二〇年在義大利照料濟慈直至濟慈過世，兩人後來甚至合葬在一起。他與濟慈相交甚篤，兩人之間有大量書信往來。他一度嘗試撰寫小說卻未能成功，一八六三年出版自著《濟慈聲名起落始末》（*The Vicissitudes of Keats's Fame*）。瑟汶恩曾一度擔任英國駐羅馬領事。

◎瑟汶恩的自畫像（約1820）

100《仙后》（*Fairy Queen*）：史賓賽的長篇詩作。頭三卷於一五九〇年問世，後六卷於一五九六年出版。

101 "SWEET are the pleasures that to verse belong, / And doubly sweet a brotherhood in song." ：出自濟慈作於一八一五年十一月的詩〈致喬治・費爾騰・馬修〉（"To George Felton Mathew"，收錄於一八八四年《約翰・濟慈詩作集》）首二句。

102 喬治・費爾騰・馬修（George Felton Mathew, 1795-?）：濟慈早年友人。

103 羅勃・白朗寧（Robert Browning, 1812-1889）：十九世紀英國詩人。

104 丹特・加伯瑞・羅塞蒂（Dante Gabriel Rossetti, 1828-1882）：十九世紀英國畫家、詩人。

105 阿弗烈・丁尼生勛爵（Lord Alfred Tennyson, 1809-1892）：十九世紀英國詩人。

106〈茉德〉（Maud）：丁尼生的獨幕詩劇。一八五四年成稿，一八五五年出版。

107「小樹背後的崆峒何其令吾憎厭。」（"I hate the dreadful hollow behind the little wood."）：出自丁尼生詩劇〈茉德〉第一部首段首句。

108 E.B.B. ： 即依麗莎白・巴瑞特・白朗寧（Elizabeth Barrett Browning, 1806-1861）。羅勃・白朗寧之妻。

109 R.B.：即羅勃・白朗寧。

110 阿拉貝兒（Arabel）：白朗寧夫人的妹妹阿拉貝拉・巴瑞特（Arabella Barrett）的暱稱。

111 白朗寧於妻子依麗莎白去世後翌年（一八六二年）遷居至此。

112 西奧多・馬汀夫人（Mrs. Theodore Martin）：白朗寧家庭友人。其夫婿曾銜命編纂《先親王傳》（參見本章譯註151）。

113 此圖於紐頓藏品拍賣會上，被文物收藏家瑪麗・維斯康提・埃克利斯（Mary Viscountess Eccles, 1912-2003，即Mary Hyde，閨名Mary Morley Crapo）買下，現藏哥倫比亞大學圖書館善本暨手稿特藏室（受Mary Hyde贈）。埃克利斯最近剛以九十一高齡辭世。

114 店東華特・T. 史賓塞（Walter T. Spencer, 1888-1944）曾著《蟄守書店四十載》（*Forty Years in My Bookshop*, London: Constable & Co., 1923）。

115《壁爐上的蟋蟀》（*The Cricket on the Hearth*）：狄更斯的聖誕應景故事之一。一八四五年出版。

◎《壁爐上的蟋蟀》

116 泰勒與賀西（Taylor & Hessey）：十九世紀倫敦出版商。由約翰・泰勒（John Taylor, 1781-1864）與詹姆士・賀西（James Augustus Hessey, ?- 1823）合夥經營。十九世紀初期，泰勒與賀西除了重金買下濟慈、克萊爾（John Clare, 1793-1864，詩人）、哈茲里忒、德昆西（Thomas de Quicy, 1785-1859）、蘭姆、柯勒律治等多位著名重量級作家的作品版權，更於一八二一年併購文藝刊物《倫敦雜誌》（*London Magazine*，一八二〇年為了與《紳士雜誌》分庭亢禮而創刊，由於創辦人John Scott因為和另一份對手刊物《布列克伍雜誌》有譭謗糾紛，在一場決鬥中負傷身亡而將刊物售出），泰勒本人並自行掌理編務；對那段出版商與作家之間關係密切並進而影響文學走向有興趣的讀者，可參閱Tim Chilcott的論著《周旋作家間》（*A Publisher & His Circle : The Life & Work of John Taylor, Keats's Publisher*, London and Boston: Routledge & Kegan Paul, 1972）；該期刊於一八二五年因銷路銳減而停辦。

117 當時蘭姆的系列散文都刊載在《倫敦雜誌》上（參見本卷II譯註62），並由泰勒與賀西首度集結成書（*Elia: Essays Which Have Appeared under That Signature in the London Magazine*, London: Taylor and Hessey, 1823）。此函所記金額一說為三十五鎊。

118 硬板簡裝（in boards）：早期的書籍為了便利顧客購買後再自行依喜好請裝幀師（binder）進行各式各樣的裝幀，出版時多以素樸、簡單的臨時方式裝訂。所謂的「硬板簡裝」乃封面、封底僅使用木板或紙板包夾，書背則以紙、布或皮革接黏，貼上簡單的書簽（label），註明書名、作者、出版單位。由於此類未經改裝的書籍更接近「原始出版狀態」（as issued），在古書市場上的價值一般而言相對較高。

119 此信連同另一封蘭姆寫給出版商柯托（參見本卷II譯註14）的信函後來都被W.休・皮爾（W. Hugh Peal）購藏，並於一九八一年將它們與其他藏書（包括珍本一萬二千部、手稿七千件）捐贈給母校肯塔基州立大學，現藏該校圖書館「W. 休・皮爾手稿特藏室」（W. Hugh Peal Manuscripts Collection）。

120 伯川・多貝爾（Bertram Dobell, 1842-1914）：英國書商、文人。多貝爾創作的戰場詩後來集結成《商籟與歌謠》（*Sonnets & Lyrics: A Little Book of Verse on the Present War*, 1915）。

121 亨利・雷布榭爾（Henry du Pré Labouchére, 1831-1912）：英國報人、政客。曾擔任駐聖彼得堡與德勒斯登的外交官。三度擔任自由黨國會議員（1865-1866, 1867-1868, 1880-1906）；一八七七年開辦《真相週報》（*Truth*），曾因激進攻訐皇室成員而遭維多利亞女王監禁。

122 大衛・加雷克（David Garrick, 1717-1779）：英國演員、劇場經營者、劇作家。年少時一度在約翰生門下受教，後來隨約翰生到倫敦闖蕩，經商不利之餘轉而投身舞台。一七四二年以扮演理查三世初次粉墨登場，獲得空前成功，此後擔綱演出許多悲劇英雄（包括莎士比亞筆下的諸多角色），其中以扮演李爾王最受稱道。一七四七年至一七七六年他執掌「德魯里巷劇場」並進行許多改革。他自己亦編寫多部劇本，包括《達官貴人》（*Bon Ton*, 1775）、《千金少女》（*Miss in Her Teens*, 1775）等。而他與狄德羅、約翰生、戈爾德史密斯等人的長年交誼，亦是文壇佳話。由於他對英國劇場界的顯著貢獻，死後被榮葬於西敏寺。

◎大衛・加雷克，T. Gainsborough繪（1770）

123《愛成泡影，一則小鎮牧歌》（*Love in the Suds. A Town Eclogue : Being the Lamentation of Roscius for the Loss of His Nyky*）：威廉・肯瑞克（William Kenrick, 1725?-1779）一七七二年的劇作。內容暗諷Isaac Bickerstaffe（1733-1812?）的同性戀醜聞，大衛・加雷克因扮演劇中人遭牽連被控告。

124 班雅明・狄茲拉勒（Benjamin Disraeli, 1804-1881）：十九世紀英國政治家、小說家、畢肯斯菲爾德伯爵（Earl of Beaconsfield）一世。以薩克・狄茲拉勒（參見第二卷 I 譯註19）之子。一八六八年、一八七四年至一八八一年兩度擔任英國首相

125《亨芮耶塔・譚波》（*Henrietta Temple, a Love Story*）：班雅明・狄茲拉勒的小說。一八三七年倫敦首版。

126 威廉・貝克福（William Beckford, 1759-1844）：英國作家、藝品收藏家。其父因運銷西印度群島奴工致富並擔任過倫敦市長，威廉・貝克福因此繼承了萬貫家財，得以出手千金購置藝

品並長期雲遊四海。曾以法文寫作東方風味小說《法瑟克》(*Vathek*, 1782)、《阿爾・雷烏》(*The Story of Al Raoui*, 1799);另有數部旅遊散文《英倫之旅摭拾》(*Fragments of an English Tour*, 1779)、《羈旅鴻爪》(*Dreams, Waking Thoughts, and Incidents*, 1783)等行世。

◎威廉・貝克福,雷諾茲爵士繪、Frederick Bromley版刻(1862)

127詹姆士・湯姆遜(James Thomson, 1700-1748):十八世紀蘇格蘭裔英國詩人。

◎詹姆士・湯姆遜,John Patoun繪(約1746)

128《四季詩詠》(*The Seasons*):詹姆士・湯姆遜的無韻詩集。一七二六年至一七三〇年分四部(以「冬」、「夏」、「春」、「秋」的順序)出版。

129法蘭西絲・威德伯恩・韋伯斯特(Frances Wedderburne Webster, 1793-1837):本名為Frances Caroline Annesley,拜倫友人James Wedderburn Webster(1788-1840)的妻子。一八一三年秋

天拜倫曾寄居在韋伯斯特宅中,期間對她頻獻殷勤,為她譜作情詩〈伊人如夜款款婀娜〉("She walks in Beauty like the Night"),法蘭西絲屢次堅拒拜倫求愛,當她終於打開心扉時,拜倫早已興趣缺缺。當她於一八一五年又與布魯塞爾的威靈頓公爵糾纏不清,拜倫因而譜出情詩〈我倆分手時〉("When We Two Parted")。

130查爾斯・B. 富特(Charles B. Foote, 1837-1900):十九世紀美國藏書家。

131詹姆斯・崔加司基斯(James Tregaskis):倫敦書商、出版商。Caxton Head是崔加司基斯的出版社名。紐頓曾為該書店印行的目錄撰寫序文。

132"Jimmie hath a very pretty wife":紐頓套用《約翰生傳》中C. 邱吉爾(C. Churchill, 1731-1764)提及書商戴維斯妻子的閒話:「戴維斯那廝討了個標致媳婦兒。」("That Davies hath a very pretty wife")。此段關於美豔的戴維斯太太令約翰生驚為天人的典故,見《約翰生傳》(一七六四年段)。崔加司基斯的太太是Mary Lee Tregaskis。

133湯瑪斯・戴維斯(Thomas Davies, 1712?-1785):十八世紀倫敦書商兼戲劇票友,當年在科芬園羅素街開設書店。戴維斯得知鮑斯威爾亟欲結識約翰生,便表示自己和約翰生非常熟稔,博士亦常光臨書店,他建議鮑斯威爾沒事多到他的書店走動,如此便有機會巧遇約翰生上門。但是鮑斯威爾多次造訪卻一直未能碰到約翰生。直到一七六三年五月十六日,他在書店後廂房與戴維斯一起飲茶,戴維斯瞥見窗外,突然起身大聲說(鮑斯威爾書中形容「活像在戲台上扮演何瑞修,向哈姆雷特宣布他父親的鬼魂現身一般」):「唉呀,老天爺,出現啦。」於是約、鮑兩人在戴維斯的書店內初次見面。見《約翰生傳》(一七八四年五月十五日段)。

◎湯瑪斯・戴維斯,T. Hickey繪、Luigi Schiavonetti版刻(1794)

134喬治・薩爾曼納查(George Psalmanazar, 1679-1763):十八世紀作家。真實姓名、籍貫皆不詳。他前後佯裝成各種身分在英國招搖撞騙,最後以福爾摩沙人自居,憑藉高明的口才遊走英國上流社會。關於此人生平事蹟,可參閱Frederic J. Foley, S.J.(傅良圃神父)對此人及其數種偽書深入研究的《福爾摩沙大騙子》(*The Great Formosan Imposter*, 1968,中譯本《文學史上的大騙子》由張劍鳴翻譯,純文學出版社於一九六九年出版。書中還有《福爾摩沙史地記實》部分內容摘譯)。《喬治・薩爾曼納查回憶錄》(*Memoirs of ****. Commonly Known by the Name of George Psalmanazar*),一七六四年倫敦首版、一七六五年倫敦再版、都柏林首版。除了坦承一部分言行(原先已被揭穿的部分)之外,此書內容後來還被證實仍然存在多

處不實。

135 H. L. 特勞爾：即皮歐濟夫人（參見本章譯註66）。

136 Sam為Samuel的簡稱。

137 鮑斯威爾曾在書中援引約翰生說過的一句話：「閣下，豈可質疑薩爾曼納查！其與令吾質疑主教無異也。」（“Sir, contradict Psalmanazar! I should as soon think of contradict a Bishop.”），說明約翰生一向十分敬重神職人士。見《約翰生傳》（一七八四年五月十五日段）。

138《福爾摩沙史地記實》（*Historical and Geographical Description of Formosa*）：喬治．薩爾曼納查作的偽書。一七〇四年四月在倫敦出版即造成轟動，隔年即再版並印行法文版（一七〇八年、一七一二、一七三九年四度印行）、荷蘭文版、德文版；後世更數度重印。現代版本首推一九二六年由W. M. Penzer編註、收入「騙子文叢」的重印本。中譯本可見《福爾摩啥》（薛絢譯，大塊文化，1996）。薩爾曼納查在書中對福爾摩沙（台灣）住民的謬誤描述，在當時及後世都有人不察引用，貽害甚巨。我多年前任職古書店期間曾經手一部一七〇四年倫敦首版，當時一直未能售出，不知現在落入何人之手。

139《鹿腰腿肉》（*Haunch of Venison*）：戈爾德史密斯為贊助人克雷爾勛爵（Lord Clare）所作的詩。成稿約於一七七〇年，一七七六年出版。

140 紙面簡裝（in wrappers）：封面、封底僅使用軟紙包夾（約略等同於現在的平裝本）的本子（參見本章譯註118）。

141 亨利．威廉．邦伯利（Henry William Bunbury, 1750-1811）：英國業餘畫家、漫畫家。有眾多文壇好友，一七七一年與凱薩琳．宏涅克結婚。

◎亨利．威廉．邦伯利，Thomas Lawrence繪（約1788）

142「小逗子」（“Little Comedy”）：戈爾德史密斯為凱薩琳．宏涅克（Catherine Horneck, ?-1798，瑪麗．宏涅克的姊姊，參見本章譯註95）取的外號。

143《倫敦：仿尤維納利斯諷刺體的敘事詩》（*London, A poem in imitation of the third Satire of Juvenal*）：約翰生以匿名發表的詩作。一七三八年倫敦R. Doddesley出版。

144 約翰．史托（John Stow, 1525-1605）：十六世紀英國歷史學家、古典學者。

◎約翰．史托

145《倫敦調查》（*A Survey of London*）：約翰．史托的史地名著。一五九八年出版。

146《寒舍》（*Our House*）：伊麗莎白．羅賓斯．潘迺爾的散文集。一九一〇年倫敦T. Fisher Unwin出版。

147 伊麗莎白．羅賓斯．潘迺爾（Elizabeth Robins Pennell, 1855-1936）：美國作家、收藏家。長年為美國報刊（如《哈潑新月刊》、《大西洋月刊》、《世紀》等）撰寫雜文，內容包括文學、美術、旅遊、烹飪……等主題。一八四四年與畫家約瑟夫．潘迺爾（參見第二卷IV譯註32）結婚後定居倫敦，成為藝評家。潘迺爾夫婦與惠斯勒相交甚篤並大量購藏其畫作。她本人還收藏大量食譜古籍。

148「大柵欄」（Great Turnstile）：倫敦舊城內地標，位於霍爾本和林肯法學院胡同（Lincoln's Inn Fields）交界處。

149店東是法蘭克．霍林斯（Frank Hollings，原名James Francis Hollingshead Shepherd，Richard Herne Shepherd的么弟）。

150奧古斯丁．伯雷爾（Augustine Birrell, 1850-1933）：愛爾蘭英裔國散文家、政治家。主要的傳世作品為：《閒話漫談》三卷（參見第五卷 I 譯註13）、夏洛特．勃朗黛、哈茲里忒等作家的傳記、以及關於書籍的散文。伯雷爾從政歷程並不順遂，一九〇七年起他擔任愛爾蘭國務卿，卻因未能平定一九一六年的復活節暴亂而黯然下台。引文「二手書商乃是我最崇敬的族類……他們的目錄不啻真材實料的文學教材。」（"Second-hand booksellers a race of men for whom I have the greatest respect; ...their catalogue are the true textbooks of literature."）語出《男男女女與書籍》（*Men, Women, and Books*, New York: Charles Scribner's Sons, 1894）中的〈書籍裝幀〉（"Book-Binding"）一文。

151《先親王傳》（*Life of the Prince Consort*，完整書名為*The Life of His Royal Highness The Prince Consort,* 1874-1880）：由西奧多．馬汀爵士（Sir Theodore Martin, 1816-1909）主筆撰寫，紀念與維多利亞女王結縭二十三載的薩克斯—柯堡—戈塔親王亞伯特（Albert of Saxe-Coburg-Gotha Prince Consort, 1819-1861）的傳記。

◎亞伯特親王，William Charles Ross繪（1840）

152維多利亞（Alexandrina Victoria, 1819-1901）於一八三七年六月繼威廉四世（她的叔父）接任王位，一八七六年起印度殖民地政權確立，維多利亞於是順理成章兼任印度女皇。

153關於維多利亞女王因喪夫之慟，長年隱居離宮不視朝政幾乎引發政治危機、最後終於走出陰霾的過程，謹推薦讀者參考一部或許比較接近史實，而不像紐頓那麼輕描淡寫的好電影：〈布朗夫人〉（*Her Majesty Mrs. Brown*, 1997）。

◎服喪中的維多利亞女王

II 海內得書記

前一章我談及在倫敦訪書的種種逸趣；遊逛龐德街與皮卡底里的名店老舖、尋訪霍爾本及河濱道的冷攤舊肆——彷彿把那片藏書家的樂土形容成世上絕無僅有的極樂天堂似的。其實，並非出了倫敦就絕對找不到好東西：光紐約一地就不乏許多勾人流連忘返的書店；費城則至少舉得出兩處；芝加哥也頗有一些；至於西部，那更是處處充滿意外的驚喜。

◎亨利・E. 杭廷頓

放眼天下，你還能上哪兒找到另一名像喬治・D. 史密斯[1]那般出手闊綽、一擲千金，而且能夠在轉手之間賺進豐厚利潤的人？拍賣場上最高金額的成交記錄就是由他保持的：在郝氏[3]藏品拍賣會中，他代表亨利・E. 杭廷頓[4]先生進場投標，以五萬美元標得一部古騰堡聖經。這位老兄不只以最高出價壓倒別的買家，在那場拍賣會上，他一口氣標下的善本品數也遠遠凌駕同場競標的其他同業[5]。

我曾風聞史密斯先生的對手在他的背後指指點點，暗地裡指摘他根本不是塊賣書的料——充其量，他只是不分青紅皂白、卯起來亂買一通。諸如此類的編派詆譭，我一概視為心存嫉妒所導致的自然結果。若要論銷售成績，喬治・D. 史密斯手上賣掉的善本數量也比任何兩名對手加起來還多。

◎郝氏藏書室，出自O. A. Bierstadt編《郝氏藏書歷程》

他絲毫不會裝腔作勢、完全沒有高高在上的架子，也從來不會在人前佯稱什麼都懂，光這一點就頗為可取。沒有人有資格說自己全然通曉書本的一切知識；或許有人（甚至不只一人）懂得比他還多，可是卻無法具備像他那樣的人格特

■喬治・D. 史密斯
在紐約的各拍賣場，只要提到"G. D. S."大名，那可真是轟動武林、驚動萬教。正如同倫敦的"G. B. S."[2]，此君也沾染著謎樣色彩，究竟是什麼經歷造就了此人？使他成為所向披靡、舉世無雙的偉大書商？
此照片由阿諾・簡特（Arnold Genthe）所攝

質，正因為如此，他才得以深獲並確保顧客所交付的絕對信任和委託。他實在能稱得上國內各拍賣場的台柱，我常常在會場中看見他的身影，只要他一離座，那就表示那場拍賣會上所有的好書都已經全被他標走了。他具備充分的學養與十足的膽識，我完全不能理解，何以像他那般坦率、不善於裝模作樣的人竟然會招來負面評價。這個世界是由各式各樣的人組成的，而喬治自己一人就包辦了其中好幾種。

距今二十五年前，正值我的藏書生涯萌芽初期，我在倫敦河濱道的某家舊書肆裡找到一大綑覆滿灰塵的書籍（那家書店、甚至河濱道那一小塊區域，皆早已滄海桑田，不復存在），並從中挑出好幾本買下來，我記得當初總共付了大約兩基尼。隨後，我仔細審閱內容，當場驚覺我這一回可真是撈到寶了。細目如下：

《莎士比亞故事集》（*Tales from Shakespeare*）：鮑德溫與克瑞達克（Baldwin and Craduck）一八三一年第五版。

蘭姆《散文集》（*Prose Works*）：三卷本，一八三六年莫克松版。

《查爾斯・蘭姆書信集》（*The Letters of Charles Lamb*）：兩卷本，一八三七年莫克松版；附落款：「致J. P. 寇里爾[6]先生，友H. C. 羅賓生[7]敬贈」。

泰爾佛[8]《查爾斯・蘭姆晚年回憶錄》（*Final Memorials of Charles Lamb*）：兩卷本，一八四八年莫克松版。

順道一提，最後那一部甚至是華滋華斯曾經收藏過的本子，上、下兩卷的書名頁上均有他的親筆落款，我一眼就看出那部著作正是作者敬獻給他的。內頁夾藏好幾份剪報、許多葉約翰・佩恩・寇里爾的手稿，還有一封瑪麗・蘭姆[9]寫給寇里爾的母親珍・寇里爾的信箴殘葉；此外，其中好幾頁上頭都有寇里爾的親手批註，寫著與內文相關的記事，好比這一段——提及蘭姆的文章〈烤豬史話〉[10]，寇里爾用鉛筆在旁邊寫著：「此豚乃由家母餽予蘭姆。」還有——泰爾佛描述某個晚上蘭姆與他在一塊兒：「我們登上頂樓，隨即傍著令人愉悅的爐火雙雙坐定。不多時，熱水與好東西均已備妥擺在面前。」寇里爾則在一旁眉批：「蘭姆與泰爾佛兩君全是被這『好東西』[11]給害死。」

諸如此類的鉛筆眉批充斥全書不勝枚舉。寇里爾的手稿上則有他「舉重若輕」（按照他自己的說法）的筆跡：

至於C. 蘭姆與騷堤[12]先生，就我所知，柯森[13]先生手中握有一份有趣的手稿，裝訂成小四開大小，除了蘭姆手跡之外，大部分均為騷堤先生所寫；這些稿件似乎是為了布里斯托的柯托[14]以菊八開印行的《年度選集》(*Annual Anthology*)所撰寫。

原稿以騷堤手擬的「廣告」起頭，緊接著便是蘭姆的筆跡、一首標題為〈菸蒂輓歌〉("Elegy on a Quid of Tobacco")的轉韻十疊詩，開頭兩疊如下：

吾乍見面前斑剝草地之上
臨吾道畔，一截菸蒂橫陳：
是否該任此癖隱規勸不理
依舊蒙昧自欺？就此噤口！*

翌日，寇里爾謄抄了這首詩的其他幾疊，然後在另一頁上頭寫道：「趁今日我的手比較穩了，便謄繕剩餘數疊詩文。」

* 蘭姆手稿真跡請見次頁附圖。該詩收錄於一七九九年出版、一般通稱為柯托的《年度選集》一書之中。常人往往將此詩歸為騷堤作品，但讀起來卻較像蘭姆，因騷堤並不如蘭姆那般喜於吞雲吐霧。這首十疊詩的手稿，筆跡概屬蘭姆手筆無疑。

Elegy

On a Quid of Tobacco.

It lay before me on the close-grazed grass
Beside my path, an old Tobacco quid:
And shall I by the mute adviser pass
Without one serious thought? now Heaven forbid!

perhaps some idle drunkard threw thee there.
Some husband, spendthrift of his weekly hire,
One who for wife and children takes no care
But sits and tipples by the alehouse fire.

Ah luckless was the day he learnt to chew!
Embryo of ills the Quid that pleased him first!
Thirsty from that unhappy Quid he grew,
Then to the alehouse went to quench his thirst

So great events from causes small arise,
The forest oak was once an acorn seed,
And many a wretch from drunkenness who dies
Owes all his evils to the Indian weed.

Let not temptation mortal, ere come nigh—
Suspect some ambush in the parsley hid,—
From the first kiss of Love, ye maidens fly!
Ye youths avoid the first Tobacco Quid.

■蘭姆〈菸蒂輓歌〉詩稿上的手跡

而在另一葉稿紙上，他如是描述那批柯森募集來的詩稿：

全部手稿共約六十葉，主要出自騷堤手跡，計包括……等蘭姆的作品。一首堪稱「戲筆」(jeu d'esprit)之屬、題為〈芮迪辛理髮師〉("The Rhedycinian Barbers")的詩，內容講述十二名基督學堂年輕學生理髮的情景；而另一首〈給咎由自取者的悼亡詩〉("Dirge for Him Who Shall Deserve It")雖未署名，但通篇盡是蘭姆特有的簡潔俊秀筆跡，同時也清楚顯示出他當時不僅詩興勃發，政治感也相當敏銳。

署名者頗為龐雜：鄂夙琉(Erthuryo)、賴約托(Ryalto)、華爾特(Walter)等等不一而足。最後以四首「悼愛輓歌」和一首查爾斯・蘭姆題為〈居於無神世界〉("Living without Gods in the World")的莊嚴詩告終。

這些詩究竟有多少首得以在他處發表，或能否收入柯托的《年度選集》中，我不得而知。我只盼手力仍堪負荷，讓我盡力抄寫。

J. P. C.

悠悠二十載過後，某日我在紐約遇到喬治・D. 史密斯，他問我是否有意購買一批有意思的騷堤手稿，當我從他的手中接過那本小四開的冊葉時，我大吃一驚，這豈不是和多年前寇里爾深感興趣且一一摘錄、謄抄的稿本一模一樣嗎？不過倒不是這件玩意本身令我馬上想起我在倫敦買到的那批手稿，而是因為裡頭那一紙短箋（和蘭姆散葉裡頭的那一份幾乎一模一樣，正是寇里爾「舉重若輕」的筆跡），述及的內容和我家裡那部散葉本子略有重複，只是更為簡短。

那批手稿的前藏主柯森先生還加了一道註腳：「查爾斯・蘭姆於一七九八或一七九九年間將此批稿件送交《年度選集》——該書乃由布里斯托的書商柯托先生夥同柯勒律治[15]與騷堤聯合出版。手稿中部分手跡乃出自騷堤，物權則原歸布里斯托的柯托氏所有。」

◎約翰・奧古斯丁・戴里

◎費城市中心區最繁華的渥納街

◎費城羅森巴哈書店櫥窗內的莎士比亞第一對開本、第一四開本；下圖為書店內部（原載羅森巴哈《書籍與競標客》）

經過一番考據，我查出柯森先生將此詩稿小冊轉手賣給奧古斯丁．戴里[16]，後來在戴里藏品拍賣會的目錄上還被誤標示為「騷堤手稿」，至於與蘭姆有關的部分卻只寥寥數語帶過。雖然當時史密斯要價頗高，但我求之若渴，不忍割捨。於是，經過多年的離散歲月，這本載著蘭姆、騷堤和許多詩人原詩集稿的小四開冊子，如今與寇里爾的評註抄本比肩並立在我的書架上。儘管冊子上的標籤註明：「布里斯托柯托氏一度長期庋藏之騷堤手稿」，但對我而言，其中蘭姆那三首詩在意趣和價值上均高過其他稿件[17]。

當今舉國最學富五車的書商首推羅森巴哈[18]博士（我們這群熟識他的朋友倒是都叫他「小羅」）。他原本打算規規矩矩當個英文教授，經營古書買賣並非本於初衷，說真格的，他要是跑去幹教授，還真找不出幾個人能比他強。無奈教授已多如過江之鯽，他八成是覺得總該有人挺身而出，為咱們這群藏書家指點迷津，並且掏空我們的銀行戶頭才行。他在這兩件事情上頭表現得真是可圈可點。

他開設在渥納街（Walnut Street）上的書店二樓，擺滿了偌大一屋子絕頂珍稀的善本古書。真可謂「有求必應，應有盡有」——當然，月底的帳單一來就曉得厲害了。挑個下雨天，在那兒消磨一整個早上，那可真是再愜意不過；等到要離開時，你的學識肯定會更豐富一層；當然口袋也會再消瘦一圈。有一回我和博士同我的友人廷克[19]（可不是那位大名鼎鼎的球員[20]，而是沒沒無聞的耶魯大學英

■A.S.W.羅森巴哈博士
此照片由阿諾・簡特所攝

文教授）在一塊兒磨了幾個鐘頭牙，我們一一看過莎士比亞第一對開本、第一四開本；還有史賓賽、海立克、彌爾頓等十六、十七世紀的無價珍本，就在此時，小羅朝窗外一望，說：「約翰．G. 強森[21]來了。」「唷！」我的朋友叫了一聲，「我差點還以為你剛剛說約翰．德萊登[22]來了呢。要是德萊登真的上門，我也一點不覺得奇怪。」

在羅森巴哈那兒，除了發現你自己的無知之外，你休想有任何重大「發現」；該發現的，小羅早就自己全包辦光了。就在前幾年，他在舊書堆裡找到約翰生著名的《德魯里巷劇院開幕序詩》[23]首版。請留意，那首詩包含了許多博士最重要的詩句：尤其是那幾句關於舞台的評論，即使今天來看也依然同樣受用：

> 戲劇法則云云，皆由看倌制定，
>
> 蓋吾輩生而樂，亦必應樂於生。[24]

◎舞台上的加雷克

該詩還提及莎士比亞：「時間苦苦追趕他的腳步，只能疲於奔命徒呼負負。」後來，聽說加雷克對那句話頗有微詞，約翰生這下子可老大不高興了：「閣下，加雷克真是個死腦筋的大老粗。我下一回不但要寫『時間』(Time)，索性把『空間』(Space)也加進去得了。」[25]

羅森巴哈博士還能夠上窮碧落下黃泉尋出那部序詩講稿，證明淘書的浪漫時代猶方興未艾，連大英博物館裡頭也沒有那部書呢。就咱們目前所知，小羅手上那一部顯然是存世孤本。他鐵了心說什麼也不賣，有人捧著白花花的鈔票上門全碰了釘子，正因為他不只是一名書商，也是個不折不扣的愛書人。

他對於人性的考察亦極為深刻。從他案頭那張小卡片上那幾句話可資證明：

THE

LIFE

AND

STRANGE SURPRIZING

ADVENTURES

OF

ROBINSON CRUSOE,

Of *YORK*, MARINER:

Who lived Eight and Twenty Years, all alone in an un-inhabited Iſland on the Coaſt of AMERICA, near the Mouth of the Great River of OROONOQUE:

Having been caſt on Shore by Shipwreek, wherein all the Men periſhed but himſelf.

WITH

An Account how he was at laſt as ſtrangely deliver'd by PYRATES.

Written by Himſelf.

LONDON;
Printed for W. TAYLOR at the *Ship* in *Pater-Noſter-Row*. MDCCXIX.

■首版《魯賓遜漂流記》書名頁

> 「客倌嘴裡直挑剔：這兒不好，那兒不行；但是等貨一拿到手，他轉身就到處去大加吹擂了。」[26]
>
> ——〈箴言書〉第二十章第十四節

這正是我的寫照——當我從他手裡買到首版兩卷本《魯賓遜漂流記》（另外多出來的第三卷應非狄福[27]所作）[28]的時候就是那副德性。那個本子偏偏就少了那麼一個「版記」[29]——前言第一頁的最後一個字“apply”的拼法居然正確無誤，要是能像我以前經眼過的幾個本子那樣，都拼成“apply”就更棒了。我相信這又是一樁無頭公案。有可能是原本鉛字排對了，只是印著印著不曉得怎麼搞的就給印擰了；或者是頭幾本印錯了，後來才趕緊改正過來*。第一卷自第304頁以降，紙質明顯變薄變差。三冊都很乾淨，現代的小牛皮裝幀，摺頁地圖也完好無缺，前兩卷曾經被「威廉・康格列夫[30]先生」收藏。總之，這是一部足以讓收藏家「大加吹擂」的書。

◎首版《魯賓遜漂流記》地圖

由於某個說來話長的原因，我向芝加哥的華特・希爾[31]買的書總嫌不夠多。此人可列名這個行業中最友善且最值得信賴的人。他所發行的每一冊目錄都令人愛不釋手。我還欠他一個人情，但一直苦無機會加以回報，特別在此聊記一筆：

好幾年前，我在費城街頭與他不期而遇，我說：「嗨！你上這兒來有何貴幹？買書還是賣書？」

「也買也賣，」他說，「我才從賽斯勒[32]那兒出來，剛跟他買了幾部好書。」

* 請參見本書第三章，川特教授對此書「版記」的專業說明。

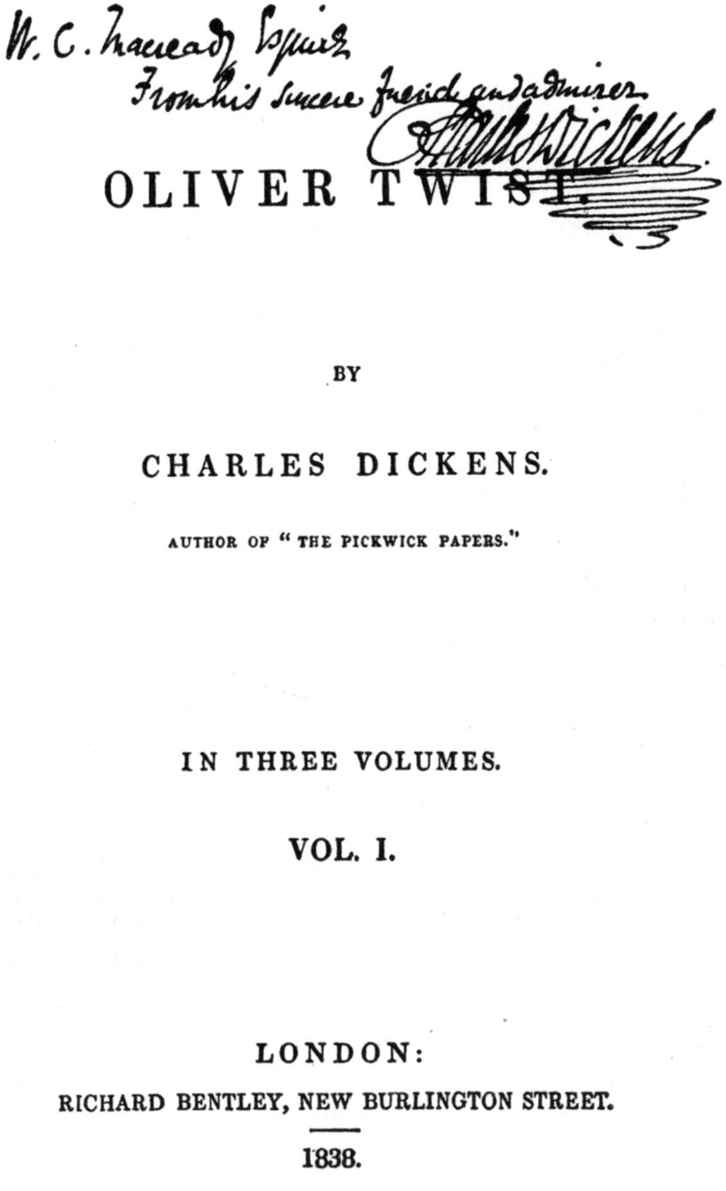

W. C. Macready Esquire
From his sincere friend and admirer
Charles Dickens

OLIVER TWIST.

BY

CHARLES DICKENS.

AUTHOR OF "THE PICKWICK PAPERS."

IN THREE VOLUMES.

VOL. I.

LONDON:

RICHARD BENTLEY, NEW BURLINGTON STREET.

1838.

■《孤雛淚》書名頁

「我的老天爺，」我失聲哀號，「你該不會連那部送給麥克雷迪[33]的《孤雛淚》（Oliver Twist）簽贈本也一口氣買走了吧？」

「嗯，我買了，」他說，「怎麼？莫非你也想要那部書？」

「是啊！」我說，「我正在等手頭寬裕些才有錢買的呀。」

「好吧，」他說，「我以原價讓給你好了。至於書款，就等你戶頭進了帳再匯給我就行了。」

就那麼著，我便恭敬不如從命，硬著頭皮接受了他的好意，如今那部書的行情是當初我付給他的價格的兩倍。

不過，回頭想想，我也曾向他買過好幾部「既全又精」[34]的好書；我那部內附羅蘭德森[35]插圖的《威克菲爾德牧師》——可不是向諾斯[36]買的那部首版（第二卷的第159、165、195頁上的"Wakefield"皆誤印成"Wakefield"）——便是從他那兒請回來的；至於飾以版刻的《艾芙琳娜》[37]則是版差紙劣的本子；而《委曲求全》[38]裡頭，該有的錯誤一個也沒少——印刷工人簡直像在開狂歡派對；我相信還沒被發現的錯誤還有一大堆。

賽斯勒那兒不時會出現教人料想不到的好東西。他每年都揣著鼓脹的荷包出國辦貨，回國時帶回一大堆玩意兒，三兩下就教大家的口袋全癟了。狄更斯是他的主要營業項目之一，我手上二十一部狄更斯簽贈本之中，至少有五種就是向他買的，不管是哪一部都值得大加吹擂。距今沒幾年之前，市場上湧現大量書籍，以今日的眼光來看，價格均十分低廉。但是在最近一趟的倫敦淘書過程之中，我從頭到尾只經眼一部狄更斯簽贈本，而且其價格還比我通常付給賽斯勒的金額大約高出三倍，我實在下不了手。

賽斯勒把每個顧客的罩門摸得一清二楚——這是他最在行的事。幾年前當我從歐洲返國，發現他趁我人不在國內的時候，特地幫我在蘭伯特[39]的拍賣會上標回一件算準我無法拒絕的東西。那是薩克雷親自為《名利場》所作的插圖草稿（後來印在該書第一章結

■薩克雷自繪《名利場》插圖原稿：蓓琪·夏普的馬車經過苹克頓小姐的教塾時，將約翰生博士的「辭典」扔出窗戶

尾的是比較完整的完成圖）：吃了秤鉈鐵了心的蓓琪驅車離開苹克頓小姐的教塾，她趁馬車駛經校門口時，順勢將約翰生博士的「辭典」[40]從車窗給扔了回去。

我想所有認識路德·S. 李文斯頓[41]的人一定都會同意我的看法：他太溫文儒雅、太像學究（或許我還得再加一句：他實在太體弱多病了），以至於始終無緣晉身頂尖的書商榜單。

他是個知識淵博、眼光獨到的版本學家，從他為芝加哥的J. A. 史布爾[42]先生從事蘭姆版本鑒別工作的卓越成績可資證明。但我每回開口問他哪本書賣什麼價錢時，連我自己都會覺得有點兒難為情；除此之外，任何疑難雜症都可以向他討教。一旦要付錢給李文斯頓，那感覺就像是到別人家裡作客，飽餐一頓之餘還掏錢給主人一樣彆扭。

他受到所有藏書家的愛戴與敬重。當他好不容易從書店畢業、轉而投效圖書館工作時，大夥兒均一致給予由衷祝福。他曾執掌多德、米德公司[43]的古書部門多年，隨後擔任羅勃·多德（Robert H. Dodd）的合夥人，然後成了哈佛大學圖書館故哈利·愛爾金·威德拿特藏室（該批藏書乃威德拿的母親所贈）首任掌門人。他真是保管那批珍本的不二人選，身為學者兼紳士，由他來擔任那個職位實在綽綽有餘。可惜他還沒來得及卸任就走了——經過漫長病痛的折磨，他於一九一四年聖誕節當天辭世。

紐約的詹姆斯·F. 蕞克[44]則是專門經營關聯本和十九世紀作家首版書的書商。他的荷包時常獲得我的捐輸，我手上的修特茲[45]和其他許多彩色圖版書都是向他買來的；而無數從他那兒買來的首版書如今都越來越「洛陽紙貴」。

■喬治・穆爾《逝去歲月的回憶》印樣一葉

112 MEMOIRS OF MY DEAD LIFE

THE LOVERS OF ORELAY

same tone as the sky. And what did I feel? Soft perfumed airs moving everywhere. And what was the image that rose up in my mind? The sensuous gratification of a vision of a woman bathing at the edge of a summer wood, the intoxication of the odour of her breasts. . . . Why should I think of a woman bathing at the edge of a summer wood? Because the morning seemed the very one that Venus should choose to rise from the sea and come into one's bedroom. Forgive my sensuousness, dear reader; remember that it was the first time I breathed the soft Southern air, the first time I saw orange trees; remember that I am a poet, a modern Jason in search of a golden fleece. 'Is this the garden of the Hesperides?' I asked myself, for nothing seemed more unreal than the golden fruit hanging like balls of yellow worsted among dark and sleek leaves; it reminded me of the fruit I used to see when I was a child under glass shades in lodging-houses, but I knew, nevertheless, that I was looking upon orange trees, and that the golden fruit growing amid the green leaves was the fruit I used to pick from the barrows when I was a boy; the fruit of which I ate so much in boyhood that I cannot eat it any longer; the fruit whose smell we associate with the pit of a theatre; the fruit that women never grow weary of, high and low. It seemed to me a wonderful thing that at last I should see oranges growing on trees~~; I so happy, so singularly happy, that I am nearly sure that happiness is, after all, no more than a faculty for being surprised. Since I was a boy I~~

, and I felt so happy that morning that I could not but wonder at my happiness, and asking for a cause for it I stumbled on the reflection that perhaps after all happiness is no more than a faculty for being surprised.

就我所知，至今從未有人編過喬治・穆爾[46]著作的完整書目，但我認為我所收藏的這批書大概已經囊括了他的全部作品，其中有許多部是簽贈本；喬治・穆爾的眾多愛好者請務必注意，他的《逝去歲月的回憶》[47]之英國首版忒搶手，我有那部書的完整印樣[48]，上頭顯示多處刪改（請參見附圖）；至於那本專文攻訐穆迪[49]查禁小說制度的小冊子──《襁褓文學》[50]，出版時標價才區區三便士，現在的行情則要四十美元，我這一本上頭有題贈給威利・王爾德[51]的落款，至於奧斯卡・王爾德，穆爾則另外挑了一部比較適合他的

◎喬治・穆爾，Edouard Manet繪（1879）

《異端詩集》[52]送給他，並題上：「奧斯卡・王爾德雅正，作者謹呈」。

奧斯卡・王爾德著作首版書的行情則始終持續看俏，坊間對此君的興趣亦有增無減，從相關書籍接二連三不斷問世可見一斑：蘭山姆[53]的《奧斯卡・王爾德》甫出版即成禁書；再如晚近的《三審奧斯卡・王爾德》[54]與那位「無可言喻的蘇格蘭人」自行私下印行的《拋石引磚》[55]如今皆已一書難求。

至於這年頭的出版品，凡是以少量印行的書籍幾乎是一出版就成為珍本。第四十街上的蕞克書店正是集結此類珍本的大本營，由於我在紐約的俱樂部就在他的書店附近，我三不五時就往他那兒跑，找書之餘順道閒扯皮。

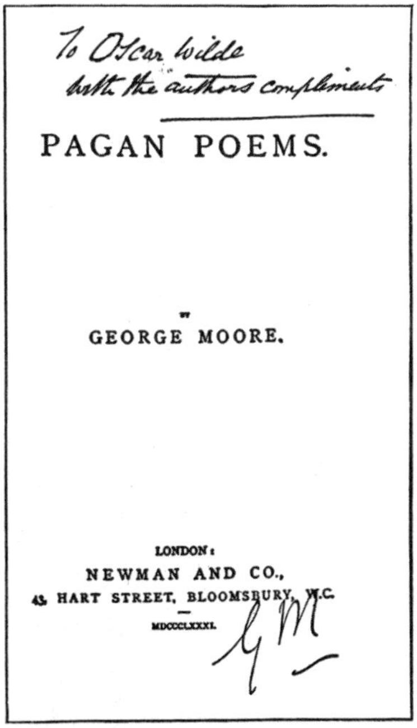

■喬治・穆爾《異端詩集》書名頁
作者致贈給奧斯卡・王爾德的簽贈本

居住在鄉間真可謂有得必有失。正如威廉・洛林・安德魯斯[56]的名言：「『藏書閒扯皮』誠然妙不可言。」[57]但是對於像我這種住在「前不著村，後不著店」[58]地方的人來說，此妙還真是不可多得。所以，我每回一到紐約，在蕞克那兒盡可能地探聽一大堆八卦新聞（蕞克口中透露出來的消息往往八九不離十）之後，我通常會順道再去造訪加伯瑞爾・威爾斯[59]。威爾斯在他位於通衢大道上、俯瞰市立圖書館的富麗堂皇房間，敞開雙臂、遞上一根上好雪茄的迎賓景象，想必大多數藏書家都不陌生。他的營業項目是（或許正確的說法應該是「曾經是」）全集類的套書，近年來他越來越刁鑽，開始留意忒稀罕的珍品（就是那種只要他一拿出來你就非買不可，否則事後必定會悔恨交加的玩意兒）。我上一回找他閒聊，就害我損失了大批原本準備拿來當棺材本的戰時公債；要怪就怪威爾斯好死不死偏偏適時引用約翰生的話對我說：「生而富猶勝死而富。」[60]就那麼著，等到我從他的書店走出來時，手裡便捧著一部布雷克的《天國與冥府聯姻》[61]，人生至此，夫復何求？

如果我沒記錯的話，撩起我對蘭姆的高度興趣且欲罷不能的人正是厄尼斯．卓塞爾．諾斯。那部矮短精悍、綠色布面裝幀、莫克松版的《伊利亞完本彙編》[62]，令我從此愛上蘭姆無法自拔，那部

■布雷克《天國與冥府的聯姻》書名頁

書就是向小厄買的，書名頁上還印著大剌剌的謬誤：「唯一完整版」。我將那部無價的小書和我的其他蘭姆首版書擺在一塊兒，對我個人而言，它的「完整性」自不待言；就算哪天我所有的蘭姆藏品終須散盡，我也非把這一部留在身邊不可。

算算日子，打從我帶著諾斯開給我的書單（上頭列出二十餘種蘭姆的著作或與蘭姆相關的書籍）前往倫敦訪書以來，至今少說也有整整三十個年頭了。前一陣子我無意間找到那張書單，看著他當時寫給我參考的合理價位，不禁啞然失笑——就算把那上頭的便士全部改成基尼，今天恐怕連一本也休想買得到哩。

那一趟倫敦行同時也是我頭一回蘭姆朝聖之旅，我一一造訪各知名景點：先赴基督學堂；接著在新門街看見「藍外套」[63]的孩童們正在享用晚餐；最後到愛德門頓教堂（Edmonton Churchyard）的荒涼墓園——憑弔在此並臥長眠的查爾斯與瑪麗姊弟。次頁附圖是我於一八九〇年買到的一塊玻璃版底片上的影像，自一八二九年十月起至一八三三年五月，蘭姆便居住在這幢位於恩菲爾德（Enfield）的屋子裡。

◎穿著藍外套的基督學堂院童用餐情形 (Charles E.Brock繪，出自1899年J.M.Dent版)

◎蘭姆姊弟合葬的墳墓

這兒不妨順道提一樁我的朋友——遠在明尼亞波利斯的書商艾德蒙・D. 布魯克斯[64]——的絕妙軼事：布魯克斯在倫敦忒有門路（就像他在國內一樣），話說某天他打算出門撈點兒「短線」（套用證券市場的術語），於是便揣著大把鈔票，彈藥充足地出征去了。他先若無其事地晃到華特・史賓塞的店，那兒有一份狄更斯的《壁爐上的蟋蟀》手稿正待價而沽，布魯克斯明知店家要價相當嚴苛，但他這一回有備而來。不過布魯克斯有所不知，就在史賓塞書店往前走幾步路的另一家書店老闆也備妥一大筆錢打那份手稿的主意，並且打算慢慢地加碼。不過布魯克斯沒一會兒工夫便套出另一樁同時交涉中的買賣，他心想這下子非得先下手為強不可了。他把史賓塞叫到一旁，問清價錢，二話不說火速掏錢取貨，上了計程車揚長而去。整趟交易歷時不過幾分鐘光景。後來史賓塞走到前一個顧客

■位於恩菲爾德的查爾斯・蘭姆故居

那兒，人家瞧他上門還以為是要來討價的，便又忙著往上加了幾碼。直到史賓塞低聲下氣地告訴他甭費工夫了，那份手稿的錢已經收了、貨也出門了，用不著再出價了。

說到這兒，不由得讓人聯想到另一樁故事：A. J. 卡薩特（A. J. Cassatt）生前是當代眾多鐵路鉅子中最有經營頭腦的一位，他曾經當著巴爾的摩與俄亥俄鐵路公司總裁葛瑞特（Garrett）的面，豪氣干雲地先後買下費城、威明頓（Wilmington）與巴爾的摩兩條鐵路的經營權。每回達成併購的那一刻，輸的一方無不傳出呼天搶地的喊疼聲。布魯克斯的故事就從這兒接著講下去：過了幾個鐘頭之後，專門經營豪華美裝本的書商薩賓，在他位於龐德街的門市櫥窗擺出一疊狄更斯手稿；與此同時，布魯克斯的口袋裡則多出了一紮簇新的英格蘭銀行本票。有了那些糧秣，他又可以無往不利，再去狠狠撈好幾條「短線」了。

我對書籍的裝幀式樣談不上講究，我只期盼一部書能維持剛出版的樣子：硬板簡裝、書口未裁、羊皮裝或布面裝都行；只要盡可能外表乾淨、品相中上就行了。

我倒不是對顏色缺乏感度，只是什麼花飾書脊啦、上彩皮面啦、燙金字啦，擺在書架上何等氣派輝煌啦……對我來說，美則美矣，不過我不如去看畫還比較實際哩。做人可不能那麼貪得無厭、什麼都要，我還是只冀望品相端正、皮面散發香氣的書；要是能依然保持「甫發行時的原始狀態」（"original state as issued"）就謝天謝地了。

各式各樣精工細活抑或簡樸素淨的裝幀，我也不是全然不介意。只是頁邊鑲飾、書口刷金[65]，少了哪一樣都絲毫不會損及書本原有的價值。這也是我要再三提醒所有藏書後進們的重點，他們應該要好好地記取一件事：盡量讓書籍保持原樣；萬一他們依然決定要賞裝訂匠一口飯吃，那只消訂做一只書盒或書匣就行了。如果你的書籍脫散、不堪取拿，用書盒裝起來；若你心疼那些雕花鑲金的封面遭受磨損，放進書匣裡，那樣就夠了。正如埃克爾[66]在他的《狄更斯書目》[67]中所說的：「保持書籍的原本狀態——即甫出世的模樣——是目下藏書界持續推動的趨勢，只怕這種品味在未來會有相當偏離亦未可知。」

只有極不長進的買書人才會摒棄「細水長流」的收藏樂趣，他們會一口氣買下自己頗看重的某位作家的著作全集（粗製濫造、和大量生產、統一定價的商品沒啥兩樣的新版套書）。要對付那些財大氣粗的膚淺買家，最好的辦法就是盡可能讓他們的注意力全集中在購買「簽名本」，反正這年頭作家簽名甚為流行，正好可以滿足那批人的需求；他們最好別來染指我們想要的書。近來，為數逐漸增多的有錢人和相對日益稀少的古書有越走越近的趨勢，我心知肚明：那麼一來，我可就要慘兮兮了。我們活在一個法律條文多如牛毛的時代，每個人的一言一行似乎都免不了各式各樣的法律規範。我希望也能制定一道保護古書的法條，在上頭的袞袞立法諸公與其天天瞎整惡搞，還不如撥冗考慮考慮我的建議。

還有另一種書也值得藏書家特別提高警覺——即，配補插圖[68]的書。為一位受歡迎的作家另行配補插圖無異畫蛇添足、同時也是無謂的浪費，甚至還極可能因而毀掉一大堆好書。我坦承那種書我自己也收過幾部，但是比起大費周章製造那些玩意兒的開銷，我花在那些書上的錢畢竟還算有限，而我也不鼓勵大家繼續幹那種勾當。

對於鑲襯圖版[69]這項技藝，我倒是略知一二。我有幸曾經受教於一位德高望重的導師——已故的費城學者佛迪南．J. 蕞爾[70]先生，他生前聚藏了一整批無價的名人簽名，於他去世時遺贈給賓州歷史學會。蕞爾先生是傳統派的收藏家，曾和約翰．艾倫[71]（我國最早的藏書家之一，布雷德福俱樂部[72]曾於一八六四年出版一部緬懷其生前懿德的《紀念文集》）交好，蕞爾先生曾耗去數年餘暇、花費一小筆家財，在他最喜愛的幾部書本上從事圖版、文字頁的鑲襯工程。這位故友埋首伏在案前，在他那些昂貴的配補插圖本上鑲襯大量親筆尺牘、肖像畫、風景圖，一搞就是好幾個鐘頭的身影，我至今依然記憶猶新。我當時始料未及的是，那批經過他精心料理過的書，日後竟然會出現在拍賣場上。

他的家人在他辭世多年之後，決定要出清他的部分藏書。那場拍賣會由史丹．韓克爾斯[73]執槌。當我看到我所熟悉的那幾件寶貝登場時，我激動得不能自已。我當時還以為自己完全沒指望標到任何一部名聞遐爾的蕞爾藏書了。但是，唉！還是我說過的那句老話：世風日變哪。那部《北美銀行史》（*History of the Bank of North America*）——我國歷史最悠久的國家銀行，卻很有個性地不以國家銀行自稱——居然不見那家殷實的費城老字號金融機構的任何一名行員或董事出面投標，結果是紐約的喬治．D. 史密斯以極低的價格拔得頭籌——有行無市，莫此為甚哪。

◎費城著名史蹟卡本特廳

《卡本特廳演講稿》（*Oration in Carpenter's Hall*），此書在費城的行情直逼千元大關；不過，台上這一部還多了罕見的肖像、風景版刻，外加五十七封親筆書札。當初若能拆成零品分開標售，應該可以有高出好幾倍的進帳。又是被史密斯買走了。接著是《基督教會史》（*History of*

Christ Church），內容盡是精采的玩意兒，蓋「老基督教堂」乃美洲殖民時期最漂亮、最精采的宗教建築。可是，牧師們都跑到哪兒去啦？沒聽見他們吭氣。史密斯又得標了。

一次又一次的落槌，幾乎毫無例外地皆以喊出「史密斯」決標。最後，輪到《尼可拉斯．比鐸[74]回憶錄》[75]——美國史上最著名的銀行家——嗐！比鐸的子孫們全死光啦？非也，比鐸子嗣甚多，只是不見半隻影兒到場。正當史密斯打算把剩下的這部書也一併包辦下來時，他的牌子又縮了回去，因為他瞧見我舉起手中的牌子。木槌一敲，我標得了整場蕞爾藏品拍賣會上最有意思的書——正是我小時候在他的書齋裡覬覦已久的那一部！裡頭還有佩恩、富蘭克林、亞當斯、傑佛遜、麥迪遜、馬歇爾……等，共二十位名人的書信、肖像。我以相當每件十元的價格買到：書、肖像不拘，裝幀算是免費奉送。眼睜睜看著別人的收藏被如此任憑宰割著實痛心，不免教人頓時心灰意冷——莫非咱們辛辛苦苦到處蒐羅來的藏書，終究也不過就是落得如此下場？

◎尼可拉斯．比鐸

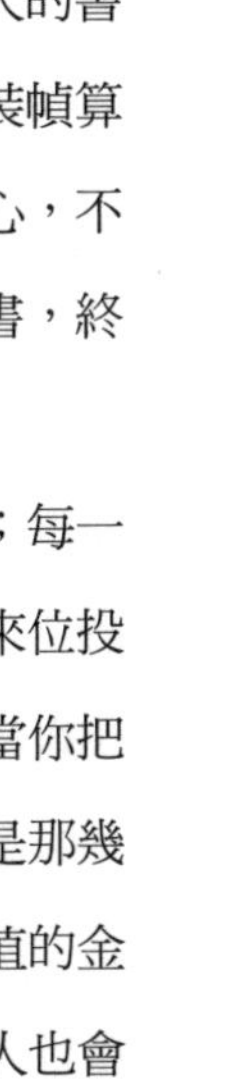

歸根究柢，幾乎所有的一切，甚至包括詩，都成了商品；每一部經典名著遲早都得在拍賣場相逢，供全世界買主授權的十來位投標人齊聚一堂（而你也同他們一塊兒擠在裡頭）共同競標；當你把書交給拍賣公司拍賣時，全世界都是你的市場（我指的當然是那幾間重要的拍賣公司）；否則，書籍便往往只能以低於實際價值的金額脫手。這些拍賣會通常都會吸引藏書家的關注，而他們本人也會盡可能親自出席，更棒的是：買方還可以委託拍賣公司或者某位他信得過的代理人代為投標；對買家而言，最能撈到便宜的場合便是碰到賣家對書本行情一竅不通，糊里糊塗地將寥寥幾本書和一堆家具、畫作、地毯混在一塊兒拍賣。

現在擺在我書房裡頭的好幾部書就是趁那種機會以區區數元買到手的，而它們現在的價值比起我當初所付出的金額簡直有如天壤之別。我現在即刻想得到的就是那部鮑斯威爾的首版《柯西嘉見聞錄》[76]——書品上乘、古舊的小牛皮裝幀，落款寫著：「詹姆士・鮑斯威爾謹以拙著獻贈尊貴的蘇格蘭瑪里斯查伯爵（the Earl Marischal）閣下，以誌其誠摯的關懷與情誼。」那部書只花了我幾塊錢，要是在倫敦，恐怕現在一開價就得二十英鎊——而我也會乖乖照數買下來。

有些人成天泡拍賣場，我可不。我得為生計奔波忙碌，何況我賺錢的速度沒比別人快；糟糕的是：拍賣會上輸人不輸陣的氣氛總會誘導我誤入歧途，我總得等到至少標下一部書才會乖乖離座，通常都是一部大書，而書名真該叫做：《買這部書所為何來？》。

沒有自己的藏書票可沒資格當藏書家，而且書上一旦貼了藏書票，就絕不該任意撕掉。當某部書上的藏書票票主恰巧是某位藏書名家，該書的趣味性和價值也會因此多一道保證。

有一回我去參觀某位友人的藏書，我發現他的書全沒貼藏書票，便問他怎麼回事。他回答：「要決定一款藏書票可馬虎不得哪。」此言甚是；若非我的好友（普林斯頓大學的歐斯古）當初伸出援手，至今我也一定還沒有完全適合自己的藏書票可用。

若干年前，他曾經利用我的藏書室進行高深的約翰生研究。某日他留意到我的書桌上擺著一幅墨筆草圖，便開口問我：「那是什麼玩意兒？」我嘆了一口氣，告訴他：那是剛從倫敦寄來的藏書票樣稿，我之前寫了一封信去訂作，向他們交代我想要的樣子——仿效十八世紀風格；畫面上要出現艦隊街、配合聖殿門為背景；圖樣須簡潔而又不失高雅。而他們回覆給我的樣稿看起來的確也是該有的都有了，還加上卷軸鋪底、蛋形圖框、矛鏢飾物；甚至連百合鑲飾[77]都擺了進去——似乎太一應俱全了。總歸一句話：不堪使用也。歐斯古聞言之後，對我說：「我來幫你想想法子吧。」

■作者自用藏書票
此藏書票呈現《約翰生傳》之中一個橋段。（後略，參見本章譯註78）

當天晚上我從外頭回來一進家門，一幅精美的鉛筆素描已經好端端地擺在桌上等著我——每項細節都分毫不差：酒肆店招林立的艦隊街、聖殿門遙遙在望、前景則是約翰生和戈爾德史密斯，後者伸手遙指城門門楣，促狹地說了一句："Forsitan et nomen nostrum miscebitur istis."[78]我擊節讚嘆，這就對了嘛。經過一番討論，我們最後一致同意從《約翰生傳》裡挑出這個恰如其分的句子作為票面格言：「閣下，文學中的傳記部分乃是我的最愛。」[79]然後我便將那幅素描送到傑出的藏書票版刻家——波士頓的夕尼・史密斯（Sidney Smith）那兒，由他雕版竣工。

我對大學教授向來百依百順，這想必是繼承自某位有錢叔伯長輩的遺傳（不幸的是，除此之外，我沒能從他那兒繼承到其他任何東西）；他一碰到出家人便五體投地、毫無招架之力：不管上門的人有多蠢，一旦穿上道袍，總能教他俯首稱臣，不但敞開大門恭迎，還外加筵席款待。我常常在私底下思忖：要是他哪天果真遇到夠分量的教會人士登門，他一高興還真說不準會幹出什麼糊塗事兒來。

我一見到學者就自動矮了半截，說穿了正是出自同樣的糊塗心態。學者們通常不會像藏書家那麼一味耽溺、不知自拔。他們負責寫書；咱們則負責買書、看書（如果行有餘力的話）。不過，從小和我一塊兒長大的好友費利克斯・謝林[80]（要是在英國，咱們都得尊稱他「費利克斯爵士」），他比大多數人都來得好說話。他的大作《依莉莎白時代的戲劇》（*Elizabethan Dramas*）讓他在學生圈子裡聲名大噪，我收藏的那部毛邊本[81]，甚至連部分書頁都還沒裁開哩。老實說，那部書的學術味兒太濃了，教人根本無從輕鬆閱讀；說真格的，我相信一定是我抗議有方，他後來才從善如流，改採較簡潔、流暢且平易近人的筆調寫出《莎士比亞在世時期的英國文學》[82]和《英語抒情詩》[83]。由此證明：他同時具備掉書袋與話家常的功力；只要他願意，要他隨時用十六世紀人的口吻之乎者也一番亦非難事。

名聞遐邇的「J. S. 彌爾：《論自由》；同上：《蠶絲考》」[84]，我始終半信半疑有人居然能編出如此離譜的索引。直到有一天，好友廷克寄贈給我一部他的著作《約翰生博士與芬妮・伯尼》[85]，我才恍然大悟。我一翻開書就看到他的落款——而且一眼就看明白了，他顯然存心揶揄我向來食古不化的老毛病：

此書堪稱首版書的絕佳範例：書口未裁、書葉未開；作者本人特在此簽名以資證明。

喬恩西・布魯斯特・廷克謹識

現知的其他存世版本皆非保持此首版的原始出版狀態——即：索引欄中的「蒲伯，亞歷山大：見頁111」條目誤為「教皇亞歷山大三世」[86]。

要是這個錯誤（更正確的稱呼應為「版記」）能於再版時加以訂正，那麼這個本子可就更價值連城了！

許多年前某個夏日清晨，我被一封發自倫敦的電報打斷了辦公時間。上頭彷彿是一串事先講好故意不加轉譯的密碼，不過我一瞧就明白了，別人看了鐵定會一頭霧水的電文是這麼寫的：「約翰生皮亞薩字典鎊四十哈。」[87]它的意思簡直再清楚不過了：我的朋友哈特，正向我兜售前特勞爾－皮歐濟女士藏本、對開本兩卷版《約翰生詞典》乙部，索價四十英鎊。我照數匯出書款並如期收到那部書，其中一卷裡頭還夾著一封約翰生寫給勞特爾家的親筆長信，對他們的家務事提供絕佳的建議。

余竊以為，您若能撙節有度地操持，此後每年均攢下八千鎊的積蓄，長此以往，積少成多，無須高於此數，切莫因虛表的光鮮奢華，造成年中孔急之災，家內可供溫飽即應足樂，蓋凡事過猶不及也。當下停止豪舉即能安穩度日——只須暫緩區區數年，此後自可高枕無憂，若能依囑實行，即能證明這段時間必不白費。

約翰生寫起信來就像他的談吐一般，都充滿睿智，同時簡單明瞭，許多句子宛如屢試不爽、受用無窮的古諺。大家再聽聽，山謬・約翰生，這位偉大的詞典編纂家，當他修書給特勞爾夫人要她返國照顧他，他是這麼寫的：

> 心甘情願地回來，打聲招呼便回來，
> 高興回來才回來，要不壓根甭回來。

我手中收藏的約翰生信件多達三十幾、四十封，包括被皮歐濟戲稱為「雞飛狗跳」的那封信——一群兩袖清風、性情乖戾、沒有其他地方肯收容的老太婆，迫不得已只好全窩在一個屋簷下。約翰生在那封信中如此寫道：「家內相安尚且無事，但毫無感情可言。威廉斯討厭大家，列薇特討厭戴斯茂琳，也對威廉斯沒啥好感，而列薇特也討厭其他兩人，蒲爾則對誰都不甩。」[88]

我得更加謹言慎行，我曾經痛下決心絕不能話匣子一開就沒完沒了，以免讓大家以為我是個約翰生迷，不過我得承認，事實上也正是如此。我從不會放過任何一部《約翰生傳》，你問我收藏哪幾種版本？不管哪種版本我都有；硬紙簡裝、書口未裁的首版[89]最受我鍾愛，特別鄭重典藏；同樣是首版但附配補插圖的本子[90]用來陳列；至於柏克貝克・希爾編輯的本子[91]和我三十年前頭一回讀的廉價波恩版[92]，則專供翻查之用，因為我對那個本子可說是瞭若指掌。沒錯，我大可效法萊斯利・史蒂芬，放心大膽地說：「我的書淫生涯，緣自鮑斯威爾的《約翰生傳》，亦將終焉於斯。」[93]

> 「汝何其愚！奈何妄想與人為善！
> 　速速閉門送客，虔心跪禱思過
> 眼望高聳書架，銘謝上蒼垂憐，
> 　令汝仍有幸以書為友！」

【譯註】

1 喬治．D. 史密斯（George D. Smith, 1870-1920）：紐約專營珍本書的著名書商。

2 疑指英國劇作家蕭伯納（George Bernard Shaw, 1856-1950）。

3 羅勃特．郝三世（Robert Hoe III, 1839-1909）：十九世紀、二十世紀初美國富豪。祖父羅勃特．郝一世（Robert Hoe, 1784-1833）原為蘭切斯特郡（Leicestershire）木匠，一八〇三年落戶紐約，與馬修．史密斯（Matthew Smith）合夥開展其家具製造業，並娶史密斯的女兒為妻；馬修死後，郝與其姻兄彼得．史密斯（一八二二年發明史密斯印刷術）合作設立製版、平床工廠，後來成為全美首屈一指的印刷機具製造商直至今日。連續數代郝氏成員對美國報業、印刷業、出版業都有貢獻。羅勃特．郝三世除了掌理家族事業數年，本身也是極富學養的版本學家、藏書家，身為「葛羅里亞俱樂部」的創立人之一並擔任該會首任會長。他曾累積了美國境內最精良的古書收藏，包括各種古典文學作品的手稿、初期印本書、裝幀本（fine bindings）。該批藏書於一九一一年四月起進行拍賣直至一九一二年，大部分藏品轉入其他幾位藏書家如H. E. 杭廷頓、J. P. 摩根與麥克寇米克女士（Mrs. McComick）之手。

◎羅勃特．郝一世

◎O. A. Bierstadt編《郝氏藏書歷程》（*The Library of Robert Hoe*, New York: Duprat & Co., 1895）

4 亨利．E. 杭廷頓（Henry Edwards Huntington, 1850-1927）：美國史上財力最傲人的藏書名家之一。位於加州聖馬利諾（San Marino）的杭廷頓圖書館至今仍可參觀他的珍貴收藏，包括媲美大英圖書館的搖籃本（總數達五千四百部）、兩萬部英文首版書、二十五種卡克斯頓版、許多莎士比亞對開本，以及約五萬五千多種美國學著作。

◎杭廷頓圖書館標誌

5 根據當時的記錄，杭廷頓（授權史密斯）在該場拍賣會中的全部花費在百萬美元以上。

6 約翰．佩恩．寇里爾（John Payne Collier, 1789-1883）：十九世紀英國學者、評論家。

◎約翰．佩恩．寇里爾

7 亨利．克拉伯．羅賓生（Henry Crabb Robinson, 1775-1867）：英國記者兼日記作家。與蘭姆、布雷克、柯勒律治、華滋華斯、騷堤等文友交好。他留下了三十五卷日記、三十卷報導稿、三十六卷書信、回憶錄，皆成為後世研究他所屬時代文藝狀況的重要文獻。

◎亨利．克拉伯．羅賓生，Henry Darvall繪（約1855）

8 湯瑪斯．努．泰爾佛（Thomas Noon Talfourd, 1795-1854）：英國法官。蘭姆生前好友。曾編輯蘭姆的書信集（1837）與回憶錄（*Final Memorials of Charles Lamb*. 2 vols. London: E. Moxon, 1848）並擔任蘭姆的遺產執行人，他甚至將他的長子命名為查爾斯．蘭姆．泰爾佛；一八三五年進入國會；曾經倡導並促成通過一八四二年的版權法案，將作者歿後的著作權保有權限從原法（一八一四年訂定）的二十八年延長為四十二年；判決查禁雪萊的《仙后娘娘》的印行。

◎湯瑪斯．努．泰爾佛，Henry William Pickersgill繪

9 瑪麗．蘭姆（Mary Lamb, 1764-1847）：查爾斯．蘭姆的姊姊。兩人相依為命直至去世，合撰《莎士比亞故事集》。

10〈烤豬史話〉（“Essay on Roast”）：原題應為〈烤乳豬考原〉（“A Dissertation Upon Roast Pig”）。收錄在《伊利亞隨筆》之中。

11「好東西」（“Better Adjuncts”）：應指菸草。根據史料所載，蘭姆嗜菸成性。

12 羅勃．騷堤（Robert Southey, 1774-1843）：英國詩人。

◎羅勃．騷堤

13 F. W. 柯森（Frederick William Cosens, 1819-1889）：英國翻譯（西班牙文）家。

14 約瑟夫．柯托（Joseph P. Cottle, 1770-1853）：英國書商、詩人。蘭姆、騷堤與柯勒律治等人的朋友。一七九六至一七九八年間編撰、出版騷堤、柯勒律治與華滋華斯等湖區詩人（Lake poets）的詩集。他自己的詩作則屢遭拜倫揶揄。

◎約瑟夫．柯托，Robert Hancock繪（1880）

15 山繆．泰勒．柯勒律治（Samuel Taylor Coleridge, 1772-1834）：英國詩人。

16 約翰．奧古斯丁．戴里（John Augustin Daly, 1838-1899）：美國劇作家、劇場主持人、藏書家。

17 關於一七九九年由柯托刊行的《年度選集》中的〈菸蒂輓歌〉，其真正作者究竟是誰至今依然沒有定論。此詩曾被收入一八九四年Routledge版的騷堤詩集。根據Renee Roff編製《查爾斯與瑪麗．蘭姆著作目錄》（*Bibliography of the Writings of Charles and Mary Lamb*, Bronxville, New York, 1979）的說法，蘭姆當時只提供一首〈居於無神世界〉供《年度選集》刊登，意即紐頓書中所提及的其他詩作概非出自蘭姆手筆（但Renee亦未明白指陳〈菸蒂輓歌〉乃騷堤所作）。一九四一年五月，該詩稿在「紐頓藏品拍賣會」中賣出，同年十月三十日Parke-Bernet Galleries舉辦的另一場拍賣會，該一七九九年版《年度選集》原稿再度出現（以三百三十美元成交），但〈菸蒂輓歌〉手稿並不在其中。〈菸蒂輓歌〉果真為蘭姆所作？手稿上的筆跡（真如紐頓所言）為蘭姆手筆？由於原稿下落成謎，這些答案至今仍然無解。

18 亞伯拉罕．S. W. 羅森巴哈（Abraham Simon Wolfe Rosenbach, 1876-1952）：美國古書商、藏書家、版本學家。一九〇三年起與其兄菲利普在費城共同經營羅森巴哈公司（Rosenbach Co.），兼賣古籍善本和骨董，稍後在紐約開設分店。一九一一年之前並無甚大名氣，在郝氏藏品拍賣會大手筆購書之後名聲鵲起，成為全世界最頂尖的古書商號之一。他編著的《早期美國童書研究》（*Early American Children's Books*, 1933）是該領域的經典參考書；其他著作有《未曾問世的回憶錄》（*The Unpublished Memoirs*, 1917）、《書與競標客》（*Books and Bidders*, 1927）、《一名獵書客的閒暇》（*A Book Hunter's Holiday*, 1936）等。

19 喬恩西．布魯斯特．廷克（Chauncey Brewster Tinker, 1876-1963）：美國英文文學研究家、藏書家。一八九九年畢業於耶魯大學，後來在耶魯大學英文系任教並擔任該校史特靈紀念圖書館（Sterling Memorial Library）善本室主任。廷克對耶魯大學圖書館事業功勞甚巨，他曾公開表示：「倘若沒有書籍——一如過去的思想蕩然無存——任何大學，乃至任何文明，都無可能實現，因此，必須一再謹記大學的目的乃在於教導人們學會閱讀，而大學無非聚集一批藏書之處所。也正因此，吾輩先父先祖方於殖民地成立大學、提供藏書。而耶魯正孕育於圖書之中。」（“Without books–without, that is, the recorded thought of the past–no university and, indeed, no civilization is possible, and for that reason it is necessary to be always repeating the familiar truths that the object of an education is to learn to read and the university is a collection of books. For that reason it was that when our fathers wished to found a college in this colony they provided it with a collection of books. Yale was cradled in a library.”）廷克曾出版數種鮑斯威爾論著並編輯兩卷本《鮑斯威爾書信集》（*Letters of James Boswell*, 1924）。廷克歿後，將個人生

前購藏的許多珍貴文史手稿遺贈給母校耶魯大學圖書館典藏。

20 喬・廷克（Joe Tinker, 1880-1948）：美國棒球好手。本名喬瑟夫・B.廷克（Joseph B. Tinker）。一九〇二年參加「芝加哥菜鳥隊」（Chicago Cubs）開始其職棒生涯；一九一二年拒絕「布魯克林知更鳥隊」（Brooklyn Robins，「布魯克林道奇隊」前身）的高薪挖角，一九一三年起效命「芝加哥鯨隊」（Chicago Whales）並兼任球隊經裡。廷克戰功彪炳，一九一五年即帶領全隊奪得國家聯盟冠軍。一九四六年列名棒球名人堂。

21 約翰・G. 強森（John G. Johnson）：美國藏畫家。其藏品現藏費城藝術博物館（Philadelphia Museum of Art）。

22 約翰・德萊登（John Dryden, 1621-1700）：十七世紀英國詩人、劇作家、評論家。

◎德萊登，John Closterman原繪、William Faithorne版刻（約1690）

23《由加雷克君朗讀，德魯里巷劇院一七四七年開幕之序詩》（*Prologue Spoken by Mr. Garrick at the Opening of the Theatre in Drury-Lane 1747*）：山繆・約翰生慶賀德魯里巷劇院開張的詩作。一七四七年先於《紳士雜誌》上發表，同年出版。羅森巴哈（在韓克爾拍賣公司）意外發現、並以極低價格購得此冊子的精采過程，詳載於羅森巴哈的〈古書雜談〉（"Talking of Old Books"），收錄在他的《書與競標客》（Boston: Little, Brown, and Co., 1927）。此外，雖然原文說「前幾年」（a few years ago），其實羅森巴哈發現該書的時間是他還在賓州大學就讀期間，距離紐頓寫這篇文章少說也有二、三十年光景。

◎德魯里巷劇院內部（約1812）

24 "The Drama's Laws, the Drama's patrons give, / For we that live to please, must please to live."

25 約翰生在《序詩》首段第六句引用莎士比亞《暴風雨》（*The Tempest*）中Prospero形容Miranda時所說的一句台詞"...She will outstrip all praise, / And make it halt behind her."，並以「時間在他身後蹣跚追趕卻徒然。」（"And panting Time toil'd after him in vain."）盛讚莎士比亞，加雷克對此頗為吃味。約翰生知道後，（笑著）對旁人說：「這冥頑不靈的老粗！我下回把時間和空間一塊兒寫進去得了。」（"Prosaical rogues! Next time I write, I'll make both time and space pant."）見《約翰生傳》（一七八〇年段）。另，自中世紀以來，「時間」的具體意象乃一具手持大鐮刀的骷髏，良莠盡除、片甲不留。

26 中文聖經（和合本）中此段經文應為：「買物的說：不好、不好。及至買去，他便自誇。」

27 丹尼爾・狄福（Daniel Defoe, 1660?-1731）：英國作家。出生於屠戶家庭，原姓Foe，約一七〇三年自改姓氏為Defoe。他自年輕起便好發異論並熱中於印行小冊子（內容涵蓋各領域、主題），他前後印行了約兩百五十種小冊子，從軍期間出版小冊子《土生土長英國人》（*The True-born Englishman,* 1688）抨擊外國人入主英國（一八八九年登基的威廉三世有荷蘭血統）；一七〇二年再出版《鏟除新教異議分子速效妙方》（*The Shortest Way with the Dissenters*），狄福（本身便是一名新教異議分子）譏諷當局不當彈壓不願信奉英國國教的新教民眾，該小冊子觸怒當局（安妮女王），他因此被捕（一七〇三年）並被處以戴枷示眾的刑罰。由於屢屢因文賈禍，加上財務陷入窘境，他晚年對於公共議題的態度轉而變得世故、現實。一七一九年他出版（被譽為「冒險小說鼻祖」的）《魯賓遜漂流記》（*Robinson Crusoe*）；往後五年相繼出版許

◎丹尼爾・狄福，Jeremiah Taverner原繪、Michiel Van der Gucht版刻（1706）

多部重要作品：《辛格頓上尉》(*Captain Singleton*, 1722)、《茉兒・佛蘭德》(*Moll Flanders*, 1722)、《大疫年記事》(*A Journal of the Plague Year*, 1720)、《傑克上校》(*Colonel Jack*, 1688)、《羅珊娜》(*Roxana*, 1724)、《英倫全島之旅紀行》(*Tour Through the Whole Island of Great Britain*, 1724-1727)。

28 紐頓向羅森巴哈購得的《魯賓遜漂流記》，三卷分別是*The Life and Strange Suprizing Adventures of Robinson Crusoe*, London: W. Taylor, 1919、*The Father Adventures of Robinson Crusoe*, London: W. Taylor, 1919（此卷內附雕版地圖一幅）、以及*Serious Reflections during the Life and Strange Suprizing Adventures of Robinson Crusoe: With his Vision of the Angelick World*, London: W. Taylor, 1920。第一卷空白葉上有前任書主落款（筆跡卻與康格列夫極為神似）：「法蘭西斯・費茲賀伯受威廉・康格列夫先生所贈。一七二六年五月二十一日識於倫敦。」（"Francis Fitzherberts given by Mr. William Congreve. May ye 21st 1726 att London."），書名頁背面還有另一位書主寫的「艾琳諾・克萊普頓識於一七六八年三月十九日」（"Eleanor Clapton, March 19, 1768"）；第一、二卷還貼有湯瑪士・考伯（Thomas Cowper）的藏書票；第三卷則貼有里察・B. 卡克斯（Richard B. Cox）的藏書票。

29 版記（point）──在同一部書中用來區別不同版本的特徵，通常是若干特殊或不尋常的記號（尤其是拼字部分），原本只是不經意的誤印（misprint），後來發展成刻意的小動作。此習慣自十六世紀以降沿襲數百年，初期一概被歸為印刷錯誤（errors），但直到二十世紀初才被藏書界高度重視，並引以為勘驗版本的重要依據，甚至帶動為數甚多熱中蒐羅此類書籍的「版記狂」（point maniacs）。

◎威廉・康格列夫，Godfrey Kneller原繪、John Smith版刻（1710）

30 威廉・康格列夫（William Congreve, 1670-1729）：英國劇作家。

31 華特・希爾（Walter Hill）：芝加哥書商暨出版商。曾印行許多限量版書籍，包括J. 克里斯欽・貝（參見第四卷 II 譯註77）的文集《書中自有黃金屋》（*The Fortune of Books: Essays, Memories and Prophecies of a Librarian*, 1941）。

32 查爾斯・賽斯勒（Charles Sessler, 1854-1935）：費城古書商。賽斯勒書店於一八八二年開張。杭廷頓曾表示自己的藏書癖好應歸功該書店。

33 威廉・查爾斯・麥克雷迪（William Charles Macready, 1793-1873）：十九世紀英國舞台演員、劇場經營者。

◎威廉・查爾斯・麥克雷迪

34「既全又精」（"collated and perfect"）：版本學用語，書商往往用來形容善本，有時簡作"c & p"。

35 湯瑪士・羅蘭德森（Thomas Rowlandson, 1756-1827）：英國漫畫家。他先後在皇家藝術學院和巴黎習畫，因耽溺賭博而荒廢畫業，直到一七八二年起才開始創作。他所繪製的諷刺插圖頗獲當代好評，雖然筆法風格肖似法國洛可可，但其幽默精神卻純屬英式作風。他曾為許多作者繪製插圖，包括戈爾德史密斯、史德恩、司威夫特等。作品現藏大英博物館、維多利亞與亞伯特博物館和大都會博物館等地。紐頓生前收藏大量羅蘭德森插畫原稿。

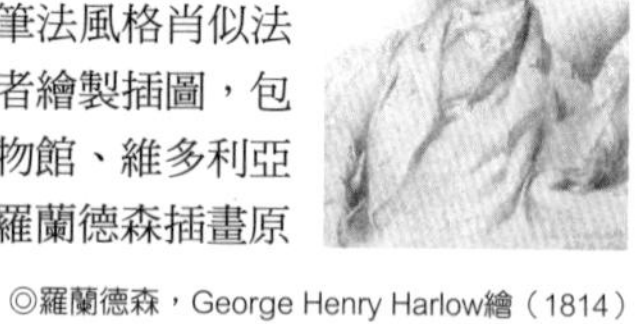

◎羅蘭德森，George Henry Harlow繪（1814）

36 厄尼斯・卓塞爾・諾斯（Ernest Dressel North）：美國書商、版本學家。曾編製蘭姆、史蒂文生等作家的著作書目。諾斯發過一句豪言：「若普天下所有王國的皇冠皆堆在我腳下，要換取我的書以及我對閱讀的深愛，我亦一一斥退。」（"If the crowns of all the kingdoms of the empire were laid down at my feet in exchange for my books and my love of reading, I would spurn

them all.”）

◎芬妮・伯尼，George Henry Harlow繪（1814）

37《艾芙琳娜》（*Evelina*）：芬妮・伯尼（Fanny Burney, 1752-1840）的小說。一七七八年出版。

38《委曲求全》（*She Stoops to Conquer*）：戈爾德史密斯的劇作。一七七三年三月十五日在科芬園劇院首演。

39 威廉・H. 蘭伯特（William Harrison Lambert, 1842-1912）：美國藏書家。專攻林肯史料與薩克雷作品、相關文物。蘭伯特藏書拍賣會分別於一九一四年一月十四日、二月十一日、二十五日、三月九日、四月一日由大都會（Metropolitian）公司舉辦。

40 薩克雷在《名利場》中使用“dixonary”而非“dictonary”。故事一開始，苹克頓老師（Ms. Pinkerton）依照慣例致贈每名畢業生一部約翰生的「辭典」，卻被蕾貝卡・夏普（Rebecca Sharp，小名Becky）臨別當面扔棄，出現在第一章結尾的蓓琪摔書一節是《名利場》的重要序曲，為女主角後來的拜金求榮生涯預埋伏筆。

◎約翰・A・史布爾的藏書票

41 路德・S. 李文斯頓（Luther S. Livingston, 1864-1914）：美國學者。主編早期《美國書價行情》（參見本卷Ⅲ譯註21）。

42 約翰・A. 史布爾（John A. Spoor, 1851-1926）：美國商業鉅子、藏書家。一八八六年他自紐約前往芝加哥，成為汽車公司（Wagner Palace Car Co.）總經理；後來得意商界，人稱「中西部的J. P. 摩根」。其藏書於一九三九年交付拍賣。

43 多德、米德公司（Dodd, Mead & Company）：紐約出版商。一八三九年由Moses Woodruff Dodd（1813-1899）與John S. Taylor創業，初期以印行宗教書籍為大宗。一八七〇年多德外甥Edward S. Mead加入，店號改為Dodd and Mead；一八七六年Bleecker Van Wagenen成為合夥人之後，正式定名為Dodd, Mead & Company。

44 詹姆斯・F. 蕞克（James Frederick Drake, 1863-1933）：紐約書商。蕞克於一九一一年開始經手古書買賣；蕞克歿後，由其弟Jim接手經營，Jim死後，該店存貨悉數被德州大學人文研究中心（Humanities Research Center at the University of Texas）收購。

45 羅勃・史密斯・修特茲（Robert Smith Surtees, 1803-64）：英國小說家。一八三一年與魯道夫・阿可曼（Rudolf Ackermann）共同創辦《新運動雜誌》（*New Sporting Magazine*）；並為該刊物撰稿、創造出甘草角色：詭計多端的倫敦雜貨商販「傑克・裘洛克先生」，這些材料後來集結成《裘洛克的歡暢漫遊》（*Jorrock's Jaunts and Jollities*, 1838），以及後來的續篇《韓德利十字》（*Handley Cross*, 1843）、《希爾林登丘》（*Hillinggton Hall*, 1845）。其他著作包括：《嚎鹿莊園》（*Hawbuck Grange*, 1847）、《史邦吉先生的運動之旅》（*Mr. Sponge's Sporting Tour*, 1853）、《求姆媽》（*Ask Mamma*, 1858）、《直毛還是鬈毛？》（*Plain or Ringlets?*, 1860）、《費西・羅福特先生的獵犬》（*Mr. Facey Romford's Hounds*, 1865）等（參見本卷Ⅲ譯註35、38、39、40、41）。

46 喬治・穆爾（George [Augustus] Moore, 1852-1933）：英國小說家。

47《逝去歲月的回憶》（*Memoirs of My Dead Life*）：穆爾的回憶錄。一九〇六年倫敦Heinemann出版。中文譯本可見廣西師範大學出版社版《我的死了的生活的回憶》（孫宜學譯，二〇〇一年）。

48 印樣或印張（proof sheets）：印刷完成的全紙（sheet）未摺未裁亦未經裝訂的半成品，通常作為試版或供校正用的材料，故鮮少在書市流通。

49 查爾斯．愛德華．穆迪（Charles Edward Mudie, 1818-1890）：英國出版商、書商。一八四〇年他接續父業開設書店，一八四二年開辦書籍出借業務（成立Mudie's Lending Library），推行其「穆迪選書」（Mudie's Select Library）。

◎查爾斯．愛德華．穆迪，Howard Coster攝（1932）

50《襁褓文學或傳續道統，維多利亞時代文字查禁析疑》（*Literature at Nurse, or, Circulating Morals: A Polemic on Victorian Censorship*）：穆爾論著。一八八五年倫敦出版。此小冊子乃緣於穆爾不滿穆迪圖書館查禁他的小說《現代情人》（*A Modern Lover*, 1883）。

51 威利．王爾德（Willie Wilde, 1852-1899）：奧斯卡．王爾德的哥哥。

52《異端詩集》（*Pagan Poems*）：喬治．穆爾的詩作選集。一八八一年倫敦Newman and Co.出版。

◎亞瑟．蘭山姆，Howard Coster攝（1932）

53 亞瑟．蘭山姆（Arthur Michell Ransome, 1884-1967）：英國報人、評論家、兒童文學作家。著作《奧斯卡．王爾德》（*Oscar Wilde: A Critical Study*）於一九一二年由倫敦Martin Secker出版。

54《三審奧斯卡．王爾德》（*Oscar Wilde: Three Times Tried*）：史都爾特．梅森（Stuart Mason, 1872-1927，Christopher Sclater Millard的筆名）的王爾德文論。一九一二年，倫敦：佛瑞斯頓出版公司（Ferrestone Press, Ltd.）出版。書名典出王爾德於一八九七年自獄中寫給親密友人（Lord Alfred Bruce Douglas, 1870-1945）的信文："All trials are trials for one's life, just as all sentences are sentences of death, and three times I have been tried."。該封長信後來出版成書《自深處》（*De Profundis*, London: Methuen and Co., 1905）。"De Profundis"典出聖經〈詩篇〉第一百三十篇首句：「耶和華啊，我從深處向你求告！」（"Out of the deep have I sent up my cry to you, O Lord."）

55《拋石引磚》（*The First Stone, On Reading the Unpublished Parts of 'De Profundis'*）：湯瑪斯．W. H. 克羅斯蘭（Thomas William Hodgson Crosland, 1865-1924）於一九一二年自行出版的（30頁）小冊子，以單首長詩大力抨擊王爾德尚未出版的《自深處》部分內容。克羅斯蘭曾於一九〇二年發表詩作《無可言喻的蘇格蘭人》（*The Unspeakable Scot*, London: Grant Richards），「無可言喻的蘇格蘭人」從此便成為克羅斯蘭的封號

56 威廉．洛林．安德魯斯（William Loring Andrews, 1837-1920）：美國作家、藏書家。四十歲時自皮革加工祖業退休，以寫作自娛並開始藏書。他致力收藏手抄繪本古籍、地圖、畫片、裝幀本、插圖本與阿爾丁、埃爾澤佛古版書，此外，他對紐約市史料亦有高度興趣。他是「葛羅里亞俱樂部」的創始成員之一，並創立「圖像同好會」（Society of Iconophiles），對於紐約市文史資料的保存有極大貢獻。他筆耕的成績亦頗豐，作品有《尚．葛羅里亞傳》（*Jean Grolier de Servier. Viscount D'Aguisy: some accounts of his life and of his famous library*, New York: The De Vinne Press, 1892）、《昔年紐約書店與其他零篇》（*The Old Book Sellers of New York and Other Papers*）、《藏書綺譚》（*Vagaries of Book Collecting*, 1895）、《藏書閒言雜語》（*Gossip About Book Collecting*, New York: Dodd, Mead, 1900）等。

57「『藏書閒扯皮』誠然妙不可言。」（"'Gossip about Book Collecting' has its charms."）：語出威廉．洛林．安德魯斯《藏書閒言雜語》。

58「前不著村，後不著店」（“twelve miles from a lemon”）：引自悉尼・史密斯《荷蘭女士追憶錄》（*Lady Holland's Memoir*）中的文句“My living in Yorkshire was so far out of the way, that it was actually twelve miles from a lemon.”。後來成為史密斯文集的書名（Norman Taylor、Alan Hankinson編: *Twelve Miles from A Lemon: Selected Writings and Sayings of and about Sydney Smith*, 1966）

59 加伯瑞爾・威爾斯（Gabriel Wells, 1862-1946）：紐約古書商。

60「生而富猶勝死而富。」（“It is better to live rich than die rich.”）：語出約翰生與闊別良久的老同學愛德華茲（Edwards）重逢時的談話內容。見《約翰生傳》（一七七八年四月十七日段）。

61《天國與冥府聯姻》（*Marriage of Heaven and Hell*）：威廉・布雷克的詩畫作品。一七九三年出版。

62《伊利亞完本彙編》（*Elia and Eliana*）：蘭姆的散文作品集。完整書名為《伊利亞隨筆，附前出版本未收之題辭與前言；暨首度集結文章之伊利亞彙編》（*The Essays of Elia, with a Delication and Preface Hitherto Unpublished; and Eliana: Being the Hitherto Uucollected Writings*）。一八六九年倫敦愛德華・莫克松首版，兩卷本。查爾斯・蘭姆於一八二〇年受《倫敦雜誌》的編輯邀稿，自八月起開始撰寫一系列半虛構的雜文，直到一八二五年。蘭姆曾先後將這些文章和發表在其他刊物上的同類雜文編為兩卷出版，即一八二三年泰勒與賀西版的《伊利亞隨筆》（共收二十二篇，參見本卷 I 譯註116）和一八三三年的《伊利亞續筆》（*The Last Essays of Elia. Being a Sequel to Essays Published under That Name*, London. Edward Moxon, 1833，共收二十四篇外加附錄五篇），合刊即成《伊利亞完本彙編》。《伊利亞隨筆》台灣中譯本可見一九九四年出版、由孔繁雲翻譯的志文出版社「新潮文庫」版，大陸譯本則有劉炳善（一九八七年北京三聯）、高健（一九九三年廣州花城）譯本，可惜的是以上三種皆為選譯本。三、花兩種版本篇目相同，高譯本乃蓄意以較佳譯筆取代劉譯本而出，但兩種簡體字譯本我均無緣經眼，不便置喙，但網路上可見對岸擁護兩方的人馬激烈論戰，相對於始終在戰局之外的台灣孔譯本形單影隻、無人聞問，看來本地要出現《伊利亞隨筆》完譯本的機率幾乎趨近於零，嗚呼。

◎台灣志文版《伊利亞隨筆》，封面圖採用Canaletto畫的威尼斯聖馬可廣場，美則美矣，用心卻頗令人費解

63 蘭姆於八歲（一七八二年）自普通小學轉到倫敦基督學堂（Christ's Hospital）就讀至十五歲。基督學堂乃由愛德華六世於一五五三年（在他去世前十天）創辦，以新門街（Newgate Street）上的舊修道院Greyfriars Monastery為校舍，旨在讓貧寒、失怙少年也能享有優質的教育。該校培育出不少日後在各領域有傑出表現的英才，文學界除了蘭姆之外，柯勒律治、李・杭特等人亦曾在此校就讀。醒目的藍色長外套和鮮黃色長襪是該校院童的標準制服，坊間甚至以此稱呼該校為「藍外套學校」（Blue Coat School）。

◎穿著藍外套的基督學堂院童（Charles E.Brock繪，出自1899年J.M.Dent版）

64 艾德蒙・D. 布魯克斯（Edmund D. Brooks）：美國書商、出版商暨藏書家。

65 書口刷金（gilt edges）：在切齊的書口上施以燙金或染色，除了美觀之外，兼具防蟲的功效。常見的是「上書口刷金」（top edge gilt / t.e.g）；較講究的則「全口刷金」（all edges gilt / a.e.g）。此外還有刷紅、刷黃、刷藍（如有名的魯迅「刷藍本」）等。

66 約翰・C. 埃克爾（John C. Eckel）：美國（費城）版本學家、藏書家。

67《查爾斯・狄更斯首版書目》（*First Editions of Charles Dickens，完整書名為First Editions of the Writings of Charles Dickens & Their Values. A Bibliography*）：埃克爾編製的版本書目。一九一三年紐約London, Chapman & Hall出版。

68 配補插圖（extra illustrated）：由藏書家自行或延請插畫家為既有的書籍上另行繪製插圖，通常是將畫好的圖版貼到書內的空白頁上。因此概念源自詹姆士・葛蘭傑（James Granger, 1723-1776），所以此道加工程序又稱"Grangerizing"，葛蘭傑甚至在自己的著作《英格蘭史傳》（*Biographical History of England*, 1769-1774）五卷本中刻意安插許多空白頁，供未來書主依各人興味、能耐，自行添置材料。

69 鑲襯圖版（inlaying prints）：舊時藏書家配補插圖在書上的技法。必須十分謹慎小心，否則極易造成書籍毀損。

70 佛迪南・J. 蕞爾（Ferdinand Julius Dreer, 1812-1902）：美國藏書家。生前經營冶金生意，五十歲退休後投注心力於藏書與配補插圖（十九、二十世紀之交很流行的活動，參見上兩則譯註），蕞爾另一項傲人的收藏品是名人簽名（文件、尺牘等），此批珍藏於他晚年捐贈給賓夕法尼亞州歷史學會（Historical Society of Pennsylvania），其餘藏書則於生前、歿後各舉辦拍賣會售出（一八八九年五月二十八日Birch、一九一三年四月十一日韓克爾公司）。

71 約翰・艾倫（John Allen, 1777-1863）：美國建國初期藏書家。原籍蘇格蘭，七歲時隨家人移民新大陸，後來繼承祖業經營羊毛、威士忌進口生意。艾倫的藏書集中在彭斯、迪柏丁、美國史等門類，他特別熱中配補插圖。有一則關於艾倫的軼事：他曾罹患嚴重的扁桃腺囊腫，眼見行將就木；病中無意間隱約聽見朋友們商議如何在他死後瓜分他的藏書，艾倫大為震怒，一氣之下囊腫居然當場破裂、發了一陣高燒後不藥而癒；後來才知道這正是朋友們的計謀。艾倫藏書於歿後被約瑟夫・薩賓（參見本卷 I 譯註97）收購並詳加編目後交由班氏公司拍賣（一八六四年五月二日）。

72 布雷德福俱樂部（Bradford Club）：一八五九年成立於紐約市的文藝社團。以建國初期印刷工威廉・布雷德福（William Bradford, 1633-1752）命名。該社團共有五位成員：William Menzies、J. Carson Brevoort、Charles Congdon、Charles C. Moreau與John B. Moreau；該社團於一八六七年結束活動，前後共出版八部書籍。

73 史丹・韓克爾斯（Stan. V. Henkels）：費城拍賣商。

74 尼可拉斯・比鐸（Nicholas Biddle, 1786-1844）：美國建國初期金融家。世居費城。

◎尼可拉斯・比鐸

75《尼可拉斯・比鐸回憶錄》（*Memoirs of Nicholas Biddle*）：羅勃・T.康拉德（Robert T. Conrad）著。費城：一八六一年版。由佛迪南・J.蕞爾配補大量文件、肖像、圖片。此拍賣品還合訂了一部蕞爾私家印行的《妖怪頌歌》（*An Ode to Bogle*，尼可拉斯・比鐸著，費城：一八六五年）。

76《柯西嘉見聞錄》（*An Account of Corsica, The Journal of a Tour to That Island; and Memoirs of Pascal Paoli*）：詹姆士・鮑斯威爾的遊記作品。一七六八年格拉斯哥Robert and Andrew Foulis for Edward and Charles Dilly出版。

◎百合鑲飾的典型例子

77 百合鑲飾（fleurs-de-lis）：由花瓣構成的紋飾，常見於古代歐洲皇室紋章。

78 "Forsitan et nomen nostrum miscebitur istis."（拉丁文，英譯為"It may be that our names too will mingle with these."）：此典故出自《約翰生傳》：話說約翰生博

士與戈爾德史密斯某日相偕在市區散步，行至西敏寺墓園（只供「國寶級人士」殮葬），約翰生突發其想，喜孜孜地指著專葬桂冠詩人的角落對戈爾德史密斯說：「不意吾倆名字亦終可列名其中。」接著兩人逛到聖殿門，戈爾德史密斯便指著城門上方，低聲對約翰生說：「不意吾倆首級亦終羅列其上。」蓋中世紀時，欽差要犯（特別是政治異議分子）被斬首的頭顱往往就懸掛在聖殿門上示眾，以儆效尤。戈爾德史密斯影射兩人平日好發不見容當道的言論，諷喻其下場堪虞。見《約翰生傳》（一七七三年段）。

79 “Sir, the biographical part of literature is what I love most.”：典出約翰生論及法國哲學家貝勒氏（Pierre Bayle, 1647-1706）編纂的詞典時所說的話：“Bayle’s Dictionary is a very useful work for those to consult who love the biographical part of literature, which is what I love most.”。見《約翰生傳》（一七六三年七月六日段）。

80 費利克斯・謝林（Felix Emanuel Schelling, 1858-1945）：美國教育家。一八九三年至一九三四年擔任賓州大學教授。他編輯為數甚多的依莉莎白時期的劇作，並撰寫多部相關論著，包括：《依莉莎白時代戲劇史》（*History of Elizabethan*, 1908）、《莎士比亞在世時期的英國文藝》（*English Literature during the Lifetime of Shakespeare*, 1910）、《英文抒情詩》（*The English Lyric*, 1913）、《依莉莎白時代劇作的外來影響》（*Foreign Influences in Elizabethan Plays*, 1923）、《依莉莎白時代劇作集》（*Elizabethan Playwrights*, 1925）。

81 毛邊本：魯迅用詞，即書口未裁（參見本卷I譯註93）的本子。

82《莎士比亞在世時期的英國文學》（*English Literature during the Lifetime of Shakespeare*）：謝林論著。一九一〇年紐約Henry Holt and Co.出版。

83《英語抒情詩》（*The English Lyrics*）：謝林論著。一九一〇年Port Washington、紐約Kennikat P. 出版。

84「J. S. 彌爾（J. S. Mill）：《論自由》（*On Liberty*）、同上（Ditto）：《蠶絲考》（*On the Floss*）」：極可能是某部書的內文提及喬治・艾略特的小說《佛洛斯河上的磨坊》（*The Mill on the Floss*, 1860），編輯製作索引時卻誤將書名拆成兩截，列為兩筆風馬牛不相干的索引條目。

85《約翰生博士與芬妮・伯尼》（*Dr. Johnson and Fanny Burney*）：喬恩西・布魯斯特・廷克（參見本章譯註19）編著，一九一二年倫敦Jonathan Cape出版。

86 這個玩笑的重點在於將「蒲伯，亞歷山大：見頁111」（Pope, Alexander, 111）故意與「教皇亞歷山大三世」（Pope Alexander III）混為一談。廷克藉此題辭挖苦藏書家（如紐頓之流）斤斤計較版本上某些無謂的芝麻綠豆小事。

87 “Johnson Piazza Dictionary Pounds Forty Hut.” 亦可讀作：「約翰生廣場字典連擊四十間堂。」

88 安娜・威廉斯（Anna Williams, 1706-1783）夫人是約翰生夫婦舊識柴伽略・威廉斯（Zachariah Williams）的女兒，貧病潦倒的柴伽略於一七五五年去世後，約翰生夫婦基於同情，將雙目失明的安娜接來同住，但是安娜・威廉斯夫人性情乖張、盛氣凌人，雖寄住在約翰生家中卻常常喧賓奪主，但約翰生偏偏看重她的優點（「滔滔雄辯之口才、無盡的求知欲、廣博的學識」）而一再隱忍並長期袒護她。列薇特（R. Levet, 1705-1782）、戴斯茂琳太太（Mrs. Desmoulines, 1716-?）、蒲爾・卡麥可（Poll Carmichael）等人則是安娜・威廉斯夫人晚年在約翰生家中開設私人收容所的住客（約翰生甚至因此被趕出自己的房間）。這群被約翰生戲稱為「我的後宮佳麗」的老太太們雖長期同居一室，彼此間卻鉤心鬥角、紛擾不斷，特勞爾夫人因此回信指他家簡直成了「動物園」（“zoo”）。此段典故出自約翰生寫給特勞爾夫人的信，載於《約翰生傳》（一七七八年段）。

89 指一七九一年倫敦Henry Baldwin（for Charles Dilly）出版的兩卷本。

90 與前一部相同版本，但經Rivere裝幀為四卷。此本可謂大有來頭：上有鮑斯威爾題贈給兒子的獻辭：“To James Boswell Esq: Junior from his affectionate Father The Authour.”另有出版商John Murray的落款：“Bought out of Mr. Rudds Catalogue No. 503 Jan'y 13, 1835. £2.10. John Murray.”；另，上方還有Richard Herber（1773- 1833，英國藏書家）的藏書章“BIBLIOTHECA HERBERIANA”，哈利．B. 史密斯於一八三四年四月十四日在Herber藏書拍賣會上購得此書，其中兩卷貼有「善感齋」書票；後來由紐頓購藏。

91 指一八三一年倫敦由波恩（參見本卷 I 譯註39）出版、內含《赫布里底紀行》，附John Wilson Croker（1780-1857，英國文人政客）註釋的八開十卷本。

92 參見本卷 I 譯註89。

93「吾之愛書生涯，緣於鮑斯威爾《約翰生傳》，亦將以是書為終。」（“My enjoyment of books began and will end with Boswell's *'Life of Johnson'*.”）：出處不詳，疑引自《全國名人錄》。

III　舊目與新價

真正的愛書人照理說都不會任意毀棄舊目錄。這究竟基於什麼道理，並非三言兩語能講得清楚；簡單地說：往往就在一扔掉後沒多久，又非得查核那幾冊目錄不可了。每班郵件之中總免不了會收到幾冊這種目錄，而我也會耗費好幾個鐘頭在它們身上。安納托爾・佛朗士[1]在那部迷人的小說《席爾維絲翠・波納之罪》[2]裡特別安排一名和藹可親的古書商娓娓道出：「實在找不到別的東西能像一冊目錄那樣，讓人讀來輕鬆自在、神魂顛倒、愉快欣喜。」大體而言，這句話還算正確，只是，教人看出一肚子氣的目錄也是所在多有：又臭又長地列出與書目風馬牛不相及的條目、年譜、地方誌（何況盡是一些鳥不拉屎的小地方）、東一幅西一張無關宏旨的肖像玉照；此外，老舊過時的醫藥、科學書籍；林林總總、巨細靡遺詳述種作程序、牲畜疾症的書亦不一而足。我實在百思不解，賣那些玩意兒哪能賺得了錢——不過，像這種教人想不透的事還真是不少。

◎安納托爾・佛朗士

言歸正傳，我住在鄉下，每天得花許多時間搭火車進城，翻報紙的話，沒一會兒工夫就看完了，總得找些別的東西來讀（忘了到底是誰說過：讀報紙是某種焦慮強迫症？）。不過老拎著一整本書上車也怪累贅的，於是我總是隨時準備幾冊目錄在身邊，供我在車上仍能孜孜不倦埋頭逐一標註、擺出一副日理萬機的架式。在目錄上打第一道勾代表那部書我已經有了，只是訂價有點兒吸引人；再加一個勾表示我有意購買；但是若再加上一道勾，就表示那部書說什麼也休想擺到我的書架上。每當我的書房需要好好整飭一番的時候，我便將那些原本應該順道清掉的輕薄冊子暫時儲放在櫥櫃裡，待來日需要翻查的時候即可隨時取用。其結果便是：我每每還得騰出許多空間來存放這一大堆「不時之需」。

有一回當我進行例行大掃除的時候，無意間又找出一大綑我始終捨不得丟掉的舊目錄。其中一冊發行於一八八六年，是河濱道克雷蒙法學院門前（Clement's Inn Gateway）、我多年前熟識的書商查爾斯·哈特[3]寄來的。哈特本人早已亡故，他的書店亦隨之歇業；而克雷蒙法學院門前早就不見蹤影，河濱道亦只剩若干殘跡僅供憑弔。我有時不免喟嘆：倫敦最美好的事物皆已一去不復返矣。至於狄更斯瞭若指掌且不時形諸筆墨的荷里威爾街，和坐落在河濱道與林肯法學院胡同交會處的克雷爾市場區（Clare Market district），那還用得著我多費唇舌嗎？哈特在世時是一位相當舉足輕重的人，他是頭一個洞察美國市場脈動和潛力的書商。要是他還活著，我的朋友薩賓、史賓塞和麥格氏兄弟可就不能像現在這麼逍遙自在了。

擺在我面前的每一冊舊目錄都有一個極為重要的共通點，即：裡頭所列每部書的標價一概低廉。以今日的標準來看，那些訂價簡直低得離譜——難道是因為現今書價高得離譜？非也，至少我頭一個不這麼認為。每回只要看到有人提筆為文論及善本行情，我就覺得好笑，那些文章往往——千篇一律——指陳目前古書的價位正處於高檔，搶在此時進場著實不智（然而，吾輩藏書家倒是——屢試不爽——常幹這種蠢事）、聰明人宜等價格回跌再謀定解囊不遲云云。

我堅信：不論目前的書價如何高昂，當人們從書店、拍賣會上把那些書買回家，它們才正要開始漲漲不休呢；而且從此以往大家都別指望它們的價格會往下跌了。欲知來事惟有鑒往，我從經驗中歸結出一個結論：真正偉大的珍稀善本，其價格的上限惟有無垠穹蒼差堪比擬。

真正偉大的珍稀善本！到底哪些書夠資格被稱為「真正偉大的珍稀善本」？而它們到底都在哪兒？這些問題我可沒把握能答得出來──我福薄無法常常經眼；要是它們真能出現在我的面前，我也無力與別人一爭高下。不過，就算無法駕馭遠洋巨舶，我也以行駛一艘近海小汽艇感到心滿意足；即使無緣庋藏一部古騰堡聖經、也沒有任何一部第一對開本、或第一四開本的莎士比亞劇作（即大家口中的「百萬富豪的玩意兒」），我的日子照樣能過得安穩自在。但話說回來，要是我的財力許可，買得起那些東西，我自然也會二話不說，收而藏之為快。

任何人只要能夠克制若干沒那麼要緊的玩樂物事，就算收入不豐，他依然能縱情於收藏所帶來的種種愉悅。如何抉擇存乎一心，正如伊利亞在〈古瓷器〉[4]一文中指出：他權衡得失之後，採納碧麗姬堂姊的建議：不妨繼續將就穿著舊衣服；若省下那十二或十六先令，他便可興高采烈地買回一部舊版對開本。作為藏書家，蘭姆的段數稱不上多麼高明；但他的確是不折不扣的愛書人，凡遇到他喜歡讀的書，他都甘願掏腰包買下來。走筆至此，謹容我敘述某日經眼一首小詩的經過，以及那首詩如何恰如其分地傳達出那位作者（以及我自己）的心聲。

不久之前，我到普林斯頓走了一趟。那座風光明媚的大學小城，到處都是可愛的亭榭、樓閣。我一向對於各地藏書機構特別感興趣，當時我得以進入故勞倫斯・賀頓[5]特藏室並獲准在館內任意瀏覽。一一觀賞過他的「石膏肖像」（獨步國內外的一批古人面模藏品）之後，我的注意力移到他的關聯本藏品上頭。那批書籍品類駁雜，同時也不是每一部都那麼有意思；和理察・沃恩・梅爾思[6]不久前才遺贈給館方的那批克魯克香克[7]藏品簡直沒得比。不過，不管有趣無趣，反正只要是書本，我都有興趣；我從每位作家寫給賀頓的簽贈題辭中，清楚印證了他們對受贈者、以及對他孜孜愛書

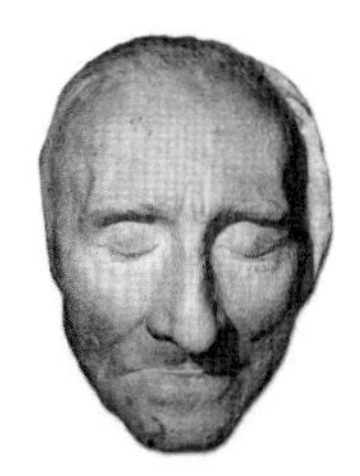

◎賀頓的「石膏肖像」藏品之一：音樂家李斯特（Franz Liszt）

的熱情無不由衷感佩，每一則落款都值得再三細細品味。

我先隨意翻讀了好幾本書之後，最後映入眼簾的是布蘭德・馬修斯[8]的《歌詠書籍》[9]——雖然只是薄薄一冊卻滿溢著書味兒的詩歌選集，也是長年以來極受我鍾愛的一部書。翻開題辭頁，我看到（作者的親筆落款自然不消說；但特別引起我的興趣的是）裡頭有一封某位英國慕名讀者的來信，執筆者署名湯瑪斯・哈欽森（Thomas Hutchinson），信文中夾雜詩文數闋。我未經任何人的允許，便暗地逕自將它抄錄下來。我之所以省下徵詢館方人員的工夫，乃是顧念他八成還得因此大費番周章先向董事會報備、或辦理一大堆有的沒的麻煩手續；反正我已經先抬頭向掛在書架正上方、栩栩如生的「小勞」肖像打過一聲招呼，而他似乎對著我說：「喏！儘管抄嘛，愛書同志；將薪火傳衍下去，版權公有，歡迎翻印。」詩文迻錄如下——

窮愛書人之歌

I

任憑命運詭譎又多舛
愛書人窮本是天註定，
有此命或該額手稱慶——
吾能購得吾歡喜讀的書：
架上羅列皆為吾摯友，
然，不論如何豔羨喟嘆，
面對人盡取而吾鮮從——
吾自閱讀吾甘心買的書。

II

阮囊羞澀向來不豐飽
求書亦不饑渴不貪婪，

唯有買書一事獨忘機：

當吾購得吾歡喜讀的書：

無論躑躅於青草野地，

頂上萬里無雲廣袤穹蒼，

依傍泰晤士、坦恩或崔德[10]，

當吾閱讀——吾甘心買的書。

III

某些籍冊刷印精來繪亦美

然其內容只堪蟲蠹飽三餐，

有人侈談裝幀叨叨不休——

但吾只購吾歡喜讀的書：

雖則來日痴想或成真

苦難今天早從天降臨——

咸信怎麼耕耘那麼栽：

吾當閱讀吾甘心買的書。

結尾

即便吾頻頻挹注書攤，

吾只購買吾歡喜讀的書：

然而富貴來時自有時——

吾當勤讀吾甘心買的書。

書價的高低取決於兩項因素：首先得視書籍本身的稀有度以及外界對它的需求迫切度（某部存世孤本或許不值一文錢，只因壓根沒人想要）；其次，得看外頭有沒有淹腳目的財富；換句話說：暴發戶手上的閒錢夠多。約莫一百多年前，在倫敦某場著名的拍賣會上，當史賓塞伯爵[11]以兩千兩百五十英鎊對那部名聞遐邇的《十日談》下標的時候，誰曉得布蘭德福侯爵（Marquis of Blandford）竟然從半路殺出來，不慌不忙冒出一句：「再加十鎊！」硬是橫刀奪走那件寶貝[12]——大家隨便猜也猜得到，那兩位貴人之中到底哪一位收來的佃租比較豐厚。

在英國，富麗堂皇的私人藏書樓時代已然成了過往雲煙。過去幾代（更正確地說，是過去幾世紀）以來，英國人一直頗有閒情，有雅興、也有資金，能夠充分滿足其癖好。他們曾經遠赴歐洲大陸大肆搜括古書、藝品（就和咱們現在跑去英國所幹的勾當一模一樣）。當時，書籍的數量尚十分豐沛，加上價格低廉，私人藏書樓便如雨後春筍般紛紛出現；況且，當時藏書家的數目並不見得像現在這麼多。只是，我們如今買書必須付出更大把的鈔票（因為英國人在沒有賺頭的情況下是不會輕易把書賣掉的），不過再怎麼說，我們的花費畢竟仍不會比書本的實際價值更高。或許英國目前的收藏家比以往更多，但是書籍卻依然源源不絕流入我國；縱使我們的收藏量永遠無法超英（大英博物館）趕波（波德里圖書館[13]），但是，若撇開大型公家藏書樓不談，如今英國的重點私家藏書全都已經被國人收購，而且從此將不會再外流。

至於倫敦書商目前的優勢地位還能保持多久，我也沒有多少把握。咸稱紐約正逐漸成為世界金融中心，想必在不久的將來，它也即將躍升成為全世界書籍的流通中心；屆時，要買、賣古籍善本都得上這兒來。喬治・D. 史密斯成功脫手的古書數量之多，或許除了夸立奇之外，全世界任何人都只能望塵莫及；而羅森巴哈博士儲藏在費城的書店二樓的珍本，也令國內其他書商難以望其項背。

儘管去請教任何一位專家：「珍稀善本芳蹤何處？」你都會得到以下的答案：君不見摩根[14]先生的藏書何等廣袤；而杭廷頓先生一批接一批不斷地併購他人珍藏，非等到所有的好東西皆盡納入他的手中絕不會歇手；還有威廉·K. 畢克斯比[15]先生的手稿藏品、懷特[16]先生的依莉莎白時代藏品；以及佛爾格[17]先生的莎士比亞相關藏品。

有多少收藏家就有多少種收藏品味。現今受到最高度重視的書應屬各種考克斯頓版和搖籃本[18]；甚至連擁有整套莎士比亞第一對開本都成了一件萬眾矚目的事，雖然亨利耶塔·巴特列[19]早就明白指出：將那些書列為珍本相當不妥。巴特列小姐本人見識過更稀罕的版本，即，第一四開本——其中包括存世僅餘兩部的《哈姆雷特》（一部在國內，書名頁完整但是缺了最末一葉，在大英博物館裡頭那一部雖有最末一葉，卻少了書名頁）；還有《維納斯與阿多尼》（*Venus and Adonis*），頭八版現在只剩十三部存世，除了耶魯大學的「依莉莎白研究社」（Elizabethan Club）收藏了一部第二版，其餘幾部都還留在英國；至於《泰塔斯·安卓尼克斯》（*Titus Andronicus*），現在只剩紐約的H. C. 佛爾格手中那部首版首刷。巴特列小姐極力主張那些第一四開本才夠資格被稱為珍本，相信沒有人能加以反駁[20]。

THE
Tragicall Historie of
HAMLET,
Prince of Denmarke.
By William Shakespeare.
Newly imprinted and enlarged to almost as much againe as it was, according to the true and perfect Coppie.
AT LONDON,
Printed by I. R. for N. L. and are to be sold at his shoppe vnder Saint Dunstons Church in Fleetstreet. 1605.

◎第一四開本《哈姆雷特》（1605）

為何我要拉拉雜雜扯那麼一大堆？說穿了，總歸一句話：我向各位保證，五十年後，鐵定有人會懊悔不已，只因為：當「五十年前」有一部完美無瑕、僅僅開價兩萬五千元（眼前就有某家書店開出這個價碼）的第一對開本出現在眼前，他卻沒有把握機會及時買下來；你若仍不信邪的話，到時候不妨把一九一八年版的《書價行情》[21]再找出來看，要是發現「從前」只要區區一千元居然就能夠買到好幾部狄更斯的簽贈本，你再怎麼搥胸頓足也沒用了。噓！可別怪我沒洩漏這個天機。

幾年前，我和哈利·威德拿一塊兒坐在安德遜拍賣公司[22]裡。那天晚上，喬治·D. 史密斯代表杭廷頓先生進場投標，最後以五萬美元標得一部古騰堡聖經。從來沒有任何一部書能以如此高的價格成交，但是我仍舊覺得杭廷頓先生那回撈到便宜；話說回來，對尋

■亨利．E. 杭廷頓
幾年前他發願要成立一間全世界收藏最精的私人圖書館。由於「G. D. S.」的幫忙，加上一批頂尖圖書館好手鼎力襄助，他的願望已告達成

常藏書家來說，像那種仰之彌高的書（簡直就像舉頭望明月——看得見、摸不著），光聽聽大名就足夠教人開心的了。我們要是夠聰明的話，就甭忙著汲汲營營於蒐求那些珍本；其他能滿足我們的玩意兒還多得是。

收藏這檔事兒一如其他勾當，經驗是最好的導師；在我們能夠立於不敗之地之前，總得先犯一大堆錯誤讓旁人耳提面命；或時時用功勤讀，自己發現自己治療。說到這兒，我要向各位坦承一件往事：四十年前，我自認頗具備錢幣學家的天資，便窮耗不少光陰、四處蒐集大大小小錢幣。為了要將那些錢幣服服貼貼地固定在天鵝絨布裏裱的硬板上，我突發奇想地在每一枚錢幣上鑽出一個小孔。後來，有人好心地告訴我，那批總值約十元的錢幣全數毀在我的手裡，教我為此懊悔不已。好在，比起我後來的蒐集成果，那筆學費畢竟還不算太貴；我也因此賺到一個彌足珍貴的教訓：千萬不要輕易在值錢的東西上動手腳；就算是修繕、鑲裱、糊貼、配框或重新裝幀，也是盡量能免則免。

我並非暗示我的藏書之中連一本重裝的書都沒有。我有幾部裝幀得很不錯的本子，其中我最寶貝的一本是用一整塊直紋、深紅色摩洛哥羊皮裝幀的《葛雷先生詩集》(*Poems of Mr. Gray*)，那部書上還有我生平見過最精緻的書口繪飾[23]，款款呈現《輓歌》中永垂不朽的場景

■書口繪飾絕佳範例

——史多克·波奇斯教堂墓園（Stoke Poges Church Yard）。當我發現那個本子鈐著泰勒與賀西的印章時，著實喜出望外，因為這個名號總能教我聯想到好幾部查爾斯·蘭姆的首版書。

許多人會將舊書札、老文件上的簽名剪下來，還滿心歡喜地以為蒐集簽名本來就該如此。我手上正好擁有一份《伊利亞隨筆》的版稅收據[24]，上頭原本有兩處蘭姆的簽名，但是其中一枚已經被割除了。擁有那枚簽名固然彌足珍貴，但我還是奉勸手中握有那片紙頭的「收藏家」，從今兒個起可別再到處亂割簽名、貼到自己所謂的「剪貼簿」裡頭了。我也不想再看到有人一見到簽名本就沒頭沒腦地蠻幹這種蠢事，還一味自以為正在豐富其收藏。我將那些穿了孔的錢幣全數留下來以便隨時警惕自己早年的昏昧，也讓我後來面對簽名本時得以僥倖免於重蹈覆轍。

至於能蒐到哪些東西則端視我們的眼力，同時也得衡量我們採取的門道。只要懷抱熱忱、用功夠深，一個人要累積足以耽樂且能從中獲取教養的收藏品（不論什麼東西）的速度之快都是令人咋舌的；而不久之後，即使還無法成為專家，也具備了足夠的智慧，不會再犯下要命的錯誤。憑藉自身的努力再借助經驗的循循導引，我們便能夠安然度過重重險阻了。話說回來，學問是怎麼學都學不完的！我每回只要和某幾位好友（好比說羅森巴哈博士、A. J. 包登（A. J. Bowden）或已故的路德·李文斯頓）在一塊兒，總還是難免心灰意冷。他們是何等博學強記啊！不管多少書、多麼細微的「版記」，彷彿全在他們的腦子裡建了檔似的，簡直是神乎其技，讓人只有瞠目稱奇的份兒！另外幾位藏書家的本事也同樣教人感到匪夷所思，好比懷特先生、比佛利·周，還有哈利·威德拿，要是這些人都還在人世，只怕還會設下一道咱們一輩子也休想跨越的新門檻哩。

我自己腹笥甚窘，有此自知之明自然絲毫不敢質疑行家；要不然，不就跟企圖拿自己的錢去砸垮華爾街同樣下場嗎？萬萬行不得也。眼界狹隘的門外漢怎能和長年在本業打滾的業者一較高下？答案很清楚──休想；還是趁早死了這條心為妙。坦承自己的無知、信賴一位可靠的書賈方為上策，千萬不要自作聰明。菜鳥光憑瞎打誤撞那一招或許還能矇到一顆甜瓜（雖然連那種好事我自己也從沒碰過）。我記得好像是特洛羅普[25]說過：沒有哪個賣瓜的不說瓜甜[26]。與其聽賣瓜的天花亂墜，我還是寧可相信賣書的。

說起賣書的，咱們全都應該效法哈姆雷特跟前那群戲子，必恭必敬聆聽他的教誨、乖乖任由他發號施令[27]，不管他說的有多麼提綱挈領、縱貫古今；而且，大家也務必謹記在心：你的一言一行早就全被他們寫進黑名單，裡頭用的字眼比起你死後的爛祭文更惡毒十分喲。他們經手販賣的東西並不光是那些標了價錢的書本，還包括他們腦袋裡頭的知識，只要你的信用夠好、不常賴帳，那些知識自然可供你盡情享用。當然，為了生計，店家賣書賺你的荷包乃天經地義，你自然也甭客套，趕緊找空檔和他們暢談你忒愛聊的藏書經，往往聊著聊著，一宗生意就那麼聊成了，你該曉得的也趁機聽飽了。只要佯裝成買書客登門求教，你便不難發現他們（就像約翰生博士口中說的）個個都是「心胸寬大且思想開通的人」[28]；不過你若是每回都把賣書的當成免費活字典，那麼你可就準備吃不完兜著走了。

我有一套福克士[29]的《殉道者全書》，堂堂三巨冊就擺在書架那頭，連我自己都很少搬下來翻查。但是其中一卷裡頭貼著一張舊剪報，刊載了老夸立奇的一則軼事：話說有一回，位於皮卡底里的書店裡來了一位年輕小姐，她一踏進店門就要求面見大師；她急著弄清楚大家口耳相傳的某部名著到底有哪些奧妙──版本良窳、行情高低，以及每一處大大小小的「版記」等等。夸立

◎福克士《殉道者全書》

奇一一耐心解答了好一會兒工夫，最後，這老小子突然開竅了，他說：「吶，客倌，您若是對這部書還有哪些不明白的事兒想知道，費用是五基尼。」那樁買賣這下子才有了一丁點眉目。假如老夸立奇是一名律師，而且與那位小姐沒有起碼交情的話，那麼打從問第一個問題開始，她就非得掏腰包不可了。

我好像扯遠了，還是回到正題看舊目錄要緊。咱們就隨意翻頁好了，看我的眼睛先瞄到哪部就舉那部當例子。喏，有了——

亨利．阿爾肯[30]——《獵場金鑒》。木刻圖版、彩印插圖數幅。首版，皇八開[31]。布面原裝、書口未裁。一八四六年艾可曼[32]出版。

定價：二鎊

這部作品昔日壓根乏人聞問，好不容易熬到現在才被許多對打獵完全一竅不通的人（就像俺自個兒）「奉為奇書」。我自己收藏的本子是以一百元買來的，而那部第三版《邁通傳》[33]則花了我五十元（我當時還以為佔了便宜）。要是我夠精明，曉得在三十五年前就先知先覺買下來的話，只須花費相同價碼——但單位改成先令——就行了。

既然扯到運動[34]書籍，自然不可不談談修特茲。他的《裘洛克的歡暢漫遊》[35]雖然沒列入這冊目錄，但裡頭還是有許多部他的其他著作：以上等摩洛哥羊皮滿裝[36]、經陶特（Tout）施加綴裝[37]的《史邦吉先生的運動之旅》[38]，標價三基尼；《求姆媽》[39]，布面裝，毛邊未裁，標價二英鎊十五先令；而《韓德利十字》[40]與《費西．羅福特先生的獵犬》[41]的標價則分別是五十先令與兩英鎊——全是首版；而且，容我再次提醒各位：那幾個本子全都是布面原裝、書口未裁——正是大家夢寐以求的模樣。在此給大家一個建議：趁早將去年的書價全部拋諸腦後，假如你現在還打算收集一批最佳運動小

◎《求姆媽》插圖

說（我認識一位可愛的女士，她每一部都讀過），立刻出門去把市面上所能買得到的一口氣全買回來。

◎《漫畫羅馬史》

◎《漫畫英倫史》內頁圖版

但若要論及彩印圖版書，就讓咱們來瞧瞧，以往購買一部貝克特[42]的《漫畫羅馬史》[43]得花多少錢吧。喏，這兒就有一部，「全圖未缺、圖序正確、一如出版原貌」，才四基尼；而《漫畫英倫史》[44]，經李維埃拉[45]將原始分冊本重新裝幀成上、下兩卷，上等摩洛哥羊皮綴飾滿裝，標價五基尼。我曾經試圖閱讀內文，卻敗興徒勞。說穿了簡直就像是從一齣了無生趣、老掉牙的喜歌劇（特此聲明：吉爾伯特[46]絕不在此列）改編而成的書，原本歌劇裡頭賴以賣座的唱腔、作工等元素——印成書籍後，只能仰仗利屈[47]繪製的插畫獨撐場面。要是少了那些滑稽逗趣、極度丑化歷史人物的圖片，這些書哪裡還能夠、哪裡還值得存活至今。凱撒大帝乘坐利屈當代的遊江汽船，浩浩蕩蕩登上阿爾比翁（Albion）海岸，還有比這更令人拍案叫絕的事兒嗎？

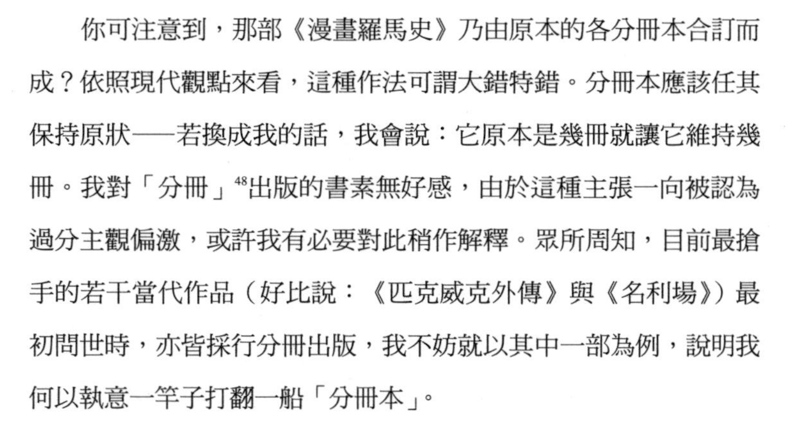

你可注意到，那部《漫畫羅馬史》乃由原本的各分冊本合訂而成？依照現代觀點來看，這種作法可謂大錯特錯。分冊本應該任其保持原狀——若換成我的話，我會說：它原本是幾冊就讓它維持幾冊。我對「分冊」[48]出版的書素無好感，由於這種主張一向被認為過分主觀偏激，或許我有必要對此稍作解釋。眾所周知，目前最搶手的若干當代作品（好比說：《匹克威克外傳》與《名利場》）最初問世時，亦皆採行分冊出版，我不妨就以其中一部為例，說明我何以執意一竿子打翻一船「分冊本」。

一九一六年四月，可吉歇爾[49]的狄更斯相關藏品在紐約待沽，書商特別為其中一部分冊版《匹克威克外傳》刊登了報紙廣告，廣告詞寫著：「市面上空前僅見書品最好、內容最完整的本子。」（的確是如此沒錯。）洋洋灑灑佔去兩大版的書目資料，苦心孤詣地詳述那部巨著的劃時代意義。此書就像其他大部分古典小說一樣：以「都二十回共十九冊」（意即：最後一冊內含兩回）出版；那個本子還附一葉原作手稿，標價美金五千三百五十元。一部問世還不滿一世紀的小說竟敢開價如此高昂，一定有其獨到、稀罕之處。能說它太貴嗎？當然不能！據說這種版本存世絕不超過十部，加上書品極佳；何況，《匹克威克外傳》的親筆手稿也不是隨隨便便說要就有的。林林總總好處難以一語道盡，各位可逕自參閱埃克爾的《查爾斯·狄更斯首版書目》即可分曉。

簡言之，若要讓整部分冊本的價格漂亮，每一冊都必須維持乾淨、完整，而且上頭的每一筆印行標示[50]、發行日期均正確無誤；還要包含原插畫家所作、且圖序無缺的所有插圖；每幅圖版還必須都是原作未經改刻[51]（幾乎每幅圖版都會埋藏許多讓仿冒者無技可施的細節）。還不只這些，每一冊都得附帶特定的聲明啟事、廣告頁，這不但是鑒別該書究竟是後印本抑或首版的重點，亦是影響其價格高低的主要關鍵。一則原該是「辛氏健胃丸」的廣告頁面要是印成了「羅記利瀉散」的話，那可就要出亂子了。

然而即便如此，我們還是很難就此論斷：擁有一部像可吉歇爾的《匹克威克外傳》這樣子的書到底是一項資產抑或一筆負債。動手取閱它之前你得先規規矩矩戴上手套，因為它的淡綠色紙質外封十分脆弱；但可不是每個執意要參觀你的珍本藏書的傢伙都曉得該如何溫柔地對待如此驕貴的單薄冊子；何況，一本「分冊本」擺在書房的桌檯上，一不小心就會混進一疊《瞭望雜誌》（Overlooks）裡頭，從此下落不明，這種事忒教人提心吊膽！綜合以上種種原因，我個人傾向將此類書籍禮讓給版本知識比我豐富、並且不會因為只短少一本「分冊本」就深感萬劫不復的人士。只要機會許可，我還是比較喜歡收集裝訂成「初發行原樣」的布面或紙板面的書。這種書縱使也相當昂貴，但是拿在手上比較能教人安心。從某方面來說，我的書房並非固定在一處：只要我到處走動，書本也會跟著我移來移去；因此，裝訂成單冊的書至少不會四散飄泊、終至無家可歸。雖然前面囉哩八唆數落了一大堆，可是當我再回頭瞧那部可吉歇爾的《匹克威克外傳》，心裡頭還是垂涎得要死。

算了，反正這會兒羅森巴哈的店裡還擺著另一部更好的本子等待買主垂青。那是一部分冊版的簽贈本，也是目前所知的存世孤本。前十四冊有狄更斯的親筆題辭：「誠心恭贈瑪麗・霍加斯[52]」，至於每冊的落款則各式各樣、不盡相同，有的署以全名「查爾斯・狄更斯」；有的僅註明姓名縮寫；或簡單簽上「編纂者」。當那十四冊陸續出版之後，瑪麗・霍加斯，即狄更斯的小姨子，這位芳齡僅十八的姑娘不幸猝然香消玉殞，此噩耗令狄更斯哀慟逾恆，甚至因此輟筆兩個月。所以說，該版本無疑才是放眼天下的頂尖善本，每一個該有的「版記」都有，誠可謂：盡善盡美——至於價格，唉，只能等哪個非比等閒的有錢人或忒精明的人上門了。

◎臥病在床的瑪麗・霍加斯

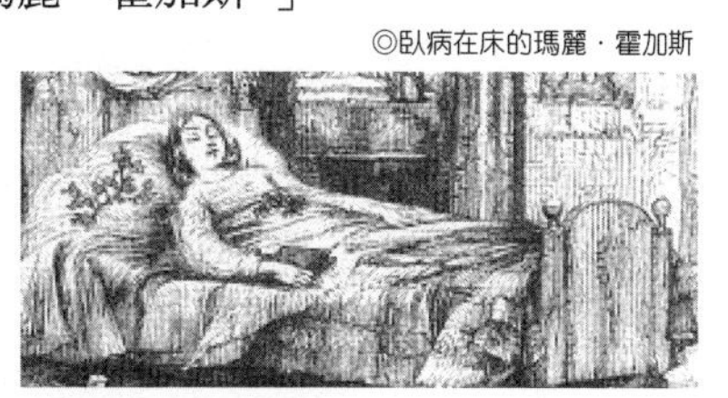

還是回頭看目錄吧。這兒列了一部皮爾斯・埃根的《拳擊大全》[53]，八開五卷本，乾淨如新，紙板原裝，書口未裁——正合我的胃口——價格為：十二英鎊；時至今日，這部書若開價三百五十元也算公道。再看這部《瑪格麗特・露德夫人畢生行誼軼話》[54]，這位聲名狼藉的女子當年犯下偽造文書罪入獄服刑，後來僥倖逃過絞刑；約翰生博士曾表示他原本有意前去探視她，但因擔心坊間報刊炒作此事而不得已作罷[55]。我多年來苦苦尋覓此書未果，此刻就列著一部：小牛皮新裝，標價僅九先令。而史德恩[56]的首版《愁緒滿途》[57]，小牛皮重裝，也才賣三十先令。

◎《拳擊大全》

咱們再來看看詩集。馬修・阿諾德[58]沒啥意思，跳過去；不巧，這冊目錄裡頭完全沒列任何布雷克的書；他的《詩草》[59]，一七八三年版，如今已成珍本，現知存世僅十餘部；而他的《純真之歌／練達之歌》[60]雖沒那麼罕見，但是現在想買的人比以前更多。

◎馬修・阿諾德

那部迷人的詩集最初只有《純真之歌》，《練達之歌》稍後才問世，湊成現在的樣子。那也是所有我所知道的書籍之中最有意思的一部，它是一部不折不扣、徹頭徹尾「W. 布雷克的書」，他不但自寫、還自己設計、自己雕版、而且整部作品皆由他本人印製、繪飾。

光憑寥寥數語就想評斷那部書的版本價值，簡直就像幫鬼寫家譜一樣徒勞無功。按照通常的標準來看，那部書並不能算實際出版過。布雷克自行將成書零售給有意購買的友人，收費從三十先令到兩基尼不等。後來，為了協助他渡過難關（他一生充斥著大大小小

■「由於布雷克始終找不到出版商願意出版他的《純真之歌／練達之歌》，布雷克太太[61]於是帶著半克朗（當時他們家中僅剩的全部財產）出門，用其中一先令一便士買了製作新書所需的若干材料。有了那筆一先令一便士的投資，他便著手自行印製（其技法成為他往後作品的標準形式）……詩人與妻子不遺餘力投注於那部書的所有製作──從書寫、設計，到印刷、雕版，除了紙張之外，全程由他們一手包辦。甚至連油墨、顏料也是他們自製的。」──吉爾克里斯[62]

◎布雷克在一冊William Hayley《歌謠集》（*Ballads*）書末空白頁上素描他的妻子索菲亞，約作於1805。現藏紐約大都會美術博物館

的難關），那些朋友們又額外多付了大約二十鎊，捧回一冊上彩、燙金的書。因此，沒有任何兩個本子完全相同。那是極少數能讓每個有幸擁有它的人大聲說出：「我最喜歡我手上這一部」的書。一部書品中上的《純真之歌／練達之歌》，目前的行情大約可達兩千元之譜。

我現在完全可以理解，為了要跟得上時代，那部詩集的新版本如今仍源源不絕地冒出來。我剛剛評估《純真之歌／練達之歌》的價位大約是兩千元，話才一說出口沒多久，就收到林奈爾（Linnell）拍賣公司寄來的布雷克藏品拍賣目錄（附成交價記錄）。此乃英國最近出土，同時也是數量最龐大的一批布雷克藏品，拍賣會於一九一八年三月十五日舉行。一翻開目錄，連一向看慣了高昂書價如我者也不免訝然。兩部《純真之歌／練達之歌》，均以七百三十五英鎊賣出；而《詩草》卻意外流標，讓人對底價究竟多少頗生疑竇；《天國與冥府聯姻》則以七百五十六英鎊落槌。布雷克為但丁的《神曲》繪製的一整套插圖原稿（總共六十八幅），居然以令人咋舌的天價七千六百六十五英鎊成交。當那些書被書商們紛紛標購下來、編成目錄，等到我們收到目錄的當兒，其價格必然早又結結實實地往上翻了好幾番。我們彷彿頓時從雲端摔落地表，整個過程猶如經歷一場布雷克自己也曾體驗過的南柯之夢。

繼續「按表操課」，我們現在來到勃朗黛姊妹落腳處，看看這部現在已被奉為珍品的《裘瑞、靄理斯與埃克頓・貝爾合集》[63]，正宗首版，一八四六年由埃洛特與瓊斯[64]委託哈斯勒（Hasler）印製（比書名頁上有史密斯－艾爾德[65]印行標示的本子更早），僅標價兩英鎊五。在華特・希爾最近一期的目錄上也有一部史密斯－艾爾德印行標示的本子，價格是十二塊半，但是同樣的印行標示，兩種本子現在的書價差距可達數百元之譜。約莫一年前，明尼亞波利斯的艾德蒙・D. 布魯克斯曾經兜售一部夏洛特・勃朗黛自藏的《裘瑞、靄理斯與埃克頓．貝爾合集》，有埃洛特與瓊斯的印行標示，書中若干親筆眉批對於專攻勃朗黛的收藏家具有特殊的意趣；那群收藏家之中最重要的一位便是H. H. 邦迺爾[66]。順道一提，他是我的老朋友。此君擁有無人可與之匹敵的勃朗黛相關藏品，就算和哈渥斯的勃朗黛博物館[67]相比也絲毫不遜色。我曾特別提醒他留意那個本子，但是他手上早就已經有一部作者送給穀物法打油詩人埃班納惹．艾略特[68]的簽贈本了。

接下來瞧瞧這部《彭斯[70]集》：愛丁堡首版，便宜透頂；可惜，不是極端稀罕、簡直教每個藏書家搶破頭的古舊善本——基爾瑪諾克版[71]。走筆至此，我不由得想起一段埋藏在記憶深處、關於某位藏書家踏破鐵鞋購得基爾瑪諾克版的曲折經過。故事的主人翁是約翰．艾倫，我今天之所以能夠躋身成為藏書家，便是拜這位大師的厚愛提攜所賜；這則出自當事人的藏書傳奇，是我的老朋友佛

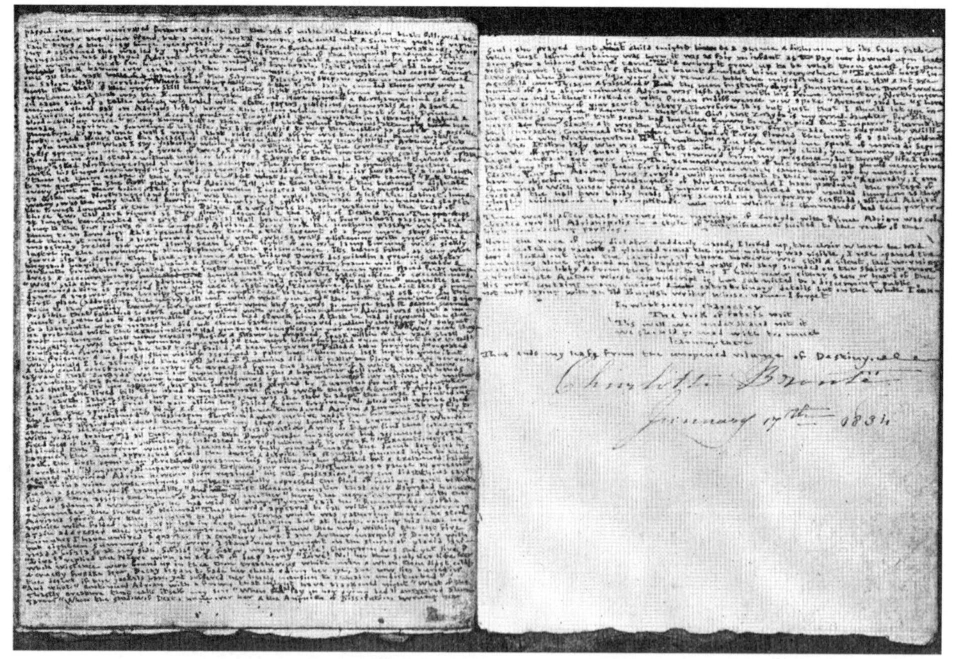

■《閣書一葉》（*A Leaf from an Unopened Volume*）[69]手稿。夏洛特．勃朗黛未曾出版的小說稿本，以蠅頭小楷寫在寬三吋半高四吋半、共十六頁的空白本子上；封面則為靛青色紙

迪南·蕞爾（六十年來費城首屈一指的藏書家，亦是約翰·艾倫的多年知交）告訴我的。話說祖籍蘇格蘭的艾倫當時落戶紐約，由於工作勤奮，他積攢了一筆小財，其中泰半收入全被他挪為購書之需；他專攻當代書籍與配補插圖本；好比：《蘇格蘭瑪麗女王傳》（*Lives of Mary Queen of Scots*）、還有拜倫、迪柏丁的著作，當然，美國學亦在他潛心蒐羅之列；然而他始終最耿耿於懷的蒐求對象畢竟還是《彭斯集》。他原本庋藏了一部愛丁堡首版，但仍處心積慮想再購藏一部基爾瑪諾克版——誰不想呢？他做了長期抗戰的心理準備，四處放出風聲：紐約的艾倫願出價到七基尼（這個價碼在當年還算公道）；皇天不負苦心人，從倫敦傳回了好消息，只是人家開價八基尼；他二話不說決定訂購，不料還是遲了一步，等到他的訂單飄洋過海寄達倫敦的時候，那部千載難逢的書已經賣掉了，他為此大失所望。過了一段時日，有人從老家遠道來訪，由於那位老鄉以跑船為業，便隨口詢問艾倫有哪些家鄉土產想得緊的，趕下回可以幫他帶點兒來以聊慰鄉愁；「正是，」艾倫道，「吾兄若得萬一之便，能為弟攜回基爾瑪諾克版《彭斯集》乙部是禱。」接著便將此書之何等稀罕難尋諸般情事一一詳告老同鄉，並諄諄囑咐可出價若干云云。老鄉返回船事，種種庶務纏身不在話下。某日撞見一名船工酩酊爛醉，那年頭若非週末假日，飲酒被視為極不妥適的行為；尋常日子喝成這副德性成何體統？況且，他何來閒錢沽酒買醉呢？一問之下，船工答道：十餘先令乃典當數部書籍所得，「都哪些書來著？」「噢，無非彭斯之屬，每個蘇格蘭佬身畔必備的書罷了。」說時遲哪時快，老鄉猛然想起紐約老友的叮嚀，趕緊追問：

■基爾瑪諾克版《彭斯集》書名頁

POEMS,

CHIEFLY IN THE

SCOTTISH DIALECT,

BY

ROBERT BURNS.

THE Simple Bard, unbroke by rules of Art,
He pours the wild effusions of the heart:
And if inspir'd, 'tis Nature's pow'rs inspire;
Her's all the melting thrill, and her's the kindling fire.

ANONYMOUS.

KILMARNOCK:
PRINTED BY JOHN WILSON.

M,DCC,LXXXVI.

◎羅勃・彭斯

「版本為何？」船工應道：「不過舊版基爾瑪諾克耳。」刻不容緩，老鄉當下以一基尼向船工買下當票，火速趕往當舖將書贖回，再輾轉將那部基爾瑪諾克版《彭斯集》安然送抵艾倫手中。

艾倫辭世後，他的藏書於一八六四年盡付拍賣。時值內戰方興未艾之際，拍賣進行途中由於部隊頻頻過市，因兵馬雜沓而被迫數度中斷。儘管時局混亂不利書籍流通，但拍賣成績還是令他的朋友們頗為吃驚：那部《彭斯集》居然得款一百零六元，況且那個本子的品相如何不想可知。蓋一、二代以前的藏書家對於書品畢竟不像現代人這麼重視；目前所知書口未裁的本子存世僅寥寥數部，其中一部陰錯陽差淪入某位不配擁有它的人手裡；一部典藏在艾爾夏（Ayrshire）的彭斯博物館裡（董事會當初花了一千英鎊）；哈利・威德拿以六千元標得肯菲爾德[72]舊藏本；至於凡・安特衛普[73]收藏的本子，則於一九〇七年在倫敦舉行的拍賣會上以數百英鎊脫手。但是一九〇七年時，講究版本的呼聲已高唱入雲，加上若干因素，除了少數一、二種品目之外，凡・安特衛普的藏書都沒能賣得它們該有的好價碼，大概是面市的時機、地點不對所致。在華特・希爾現行的目錄上還能找到一部基爾瑪諾克版《彭斯集》，舊式裝幀，標價兩千六百元，這個價格在我看來相當便宜。當年在艾倫藏品拍賣會上，一部「艾略特聖經」[74]以八百二十五元成交。時至今日，若能走運再碰到同一部書，我保證其身價絕對不會低於五千美元。

我這回扯得可真遠。比《彭斯集》更搶手的書比比皆是。接著再來看這部《失樂園》，比起薩賓現在開價四百英鎊那個本子，目錄上這個本子或許沒高明到哪兒去，可是人家只賣三十英鎊哪；這又讓我想起比佛利・周手上那個本子，如同此位忒愛吹毛求疵的藏書家所收藏的其他每部藏書一樣，那部無與倫比的善本上頭有某位前任書主寫的一段有意思的落款：「此乃本書首版並有第一書名頁。其價格近十鎊而價值則持續上漲也。一八五七年識」。

順著姓氏順序接著往下看，排在彌爾頓後頭的是喬治．穆爾。這冊目錄列出他的《花團錦簇》[75]，十幾年前我以十五元購得一部——這上頭的標價則僅僅半克朗[76]。

咱們再換另一冊目錄來瞧瞧，就挑這冊由皮卡底里大街上舉世聞名的夸立奇書店編印的目錄吧。早在四十年前夸立奇便認為：除了經營英國境內極其罕見的珍本書之外，販賣其他玩意都是不光彩的勾當；無獨有偶地，直到最近這幾年，牛津、劍橋兩大學府才肯放下「大英帝國輝煌的文學榮耀」身段，開始涉足其他比較平易近人的學術領域。當我們一翻開夸立奇的舊目錄，便彷彿步入時光隧道，也讓我更能看清過去這五十年以來，藏書品味的流風改變是如何鋪天蓋地吹向藏書界。早年流行廣泛蒐羅的各種書籍，如：飽含學問、用詞艱澀、探討哲理或宗教的論述；或，因為我們找不出更好的稱呼、一概以「經典」含糊帶過的名著；還有，雖然經常被提及，卻鮮少被真正悉心讀過的許多書籍，今人皆僅約略聽聞其中一二。

諸如此類的書籍，除非其本身具備極高價值，這年頭都已經很難再找到買主了。我們過去總是自詡擁有偉大的文化遺產；如今卻深深耽溺在「未受英國醬缸文化污染的純淨之井」裡以管窺天；阿爾丁版與埃爾澤佛版早已成了過氣物事，即使是其中最稀罕的品目《法國糕餅匠》[77]也逐漸不再炙手可熱；我個人將這種改變歸因於：當今扮演中堅角色的珍本收藏家比起當初那批人，在形態上有極大的差異。昔時藏書家未必接受過多麼豐富的正規教育，然而他們所具備的教養，比起現在擁有高等學歷的人更有過之而無不及。我納悶當今能夠流利無礙地閱讀拉丁文的人在國內究竟還能找出幾個；希臘文就更甭提了。至於法文、德文或義大利文，雖然能說會寫的人頗有一些，但是一談到閱讀，我們還是寧可購買毋須費勁頻頻翻查字典的書。

■埃爾澤佛版《法國糕餅匠》

當今整個世界就是藏書家的大學。我們之中有許多人終日賣力工作；對於石油、鋼鐵、銅料、煤礦、棉花等商品行情瞭若指掌；對各種「股份」的價格或許也都能如數家珍。書籍只不過是我們的消遣調劑。我們硬性規定自己不得購買不能拿來讀的書。其中某些人則抱持不切實際的妄想，認為來日方長，時間夠讓我們一一遍讀每部書的內容。我們想要用白話國語寫成的書，或許，大多數人都有各自心儀的作家、時代風格，可供咱們徹底忘卻俗務，偷得浮生半日閒。某人也許盡蒐蒲伯，另一人專攻戈爾德史密斯，而另一位則獨獨偏愛蘭姆，不一而足。一個人就算從沒進戲院看過戲，也懂得欣賞劇作之美；只要參觀他們的書房便可思過半矣，你會看到裡頭什麼書都有，從《好吹牛皮的來福．多伊斯特》[78]到《不可兒戲》[79]一應俱全。請注意，收藏那些書的人原本連最起碼的字彙能力都頗堪虞，卻能在短短幾年之內累積極為廣博的知識。克拉倫斯．S. 班門特[80]正是當今藏書家的絕佳典範，他擁有堪任學者的廣博品味與學識。我始終覺得文學教授們似乎不如藏書家那般兼容並蓄，他們或許各有擅場，若要論及對於英文文學的熱情，我敢說：絕對找不出哪位文學教授能比我強。我的知識雖然支離破碎、七零八落，但是「情」能補拙。

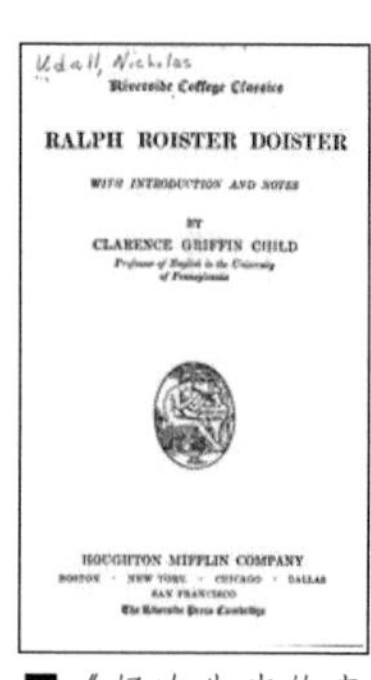
Udall, Nicholas
Riverside College Classics
RALPH ROISTER DOISTER
WITH INTRODUCTION AND NOTES
BY
CLARENCE GRIFFIN CHILD
Professor of English in the University of Pennsylvania
HOUGHTON MIFFLIN COMPANY
BOSTON · NEW YORK · CHICAGO · DALLAS
SAN FRANCISCO
The Riverside Press Cambridge

■《好吹牛皮的來福．多伊斯特》

我如果再繼續這麼瞎扯下去，恐怕就沒空談夸立奇的目錄了。讓我們隨意翻開一頁，效法古人求助聖經的作法——任意翻開一頁、奉映入眼簾的第一句話為圭臬明燈。喏，《希語文法》[81]首版，一四七六年米蘭出版，那是首部以希臘文印行的書；亦是存世僅六部的其中一部。照這麼說，不是只有六個案牘勞形的人有機會藉此首部希臘文文法來調劑身心了嗎？殊甚可惜！這兒有一部瑪克羅畢阿斯[82]的《農神節》[83]——副題是：「一部集評論與掌故的雜集，通篇廣學博識且十分實用，編排體例與奧流士．蓋里奧斯[84]的《雅典之夜》(*Noctes Atticæ*)神近」。一望便知：那是一部和贗幣同樣中看不中用的書。再看看這一部：波羈瑟阿斯[85]的《如沐哲理》[86]。波羈瑟阿斯！我好像聽過這號人物，他到底是何方神聖？顯然不會刊登在《名人錄》(Who's Who)裡頭，得查查別的書。有了！「著名哲學家，曾在西奧多[87]的朝廷內擔任官職，約公元四七五年出生，五二四年未經審判即遭處極刑。」那年頭要擺平哲學家倒還挺乾淨利落的嘛。要是德國的威廉上君[88]能早點學會這套對付哲學家的招數，現在全天下也不至於被搞得如此烏煙瘴氣了[89]。

附記：前幾天，我把寫好的部分文章拿給一位我很信賴的大學教授過目，他看完後，鄭重其事地對我說：「我說小紐啊，我勸你最好還是把關於波羈瑟阿斯的那段句子修改一下。」（我們這群上了點年紀的人忒愛以「小〇」稱呼對方；就和年輕人喜歡互叫彼此為「老〇」異曲同工。）他接著說：「你也不想想，《如沐哲理》早在一千多年以前就很暢銷哪。人家又不像你，波羈瑟阿斯的名聲可不是平白賺到的；好嘛，就算你能博得那麼一丁點兒名聲，恐怕再怎樣也絕不可能像他維持得那麼久。」我隱約聽出他似乎話中帶刺，不過，也許是我自己聽擰了。

再繼續往下瞧。先談這部《柯葉特之華路藍縷──披星戴月行旅五月記》[90]。這位集搞怪、乞討、吹牛皮等諸多本事於一身的作者──湯姆．柯葉特──當初寫作那部書的時候，打的如意算盤是要讓它成為有史以來第一部旅行指南。白朗寧對此書的評價頗高，而在我印象之中，華特．希爾此刻就有一部開價五百元的《華路藍縷》待售。這冊目錄特別說明此書：完本目前存世相當稀少。照那麼說來，我手中擁有白朗寧收藏過的殘本也該教我感到心滿意足了。我一向喜歡這種出自意志散漫的古人之手、寫給和我同樣意志散

◎《柯葉特之華路藍縷──披星戴月行旅五月記》

漫的人看的古書。小丑才是貨真價實的哲學家，四處漂泊、居無定所的——尤其是洛克[91]筆下那種無賴漢——尤其討人喜愛。各位可不要搞混了，我說的可不是一、兩個世紀寫過《人性的條件論》那個洛克[92]。

接著看另一部歷史悠久的暢銷書——《愚人船》[93]。原著由薩巴斯欽・布蘭德（Sebastian Brandt）撰寫，出版於一四九四年（即印刷術發明後沒多久）。此後各種版本相繼問世，除了依照原版以茲瓦本

■寫在羊皮紙上的十五世紀《如沐哲理》英文稿本。全書標題以朱墨寫成。此書最有意思的地方是它的後世重裝形式，以裹覆粉紅色鹿皮的尋常橡木板包夾，置入另一塊底下細出一個結的鹿皮之中，外頭有個釦子用來扣緊。用意很明顯地是要用來繫在腰帶上。大英博物館收藏的善本之中，亦十分罕見這種裝幀形式和功能皆甚為特殊的書。非宗教書籍則更為彌足珍貴。

（Swabian）方言印行的版本之外；還出現拉丁文、法文與荷蘭文版。一五〇九年則有了英文版（不太能算譯本，因為亞歷山大．巴克萊[94]從頭到尾改寫了一遍），該版本乃由奉考克斯頓為「至尊」的品森[95]印行。此書席捲閱讀世界將近兩百年，書中或深或淺極盡挖苦、嘲諷各個不同階級、身分芸芸眾生的醜態、缺陷之能事，當年取悅了無數讀者；對於不識字的人來說，書裡頭用來裝飾的精美木刻插圖也能教大家看得津津有味。作者沒放過任何一種愚行蠢言，連中世紀藏書家的德性也沒能僥倖逃過針砭，他們在書中被說成：

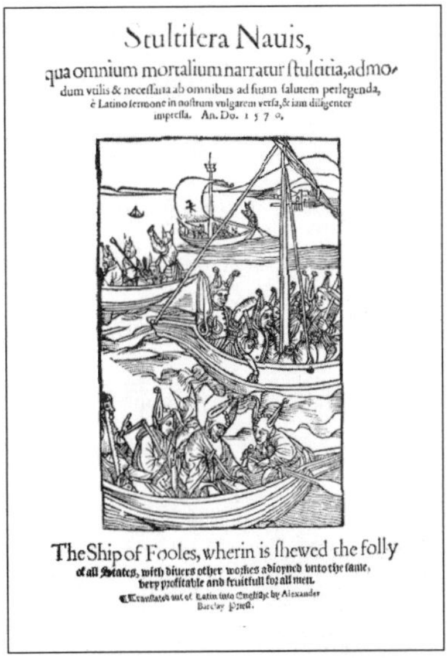
Stultifera Nauis,
qua omnium mortalium narratur stulticia, admodum vtilis & necessaria ab omnibus ad suam salutem perlegenda, è Latino sermone in nostrum vulgarem versa, & iam diligenter impressa. An. Do. 1570.

The Ship of Fooles, wherin is shewed the folly of all States, with diuers other workes adioyned vnto the same, very profitable and fruitfull for all men.
Translated out of Latin into Englishe by Alexander Barclay Priest.

◎亞歷山大．巴克萊英譯本《愚人船》（London: John Cawood, 1570）

汲汲營營藏書猶故我，
眼見越疊越高乃大樂，
鎮日抱來摟去成天摸，
若是問起內容考倒我。

要是你在別處也能找得到那部書的話，夸立奇的目錄就肯定不會缺。在郝氏藏品拍賣會上，一部《愚人船》賣得一千八百二十五美元；不過一般收藏家將就點，只要能淘到四十幾年前在愛丁堡印行的精巧復刻版就行了，而且如果加上運氣夠好的話，只須花費區區幾先令便可買到。

接著登場的是一部偉大的書！每一座偉大圖書館必備的鎮館之寶——莎士比亞的第一對開本。它有何高明之處？裡頭那些劇作果真全部出自史特拉福（Stratford）的莎士比亞之手？已故的佛尼士[96]博士曾拒絕就這些疑點進行無謂的辯論，他十分睿智地說：「既然我們擁有如此優秀的劇作可供欣賞，還去斤斤計較誰寫的幹嘛？」但是，這種爭議當然不會那麼容易平息。最近有一項新論據指出：〈大衛詩篇〉(Psalms of David) 乃出自培根之手，這位槍手為了掩飾代筆捉刀的事實，巧妙地把別人的大名偷偷藏進內文裡頭。如果這會兒你手邊剛好有詹姆斯國王欽定本《聖經》，勞駕翻開〈詩篇〉第四十六篇，從前頭算起第四十六個字，再從末尾往前算到第四十六個字，保證教你有醍醐灌頂的頓悟[97]。

◎莎士比亞第一對開本

話說回來，姑且不管那些劇作到底是誰寫的，這部第一對開本——由海明斯[98]和康德爾 (Henry Codell) 合編，一六二三年印行，以薩克·傑格與愛德華·布倫特[99]掛名出版——即便稱不上最偉大，也是極偉大的文學鉅著。超過二十部劇作（其中許多部皆足以名列世界文學傑作之林）彙集於一冊首度亮相。既然如此，莎士比亞的第一對開本受到如此高度重視，大家還有什麼好不服氣的？偉哉莎士比亞！「非僅『國寶』，誠舉世之寶也。」[100]每一部存世本子的品相、流向都受到萬眾矚目、逃不過任何人的耳目。該書甫出版時的定價原本應為一基尼，過了將近一個世紀之後，收藏家和學者才猛然發覺那部書——和它的作者——非比等閒，不只適應當代，更值得流傳千古。一七九二年，某個本子賣了三十英鎊；到了一八一八年，「一部原始標價一基尼的本子」以一百二十一英鎊轉手成交；時至今日，誰敢斷言它究竟該值多少錢呢？

某費城收藏家於幾年前以破天荒的高價——將近兩萬美元——買到一部，有些人並不明白那部書的天王級分量，對於何以一部書能值此天價莫不大感驚訝；但是他所購得的本子是當時所有存世之中品相最佳的一部，確知的前任書主包括洛可-蘭普森[101]，而紐約的威廉·C. 凡·安特衛普亦曾短期持有（此君的藏書生涯十分短暫，才剛起步便戛然而止，對他本人乃至於整個藏書界而言都十分可惜）。那部盡善盡美的本子如今被安放在哈佛的威德拿紀念圖書館內。可想而知，此類至高無上的書籍終究無可避免地被供奉在廟堂之內、祭壇之上（即圖書館是也），就這一點來說，愛德蒙・狄・岡寇爾特[102]的義舉就不得不教人由衷佩服，他在遺囑中如是交代自己的後事：

◎狄・岡寇爾特倘佯收藏

謹依吾願，余所度藏之字畫、畫片、古玩、書籍——即豐富我此生之藝品也者——等等物事，切莫移交博物館冷藏，任由無心過客蒙昧觀覽；務必託付賣場標售落槌，藉此，余長年逐一蒐羅各物過程所得之種種樂趣滋味、品味雅興，方可再度一一施與同好中人矣。」

吾友潘迺爾[103]舉家遷離倫敦阿戴爾菲（Adelphi）寓所時，將他們歷來蒐羅的無價惠斯勒[104]藏品做了一番處置，我多麼希望他們當時能師法岡寇爾特。可是偏不，他們很有個性且十分大方地送給祖國一份大禮——那一大批珍藏刻正「冷藏」在華盛頓的國會圖書館裡頭。惠斯勒的人氣指數正逐漸攀升，（按照潘迺爾的說法：）安放在那兒正可保障他的名聲永保不墜；這下可好，手中還有惠斯勒作品的人可開心啦——那些收藏品的價值因此也跟著水漲船高。至於其他心儀惠斯勒的人（就像筆者），只能自嘆一聲，悵然斷念，轉而安於追逐剩下的那兩隻（頂多三隻）花蝴蝶[105]。

最大的幸福乃在於汲汲蒐求，而不在一旦擁有。每當我們買到某部好書，一轉身又開始動起另外一部好書的腦筋，胃口也因此越養越大。莎士比亞的第一對開本只合適用以展示、拿來炫耀，但我們真正想要的則是能讓我們付出真感情的書。眼前就列著這麼一部：深受品學兼優的文士（即每一位藏書家是也）喜愛的沃爾頓《釣叟智言》，此書通篇洋溢寧靜致遠、知足常樂的論調令吾輩十分受用，「特別是，」如作者所言：「余偶爾將正事擱置一旁，率自

●紐頓自藏的《釣叟智言》（1653）書名頁，出自「紐頓藏品拍賣目錄」

垂釣去也。」

這類引人入勝的妙句書中比比皆是，讓咱們大夥兒也好不嚮往能效法他把正事一丟、逕自溜去垂釣、打獵，只是我們釣的、獵的玩意兒是書本；說穿了，從事哪項消遣都無所謂，真正要緊的是那股勁兒。老以薩克・沃爾頓將釣客奉為正人君子，他如此稱許那些人是否公道？我個人對此不無疑慮。倘若他所言不虛，那麼打從那年頭起，釣客的水平顯然狠狠地倒退了一大截，因為我猶記得他說過一句話，大意是：「釣叟黎明即起，驚動全家。鄭重其事打理行頭，躊躇滿志以出家門。長日度盡始歸家宅，其樂陶陶狀似酩酊，實則滴酒未沾也。」

THE
TEMPLE.
SACRED POEMS
AND
PRIVATE EJA-
CULATIONS.
By Mr. GEORGE HERBERT.
PSAL. 29.
In his Temple doth every man ſpeak of his honour.
CAMBRIDGE:
Printed by *Thom. Buck,* and *Roger Daniel,* printers to the Univerſitie.
1633.

■喬治・赫柏特[107]《聖殿》書名頁
罕見的首版，路德・李文斯頓於《藏書家》（*The Bibliophile*）中指稱此乃當年兩度印行中較早之版本。超大開本[108]。出自哈堅舊藏。咸稱此為存世最佳善本。以小牛皮後世裝幀[109]，開本為寬三吋、高六吋

我打心底期盼哪天自己也能遇見絕佳的「釣叟」，我說的可不是河濱海畔那些傢伙，而是埋沒在某家書舖角落書架上的本子。看來我的機會注定渺茫；這年頭想碰到那種好事太難了，我痴心妄想購置一部首版《釣叟智言》的念頭是該打消了。由於長久以來被無數讀者濕手髒腳地粗魯翻讀、隨隨便便往口袋亂塞、或只自顧自地享受釣叟之樂，而任其棄置於河畔，以致那部小書如今幾乎已從世間絕跡。在此君以「九十高齡」謝世並安葬於威克罕（Wykeham）的威廉天主堂南廂之前，那部書的首版總共發行了五刷，每一刷都成了珍本。

沃爾頓的書並非光談沽鱒釣鯉之門道，更廣涵一切人情世故的探尋。他為聖保羅教堂主教約翰・多恩、「智多星」理查・胡克（早在後世廣泛以此名號稱呼他之前，沃爾頓就已經屢屢形諸筆墨了）、喬治・赫伯特及其他數位當時備受尊

崇的人士所撰寫的傳記亦十分膾炙人口。這些原本相隔多年各自出版的傳記現在並不稀罕，連一六七〇年首度集結而成的《五人傳》[106]也很常見（首版簽贈本除外）。二十年前，一部首版簽贈本值十五英鎊，幾年前我花了三倍價碼買到一部沃爾頓送給牛津主教長的簽贈本。我後來才曉得，原來那首傳誦一時的打油詩正是衝著大名鼎鼎的牛津主教長——約翰・費爾[110]博士——來的：

> 費爾博士人人厭，
> 只是不知因何在，
> 惟有此事人盡知，
> 人人嫌惡費博士……[111]

要是我早知此事，當初要我多付點兒錢也甘願。

瞧我又扯到哪兒去了，回頭繼續看這部《釣叟智言》吧。一部品相端正的本子，五十年前開價五十英鎊還算公道。喬治・D. 史密斯幾個星期前賣掉一部得款五千美元，幾年前海克謝[112]藏本賣了三千九百元；不過創下最高的成交價記錄的則是凡・安特衛普藏本（咸信那個本子乃存世最佳善本）。那個本子以羊皮原裝，原屬佛德瑞克・洛可-蘭普森舊藏，大約十年前在倫敦售出，由夸立奇為「某美國人」（即已故的J. P. 摩根的典型化名）標下，花了一千二百九十英鎊。

當人們花五十英鎊就能買到一部《釣叟智言》；而《威克菲爾德牧師》也僅僅索價十英鎊，或十五英鎊（若品相極佳的話），他必然會精明地挑那部《威克菲爾德牧師》，一如牧師娘精心挑選她的婚紗一般：「外表光鮮並不足取，料子實在、穿在身上舒服才能算好。」這部薄薄的兩卷本（有沙里斯伯里（Salisbury）的印行標示，一、兩處不可多得的版誤）眼看著就快突破千元大關了。幾年前我花了一百二十英鎊買到一部，當時還覺得被敲了竹槓，尤其是當我想起當年約翰生博士替戈爾德史密斯將那部書的版權脫手，得款只及我付的價錢一半，他還自認幫了朋友一個大忙哩。這段出賣《威克菲爾德牧師》手稿的來龍去脈，由約翰生本人口述，全被鮑斯威爾寫進他的書裡頭去了，在我們看來，那簡直是版本史上一樁轟轟烈烈的大事。希望各位已經曉得那段始末的人，能夠體諒我在此重述這段歷史的苦心，無非是想讓其他沒聽過的人也能跟咱們同樂一下嘛。

「某日清晨，」約翰生道，「我收到一貧如洗的戈爾德史密斯捎來口信，他直言手頭十分拮据，由於著實不克親自登門來訪，他懇求我盡速去探望他。我先囑人送去一基尼，並允諾隨即前往。我依約束裝盡快啟程，不意正撞見他的房東在他的住處頻頻催租，而戈君則暴跳如雷。我忖度他已將我之前送來的一基尼救急錢拿去沽了一瓶馬爹拉[113]，此刻他的面前正擺著一杯。我將木塞堵回瓶口，盼他稍安勿躁，並諄諄與他好言相勸。他告訴我他手上有小說成稿乙部正待付梓，接著便拿出文稿示我。經我細細審讀之下深感此乃

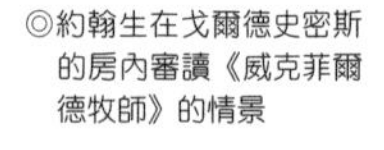

◎約翰生在戈爾德史密斯的房內審讀《威克菲爾德牧師》的情景

真佳作也；我先囑咐房東暫候片刻，便火速奔赴書店，將文稿質現六鎊。得款攜回悉數交予戈君，由他繳清欠租，他還不忘一面疾色厲聲數落房東何以缺德如此，逼迫貧病之軀云云……」約翰生接著道：「閣下，說起來我可是賣成一筆好價錢哪，蓋戈君當年仍為一介藉藉無名之人耳，與現今渠以《旅人》[114]躍登文壇自不可同日而語，況且店家當時估計該書必無後市可期，此稿在他手中擱置了頗一段時日未付印行，直至《旅人》既出，此書方得以問世。若能留待今日，此書身價難保不更加可觀。」[115]

我們從這個故事裡頭看到兩副個性鮮明的面孔：毛糙莽撞、人盡可欺、撙節無方的小戈，和機智過人、宅心仁厚的老約——只見他迅雷不及掩耳地塞住酒瓶，將問題一一迎刃化解。咱們這麼說應該不為過吧？

首版的《魯賓遜漂流記》也是另一部極受眾藏家珍愛的書；當然嘍，誰不喜歡呢？這兒有一部貝德福[116]巧手以紅色摩洛哥羊皮、精緻細密的雕飾裝幀、書口上金的兩卷本（照理應該有三卷）。原始裝幀應為現代小牛皮，不過這個本子的標價只有四十六英鎊。翻開一冊於一、二年前出版的書店目錄，裡頭有一部「三卷本、八開、附地圖與兩幅圖版、小牛皮原裝」的版本，標價為兩千五百元。

在史丹·韓克爾公司最近某次拍賣會的目錄裡頭（看來看去也找不出幾件好貨）有一段解說，澄清了長久困擾我的一個版記問題，為了體恤其他沒機會看到這冊目錄的藏書家，我在此將全文照錄如下：

用以判別此一名著首次刷印之若干種不同版本應有的「版記」，向來令各版本學家為之頭痛不已。

當今最頂尖的狄福研究專家：哥倫比亞大學的W. P. 川特[117]教

授經過長期且深入的鑽研並針對許多不同版本進行比對之後指出：凡是一七一九年四月二十五日（通常被定為此書的出版日期）當天，任何走進位於帕特·諾斯特巷（Pater Noster Row）、門上掛著大船招牌的泰勒書店（Taylor's）的顧客，所能買到的本子不外乎下列幾種：

出現在前言的"apply"與第343頁第二行的"Pilot"印成：

前言的"apply"；第343頁的"Pilate"。

前言的"apply"；第343頁的"Pilate"。

前言的"apply"；第343頁的"Pilot"。

根據川特教授的高見，將上述任何一種版本稱為唯一「首刷版」無疑皆不能算正確。川特教授認為：「前言之apyly若經過改正必然就是再刷版」的論斷純屬無稽。該兩項錯誤極有可能於印張通過印刷機時就被即時發覺、改正，視裝訂工校對精疏與否，便一併出現上述四款特殊版本。

真是令我大大地鬆了一口氣，因為我那部書品、裝幀、配圖等各方面均無懈可擊的本子（一度由康格列夫所藏），正是前言最後一個字印成"apply"、第343頁則是"Pilot"的版本；不過只要稍微想想鉛字的間距，就會明白何以字母較多的字後來會被字母較少的字取代了。

其實，另一種更稀罕的《魯賓遜漂流記》版本才真正足以令所有的首版全都相形失色。當那部傑出的傳奇故事甫於報端披露便立刻造成轟動，就像現今許多通俗小說一樣。它原本先在《正宗倫敦郵報或希斯寇情報》（Original London Post, or Heathcot's Intelligence）上頭連載，自一七一九年十月七日起，一直到一七二〇年十月十九日（從第一百二十五期到第二百八十九期）登出完結篇為止，簡直是分冊出版形式的極致呈現。完整的一百六十五頁全版報紙裡頭，只有其中一頁是後來以復刻補齊的。可別嚇壞嘍，我還沒告訴大家這個本子在我手上

■極端罕見、初以連載方式在《正宗倫敦郵報》發表的《魯賓遜漂流記》

Kkkkkk (1) Numb. 125

THE ORIGINAL LONDON POST, OR Heathcot's Intelligence;

Being a Collection of the

Freſheſt Advices Foreign and Domeſtick.

Wedneſday October 7. 1719.

The Life and ſtrange Adventures of *Robinſon Cruſoe* of *York*, Mariner: Who lived Eight and Twety Years alone in an uninhated Iſland on the Coaſt of *America*, near the Mouth of the Great River *Oroonoque*; having been caſt on Shore by Shipwreck, wherein all the Men periſhed but himſelf. With an Account how he was at laſt ſtrangely delivered by Pyrates. Written by himſelf.

The PREFACE.

If ever the Story of any private Man's Adventures in the World were worth making Publick, and were acceptable when Publiſhed, the Editor of this Account thinks this will be ſo.

The Wonders of this Man's Life exceed all that (he thinks) is to be found Extant; the Life of one Man being ſcarce capable of a greater Variety.

The Story is told with Modeſty, with Seriouſneſs, and with a religious Application of Events to the Uſe to which wiſe Men always apply them, viz. to the Inſtruction of others by this Example, and to juſtify and honour the Wiſdom of Providenc in all the variety of our Circumſtances, let them happen how they will.

The Editor believes the thing to be a juſt Hiſtory of Fact; neither is there any Appearance of Faction in it: And however thinks, becauſe all ſuch things are diſpatched that the Improvement of it, as well to the Diverſion, as to the Inſtruction of the Reader, will be the ſame; and as ſuch, he thinks, without further Compliment to the World, he does them a great ſervice in the Publication.

The

呢。雖然大英博物館也典藏了一部，只是我聽說那個本子缺損得相當厲害，除此之外，我就不曉得哪裡還找得到了。

前幾天晚上，我翻閱阿諾德的《藏書新手的起步報告》[118]。不久前我才花了一筆相當於舊時年薪的價碼買了一份濟慈親筆詩稿，所以當我讀到阿諾德的書中出現以下這段文字時，心裡著實感到匪夷所思：「我剛剛開始起步收藏才短短幾個月，便碰到有人向我兜售一份超過百頁的濟慈詩作原稿，我以該批手稿價值的五分之一價格購入。」如果以我當初買那單單一頁詩稿的價碼為基準，乘上一百倍的話，阿諾德先生現在簡直發了；他在書中另一處詳列了一八九六年蘇富比的拍賣成交明細，上頭的成交價也在在令今人垂涎三尺：

《查普曼譯註荷馬》，一六一六年版，十五英鎊；
《喬叟作品集》，一五四二年版，十五英鎊十先令；
《魯賓遜漂流記》，一七一九至二〇年版，七十五英鎊；
戈爾德史密斯《威克菲爾德牧師》，一七六六年版，六十五英鎊；
戈爾德史密斯《荒村》，一七七〇年版，二十五英鎊；
彌爾頓《失樂園》，一六六七年版，九十英鎊。

其他的就甭在這兒一一細表了。最要緊的是他的結論：「若藏書新手被這些價格嚇倒的話，不妨謹記：光憑這些書的響亮名氣和不可言喻的稀罕程度就值這些價碼了。」諸位看倌在此也不妨謹記：此乃區區二十年前，一位慧黠的藏書家對於書價所發表的高見。

話說回來，進入二十世紀也才不過短短不到二十年，而拍賣場的成交價格卻彷彿有整整一個世紀的巨變。一九一八年五月，安德遜藝廊在紐約舉辦故溫斯頓·H. 哈堅藏書拍賣會。比佛利·周為拍賣目錄寫了一篇介紹短文，我把結尾那段話抄錄出來，大家看了就明白了：「若有人問我，整場拍賣會上最珍稀的是哪一部善本，我必毫不遲疑地回答他：正是那部收錄亨利七世的桂冠詩人約翰．史蓋爾頓[119]四首詩的迷人小書……可是，其他品目何嘗不也是件件皆屬精品呢？……那些眼睜睜看著哈堅先生不斷挹注資金在書籍上頭而替他感到心驚膽戰的人，曾經奉勸他還是把錢拿去買幾張績優債券方為投資上策。哈堅回答他：『不，你的債券將來肯定不會比我的書更值錢。』且讓我們期盼他的預言成真，而且，從最近股票市場爆發的幾起事件看來，他的判斷似乎就快應驗了。」

那篇序文是在那起事件爆發之前寫的，什麼事件？大夥兒全曉得的事件。股市一夕狂跌，均線降至二十點，這事兒還是我從股票族口中聽來的。拍賣那批藏書時，我人就在現場親眼目睹比佛利．周的期盼成真。每部書都是一時之選，再加上全場氣氛活絡、競標此起彼落，米歇爾．肯納利[120]成功掌控、炒熱場子是重要因素。

且讓我向各位報告當時的幾筆成交金額吧。那部史蓋爾頓的書賣得九千七百元；另外幾件拍賣品的落槌價列表如下：

白朗寧《寶琳娜》(*Pauline*)，首版（1833），一千六百一十元；
基爾瑪諾克版《彭斯集》（1786），二千七百五十元；
戈爾德史密斯《委曲求全》（1773），三百零五元；
葛雷《輓歌》(*Elegy*)（1751），四千三百五十元；

（特別注意：葛雷《輓歌》一定得是書名頁上印著「書於某郡教堂墓園」的本子才值錢；另一種印成「寫於某郡教堂墓園」的版本，雖是同年出版，卻只能賣一百一十元。）[121]

海立克《金蘋果守護者》，首版（1648），一千零七十五元；

彌爾頓《萊西達斯》(*Lycidas*)（1638），三千五百元；

彌爾頓《失樂園》（1667），第一書名頁首版，一千五百一十元；

毫無疑問，只要過二十年再回頭看這些價格，一定也會覺得十分便宜，就像咱們現在看阿諾德先生當年的書價一樣。

我們再把話題拉回到阿諾德先生，談談他對版本學界的貢獻。他不僅澤被書賈；幾年前還寫出一部《書籍、尺牘交易帳》，成為許多藏書家用來向太座們證明自己拚命花錢並非毫無道理的有力論據。阿諾德先生以其堅毅的精神加上聰穎的資質，只花了短短六年餘暇時光就積累了一批藏書；接著卻驟然停下腳步，並將手中大部分藏書交給班氏拍賣股份有限公司[122]，好整以暇等著看看那些書到底能為他掙進多少利頭。我之所以特別用「利頭」這個字眼，那是因為拍賣結果完全符合他事前的估算。他在《交易帳》中將購置日期與購買價格列成一欄，另外一欄則列出脫手時的得款價格；他甚至還一一記下每件藏品購自何處、哪家書店或哪一場拍賣會。他不費吹灰之力共花掉一萬美元以上的買書錢，而他賺到的淨利也大約等同於他所付出的數目。我竟然用「他的獲利」這麼銅臭味的詞兒，恐怕是大錯特錯。其實他的真正獲利是當初蒐求、購置，以及（一度）坐擁那批寶貝的喜悅。至於介於一買一賣之間所增加的約莫一萬元實際金錢所得，只能當作他孜孜不倦、勇往直前地花錢買書（當然，不少人原本都認為那是揮霍無度）的獎勵罷了。

我們就只舉其中一個例子（雖然不是成績最傲人的例子，但剛好是我個人覺得最有意思的一個）。他曾經收藏一部一八一七年版的濟慈《詩集》，內頁有作者的親筆落款：「致吾所親愛的喬凡尼，我衷心期盼你的雙眼能盡快復元，得以早日愉快且輕鬆地閱讀此書。」除此之外，書中還有另幾處濟慈筆跡。阿諾德當初（一八九五年）購買那件寶貝，付給書店七十一美元；而在一九〇一年的拍賣會上以五百元成交，那部書後來輾轉成為凡．安特衛普的藏書，最後流回倫敦，於一九〇七年以九十英鎊被夸立奇標走。最後由已故的W. H. 哈堅購藏，而在一九一八年五月的哈堅拍賣會上，那部書又以一千九百五十美元落槌，賣給了“G. D. S.”[123]，我曾經向他表達強烈的購買意願，無奈又「失之交臂」*。

To Algernon Swinburne
with all affection
DG Rossetti 1879

我所收藏的濟慈《詩集》上頭並沒有題辭落款，不過卻花了我高於五百元的價錢；而某位知名的藏書家最近付給羅森巴哈九千元，買到三本薄薄的濟慈詩集，每一本都有詩人的親筆題簽。九千除以三是一道簡單的算術題，連我都會算；只是，一部《詩集》比起《恩底彌翁》或《剌米亞》[125]，不曉得更稀罕多少倍哪。

* 次頁附圖為約翰．濟慈〈致眾千金〉（“To Some Ladies”）的詩作手稿，此詩收錄在濟慈的第一部詩集（1817）之中。所謂眾千金即指喬治．費爾登．馬修的姊妹們，濟慈也為馬修題詠了一首詩。請注意看第二節的第一行和第三行，他都以「奔流」（gushes）這個字眼作為句尾，此押韻錯誤在印本中並未出現。另一方面，另一個字「漫遊」（rove）──手稿上經過更正，改為「靜思」（muse）──則依舊出現在印本中。一九〇四年四月十六日出刊的《文藝殿堂》上有一篇有趣的通訊稿，作者H. 巴克斯頓．佛曼[124]亦在文中述及這份手稿。

To the Misses M—— at Hastings

What though while the wonders of Nature exploring,
I cannot your light, mazy footsteps, attend;
Nor listen to accents, that almost adoring
Bless Cynthia's face—the Enthusiast's friend:

Yet over the Steep whence the Mountain Stream gushes,
With you, kindest friends in idea I ~~can~~ muse,
Mark the clear tumbling crystal, its passionate gushes,
In spray that the wild flower kindly bedews.

Why linger you so, the wild Labyrinth strolling?
Why breathless—unable your bliss to declare?
Ah! you list to the Nightingale's tender condoling,
Responsive to Sylphs in the moon beaming air!

'Tis Morn, and the flowers w[illegible] dew are yet drooping,
I see you are treading the verge of the Sea
And now! Ah! I see it—you just now are stooping
To pick up the Keepsake intended for me!

If a Cherub on Pinions of silver descending,
Had brought me a Gem from the fret work of heaven,
And smiles with his Star cheering voice sweetly blending
The Blessings of Tighe had melodiously given;
It had not created a warmer emotion,
Than the present, fair Nymphs, I was blest with from you,
Than the Shell from the bright golden sands of the Ocean,
Which the Emerald waves at your feet gladly threw.

For indeed 'tis a sweet and peculiar Pleasure
(And blessful is he who such Happiness finds)
To possess but a [illegible] in the hour of leisure
Of elegant, pure and [illegible] Minds! 1815

【譯註】

1 安納托爾・佛朗士（Anatole France, 1844-1924）：一九二一年諾貝爾獎得主法國作家賈克－安納托爾－佛杭蘇瓦・提包耶特（Jacques-Anatole-François Thibault）的筆名。台灣可見的佛朗士作品中譯本有《企鵝島》（台灣商務印書館，黎烈文譯）。

2 《席爾維絲翠・波納之罪》（*The Crime of Sylvestre Bernard*）：安納托爾・佛朗士的小說，原題*Le Crime de Sylvestre Bonnard*。一八八一年出版。

3 查爾斯・哈特（Charles Hutt）：本卷Ⅰ與Ⅱ提及的倫敦書商弗來德・哈特的哥哥。

4 〈古瓷器〉（"Old China"）：蘭姆的散文，收錄在《伊利亞續筆》之中。文中描寫碧麗姬（Bridget）堂姊（蘭姆以瑪麗為本虛擬的人物）與伊利亞一同飲茶，碧麗姬忽然憂愁滿面打開話匣子，懷念起過去那段貧窮歲月如何省吃儉用方能積攢一筆買書錢的難得快樂，如今收入漸豐反倒不可得。她話鋒一轉，指伊利亞身上穿著的體面黑色西裝：「還不如從前穿著那件舊外套……省下當初認為的一筆大數目——十五、抑或十六先令吧——千辛萬苦換來那冊古書來得開心……。」她指的是蘭姆省吃儉用買來的《鮑芒與佛萊契劇作合集》。附帶一提，該部《鮑芒與佛萊契劇作合集》現藏大英博物館。

5 勞倫斯・賀頓（Lawrence Hutton, 1843-1904）：十九世紀美國文士。賀頓珍藏一批古人遺容的「石膏肖像」（"Portraits in Plaster"，攝影術尚未普及時習慣將有名人士的臨終容顏以石膏翻製成半面像），於一八九七年捐贈給普林斯頓大學典藏。

◎勞倫斯・賀頓與馬克・吐溫合影（約二十世紀初）

6 理察・沃恩・梅爾思（Richard Waln Meirs）：美國收藏家。梅爾思珍藏的克魯克香克藏品於一九一三年捐贈給母校普林斯頓大學典藏。

7 喬治・克魯克香克（George Cruikshank, 1792-1878）：英國插畫家。一八一一年至一八一六年在《禍根》（*The Scourge*）及其他諷刺雜誌上發表漫畫起家；後來致力於書籍插畫。由他繪製插圖的書籍不計其數，包括：《彼得・胥列米爾》（*Peter Schlemihl*, 1823）、格林的《日爾曼通俗故事集》（*German Popular Stories*, 1824-1826）、狄更斯的《鮑子隨筆》（*Sketches by Boz*, 1836,1837）與《孤雛淚》（*Oliver Twist*, 1838）、威廉・哈里森・艾因斯華斯（參見本卷Ⅴ譯註9）的《盧克伍》（*Rookwood*, 1836）、查爾斯・列佛（Charles Lever）的《亞瑟・歐里爾利》（*Arthur O'Leary*, 1844）、威廉・漢彌爾頓・麥斯威爾（William Hamilton Maxwell）的《一七九八年愛爾蘭叛亂史》（*History of Irish Rebellion in 1798*, 1845）；一八四五年創辦雜誌《桌上書》（*Table Book*）、一八三五年至一八五三年間發行自繪的《漫畫年鑒》（*The Comic Almanack*）……等。他的哥哥以薩克・羅勃・克魯克香克（Isaac Robert Cruikshank, 1789-1874）亦是漫畫家，作品內容以嘲諷當時倫敦上流階級的奢華行徑為主。

8 布蘭德・馬修斯（Brander Matthews, 1852-1929）：美國作家、教師。在紐約、巴黎與倫敦的劇場、文學兩個圈子享有盛名。一八九一年起在哥倫比亞大學任教，一九〇〇年被指定為戲劇文學教授（首開美國大學院校的先例）。馬修斯同時是許多寫作俱樂部的發起人，對於一八九〇年至一九一五年間的劇作環境有頗大影響力。他的著作有：《戲劇進程》（*The Development of the Drama*, 1903）、《編劇法則》（*Principles of Playmaking*, 1919）、《劇作論編劇》（*Playwrights on Playmaking*, 1923）、自傳《回首故年》（*These Many Years*, 1917）等。他畢生投注劇場的成果（舞台模型、服裝、藏書）現在典藏於哥倫比亞大學布蘭德．馬修斯戲劇博物館。

9 《歌詠書籍》（*Ballads of Books*）：布蘭德．馬修斯編選、題獻給洛可－蘭普森（參見本章譯註101）的詩選集。收錄彭斯、狄茲拉勒、達伯森、海立克、瓊生、蘭姆、朗費羅、史蒂文生等歷代各家所作關於書籍的詩歌。一八八六年紐約George J. Coombes出版。此書極好，值得每位自認「練家子」的愛書人人手一冊，隨時誦讀。原版恐不易得，但仍有機會買到復刻版。

10 泰晤士（Thames）、坦恩（Tyne）、崔德（Tweed）：皆為英國境內河川。泰晤士河穿越倫敦市、坦恩河位於英格蘭東北部、崔德河則沿蘇格蘭西南部與英格蘭東北部界線東流。

11 史賓塞伯爵三世（Earl Spencer the Third, 1782-1845）：十九世紀英國藏書家。

12 參見第四卷Ⅲ及該章譯註20。

13 波德里圖書館（Bodleian Library）：隸屬於英國皇室的藏書單位，現由牛津大學管理。

14 （小）約翰．皮耶邦．摩根（John Pierpont Morgan, Jr., 1867-1943）：美國金融大亨、藏書家。他與父親約翰．皮耶邦．摩根（同名, 1837-1913）挾其豐沛財力，致力蒐羅各種古籍善本，包括大量的初期印本、抄本、繪本手稿（illuminated manuscripts），成果傲人。一九二四年為了紀念父親，特別將原來的藏書樓改裝成皮耶邦．摩根圖書館（位於紐約市麥迪遜大道上）並開放供大眾參觀。

15 威廉．K. 畢克斯比（William K. Bixby, 1857-1931）：美國富豪、藏書家。位於密蘇里州聖路易市的華盛頓大學校園內有以他的姓氏命名的「畢克斯比堂」（一九二五年興建）。

16 威廉．奧古斯塔斯．懷特（William Augustus White, 1843-1927）：美國藏書家。世居紐約布魯克林。一八八九年加入「葛羅里亞俱樂部」，當時他已收藏為數不少的依莉莎白時代的作品，其中包括若干部莎士比亞早期四開本。懷特後來擴大其收藏方向，包括十九世紀浪漫派詩人、早期美國劇作、繪本手稿等，但最受人注目的仍是他的依莉莎白時代與布雷克相關藏品。由於個性謙和大方，懷特生前屢屢提供自藏珍本供各界研究、展示（「葛羅里亞俱樂部」的許多展覽會與出版品的內容均得自他的大力襄助，對於奠定「葛羅里亞俱樂部」早期威望功不可沒）。懷特生前因藏書量過於龐大，曾數度脫手（一九一一年、一九二〇年兩度公開拍賣、另有幾批分別售予杭廷頓、佛爾格等人）；懷特歿後，其莎士比亞四開本捐給母校哈佛大學；莎士比亞對開本贈予普林斯頓大學；布雷克藏品、手繪本則遺留給女兒Frances White Emerson（後來於她死後部分贈送給大英博物館、哈佛大學、其餘零品交由蘇富比公司拍賣）、另有部分售予羅森巴哈。

17 亨利．克雷．佛爾格（Henry Clay Folger, 1857-1930）：紐約藏書家。他耗費約四十年的時間，積累一批為數兩萬冊的莎士比亞相關書籍、以及依莉莎白時代早期的文學著作，其中包括五十部莎士比亞第一對開本。這批藏書後來全部捐贈給國家，並由美國政府在華盛頓特區另行興建大樓庋藏。

18 搖籃本（incunabulum，單數為incunabula）：泛指印刷術發明初期的印本、古版書，或特指一五〇〇年之前刊印的書籍。字源來自拉丁文「在搖籃之（cunae）中」。此字由巴黎的版本學家菲立普．拉貝（Philippe Labbe, 1607-1667）率先使用，但當時的字義是指「早期的印刷技藝」，並非指稱書籍本身。近代美國版本學家為建立主體性乃自創「美洲搖籃本」（American incunabula）一詞，指稱十七世紀前在美洲（尤指現今美國境內）印行的書籍。

19 亨利耶塔・巴特列（Henrietta C. Bartlett, 1873-1963）：美國版本學家。她的父親、兄長皆為耶魯大學校友；她本人則因捐贈藏書進而參與該校圖書館的運作。巴特列長於莎士比亞版本研究，著作有：《威廉・莎士比亞四開本、對開本之原始與早期版本》（*Mr. William Shakespeare, Original and Early Editions of His Quartos and Folios*, 1923）、與波拉德合作的《一五九四年至一七〇九年刊行之莎士比亞四開本劇本版本現況普查》（參見第三卷II譯註21）。

20 古籍市場以及版本學領域之中，以編輯內容、架構為依據，對莎士比亞初期版本定出若干不同本子，其中較珍貴的有「第一對開本」（the first folio），指的是由海明斯與康德爾選編、一六二三年由傑格與布倫特出版、收錄三十六部劇作的《威廉・莎士比亞君之喜劇、歷史劇與悲劇》（*Mr. William Shakespeares; Comedies, Histories, Tragedies*），其中十八部早先已陸續被盜印出版過；「第二對開本」（the second folio）指T.寇特斯（Thomas Cotes）併購傑格產業後，於一九三二年印行，此版本除了對前版進行大幅度修訂、保留原有架構之外，特別的是加入彌爾頓與一位署名"I.M.S."的人寫的讚詩；「第三對開本」（the third folio）出版於一六六三年，一六六四年的重印版在原有的三十六部劇作上再加錄七部，但其中六部經後世考據確定為偽作；「第四對開本」（the fourth folio）大體上依照「第一對開本」，但收錄前述六部偽作。至於「四開本」則指正版「對開本」出現前個別出版的單部劇作。「第一四開本」（the first quarto）包括《哈姆雷特》（*Hamlet*, London: William Griggs, 1603）、《亨利四世》（*Henry the Fourth*, London: W. Griggs, 1598）、《亨利五世》（*Henry the Fifth*, London: Charles Praetorius, 1600）、《亨利六世第二部》（*Henry the Sixth Part 2*, London: C. Praetorius, 1594）、《亨利六世第三部》（*Henry the Sixth Part 3*, London: C. Praetorius, 1595）、《李爾王》（*King Lear*, London: C. Praetorius, 1608）、《奧賽羅》（*Othello*, 1622）等。

21 《書價行情》（*Book-Prices Current*）：一八八六年起由倫敦愛略特與史達克（Elliot & Stock）出版社發行的刊物，初期以月報的形式，登載各拍賣會成交的書籍明細、價格、買主等資料。一八八八年起另發行年度彙編，持續發行至一九五六年為止。是古書商與藏書界的重要參考資料。但此處所指應為李文斯頓（參見本章II譯註41）仿效英國《書價行情》編製的《美國書價行情》（*American Book-Prices Current*），內容除了針對美國境內的重要買賣價格，還包括英國地區的行情。內容分為四大項目：書籍、簽名文件與手稿、地圖、印張半成品（broadsides）。《美國書價行情》自一八九四年起每年發行一冊，初由紐約多德、米德出版公司（Dodd, Mead and Company）印行，一九一〇年起另成立多德與李文斯頓公司（Dodd Livingston Company）專司，一九一四年由於李文斯頓接掌威德拿圖書館，轉由達頓出版公司（E. P. Dutton Company）接手發行至今。

22 安德遜拍賣公司（Anderson's）：美國專司藝品與書籍拍賣的公司。小約翰，安德森（John Anderson, Jr.）於一九〇〇年在紐約開設Anderson Auction Co.，後來更名為安德遜藝廊（Anderson Galleries）。一九二九年起與原本的競爭對手美國藝術協會（參見第四卷II譯註28）合併。一九三〇年代由於美國國內經濟蕭條，加上旗下兩名重要成員Hiram Haney Parke、G.T. Otto Bernet自立門戶成立帕克與柏內特拍賣公司（Parke-Bernet Galleries Inc.），安德遜藝廊─美國藝術協會遂於一九三四年結束營業。

23 書口繪飾（fore-edge painting）：書口上的繪飾圖樣，當書本闔起或稍微曲彎時便會浮現，多以手繪，現代出版品則可以印刷製成。現存最早有書口繪飾的書是一二五〇年的一部法文《詩篇》抄本。

24 即蘭姆寫給出版商的信件。參見本卷I。

25 安東尼・特洛羅普（Anthony Trollope, 1815-1882）：十九世紀英國小說家。

26 原文應是 "not even a bishop could sell a horse without forgetting that he was a bishop."。出處不詳。

27 典出《哈姆雷特》第三幕第二景。哈姆雷特精心安排伶人在篡奪王位的叔叔克勞狄厄斯（Claudius）與誤信奸人的母親葛楚德（Gertrude）御前獻演，臨登台前，哈姆雷特對演員耳提面命，諄諄告以演出時該注意的細節。

28 約翰生博士編纂《英國語文詞典》期間便已將書商預付的微薄版稅用罄，該書出版（一七五五年）後雖然為他帶來盛名，卻對他的實際生計毫無助益（翌年他甚至因積欠透支款項無力償還而入獄，經詩人朋友Samuel Richardson出面保釋才重獲自由）。鮑斯威爾及其他友人看在眼裡，頗為約翰生感到不平。某日鮑斯威爾向約翰生表示，他感到非常遺憾博士未能從中獲取更優渥的酬勞。但約翰生卻回答：「吾對此亦同感遺憾。然而，不幸中之大幸。書商諸君皆為寬宏大量且思想開通的人。」（"I am sorry, too. But it was very well. The booksellers are generous, liberal-minded men."）鮑斯威爾記述此事以彰約翰生對人的寬厚。見《約翰生傳》（一七五六年段）。

29 約翰・福克士（John Foxe, 1516-1587）：英國宗教作家。一五五四年至一五五九年受瑪麗一世宗教迫害流亡歐陸。他所撰寫的《殉道者全書》（*The Book of Martyrs*），收錄自十四世紀以降直至作者當代因宗教迫害而死的人士，生動地描述並控訴當時不斷加劇的天主教壓迫。拉丁文增訂版（*Rerum in ecclesia gestarum...commentarii*）於一五五九年問世，英文版則於一五六三年出版；此書現今仍是研究當時宗教傾軋的重要參考史料。

30 亨利・阿爾肯（Henry Alken, 1785-1851）：英國運動畫家。作品有《獵場金鑒》（*The Analysis of the Hunting Field: being a series of sketches of the principal characters that compose one; the whole forming a slight souvenir of the season*, 1845-1846）。

31 關於書籍開本，參見第四卷Ⅲ譯註42。

32 魯道夫・艾可曼（Rudolph Ackerman, 1764-1834）：英國出版商。原本是造馬車師傅，一七八三年赴倫敦轉行從事印刷業。一八〇〇年起他成為英國頂尖的彩圖印刷工，出版許多大開本彩圖書籍。艾可曼除了自行操筆繪書籍插畫之外，亦長期（三十年以上）雇用湯瑪士・羅蘭德森（參見本卷Ⅱ譯註35）為他工作。

33《約翰・邁通生平回憶錄》（*Memoirs of the Life of John Mytton, Esq. of Halston, Shropshire, ... with notices of his Hunting, Shooting, Driving, Racing, Eccentric and Extravagant Exploits...*）：查爾斯・詹姆士・阿培利（Charles James Apperley, 1778-1843）以筆名「獵戶」（Nimrod）在《每季評論》（*Quarterly Review*）上發表的狩獵文集。單行本於一八三五年出版，附亨利・阿爾肯與T. J. Rawlins繪製的插圖。

34 運動（sports）：依照當時社會風氣的定義，概指漁釣、狩獵、馬術、健行、球戲等戶外休閒活動。

35《裘洛克的歡暢漫遊》（*Jorrock's Jaunts and Jollities, or the Hunting, Racing, Driving, Sailing, Eating, Eccentric and Extravagant Exploits of that renowned Sporting Citizen*）：羅勃・史密斯・修特茲的運動小說。初在《新運動雜誌》上以連載方式發表（一八三一年七月至一八三四年九月）；單行本（Phiz繪製插圖）於一八三八年出版，隨後數年一再重印再版。

36 滿裝（full binding）：精裝書的裝訂形式（就使用材料為判定標準）之一。所謂「滿裝」（或稱「全裝」、「全面裝」）表示該書的全部封面，即包括前封（封面）、書脊、後封（封底），均以單一材料包覆；另，「半裝」（half binding，或稱「半面裝」、「接面裝」）乃前、後封為一種材料（紙或布），而書脊與前後封的四個書角則使用另一種材料（皮革或布）；「季裝」（quarter binding，或稱「四分之一裝」）則與「半裝」類似，但書角部分不另行包覆書脊材料。

◎（由左至右）全裝、半裝、季裝

37 綴裝（extra binding）：除了完整的裝幀之外，另行施加各項精緻、繁複的加工。

38《史邦吉先生的運動之旅》（*Mr. Sponge's Sporting Tour*）：修特茲的運動小說。一八五三年出版。

39《求姆媽》（*Ask Mamma; or, The Richest Commoner in England*）：修特茲的運動小說。初以每月發刊一冊的方式（共十三冊，最後一冊為一八五八年）出版，附約翰．利屈繪製的插圖。

40《韓德利十字》（*Handley Cross; or, The Spa Hunt. A Sporting Tale*）：修特茲的運動小說。初以每月發刊一冊的方式出版（一八五三年三月至一八五四年十月，共十七冊），由約翰．利屈（參見本章譯註47）繪製插圖（包括封面、滿頁彩圖十七幅、木刻插圖八十四幅）。

41《費西．羅福特先生的獵犬》（*Mr. Facey Romford's Hounds*）：修特茲的運動小說。初以每月發刊一冊的方式（共十二冊，最後一冊為一八六五年）出版，利屈與Hablot K. Browne繪製插圖。

42 吉爾伯特．阿波特． À 貝克特（Gilbert Abbott À Beckett, 1811-1856）：法國滑稽劇作家。創作超過三十部劇本，包括《英國戲劇荒誕學》（*Quizziology of the British Drama*, 1846）、《漫畫布列克史東》（*Comic Blackstone*, 1846）、《漫畫羅馬史》（*Comic History of Rome*, 1847-1848）；他亦擔任《倫敦費加洛》（*Figaro in London*）、《爆笑》（*The Squib*）等雜誌的編輯，並為數份不同報刊撰稿。

43《漫畫羅馬史》（*Comic History of Rome*）：À 貝克特撰文、利屈配圖。一八五二年倫敦Bradbury, Evans, and Co.出版。

44《漫畫英倫史》（*Comic History of England*）：À 貝克特撰文、利屈配圖。一八四七年至一八四八年倫敦Bradbury, Evans, and Co.出版。

45 羅勃．李維埃拉（Robert Riviére, 1808-1882）：十九世紀倫敦裝幀工匠。

46 指威廉．S. 吉爾伯特（William Schwenck Gilbert, 1836-1911）與Arthur Seymour Sullivan（1842-1900）主持的「吉爾伯特與蘇利文」（Gilbert & Sullivan）劇場。

47 約翰．利屈（John Leech, 1817-1864）：十九世紀英國插畫、漫畫家。他早年習醫，一八三五年出版《門外漢賤筆刻畫》（*Etchings and Sketches by A. Pen*）；一八四一年起以中產階級的日常舉止為題材，在《噴趣》（參見本卷IV譯註43）雜誌上繪製的諷刺漫畫（前後創作共超過三千餘幅）讓他聲名大噪。由於他與文友（如薩克雷、狄更斯等人）交往密切，亦為許多書籍繪製插畫（如狄更斯的《耶誕頌歌》及其他聖誕小說、修特茲的一系列運動小說）。

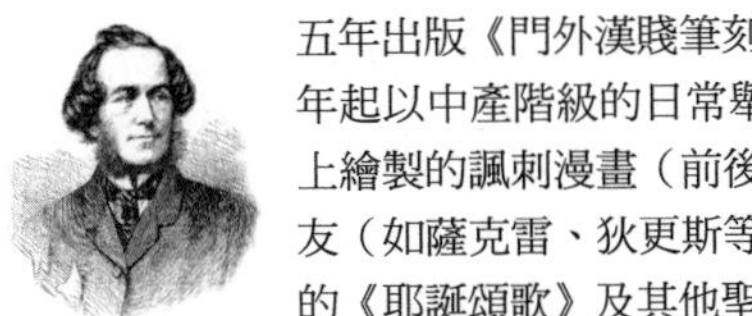

48 分冊（in parts）：早期出版形式。將一部完整作品以定期或不定期發刊連載的方式銷售，多適用於章回小說。

49 愛德溫．W. 可吉歇爾（Edwin W. Coggeshall）：美國（紐約）藏書家。可吉歇爾的狄更斯、薩克雷相關藏品（共六百二十二件）於一九一六年四月由安德遜藝廊在紐約開拍。

50 印行標示（imprint）：指書上標示的出版或印行單位。

51 改刻（reëtched）：由於無法取得原圖版，仿照前出版本的插圖重新刻版（當時的插圖大都是木刻或金屬版畫）、印製插圖葉。

52 瑪麗・霍加斯（Mary Scott Hogarth, 1819-1837）：狄更斯的妻子凱薩琳・霍加斯（Catherine Hogarth）的妹妹。狄更斯於一八三六年與凱薩琳結婚，凱薩琳為他生下十個孩子，但狄更斯的婚姻並不美滿，反而對瑪麗和凱薩琳的另一個妹妹喬琪娜（Georgina Hogarth）都頗友好。

53《拳擊大全》（*Boxiana; or, Sketches of Ancient and Modern Pugilism; from the days of the ren owned Broughton and Slack to the Heroes of the Present Milling Aera! Dedicated to that distinguished patron of the old English sports, Captain Barclay. By One of the Fancy.*）——皮爾斯・埃根（Pierce Egon）作。一八一二年倫敦G. Smeeton出版。

54《瑪格麗特・露德夫人畢生行誼軼話》（*Anecdotes of the Life and Transactions of Mrs. Margaret Rudd*）：瑪格麗特・卡洛琳・露德（Margaret Caroline Rudd, 1744-1797），原姓楊森（Youngson）。可參閱Sarah Bakewell撰寫的《聰明一時：瑪格麗特・卡洛琳・露德與運背的培劉兄弟》（*The Smart, the Story of Margaret Caroline Rudd and the Unfortunate Perreau Brothers*, 2000）

55 約翰生本人雖然不曾親晤露德夫人，但對她始終頗為欣賞。《約翰生傳》中不只一次提及露德夫人：鮑斯威爾提到他很想結識一位以特立獨行的裝扮與手腕聞名於世的女士（即露德夫人），約翰生告誡他：「切莫盡信旁人議長論短形容某人個性不尋常。聽我的忠告，閣下，那些人總是言過其實。……」（一七七六年三月二十一日段）；約翰生向反對鮑斯威爾去看露德夫人的某位女士正色說：「謬矣，夫人，鮑斯威爾的決定是對的；若非現今報紙為了耍花招，什麼鬼事也寫得出來的話，我也早該親自去拜訪她。」是夜，約翰生仰天長嘆：「我羨慕他，他有幸認識露德夫人。」（一七七六年五月十五日段）；某次在一群朋友齊聚的飯局之中，約翰生和友人有這麼一段簡短對話：約翰生說：「我早該於五十年前去看她的。」史巴提斯伍德（J. Spottiswoode, ?-1805）問道：「因為她當時年輕五十歲？」約翰生答：「非也，閣下，無非是現今報紙為了耍花招，他們什麼鬼事也寫得出來。」（一七七八年四月二十八日段）。

56 勞倫斯・史德恩（Laurence Sterne, 1713-1768）：十八世紀愛爾蘭裔英國小說家、牧師。代表作是開創小說新技法的《崔斯特朗・榭帝》（*Tristram Shandy*, 1759，另譯《項狄傳》）。

57《愁緒滿途》（*A Sentimental Journey through France and Italy*）：史德恩根據他以健康理由巡遊歐陸時的筆記寫出的小說。一七六八年出版。

58 馬修・阿諾德（Matthew Arnold, 1822-1888）：十九世紀英國詩人、評論家。

59《詩草》（*Poetical Sketches*）：布雷克的首部詩畫集。一七八三年出版。

60《純真之歌／練達之歌》（*Songs of Innocence and of Experience: Shewing the Two Contrary States of Human Soul*）：布雷克兩部詩作合集。作者自印，約於一七九四年至一七九五年間出版。內收五十四幅作者自繪圖畫。

61 凱薩琳・索菲亞・布雷克（Catherine Sophia Blake, 1762-1831）：閨名Catherine Sophia Boucher，未受教育，一七八二年八月十八日與布雷克結婚，布雷克教導她識字、操作印刷機、水彩技法（布雷克部分畫作由她上色）。索菲亞歿後與布雷克合塚於邦丘墓園。

◎吉爾克里斯《布雷克傳》

62 亞歷山大·吉爾克里斯（Alexander Gilchrist, 1828-1861）：十九世紀英國作家。代表作是《布雷克傳》（*Life of William Blake*, London: Macmillan and Co., 1880）。其妻Anne Gilchrist（Anne Burrows Gilchrist, 1828-1885）亦頗有文名。

63《裘瑞、靄理斯與埃克頓·貝爾合集》（*Poems by Currer, Ellis and Acton Bell*）：勃朗黛（Brontë）三姊妹初試啼聲的詩作合集。由夏洛特·勃朗黛（Charlotte Brontë, 1816-1855）、愛蜜麗·勃朗黛（Emily Brontë, 1818-1848）、安妮·勃朗黛（Anne Brontë, 1820-1849）化名為男子合著，一八四六年首版。關於此書版本源流，請參閱第五卷I。

64 埃洛特與瓊斯（Aylott & Jones）：十九世紀英國兼營文具、書籍的小出版商。

65 史密斯－艾爾德（Smith-Elder）：英國出版商。George Smith（1789-1846）與Alexander Elder（1790-1876）於一八一六年創立（初期經營書籍販賣，一八一九年起改營出版）。此出版社曾印行許多書刊，包括：《孔丘雜誌》（*Cornhill Magazine*）、《大馬路公報》（*Pall Mall Gazette*）、《全國名人錄》（*Dictionary of National Biography*, 1903）等。

66 亨利·H. 邦迺爾（Henry H. Bonnell, 1847-1922）：美國藏書家。

67 勃朗黛博物館（Brontë Museum）：位於英格蘭西約克夏（West Yorkshire）哈渥斯村（Haworth）。

68 埃班納惹·艾略特（Ebenezer Elliot, 1781-1849）：英國詩人。別號「穀物法詩人」（Corn-Law Rhymer），源自他於一八三〇年發表的《穀物法打油詩》（*Corn Law Rhymer*）。

69《閤書一葉》（*A Leaf from An Unopened Volume or Manuscript of an Unfortunate Author*）：夏洛特·勃朗黛的小說手稿。勃朗黛在稿末的落款日期為一八三四年。經紐頓購入稿本、並在本書刊出這幀圖片後，世人方得知此部勃朗黛未付梓的小說佚作，紐頓後來在他的《賽馬日，漫遊散錄》（*Derby Day, and Other Adventures*, 1934）中以一篇〈重訪勃朗黛之鄉〉（"The Brontë Country, My Second Visit"）略述此稿本的入藏經過。

70 羅勃·彭斯（Robert Burns, 1759-1796）：十八世紀蘇格蘭代表性詩人。

71 基爾瑪諾克（Kilmarnock）：蘇格蘭出版商。基爾瑪諾克版《彭斯集》於一七八六年出版。

72 李察·阿爾伯特·肯菲爾德（Richard Albert Canfield, 1855-1914）：美國收藏家。

73 威廉·凡·安特衛普（William C. Van Antwerp）：美國藏書家。

74 艾略特聖經（Eliot Bible）：或稱為「印地安聖經」（Indian Bible）。在美國印行的第一部聖經，以印地安方言印製。此書相當罕見，完本幾不可得，零葉在市場的目前行情為一千五百美元。

75《花團錦簇》（*Flowers of Passion*）：喬治·穆爾的詩集（他的第二部出版品）。一八七八年倫敦Provost & Co.出版。由於此書內容為穆爾的處女作，後世有人誤以為此書為他的首部出版品，其實穆爾後作《（三幕喜劇）俗世凡塵》（*Worldliness: A Comedy in Three Acts*）先印行於一八七四年。

76 克朗（crown）：舊時英國錢幣，合五先令。因其中一面印有王冠（crown）而得名。

77《法國糕餅匠》（*Le Pastissier François, oç est enseignç*）：埃爾澤佛版珍本，一六五三年阿姆

斯特丹Louis et Daniel Elzevier印行。英譯本於一六五六年出版，翌年的第二版較珍貴。

78《好吹牛皮的來福．多伊斯特》（*Ralph Roister Doister*）：十六世紀英國教師兼劇作家尼可拉斯．尤鐸（Nicholas Udall, 1505-1556）的五幕劇作。約於一五五三年成稿（一五六七年出版）。為英國戲劇史上現存最古老的長篇喜劇。劇情描寫一名自視甚高但私底下膽小怕事卻又愛打腫臉充胖子的公子哥兒追求一位已另有婚約的富有寡婦，過程屢遭旁人設計作弄，令他出盡洋相，但結局皆大歡喜。

79《不可兒戲》（*Importance of Being Earnest, A Trivial Comedy for Serious People...*）：王爾德的喜劇。一八九五年首演立即造成轟動，但三個月後作者因風化案入獄，他的名字被刪除而該劇也從此停演，直到王爾德出獄後再重編此劇。單行本於一八九九年倫敦Leonard Smithers出版（限量一千部）。

80 克拉倫斯．S.班門特（Clarence S. Bement, 1843-1923）：美國藏書家。

81《希語文法》（*Grammatica Graeca, Quatenus a Latina Differt*）：十五世紀君士坦丁堡希臘文法學者康士坦丁．拉斯卡里斯（Constantine Lascaris, 1434-1501）著。一四七六年於米蘭出版。

82 安布羅席奧斯．瑪克羅畢阿斯（Ambrosius Aurelius Theodosius Macrobius, 395-423）：古羅馬時代哲學家。

83《農神節》（*The Saturnalia*）：瑪克羅畢阿斯著作。一四七二年由Nicholas Jenson於威尼斯首度印行；一五二八年有阿爾丁版。

84 奧流士．蓋里奧斯（Aulus Gellius, c.130-180）：古羅馬時代文人。

85 波靄瑟阿斯（Anicius Manilius Torquatus Severinus Boethius, c.480-524）：古羅馬時代政治家、哲學家。

86《如沐哲理》（*De Consolatione Philosophié, Libri quinque ad optimarum editionum fidem recensiti*）：波靄瑟阿斯的哲學名著。

87 西奧多（Theodoric, ca.445-526）：於西元四九三年擊敗奧多亞塞（Odoacer），建立東哥德王國（Ostrogothic Kingdom，今義大利境內）。在位期間重用波靄瑟阿斯為左右輔佐，以宗教治國，並與周邊蠻族通婚維持多年和平。五二六年歿後國家陷入群龍無首，終被拜占庭（Byzantine）帝國併吞。

88 威廉上君（William the Second to None）：疑指當時德意志共和國大統領威廉二世（Kaiser Wilhelm II, 1859-1941，在位期間一八八八年至一九一八年）。

89 疑指一八九〇年威廉二世廢除社會主義鎮壓法，對社會主義改採溫和政策，導致工人勢力抬頭，無產階級反政府活動日益興盛。

90《柯葉特之華路藍縷——披星戴月行旅五月記》（*Coryat's Crudities: Hastily gobled up in five months travells in France, Savoy, Italy, Rhetia, commonly called the Grisons country, Helvetia alias Switzerland, some parts of high Germany and the Netherlands; Newly digested in the Hungry aire of Odcombe in the County of Somerset, and now dispersed to the nourishment of the travelling Members of this Kingdome*）：英國作家湯瑪斯．柯葉特（Thomas Coryat, 1577?-1617）的遊記作品。一六一一年出版。柯葉特在書中巨細靡遺地描述當代建築、風俗習慣與服飾，令此書成為後世許多歷史學家與電影、劇場作家描述文藝復興時代的重要參考史料。

91 威廉．約翰．洛克（William John Locke, 1863-1930）：英國小說家。作品頗受當代讀者喜愛，包括：《馬卡士・歐爾丁的訓示》（*Morals of Marcus Ordeyne*, 1905）、《人見人愛的無賴》（*The Beloved Vagabond*, 1906）以及少數幾部劇作。

92 約翰・洛克（John Locke, 1632-1704）：英國哲學家。生前被譽為「經驗主義（expiricism）之父」。歷時十七年畢其功的代表作《人性的條件論》（*An Essay Concerning Human Understanding*）探討人的理解力的能力範圍。

93《愚人船》（*The Ship of Fooles*）：以茲瓦本方言文字印行的原書*Das Narren Schiff*於一四九四年在紐倫堡問世，大為轟動並引發許多人群起效尤，相繼寫出同類（以傻子行徑諷寓人性處境）著作，包括：伊拉斯謨斯（Erasmus）一五一一年在巴黎出版的《禮讚愚行》（*In Praise of Folly*）。《愚人船》隨後被迻譯為多種不同語文版本。一五〇九年出版的英文版由亞歷山大・巴克萊譯寫，他以英國當時的社會環境、生活實況大幅度改寫，嘲諷對象擴及貪官污吏，內容更形辛辣尖銳。

94 亞歷山大・巴克萊（Alexander Barclay, 1475?-1552）：英國（蘇格蘭裔？）詩人、學者、教士。除了長年擔任深受景仰的神職人員，他以譯寫《愚人船》一書成就文名。

95 理察・品森（Richard Pynson, ?-1530）：英國（法裔）印刷工。出生於諾曼第，約於一四八二年移居英國，一四九一（或一四九二）年起在倫敦開業；由於手藝超越同時代其他印匠，一五〇八年成為（亨利八世）御前印刷工。他也是首位採用「羅馬（roman）」字體印行書籍的人（之前普遍使用「哥德體」，參見本卷 I 譯註33）。

◎佛尼士的書齋

96 賀拉斯・霍華・佛尼士（Horace Howard Furness, 1833-1912）：美國學者。他與兒子（同名，1865－1930）皆為專治莎士比亞的研究學者。

97 參見第三卷 I 譯註75。

98 約翰・海明斯（John Heminges, 1556-1630）：英國劇場演員。與亨利・康德爾合編《威廉・莎士比亞君之喜劇、歷史劇與悲劇》（*Mr. William Shakespeares; Comedies, Histories, Tragedies*, 1623），史稱「第一對開本」（參見本章譯註20）。

99 以薩克・傑格（Isaac Jaggard）、愛德華・布倫特（Ed. Blount）：承印一六二三年《威廉・莎士比亞君之喜劇、歷史劇與悲劇》（第一對開本）的出版商。參與印製的尚有傑格之兄威廉。雖然威廉・傑格在此之前私自盜印過若干部莎士比亞的著作，但仍受海明斯與康德爾之託承印「第一對開本」，而他本人則於該書出版前即已亡故。

100 引自華特・薩瓦吉・蘭鐸（Walter Savage Landor, 1775-1864）詩作〈致羅勃・白朗寧〉（"To Robert Browning"）第五句：「莎士比亞非僅國寶，誠舉世之寶也。」（"Shakespeare is not our poet, but the world's."）

◎佛德瑞克・洛可－蘭普森，Julia Margaret Cameron攝

101 佛德瑞克・洛可一蘭普森（Frederick Locker-Lampson, 1821-1895）：英國詩人、藏書家。原姓洛克，一八八五年改為「洛可－蘭普森」。

102 愛德蒙・狄・岡寇爾特（Edmond de Goncourt, 1822-1896）：法國作家。與弟弟居爾（Jules de Goncourt, 1830-1870）同為「自然主義」（naturalism）的先鋒作家。其作品常揉混自己與周圍親友的親身經歷，並融入大量當時的社會風尚、文藝景物等細節。狄・岡寇爾特本人亦收藏大量藝術品，並曾將日本藝術引介至法國，帶動「日本風」（Japoniserie），影響十九世紀歐洲藝術界甚深。

◎愛德蒙・狄・岡寇爾特，Félix Bracquemond繪（1882）

103潘迺爾：參見本卷 I 譯註147。

104詹姆斯・惠斯勒（James Abbot McNeill Whistler, 1834-1903）：美國畫家、版刻家。出生於麻州羅威爾（Lowell），後來離美赴英，一八六六年落戶倫敦。他以「交響曲」、「小夜曲」等標題為畫作命名，頗能彰顯作品中的氛圍，但與當地的維多利亞畫風產生不小的扞格。一八七八年，他因不甘自己的畫作〈黑色與金色小夜曲〉（Nocturne in Black and Gold）遭受詆譭，與羅斯金（John Ruskin）互打毀謗官司。他還因此寫了一部《樹敵妙方》（*The Gentle Art of Making Enemies*）。

105惠斯勒大約自一八六九年起，習慣將自己的姓名縮寫字母「J、W」化為數款不同形式的蝴蝶圖案。

106《五人傳》（*Lives*）：以薩克・沃爾頓的傳記作品。收錄約翰・多恩（John Donne, 1572-1631）、亨利・伍騰（Henry Wotton, 1568-1639）、理查・胡克（Richard Hooker, 1553-1600）、喬治・赫柏特（見本章譯註107）、羅伯・山德森（Robert Sanderson, 1587-1663）的傳記。

107喬治・赫柏特（George Herbert, 1593-1633）：英國玄學派詩人。曾寫作一百六十首宗教詩，集結為《聖殿》（*The Temple. Sacred Poems and Private Ejaculations*, 1633），一六三三年劍橋Thom. Buck、Roger Daniel印行。

108西方書籍開本大小多以高度為準。

◎約翰・費爾的徽章，出自Biblia Hebraica（1631）

109在紐頓藏品拍賣目錄中，此書的版本說明為「小牛皮原裝」（in original vellum）。

110約翰・費爾（John Fell, 1625-1686）：十七世紀牛津主教。

111英國打油詩人湯姆・布朗（Tom Brown, 1663-1704）諧擬羅馬詩人馬休（Martial, 40－104）《詼諧詩》（*Epigram*）第一卷第三十二首中的詩句“Non amo te, Sabidi, nec possum dicere quare; / Hoc tantum possum dicere, non amo te”（“I do not love thee, Sabidius, nor can I say why; this only I can say, I do not love thee.”）改寫成“I do not like you Dr. Fell, / The reason why I cannot tell; / But this I know and know full well, / I do not like you Dr. Fell, ...”。

112約翰・G.海克謝（John G. Heckscher, 1835?-1908）：美國藏書家。專門收藏運動類圖籍，尤其以關於釣魚的主題收藏最豐，他曾庋藏四種初期版本《釣叟智言》、幾近完整的修特茲與埃根的著作。海克謝於一九〇六年四月假Merwin公司拍賣其一小部分藏書；直至他歿後，其大批珍藏才在家人安排下交付拍賣（一九〇九年二月、三月），其中一部首版《釣叟智言》被Daniel B. Fearing（1859-1918）以美金三千九百元買下。

113馬爹拉（Madeira）：酒名。

114《旅人》（*The Traveller*）：戈爾德史密斯的詩作。一七六四年出版。該書獻呈給他的弟弟。

115此段由約翰生口述的軼事發生於一七六五或一七六六年，見諸《約翰生傳》（一七六三年、一七七八年段）。

116法蘭西斯・貝德福（Francis Bedford, 1799-1883）：十九世紀英國裝幀工匠。原本受雇於查爾斯・路易斯（Charles Lewis, 1786-1836），路易斯歿後，貝德福仍在路易斯遺孀的作坊工作直到一八四四年，之後與約翰・克拉克（John Clark）合夥開業；一八五一年才成立個人裝幀作坊。他的裝幀技法師法古早的里昂（Lyonnese）與義大利（Italian）風格並進一步發揚光大。

117 威廉・P. 川特（William Peterfield Trent, 1862-1939）：哥倫比亞大學文學教授、狄福專家。

118《藏書新手的起步報告》(*The First Report of a Book-Collector; Comprising: A Brief Answer to the Frequent Question "Why First Editions?" ...and Five Egotistical Chapters of Anecdotes and Advice Address...*)：威廉・哈里斯・阿諾德著作。一八九八年，紐約多德、米德出版公司（Dodd, Mead and Company）出版，二版限量印行二百部。

119 約翰・史蓋爾頓（John Skelton, 1460?-1529）：英國詩人。一四八九年起成為亨利七世的宮廷詩人，一四九七年至一五〇二年擔任年幼王子（後來登基為亨利八世）的教席。他自創結合鄉言俚語、奇字怪句的拉丁古諺和天馬行空的詼諧笑鬧的諷刺詩體。作品有：打趣朝廷生涯的《朝儀百態》(*The Bowge of Courte*)、《學舌鸚鵡》(*Speke Parrot*, 1521)、《汝何不上朝來》(*Why come ye nat to Courte*, 1522)、《柯林・克勞茨》(*Colyn Cloute*, 1522)、《菲力普・史拜羅之書》(*The boke of Phyllyp Sparowe*)、與英國首部通俗道德劇《宏偉壯麗》(*Magnyfycence*, 1516)……等。

120 米歇爾・肯納利（Mitchell Kennerley, 1878-1950）：英裔美國出版商。一八九六年移民美國，成立John Lane（倫敦出版商）分部。一九〇四年自行開業，與字型設計家高迪（參見第四卷Ⅲ譯註64）合作密切。一九一五年他成為安德遜藝廊的總裁，由於該拍賣公司財務時好時壞，他終於在一九二九年離職。

121 兩種版本書名頁上的書名些微差異為"Wrote in a Country Church Yard"與"Written in a Country Church Yard"。

122 班氏拍賣公司（Bangs & Company）：設籍於紐約的拍賣公司。由Francis H. Bangs與John Kendrick Bangs兩兄弟於二十世紀初創立。後來併入安德遜拍賣公司。

123 即喬治・D. 史密斯。

124 H.巴克斯頓・佛曼（H. Buxton Forman, 1842-1917）：英國學者、收藏家。曾被揭發偽造古人文件。

125《剌米亞》(*Lamia*)：濟慈的敘事詩。寫於一八一九年，一八二〇年出版。「剌米亞」典出十七世紀柏頓名作《憂鬱之剖析》（參見第四卷Ⅳ譯註27）中提及的女妖名。

Ⅳ「關聯本」與首版書

◎詹姆士・伍爾夫

沒有任何一種書比簽贈本或關聯本更值錢，其道理顯而易見。任何一部受餽贈得來的書幾乎完全找不到另一部一模一樣的本子；而且絕大部分的簽贈本也都是首版——不啻錦上添花。此類書籍上頭通常都有一段落款或幾句感言，隱約透露該作者的生活梗概。短短幾句落款、題辭，就能讓我們得以重溫作者與受贈者之間交誼的點點滴滴。說到關聯本，大家必定難以忘懷這則發生在伍爾夫將軍[1]身上的故事：他一邊駕著無篷扁舟，沿著聖羅倫斯河朝魁北克南方某地點順流而下，一邊吟詠葛雷《輓歌》中的詩句——「功業顯赫堪自誇，權勢傾軋足蓋世，／千樣美貌、萬貫財富，一切曾經擁有／均難避逃相同的臨終時辰。／再輝煌的大道皆終究通向覆亡……」[2]——他自己還補上幾句：「吾何其盼望自己能化身此詩作者，若須捐棄明日擊潰法軍的榮耀亦在所不惜。」伍爾夫隨身攜帶的那本《輓歌》是他離開英國時，由未婚妻凱薩琳・勞舍小姐（Miss Katherine Lowther）親手送給他的。他不但將書中詩句牢記在心，還在自己最喜歡的每個句子下方畫上底線（包括前文引用的那一段）；整本書被他寫滿了密密麻麻的眉批。伍爾夫戰死沙場之後，那本書連同勞舍小姐的一幀玉照被送回到她的手中，就在幾天前，那本價值連城、蘊含特殊關聯意趣的本子流入書市，並且被頭一個發現它的人買走了。此人過去從未買過任何一部善本書，但是他還是忍不住買下它。當我後來得知那筆交易，心裡頭真是悲喜交集——悲的是：我居然放任那麼棒的書從我手邊溜走；喜的則是：我又僥倖逃過一次難以抗拒的誘惑。那部書究竟賣成什麼價錢？只有賣的人和買的人曉得，但依我猜想，不少值錢的債券八成就那麼一眨眼沒了。

若想知道關聯本的價格如何飆升飛漲，只要看看雪萊《仙后娘娘》[3]在市場上的亮麗表現便可思過半矣。那是一部極其佳善的本子，道登[4]的《雪萊傳》曾對該書有所著墨。蝴蝶頁上有雪萊的親筆落款：「致瑪麗・伍爾史東克來夫特・戈德溫[5]，P. B. S.贈。」雪萊還用鉛筆在封底裡寫上：「瑪麗，妳可知，我對妳依舊無法忘懷。」其餘各處則全是瑪麗遺留下來的筆跡，好比說：「此書對我而言無比神聖，而因為絕無閒雜人會翻閱此書，我盡可放心寫下任何我想寫的字句於書頁之上。然而，我又該寫些什麼呢？我愛作者之深，遠非形諸筆墨所能訴盡，而他如今已離我遠去。」其他諸如此類文情並茂的註記比比皆是。在一八九一年的艾弗氏[6]藏品拍賣會上，那部超級有意思的書以一百九十元賣出；到了一八九七年，在佛德利克森[7]藏品拍賣會中，此書的成交價為六百一十五元[8]；一年前某書商開價七千五百元，我依然認為那個價碼相當便宜，試想，就算你打著燈籠，還能上哪兒去找第二本呢？

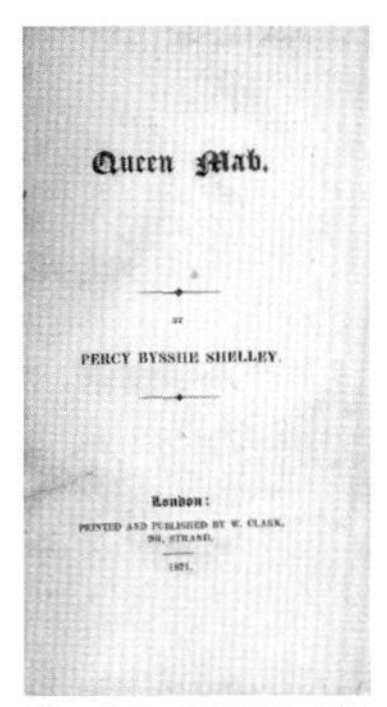

◎一八二一年W. Clark版《仙后娘娘》

◎布雷登・艾弗

我的面前現在擺著一部史蒂文生的《內河之旅》[9]，撇開他的其他小冊子（光是它們的出版手法，就算現在也十分罕見[10]）不論，這部作品可以算是史蒂文生的處女作。上頭有一則落款：「致贈我親愛的小康[11]，若非妳在我年幼時無怨無悔為我吃那麼多苦，這部小書將永遠不可能寫成。多少漫漫長夜，妳在我的病榻前徹夜守護；我僅衷心期盼以這部小書回報妳一個愉快的夜晚！不論妳對此書觀感如何，我知道妳都會對作者繼續抱持寬容的態度。」我當年付出四百元買下那部書的時候，我還以為買貴了；但是後來有人開出兩倍價碼要我賣給他，我才恍然大悟：畢竟羅森巴哈當初還是便宜了我。他常說：偶爾貴書低賣對長遠生意頗有裨益。原來他就是使出這一招，相當有技巧地引蛇出洞，小羅這個好傢伙，每回總能教人──就是我啦──乖乖上鉤。

◎《內河之旅》

My dear Cummy,
If you had not taken so much trouble with me all the years of my childhood, this little book would never have been written. Many a long night you sat up with me when I was ill. I wish I could hope, by way of return, to amuse a single evening for you with my little book! But whatever you may think of it, I know you will continue to think kindly of
The Author

■首版《內河之旅》上的史蒂文生親筆落款

My dear Cummy,

If you had not taken so much trouble with me all the years of my childhood, this little book would never have been written. Many a long night you sat up with me when I was ill. I wish I could hope, by way of return, to amuse a single evening for you with my little book! But whatever you may think of it, I know you will continue to think kindly of

The Author.

◎幼年的史蒂文生與母親合影

《童稚詩園》[12]則是過去這幾年以來，另一部價格以倍數往上三級跳的書。加伯瑞爾・威爾斯的店裡頭現在就擺著一部，那個本子裡頭有一段簡短的題辭，要價三百元，不久前他以六百元賣給我的另一個本子，書名頁上則有史蒂文生的手跡，他將落款巧妙地安插在書名頁的標題行間空白處，讀起來成了——

此乃羅勃・路易士・史蒂文生

自藏之

童稚詩園

倘若此書出現在任何

非本人的手（中），叫他分說明白！

此乃因為

作者

羅勃・路易士・史蒂文生

從未將此書當成禮物贈與任何人

不過史蒂文生後來還是變了卦，把那本書拿去送人，他臨時在

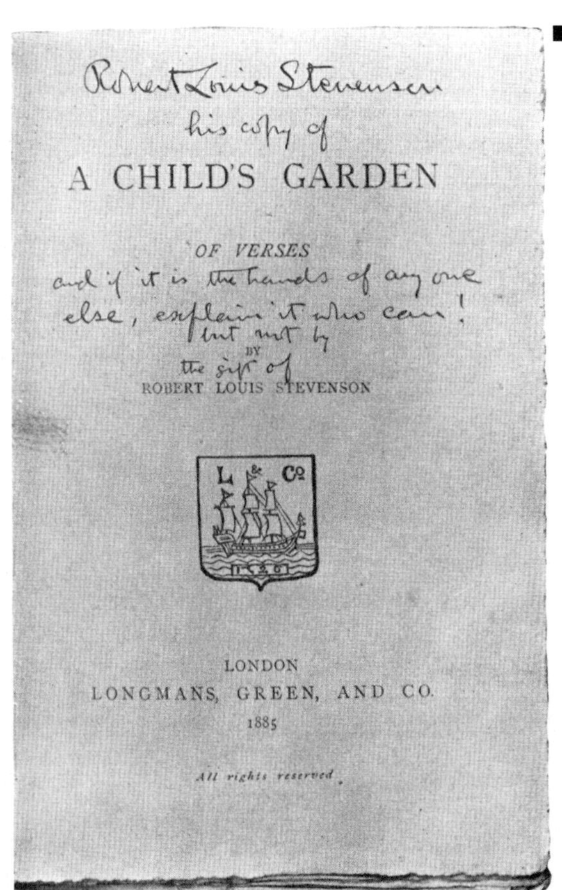

■史蒂文生《童稚詩園》獨一無二的書名頁

書末空白頁補上另一則落款：「由衷誠心謹以此書贈與E. F. 羅素（E. F. Russell）」，算是為那人洗刷嫌疑。大戰爆發後不久，我在倫敦大英紅十字會的某場募款義賣會上買到另一個本子。就算它的價值要趕上我當初的買價還得再花上一段時日，或許明兒個再來瞧那筆價錢也就覺得便宜了——誰說得準呢？

觀察首版史蒂文生著作的行情，心情很像是眼睜睜看著那些自哀鴻遍野的股市中翻身而自己卻偏偏沒來得及買到手的股票，而且還每天一點、兩點不停地往上漲；不同的是：史蒂文生的書天天都是漲停板，而且至今絲毫沒有回檔的跡象。一、兩年前，我花了五十元向蕙克買了一部《新天方夜譚》[13]，買完後過了才沒幾天，我便在報紙上讀到一部版本相同的本子在倫敦的拍賣場上以五十英鎊成交的消息*。

我不太理解史蒂文生何以能獨獨集萬千寵愛於一身，或許由於此人罕見的品格使然。咱們不妨這麼說吧——每位作者的人品性格全反映在他的作品之中。為何某位作家受到「垂青」而另一位卻乏人問津？我不明白。幾乎沒什麼人收藏史考特[14]、喬治．艾略特[15]或特洛羅普，不過特洛羅普將來一定會受到收藏家重視，假以時日，他的《貝利克洛蘭的麥克德莫氏》和《凱利氏與歐凱利氏》[16]都會值不少錢——每部少說值五百元，不，依我看，每部可值一千元；不過當你要付那筆錢之前，最好先仔細瞧瞧有否頁碼排誤，並查看前一部第三卷書名頁上的出版社地址「摩剃瑪街」(Mortimer Street)是否誤植為「摩利瑪街」(Morimer Street)。而且各位可別忘嘍，連大英博物館也沒有典藏這部作品哩（至少，就我所知）；不過你倒是可以在我的書架上瞧見一部，就在角落那兒，同此位維多利亞時代的偉大文士（同時也是我個人最喜愛的小說家）的其他所有著作擺在一塊兒。特洛羅普不偏不倚地印證了約翰生的名言：「天下無難事，只怕有心人。」[17]沒錯，特洛羅普正是如此，我們有名言為證。他為人太理性、凡事實事求是，以至於難以討人歡心；任何人讀特洛羅普的作品絕對無法像柯勒律治讀莎士比亞一般——「乍見電光石火」[18]（這個比喻有點牛頭不對馬嘴，反正你曉得我的意思）；相反地，你必須先慢慢習慣他的作品自身持續散發出來的光與熱，便能一窺維多利亞中期的各家堂奧，並進而深刻地瞭解他們，一如瞭解自己的家人，（我有時覺得）甚至還勝過瞭解自己的家人。

但是，只要有一個收藏家膽敢表現出一丁點兒對特洛羅普的興趣，就會有成千上百個藏家對他的勇氣嗤之以鼻，然後將那位二十

* 在華特．希爾最近一期目錄上，此書的訂價是三百五十元。

多年前才在太平洋中的蕞爾孤島薩摩亞上謝世的作家捧為當代偉大作家，甚至預期他未來亦可媲美查爾斯・蘭姆，享有不朽名聲。那些人的認知或許並沒有錯。他的那些戲作小冊和散葉印刷品，那些由「作者身兼印刷工／身懷絕技與高藝／隆冬中埋首不息／於那達弗斯山巔」[19]還有其他各處製作的書，無一不是無價之寶。那位身兼印工的作家便是R. L. S. [20]，而S. L. O. [21]（史蒂文生夫人的兒子，當時還是個小鬼）則從旁協助兼居中搗蛋。在所有的史蒂文生自印本之中，《小哨笛》[22]可稱得上珍本中的珍本，已知存世的本子僅不過區區兩部。一部由英國某藏家自藏；另一部則在一九一三年舉行的博登[23]藏品拍賣會中以兩千五百元賣出，得標人是威德拿夫人，她之所以買下那部書，乃是為了要盡量補齊威德拿紀念圖書館中的史蒂文生相關藏品。該書可視為私家印製的《童稚詩園》前身（《童稚詩園》的正規單行本直到多年之後才問世）。

史蒂文生那些珠玉小品（bijoux）與其他採行尋常方式出版的書籍相距甚遠；但是別忘了，後一種印行量頗大，而且出版年代也相對沒那麼久遠，在可見的未來，所有前輩作家之中，史蒂文生必定會成為行情最俏的一位。

最近這些年，市面上出現不少版本學方面的論著（要是少了那些書，藏書家可就連最起碼的整理藏書都不曉得該如何下手了）。其中尤其以葛羅里亞俱樂部[24]所編印的幾部絕佳的書目嘉惠吾輩甚多。他們有一堆手中不乏善本的會員，而且全都不吝於舉辦展覽會讓大夥兒開眼界，那些學究八成是因為無從獲准入內飽覽會員藏書，才會老是那麼趾高氣揚、目中無人。

撇開那三冊由葛羅里亞俱樂部出版、販售的《英文書版本論文彙編》（*Contributions to English Bibliography*）不談，光是他們為不定期舉辦的書展所編印的導覽手冊就非常搶手，因為裡頭全是實用的資料。俱樂部圖書室的露思・S. 葛蘭尼斯[25]小姐與其他成員通力合作，齊心用功出

■坐落於紐約市東十六街47號的葛羅里亞俱樂部新大樓

力，編出一冊接一冊目錄；他們所耗費的時間之長、鑽研之深都是筆墨難以形容的。當然咯，沒有人能夠全盤通曉連版本專家都頭疼的所有難題，不信邪的人不妨自行試編一冊最簡短的書目便可知曉。他們真該在辦公室的門楣掛一幅匾額，上頭寫著「人在做天在看」[26]。其中有些失誤還真是能叫人笑掉大牙，我只舉一個最常被傳誦的：

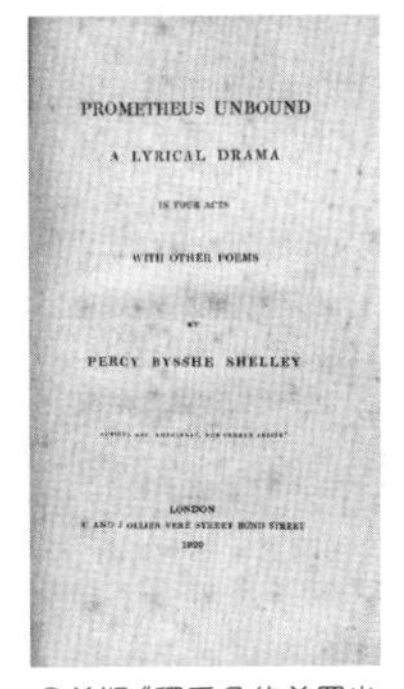
PROMETHEUS UNBOUND
A LYRICAL DRAMA
IN FOUR ACTS
WITH OTHER POEMS
BY
PERCY BYSSHE SHELLEY
LONDON
1820

◎首版《釋重負的普羅米修斯》書名頁

雪萊／普羅米修斯／未裝幀，餘略。[27]

雪萊／普羅米修斯／暗褐色摩洛哥羊皮裝幀，餘略。

話說回來，約翰生博士形容字典編纂者的一段話，正好可以用來說明絕大多數編目人員的處境——指責謾罵紛至沓來；誇讚褒獎半句休想[28]。

至於奧斯卡．王爾德持續受到眾藏家青睞也是有目共睹的，史都爾特．梅森[29]堂堂兩巨冊書目足以為證。我百分之百相信編者說的：此項編輯工程耗時十年；而羅勃．羅斯[30]（王爾德歿後的著作產權處置人）也在導言中寫道：他一拿到此書校樣，僅翻閱十分鐘便已覺得自己更進一步瞭解王爾德的作品，甚至比起王爾德本人也不遑多讓。當我頭一回翻閱那部書目，很開心地發現梅森採用奧伯瑞．比爾茲萊[31]繪製的王爾德漫畫肖像當作書前扉畫[32]。如今，那幅漫畫原作就掛在我書桌旁的牆上，旁邊還掛著一封裱了框的羅斯來函。羅斯在那封信中寫道：「以專業的眼光來看，繪者於此畫已嶄露其技法的演變，即日後《莎樂美》(*Salome*)中被稱為東洋技法的插畫風格。雖然此畫尚處於未臻圓熟的萌芽階段，然而，此乃我印象中比爾茲萊初次運用點狀虛線手法繪製的畫作。」

●比爾茲萊繪製的王爾德漫畫肖像，自原畫翻製（原載於〈奧斯卡．王爾德〉）

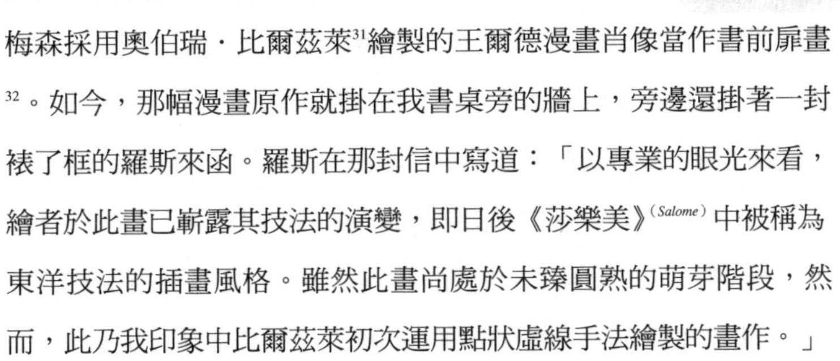

◎比爾茲萊為王爾德《莎樂美》繪製的插圖

另一部也廣受喜愛的版本書目是約翰·C. 埃克爾的狄更斯書目。喜歡狄更斯作品的人（應該沒有人不喜歡吧？）都不能不購置一部由他編製的《查爾斯·狄更斯首版書目》。此書除了可供參考之外，還能拿來充當讀物。埃克爾違逆書目原該謹守的本分，在書中幹了一件既徒勞無功又教人洩氣的勾當。他竟試圖列出他所心儀的作家的各部首版書在英、美兩國的拍賣場或書店裡可能會出現的價位。唉，白費工夫哪！當我還傻呼呼地期盼市場上出現埃克爾價格的時候，就眼睜睜地看著那些書在短短幾年之間，價格全都紛紛飆漲到連做夢也想像不到的地步。他在該書〈簽贈本〉那一章裡提及一部狄更斯親贈給達德利·寇斯特羅[33]的《荒宅》[34]：「此書於幾年前的成交價即已高達一百五十元。十八個月之後，原買主再以三百八十元將它轉售給某書商，書商隨後開出的價格高出一成，即四百一十八元脫手，轉眼間撈了一票。」聽得出來埃克爾提及那幾筆價格時大驚小怪的口吻。我的手中現在就有一個本子，當初付給人家的價碼遠比他所列出來的那幾個數目都要高出甚多。

◎分冊版《荒宅》

就舉那部有「湯瑪斯·卡萊爾[35]受查爾斯·狄更斯所贈。識於一八四二年十月十九日」落款的《美國見聞隨筆》[36]來說明，大家就明白書價揚升是怎麼回事了。一九〇二年，那個本子以其趣味盎然的內容、難能可貴的落款，在倫敦的拍賣場以四十五英鎊成交，經過書商之間輾轉幾度交易，隨後被密爾瓦基的W. E. 阿利斯（William E. Allis）買走；接著，在一九一二年的阿利斯藏書拍賣會上，喬治·D. 史密斯以一千零五十元得標，會後轉手賣給愛德溫·W. 可吉歐爾；不過故事並未就此落幕，一九一六年四月二十五日，在可吉歐爾藏書拍賣會中，達頓家族公司[37]砸下一千八百五十元重金得標；別急，還有下文呢，那部書就這麼閱人無數，最後落入某位有眼光（眼光好到可以一一叫出所有汽車零件的名字）的底特律收藏家手中。算我比較走運，當此書的價格扶搖直上的當兒，我自己早已先購入一部，而且我的本子上頭還有這麼一道落款：「得自友人查爾斯．狄更斯。W. C. 麥克雷迪[38]識於一八四二年十月十八日。」你倒說說看，我這一部又合該值多少銀子呢？

七年前，我花了九百元向查爾斯．賽斯勒買了三部狄更斯的簽贈本：題贈給湯姆．比爾德（Tom Beard）的《耶誕頌歌》、題贈給麥克雷迪的《壁爐上的蟋蟀》、和題贈給麥克利斯[39]的《喪志者》[40]。在可吉歇爾藏書拍賣會上，當某書商以一千元標下一部《耶誕頌歌》的同時，我也花了一千一百元向史密斯買到一部有「致吾兒查爾斯．狄更斯二世，摯愛你的父親查爾斯．狄更斯謹識」題辭的《鐘聲處處響》[41]。那個本子在阿利斯藏書拍賣會上的落槌價是七百七十五元，無奈我當時不知好歹，只肯拿出五百元投標。

每回只要去參加這種「巨書雲集」的盛會，我回到家時總是情緒低落頹唐、口袋消瘦乾癟。我屢屢自問：「大家究竟要把價格炒到什麼地步才會罷手？」而我的太座則更想質問我：「你到底要買到什麼時候才肯罷手？」兩個問題我都答不出來；只要市面上還能

■查爾斯．狄更斯致小查爾斯．狄更斯的題簽
Charle Dickens Junior From his affectionate father
Charles Dickens
Seventh September 1858.

■約翰・利屈為首版《耶誕頌歌》繪製的插圖，自原水彩畫翻製

找到狄更斯簽贈本；只要我的收藏仍殘缺不齊，我絕不輕言罷手。我目前的收藏量是二十一部，其實說穿了，買狄更斯的簽贈本就像養大象——一頭又高又壯的強過一整打瘦不拉嘰的；不過我老覺得我偏偏就少了最高最壯的那一頭，一心老是以為有鴻鵠將至。你要我在這兒列一份清單？我看那就免了吧，書價已經漲得夠凶的了，我犯不著在這兒火上澆油。等到所有的「鴻鵠」都逐一翩翩飛抵我的身邊，屆時再教大夥兒稱心如意不遲。

關於狄更斯，我最後再囉唆幾句：正因他的作品如此深受大眾喜愛，書價才會像高空火箭一樣一飛沖天。歲月荏苒無法令其摧折；流風更迭莫能使之朽壞。他是才情足以媲美莎士比亞的偉大創作天才；他為數百萬人帶來喜悅；他的作品在歐洲被迻譯成各國語文，據說《匹克威克外傳》的發行數量之多，在所有的英文出版品中高居第四位，排名僅次於聖經、莎士比亞劇作和英國國教祈禱書（*English Prayer-Book*）；最教人嘆為觀止的是：每當提及狄更斯，對於哪部著作才是他的最佳作品，大家依然很難取得共識。

這篇文章原本是要探討書價，我卻花了許多工大談書，反而耽誤了其他有趣的話題。大家偶爾會聽到書商鼓其三寸不爛之舌不斷強調：「你絕無可能找到比這更好的投資了。」依我看來，他之所以會採用這種說法，八成是要讓每個腋下揣著一本書回家的人，當面對眼露凶光的太座（或其他更恐怖的東西）的時候都能給個交代。其實呀，就算書商那句話多少有點道理，一旦人家打定主意要花大錢（譬如說：明明家裡頭已經擺著一大堆書、卻老想著再多買一本），給他什麼他都會買的啦。

誠然，支持我們該買珍本書的充分理由何止千百種，若是還抬出一個最沒意思的藉口，那就實在太可惜了。我可沒打算要在這兒針對此事做出任何評斷；但是我有個信念：一個人之所以要買某部書，最好也最明顯的理由便是：他覺得買了會比沒買開心。我自己就常常以此為準，捫心自問究竟該不該買，但是緊跟著會冒出另一道問題：我買得起嗎？我承認，我往往沒花太多腦筋思索第二個問題的答案；不過我會努力地將一副阮囊羞澀的模樣裝得活像一回事，免得讓書商一眼識破，進而對我予取予求。我給自己定下幾條守則，在此僅列舉其中一條：絕對不讓欠了一屁股債的書進我的書房。

「書像朋友一樣不能說換就換」（“Un livre est un ami qui ne change jamais”）；朋友之間相交一場無非就是想開心。倘若有一位仁兄每回一碰面就伸手向你借個一千、一千五的，跟這種人交朋友想必也挺煩的。現在放在

3

Dedication

To J. P. Harley Esqre

My Dear Sir.

My dramatic bantlings are no sooner born, than you father them. You have made my strange gentleman exclusively your own; you have adopted Martin Stokes with equal readiness, and you still profess your willingness to do the same kind office for all future scions of the same stock, no matter how numerous they may be or how quickly they may follow in succession.

I dedicate to you, the first play I ever published; and you made for me, the first play I ever wrote. The balance is in your favor, and I am afraid it will remain so.

That you may long contribute to the amusement of the Public, and long be spared to shed a lustre, by the honor and integrity of your private life, on the profession which for many years you have done so much to uphold, is the sincere and earnest wish of

My Dear Sir

Yours most Faithfully

Boz.

December 1836.

■查爾斯·狄更斯《風騷村姑》[42]上的親筆獻呈題簽
翻製自可吉歐爾舊藏手稿

Dedication To / J. P. Harley Esq. / My Dear Sir. My dramatic bantlings are no sooner born, than you father them. You have made my strange gentleman exclusively your own; you have adopted Martin Stokes with equal readiness; and you still profess your willingness to do the same kind office for all future scions of the same stock, no matter how numerous they may be, or how quickly they may follow in succession. / I dedicate to you, the first play I ever published; and you made for me, the first play I ever wrote. The balance is in your favour, and I am afraid it will remain so.（餘略）December 1836.

我辦公室書架上頭的書，只有一部分是我的，另外一部分目前算是和別人共有的財產，我暗地希望其中幾部不久後都會全歸給我（話說回來，對方八成也打同樣的如意算盤）；不過，我現在寫文章的屋子裡的書倒全部是我自個兒的，每一部都是。

《噴趣》[43]曾經對即將步向紅毯另一端的新人提供一個良心建議——「回頭是岸」。若推而廣之，對那些基於有利可圖才去買書的人，這個建議也同樣適用；但我看到那些待嫁等娶的人還不是照樣大肆張羅喜事，壓根沒有幾個人肯虛心遵從這句簡短的醜話，忠言一向逆耳。只有入土為安的人才有資格對別人提鄭重建議——好幾噸重、沉甸甸的花崗岩往胸口一壓，這時候提出來的建議怎麼可能不「鄭重」呢，你說是不？（不過真到了那步田地，他反倒連半個建議也蹦不出來了。）但是大家可千萬別誤解，儘管許多藏書家的確曾因賣了幾部書而賺進大把鈔票，我仍然不建議各位將珍本書當成投資工具。一個不曉得如何聰明理財的人（就算他不買珍本），勢必也無法判斷何時才是脫手賺現的好時機，何況他也沒有必要那麼做。他該先學會品嚐、享用眼前的糕點再說；光是挑選（不論眼界高低）書本這件事兒，就已經夠教人心滿意足了，你說，還有哪種嗜好能像藏書這麼穩當可靠呢？

◎《噴趣》雜誌

擁有珍本書的快意充實，書主本人最清楚，但如果有人問起內容，那他們可就一問三不知了。文明人自然能心領神會，粗魯人反正也毫不在乎。學者已經老看藏書家不順眼了；我可不想再讓他們認為：咱們不僅對書本無知，還在書本上頭幹盡投機勾當。還不如讓他們記得我們畢竟不是百無一用。

之所以讓不識字的白丁看管書籍，
其道理正如由太監照料後宮佳麗。[44]

我們乾脆一併坦白招認：花錢買那麼昂貴的書，說穿了壓根就

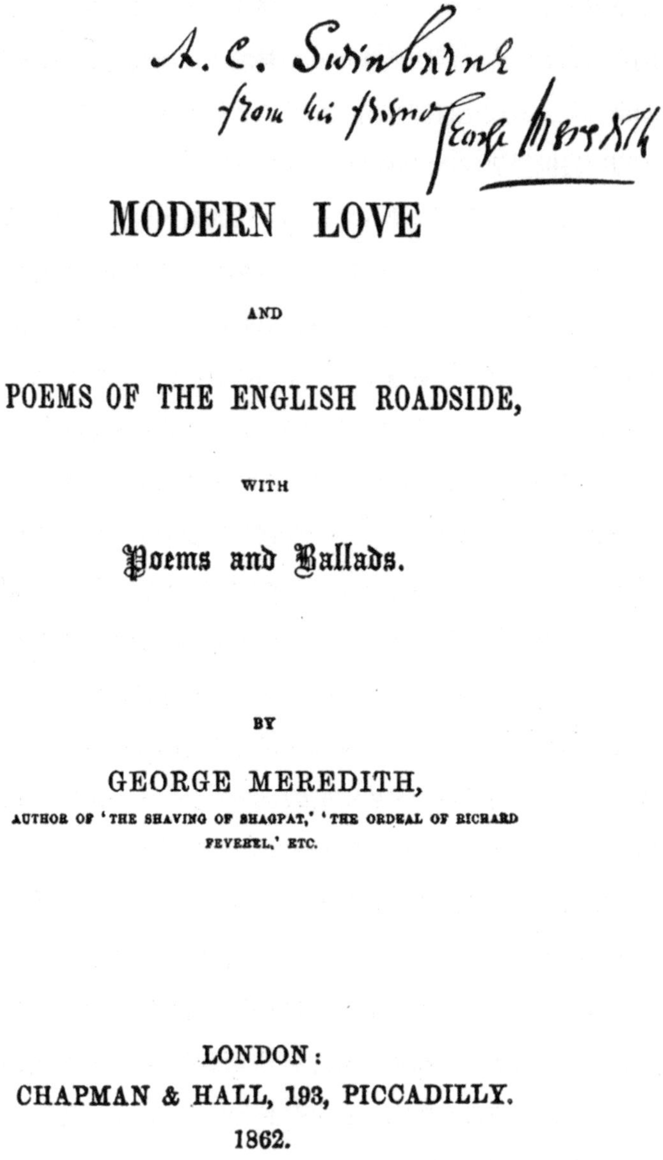

A. C. Swinburne
from his friend George Meredith

MODERN LOVE

AND

POEMS OF THE ENGLISH ROADSIDE,

WITH

Poems and Ballads.

BY

GEORGE MEREDITH,

AUTHOR OF 'THE SHAVING OF SHAGPAT,' 'THE ORDEAL OF RICHARD FEVEREL,' ETC.

LONDON:
CHAPMAN & HALL, 193, PICCADILLY.
1862.

■梅若迪斯[45]在《現代愛》書名頁上題贈給史溫朋的落款
A. C. Swinburne from his friend George Meredith

不是要拿來讀的。不妨這麼說吧，我們只消稍稍翻開書頁，讓一首題為〈初讀查普曼註荷馬有感〉[46]的十四行詩映入眼簾；或是瞥見一段活靈活現的「話說這日近午時分，魯賓遜於沙地上赫然發現人類赤足掌印數枚……」，光是這樣就已足夠令我們無比開懷。話說回來，假使哪天我們想坐下來好好地讀讀濟慈的詩，自然就不會要求非讀首版書不可；我們也絕對不會只為了緬懷童年時光，拿出市值一千元的本子來摩挲。但是，若能擁有一部一八一七年出版、紙板簡裝、或許還附著白紙簽條的首版濟慈詩集；或未經清洗、舊小牛皮結實裝幀的《魯賓遜漂流記》，畢竟也不是什麼壞事。這些書不管什麼時候都能帶來源源不絕的喜悅，而且永遠都不會過時消失。我實在搞不懂，比起持有其他任何一種值錢產業，坐擁珍本書有哪一點更值得遭人非議？

當有人提及要以書籍當成投資項目，其所指不外乎首版書。首版書之罕見難尋自然不在話下；但是，第十版的書不是更罕見嗎（查爾斯．蘭姆就曾苦苦哀求出版商印行第十版遭拒）？為什麼就沒見過有人蒐求？既然如此，那麼，獨厚首版書的原因究竟何在呢？大家面對這些質問往往支吾其詞；但真相卻反而因此昭然若揭。其樂趣說穿了無非就是佔有的心態，說那痴傻也好，罵這自私也罷，但它的的確確是不折不扣的喜悅，其樂趣近似擁有田產，似乎也沒有什麼好向外界辯解的。我們自然不會成天在自己的土地上東逛西走；反而經常連看也不看一眼；就算我們心血來潮，真晃到了那兒散個步，我們也不會老惦記著整地、產權歸屬等事宜。我們之所以能夠滿心歡喜地瀏覽擺放在書房角落的珍貴書籍，其道理正與此相似，原因亦十分雷同。買書就該像買衣服一樣，不只要求能夠遮羞蔽體，也希望可以妝點門面（話雖這麼說，我們最好還是盡量多買幾本書，衣服則能少買就少買）。

聽說：以人口數量和財富的比例來看，國人現在用來購置書籍的開銷比起五十年前更低。我想這和休閒運動越來越風行不無若干程度的因果關係，書籍的地位如今已被小白球取代。我自己並不打高爾夫球，但是我有個兒子常打，所以我曉得那是一項既耗時又費錢的運動。如果我能回到他那年紀，或許我也會認為自己有本錢打得起高爾夫。我的運動就是淘書，我甚至將它視為競賽——一項講究技術、需要花些錢、也得靠點運氣的競賽。其樂趣來自：親眼目睹某冊目錄上登出與自己已擁有的某部藏書版本相同的品目，上頭的標價卻比自己當初的買價足足高出兩、三倍——一種證實自己「眼光果然精確獨到」的樂趣。但是我並不因此就急著投入市場，將書籍脫手獲利。要是連書都沒了，我還有什麼利頭可言？況且，一個人若只顧計較實際利頭而忽略書籍本身的無形價值，他所能獲得的樂趣可就要大打折扣了。我花一千元買來的書，在我的手中已不再停留在那一千元的價格，而是包含高出甚多的附加價值。一個工於精打細算的人，能夠精準地算出隨著時間流逝，每本書一分一毫的價格消長。那種本事我學不來也根本不想學。

另外還有一種藏書家也令我難以苟同，他們專挑自己喜歡的某些作家的處女作下手。那種書通常都不是什麼好作品，但是因為數量稀少，價格自然也就十分高昂：數量少的原因是原本印量就少，初期也因不受重視而存留不多；價格高則是因為現在有不少人想找來配齊全套的首版藏書。安東尼・特洛羅普的頭兩部小說，現在的價格行情比起他的其他所有著作全部加在一起都要來得更高——但是那兩部小說皆不堪卒讀。類似的情形也發生在哈代那部感情澎湃的小說《孤注一擲》上，即使那是哈代初試啼聲寫出來的小說，但是價格居然比他的另一部《林中客》[47]（堪稱過去半世紀以來最好的五十部小說之一）高出五十倍。至於喬治・吉辛[48]，當他身無分文、衣衫襤褸地在咱們街頭上遊魂兒似的晃來晃去的時候，一定無法想像幾年後他的小說處女作《黎明工人》[49]居然能賣到一百五十美元！這可是千真萬確的事，我有一位朋友付的正是這個價碼。

◎喬治．吉辛

我在此要宣布一件事：我長年以來遍尋無著一部十分重要的作品——山繆爾．巴特勒[50]的首版《肉身之道》[51]。膽敢拍胸脯保證「本店貨色齊備」的書商們，請務必幫我留意一下。

我也認為沒有必要煞費周章蒐集任何（即使是我個人推崇有加的）作家的所有斷簡殘編、陋文稚作。我手上的約翰生藏品堪稱相當齊全，但是我就沒有羅伯神父原著的《阿比西尼亞》[52]，那是博士早年的平庸譯作（約翰生因翻譯那部法文書而拿到五英鎊稿費）。此書並不難找；只是難得有人想讀。無疑地，約翰生心裡頭一定老惦記著那部書，以致當他多年後萌生寫「小說」的念頭時，才會頭一篇就寫出了《阿比西尼亞王子》[53]（在《克蘭福》[54]裡頭的老太太們皆親暱地稱呼此書為《拉瑟拉斯》）；我從沒想過，擁有一部羅伯的《阿比西尼亞》能讓我多麼開心。不過話說回來，我倒是「貯藏」了為數可觀的《拉瑟拉斯》，足以應付各式各樣的合理需求。藏書家自打嘴巴，莫此為甚。

To Mrs Percy
from the author
Sam: Johnson.

■約翰生博士在一部《拉瑟拉斯》上的題贈辭
To Mrs Percy from the author Sam: Johnson

我印象中就只有單單那麼一回，我為了有利可圖而千該萬死地買了一部我並不特別想要的書——那是一部我無意中發現的伍卓．威爾遜[55]的《合眾國的立憲政體》[56]，書上有作者以連寫體寫成的一大段龍飛鳳舞落款。即便如此，我還是認為當初倒不全然出於貪念，而是一時糊塗，相信我只要花幾百塊錢買下來，等到自己哪天「駕鶴西歸」，那部書將可升值到數千元之譜。一九〇九年時（即那段落款寫就當時）作者還是一介無足輕重的人物——如今他的大名已是全世界家喻戶曉，而且動見觀瞻，無人能及。

凡是談論書價的文章，要是沒提到書品的無上關鍵地位，就算不上功德圓滿。任何一部珍本若能保持非常完好的書況，其價格勢

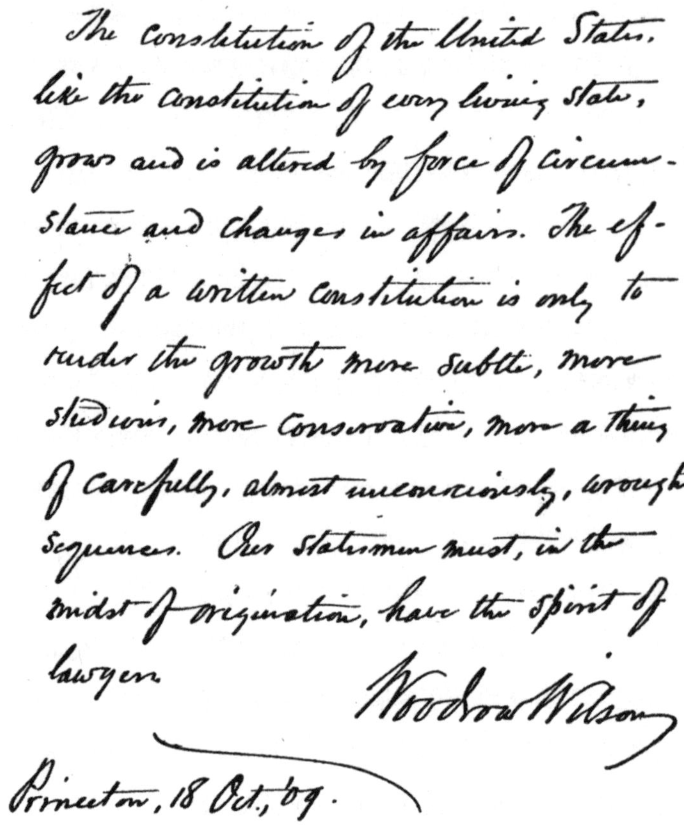

The Constitution of the United States,
like the constitution of every living state,
grows and is altered by force of circum-
stance and changes in affairs. The ef-
fect of a written constitution is only to
render the growth more subtle, more
studious, more conservative, more a thing
of carefully, almost unconsciously, wrought
sequences. Our statesmen must, in the
midst of origination, have the spirit of
lawyers.

Woodrow Wilson

Princeton, 18 Oct., 09.

■伍卓．威爾遜在《合眾國的立憲政體》上的落款

必能更上一層樓。稍微想像一下：一部品相尚可的《威克菲爾德牧師》，值……嗯，就當它值六百元好了，再設想另一部版本相同的本子，但是紙板簡裝、書口未裁（這可就真的只能憑空想像了）。你說，後頭這一部如果開價兩千五，難道你還嫌貴嗎？不會吧。

還有另一個須謹記在心的要點：左右一部書價格高低的因素並不能光看它的稀有程度，也得考量市場上對它的需求度而定。再拿《威克菲爾德牧師》當例子來說明：《威克菲爾德牧師》並不是一部多罕見的書，依每個本子的書品良窳不一，行情大約介於六百到八百元之間不等，一個人每星期大概總能碰上個十來回不成問題。

若用書商們的行話，這種書就叫做「麵包塗奶油」（bread-and-butter）——即日常基本必需品是也，隨時都會有人想買，隨時也都有得買；但要是你想買一部芬妮．伯尼的《艾芙琳娜》，總是非得等個一年半載不成，該書是一位名不見經傳的年輕女士的處女作；加上首版的印量極少，而且用紙極為粗劣，只要來回多翻個幾回（由於內容相當討喜，教人欲罷不能），整本書就稀巴爛了；不過由於那部書並不像《威克菲爾德牧師》那麼搶手，所以價格也只及它的一半。

我自己回頭再看一遍這篇探討珍本書價的文章，我心裡明白，或許有人會覺得我若無其事的語氣，是為了給自己吹口哨壯膽，好讓我一想起平日買書付出那麼多錢的時候，還能保持神色自若。但是只要國人同胞罔顧這一記「暮鼓晨鐘」，依舊充耳不聞——果真如此的話，那可就成了另一個值得加以探討的課題，屆時可別怪我再寫另一篇文章來大加撻伐——那些真正偉大書籍的價格則依舊會繼續不斷節節攀揚、飆升。有道是：「著述多，無窮盡」[57]，而人們願意為書本付出的價碼也同樣沒有止境。

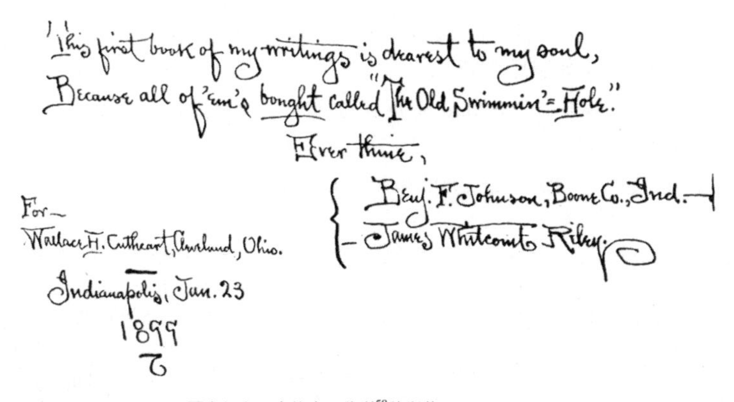
This first book of my writings is dearest to my soul,
Because all of 'em's bought called "The Old Swimmin'-Hole."
Ever thine,
Benj. F. Johnson, Boone Co., Ind. —
— James Whitcomb Riley
For —
Wallace H. Cathcart, Cleveland, Ohio.
Indianapolis, Jan. 23
1899

■詹姆斯．惠特肯．萊利[58]的題簽
This first book of my writings is dearest to my soul / Because all of 'em's bought called "The Old Swimmin'-Hole." / Ever thine, / Benj. F. Johnson, Boone Co., Ind. - - James Whitcomb Riley / For Wallace H. Cathcart, Cleveland, Ohio. / Indianapolis, Jan. 23 1899.

【譯註】

1 詹姆士・伍爾夫（James Wolfe, 1727-1759）：英國軍官。由於在蘇格蘭戰功彪炳（一七四五年至一七四六年率兵討伐詹姆士黨人），伍爾夫於一七五八年被派往加拿大參加「七年戰爭」（Franch and Indian Wars, 1756-1763），並於一七五八年成功從法軍手中奪下路易斯堡（Louisburg），成為民族英雄；繼而在攻打魁北克時敗陣，伍爾夫率領一支五千人的部隊，漏夜乘船南下，與法軍在阿拉巴馬平原對戰（一七五九年九月十三日），英軍雖然獲勝，但伍爾夫負傷死亡。薩克雷的《維吉尼亞人》（*The Virginians*, 1858）中對伍爾夫有極生動的描寫。

◎Benjamin West（1738-1820）描繪一七五九年伍爾夫戰死於魁北克

2 "The boast of heraldry, the pomp of pow'r, / And all that beauty, all that wealth, e'er gave / Await alike the inevitable. / The paths of glory lead but to the grave, ..."：語出葛雷《輓歌》第九段。

3 《仙后娘娘》（*Queen Mab*）：雪萊早期詩作合集。雪萊寫於十八歲，一八一三年自行印製出版。該部《仙后娘娘》上有詩人親筆眉批，後來經數度易手，包括佛曼（參見本卷Ⅲ譯註124）、可恩（參見第三卷Ⅱ譯註43），最後被福澤默（參見第三卷Ⅱ譯註53）。現藏紐約公共圖書館「福澤默特藏室」。

◎雪萊在自藏本《仙后娘娘》上的修改手跡

4 愛德華・道登（Edward Dowden, 1843-1913）：愛爾蘭裔英國評論家、文學傳記作者。主要成就在莎士比亞研究；兼治騷堤、白朗寧、蒙田等家。一八八〇年代，道登受珍・雪萊夫人（瑪麗與培西獨生子之妻）所託，纂修一部「正式的」（"official"）雪萊傳記以誌詩人行誼，成書即為兩卷本《雪萊傳》（*Life of Percy Bysshe Shelley*, London: Kegan Paul, Trench & Co, 1886）。

5 瑪麗・伍爾史東克來夫特・戈德溫（Mary Wollstonecraft Godwin, 1797-1851）：英國作家。後適雪萊為妻，即瑪麗・雪萊。

6 布雷登・艾弗（Brayton Ives, 1840-1914）：美國軍官、藏書家。此處提及的拍賣會於一八九一年三月五日由美國藝術協會舉行。

◎十九歲時的瑪麗，Richard Rothwell繪（約1840）

7 查爾斯・W.佛德利克森（Charles W. Fredrickson, 1823-1897）：十九世紀美國藏書家。此處提及的拍賣會於一八九七年五月二十四日、二十八日由班氏公司舉行。

8 該部《仙后娘娘》於佛德利克森拍賣會上被哈利・B. 史密斯買走，後來賣給威廉・畢克斯比，最後被亨利・E. 杭廷頓收購。

9 《內河之旅》（*An Inland Voyage*）：史蒂文生的遊記作品。記錄他獨自遊歷比利時、法國的所見所聞。本書被公認為史蒂文生首部正式出版的書。一八七八年倫敦C.基根・保羅出版公司（C. Kegan Paul & Co.）出版。

◎艾莉森・康寧漢晚年肖像

10 史蒂文生羈留瑞士期間曾自行刷印自己的著作，《內河之旅》為其中之一。

11 艾莉森・康寧漢（Alison Cunningham）：史蒂文生幼年時期的看護。史蒂文生自幼即飽受肺疾所苦，家人在他十八個月大時聘雇康寧漢專職照顧，史蒂文生家族均以Cummy或Cummie暱稱她。史蒂文生後來展現豐沛的創作力和康寧漢在他病榻前說過許多故事不無關係。《童稚詩園》中有專詩歌詠她。

12 《童稚詩園》（*A Child's Garden of Verse*）：史蒂文生的詩作。與《林樹下》（*Underwoods*）

並稱為史蒂文生最主要的詩作。

13《新天方夜譚》(*The New Arabian Nights*):史蒂文生的故事集。一八八二年倫敦出版。

14 華特・史考特(Walter Scott, 1771-1832):蘇格蘭裔英國小說家、詩人。

15 喬治・艾略特(George Eliot, 1819-1880):十九世紀英國小說家。原名Mary Ann Evans。

◎特洛羅普,Lock and Whitfield攝(1876-78)

16《貝利克洛蘭的麥克德莫氏》(*The Macdermots of Ballycloran*)、《凱利氏與歐凱利氏》(*The Kellys and O'Kellys*):特洛羅普最早的小說。分別於一八四七年、一八四八年出版。

17 原文是「一個人只要專心致志,隨時都能寫出文章。」(“A man may write at any time if he will set himself doggedly at it”)。語出鮑斯威爾引用約翰生的話來誇獎約翰生連續兩年執筆撰寫「漫遊者」(The Rambler,自一七五〇年三月二十日至一七五二年三月十七日,每週發表兩期)專欄從未間斷。見《約翰生傳》(一七五〇年三月段)。

18 典出柯勒律治為文盛讚舞台演員Edmund Kean(1787-1833)詮釋莎士比亞劇中角色甚為傳神:「觀其表演宛若乍見莎翁文句電光石火般歷歷再現。」(“To see Kean act is like reading Shakespeare by flashes of lightning.”)

19 語出史蒂文生詩集《道德指標》(*Moral Emblems and Other Poems*)第一部“Not I, and Other Poems”第四首〈在此呈上此小冊〉(The pamphlet here presented...)第二段:“The author and the printer, / With various kinds of skill, / Concocted it in Winter / At Davos on the Hill.”一八八一年至一八八二年史蒂文生在瑞士達弗斯(Davos)為繼子洛伊德・奧斯本(當時十二歲)創作一系列童詩,除了自行印製之外,史蒂文生並親自創作書中的木刻版畫插圖。

◎美國復刻版《道德指標》(New York: Charles Scribner's Sons, 1921)

20 即羅勃・路易士・史蒂文生。

21 即山繆・洛伊德・奧斯本(Samuel Lloyd Osbourne, 1868-1947):史蒂文生的繼子。法蘭西斯・瑪褅爾達・奧斯本(Frances Matilda Osbourne, 1840-1914)一八八〇年嫁給史蒂文生時,帶著與前夫所生的兩個幼子(一女一男):伊索貝爾・史都華・奧斯本(參見本卷Ⅴ譯註21)和山繆・洛伊德・奧斯本。

◎初識史蒂文生時的芬妮・奧斯本(1876)

22《小哨笛》(*Penny Whistles, or Rex Whistler*):罕見的史蒂文生早期詩作。

23 馬修・C. D. 博登(Matthew Chaloner Durfee Borden, 1842-1912):美國棉紡大亨、收藏家。博登藏書拍賣會於一九一三年二月由美國藝術協會舉辦。

24 葛羅里亞俱樂部(Grolier Club):設籍於紐約市的藏書同好社團。一八八四年二月二十三日晚上,羅勃・郝邀集其他八位愛書同好商議創立一個振興、推廣書籍藝術的社團,其宗旨為:“the literary study and promotion of the arts pertaining to the production of books, including the occasional publication of books designed to illustrate, promote and encourage those arts; and the acquisition, furnishing and maintenance of a suitable club building for the safekeeping of its property, wherein meetings, lectures and exhibitions shall take place from time to time, likewise designed to illustrate, promote and encourage those arts ....”。

◎葛羅里亞俱樂部專用藏書票

25 露思．S. 葛蘭尼斯（Ruth Shepard Granniss, 1872-1954）：美國版本學家。一九〇六年至一九四四年擔任葛羅里亞俱樂部藏書室館長。

26 原文是「報應必將來到」（“Be sure your sin will find you out.”）：語出聖經〈舊約．民數記〉（Numbers）第三十二章第23節：「若你們不這樣行、就得罪耶和華、要知道你們的罪必追上你們。」（“But if you will not do so, behold, you have sinned against the Lord, and be sure your sin will find you out”）

◎瑟汶恩於雪萊歿後繪製的「雪萊寫《釋重負的普羅米修斯》」

27 其實《釋重負的普羅米修斯》（*Prometheus Unbound*, 1820）是雪萊四幕詩劇的書名。編目者誤將“unbound”當成版本說明，寫成：「普羅米修斯／未裝幀」（Prometheus—unbound）。後一筆書目則可能指瑪麗．雪萊的《科學怪人》（*Frankenstein, or, the Modern Prometheus*, 1818）。

28 “to be exposed to censure without hope of praise.”：語出約翰生《英文詞典》前言。該段原文為：“It is the fate of those who toil at the lower employments of life, to be rather driven by the fear of evil, than attracted by the prospect of good; to be exposed to censure, without hope of praise; to be disgraced by miscarriage, or punished for neglect, where success would have been without applause, and diligence without reward. / Among these unhappy mortals is the writer of dictionaries; whom mankind have considered, not as the pupil, but the slave of science, the pioneer of literature, doomed only to remove rubbish and clear obstructions from the paths of Learning and Genius, who press forward to conquest and glory, without bestowing a smile on the humble drudge that facilitates their progress. Every other author may aspire to praise; the lexicographer can only hope to escape reproach, and even this negative recompence has been yet granted to very few.”

29 史都爾特．梅森（Stuart Mason）：即英國古書商兼版本學家克里斯多佛．史克雷特．米拉（Christopher Sclater Millard, 1872-1927）。他曾以此化名編製《奧斯卡．王爾德著作書目》（*Bibliography of Oscar Wilde*），一九〇七年倫敦E. G. Richards出版，後世多次再版。

30 羅勃．羅斯（Robert Baldwin Ross, 1869-1918）：英國作家、藝術鑒賞家。原籍加拿大，幼年即隨家人移居英國；年輕時擔任記者。羅斯與王爾德結識於一八八六年，當時王爾德甫自美風光返國，據稱羅斯是王爾德的第一位同性戀人。王爾德因風化案入獄後，羅斯一度出國避風頭，後來仍返英繼續支持、挹注王爾德。他後來除了擔任王爾德遺作處分人，並於一九〇八年編出極具權威的王爾德作品集。

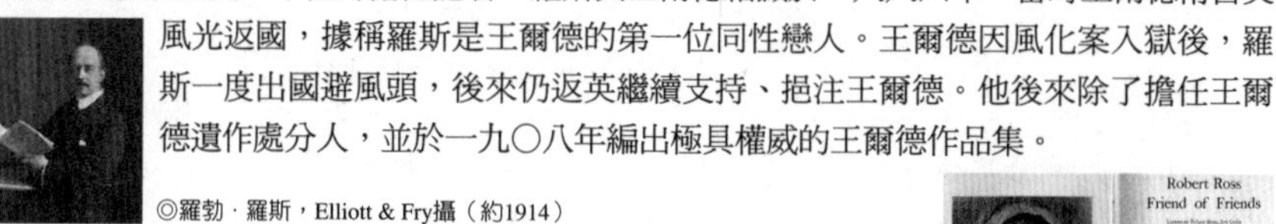

◎羅勃．羅斯，Elliott & Fry攝（約1914）

31 奧伯瑞．比爾茲萊（Aubrey Vincent Beardsley, 1872-1898）：十九世紀英國插畫家。

32 書前扉畫（frontispiece）：與書名頁相對的單幅插圖，通常是作者肖像或最重要的一幀插圖。

◎Margery Ross編《羅勃．羅斯尺牘集》（*Friend of Friends. Letters to Robert Ross, Art Critic and Writer, together with extracts from his published articles*, London: Jonathan Cape, 1952）

33 達德利．寇斯特羅（Dudley Costello, 1803-1865）：十九世紀愛爾蘭裔英國記者、作家。年輕時投身軍旅，曾在印度、加拿大、西印度群島等地服役。因對文藝的喜愛猶勝征戰便於一八二八年退伍，轉往巴黎，期間曾受雇在皇家圖書館（Bibliothéque Royale）臨摹抄本上的圖畫。一八三八年起，寇斯特羅擔任《先鋒早報》（*Morning Herald*）的特派員；一八四六年起擔任《每日新聞》（*Daily News*）的特派員；生前最後二十年擔任《考察報》（*Examiner*）的副主編。他的著作有：遊記《謬斯河谷行紀行》（*A Tour through the Valley of the Meuse*, 1845）、《皮德蒙與義大利記遊》(*Piedmont and Italy, from the Alps to the Tiber*, 1859-1861)、小說《簾幕故事集》(*Stories from a Screen*, 1855)、《百萬富翁》(*The Millionaire*, 1858)、《三心二意淑女難逑》(*Faint Heart Never Won Fair Lady*, 1859)、《閒謐妖精間》(*Holidays with Hobgoblins*, 1860)等。

34《荒宅》(*Bleak House*):狄更斯一八五三年的小說。此書是狄更斯最長也最繁複的作品,亦是首部出現偵探角色的英文小說。

35 湯瑪斯・卡萊爾(Thomas Carlyle, 1795-1881):十九世紀英國作家。

36《美國見聞隨筆》(*American Notes*):狄更斯的遊記作品。一八四二年倫敦查普曼與霍爾(Chapman and Hall)印行兩卷本初版。因內容詆譭美國(揭發政府腐化、獄政敗壞、資本社會的缺德等情事)甚多,在美國國內頗受爭議。

37 達頓家族公司(E .P. Dutton & Co.):美國出版公司。Edward Payson Dutton(1831-1923)於一八五二年創立。

38 即威廉・查爾斯・麥克雷迪(參見本卷Ⅱ譯註33)。

39 丹尼爾・麥克利斯(Daniel Maclise, 1806-1870):英國(兼具蘇格蘭與愛爾蘭血統)畫家。就讀倫敦皇家學院,一八六六年學院欲聘他擔任校長但被他拒絕。雖然他在輩分上比「前拉斐爾派」畫家稍早了一些,但在創作活動上頗有交集。他曾為莫克松版的丁尼生詩集(一八五七年)繪製精美的插圖。

40《喪志者與魔鬼的協議》(*Haunted Man and Ghost's Bargain*):狄更斯五部聖誕小說的最後一部。一八四七年出版。

41《鐘聲處處響》(*The Chimes*):狄更斯的聖誕小說之一。一八四四年出版。

42《風騷村姑》(*The Village Coquettes*):狄更斯的兩幕喜劇。一八三六年十二月六日在聖詹姆士劇院(St. James Theatre)首演、同年出版。John Hullah作曲。主要演員John Pritt Harley則因演出此劇與狄更斯成為多年好友。

43《噴趣》(*Punch, or the London Caarivari*):英國幽默諷刺畫刊。一八四一年創刊、一九九二年停刊。曾有其他人譯成《笨拙》或《笨趣》,鑒於此刊內容以辛辣刁鑽、一針見血著稱(拙、趣容或有之,笨則絲毫不然),既有喬志高先生將“pun”譯為「噴」的睿智前例(詳見九歌版《言猶在耳》中〈海外「噴」飯錄〉一文),我亦援高先生高見譯成《噴趣》。

44 “Unlearned men of books assume the care, / As eunuchs are the guardians of the fair.”:語出愛德華・楊(Edward Young, 1683 - 1765)詩作〈大愛〉(“Love of Fame”),收錄在九卷本《夜思錄》(*The Complaint, or Night Thoughts on Life, Death, and Immortality*, 1742-1745)。

45 喬治・梅若迪斯(George Meredith, 1828-1909):英國小說家、詩人。《現代愛》(*Modern Love*, 1862)為五十首敘事系列詩(每首十六行)的合集,描述一樁原本因熱戀結合後來卻逐步毀於雙方爭吵、嫉妒、怨懟的悲慘姻緣。

46〈初讀查普曼註荷馬有感〉(On First Looking into Chapman's Homer):濟慈的十四行詩。原刊登於一八一六年十二月號的《考察報》,後收錄在《濟慈詩集》,一八一七年出版。

◎喬治・梅若迪斯,Max Beerbohm繪(1896)

47《林中客》(*Woodlanders*):哈代的(第十一部)小說。一八八七年出版。

48 喬治・吉辛（George Robert Gissing, 1857-1903）：十九世紀英國作家。

◎四十四歲時的喬治・吉辛，Elliott & Fry攝

49《黎明工人》（*Workers in the Dawn*）：喬治・吉辛的小說。一八八〇年倫敦Remington出版。

50 山繆・巴特勒（Samuel Butler, 1835-1902）：十九世紀英國作家、畫家、音樂家。一八五九年至一八六四年赴紐西蘭經營牧場，返國後寫出諷刺小說《埃瑞宏》（*Erewhon*, 1872，「烏有鄉」的倒寫）。

◎山繆・巴特勒，Charles Gogin繪（1896）

51《肉身之道》（*The Way of All Flesh*）：山繆・巴特勒的自傳小說。一九〇三年歿後以匿名出版。紐頓曾將此作列入他的「小說佳作百選」之一（中譯本由陳蒼多譯，台灣商務出版）。另，紐頓後來終於如願購得此書首版。

52《阿比西尼亞之旅》（*A Voyage to Abyssinia*）：法國耶穌會教士（Jesuit）傑洛姆・羅伯（Jerome Lobo, 1595-1678）神父著。英文版由約翰生翻譯，一七三五年出版。另，紐頓後來違背他諄諄告誡讀者的原則，還是買了此書的倫敦首版。果真藏書家自打嘴巴，莫此為甚。

53《阿比西尼亞王子拉瑟拉斯正傳》（*The History of Rasselas, Prince of Abyssinia*）：約翰生的教化傳奇故事。一七五九年出版。後世簡稱此書為《拉瑟拉斯》（*Rasselas*）。印象中沒有台灣譯本，倒是讀過簡體字版《拉塞拉斯：一個阿比西尼亞王子的故事》（王增澄譯，二〇〇〇年瀋陽市遼寧教育出版社）。

54《克蘭福》（*Cranford*）：英國小說家、傳記作家蓋思可夫人（Elizabeth Cleghorn Gaskell, 1810-1865）的鄉野筆記。藉幾位老小姐之口評議時事、臧否文藝，語法體例類似《儒林外史》。一八五一年至一八五三年在《居家閒語》（*Household Words*）連載，單行本於一八五三年問世。

55 伍卓・威爾遜（Thomas Woodrow Wilson, 1856-1924）：美國第二十八屆總統（1913-1921）。威爾遜自一九〇二年起至一九一〇年擔任普林斯頓大學校長。紐頓寫這篇文章的時候，威爾遜已晉身總統。

◎《克蘭福》（Boston: L.C. Page, 1898）

56《合眾國的立憲政體》（*Costitutional Government in the United States*）：威爾遜的政論文集。一九〇八年紐約出版。

57「著述多，無窮盡」（“Of making of many books there is no end.”）：《舊約聖經》〈傳道書〉（Ecclesiastes）第十二章第十二節：「我兒，還有一層，你當受勸戒：著書多，沒有窮盡；讀書多，身體疲倦。」（“And further, by these, my son, be admonished: of making many books there is no end; and much study is a weariness of the flesh.”）。

58 詹姆斯・惠特肯・萊利（James Whitcomb Riley, 1849-1916）：美國詩人。一八七七年至一八八五年任職於《印地安納波利斯日報》（*Indianapolis Journal*），期間為該報撰寫不少詩作奠定其名聲。附圖所示的簽贈落款乃萊利寫在他的處女作《老水坑》（*“The Old Swimmin'-Hole” and 'Leven More Poems*, 1883，以筆名Benj. F. Johnson, of Boone發表）的前襯頁上（送給俄亥俄州克利夫蘭的Wallace H. Cathcart）。

V　一語成讖永難忘

生於費城、長於費城、終其一生蟄居費城，但名聲卻遠播倫敦、紐約兩地；身為財主[1]的長子、富可敵國的富豪[2]之膝下長孫，然而個性竟出奇地沉靜溫良、謙和恭讓；剛跨出大學校門不過才短短數年光景，即在普遍被認定為年長者的地盤上叱咤闖蕩；生前雖鮮為人知，歿後卻將永垂不朽——這便是哈利．愛爾金．威德拿一生的簡短寫照。

人性之中有個頗為奇妙的特性：某位我們所熟識的人亡故，比起成千上百名完全陌生的人喪生，對我們造成的影響更鉅。或許，正因為如此，即使這年頭報紙上天天刊登歐洲被戰火蹂躪，無數歐洲百姓刻正遭逢苦難、飽受煎熬，隔天我總能將那些新聞忘得一乾二淨，處之泰然繼續過自己的日子，直到一則簡短的報導見諸報端——全球噸位最龐大、設備最先進、航行速度最快的「鐵達尼號」，於進行處女首航途中，撞擊海中的冰山，船上的旅客、工作人員凶多吉少——（最早傳回來的消息就此戛然而止）才讓我心頭為之一驚。

EXTRA!　THE ONION　EXTRA!

WORLD'S LARGEST METAPHOR HITS ICE-BERG

TITANIC, REPRESENTATION OF MAN'S HUBRIS, SINKS IN NORTH ATLANTIC

1,500 DEAD IN SYMBOLIC TRAGEDY

TELEGRAPHIC NEWS DISPATCHES ON THE TITANIC TRAGEDY

SPANIARDS RULED OUT AS SUSPECTS IN ICE-BERG PLACEMENT

BUT IS THE STATE DEPARTMENT BEING TOO HASTY? THE ONION INQUIRES

STEWARDS KINDLY ASK THIRD CLASS PASSENGERS TO DROWN

WELL-TO-DO DOWAGER GETS HAIR DISHEVELED FOR FIRST TIME

DID JAZZ SINK THE GREAT SHIP?

◎鐵達尼號沉沒的號外

那樁慘劇發生於午夜時分；當時海面上波平浪靜，夜空繁星閃爍；氣溫酷寒逼人。巨舶正以全速航行。此時隱隱傳來一陣輕微的擦撞，但是受損情形未能即時查明，沒有任何乘客警覺到事態嚴重。當備妥救生艇的命令下達時，大家還覺得有點困惑不解。接著，「婦孺優先」的指示通

■哈利．愛爾金．威德拿

◎艾琳諾・E. 威德拿

令全船。哈利與他的父親從此下落不明，他的母親[3]和她的貼身丫嬛[4]則獲救生還。

在所有的後續報導（接連好幾天，那樁重大意外成了大家唯一的討論話題）之中，每當提及哈利・愛爾金・威德拿的時候，一概冠上「喬治・D. 威德拿的長公子」的頭銜。大家當時只知道他父親在財經界的傲人成就和他母親在社交圈的高知名度與迷人風采，只有極少數人曉得：其實哈利有一個全靠自己獨力掙來的名聲。他是版本學的天才資優生。書籍不僅是他的工作、消遣，同時也是他畢生的最愛。他將所有的時間全部投注在書本上頭；但若不是他最親近的朋友，鮮少有人瞭解這位走得如此倉促（於一九一二年四月十五日，他才剛滿二十七歲不久）的人，其獨特而又可親的一面。

他對書籍的知識十分豐沛。鑽研古書一如探究精密的科學，通常必須經由長年累月的投入方能澱積專業的權威，但是哈利・愛爾金・威德拿在這方面顯然具備過人之處。雖然他自大學畢業後才開始蒐集書籍，然而，憑藉著高度的熱忱、堅強的毅力、以及專注的思考、與過人的記性，再加上（他曾經在某一冊登錄他比較貴重的藏書的目錄前言中，心懷感激地說：）「拜家太爺與家父家母之興趣與慈悲體諒所賜」，使他能夠在短短數年內便蒐羅了一批足令任何藏書家引以為傲的珍貴收藏。

哈利・愛爾金・威德拿於一八八五年一月三日誕生於費城。早年在希爾學校[5]接受教育，一九○三年畢業後，他進入哈佛大學，在那兒待了四年，於一九○七年獲得學士學位。他初次展露藏書的興趣便是在哈佛大學就讀期間；但是一直等到大學畢業後，他的藏書生涯才算正式開始，因為他發現：即使身為一名富家子弟，也該像其他許多人一樣，找一件正經事來幹方為快樂之道。

他和父母、祖父一同住在宏偉華麗的豪宅——費城市郊的「琳伍堂」（Lynnewood Hall）。他對家中每個親人各執擅場頗感自豪，他曾經說

◎威德拿家宅「琳伍堂」，Horace Trumbauer設計，一八九八年落成。Vernon Howe Bailey繪（1922）

過：「我們一家老小全是收藏家。我的祖父專蒐名畫，家母收藏銀器和瓷器，喬叔[6]則什麼玩意都收，」（此話確實不假）「至於我自己，我則專攻書籍。」

不多時，藏書成了他非常認真專注的一件事，其他事情相較之下都變得無足輕重。正如所有的收藏家一樣，他也是從收集尋常無奇的玩意兒開始起步；但是，只要稍微翻一翻他的藏書目錄，便能發現他的鑒賞力以何等神速節節進步。嚴格地說，那並非藏書——他一直都不願意那麼稱呼自己收藏的書。那只不過是總數約三千冊的一批書籍罷了；只是那些書籍正是由一位財力無邊、具備獨到判斷力、對於挖掘好東西有敏銳直覺的人精挑細選而來的。光是有錢並不能造就出一名藏書家，但我必須承認，有錢確實不無助益。

他所購藏的第一部莎士比亞第一對開本是凡・安特衛普的本子（更早之前一度曾由洛可－蘭普森庋藏），也是目前所知最佳善本；另一部羊皮原裝、一六四〇年版的《威廉・莎士比亞君詩集》[7]也是他常津津樂道的書。至於他的《匹克威克外傳》，雖然在旨趣上略遜哈利・B. 史密斯[8]收藏的本子，但仍屬上乘——事實上他有兩部《匹克威克外傳》：一部是「分冊原版，版記俱在」，另一部是狄更斯送給友人威廉・哈里森・艾因斯華斯[9]的簽贈本。哈利甚至還收藏了許多幅西摩爾[10]的插畫原作，其中一幅描繪匹克威克先生挺著便便大肚，吃力地站在椅子上對俱樂部成員發表演說。能夠從茫茫書海中淘到並購藏那批原畫（或許是有史以來最著名的書籍插畫作品），正足以顯示哈利已然具備收藏家的銳利眼光。

◎《匹克威克外傳》插圖，西摩爾繪，出自分冊版（1836-1837）

他最鍾愛的一部書是曾由潘布魯克伯爵夫人[11]本人收藏過的菲利普．席尼爵士[12]的《阿卡迪亞》，說那部書是首善珍本一點也不過分；而我認為，正是因為哈利十分愛戴他的母親，所以當他向我一一展示他的寶貝時，才會特別叫我讀考伯[13]《任重道遠》[14]裡頭的那段落款——偉大小說家薩克雷（該書一度為他所藏）在書前扉畫旁寫下：「崇愛母親，乃偉人之偉大優點也。此幀肖像非常精美、傳神。布局之精巧豈有他人能出其右乎？W. M. 薩克雷識。」——「你看這段話寫得何等感人肺腑，」哈利如是說，「可是世人卻老說薩克雷本人其實是個既憤世嫉俗又勢利的人。」哈利的《愛斯蒙德》[15]是薩克雷送給夏洛特．勃朗黛的簽贈本。他所收藏的《尹高茲比傳奇錄》[16]簡直是舉世無雙的善本。那個本子除了是首版之外，由於印刷工離奇的疏忽漏印，居然漏印了第236頁，就那麼印出了幾葉印張之後，才有人發現到那個失誤。那是作者簽贈給朋友E. R. 莫蘭（E. R. Moran）的本子，巴恩[17]在那頁空白的頁面上頭寫著：

◎菲利普．席尼爵士，繪者不詳（1576）

◎威廉．考伯，George Romney繪（1792）

> 得此差池吾惟有心懷感激，
> 此頁不知為何餘下空白。
> 啊哈！莫蘭吾友，此回我技勝一籌。您若打算
> 在拙著此頁上尋覓任何錯誤必將徒然！

巴恩在那首打油詩下方簽的是他的筆名——湯瑪斯．尹高茲比。

的確，他對於自己所收藏的每一部書，最在乎的便是書內所蘊藏的豐富人情典故——只有在確定無論如何都買不到獻呈本的情況下，他才會甘心退而求其次，購藏一部附尋常落款的首版首刷本。他手中的《約翰生傳》是作者獻呈給約書亞．雷諾茲爵士的簽贈本，裡頭還有鮑斯威爾的親筆簽名。

◎《尹高茲比傳奇錄》London: J.M. Dent and Co., 1907），Arthur Rackham繪製插圖

◎理察．哈里斯．巴恩，Richard James Lane繪（1842-1843）

他的眼光總是聚焦在最珍貴稀罕的本子上，羅森巴哈博士（在他為哈利編纂的史蒂文生藏品書目[18]上的短序中）如是回憶：「我記得有一回曾在某家書店親眼目睹他鑽進桌子底下。地板上堆放著一大疊長年乏人問津的書籍。一陣披沙瀝金之後，他抽出一部史溫朋的首版簽贈本零葉殘本；看到他的臉上神采洋溢，一個勁兒直說：『這簡直比淘金還要過癮。』我心底頓時感到無比快慰。對他而言，成堆書籍實與一座金礦無異。」

他所收藏的史蒂文生相關藏品（或許是那位深獲世人高度推崇的作家現存最精也最齊全的一批文物）在在彰顯了他孜孜不倦、堅此百忍的努力成果。他買下「維尼瑪書信」[19]的親筆手稿和其他許許多多無價之寶，而且，為了嘉惠史蒂文生的愛好者，他特別將自藏的一部手稿（史蒂文生於八〇年代初期在加州寫成的自傳）付梓，印行了四十五冊。那部題為《斯人憶往》[20]的手稿上頭有一段落款：「謹贈伊索貝爾．史都華．史壯[21]……供來日使用。羅勃．路易士．史蒂文生筆」。光是由他的良師益友──羅森巴哈博士──殫精費神為他編纂的史蒂文生藏品書目，不但卓然成書，也教所有史蒂文生收藏家受用無窮。

◎史蒂文生在西薩摩亞的住宅「維尼瑪」

哈利曾經告訴我，他每回出門旅行一定會隨身攜帶《金銀島》[22]，而且他對書中內容可說早已滾瓜爛熟。至於我自己，我並不反對帶一部好書權充旅伴；但是依我個人淺見，要放在身邊年復一年、一讀再讀的書，應該要準備比較能夠發人深省的書籍才對，而不是像《金銀島》那種故事書，不過話說回來──鐘鼎山林，各有天性[23]。

我若繼續一一細數他的每件寶貝恐怕不僅惹人厭煩，同時也有多此一舉之嫌。那批珍本現已委由哈佛大學（他的母校）典藏，且將在那兒永久保存，供世人瞻仰一代藏書家的風範、眼界。不過，我倒是值得花點工夫對他個人的事蹟、別人難以媲美的性格做一番著墨。我相信許多人若看到他的母親以他的名字命名的漂亮圖書館在劍橋風風光光開張，一定會想要進一步瞭解他這個人。

MEMOIRS OF HIMSELF

BY

ROBERT LOUIS STEVENSON

PRINTED FROM THE ORIGINAL MANUSCRIPT

IN THE POSSESSION OF

HARRY ELKINS WIDENER

PHILADELPHIA

FOR PRIVATE DISTRIBUTION ONLY

1912

■史蒂文生自傳《斯人憶往》書名頁

其實，我也沒什麼好多提的，他的若干事蹟已在別處有其他人提及，我只再次強調：他是個做事認真嚴謹、思慮縝密周到且待人彬彬有禮的謙謙君子，別的實在沒啥好說的了。他的生活起居全和書本繫在一塊兒，他最開心的時刻莫過於當他對你說：「可否請您先將雪茄擱在一旁，我想請您瞧瞧這部書。首版書沾上菸灰可就不好了。」過了一會兒，某部珍貴的本子便會好端端地擺在你的膝頭。當收藏家一邊向別人展示其珍藏，不也同時享受著自我肯定的快感嗎？凡是與他走得近的人，都有資格被請進他的書房（同時也是他的寢室——因為他希望身畔隨時都有書本，讓他在夜裡仍能摩挲把玩；清早一醒來即可開卷展讀）內消磨許多愉快的時光，不過這項特權只有純正的愛書人得以均霑。面對其他人，他就顯得有點靦腆害羞、甚至難以親近。他始終是那樣客客氣氣的，個性又忒好，珍惜和每個朋友的友誼。你經常能自他口中聽到：「比爾，」（或其他某個人）「可真是人中蛟龍。」

「你也藏書啊？」有一回，他的祖父在餐桌上如此問起我。

我大笑說：「我本來也這麼認為，不過和哈利一比，那可就小巫見大巫了。」

老太爺一聽我那麼說，眼中閃現一絲得意的光芒，但嘴裡還是叨唸著：「我真擔心哈利會把家當全敗光哩。」

我說，若是我方才那句玩笑話引起老太爺掛慮的話，那我可就罪過大了。我當場提議：不然這麼著好了，把咱們兩家的財產加在一塊兒，老太爺擔憂的事兒或許就能免掉了。

哈利的記性真是好得沒話說。不管哪樁大大小小的事情，一旦讓他記住了，就彷彿永遠不會忘記似的。只要是他看過的每齣戲，每個演員的名字他全能記得，其中哪個演員去年擔綱哪齣戲、前年又扮過什麼角兒，他都能如數家珍娓娓道來。他還知道每名棒球員的名字、打擊率與得分率。只要那件事成為他生活中的主要興趣，他的求知欲可謂無窮不盡。我記得有天晚上，我們結伴造訪比佛利·周的藏書室，哈利問了周先生幾個關於彌爾頓第一書名頁版《失樂園》的冷僻問題。薑畢竟還是老的辣，周先生一開口便劈哩啪啦吐出一大堆高深的版本學問，我見狀趕緊提醒哈利，最好拿筆把周先生的話抄下來。他竟回答我：「記在紙上肯定會搞丟；我把這些話記進腦子裡就不會不見了，」還補了一句，「我只要保住腦袋就行了。」

哈利的好記性並不光針對他自己的藏書，甚至延伸到別人的書架上頭。只要他經眼某部書，便一直牢記在心坎裡。假使我告訴他我又買到哪些書，他居然都曉得哪幾部是向誰買的，而每部書的裡裡外外他也全都瞭若指掌，甚至還會問我付錢之前有沒有先查驗書上某個特殊的版記，書雖然是我買的，我自己卻往往渾然不知。

哈利生前是許多俱樂部的會員，包括同類社團中首屈一指的葛羅里亞俱樂部。已故的J. P. 摩根曾下條子給審核委員會的主席，說他打算邀哈利入會。既然有摩根先生一言九鼎的背書，其他委員自然也就可以省下力氣了。

郝氏藏品拍賣會第一場舉行的當天晚上，我們倆一塊兒上紐約，我和哈利談了許多話，當時的情景，加上隨後發生的幾件事，直到現在仍經常在我的腦海中一幕一幕地浮現。我們先到我的俱樂

■紐約的比佛利・周，此君對英文文學懷抱深切的喜愛並且對首版書有極為淵博的知識

部一起用餐，然後結伴去會場；但是那場拍賣會並沒出現什麼有意思的書，我們在會場內待了約莫半個鐘頭之後，他提議我們不如去趕一齣戲。我當時提醒他時候已經不早了，這種時間只適合去觀賞歌舞秀。他同意了，過了一陣子之後，我們領教了一場和之前在拍賣會場截然不同的表演；只不過那場表演實在糟糕透了。哈利卻依然興致勃勃，最後他建議兩人到第五大道上蹓躂。散步途中，他老實對我坦承，他非常渴望世人終有一天能將他與某批偉大的藏書相提並論。接著他就開始滔滔不絕地闡釋他的想法。他說：「我可不希望自己被當成只擁有幾部好書的藏書家，不管那些書有什麼了不起。我想蓋一座偉大的圖書館好讓人們能永遠記得我，但我沒把握還有沒有機會達成這個願望。所有的好書都快被杭廷頓先生和摩根先生買光了，還有專挑手稿下手的畢克斯比先生。反正輪到我上場的時候——天曉得會不會輪得到我——早就一點兒也不剩了，好東西早就全沒啦！」

當天晚上我們一塊兒投宿過夜，等我上了床之後，他又晃進我的房間，他嘴上直呼我的小名，心底還惦著那檔事：「我得想法子讓人們記得我的書。小紐，你說，我該怎麼辦才好？」

我笑著建議他：乾脆自己寫本書不就得了，他卻說寫書可不能鬧著玩兒。接著他才提起打算在哈佛開一堂課，專門講授版本學和一切和書本有關的學問。看著一大票興趣缺缺的學者動不動就高談闊論他最喜歡的課題，想必令他心裡頭相當不是滋味。

他說完便回到他自己的房間，我也回頭睡我的大頭覺；但是自從我（以及全世界的人）得知他的母親為了懷念愛子，打算在哈佛興建一幢藏書樓當作紀念館，便屢屢想起那一晚我和他的對話。他的願望終於達成了。他的名字，將與那些書籍永遠緊緊相繫。哈佛大學的總圖書館以紀念他的名義隆重開張。他生前收藏的那批書籍，將安安穩穩地定居在館內的「超凡入聖」（sanctum sanctorum）特藏室。

■亨利・A.杭廷頓與他的藏書
照片由簡特所攝

他啟程赴歐的前一天，我們在一塊兒吃午餐，臨別時我脫口說出：「下個禮拜的這會兒，你八成已經身在倫敦，大概正坐在麗池（Ritz）大飯店裡頭吃午飯吧。」

「那倒是，」他說，「而且可能是和夸立奇一起吃喔。」

哈利每回一到倫敦，大部分時間總是和那位大牌書商膩在一塊兒，那位偉大書商（熟識全世界所有大牌藏書家的夸立奇二世）曾經當面對我說：這年頭他沒碰過其他人能夠具備像哈利．威德拿那般學識、眼光，他說：「你們那一大票美國藏書大戶，老愛把書本當成鐵路買賣；人家哈利可不一樣，他藏書乃是出於純粹、義無反顧的熱情，而不像其他人，總是心猿意馬、五分鐘熱度。」這幾句評語恰可呼應另一位朋友曾經說過的話，當時我們應邀到「琳伍堂」作客，事後那位朋友對我說：「真教人驚訝，哈利居然完全沒被萬貫家財給慣壞。」

倫敦的蘇富比拍賣公司、紐約的安德遜拍賣公司、和其他任何好書出沒的地方，經常都能看到哈利的身影穿梭其間。哈斯[24]藏品拍賣會剛開鑼的時候，他碰巧還在倫敦，他原本希望能夠到場標幾部書，順道還可以和倫敦各路友人在拍賣場碰面、閒話家常一番，但是他又急著趕回紐約參加最後一場郝氏藏品拍賣會。

◎哈佛大學威德拿紀念圖書館（舊館）建築示意圖

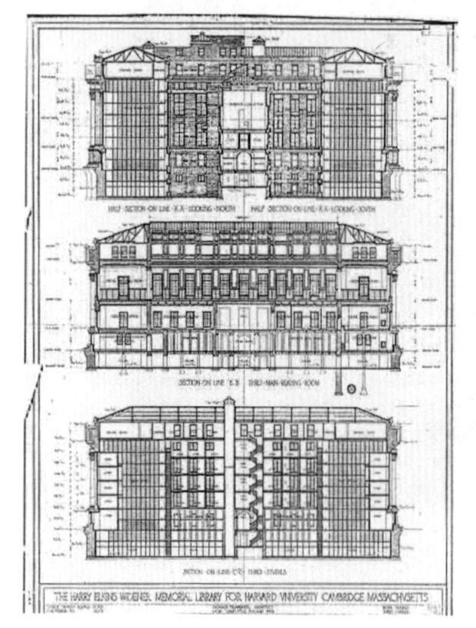

嗟呼！哈利買到了他這輩子最後一部書。那是一部極其稀罕、一五九八年版的《培根散文集》[25]。幫他從哈斯拍賣會上標下那部書的正是夸立奇，當哈利臨走前到書店向夸立奇道別，順便交代投標時的最後指示，他說：「我還是等書到手以後再走好了，那麼一來，萬一我搭的船沉了，我才能和那部書一塊兒葬身大海。」我明白，他當時的確說出了真心話。在我所聽過那麼多林林總總的藏書故事之中，就屬這一則最教人動容[26]。

當彌爾頓聽到友人愛德華・金[27]溺水身亡時，觸動了詩人寫下輓歌〈萊西達斯〉：

> 誰人不哀萊西達斯？——
>
> 莫任斯人兀自浮沉水中棺
>
> 無人憑弔。

當雪萊的遺體隨波漂到維亞雷吉歐[28]附近的灘頭，他的口袋中放著一部濟慈的詩集，在〈聖阿格尼斯節前夕〉[29]那一頁還摺出書角。而可憐的哈利・威德拿淪為波臣的時候，口袋裡頭則塞入一部《培根散文集》，而那部書中恰有這麼一句話（或許大家都曾經讀過）為哈利誌下生命的註解：「活著時廣受嫉羨之人，死後亦最被人們緬懷。」[30]

■哈利・愛爾金・威德拿的藏書票票面圖案

【譯註】

1 哈利・愛爾金・威德拿（參見本卷Ⅰ譯註79）之父喬治・威德拿（George Dunton Widener, 1861-1912）生前經營費城街車公司有成，亦擔任Fidelity Trust Company董事，該銀行即為「鐵達尼號」所屬的「白星航運」（White Star Line）背後的金控財團之一。

◎喬治・D.威德拿（中）與威德拿夫人、賀拉斯・特勞柏在哈佛大學校園合影

2 哈利・威德拿的祖父彼得・威德拿（Peter Arrell Brown Widener, 1834-1915）早年以肉品生意起家，後涉足費城、紐約與芝加哥的鐵路經營，成為當時最富有的美國人之一。一九〇六年設立專收殘障學童的「威德拿紀念工業技習學校」（Widener Memorial Industrial Training School for Criiled Children）；生前收藏大量的名畫、中國瓷器、織毯、及各類古玩，於死後全部捐贈給費城市政府。

◎彼得・威德拿的宅邸兼藏書閣，Horace Trumbauer設計（1899）

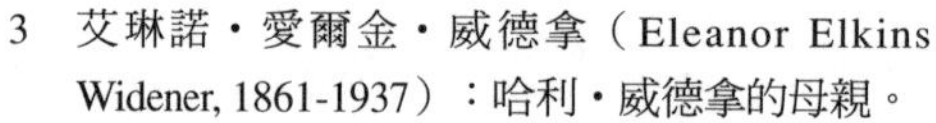

3 艾琳諾・愛爾金・威德拿（Eleanor Elkins Widener, 1861-1937）：哈利・威德拿的母親。

◎艾琳諾・E.威德拿

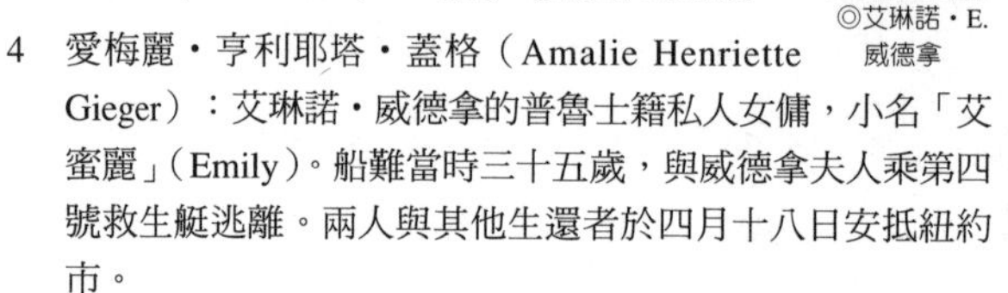

4 愛梅麗・亨利耶塔・蓋格（Amalie Henriette Gieger）：艾琳諾・威德拿的普魯士籍私人女傭，小名「艾蜜麗」（Emily）。船難當時三十五歲，與威德拿夫人乘第四號救生艇逃離。兩人與其他生還者於四月十八日安抵紐約市。

PARTIAL LIST OF THE SAVED.

Includes Bruce Ismay, Mrs. Widener, Mrs. H. B. Harris, and an Incomplete name, suggesting Mrs. Astor's.

Special to The New York Times.

CAPE RACE, N. F., Tuesday, April 16.—Following is a partial list of survivors among the first-class passengers of the Titanic, received by the Marconi wireless station this morning from the Carpathia, via the steamship Olympic:

◎一九一二年四月十六日《紐約時報》刊登部分鐵達尼號生還乘客名單，威德拿夫人（及其丫環）列在第一欄倒數第六位

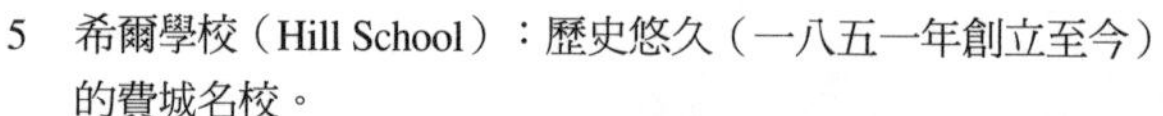

5 希爾學校（Hill School）：歷史悠久（一八五一年創立至今）的費城名校。

6 喬瑟夫・E.威德拿（Joseph E. Widener, 1872-1943）：彼得・威德拿之子、哈利・威德拿的叔父，本身亦是一名收藏家。其生前琳琅滿目的各類收藏品（名畫、畫片、插圖本）於歿後分別捐贈華盛頓國家藝廊、（莎士比亞對開本、抄繪本、手稿）費城公共圖書館，其餘藏書於一九四四年十一月八日由紐約Park-Bernet公司進行拍賣。

7 《威廉・莎士比亞君詩集》（*Poems: Written by Wil. Shakespeare, Gent.*）：一六四〇年倫敦Tho. Cotes出版。

8 哈利・B.史密斯（Harry B. Smith, 1860-1936）：美國作詞家、藏書家。原本擔任演員、為報紙撰寫劇評，自十九世紀末至二十世紀初因創作數部成功的音樂劇而聲名大噪。他在《芝加哥新聞報》任職期間結識尤金・菲爾德（參見本卷緒論譯註2）進而迷上藏書。他專攻蘭姆相關藏品，為自己的藏書閣命名為「善感齋」（"Sentimental Library"），該批藏書後來被羅森巴哈收購。

9 威廉・哈里森・艾因斯華斯（William Harrison Ainsworth, 1805-1882）：英國歷史小說家。早年習法，後棄法從文。一八二〇年起初試劇作，次年以筆名T. Hall在《口袋雜誌》（*Pocket Magazine*）上發表《相持不下》（*The Rivals: a Serio-Comic Tragedy*），但學界一般以一八二二年匿名出版的《女傭的報復》

（*The Maid's Revenge; and A Summer's Evening Tale; with Other Poems*）為他的首部作品。他創作大量的歷史傳奇故事，其中包括：《盧克伍》（*Rookwood*, 1834）、《倫敦塔》（*London Tower*, 1840）、《溫莎古堡傳奇》（*Windsor Castle*, 1843）、《詹姆士二世》（*James the Second*, 1848）、《蘭開夏女巫》（*The Lancashire Witches*, 1849）……等；並曾主持或參與許多刊物的編務：《班特利雜誌》（*Bentley's Miscellany*, 1839-1841）、《艾因斯華斯雜誌》（*Ainsworth's Magazine*, 1842-1854）、《新月刊雜誌》（*New Monthly Magazine*, 1845-70）。

◎西摩爾為《透視鏡》月刊（*The Looking Glass or McLean's monthly sheet of caricatures*）主筆繪製的插圖（1830）

10 羅勃・西摩爾（Robert Seymour, 1789-1836）：十九世紀英國漫畫家、插畫家。以繪製《匹克威克外傳》的插圖聞名於世。

11 潘布魯克伯爵夫人（the Countess of Pembroke），即瑪麗・赫伯（Mary Herbert, 1561-1621）：英國貴族。原姓席尼，即菲利普・席尼（見下則譯註）的妹妹。一五七七年嫁給潘布魯克伯爵二世亨利・赫伯（Henry Herbert, 1534?-1601）。她熱中於文藝事務，長年贊助麥可・德雷頓（Michael Drayton）、山繆・丹尼爾（Samuel Daniel）、約翰・戴維斯（John Davies）等作家；此外，菲利普・席尼的《阿卡迪亞》、愛德蒙・史賓賽的《時光遺跡》（*Ruines of Time*）、尼可拉斯・柏列登（Nicholas Breton）的《朝拜樂園》（*Pilgrimage to Paradise*）、湯瑪斯・摩爾的《小坎佐尼》（*Canzonets*）等書皆是獻呈給她的作品；她還經手編、譯數部書籍。

◎潘布魯克伯爵夫人，Nicholas Hilliard繪（約1590）

12 菲利普・席尼爵士（Sir Philip Sidney, 1554-1586）：十六世紀英國詩人、政客、軍人。一五八〇年起撰寫《阿卡迪亞》（*Arcadia*），用以愉悅妹妹（見上則譯註），但直到一五九〇年才出版問世。

13 威廉・考伯（William Cowper, 1731-1800）：十八世紀英國詩人。

14《任重道遠》（*The Task*）：威廉・考伯的詩集。一七八五年出版。

15《亨利・愛斯蒙德傳》（*The History of Henry Esmond, Esq.*）：薩克雷的小說。一八五二年出版。

◎限定版（154部）《阿卡迪亞》（Llandogo, or Monmouth Gwent, Old Stile Press, 1988），Harry Brockway製作木雕版畫插圖

16《尹高茲比傳奇錄》（*The Ingoldsby Legends*）：諷刺雜文集。湯瑪斯・尹高茲比作（見下則譯註）。

17 理察・哈里斯・巴恩（Richard Harris Barham, 1788-1845）：英國幽默作家。以湯瑪斯・尹高茲比（Thomas Ingoldsby）為筆名，在《班特利雜誌》上撰寫插科打諢的諷刺文章，一八四〇年、一八四二年、一八四七年以《尹高茲比傳奇錄》為題三度集結出版。

18《故哈利・愛爾金・威德拿所藏羅勃・路易士・史蒂文生書籍、手稿目錄》（*A Catalogue of the Books and Manuscripts of Robert Louis Stevenson in the Library of the Late Harry Elkins Widener*）：羅森巴哈編纂，一九一三年費城威德拿私家版。

19「維尼瑪書信」（Vailima Letters）：史蒂文生晚年寓居南太平洋西薩摩爾，將自宅命名為「維尼瑪」（現址為路易士・史蒂文生博物館）。「維尼瑪書信」指史蒂文生當時的往來信札。曾編輯愛丁堡版史蒂文生全集

◎「維尼瑪書信」之一，史蒂文生寫給J・M・貝瑞的信，出自《R. L. S. 致J. M. 貝瑞，維尼瑪采風》（*R.L.S. to J. M. Barrie, a Vailima Portrait*, San Francisco: The Book Club of California, 1962）

（1894-1897）的前大英博物館館長席尼．寇爾文爵士（Sir Sidney Colvin, 1845-1927），於一八九五年出版《維尼瑪書信》（*Vailima Letters written to him by Stevenson, 1890-4*）。

20《斯人憶往》（*Memoirs of Himself*）：史蒂文生自著的回憶錄。一九一二年威德拿私家出版。

21 伊索貝爾．史都華．史壯（Isobel Stewart Strong, 1858-1953）：史蒂文生的繼女，法蘭西斯．瑪褅爾達．奧斯本與前夫所生（參見本卷Ⅳ譯註21）。伊索貝爾．史都華．奧斯本於一八七九年嫁給Joseph Dwight Strong後改冠夫姓。她曾根據繼父遺稿編註史蒂文生回憶錄。

22《金銀島》（*Treasure Island*）：羅勃．路易士．史蒂文生的小說。原以分冊發行，單行本於一八八三年由倫敦Cassell & Company出版。

23 原文 "chacun a son gout" 的意思應為「各人自尋各人的口味」（"each to one's own taste"）。

24 阿佛雷德．哈斯（Alfred Huth, 1850-1910）：英國珍本收藏家。阿佛雷德．哈斯延續父親亨利．哈斯（Henry Huth, 1815-1878）自一八五五年起步的藏書事業。生前曾捐贈其中五十件精品給大英博物館，包括數種手繪稿本、若干莎士比亞第一四開本、初期的德文與西班牙文印本書等。哈斯死後，其餘藏書泰半於一九一一年、一九一二年兩度付諸拍賣，成交總額高達三十萬英鎊，其中許多精品均被美國藏書家收購，因而大量輸往美國。

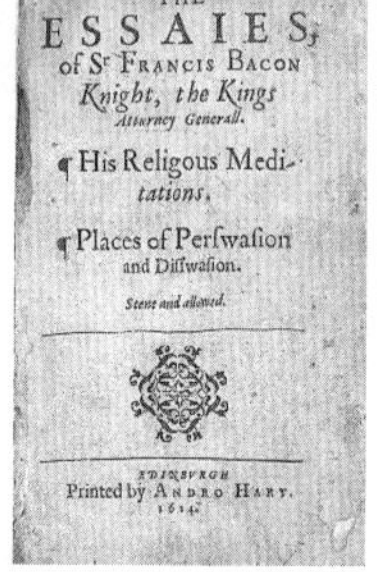
THE
ESSAIES,
of Sr FRANCIS BACON
Knight, the Kings
Attorney Generall.
¶ His Religous Medi-
tations.
¶ Places of Perswasion
and Disswasion.
Seene and allowed.
EDINBVRGH
Printed by ANDRO HART.
1614.

◎《培根散文集》（Edinburgh: Andro Hart, 1614）

25《培根散文集》（*The Essays or Counsels, Civil and Moral, of Francis Ld. Verulam, Viscount St. Albans*）：英國散文家法蘭西斯．培根（Francis Bacon, 1561-1626）作。此處疑指一五九八年倫敦Macmillan and Co.版。

26 為了導正視聽，這裡不得不澆各位中文讀者一盆冷水。關於哈利．威德拿帶著《培根散文集》隨「鐵達尼號」滅頂的故事，尼可拉斯．A. 巴斯班斯（Nicholas A. Basbanes）在《一任瘋雅──愛書家、藏書癖與無怨無悔的執迷》（*A Gentle Madness: Bibliophiles, Bibliomanes, and the Eternal Passion for Books*, 1995）中根據比較可靠的證據，指出紐頓的說法過於浪漫不實。以下摘錄巴斯班斯的敘述（頁185-186）：「一九一二年三月，哈利．威德拿與雙親──喬治．D. 威德拿與艾琳諾．愛爾金．威德拿──一同搭乘『茅利塔尼亞號』（Mauritania）赴英，他在當地看了哈斯父子藏書拍賣會的預展、並到幾家書店訂購書籍。由於急著趕回紐約參加郝氏拍賣會，他便於四月一日赴夸立奇書店委託投標事宜。他臨時決定再多留幾天，等到確定標到那部一五九八年版《培根散文集》之後再走，便將之前買下的八部書先託『喀爾巴阡號』（Carpathia）運回美國（譯按：後來掉頭前往「鐵達尼號」失事現場馳援並救起七百零五名乘客的便是這艘船）。這樁軼事經紐頓率先披露──隨後到處流傳，關於威德拿對夸立奇說：『我還是等書到手了以後再走好了，這麼一來，萬一我搭的船沉了，我才能和那部書一塊兒葬身大海。』事後證明並非事實。在《藏書家》季刊（譯按：*The Book Collector*為一九五二年創刊的英國藏書雜誌，目前仍持續發行）上有一篇比較嚴謹的文章，根據當時在夸立奇書店工作的職員阿瑟．佛利曼（Arthur Freeman）證實，哈利．威德拿那句令人鼻酸、被

◎最早趕到「鐵達尼號」失事現場馳援並救起七百零五名乘客的「喀爾巴阡號」

當成一語成讖的話，應該是：『母親，那本培根小書已被我塞進口袋；它將和我一起葬身海底！』而哈利講出那幾句話的時間顯然不是於四月一日在倫敦的書店裡；而是兩個星期後，當『鐵達尼號』不斷進水下沉，他攙扶艾琳諾．愛爾金．威德拿登上救生艇、母子兩人面臨天人永隔時向他的母親說的。」巴斯班斯的論據推翻了紐頓雖感人卻稍嫌一廂情願的「一語成讖」說法，但哈利．威德拿愛書至深的情感，不管在巴斯班斯抑或紐頓的文章之中，依然都能躍然紙上。

27 愛德華．金（Edward King, 1612-1637）：英國詩人。彌爾頓的舊時同窗摯友。一六三七年八月十日乘船橫渡切斯特灣（Chester Bay）往都柏林途中，因船觸礁沉沒而溺斃，彌爾頓於同年寫出長詩〈萊西達斯〉（"Lycidas"）以誌悼念。該詩原收入劍橋基督學院同學編印的悼詩集中。

28 維亞雷吉歐（Via Reggio）：義大利西岸港口。雪萊於一八二二年七月八日（年僅三十歲）偕友乘坐「唐璜號」（Don Juan）出海，於義大利斯佩齊亞（Spezia）灣遇風暴慘遭滅頂，其遺體漂至維亞雷吉歐附近的河灘，於七月十九日被人尋獲。

29〈聖阿格尼斯節前夕〉（"The Eve of St. Agnes"）：濟慈詩作。寫於一八一九年。

30「活著時廣受嫉羨之人，死後亦最被人們緬懷。」（"The same man that was envied while he lived shall be loved when he is gone."）：引自培根散文〈論死亡〉（"Of Death"）文末引用的拉丁銘文"Extinctus amabitur idem."（出自賀拉斯的《書信集》第二卷第一篇）。

◎〈聖阿格尼斯節前夕〉插圖，John Everett Millais繪

◆第二卷◆

洋相百出話藏書，兼談藏書家的其他消遣

A Magnificent Farce and Other Diversions of A Book-Collector

1920

◆紐頓自用藏書票之二◆

■「至理仙」[1]
複製自威廉·布雷克十足米開蘭基羅風格的水彩原作

§第二卷目錄§

謹以此書獻給
威廉・麥斯威爾・史考特[2]

二十餘年以來，我倆
共負一軛。倘若我們
犂得還算直，必然是
因為我們齊心協力。

純屬個人（代序）

想當然爾，眼見《藏書之樂》如此成功賣座，作者難免食髓知味並打算乘勝追擊；而各位——秉持純良天性（或者，存心等著看我出洋相）的全體看倌——自然也都該具成人之美。不管大家對於在下此回拙作的評價為何，我一定照單全收；由於個人長久浸淫在自己的作品裡，以致連自己都搞不清楚到底寫過哪些東西，至於哪一篇或哪幾篇文章究竟好在哪裡就更沒主意了。原本只是隨手拿起鉛筆在零碎紙頭上胡寫亂塗；再交由秘書趁著空閒將它打好字的文章，從校樣上看來已然勁道全失；等到最後印成鉛字、裝訂成冊，先前自以為靈光閃現的珠璣妙語、機巧睿智，如今讀起來簡直蠢到極點。此乃咱們這些出書的人活該冒的風險。俗話說得好：不入虎穴，焉得虎子哪。

許久以前（早在我天生不足的歌喉還沒被後天的菸草徹底燻壞之前），有一回，我扯起破鑼嗓子引吭高歌，我只顧自個兒開心，並不奢望聽眾們也跟著一塊陶醉，此時有人聞聲對我說：「喲哦，我不曉得原來你居然會唱歌哪！」旁邊的費利克斯・謝林（他當時還沒成為享譽國際的紅牌學者）一聽到有人那麼說，促狹地冒了一句：「那也能叫『唱歌』啊？」斯情斯景，倒也頗合適用來說明我在寫作上的表現。我始終無法忘懷葛雷的至理名言：「隨便哪個呆子都能瞎打誤撞寫出一部價值連城的書，只要他一五一十、原原本本地將所見所聞告訴大家。」[3]據說，特洛羅普正是因為寫文章過於坦白，才把自己的名聲全搞砸了；如今我亦甘冒同樣不計毀譽的風險；在此必須敬告大家：不管我的文章寫成什麼德性，皆導因自長年撰寫電器設備廣告文案的後果。一個人若賣出一頁文章，他大概能賺個五塊錢，或頂多二十五元。有人若買一頁廣告，得付出的代價卻動輒從數百元到五千元之間！眼尖的讀者一定看得出來哪一頁比較花工夫。那些寫起文章不費吹灰之力、行雲流水的人（一般人往往都以為這句話是拜倫說的），可別忘了這句話後頭還有下聯——輕鬆寫向來最忌認真讀[4]。

要是某人成為大家惡作劇的目標，他肯定會千方百計不再提起那件糗事；因此，當好幾所大學紛紛找上門，並打算給我冠上各式各樣有的沒的頭銜時，我就警惕自己：「甭給自己製造鬧笑話的機會；一概回絕，免得讓眾家好友有機可乘。」這麼一來，我才可以教一缸子朋友立刻戒除老是喜歡在我的名字前頭冠頭銜的癮頭，最後只剩下某家餐館的領班和我的剃頭師傅一時還改不掉這毛病，他們八成以為把我的「博士」名號喊得更響、叫得越勤，我付給他們的小費就會越可觀。

這種事昨兒個就發生一起，我當時好端端地坐在俱樂部的閱覽室裡，一名僕役走進來，一面高喊：「紐頓博士！」我依舊埋頭繼續翻讀我的報紙，他又喊了一聲：「A. 愛德華・紐頓博士！」這下子可不能再相應不理了，我只好面帶愧色抬起頭望向他，他通報有一通電話指名找我。我穿過閱覽室，四面八方投來各式各樣教我渾身不自在的異樣眼光。我當時以為那通電話八成是那廝（我的建築師朋友郝利・麥克蘭納漢[5]）打來的，那傢伙仗著家裡有幾瓶上好威士忌，就吃定大家捨不得和他翻臉；但是我下定決心這回說什麼都不能再忍氣吞聲了。我走進電話間，一拿起話筒二話不說劈頭就賞他一句去你的！

看倌！您可曾親耳聽過好端端的一位女士當場腦溢血的聲響？沒錯，當時我聽見話筒另一端傳出來的正是那種聲音。當然，我當場使出渾身解數力圖挽回局面，忙不迭地又是打躬又是作揖（在窄不拉嘰的電話間裡頭可真是高難度動作）；最後，等她總算好不容易稍稍平復下來，我這才趕緊逮住機會開口：在下真是何等榮幸能接獲她的賜電。

「好說，」那位女士說，「是這樣子的，我想邀請您出席我們的『國際現勢』（"Current Events"）餐會，給大夥兒講幾句話，我們準備為中國的大饑荒籌募善款。克里斯多佛·摩利[6]原本已經說好要來的，可是他臨時出了點兒意外*。」

「你們怎麼不去找湯姆·戴里[8]呢？」我好心地提出建議，「光他一人就抵我們十個了。」

「他此刻正在新英格蘭講學，」她回答。

「照這麼說來，」我說，「我算是碩果僅存嘍。我實在不便再對一位淑女說第二次去你的。好吧，我答應出席；不過就怕到時候您們那群關心國際現勢的人士聽完我的演講，還寧可跑去中國和他們一道捱餓哩。」

事後果不其然。

你還想不想聽《藏書之樂》如何幫我找回失散多年的初戀情人？事情的經過且聽我仔細道來。有一天，我收到一位女士寄來的信，內容如下：

敬啟者：

在此非常冒昧地請教您，不知道您是否願意與我互換雙方的心血結晶！若能得到您的首肯，我將十分樂意將拙譯《啟示錄四騎士》與《我們的海》[9]兩書奉寄給您，以交換您的大作《藏書之樂及其相關逸趣》乙部，其中好幾篇文章在《大西洋月刊》上發表時，都令我讀得不亦樂乎。謹向府上還記得我的人問一聲好。

* 摩利先生希望大家明察：他的蹄子是斷了，不是裂了[7]。

昔時住在您〔紐澤西州〕拉威(Rahway)鎮的老家僅一籬之隔的

夏洛特・碧綠斯特・喬丹[10]敬上

嗐，這正是碧小洛嘛！她是我小時候熟得不能再熟的要好玩伴；我也真蠢，當我不時在報紙上讀到她翻譯的小說銷售一路長紅且創下空前佳績的消息時，竟然沒能立刻想起來那位譯者就是她。

我將一冊《藏書之樂》連同一封信寄去給她，告訴她：我送給她的東西實在遠遠不及從她那兒得到的（此話的確不假。她寄來的那幾部書拜她的落款之賜，頓時升格為「關聯本」）。後來，趁最近一趟上紐約的機會，我和這位昔時老友再度聚首，兩人在一起共度了愉快的一個鐘頭。正當我們津津細數童年往事的當兒，我對她說：「我說小洛啊，妳曉不曉得我的老相好珍妮的下落。她可是我的初戀情人呀。我還記得，當年我——一個十三歲的小毛頭——到外地求學前夕，和她十八相送、依依不捨的情景。也記得當我——仍然還是小毛頭一個——返家時，發現我的寶貝已經換上迷你洋裝——可不像這年頭的小姐們穿的那麼迷你——搖身一變成了亭亭玉立的小姐模樣，而且完全不認得我了。我費盡苦心想喚回她對昔日那段情的回憶，結果她居然忘得一乾二淨，直教人肝腸寸斷哪。」

「嗐，」小洛說，「珍妮這會兒就住在紐約呀，我三不五時都會和她碰面。她現在可發達嘍，人長得漂亮，還守寡呢。我相信她一定也很想見見你。」

「我心裡可沒準兒，」我說，「不過再過一陣子我還會到紐約一趟，我要在葛羅里亞俱樂部做一場關於威廉・布雷克的演講。那是一個特地為女畫家或女版刻師之類的人舉辦的聚會，會後有茶點招待；說實在話，那才是整場聚會最有意思的部分。我將是全場唯一一口男丁，而且還能風光十分鐘，我打算讓珍妮瞧瞧我的神氣模樣。」

事情就那麼敲定，過了幾個禮拜，好戲正式上場了。

正當我演講進行到一半的時候，我注意到眼前有一位儀態優雅端莊、個子小巧玲瓏的女士，她身披華麗長袍、頂著一頭華髮；好不容易捱到演講會結束，我立刻趨前跟她打招呼。

「珍妮，」我叫住她，同時伸出胳臂往她的肩頭一摟。

「唉喲，愛迪，快別這樣！」她尖叫一聲，跟四十幾年前她甩掉我的那一幕簡直如出一轍。

我們倆的德性可真是一點都沒變哪。接著，寒暄酬酢從四面八方接踵而至令我應接不暇；卡洛琳・威爾斯[11]也風聞這場聚會，她一抵達現場便朝我使了個眼色：「等我先把大衣掛好再來好好和你聊聊，我也是拉威人喲。」

卡洛琳・威爾斯當天闖到那個場合插花湊熱鬧，讓我隱隱覺得當上作家的副作用也許並不盡然全是好事。

在久遠的記憶深處，我腦中還依稀浮現凡・安特衛普的身影（以前我都管他叫小凡），他也是拉威人，也是我打穿開襠褲就認識至今的老朋友；約莫五十年前吧，不是他跑到我家後院，和我鬧得天昏地暗；就是我溜到他家後院找他大玩特玩。最近他剛從廝殺慘烈的華爾街功成身退，退休時帶著幾筆為數可觀的財產，心滿意足地遷居加州——安享他的輝煌晚景（祝他能再多享好幾年快活似神仙的日子）——還一直邀我去那兒找他玩。

正當我忙著和老朋友們一一團圓、並且結交一大票新朋友的時候，我卻發覺我的健康出了一點狀況。嚴格說來，並不是我自己發現，而是我花了大把鈔票請來的內科大夫診斷出來的。他建議我：「腳步放慢點，你一路操勞了四十年，現在該是放輕鬆的時候了，把工作交出去給別人幹。你不是有個精壯小子在你的公司裡頭幫忙嗎？——有什麼事就叫他去忙得了；還有你的合夥人，我記得那傢伙魁梧得像條牛似的；要不是你老在一旁盯著他，他幹起活兒來恐怕會更順手些哩。放手讓他當家嘛。你們這些生意人就是想不開，老以為別人絕對沒本事坐你的位子。依我看，你那職位若要找個人來頂，在你的公司裡隨隨便便也能挑出五、六個來，幹得也不見得會比你差。菸抽得凶不凶？」他話鋒突然一轉，「一天都抽幾根雪茄來著？」

我乖乖回答：「大夫，有些事情說出來挺嚇人，有時候連做丈夫的也不見得敢向太座明講；但是，就抽菸這件事兒，不瞞你說，我真的可說是完全符合不多不少的標準，一次絕對只抽一根雪茄；早餐後抽三次，午餐後抽四次……」

「行了行了；這就難怪了。早餐後那三根我幫你省下來，然後准你午飯後、晚餐後各抽一根；至於假日，或比較特殊的日子，晚餐後可以抽兩根——只准抽淡菸。幹任何事都不要太過火，火車開動就別追趕了，沒有必要也不要再爬上爬下。你平日都從事哪些運動？」

「沒怎麼運動，」我回答，「我服膺喬·張伯倫(Joe Chamberlain)的高見：上午爬樓梯只下不上；下午則只上不下，這樣的運動量對一個紳士來說就夠了。」

「未免太古怪了吧，」我的內科大夫說，「不過對你來說還算不壞；還有，坐下來的時候，盡量把雙腳抬高。」

「翹到壁爐上頭啊？」我問他。

「我剛剛不是才叫你別太過火嗎？」大夫回答，「擱在桌子上就行了。這樣子可以減少你的心肌被拉扯的次數。每次揮桿都盡量待在平坡，也不要打超過九個洞。」

「那第九洞算不算在內？」我說

「嗯，」他說，「要是有一瓶二十元的上好威士忌等著，我保證你連一桿也不會想多打。你的身體狀況可大不如前嘍。凡事都不要操煩，避免情緒波動，找幾件你感興趣的事來做。看書就挺好。

我聽人說，你寫了一本書不是？再去寫一本，這回多寫點兒，寫完之後到歐洲走走，那裡的書評比較不會教人動肝火。我敢打包票，你肯定會活得很老，老到人見人厭的歲數。這些藥丸你帶回去，記得每天按三餐服用，行了，下個月再過來讓我瞧瞧，下一個。」

我踏出房門，和下一名可憐蟲擦肩而過，輪到他進房接受同樣的整飭。

「隨時隨地遵照醫師的指示。」當我步出診所大門，上了汽車，打算馬上開始好好地學習當一名退休老人，我一坐好便把雙腳抬得老高，卻差點摔了個四腳朝天。「有事叫別人去忙就行了！」講得可真輕鬆哪！「去寫本書！」真好笑！「到歐洲走走！」更好笑！我以前老愛說自己鴻福齊天，眾好友們這下子總算不得不相信我的話了吧。

下台一鞠躬！

A. 愛德華・紐頓，

一九二一年五月十五日，

識於賓州南卡利斯勒街（South Carlisle Street）422號戴爾斯福宅

【譯註】

1 「至理仙」（Urizen）：出自威廉．布雷克的神話史詩畫作品〈The Four Zoas〉（原題Vala）之《至理仙書》（*The First Book of Urizen*, 1794）。此手稿於布雷克生前未出版，一八九三年經Edwin J. Ellis與William Butler Yeats編印問世。“Four Zoas”即聖經中的「四個活物」（“living creatures”，見《舊約．以西結書》第一章第5節與《舊約．啟示錄》第四章第6節）：Urthona（或Los，象徵想像力）、Luvah（或Orc，象徵情感）、Tharmas（象徵權力）、與Urizen（象徵智性）。此圖乃〈持平論布雷克〉（譯本未收）的配圖。

2 威廉．麥斯威爾．史考特（William Maxwell Scott）：當時與紐頓合夥經營卡特電器設備製造公司（Cutter Electric Equipment Manufacturing Company）。紐頓於一八九〇年任職此公司，一八九五年起擔任財務經理。

3 「隨便哪個呆子也能瞎打誤撞寫出一部價值連城的書，只要他一五一十、原原本本地將所見所聞告訴大家。」（“Any fool may write a valuable book, if he will only tell us what heard and saw, with veracity.”）──語出湯瑪士．葛雷（參見第一卷Ⅲ譯註23）於一七六八年寫給友人賀拉斯．沃爾波（參見本卷Ⅲ譯註47）的信。

4 “Easy writing's damned hard reading.”乃美國作家霍桑（Nathaniel Hawthorne, 1804-1864）改動後的句子。原文句應為“You write with ease to show your breeding. But easy writing's curst hard reading.”出自英國劇作家理察．布林斯利．薛里登（Richard Brinsley Sheridan, 1751-1816）的《克利歐的抗告》（*Clio's Protest*, 1819）；班傑明．富蘭克林亦使用過大同小異的說法：“You write with ease to show your breeding. But easy writing is cursed hard reading.”

5 馬丁．郝利．麥克蘭納漢（Martin Hawley McLanahan, 1865-1929）：美國建築師。一八八五年與威廉．懷特賽德（William Whiteside）合組「懷特賽德與麥克蘭納漢」事務所，開始其執業生涯；一八九〇年懷特賽德歿後，該事務所仍繼續營運，直到一九〇三年與威廉．L．普萊斯（William Lightfoot Price, 1861-1916）合組「普萊斯與麥克蘭納漢」事務所，營運直至一九一六年普萊斯過世；一九二〇年至一九二五年則與雷夫．B. 班可（Ralph Bowden Bencker, 1883-1961）合組「麥克蘭納漢與班可」事務所。後來個人執業至一九二九年去世為止。

6 克里斯多佛．達林頓．摩利（Christopher Darlington Morley, 1890-1957）：美國作家。一九一三年至一九一七年任職於達博戴與佩吉出版公司（Doubleday, Page & Co.）編輯部；一九一七年至一九一八年任《女士家居誌》（*Ladies' Home Journal*）主編；一九一八年至一九二〇年任《晚間公論報》（*Evening Public Ledger*）主編；一九二〇年至一九二四年任《紐約晚間郵報》（*New York Evening Post*）編輯；一九二四年至一九四一年任《週末文學評論》（*Saturday Review of Literature*）編輯。他的著作有：《帕納瑟斯上路》（*Parnassus on Wheels*, 1917）、《幽魂書店》（*The Haunted Book Shop*, 1919）、《凱特林》（*Kathleen*, 1920）、《捲簾書桌故事集》（*Tales from Rolltop Desk*, 1921）、《左方雷聲》（*Thunder on the Left*, 1925）、《脫離胡底》（*Off the Deep End*, 1928）、《人間世》（*Human Being*, 1932）、《清官逛曼哈頓》（*Mandarin in Manhattan*, 1933）、《特洛伊木馬》（*The Trojan Horse*, 1937）、《凱蒂．福伊爾》（*Kitty Foyle*）（1939）；主編一九三七年第十一版的「巴特列名人佳句選」（Bartlett's Quotations）。

7 摩利先生當時因故受了腳傷，紐頓趁機消遣朋友，蓋「露出裂蹄」（to show the cloven hoof）有「原形畢露」或「露出猙獰面目」的意思。

8 湯瑪斯・A. 戴里（Thomas Augustine Daly, 1871-1948）：美國詩人。

9 《啟示錄四騎士》（*The Four Horsemen of the Apocalypse*，西班牙原文*Los Cuatro Jinetes del Apocalipsis*）、《我們的海》（*Mare Nostrum*）——西班牙作家維仙・巴拉斯哥・伊班納茲（Vicente Blasco Ibáñez, 1867-1928）的小說作品。原著問世於一九一六年、一九一九年，授權英譯美國版皆由夏洛特・碧綠斯特・喬丹翻譯，分別於一九一八年、一九一九年出版（NY: E. P. Dutton & Company），英譯本一問世即風行美國。《啟示錄四騎士》後來曾改拍成電影（*Metro Pictures*, 1921，Rex Ingram執導）

◎維仙・巴拉斯哥・伊班納茲

10 夏洛特・碧綠斯特・喬丹（Charlotte Brewster Jordan）：二十世紀初葉美國翻譯作家、兒童文學作家。

11 卡洛琳・威爾斯（Carolyn Wells, 1862-1942）：美國作家、藏書家。曾創作過許多幽默短文、打油詩、童書、短篇小說、長篇小說與推理小說，總數約一百七十部，包括：《鈴鐺集》（*The Jingle Book*, 1899）、《無義文選》（*A Nonsense Anthology*, 1902）、《鬆軟的皺褶》（*Fluffy Ruffles*, 1907）、《麥斯威爾奇案》（*The Maxwell Mystery*, 1913）、《范維琪》（*Vicky Van*, 1918）、《恐怖淵藪》（*Spooky Hollow*, 1923）、《席間白骨》（*The Skeleton at the Feast*, 1931）、《佛萊明・史東文選》（*Fleming Stone Omnibus*, 1933）、《凶手》（*The Killer*, 1938）等。卡洛琳・威爾斯於一九二〇年前後因受贈一部惠特曼詩集，與紐頓通信討論而起意開始藏書，藉書商Alfred F. Goldsmith的協助，她在很短的時間內便蒐集一批可觀的惠特曼藏品。該批藏書後來捐贈國會圖書館，部分於一九二三年由安德遜公司拍賣。

◎卡洛琳・威爾斯，出自Harper's Weekly Magazine MT 70th Birthday Supplement: 23 December 1905

I　走上寫作這條路

我這大半輩子一路走來可說是一體兩面的具體呈現：其中一半（不，遠遠不止一半，應該說是其中十分之九）的日子都埋首於繁忙的工作；剩下的時間則全耗在我的書齋裡。當我還是個小毛頭的時候，即使把所有的書全加起來只夠塞滿一、兩排書架，我也臉不紅氣不喘地美其名曰我的書齋。

書一旦讀多了（卻又不太動腦筋，因為我和查爾斯・蘭姆同樣德性，都委由書本代替自己動腦筋[1]），我便斗膽動筆寫了一篇關於買書、藏書樂趣的文章；那篇文章不僅讓我自得其樂，更承蒙一位鼎鼎大名的編輯不嫌棄加以採用（甚至還付給我一筆稿費）並刊登出來，而且，每個讀過的人居然都表示還想讀到更多我的文章。那是我頭一回（依據法國佬理直氣壯的漂亮說法）破釜沉舟的壯舉。初試啼聲便得到大眾接納，我接下來的路也順遂多了。

我曾說過，我老是被外界一再誤解。就拿以下這件事來說吧：我從沒接受過什麼像樣的教育，大家卻往往以為我曾經受過（或至少捱過）某些偉大學者（好比說：基特芮吉[2]）的悉心調教。其實說穿了：我從小就被家人出於好意地託付給各親戚們輪流帶大，由於每個輪到負責管教我的人都各有一套想法，於是我只好在各個大大小小學堂（我以前一概稱之曰「學店」）之間兜來轉去。其成效如何自然可想而知。

就那麼著，等我及長，我謀到一個在書店（波特與寇特斯書店[3]，當時費城首屈一指的高級書店）工作的差事；但是我始終沒本事賣掉任何一本書。大概是因為我很早以前就有所領悟：雖然自己大可從顧客手裡拿到錢，但是我卻說什麼也不願讓書本離開我的身邊，因此老是談不成買賣。於是，由於業績實在欠佳，我後來被調到文具部。藉著賣文具的緣分，我頭一回認識了文房四寶，當然，那會兒我還不曉得居然能利用它們創造出非常有意思的物事來。就因為我在波特與寇特斯書店待過短短那麼幾年，大家便認定我現在這些關於書籍的知識全是打那兒學來的。

接下來，我進入一家金融機構待了一段時間，那也是當時招牌十分響叮噹的財務公司：布朗氏兄弟公司（Brown Brothers & Co.）（搞不清楚是倫敦布朗與席普利公司（Brown, Shipley & Co.）老闆的哪個年輕兒子開的）。我在那兒的主要工作是將匯票分成三疊（我記得專業術語就叫做：第一疊、第二疊，和第三疊）。我的工作始終和財務規劃沾不上邊兒，但是單單在一張票子上搞出一大堆錯誤，那種勾當我可沒花多少工夫就練就得十分拿手。那些錯誤要被人發現還挺不容易，我六月在費城捅的樓子，要等到十二月才會在上海曝光。那會兒我只要一想到輪船靠岸就心驚膽戰（「開航日」倒沒什麼好操心——那表示輪船把郵件載走；我憎惡的是郵件送達的日子）。連這會兒我彷彿都還可以看見以工整筆跡手寫（那年頭，連最上軌道的公司行號都還沒引進打字機）的簡短批示——「鑒於匯票誤差過於頻繁務必特別留意」——下頭把出紕漏的流水號、項目、總金額一筆一筆詳列出來。後來我漸漸摸熟了，每回只要一有郵件寄達，我就曉得過沒一會兒工夫便會有人來傳喚：狄拉諾（Delano）先生要我到最裡頭的辦公室報到。

◎坐落於費城的布朗氏兄弟公司辦公大樓

那是我一生中最不快活的一段時光。我至今依然想不出來還有哪件事會比一個人將大好青春全耗在數鈔票（何況全是別人的鈔票）上頭更慘。約翰生博士曾經調侃自己算起帳來笨手笨腳：「然而，閣下，此正足以證明我是何其疏於練習哪。」[4]我像他一樣也疏於練習。後來，金融遊戲越變越奇巧刁鑽，我的日子也就跟著越來越難過了。我不僅要計算出幾元幾角幾分，還得換算幾英鎊、幾先令、幾便士、幾法郎、幾馬克……和其他一大堆人類所發明出來的勞什子磨人玩意。我反躬自省，深感自己不但進錯公司，更選錯了行；我當下決定拋棄現職，索性自己創業：那些零零碎碎的工作全交給底下人去忙和。幾年下來，等我攢下一筆小積蓄之後，有個人以為我賺了不少銀子便跑來找我，他百般遊說我投資某家電器公司，還說他們正好有個財務經理的空缺；經過調查，我發現前任經理正是縣太爺，於是我知道他們八成沒誆我。

歷經千迴百轉、苦盡甘來的故事往往比平步青雲的故事來得更有意思。轉眼間，我這個連伏特和安培、千瓦……什麼跟什麼全一竅不通的人（由於我的家人從未聽過那些新鮮名詞，或許還覺得有趣，但其他人可不認為），居然當上了一家電器製造公司的董事長。我應該有充分理由說自己鴻運當頭，因為我既非工程專家，亦稱不上財經人士，卻能在電器業與金融界兩個圈子裡讓別人喊得出名號。

如今我已年近遲暮（蓋電器這一行忒是容易催人老），有時候談到渦旋電流、磁滯現象，就算我怎麼口若懸河、天花亂墜，我也明白自己根本唬不了別人；不過每次我只要一開口講話總有人肯聽，大概是因為歲數大了的關係，老頭兒講的一百件事兒裡頭總有一、兩件好玩的；而且，大家都曉得我這個人一向忒討厭會動的機械——尤其是汽車，大大小小零件數也數不完不說，光是每個零件各自具備什麼功能就能教人一個頭兩個大。我只要想起螺絲起子就頭疼，看到活動扳手就害怕。

但是我並非唯一的特例：有相同毛病的傢伙也大有人在。我曾經在倫敦某位傑出的電機工程師家裡用餐（非常簡單的便餐，但還是配了一名乾淨利落的女傭在一旁服侍）。那位主人右手邊的餐桌上擺著一塊小小的白色大理石和一根細細的銀鎚棒，每當他要傳喚女傭進來時，便抄起鎚棒把大理石敲得鏗鏘亂響。

我見狀噗嗤笑出聲來，便問他知不知道這年頭有人發明了一種叫人電鈴，具備完全相同的功能，但只須用手指輕輕一摁就行了。

「小伙子，我曉得啊，」他回答，「可是我實在受夠了城裡到處充斥電器設備；我可不許自己家裡頭出現任何插電的玩意兒。我也不接煤氣；你瞧蠟燭多好用哇；它們不會動不動就故障。我恨透了那種一摁下去悶聲不響，只能枯坐乾等的叫人鈴。我自個兒動手弄出聲響，打那一刻起我就能感受事情開始有進展了；咱們這種人之所以存在的目的不正是那麼回事──」他使了個「那可不」的眼色，「讓國家有進展哪。」

常有人詢問我怎麼會寫起書來了。這是少數幾個我答得出來的問題之一。回想一九〇七年那場恐慌；咱們可真是結結實實地嚇出一身冷汗（不管在經濟或其他層面），不過，有些人恐怕對那場發生於一九〇七年秋天的金融風暴早已不復記憶。筆者可沒忘掉，我當時遠赴歐洲，反正國內也看不出什麼經濟前景，我正好趁機享受兩袖清風、順道避免被颱風尾掃到。細節我就不多扯了，總之，一年一度、不長眼的聖誕節還是照例來報到，原本這時節合該四處逢人噓寒問暖、寄發精美賀卡（上頭要不是印著一叢茂密的槲寄生、就是幾頭拉雪橇的馴鹿）給某人（或某女人，蓋她們吃的苦比起男人也不遑多讓），並大聲地祝他（或她）「佳節愉快」，可是值此時局，幹那麼喜氣洋洋的勾當似乎有點哪壺不開提哪壺的嫌疑。雖然「愉快」本是再稀鬆平常不過的傳統賀歲吉祥話，但是當時我的嘴裡實在蹦不出那幾個字眼。

我絞盡腦汁，想看看我到底有沒有本事擬出一句在一片愁雲慘霧之中還能夠逗人開心的賀辭，左思右想不得要領之際，我暫時從爆滿的字紙簍中抽身去找賀拉斯・特勞柏[5]聊天（他原本就是兩袖清風，所以依舊開懷一如往昔）；當我翻讀他所庋藏的惠特曼手稿

◎一九〇七年紐頓寄贈友人的一九〇八年月曆（正面為惠特曼手稿，背面為紐頓感言）。原載薩簡《落難藏書家其人其書》

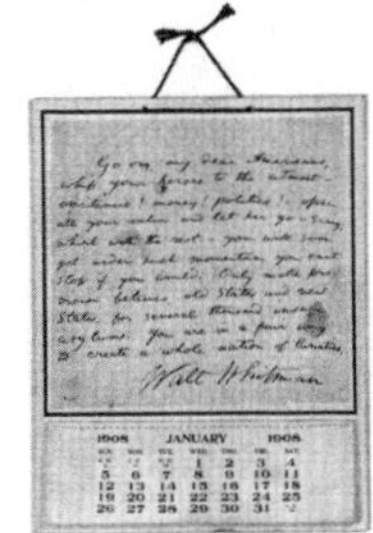

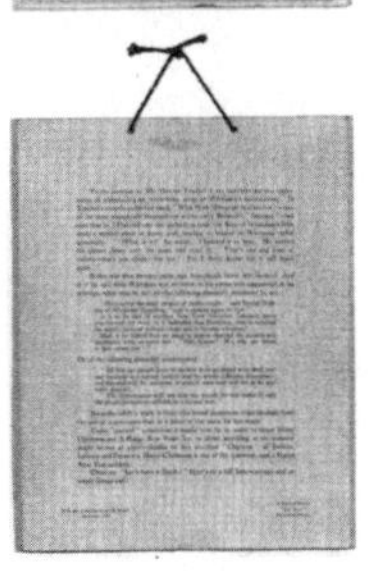

■複製自惠特曼手稿，A. E. N. 援用為一九〇七年的聖誕賀禮

Go on, my dear Americans, whip your horses to the utmost – excitement! money! politics! – open all your valves and let her go – swing, whirl with the rest – you will soon get under such momentum you can't stop if you would. Only make provision betimes, old States and new States, for several thousand insane asylums. You are in a fair way to create a whole nation of lunatics.

Walt Whitman

的時候，無意間發現一張小紙片，上頭有一段感人肺腑的話，似乎正合適供我派上用場。於是我便將那段文字複製下來，印在賀卡[6]的正面，背面則印上我自己寫的幾句感言。於是，那張卡片不但讓我順利達成「恭賀佳節」的神聖使命，也令所有收到賀卡的朋友們頗感受用。好幾位身居政界、工業界、與金融界要津的「大哥級」人士，看到別人拿出來炫耀的賀卡，也紛紛來信「懇請惠賜一卡」；於是，我原先印製的卡片沒三兩下就一掃而空了，事後我也沒把那件事擱在心上。直到又過了一年之後，我才再度基於自娛娛人，如法炮製這種比店頭販售的賀卡更有人情味的小玩意兒。打那時候起，我便一直維持此項過節儀式[7]：如此這般，「寓文學素養於潛移默化之中」。

前一陣子，我無意間在一張閒置的書桌抽屜裡頭發現當初僅存的一張聖誕卡，我現在就把它的內容轉載在這裡：

謹在此銘謝賀拉斯．特勞柏先生慨然出借其珍藏，讓我得以

●惠特曼生前最後居所：紐澤西州康登市米寇爾街（Mickle St.）328號（原載於〈華特．惠特曼〉），約瑟夫．潘迺爾繪

複印此份意義深遠的惠特曼親筆短箋。我們自特勞柏先生甫於近日出版的大作《與華特．惠特曼同居康登》[8]——此書堪稱鮑斯威爾《約翰生傳》以降最佳傳記作品——之中讀到他（特勞柏兄）某日在惠特曼小書齋地板上拾得一枚污漬斑斑的紙片，讀過之後，大惑不解地望著惠特曼——「怎麼了？」他問我。我將紙片遞到他的手裡，他將眼鏡推低，吟誦一回後，道：「這是我許久以前寫的。以我的一貫作風而言，這幾句話似乎說得太重了點——你不覺得嗎？不過話說回來，或許這幾句話現在仍能切中時弊亦未可知。」[9]

倘若真如惠特曼二十年前所言：此稿仍能切中時弊，時至今日其針砭功效豈不更形彰顯？再者，若有人據此認定惠特曼的觀點偏頗且下筆欠周，那麼，以下這則荒唐的吹捧言論或許也能算化拙為巧了：

「僵冷宛如死屍的國家財政經他巧手一撥，」（丹尼爾．韋伯斯特[10]此言乃針對亞歷山大．漢彌爾頓[11]而發），「便即刻起死回生。」[12]

以此類推，對於那位遠比漢彌爾頓更受歡迎、也比漢彌爾頓更死硬的紐約聯邦主義分子[13]只消用手摸一下，原本身強體健的私有經濟便馬上不支倒地、就此一命嗚呼，他們又該怎麼看待呢？難不成還要教大夥兒：薄海騰歡誌慶，舉國虔敬默禱：「凱撒萬歲萬萬歲！我們敬愛您、歌頌您。」才甘心嗎？

再瞧瞧以下這些更大剌剌、更不加遮攔的混帳言論：

「全國軍民同胞此刻必須向前看，莊敬自強、處變不驚，所有艱困必能消弭於無形；只要人人都堅守崗位、安分守己，即可抵達光明的彼岸……

「只要每位民眾依照尋常步調行事度日，政府必會照顧人民，讓百姓免於受苦受難。」[14]

巧言令色莫此為甚；這些信誓旦旦的保證，充其量只是某位身陷自己一手造成的恐慌之中的人，驚惶失措、左支右絀之餘，信口開出來的空頭支票。

倘若依照「正常」狀態，現在應該是大家互道「聖誕快樂」和「恭賀新禧」的時節；但是偏偏碰上這個節骨眼，不管高呼什麼都不妥當——拜身居政治界、工業界、金融界要津的所謂「大哥們」之賜，快樂的聖誕節眼見就此泡湯，而愉快的新年似乎也沒了著落。

大夥兒打起精神，全體舉杯高呼：「敬『人丁興旺，飯桶見底』[15]一杯！」

A. E. N. 謹識

時光荏苒飛逝，這會兒我們又再度面臨一個飯桶空空如也的年代。這次到底又是誰捅出來的樓子？這一回還有沒有得挽救？這些問題都不該拿來問一名目前（而這個「目前」又能維持多久？）搖著筆桿的區區藏書家。

諸位看倌，且莫驚慌；這段序文就快要結束了。這活像一扇卡得太緊的門，只要再多使點兒力氣，你便能推開它，一推開你就會發現前途茫茫。

我本來是打算向大家說明，我怎麼會成為一個寫作者，說著說著又不曉得扯到哪兒去了；反正本領比我高強的作家們八成也都幹過同樣的事兒。

我乾脆再從頭來過好了。有個順口溜大概是這麼說的：

斗室汗牛盈貫，

嬌妻賢淑和善，

可謂大富大貴。[16]

以上這些都一一擁有了之後，我便得寸進尺。我一心想為這座英文文學的森林（長年以來任我恣意悠遊、樂而忘返的巍峨森林）裡頭再添一片綠葉——我並不敢侈言一整棵樹，甚至一株幼苗也談不上，而是區區一片葉子。這是個堂堂正正的抱負，而我亦全心全力認真投入；過了一段時日之後，當我聽到有人建議我：不妨將前前後後刊登在《大西洋月刊》上頭那些文章，湊合我手邊寫好的另外幾篇好文章（這是別人說的），以書籍形式印行好讓更多人閱讀，我就像潘奇[17]一樣開心得手舞足蹈。

不多時，一部書就此堂堂問世——請注意，是「一部書」喲。鮑斯威爾某日與約翰生閒談，他提及他已於近日拜讀過博士的某篇文章。「唉，閣下，話是沒錯，」賢哲搖頭嘆息，「只可惜未能裝訂成冊哪。」一篇刊登在雜誌上的文章，和同一篇出現在裝訂好的書本裡頭的文章有著天壤之別。我的書就是裝訂成冊的。某位評論家論及它的時候，宅心仁厚地說：或許此書尚不值得以摩洛哥羊皮精裝以供恆久典藏，然則其「硬板簡裝」誠屬盡善盡美矣[18]。

然而，再怎麼說，一部書到底有沒有人讀才是真正的考驗。隨便哪個人都能寫點東西、印成鉛字、裝訂成冊；最要緊的是還得有人願意買回去看才能算數。偉人功名大可留待後人追謚，但是對於我這種升斗草民來說，能否出人頭地但看今朝。一部書的壽命好比曇花一現。說起書籍壽命之短暫，實在有點兒可悲。爬格子的人為了它沒日沒夜、廢寢忘食、口沫橫飛（只要碰到有人願意聽他講話）；最後總算如願求到一家出版社點頭，願意為他出書。或許，剛出版頭幾天還能在書店裡瞧見自己的書，接著便恍如片片雪花飄入溪流，從此消逝於無形，永遠再也看不到它了。總歸一句話：能逃過這種宿命的書簡直寥若晨星。芸芸眾書何其多！只要走進任何一間公共圖書館，詢問他們架上陳列的書籍如何物換星移（就以每十年為一輪來說好了）即可分曉。其答案一定能教眾多作家再也不敢那麼囂張氣盛。可是像我們這種懷抱虛幻憧憬的人倒依然拚命前仆後繼。

話說回來，我也實在不該滅自己威風。關於作家如何「遭災賈禍」與「引怨招議」，狄茲拉勒[19]早有白紙黑字加以闡釋——而我則專誌寫作之樂。一旦哪天寫作的樂趣不再，我自會乖乖洗手收山。同時，我也由衷感激那些僥倖得來的褒獎稱讚。該書於一九一八年十一月問世，上市後不久便陸續收到許多美言誇獎我的信。那些信件來自全國各地，剛開始還只是稀稀落落，接著就排山倒海紛至沓來了。寫信來的人幾乎清一色全是與我素昧平生的陌生人，沒有多少朋友寫信給我。當某人的處女作一經出版，朋友們除了等著看他出糗鬧笑話之餘，淨想趁機揩油，他們會毫不客氣地暗示：盼作者不吝惠賜簽贈本。要是真給了朋友，他們肯賞光一讀，那至少還謝天謝地。但是我記取約翰生博士的名言：「閣下，若您希冀人們閱讀您的著作，切勿送給他們。蓋人們只珍惜自己花錢買來的書。」

當我的書終於問世，許多人讀過之後，漸漸也有人談論它，許多事（壞事、好事都有）就跟著一股腦兒全上門了。其中最好的一樁莫過於我受邀出席某俱樂部特別為我舉辦的一場晚宴，並當場獲頒一部我自己的書——由祖克（H. Zucker）以細緻的皺紋摩洛哥羊皮精心滿裝，裡頭還附了一張插頁，印上一段從我的書裡頭一大堆嘻笑怒罵之中挑出來的句子：「我並不打算讓任何一部我自己寫的書成為『簽贈本』，而我相信所有的朋友都不至於因此怪我小氣。」底下的落款則故意印著「雖財務拮据卻仍不惜血本舉辦本次餐會、且一向認為作者簽贈其著作乃藏書界天經地義基本美德之本俱樂部執委會，特以此書回贈作者以資當頭棒喝[20]。」

那是一場暢快至極的晚宴，持續進行了好幾個鐘頭，直至東方魚肚露白。正當大夥兒酒酣耳熱之際，我的朋友小克．摩利[21]隨手自桌上拿起一張菜單，在背面寫下一首諧擬李．杭特[22]名作〈班．阿德漢大德〉[23]的打油詩：

<u>A. 愛德華大德</u>

A. 愛德華．紐頓——盼其道不孤且越來越多——
某夜夢見羅森巴哈擺在店裡頭的貨，
醒轉揉眼細看滿是書架的房內角落，
宛如「首版雪萊」展頁姿態婀娜，
只見鮑斯威爾手捧寶卷疾書埋首。
《藏書之樂》大賣令愛德華老兄賈起餘勇，
看著房內光景他張開尊口：
「汝書何耶？」鮑老聞聲抬起了頭，
板著臉孔，活像閻羅老子敞開血盆大口，
答曰：「偉大藏書家名錄部首。」
「閣下，吾名列其中否？」愛德華問。「不，並沒有。」
鮑老如是回駁，愛德華這下語氣不再那麼高聳，
仍喜孜孜地說：「閣下，快別這麼夭壽！
看在我如此愛戴約翰生的分上，把俺的名兒也寫進裡頭。」
鮑老振筆依舊，旋即杳然。又過了一宿
他再度到來，堆滿一臉笑容，
拿出又臭又長的歷代愛書家名錄讓他看個夠——
你瞧，A. 愛德華的名字就排在最前頭！

在清冽的依稀晨光之下，雪萊〈浮雲歌〉[24]和濟慈〈初讀查普曼註荷馬有感〉詩中那些足以萬古流芳的優秀質素，此詩顯然付之闕如；但是這首即席寫就、當場朗讀的詩，還是博得在場所有人士

Abou A. Edward

A. Edward Newton — may his tribe e'er wax.
Awoke one night from dreaming of Rosenbach's
And saw among the bookshelves in his room,
Making it like a 'Shelley first' in bloom
A boswell writing in a book of gold.
<u>Amenities</u> had made Ben Edward bold
And to the vision in the room he said
"What writest thou?" The boswell raised its head
And with a voice almost as stern as Hector's,
Replied. "An index of the great collectors."
"Sir, am I one?" quoth Edward. "Nay, not so,"
Replied the Boswell. Edward spake more low
But cheerly still "Sir, let us have no nonsense!
Write me at least as a lover of Dr. Johnson's."
The Boswell wrote and vanished. The next night
He came again with an increase of light
And shewed the names whom love of books had blessed —
And lo, A. Edward's name led all the rest!

Leigh Hunt
per CDM

■克里斯多佛·摩利仿照某名詩所擬的戲筆

同聲叫好，而且哪天我的繼承人、遺產執行人、管理者與委託人，要是把這張手稿賣給拍賣公司，價格鐵定會教他們嚇一大跳哩——但這大概又是我自己的痴心妄想。

《藏書之樂》出版後不久，我還碰到另一樁開心事兒，那就是：我的名字居然有機會與現已亡故的一位好友——傑出的學者法蘭西斯·B. 岡默芮[25]——沾上邊（雖然只是沾上那麼一丁點邊兒）。

我當時應邀赴波士頓參加一場飯局，那頓飯的菜色實在太豐盛了，不能算便飯，但又談不上正式晚宴那麼隆重，該場餐會假「零本俱樂部」[26]舉行，由「威德拿紀念圖書館」的館長喬治·帕克·溫席普[27]掛名作東。那是一場令人愉悅的聚會，頂尖的約翰生專家哈洛·莫鐸克[28]被安排坐在我的鄰座（席間那傢伙還假惺惺地掏出幾部我四處遍尋不著、而他剛從拍賣場上標到的書逗我）。就在此時，一位儀表出眾的男子步入會場，在餐桌的另一頭逕自坐了下來。他聽到我們這一頭有說有笑，便湊過來和大家一塊兒打趣。我根本不認得他，便隨口找了一句自認為很恰當的話打開話匣子：「我瞧你挺樂的嘛；你沾了我的光——你曉得我是誰吧：我正是這場餐會的頭號嘉賓；而我卻根本不認識你；你八成是糊里糊塗跑進來湊熱鬧……」

我接下來的話全被他的爆笑聲掩蓋掉了，等到他好不容易笑夠了才告訴我：他名叫喬治·L. 基特芮吉，我頓時恍然大悟：原來我剛剛當著哈佛大學招牌學者（而且還是全國公認最頂尖的英國文學教授）的面大放厥辭。看來我得把架子再撐大一點，要不然就要被他給比下去了。於是我要他甭道歉了，況且我記得好像聽過我的朋友岡默芮對他讚賞有加。「哦，」基特芮吉說，「敢情你也認識岡默芮？」當我回他我真的認識之後，他——這位如假包換的謙謙君子——即刻肅然起立，把酒杯斟滿，朝我深深鞠了一個躬，鄭重道：「閣下，在下向您和他敬一杯。」

■已故的哈佛大學英文教授，法蘭西斯・B．岡默芮

就這麼著，我和他在一塊兒愉快地——至少，就我單方面來說的確很愉快——聊了一整個下午。閒聊途中，基特芮吉說：「你可認識比小法知識更淵博的人？他真是個忒好相處的人！你聽說過有哪部書他沒讀過？」

接著我便向他透露：我曾參與一個小社團長達三十幾年；那個社團沒有名稱、不設規章、甭繳會費，什麼都沒有，但是想加入卻非常困難；而且一旦成為會員，絕對無法脫身。那個社團乃由我的朋友亨利・漢比・海*[29]、H. H. 邦迺爾和費利克斯・謝林攜手創立，而岡默芮則是最後一個加入，成為我們最嫩的會員；那個社團現在已經無疾而終了，不過，說起我們的社團，那可真是棒得沒話說！我們致力於研讀最尖澀刁鑽的英美文學作品。每回聚會大家總能集思廣益且獲益良多，我們彼此間還有一個約定俗成的慣例：要是有誰發言鋒芒太露，大家便會群起圍攻。每回只要岡默芮一來，就搶盡大家的鋒頭！當他屢屢口若懸河滔滔不絕（他向來就是那副德性）、以其學富五車的知識教大夥兒佩服得五體投地的時候，我們最愛當場澆他一盆冷水：「岡默芮，不要得意忘形，別忘了，你可不是基特芮吉呀。」[31]

就在我們準備道別（唉，天下無不散的筵席）的時候，基特芮吉對我說：「你哪天要是碰到小法，請代我向那位最要好的老朋友問候一聲。」

過了一、兩天，我在返家途中無意間在報上讀到岡默芮——那位飽富學養、懷抱遠大志向的學者——溘然辭世的消息。我始終沒來得及向他轉達基特芮吉的問候，而自從他去世之後，我們便再也沒辦過任何一場聚會。我想社團大概也已經苟延殘喘太久了；我們大多數人都是在二十來歲時加入社團，而我們也全都（套用戈爾德

* 我想藉此書一角表達我對「社團」（尤其是海老）的無盡感激；並套句迪克・史迪爾[30]說過的話：身為會員長達三十年，真可謂惠我良多。

史密斯說的那句教約翰生博士勃然大怒的話：）「彼此成了對方肚子裡的蛔蟲」[32]。我們之中幾個也都年紀老大了，不再能夠像從前那樣每會必到，而「閻王老子」下手亦絲毫不留情面，只能令生者徒然興嘆人去不再回。

我曾開宗明義地宣稱：我的書乃專為勞碌的職場人士所寫，但是對於另外一種性別（我們被教導應以平等相待）的人來說，那部書似乎也照樣管用。我漸漸領略拜倫也經歷過的莫名驚駭——他一覺醒來驚覺自己成了名人[33]；與他唯一不同的是：我每天都不太敢起床，生怕一覺醒來發現我的書那麼賣座到頭來原來只是一場美夢。我怕死了那些對我又褒又誇的信哪天全不再寄來；也擔心走在街上不再有朋友叫住我，當面告訴我：從沒想到我居然也寫得出一部書來。

我那約翰生專家的封號，可是我使盡吃奶的力氣辛苦掙來的；不管和哪個朋友在街角不期而遇，只要同我隨便聊上幾句便能見真章（這種事不只發生過一次，而是上百回）。

某友：我現在只要一聽到約翰生博士這幾個字就馬上想起你。

我：哦，那敢情好（瞅了那人一眼）。

某友：是不是總共有兩個約翰生[34]？其中一個不寫劇本？

我：沒錯，但是他們的姓氏拼法不一樣，而且班・瓊生[35]比他早了整整⋯⋯。

某友：我記得上回一九〇七年去倫敦的時候，還在酒館裡坐他生前坐過的椅子上⋯⋯不對不對，咦⋯⋯忘了到底是一九〇七年還是一九〇九年？反正我坐過約翰生的座位喲；嗯，那家酒館的店名我倒不記得了，反正在河濱道上就對了。

我（臉色一沉）：不對吧。你所說的那家酒館並不在河濱道，而是在艦隊街，店名叫做「柴郡乾酪」⋯⋯

某友（喜出望外，如獲至寶）：對對對，就是「柴郡乾酪」沒錯！我在那兒吃了一頓午飯，而且坐了約翰生坐過的椅子。你上過那家館子沒？

我：嗯，我要是說出實情恐怕會教你大吃一驚，實際上並沒有任何文獻記載約翰生光顧過「柴郡乾酪」。

某友：咦，這就怪了，人家怎麼告訴我……。

我（堅定地）：沒錯，我相當清楚人家怎麼告訴你，但是那些說法全都是空穴來風。約翰生常上「柴郡乾酪」的傳聞是從上個世紀才開始以訛傳訛，但概屬無稽之談[36]。

某友：我真是太吃驚了。哼，反正那家店又髒又破的。我還是比較喜歡上「辛普森酒館」(Simpson's)。

我：那可不！你這會兒肯定恨不得能上那兒喝兩杯吧？啊，我還有事先走一步。

我猜，正因為大家一眼就能看穿我的書乃一個大忙人趁閒偷懶寫成的，因此它才得以逃過書評家們的辣手整飭。那部書果真得天獨厚。約翰生博士曾經呼籲：不管女人家怎麼說教，千萬不要妄加批評[37]；而應該要對她有能力說教感到驚訝。這就難怪大家會對我的文章如此寬大為懷。總之我覺得實在很糗，因為我發現當自己面對外界的問題時，卻一個也答不出來。這讓我歸結出一個耐人尋味的結論：在這個世界上，問題的確多得不可勝數而答案卻實在少得可憐。

有一件事著實令我大感驚訝：我的書好像灌輸給外界一個錯得離譜的觀念——所有的舊書（尤其是內文裡頭的 s 全部印成 f 的本子[38]——其實那種作法大約可溯至印刷術肇始之初，一直延續到整個十八世紀，說穿了根本沒有任何特殊含義）全是價值連城；害我還得誠惶誠恐、苦口婆心地向一大票有意脫手賣掉祖傳舊書（他們自始至終一直認定價值不菲）的人一一解釋，狠心戳破他們的美夢。

一九一一年，郝氏藏品拍賣會在紐約舉行，杭廷頓先生在會場上標下那部名滿天下的古騰堡聖經，消息一傳開，當時一般民眾（尤其是住在偏遠鄉鎮的人）竟然福至心靈，以為古騰堡是某位才剛翹辮子沒多久的老先生，他的遺孀趁他新墳未乾之際便迫不及待把家用聖經拿出來變賣，居然還賺進五萬五千元。於是，大家便以為隨便拿一部祖傳舊聖經出來賣，好歹都能值那個價碼。於是「古騰堡太太」順理成章地掀起一波兜售聖經的風潮，結果，其中絕大多數的本子頂多只值一塊錢。

基於同樣心態，很多人拿了各式各樣的《彭斯集》打算賣給我。我記得當初書裡頭提及那部書的時候我寫得很清楚：一部紙板簡裝、書口未裁的基爾瑪諾克版《彭斯集》，市場行情大約可達五千元。由於該書印行於一七八六年，之所以會冒出那麼多人躍躍欲試，我記得他們的邏輯是：既然刊印於一百二十五年前的《彭斯集》能值五千元，那麼，年齡只有一半的本子也應該值一半身價；以此類推，一八二五年印行的《彭斯集》，不囉唆，只賣一千元就好了。

有一位罹患坐骨神經痛的老太太，一心想籌措經費供自己到克雷蒙斯山（Mount Clemens）好好地療養幾個月，於是決定要將手上的《彭斯集》忍痛脫手，她所開出的價碼正是上頭那個數目。她在信中這麼寫道：「此部《彭斯集》乃我的先祖所有。這是一八二五年出版的本子，頁緣塗滿金漆的裝幀，如此高齡的書（掐指算算也有一百年了）書況還能保持這副模樣可不簡單。當然，書頁都已經泛黃了，其中幾頁給蛀蟲蛀得挺厲害；總之，這本書正得很。」

還有另一位女士也捎來一封信：「喜聞您亟欲蒐購古書，謹此函告大師，我認識許多家裡有古書的人。在我進行洽購之前，我想先取得充分的資訊。我很渴望能以皆大歡喜的方式賺錢，而書籍買賣似乎正符合我的品味和興趣。請賜告您想買哪些書，恭候回函。」由於一直等不到我的回函，她又寄來一封信，這回還特地附上貼好郵票的回郵信封：「前些日子我曾去函向您提及古書買賣一事。我盼望能盡快付諸實行。請即刻回覆，並列出值錢的書。」

一位署名威廉・克勞福（William Crawford）、自稱水電工、裝配員的男士也千里迢迢自德州惠寄「墨寶」一封：「大師閣下鈞鑒：我得知您的手上有一份值錢書籍的清單，那份書單是否可供人免費索取？若是如此，請盡快將書單寄給我，我曉得哪裡有好書，我想知道那些書值多少錢。」

這些林林總總對我的厚愛，我全部歸功於那份娛樂報——堪薩斯市《星報》（*Star*）——的編輯，此君曾經在報上寫了一篇出色的書評（我之所以說它「出色」，乃是因為那篇文章對我可真是好話說盡），那篇書評後來還被廣泛轉載，甚至連首都圈的各傳媒也無一幸免。那篇文章告訴大家，我深諳進入藏書堂奧所該知道的一切伎倆。那篇書評是這麼寫的：「趕緊去買一本 A. 愛德華・紐頓的《藏書之樂》，你必能從中發現一把開啟藏書界所有秘辛的金鑰匙。」

「金鑰匙」那檔事兒著實害我不堪其擾了好一陣子。我起初還沒拜讀到那篇大作，所以搞得我丈二金剛摸不著腦袋，根本不曉得大家紛紛來信索取的「金鑰匙」到底是個什麼玩意兒。大概一大堆善男信女光讀到那段擲地有聲的句子，便紛紛依照指示找上門。有一位仁兄（顯然是一位住在明尼蘇達州的生意人）一看完《藏書之樂》之後，立刻寫了一封簡短的信，開門見山地說：「請簡單扼要地明示關於古舊書本的全部細節。最好連『金鑰匙』也一併寄來。我手頭上有幾本古書。」

不管怎麼說，在我心目中排行榜首的來函，還是得頒給那封一路尾隨我到英國的信。人家那邊好像普遍認為咱們老美個個都是百萬富翁似的，英國佬這麼瞧得起咱們，不由得教我想起傻子和錢那則古諺[39]。那位老兄當初動筆寫這封「墨寶」的時候，心裡頭八成也是那麼琢磨的。

倫敦洪西區（Hornsey）克洛夫利路（Clovelly Road）11號

一九二〇年十月三十日

先生閣下鈞鑒：

鄙人收藏了一本書，書名叫《卡圖盧斯、提布流斯與普洛柏丟斯作品集》（*Catulli Tibulli et Propertii Opera*），是卡圖盧斯、提布流斯和普洛柏丟斯[40]三位拉丁詩人的作品集，一七一五年由湯森與魏茨（Tonson & Watts）在倫敦出版。書上有一個重要的落款：「詹姆士・鮑斯威爾受吾友坦波[41]所贈，一七六〇年識於劍橋。」只需區區一千英鎊，您便能擁有鮑斯威爾和坦波之間友誼的有趣紀念品。

我從《書客雜誌》[42]上得知您此刻正在倫敦，若您想先看看這本書，我很樂意恭候大駕。另，這封信將委託貴出版商蘭恩先生[43]轉交到您的手中。

盼您撥冗回音，謹此

彼得・史楚特（Peter Struthers）敬上

這是什麼跟什麼嘛！不過還是感謝那位仁兄，承蒙他的一番好意，否則至今我還不曉得原來卡圖盧斯、提布流斯和普洛柏丟斯是拉丁詩人哩；有件事倒是可以確定：史楚特先生的腦筋肯定沒有問題，因為他篤定認為隨便哪個老美都會願意付那筆價碼（按照一般匯率折合五千元！）買那部書。不幸的很，他這會兒可能已經將那件「有趣的紀念品」脫手，賣給了查令十字路上的某家書店，得款幾先令，或許也早就被我以一基尼買到手了哩，何況，即使是這個價錢也一點都不算便宜。

遠在腓尼基人的時代，英國人便已相當嫻熟於視市場供需情形調節商品價格的機制。他們之所以成為舉世最偉大的商賈絕非僥倖，必須具備足夠的精明才能夠成就如此霸業。如果你對我的論調存疑，不妨去翻翻湯瑪斯・穆[44]寫的《英國海外商務的無窮收益》[45]，那是一部大約三百年前寫的書，現在還很容易買得到重印版。但是他們如今居然還欠了咱們一屁股債，教他們一想起這事兒就一肚子不爽；甚至已經提出要求：叫我們不要再繼續貸款給他們，而他們則會回報咱們——不再貸款（相對金額）給他們國內無力清償債務的債務人。聽起來很蠢吧，但實際上呢？

有人言之鑿鑿：歐洲絕對無法清償所有的債務。他們真還得了我才覺得奇怪呢，各協約國虧欠咱們的債款總額高達一百億元（粗略估算）；光算利息每天就將近兩百萬元之譜！按照理論上來說，這筆欠款（本金連同利息）應該以黃金支付；迫於現實條件卻不得不拿商品來抵償，因為根本沒有那麼多黃金。可是咱們美國人豈肯放任價值一百億元的工業製品和農產品大搖大擺輸入國內？難道農民和工人不會共同築起關稅壁壘加以抵制嗎？話說回來，假如咱們能夠長此以往年年有錢可收，而又不會搞垮我們的好顧客，這麼做不是比較高明嗎？認清事實、將債務交付信託並攤成好幾年的分期債豈非更好？咱們現在都應該學乖了，當我們早該參戰的時候，偏偏還選出一個一會兒標榜「曾讓同胞遠避戰火波及」，一會兒又要「讓民主永存於世界」的總統[46]；就以我個人來說吧，我認為實在得不償失。

這會兒咱們只剩下一個錯誤還沒犯，那就是：終於接受事實，承認要收回那筆債款是一件既不聰明也毫無可能的事，而繼續當我們過去盟邦的債權人，對外宣傳我們是多麼宅心仁厚、沒板著臉咄咄要債。

教人洩氣的事兒就談到這兒為止，還是回頭談我收到的那些信吧。

◎華特．拉利爵士

我曾收到過幾封信，其內容就算最鐵石心腸的作家（好比 H. G. 威爾斯[47]）看了也難免莞爾一笑。幾位在華爾街名氣響叮噹的工業界大哥，似乎憑藉我的文章得以暫時紓解平日趕三點半的苦悶；還有幾名剛從法國退伍返國的軍官，為了要盡快忘掉阿戈納的慘烈戰況[48]，稀哩呼嚕地一頭泡進我的書裡頭，活像把它當成一碗忘魂湯。最後，甚至還有人向我探詢演講鐘點費行情。因那部書小小的成功所引發的各式各樣意外效應，其中最好玩的就屬這一樁。由於我必須屢屢不斷答覆各界我的「價碼」，我索性搬出華特．拉利[49]爵士（偉大的牛津學者）以前告訴過我的自身經驗：當有人詢問他一場演講收費幾何，他答以：「分為三基尼一場、五基尼一場、以及十基尼一場三種，但我實在不便老實推薦你採用三基尼那種。」而我呢，腦袋裡則只有三基尼那一種，而且連唯一這一種我都不便推薦大家採用，尤其是我的心裡頭老妄想能講一場收一百基尼。當然啦，這個數字就連那些寫信給我的人也會當我是痴人說夢。

那篇關於特勞爾夫人的文章就是在華特．拉利爵士的建議之下動筆寫成的，不過篇名〈半路才女〉[50]倒是我自己出的主意。既然提到華特爵士，我乾脆再講一則關於他的故事，這段軼事始終未見著述，但實在值得流傳千古。

話說有一回他應普林斯頓大學之邀，允諾赴校進行一系列（每場十基尼的）演講。原本雙方約好屆時由希本[51]校長親自到火車站接他，但是就在他的班車抵達前不到一個鐘頭，希本博士才猛然想起自己還有一個非常重要的校務會議要開，而且說什麼都不能缺席。他束手無策之餘，只好撥了一通電話，交代一名年輕教授代他到車站迎接那位千載難逢的貴賓，再一路護送客人到「觀景軒」

（“Prospect”）（即希本博士的寓所）來。

那名年輕教授一接到校長本人來電，得知自己被賦予如此重任感到欣喜若狂，但還好沒忘了問重點：「我與華特爵士未曾謀面，怎麼知道該接哪個人？」

「哦，這簡單，」希本博士說，「華特爵士長得高頭大馬、相貌堂堂。你絕不會認錯人；而且平日會從紐約搭車來的人你全認得，找你不認識的那一位篤定錯不了。」

有了如此明確的指示，希本博士的代理人便火速前往車站，碰巧趕上列車正緩緩進站。此時，一名高頭大馬、相貌堂堂、頭戴絲質禮帽的男子步出車廂，說時遲哪時快，年輕教授一個箭步趨前拱手一拜：「在下特地到此恭迎華特．拉利爵士大駕。」

那位紳士被他突如其來的架式嚇了一大跳，但還是趕緊恢復風度，一開口便道：「謬矣，吾乃克里斯多佛．哥倫布（Christopher Columbus）是也，汝欲尋華特．拉利爵士，他這會兒還坐在吸菸車裡忙著和依莉莎白女王打牌呢。」[52]

搞了半天才弄清楚，原來那人是從紐約來的銀行家；他早就聽人說過普大畢業的學生盡幹迷糊勾當，決定當場給那個冒失鬼一點顏色嚐嚐。後來有人向華特爵士轉述那樁事，他聽了比誰都更樂不可支。

根據「說教人」[53]（吾友賈斯綽[54]博士在他那部有趣的《諾諾犬儒》[55]裡頭，偏好以此稱呼〈傳道書〉（Ecclesiastes）的作者們）所言：「聆畢全文，其結論竟是：『讀書過量，有礙健康。』[56]」──請看仔細，他用的是「過量」（“much”）這個字眼。我一再指出：閱讀再怎麼過量，也只會帶來愉悅，絕不至於令人疲乏。書籍對我個人而言，不僅是一種慰藉，也是一項娛樂。我們都聽過：著述多，無窮盡。倘真如此，且讓我們欣然樂見著述大業毫無阻攔，生生世世綿延不輟；不管是什麼書，只要能夠符合我們的心性、喜好，就儘管放馬過來吧。假使世事果真盡如「說教人」所言：都是虛空、皆為捕風[57]，那麼，要打發如夢幻泡影的一生，還有什麼活兒能比博覽群籍、閒來沒事寫點兒關於書本的文章來得更棒呢？

【譯註】

1　典出蘭姆《伊利亞續筆》〈書籍與閱讀斷想〉（“Detached Thoughts on Books and Reading”）首段末句：「我不散步的時候一定得看書；只要一坐下我便無法思考。書本代替我思考。」（“When I am not walking, I am reading; I cannot sit and think. Books think for me.”）

2　喬治．L. 基特芮吉（George Lyman Kittredge, 1860-1941）：美國學者、莎士比亞、喬叟專家。出生於波士頓，一八八八年至一九三二年在哈佛大學執教英文（一八九四年升任教授），專精的領域是莎士比亞、中古時期英文文學。他的著作有：《喬叟作綽流士之文章用法》（*The Lanuage of Chaucer's Troilus*, 1894）、與葛林納夫（J. B. Greenough）合著《英語演說之措辭法》（*Words and Their Way in English Speech*, 1901）、《英國巫術與詹姆士一世》（*English Witchcraft and James I*, 1912）、《高級英文法》（*Advanced English Grammar*, 1913）、《喬叟及其詩》（*Chaucer and His Poetry*, 1915）、《高溫爵士與綠騎士研究》（*A Study of Gawain and Green Knight*, 1916）、《莎士比亞》（*Shakespeare*, 1916）、《湯瑪士．馬洛里爵士》（*Sir Thomas Malory*, 1925）、《英國巫術今昔》（*Witchcraft in Old and New England*, 1929）等。

3　波特與寇特斯書店（Porter & Coates' [Bookstore]）：費城書店暨出版社。班傑明．寇特斯（Benjamin Coates, ?-1887）於一八四八年在Chestnut街822號創辦（一八九一年遷至900號），初期印行廉價的少年讀物、教科書。紐頓於一八七六年起在此公司工作。

4　引自鮑斯威爾追記蘭登（參見第四卷IV譯註16）轉述關於約翰生的若干軼事：某日托范．畢亞克勒克（參見第四卷IV譯註13）提及他與約翰生的共同友人某君十分拙於算錢，約翰生答以：「唉呀，閣下，吾亦同樣拙於算錢。然而，閣下，原因無他，乃吾甚缺可算之錢也。」（“Why, Sir, I am aukward at counting money. But then, Sir, the reason is plain; I have very little money to count.”）。見《約翰生傳》（一七八〇年段）。

5　賀拉斯．特勞柏（Horace Logo Traubel, 1858-1919）：美國作家。與惠特曼相識於一八八〇年代中期，兩人成為摯友，並擔任惠特曼身後作品版權處置人。

6　其實是一份年曆。參見頁217附圖。

7　翌年（一九〇八年）聖誕節前夕，紐頓印製、寄贈給朋友的賀禮是一份題為《約翰生博士及其友人的機敏與智慧》（*Wit and Wisdom of Dr. Johnson and His Friends*）的一九〇九年年曆；一九〇九年為九頁小冊《約翰生藏書票之由來》（*A Johnson Bookplate*），敘述其自用藏書票的來歷（參見第一卷II）；紐頓年年維持這項賀節傳統直至去世前一年從未間斷；紐頓生前最後一年（一九三九年）聖誕節，由於健康狀況不佳，無法循例編印小冊子，只以一張卡片瓜代。

8　《與華特．惠特曼同居康登》（*With Walt Whitman in Camden*）：特勞柏記述文友惠特曼的傳記作品。一九〇六年發表第一卷（波士頓Small, Maynard and Co.出版），第二卷於一九〇八年（紐約Appleton）出版、第三卷（紐約Mitchell Kennerly）於一九一四年出版，全書共九卷，特勞柏原本計畫每年出版一卷，但他生前僅發表前三卷，其餘手稿後來才陸續發表，最後兩卷更遲至一九九六年才出版問世。惠特曼於一八七三年一月二十三日工作途中突然中風導致左半身不遂，便遷居至紐澤西州康登市，與母親和兄弟同住。友人特勞柏亦不時隨侍在側，事後寫下他於一八八八年至一八九二年間與惠特曼在康登的交往記錄。

◎華特．惠特曼在康登居所的書齋，Thomas Eakins攝（1887）

9 惠特曼手稿譯文請參見附錄V文末（第643頁）。

10 丹尼爾・韋伯斯特（Daniel Webster, 1782-1852）：美國政客。原為執業律師，後來多次擔任議員、官員；與當時的（第七任）總統傑克遜（Andrew Jackson, 1767-1845，在位一八二九年至一八三七年）在財經方面意見相左；一八四一年至一八四三年與一八五〇年起兩度擔任國務卿。

11 亞歷山大・漢彌爾頓（Alexander Hamilton, 1755-1804）：美國政客。在國王學院（今哥倫比亞大學前身）就學期間發表過許多鼓吹愛國主義的小冊子。一七七七年至一七八一年擔任華盛頓的首席副官；四度擔任殖民地議會議員；一七八三年在紐約擔任律師；支持制定新憲法；一七八九年至一七九五年擔任美國首任財政部長，成功奠定美國財政的堅實基礎，並成為聯邦黨（Federal Party）的領袖。他因屢次插手阻撓政敵阿隆・布爾（Aaron Burr, 1756-1836）競選總統（一八〇〇年）與紐約州長（一八〇四年），與布爾在決鬥中負傷身亡。

12「僵冷宛如死屍的國家財政經他巧手一撥，便即刻起死回生。」（“He touched the dead corpse of public credit, and it sprang upon its feet.”）：出自韋伯斯特於一八三一年三月十日的演說內容。。

13 指當時的美國總統老羅斯福（參見本卷Ⅳ譯註27）。當時美國經濟衰退，普林斯頓大學校長威爾斯將國內經濟不振歸咎於領導人「對鐵路公司採取強硬態度，導致他們借貸無門」（“aggressive attitude toward the railroads, that made it impossible for them to borrow.”）。老羅斯福不僅未接納工商界的要求，將貨幣政策和反托拉斯條例鬆綁，反而在一片撻伐聲浪中，於一九〇六年年底將所有大筆信託劃歸聯邦管轄。他聲稱美國將可邁入「前所未有的全面榮景」（“a literally unprecedented prosperity”），卻沒料到風雨欲來的金融危機。

14 此處疑引自當時「社會中堅」（即紐頓所謂「政經大哥」）在報刊上呼籲民眾齊心擁護政府的言論。

15「人丁興旺，飯桶見底。」（“a full baby-carriage and an empty dinner-pail”）：美國第二十五任總統麥金利（William McKinley, 1843-1901，任期自一八九七年起）於一九〇〇年競選連任時，為了因應對手主打財經議題，麥金利提出宣傳口號「飽滿飯桶」（“The full dinner-pail.”），蓋一九〇〇年美國人民生活尚稱富足，麥金利暗示民眾投他一票即可繼續確保豐衣足食。但當他後來以極大票數差距打敗民主黨候選人William Jennings Bryan連任成功後，卻於一九〇一年九月六日被刺（八天後不治身亡），由副總統西奧多・羅斯福（老羅斯福）接任。

16「斗室汗牛盈貫，嬌妻賢淑和善，可謂大富大貴。」（“A little home well filled, A little wife well willed, Are great riches.”）：語出班傑明・富蘭克林（參見第一卷Ⅰ譯註37）於一七三五年二月發表的言論。原句為“A little house well filled, a little field well tilled, and a little wife well willed, are great riches?”、“He that would live in peace and ease. Must not speak all he knows nor judge all he sees.”。

◎以Punchinello為主角的刊物（1870）

17 潘奇（Punch，或Punchinello）：源自義大利的布袋木偶戲《潘奇與珠笛》（*Punch and Judy*）中的角色。潘奇是一個粗鄙的駝背丑角，貫穿整場戲，不斷擊退來敵，一路樂不可支。

18 首版《藏書之樂》以紙板、（四分之一）布背裝幀，外加書衣（jacket）。按照今日標準，應該稱為「精裝本」（hardback或hardcover），但以當時的出版規格則歸為「硬板簡裝」（參見第一卷 I 譯註118）。

19 以薩克・狄茲拉勒（Isaac Disraeli, 1766-1848）：英國學者。班雅明・狄茲拉勒（參見第一卷 I 譯註124）之父。一七九一年至一八三四年匿名出版收錄文史掌故的集刊《文藝集粹》（*Curiosities of Literature*）；另有散文作品《作家之災禍》（*Calamities of Authors*, 1812-1813）、《作家之爭議》（*Quarrels of Authors*, 1814）、《作家之趣》（*Amenities of Authors*, 1814）等。

20「當頭棒喝」（“stinging rebuke”）：引自New International版〈舊約・以西結書〉第五章第15節經文：「這樣、我必以怒氣和忿怒、並烈怒的責備、向你施行審判・那時、你就在四圍的列國中成為羞辱、譏刺、警戒、驚駭・這是我耶和華說的。」（“You will be a reproach and a taunt, a warning and an object of horror to the nations around you when I inflict punishment on you in anger and in wrath and with stinging rebuke. I the LORD have spoken.”）

21 小克・摩利（Kit Morley）：即克里斯多佛・達林頓・摩利（參見本卷代序譯註6）。

22（詹姆士・亨利・）李・杭特（[James Henry] Leigh Hunt, 1784－1859）：十九世紀英國作家。

◎李・杭特

23〈班・阿德漢大德〉（“Abou Ben Adhem”）：李・杭特於一八三八年發表的詩作。原詩全文如下：Abou Ben Adhem (may his tribe increase!) / Awoke one night from a deep dream of peace, / And saw, within the moonlight in his room, / Making it rich, and like a lily in bloom, / An Angel writing in a book of gold: // Exceeding peace had made Ben Adhem bold, / And to the Presence in the room he said, / “What writest thou?” The Vision raised its head, / And with a look made of all sweet accord/Answered, “The names of those who love the Lord.” // “And is mine one?” said Abou. “Nay, not so,” / Replied the Angel. Abou spoke more low, / But cheerily still; and said, “I pray thee, then, / Write me as one who loves his fellow men.” // The Angel wrote, and vanished. The next night / It came again with a great wakening light, / And shoed the names whom love of God had blessed, / And, lo! Ben Adhem's name led all the rest!（參見內文附圖，對照摩利改頭換面後的諧謔詩原文。）

24〈浮雲歌〉（“The Cloud”）：雪萊於一八二〇年發表的詩作。

25 法蘭西斯・B. 岡默芮（Francis Barton Gummere, 1855-1919）：美國文學史家。一九一〇年翻譯古英語史詩《貝奧武甫》（*Beowulf*）。其他作品有：《詩學手冊》（*A Handbook of Poetics*, 1885）、《偉大英文作家列傳》（*Lives of Great English Writers*, 1908，與Walter S. Hinchman合編）、《普及歌謠》（*The Popular Ballad*, 1959）等。

26「零本俱樂部」（The Club of Odd Volumes）：一八八七年在波士頓成立的愛書同好社團暨出版機構，該俱樂部以推廣文藝鑒賞與版本鑽研為其宗旨。一八九〇年開始出版量小質精的文學書籍、小冊子；並不定期舉辦各類相關展覽。

27 喬治・帕克・溫席普（George Parker Winship, 1871-1952）：美國學者、哈佛大學教授。

28 哈洛・莫鐸克（Harold Murdock, 1862-1934）：美國學者、原為波士頓銀行家。一九二〇年繼首任社長 C. C. Lane（任期1913-1919）接掌哈佛大學出版社擔任第二任社長至身故為止。

29 亨利・漢比・海（Henry Hanby Hay, 1848-?）：美國評論家、教師、學者、詩人。作品有：

詩集《鍍金集》（*Created Gold*）、《喇叭與蕭姆管》（*Trumpets and Shawms*）等。

30 理察・史迪爾（Richard Steele, 1672-1729）：愛爾蘭散文家、劇作家。此處所謂史迪爾的文句應指《閒談誌》（*Tatler.* No. 49）中〈誌伊莉莎白・哈斯廷斯女爵〉（"Of Lady Elizabeth Hastings"）的 "to have been a member of it for thirty years is a liberal education"。

31 關於此社團，請參閱第三卷題獻文。

32 戈爾德史密斯某日對約翰生博士表示「文學俱樂部」（Literary Club）應召募更多新會員以活絡社團生氣：「咱們之間已了無新意，因為我們對彼此的心思都早已瞭若指掌矣。」（"There can not be anything new among us: we have travelled pretty well over one another's minds."）約翰生聞之略露慍色，答道：「閣下，我保證你絕對尚未對『我』的心思已瞭若指掌。」（"Sir, you have not travelled over my mind, I promise you."）而心裡贊同戈爾德史密斯的約書亞爵士一旁見狀曰：「蓋人們相處日久，見對方開口前便已知他將發何種議論……。」（見《約翰生傳》一七八三年段）。

33 拜倫於一八一二年以自傳長詩《哈洛德小子之旅》（*Childe Harold's Pilgimage*）一書聲名鵲起，除了成為倫敦社交圈寵兒，歐洲並對他興起英雄式的崇拜。拜倫自己形容：「一覺醒來驚覺成名。」（"Awoke and found himself famous."）

34 約翰生（Johnson）與瓊生（Jonson）的英語發音相同。

35 班・瓊生（Ben Jonson, 1572-1637）：英國劇作家。

36「柴郡乾酪」（Cheshire Cheese）開業甚早，其悠久歷史至少可溯及十六世紀。該店一度燬於一六六六年倫敦大火，災後在原址重建傳衍至今。現稱「老柴郡乾酪小館」（Ye Olde Cheshire Cheese），位於倫敦市艦隊街148號酒廠胡同（Wine Office Court）巷底。該酒肆曾經留下許多藝文聞人駐足的記錄，包括：康格列夫、蒲伯、伏爾泰、薩克雷、柯南道爾、葉慈、狄更斯（《雙城記》中曾提及）等。反倒是約翰生於一七四八年移居距此區區咫尺的高夫廣場17號，卻不見鮑斯威爾在《約翰生傳》中隻字提及約翰生出入此店。有一說為約翰生頻頻光顧鄰近酒肆乃想當然爾，鮑斯威爾自然毋庸贅述。雖則約翰生亦被該店列為標榜沾光之列，但由於缺乏鮑斯威爾的背書，此說遂難以說服《約翰生傳》的死忠擁護者；加上鮑斯威爾曾記述約翰生搬家之後表示：「除非颶風海嘯肆虐，否則我絕不跨越艦隊街。」蓋約翰生高夫廣場家在艦隊街以北，而「柴郡乾酪」則位於艦隊街南側。紐頓提及的謬論根源，應指Thomas Wilson Reid的《乾酪酒館約翰生腳蹤錄》（*The Book of the Cheese, Traits And Stories of A Johnsonian Haunt*, London: B.A. Moore & Son, 1896），該書於當時頗獲歡迎，十九、二十世紀之交多次再版。約翰生經常光顧柴郡乾酪的說法近世以來幾成定論。順道一提，《約翰生傳》中提及約翰生出入較頻繁的酒肆是「主教冠酒館」（Mitre Tavern）和「惡徒酒館」（Devil's Tavern），皆位於艦隊街上。

◎約翰生與友人在主教冠酒館高談闊論

37 鮑斯威爾某日告訴約翰生博士，前一日早上他在一個所謂貴格教派的聚會場合中聽聞一名女子在傳道（preach）。約翰生博士說： "Sir, a woman's preacing is like a dog's walking on his hinder legs. It is not done well; but you are surprised to find it done at all."。見《約翰生傳》（一七六三年七月三十一日段）。

38 昔時一項不成文的印刷植字法。古版書中的"ſ"（s）字母往往與"f"（f）字母十分近似（但仔細看其實並不盡相同。關於這一點，我以前也曾像紐頓一樣，誤認為古書上的f、s混用同一枚鉛字，後來承蒙一位前輩蘇精先生為我指出兩者之間微小的差別）；而“u”往往以“v”取代（這應該來自拉丁文傳統）；“w”印成“vv”、“j”則印成“i”……等等。此作法雖然在歐文古籍上頗為尋常，但也不能一概而論。

39 指義大利古諺：「傻子散財忒快。」（“Uno sciocco e il suo denaro son presto separati.” = “A fool and his money were soon parted.”）

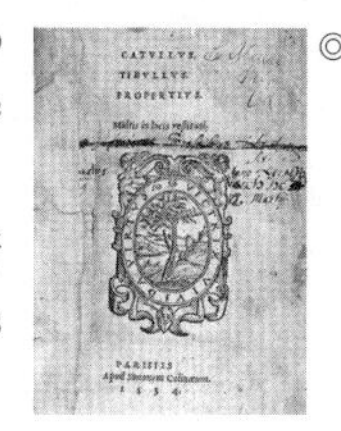
◎《卡圖盧斯、提布流斯、普洛柏丟斯》（*Catullus. Tibullus. Propertius*, Simon de Colines, 1534）

40 卡圖盧斯（Gaius Valerius Catullus, c.84-c.54BC）、提布流斯（Albius Tibullus, c.54-c.19BC）、普洛柏丟斯（Sextus Propertius, c.50-c.15BC）皆為羅馬時代詩人。

41 W.姜斯頓・坦波（W. Johnston Temple, 1739-1796）：十八世紀傳教士。見《約翰生傳》。

42《書客雜誌》（*Bookman's Journal*）：英國期刊，完整刊名為*Bookman's Journal and Print Collector; The Journal for the Trade, for Collectors & for Librarians*。一九一九年創刊。美國另有《書客文藝畫刊》（*Bookman, An Illustrated Literary Journal*），由紐約多德、米德出版公司印行。

43《藏書之樂》的英國首版於一九二〇年由約翰・蘭恩（John Lane）出版。內容直接援用美國首版第二刷的印張，但刪除原本第二版序文（後來於同年再刷的版本中補回）。

44 湯瑪斯・穆（Thomas Mun, 1571-1641）：英國作家。一六一五年擔任大英東印度公司（British East India Company）高級專員。

45《英國海外商務的無窮收益》（*England's Treasure by Foreign Trade. or The Ballance of Our Foreign Trade is the Rule of Our Treasure*）：湯瑪斯・穆關於東印度公司營運制度的論著，是研究古典外貿形態與重商主義的重要著作。此書於一六三〇年代寫成，但遲至一六六四年才得以出版。

46 第一次世界大戰爆發後，美國總統伍卓・威爾遜（參見第一卷IV譯註55）立即宣布中立，力圖避免美國涉入戰局，一九一六年威爾遜競選連任時，幕僚便以「他令國人未受戰火波及」（“He kept us out of war”）為其競選口號。美國旁觀歐洲戰局直至一九一七年，由於德國潛艇不論中立與否全面攻擊海上船隻，已連任成功的威爾遜於四月二日赴參眾聯席會發表演說尋求通過派兵參戰的法案，他當時的理由是「保障民主永存於世界」（“Making the World Safe for Democracy”）。

47 H. G. 威爾斯（Herbert George Wells, 1866-1946）：英國科幻小說家。

48 一九一八年四月初美軍部隊在阿戈納（Argonne，位於法國東部山區，為第一次世界大戰的戰略要地）與德軍爆發激戰，德軍施放毒氣造成美軍慘重傷亡。

◎以阿戈納戰役為主題的通俗讀物，Arthur McKeogh《阿戈納森林英雄譜》（*Heroes of the Argonne Forest*, 1919）

49 華特・拉利（Walter Alexander Raleigh, 1861-1922）：英國評論家、散文家。先後在利物浦（一八八九年）、格拉斯哥（一九〇〇年）、牛津（一九〇四年）等地教授文學。著作有：《英文小說》（*The English Novel*, 1894）、《風格》（*Style*, 1897）、《彌爾頓》（*Milton*, 1900）、《華滋華斯》（*Wordsworth*, 1903）、《莎士比亞》（*Shakespeare*, 1907）、《約翰生六論》（*Six Essays on Johnson*, 1910）、《傳奇》（*Romance*, 1917）、與第一部皇家空軍建軍史的《長空之戰》（*War in

the Air, 1922）。

50〈半路才女〉（“A Light-blue Stocking”）：《藏書之樂》原書第七章，譯本未收。

51 約翰・葛瑞爾・希本（John Grier Hibben, 1861-1933）：美國學者、普林斯頓大學第十四任校長。普林斯頓大學前任校長威爾遜（參見第一卷Ⅳ譯註55）離職參選總統後，校長一職懸缺十五個月後才由希本繼任。

52 這個玩笑的典故源自歷史上另一位同名同姓的華特・拉利爵士（1552-1618），

此華特・拉利對哥倫布搶先登陸美洲心有不甘，於一五八四年封爵後便派遣英國第一批遠征隊赴美洲探勘。他一度深得女王依莉莎白一世寵信，但後來失寵甚至招罪下獄，雖於一六一六年獲釋，但後來仍因故被詹姆士一世處決。

53“Koheleth”為〈傳道書〉的希伯來文，現在聖經通常使用的“Ecclesiastes”乃依希臘文語法。賈斯綽為猶太人，自然堅守希伯來文傳統。

54 小莫里斯・賈斯綽（Morris Jastrow Jr., 1861-1921）：波蘭裔美國學者。一八六六年移民美國。一八九二年起擔任賓州大學教授；一八九八年起兼任該校圖書館館長。著作有：《宗教研究》（*The Study of Religion*, 1901）、《巴比倫人與亞述人的宗教信仰及奉祀實況面面觀》（*Aspects of Religious Belief and Practice in Babylonia and Assyria*, 1911）、《希伯來與巴比倫之傳統》（*Hebrew and Babylonian Traditions*, 1914）、《猶太復國運動與巴勒斯坦的未來》（*Zionism and the Future of Palestine*, 1919）、《約伯書》（*The Book of Job*, 1920）等。

55《諾諾犬儒》（*A Gentle Cynic, Being the Book of Ecclesiastes*，紐頓原文誤為*The Gentle Cynic*）──小莫里斯・賈斯綽的神學論著。一九一九年費城Lippincott出版。

56 原文為「讀書多，身體疲倦」（參見第一卷Ⅳ譯註57）。

57「都是虛空，都是捕風。」（“all in vanity.”）乃《新約・傳道書》各節經文的慣用結尾用語。

II　運好不怕書來磨

◎愛德華．吉朋

我對運道之說向來堅信不疑。我當然曉得愛默生[1]古有明訓：只有膚淺之人才會拿運氣當擋箭牌[2]，不過我絲毫沒把這句話擱在心上；反正不管哪位賢哲怎麼說，一定都能找到另一位持完全相反論調、和他打對台的賢哲的另一套說法。吉朋[3]在他那部引人入勝的《自傳》裡如是形容自己的一生：數百萬人的運氣全部加起來也抵不過他一個人的好運多[4]；假使按照我和他兩人理應蒙受的賞罰比例算起來，我的幸運程度實在遠遠勝過他；話說回來，同一件好事一口氣來得太多也挺傷腦筋。我聽過一則故事：某人沿著鄉間小路行走，無意間發現腳邊有一只馬蹄鐵躺在路上，他便將它撿起來，跟自己說：「我今兒個可要走運了。」他往前走了幾碼路，又撿到另一只，他像之前一樣喃喃自語：「我就快出運了。」再走幾步，他又看見一只，往下走還有另一只，他便如此這般不斷逐一拾起，直到兩隻手全拎滿了馬蹄鐵。最後他才瞧見：就在他的前方不遠的路上有一輛大馬車，載滿生鏽的舊馬蹄鐵，正準備運到垃圾場去扔，他這下子才恍然大悟：原來好運太多過了頭便成了垃圾。

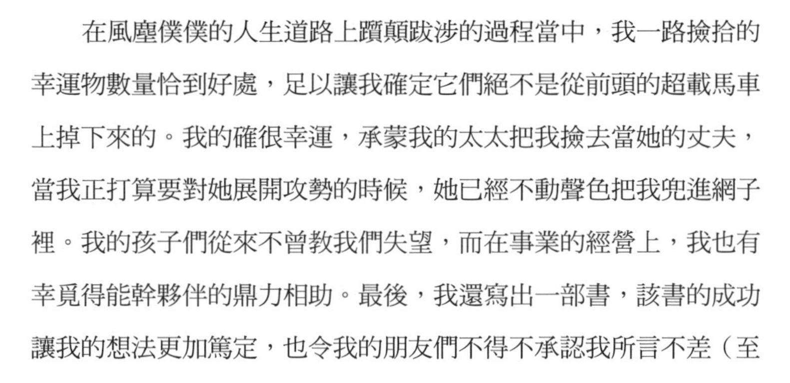

在風塵僕僕的人生道路上躓顛跋涉的過程當中，我一路撿拾的幸運物數量恰到好處，足以讓我確定它們絕不是從前頭的超載馬車上掉下來的。我的確很幸運，承蒙我的太太把我撿去當她的丈夫，當我正打算要對她展開攻勢的時候，她已經不動聲色把我兜進網子裡。我的孩子們從來不曾教我們失望，而在事業的經營上，我也有幸覓得能幹夥伴的鼎力相助。最後，我還寫出一部書，該書的成功讓我的想法更加篤定，也令我的朋友們不得不承認我所言不差（至少，就我坦承我的成就說穿了無非來自大量的「運氣」這件事情）。我出書的來龍去脈已經在前頭的序文中明白交代過了，此處無須重複贅述。別人如何看待那部書，我現在也完全以平常心看待；每位讀者大可依照自己喜歡的方式翻讀它，就算是過目即忘也不打緊。不過，那部書的問世倒是結結實實地影響了作者本人。它讓大家以為作者在藏書志業上的表現極為傑出（遠超過他自己的認知）；為了符合該書的期許，害作者累得差點丟掉半條小命。人類缺德乃天性使然——我們往往不大喜歡聽到朋友們功成名就的事蹟；但是一看到他們失利困頓，卻能令我們感到莫大快慰，甚至還一五一十寫成奇文供大家共欣賞；我向來都是這麼幹的。

不用大腦和不明就裡的人常對我說：「你到底是怎麼找到那麼棒、又那麼讚的玩意兒？」他們用的正是「棒」和「讚」這兩個字眼；而當我老實告訴他們：真正最困難的部分倒不在尋找的過程，而是要掏腰包買下那些寶貝的時候（我以為那正是我之所以能闖出名號的主要原因），他們卻總以為我在唬弄（這是從咱們英國同宗那兒學來的字眼[5]）他們。

當然啦，令我不為所動——由於遠遠超過我的能力所能企及，乾脆眼不見為淨——的書籍也是所在多有。有一回，我頻頻逼問一位財力頗豐的老紳士為什麼不買這些、不買那些（他看起來明明就是一副愛得要死的樣子），我記得他當時這麼回答我：「我當然也很想擁有呀；可是，如果說只因為喜歡我就全該買下來的話，凡德畢爾特家族[6]要是也跟著卯起來還得了？」同樣道理，假使擁有幾部莎士比亞第一四開本，對我而言的意義猶勝妻兒隨侍在側、安居穩固房舍，而且，我因而必須從此坐懷不亂的話，那麼，真正的藏書家還有什麼事幹不出來？

話說回來，在所謂的次級品的領域裡也有數不清的品目，以往只是三三兩兩橫阻道途對我百般引誘，現在則是排山倒海地密集圍攻，不管我如何抵死不從都無濟於事。如果生命真如大家所言：無非是衰事一樁接一樁的過程，那麼，像我這麼堅此百忍卻仍然無法抗拒誘惑，那又該從何說起呢？加上我那些（賣書的）朋友們總能屢屢切中要害、搔到癢處，令我銘感五內——直到月初帳單寄達為止。

我過去一直以為自己是個能夠排拒諂媚逢迎的人。我花了大半輩子販售各式各樣有的沒的玩意兒。像我同樣等級的貨色會耍什麼伎倆我也全盤瞭若指掌；但是當我頭一回新手上路，嘗試以賣東西營生的時候，不巧碰上新人類迅速竄起，而我只有——俗話怎麼說來著？——前浪死在沙灘上的分兒。世事演變至此，我就曉得我的絕路不遠了——我心知肚明；縣太爺遲早會把我找了去，告訴我：為了清償債務，得清算掉我的書，那些書的後事我早就安排妥當，全權交給我的朋友米歇爾·肯納利（獨攬紐約安德遜拍賣公司旗下龐大資產的老好人）去處理，要供他印在拍賣目錄上的廣告詞我也已經擬好了：——

來喲，來喲，
誰要來買落難藏書家的書喲？

在我的想像中，拍賣官的叫賣聲歷歷可聞：「來來來，各位女士、各位先生，請大家注意，我們馬上就要開始拍賣在座都很熟識的某位收藏家的藏書。每一部書籍的品相都很不賴，全是咱們這位除了進書房之外，幹其他事情都心不在焉的藏書家的珍藏……請各位翻開目錄看頭一件拍賣品，咱們這就開始：『À. 貝克特的《漫畫英倫史》。首版兩卷，布面原裝』，來，多少？好，感謝感謝……」拍賣會如是持續進行，終於一路輪到札恩多爾夫[7]的《書籍裝幀簡史》(*Short History of Book-binding*)上場。

假如真能這樣也不壞嘛！許多比我有本事的人也都曾經和書籍分手——注意，我說的是「比我有本事的人」，若要比愛書，那可就沒人能比得過我；萬一哪天我萬不得已必須將手頭上現有的藏書全數脫售，我鐵定會馬上重起爐灶，再度動手收集。即便如此，我也不至於寫出賺人熱淚的十四行詩〈與書訣別書〉[8]——原因有二：首先，就算有全套「第一對開本」擺在我的面前當獎賞，我也壓根擠不出一首十四行商籟詩來；第二個理由則是稟性天生使然：我絕不容許自己擺出一副「鬱鬱寡歡、病懨懨」[9]的模樣。

畢竟，那場拍賣會或許有機會不會實現。也許我還可以和債主們打個商量，求他們允許我整欠零還。我曾經聽說過那種變通方案，我想不出還有什麼其他更妙的法子。我得趁還有機會納藏史蓋爾頓（讓它在我的書架上和首版《鄉巴佬皮爾斯》[10]擺在一塊兒）的時候，趕緊談成幾筆整欠零還的貸款。史蓋爾頓的書現在可稀罕了，這一點連比佛利・周也頗為認同。還記得他在哈堅藏書拍賣會目錄上的序文說過的那番話嗎？「若有人問我，整場拍賣會上最珍稀的是哪一部善本，我必毫不遲疑地回答他：正是那部收錄亨利七世的桂冠詩人約翰・史蓋爾頓四首詩的迷人小書。」短短幾句話對我還真管用，他接著說：「那些眼睜睜看著哈堅先生不斷挹注資金在書籍上頭而替他感到心驚膽戰的人，曾經奉勸他還是把錢拿去買幾張績優債券方為投資上策。哈堅回答他：『不，你的債券將來肯定不會比我的書更值錢。』且讓我們期盼他的預言成真，而且，從最近股票市場爆發的幾起事件看來，他的判斷似乎就快應驗了。」

◎《鄉巴佬皮爾斯》

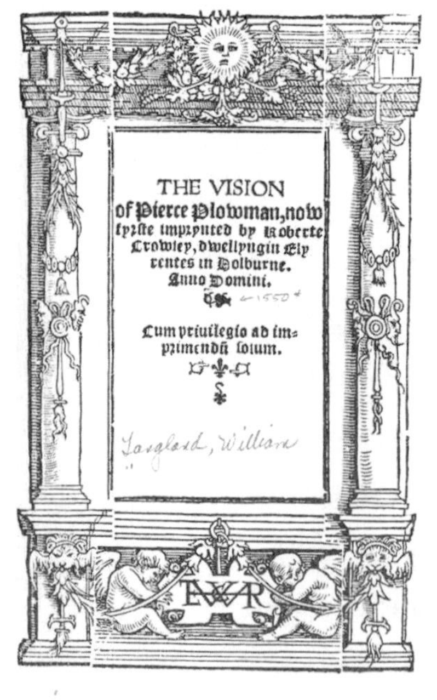
THE VISION
of Pierce Plowman, now
fyrste imprynted by Roberte
Crowley, dwellyng in Ely
rentes in Holburne.
Anno Domini.
Cum priuilegio ad imprimendum solum.

喏，他的期盼事這會兒果不其然全都一一實現了。我當時去參加那場拍賣會的時候，暗地裡還琢磨著「凡德畢爾特家族要是卯起來還得了？」那檔事兒；從我的座位放眼望去，他們一家子似乎全部集中火力競逐那部史蓋爾頓。我不曉得最後得標者究竟是誰，但是當某人一喊出「九千七」的同時，拍賣官隨即敲了槌，我當場決計：我非擁有史蓋爾頓的書不可——我所指的當然不是那部一五二〇年的本子，而是任何一部史蓋爾頓的書：好比說，像那部《主曆一五六八年今編新版，精鍊、可喜又有益的史蓋爾頓先生作品集》[11]。就這麼著，過了一、兩年後，我在倫敦找到一部經過後世以小牛皮重裝的黑字版善本，當時被威爾斯搶先一步買走並帶回紐約，我該怎麼辦？看倌，換作是你，你怎麼辦？沒錯，我就是那麼辦，所以那個小巧玲瓏的本子才得以溜進這個房間裡頭，而且它一進我的書房就好像找到了婆家（和三百五十年前它待過的娘家——臨近聖當思東教堂的弗列特街湯瑪斯．馬許先生商號[12]——沒啥兩樣）。把它娶進門的那天晚上，我連抽了好幾根廉價雪茄——總得縮衣節食一下嘛。

Pithy pleasaunt and profitable workes of maister Skelton, Poete Laureate.
Nowe collected and newly published.
ANNO 1568.
Imprinted at London in Fleteſtreate, neare vnto ſaint Dunſtones churche by Thomas Marſhe.

■史蓋爾頓《精鍊、可喜又有益的作品集》書名頁

還有另一個我至今猶避之惟恐不及的重大誘惑——復辟時代[13]的劇本，好在它們十分稀罕、難得一見，而且價格也不斷扶搖直上，我才能夠屢屢逃過劫數。那些薄薄的冊子，通常都會冠上身旁若有女士（或精湛的學者、收藏家）在場便難以啟齒的書名。我想，大概沒有任何一個有自知之明的人膽敢駁斥謝林博士宣稱每一部老劇本他都看過的說法。那些劇作也曾經令特洛羅普深深著迷不已，他在他的《自傳》中如此寫道：「年近遲暮，余遂將拉丁文典籍悉數拋開，深深愛上古典英文劇作群家——並非出於對他們的作品無以復加的喜愛，那些探索人性真理的作品往往令我難以消受，

■史賓賽《柯林·克勞茨歸鄉記》書名頁（請注意作者姓氏的拼法）

甚且其遣辭用字亦時常令吾赧顏；而是好奇於鑽研其情節並審察其角色。倘吾尚能再享幾年壽命，必將全心埋首詳讀斯輩劇作家，一路追溯至詹姆士一世遜位，並一一月旦每部劇作。此領域未曾有人深入鑽研，更不知作品總數究竟幾何。」

但是，就算我到目前為止一路僥倖逃過了戲劇的誘惑，但我想要擁有那些畢生竭心盡力在我們的語文上陶句冶字、豐富我們共同文學遺產的詩人的首版詩集的欲望，依舊有如烈火中燒且難以撲滅。雖然我逢人就吹噓我手上已有《柯林·克勞茨》[14]和《仙后》，但是得等我終於順利買到海立克的《金蘋果守護者》，我才總算真正打心底開心。那部可愛的書促使我發憤圖強、再接再厲蒐求一大堆好書（並一一遂願，謝天謝地）：拉夫雷斯[15]的《盧卡斯塔》[16]、沙克林[17]的《吉光片羽集》[18]，和卡魯[19]（寢宮佞臣成員、皇上陛下常任奉食官[20]之一）的《詩集》，一路直到收錄白朗寧最佳詩作的薄薄兩冊《男與女》[21]……等，上頭這些書只要少了其中任何一部，就沒資格誇口自己擁有那位詩人的完整收藏。

說來也妙，幾件微不足道的偶發事件每每能讓一個人的收藏改弦易轍；這種事我這輩子碰過好幾回。話說某人出席一場宴會，當他傳遞冰淇淋盤的時候，目光無意間掃到另一雙水汪汪的倩兮巧目，兩人隨即迅雷不及掩耳訂了婚，等到男的回神過來，兩人早已拜完堂送進洞房[22]。我對狄福的興趣和那種奇緣巧遇也有異曲同工之妙。好幾年前，我在牛津待了一個多禮拜，期間偶爾上倫敦辦點公事。有一天我碰巧有事得去西堤路（City Road）一趟，由於我提前一個鐘頭到達，便悠閒地晃到邦丘胡同墓園（Bunhill Fields Burying Ground），瞻仰那些幾乎被世人遺忘的昔日名人墳塚。我無意間逛到班揚[23]的墓前，緊接著就瞥見由英國兒童集資為狄福豎立的紀念碑，這個無心的發現令我又驚又喜。當天晚上吃過晚飯，在牛津的國王勳章旅店（King's Arms）的狹小吸菸室裡，我和一位美國紳士有一番對談，我看出此人顯然對狄福也懷抱莫大興趣，於是便挖空心思用句遣辭，將我對《魯賓遜漂流記》的看法與他分享。他對我的整體見地頗為認同，只是不時糾正我幾處論點，大致說來，他還算是個挺不錯的談伴。等到我後來終於搞清楚：原來我侃侃暢談狄福的對象，正是當今最偉大的狄福專家——哥倫比亞大學的威廉·P. 川特教授——我恨不得當場鑽個地洞躲進去。他當時正在牛津避暑，幾乎成天都泡在波德里圖書館，進行狄福小冊子的高深研究。

■（上）沙克林《吉光片羽集》扉畫

■（下）卡魯《詩集》書名頁

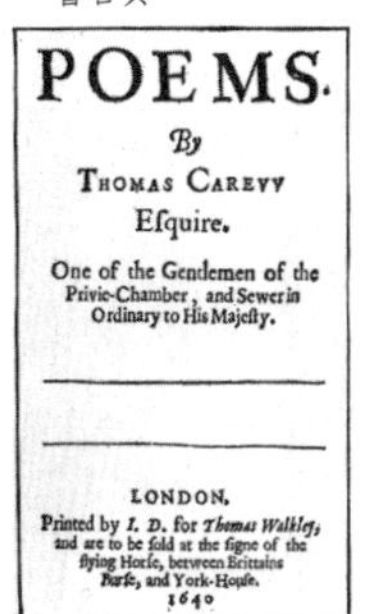

POEMS.

By

Thomas Carevv

Esquire.

One of the Gentlemen of the Privie-Chamber, and Sewer in Ordinary to His Majesty.

LONDON,

Printed by I. D. for Thomas Walkley, and are to be sold at the signe of the flying Horse, between Brittains Burse, and York-House.

1640

當我還小的時候，我比較喜歡的書並非《魯賓遜漂流記》而是《海角一樂園》[24]，我還記得當時左猜右想，揣測這個魯賓遜和那個魯賓遜之間到底是什麼親戚關係。大家一定都聽過這個說法：魯賓遜某日在沙灘上發現一枚男子赤足腳印乃小說寫實進程上石破天驚的一段描述。但我們切莫因而小覷《大疫年記事》[25]的歷史價值；此書在《魯賓遜漂流記》之後不久問世，在林林總總論及倫敦鼠疫大流行的書籍當中，它可說是唯一一部能夠逃過「無情歲月的啃噬」[26]而存活至今的作品。直到後來，另一位美國學者魏特森·尼可遜（Watson Nicholson）博士，才明白指出狄福書寫該書乃是透過腳踏實地的編纂採訪。偶爾被奉為英文小說之父的狄福，要是活在今日，我們或許該稱呼他為記者。他進行一部作品的手法是：盡可能地蒐集精確的資料，在壓力下進行工作（美其名曰：搖著筆桿和時間賽跑），然後，自己設身處地在他所敘述的事件現場之中，讓他的讀者完完全全地被他牽著鼻子，進而全盤相信他們所讀到的故事是來自作者現場目擊的實況描述。剛開始它還被當成信而有徵的史書，後來才被視為高明的小說，我們現在總算搞清楚那部書究竟是怎麼回事：

◎邦丘墓園的狄福紀念碑

■丹尼爾・狄福因出版《處置反國教人士妙方》（*The Shortest Way with Dissenters*）小冊子而被處以枷刑示眾於聖殿門前

雖匆促寫就，但行筆優美、描述逼真，可說是那場倫敦城空前大浩劫的絕佳史料。全書字裡行間充斥著虛虛實實的記載，就算是假的也寫得活靈活現跟真的一樣。我的本子有頂級的上好品相——雖經裝訂但書口未裁（就像我那部書名頁教人一目瞭然的《茉兒・佛蘭德》[27]一樣），好處一言難盡。

A
JOURNAL
OF THE
Plague Year:
BEING
Observations or Memorials,
Of the most Remarkable
OCCURRENCES,
As well
PUBLICK *as* PRIVATE,
Which happened in
L O N D O N
During the last
GREAT VISITATION
In 1665.

Written by a CITIZEN who continued all the while in *London*. Never made publick before

L O N D O N:
Printed for *E. Nutt* at the *Royal-Exchange*; *J. Roberts* in *Warwick-Lane*; *A. Dodd* without *Temple-Bar*; and *J. Graves* in St. *James's-street*. 1722.

■（上）《大疫年記事》書名頁

■（下）《茉兒・佛蘭德》書名頁

THE
FORTUNES
AND
MISFORTUNES
Of the FAMOUS
Moll Flanders, &c.

Who was Born in NEWGATE, and during a Life of continu'd Variety for Threescore Years, besides her Childhood, was Twelve Year a *Whore*, five times a *Wife* (whereof once to her own Brother) Twelve Year a *Thief*, Eight Year a Transported *Felon* in *Virginia*, at last grew *Rich*, liv'd *Honest*, and died a *Penitent*,

Written from her own MEMORANDUMS.

LONDON: Printed for, and Sold by W. CHETWOOD, at *Cato's-Head*, in *Russel-street*, *Covent-Garden*; and T. EDLING, at the *Prince's-Arms*, over-against *Exeter-Change* in the *Strand*. MDDCXXI.

既然扯到狄福，我們不妨順道談談山繆爾・佩皮斯[28]。普天之下至少還有那麼一部書，想必任何讀者（不論多麼冰雪聰明的男人或多麼秀外慧中的女人）都不至於非讀首版不可，那就是——歷久不衰的《佩皮斯日記》。我曾經自倫敦不辭辛勞三顧劍橋欲睹佩皮斯珍藏，但每一次都被監管人擋在門外：「很抱歉今日不對外開放。」如果我星期二上門，開放日就剛好是星期三；如果我早上到訪，他們會說下午來比較方便。有一次，我企圖「趁虛而入」卻仍舊沒能得逞；大概它還沒「大而無當」到那種地步。皇天不負苦心人，上回到劍橋總算讓我碰到了好運氣，有人在賀佛書店（參見譯註43）介紹我認識現任館長（或監管人[29]）O. F. 摩斯賀德（O. F. Morshead）先生，讓我得以在他細心周到的導覽之下，在館內暢遊了一整個上午，從

■佩皮斯特藏室即位於劍橋大學的這幢建築物內

容瀏覽那些足以令任何鐵石心腸的藏書家心頭小鹿亂撞的大批珍寶（何況我遠遠談不上鐵石心腸呢）。

佩皮斯從二十七歲起開始寫日記，直到年僅三十六歲，迫於視力漸失才不得不歇手。對於無法繼續寫日記，根據他自己的說法：「簡直和眼睜睜看著自己走進墳墓沒啥兩樣。」[30]不過他終其一生都收藏不輟，一路活到七十多歲才鞠躬盡瘁死而後已。至於他在海軍的官位，則早在他的日記停筆之前，便已達到巔峰。

一名既富裕又勤快的人耗費四十年流光，其所能積攢的寶物何其可觀哪！特別是，裡頭說不準還不乏從別人手中借來賴著不還的東西。其中有一件——從另一位勤寫日記的夥伴，約翰・艾佛林[31]那兒借來的曆書之類的口袋小書——就是那麼來的，原屬佩皮斯個人崇拜有加的法蘭西斯・蕞克[32]的財產，書中有他的署名（寫成了「最克」）。此書自然重要非凡，連佩皮斯為其藏書編號時也將它列為天字第一號。

◎山繆爾・佩皮斯

佩皮斯的所有藏書（總數約三千部）全都妥善地安置在一六六六年他向「細活佬」(the joyner)辛普森[33]先生特別訂製的書匣裡。那批書

◎法蘭西斯・德瑞克（約1580）

有一套他自己發明的奇特排列組合，陳設方式則完全遵照他臨終的叮囑。老實說，那些以密碼速記的日記原始手稿反倒成了整批藏品之中最不起眼的東西。不過話說回來，那六大冊密密麻麻的密碼本子裡頭包藏的趣事卻又多得沒話說！

依照佩皮斯遺囑的指示，該批藏品委由麥達連學院[34]託管，佩皮斯為了加強保險起見，還特地在遺囑中增列若干條款和規定，只要那批書出了那麼一丁點差池，便立刻轉送三一學院收藏；自一七〇三年佩皮斯去世，《日記》的手稿都一直沉睡在那批藏書之中，直到一八二五年才被解密出版，該版本由柏瑞布祿克[35]編輯、刪訂，只發表了全部日記的一半左右，其餘內容顯然只能留待日後一步一步慢慢出土。若干年後，某位有志之士挺身接手編務，但是他卻怠忽職守，竟然聲稱全帙對大眾必然「過於冗長」！就那麼著，一直等到一八九三年，才又出現一部由H. B. 惠特利[36]編輯的版本，雖然將日記補齊，但其中少數段落也橫遭腰斬，而那些段落（前後加一加，約合一頁篇幅），據編者的說法：著實不合適刊登出來。

多棒的一部書！不墨守成規的寫作風格、不賣弄聰明、不耍弄無礙辯才；然而，我們又豈肯拿它去換另一部有風格、既聰明又辯才無礙的書？正如某人所言：惟有盧騷[37]悶騷堪比佩皮斯[38]。《佩皮斯日記》的迷人處在於它的古怪有趣與毫不遮掩，譬如作者某日自承踹了他的女傭一腳，事後對該事毫無悔意，只扼腕自己踹人時遭人撞見。我們絕大多數的人或許都和佩皮斯同樣德性，但是卻鮮少有人能像他那麼誠實坦白。我們即便做錯事也打死不認，只要不被發現，照樣臉不紅氣不喘。

上頭洋洋灑灑寫了那麼一大堆，我納悶接著到底該先向大家介紹一首迷人的打油詩（我的朋友「小克」・摩利寫的，詩藝堪比登峰造極時的奧斯汀・達伯森[39]）；還是跳過去，直接聊我那部漂亮的佩皮斯在皇家海軍生涯的回憶錄。我還是先講那首詩好了。

在《佩皮斯日記》一六六五年二月三日的記載之中，我們讀到佩皮斯為了要戒掉一見漂亮小妞就想吃人家豆腐的毛病，他給自己訂了個規矩，他願付一先令以換得一親芳澤。就算他是個做事有條有理的登徒子，但是我還是懷疑他後來果真說話算數。不管如何，在同一天的記載之中，他心儀已久的透納夫人（Mrs. Turner）在他眼前煙視媚行，令他騷癢難耐，他如是記下當天的豔遇：「比起其他所有女人，漂亮的透納夫人的確是一位漂亮非凡的女士；雖然因為破了戒，害我花了十二便士[40]，然而，我真想再多付兩回。」

好樣皮仔、佩仔，或屁仔
（不管他諢號喚作啥），
在國王的船隊裡頭當差，
寫了一部尖酸的日記。
檸檬、蘋果[41]他可全識貨，
但他懂的可不只那些，
既然一記吻只消一先令，
自然多來幾次亦無妨！

他那兩片唇真箇中高手，
不過我著實難以消受
他的一些齷齪不堪行徑
（我眼見他頻頻越軌
幹那嚐葷勾當），可他倒能教
不近女色的人一兩招，
既然一記吻只消一先令，
自然多來幾次亦無妨！

他盡情啜飲生命佳釀，

他吃得飽來睡得也足，

他既無憂慮也不發愁，

老天爺！他哭得死去活來

只因底細被看透瞧穿

眾目睽睽猖狂依舊，

反正，一記吻只消一先令，

自然多來幾次亦無妨！

結尾

嗚呼，區區唸歌人，謹奉勸大家，

再三思量他的忠告良言

既然一記吻只消一先令，

咱們幹嘛不多來幾次？

THE EIGHTH SIN

BY

C. D. MORLEY

"There is no greater Sin after the seven deadly than to flatter oneself into an idea of being a great Poet." Letters of John Keats.

OXFORD
B. H. BLACKWELL, BROAD STREET
LONDON
SIMPKIN, MARSHALL & CO. LIMITED
MCMXII

■（上）摩利《第八罪》書名頁

■（下）佩皮斯《與英格蘭皇家海軍事務相關的回憶錄》書名頁

Memoires
Relating to the
STATE
OF THE
ROYAL NAVY
OF
ENGLAND,
For Ten Years, Determin'd
December 1688.
By Samuel Pepys

Quantis molestiis vacant, qui nihil omninò cum Populo contrahunt? Quid Dulcius Otio Litterato? Cic. Tusc. Disp.

LONDON:
Printed for Ben. Griffin, and are to be sold by Sam. Keble at the Great Turks-Head in Fleet-street over against Fetter-Lane, 1690.

這首高明的歌謠是摩利大學時代寫的（他們家兄弟三人全是羅德斯[42]培養出來的學者），最初刊登在一九一二年由牛津的布列克威爾[43]印行的一部薄薄的平裝詩集《第八罪》[44]。此書現在有許多人汲汲蒐求，書名靈感來自濟慈曾經寫入信中的句子：「若說還有比七大罪更嚴重的罪行，莫過於詩人自視過高。」[45]對於他有感而發的這句話，我完全同意。

此外，《與英格蘭皇家海軍事務相關的回憶錄》[46]亦是一部珍本，內附一幀根據涅勒[47]原畫改刻的佩皮斯肖像，若是正確無誤的本子，裡頭還必須有一葉大幅摺頁，詳列當時海軍與國庫的財務帳目。在許多書店的目錄上都如此標明：此表格「往往佚失」。我差點忘了，我還有一封佩皮斯寫給他的姪子（亦是他的遺產繼承人，即約翰．傑克遜（John Jackson））的信，叮囑他如果要購買書籍或畫片

■英格蘭地圖，上頭的每一條線段皆以彩色絲線綴織而成。這些地圖的繪製可遠溯至一個世紀之前，早於「電影」問世的時間

時，務必「只挑上好的貨」；這個忠告對所有收藏家而言同樣十二萬分寶貴，但是即使在佩皮斯當年亦屢受輕忽。

據說，這位日記作家的姓氏總共有十七種拼法，但其中只有三種的發音沒有問題[48]；至於究竟哪一個才是正確拼法，迄今仍然眾說紛紜。且容我在此引用一首阿胥比．史德利（Ashby Sterry）的小詩（二十五年前所有的報紙均曾廣為刊載，我還將其中一張剪報貼在我的剪貼簿上）。

我聽說，有人（一說為數甚夥）

說到饒舌的山繆爾便開口閉口辟普斯；
其中不乏字正腔圓言之鑿鑿亦有之，
嘴裡管那老可愛日記作家喚佩皮斯；
而我只聽信我自認發音正確無誤者，
不管說者如何口沫橫飛又欲罷不能。

「就此安歇。」[49]

To A.E.N. with my love (April 1927)

Dear Caliph — I suddenly realize,
seeing this pamphlet again, why it
is that the author has no copy of
his own primary indiscretion. He
has no copy because he gave it to
you. But unless there were
testimony to that effect it might
be supposed that you had obtained
the pamphlet by sinister means.
And so dear Caliph I rededicate
to you this copy of a sheaf of
peccadilloes which, when
they were innocently committed,
never dreamed of reaching a
haven (or heaven) of editions and
bindings such as Oak Knoll. Your
very affectionate Kit Morley

◎摩利簽贈給紐頓的《第八罪》空白扉頁上的題辭

【譯註】

1　雷夫・華爾多・愛默生（Ralph Waldo Emerson, 1803-1882）：十九世紀美國散文家、詩人。

2　原文作「運氣乃膚淺者的庇護所」（"Luck is the refuge of the shallow."）。紐頓可能搞混了。愛默生曾寫過：「膚淺的人相信運氣；信服外在環境……強者則相信凡事皆為因果。」（"Shallow men believe in luck, believe in circumstances... Strong men believe in cause and effect."）出自愛默生的〈敬天法祖〉（Worship, 1860）第二部起首；倒是王爾德說過：「膚淺者唯一的庇護所就是板起臉孔。」（"Seriousness is the only refuge of the shallow."）

3　愛德華・吉朋（Edward Gibbon, 1737-1794）：十八世紀英國歷史學家。代表作為《羅馬帝國衰亡史》（*The Decline and Fall of the Roman Empire*, 1776-1788）。

4　「集數百萬人之好運亦不及（吾）一人。」（"... being the lucky chance of one unit against millions."）：語出吉朋《吾之生涯與著述回憶錄》（*Memoirs of My Life and Writings*, 1796，Lord Sheffield編）的序文〈吉朋蓋棺論定〉（Gibbon Sums Up）。原文首段頗有意思，茲抄錄如下："When I contemplate the common lot of mortality, I must acknowledge that I have drawn a high prize in the lottery of life. The far greater part of the globe is overspread with barbarism or slavery: in the civilised world, the most numerous class is condemned to ignorance and poverty; and the double fortune of my birth in a free and enlightened country, in an honourable and wealthy family, is the lucky chance of an unit against millions. The general probability is about three to one, that a new-born infant will not live to complete his fiftieth year. I have now passed that age, and may fairly estimate the present value of my existence in the three-fold division of mind, body and estate."

5　唬弄（spoof）：英國劇作家亞瑟・羅勃茲（Arthur Roberts, 1852-1933）自創的一種遊戲，由兩個人互相較量吹牛皮本事的無意義比賽。名詞最早出現於一八八四年，現在已成為英文慣用字，但在紐頓當時仍屬新鮮字眼。根據《美國傳統詞典》（*The American Heritage Dictionary of the English Language*）所載，此字最早被當成動詞的使用記錄為一九二七年。倘若此說可信，紐頓顯然開了先河（此文發表於一九二一年）。

6　凡德畢爾特家族（Vanderbilts）：美國運輸業及金融世家。主要成員有康爾納琉斯・凡德畢爾特（Cornelius Vanderbilt, 1794-1877），一八一〇年在家鄉史坦頓島經營往返紐約的貨、客運渡輪生意起家，後來成為富甲一方的財閥。

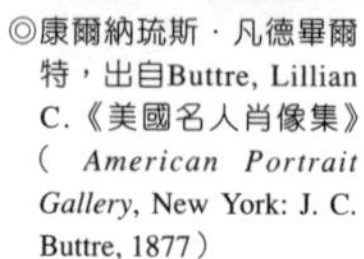

◎康爾納琉斯・凡德畢爾特，出自Buttre, Lillian C.《美國名人肖像集》（*American Portrait Gallery*, New York: J. C. Buttre, 1877）

7　約瑟夫・札恩多爾夫（Joseph W. Zaehndorf, 1816-1886）：十九世紀奧匈帝國（Austro-Hungarian）裝幀匠。出生於布達佩斯，在司圖卡特及維也納習技。一八三七年移居倫敦，在衛斯特里公司（Westley & Co.）工作；一八四二年成立自己的手工裝幀作坊。其後人約瑟夫・威廉・札恩多爾夫（Joseph William Zaehndorf, 1853-1930）曾著《裝幀藝術》（*The Art of Bookbinding*, George Bell & Sons, 1900）。

8　〈與書訣別書〉（"To My Books on Parting With Them"）：典出十九世紀美國作家華盛頓・艾文（Washington Irving, 1783-1859）的系列短篇故事集《喬夫瑞・克蘭永君札記》（*The Sketchbook of Geoffrey Crayon, Gent.*, 1901）中的〈羅斯柯先生軼史〉（"Roscoe"）。艾文在該篇文章假借虛構的史學家羅斯柯先生，盡述愛書情懷，該文以一首哀怨的十四行詩〈揮別吾

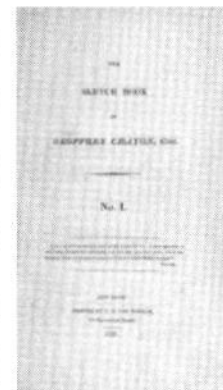

書〉（"To My Books"）結尾。全詩如下："As one who, destined from his friends to part, / Regrets his loss, but hopes again erewhile /To share their converse and enjoy their smile, / And tempers as he may affliction's dart; / Thus, loved associates, chiefs of elder art, / Teachers of wisdom, who could once beguile / My tedious hours, and lighten every toil, / I now resign you; nor with fainting heart; / For pass a few short years, or days, or hours, / And happier seasons may their dawn unfold, / And all your sacred fellowship restore: / When, freed from earth, unlimited its powers. / Mind shall with mind direct communion hold. / And kindred spirits meet to part no more."

9 「鬱鬱寡歡、病懨懨」（"sickles o'er with the pale cast of thought"）：引自莎士比亞劇作《哈姆雷特》第三幕第一景哈姆雷特著名的"To be or not to be"獨白末段（卞之琳譯文）：「也就這樣了，決斷決行的本色／蒙上了慘白的一層思慮的病容；／本可以轟轟烈烈的大作為，／由於這一點想不通，就出了彆扭，／失去了行動的名分。」（"Thus the native hue of resolution / Is sicklied over with the pale cast of thought / And enterprises of great pitch and moment / With this regard their actions turn away / And lose the name of action."）

10《鄉巴佬皮爾斯》（*Piers Plowman*）：中世紀英國宗教俗世詩集，完整書名為*The Vision of Pierce Plowman*。實際作者不詳，J. M. Manly認為實際執筆人數不低於五位；但其他如Walter W. Skeat、J. J. Jusserand、R. W. Chambers等學者則認為全書出自威廉・朗蘭（William Langland, ca.1332-1387）一人之手。一五五〇年倫敦理察・格拉夫頓（參見第三卷 I 譯註36）首版登載的作者為Robert Langland。

11《主曆一五六八年今編新版，精鍊、可喜又有益的史蓋爾頓先生作品集》（*Pithy, Pleasaunt and Profitable Workes of Maister Skelton, Poete Laureate. Nowe collected and newly published. Anno 1568*）：一五六八年倫敦出版。

12 Mr. Thomas Marshe's shoppe in Fletestreate neare unto saint Dunstones Churche：《史蓋爾頓作品集》的出版商號。

13 一六六〇年六月英國護國公（克倫威爾）政權垮台（參見第三卷 I 譯註40），非常議會恭迎查理二世返國視事。但許多皇室特權與國家體制尚未恢復，議會先以「克拉倫登法典」（Clarendon Code, 1661-1665）暫代過渡時期，並宣布全體國人必須信奉國教。此短暫時期在歷史上稱作「復辟時代」（Restoration）。

14《柯林・克勞茨歸鄉記》（*Colin Clout's Come Home Againe*）：愛德蒙・史賓賽的敘事長詩。一五九五年倫敦William Ponsonby出版。

◎理察・拉夫雷斯

15 理察・拉夫雷斯（Richard Lovelace, 1618-1658）：十七世紀英國詩人。

16《盧卡斯塔、阿拉曼沙合編》（*Lucasta: Epodes, Odes, Sonnets, Songs, & c. To which is added Aramantha, A Pastorall*）：收錄拉夫雷斯的詩作。一六四九年倫敦Tho. Harper出版。

17 約翰・沙克林爵士（Sir John Suckling, 1609-1642）：十七世紀英國詩人。

18《吉光片羽集》（*Fragmenta Aurea*）：收錄約翰・沙克林爵士的詩作、劇作、書信等內容。一六四六年倫敦Humphrey Moseley出版。書前的沙克林爵士肖像扉畫由威廉・馬歇爾（參見第三卷 II 譯註5）繪製雕版。

19 湯瑪斯・卡魯（Thomas Carew, 1595?-1640）：十七世紀英國詩人。一六

一九年擔任切爾伯里赫伯特勛爵（Lord Herbert of Cherbury）的秘書；一六三○年起深得查理一世寵愛，被拔擢為內臣長住宮內。卡魯亦是約翰．沙克林爵士、班．瓊生等詩人的朋友。他極仰慕約翰．多恩（John Donne, 1572-1631），曾為他創作優美的輓歌。卡魯被標榜為保皇派詩人第一人。他的重要作品有：宮廷假面劇《大英窟窿》（*Coelum Britannicum*, 1634）、情色詩集《狂喜極樂》（*The Rapture*）、《詩集》（*Poems*, 1640）。

20《卡魯詩集》的書名頁上對作者的描述原為「內殿近臣成員、國王陛下常任奉食官」（參見附圖）。卡魯一向被歸為「保皇派詩人」（Cavalier poet），紐頓似乎對他的政治態度有意見，於引用這段描述時刻意加進一個字，改成"one of the Gentlemen of the Privie Bed-Chamber and Sewer in Ordinary to His Majesty"。

21《男與女》（*Men and Women*）：羅勃．白朗寧的詩集。一八五五年倫敦出版。

22 我猜這應該是紐頓自己的遭遇。

◎約翰．班揚，Thomas Sadler原繪、Richard Houston版刻（1685）

23 約翰．班揚（John Bunyan, 1628-1688）：十七世紀英國傳教士。代表作《天路歷程》（*Pilgrim's Progress*, 1678）出版後才確立其作家身分。

24《海角一樂園》（*The Swiss Family Robinson*）：瑞士作家約翰．大衛．威斯（Johann David Wyss, 1743-1818）以德文書寫的冒險小說，於一八一三年出版（英譯本於一八一四年出版），描述遭逢船難的魯賓遜氏一家人在孤島上建立家園的故事，情節顯然脫胎自《魯賓遜漂流記》。

25《大疫年記事》（*A Journal of the Plague Year: Being Observations or Memorials, Of the Remarkable Occurrences... During the last Great Visitation In 1665. Written by a Citizen who continued all the while in London*）：狄福以一六六五年的瘟疫為本寫作的紀實小說。一七二二年倫敦出版。中文版由麥田出版社出版。

26「無情歲月的啃噬」（"the tooth of envious time"）：語出尤金．菲爾德詩作〈親愛的老倫敦〉其中「橡木家具歷現無情歲月的啃噬」（"The oaken stuff that has defied the tooth of envious time"）句。

◎山繆爾．佩皮斯，Godfrey Kneller繪（1664）

27《聞名的茉兒．佛蘭德的幸與不幸》（*The Fortunes and Misfortunes of the Famous Moll Flanders*）：狄福根據入獄時自牢友口中聽來的傳聞寫成的紀實小說。一七二二年倫敦出版。此書早期在中國譯為《蕩婦自傳》。

28 山繆爾．佩皮斯（Samuel Pepys, 1633-1703）：十七世紀英國海軍官員、日記作家。佩皮斯自一六六○年一月一日起至一六六九年五月三十一日為止，以自創的密碼寫下巨細靡遺的日記。該批稿件隨佩皮斯的其他遺物一起存放在劍橋大學多年，直到一八二二年才由劍橋學生John Smith解密譯成白話文（參見本章譯註35）。《日記》出版後成為研究十七世紀倫敦社會情況以及佩皮斯任職的宮廷與海軍單位的珍貴史料，同時（由於佩皮斯詼諧直率的文筆）也是極佳的讀物。

29 英、美兩地對圖書館（或博物館）的館長職銜各自使用不同的名稱。美國慣用"librarian"；而英國通常使用"custodian"。

30 "almost as much as to see myself go into my grave."：語出《佩皮斯日記》（一六六九年五月三十一日段）。該日日記如下："... And thus ends all that I doubt I shall ever be able to do with my own eyes in the keeping of my journal, I being not able to do it any longer, having done now so long

as to undo my eyes almost every time that I take a pen in my hand; and therefore, whatever comes of it, I must forbear; and therefore resolve from this time forward to have it kept by my people in long-hand, and must therefore be contented to set down no more than it is fit for them and all the world to know; or if there be anything (which cannot be much, now my amours to Deb are past, and my eyes hindering me in almost all other pleasures), I must endeavour to keep a margin in my book open, to add here and there a note in short-hand with my own hand. And so I betake myself to that course which is almost as much as to see myself go into my grave - for which, and all the discomforts that will accompany my being blind, the good God prepare me." 這也是全部《佩皮斯日記》的最後一段。

31 約翰·艾佛林(John Evelyn, 1620-1706):十七世紀英國日記作家。其《日記》(*Diary*)詳細記錄了十七世紀英國的生活風貌。

◎約翰·艾佛林,Robert Nanteuil繪(1650)

32 法蘭西斯·蕞克爵士(Sir Francis Drake, 1540?-1596):依莉莎白時代航海家。原本是海盜。一五七九年大破西班牙艦隊,奠定英國海上霸業,因而獲女王頒發爵位。

◎一五七九年蕞克的戰艦Golden Hind大敗西班牙艦隊

33「細活佬」辛普森(Sympson, the joyner):《佩皮斯日記》內多次提及延請木工到府修繕家具,辛普森是其中最常出現的工匠名字。辛普森為他打造書櫥的記錄見於一六六六年八月十日的日記:"...Thence to Sympson, the joyner, and I am mightily pleased with what I see of my presses for my books, which he is making for me."

34 麥達連學院(Magdalene College):位於劍橋大學之內。

35 理察·柏瑞布祿克(Richard Braybrooke, 1783-1853):英國文學史家。原名Richard Neville,後來成為柏瑞布祿克勛爵。他根據慘不忍睹的John Smith佩皮斯日記手稿粗譯本,經過大刀闊斧的修改潤飾(與Henry Colburn合作),於一八二五年出版兩卷本《佩皮斯日記暨書信》,一八二八年出版修訂增補版,一八四八年至一八四九年擴編為五卷本。後世出現各種版本,惠特利(參見下則譯註)根據一八七五年至一八七九年問世、由Mynors Bright補註的六卷本修訂並添加許多佩皮斯相關史料出版八卷本(劍橋George Bell & Sons,一八九三年至一八九六年,一八九九年另行出版第一卷補編與索引各一卷)成為公認的定本。

36 亨利·班傑明·惠特利(Henry Benjamin Wheatley, 1838-1917):英國版本學家、古典學者。「早期英文學會」(Early English Text Society)與「索引學會」(Index Society)的創立者。他致力於書籍索引的編寫,名著《如何編製索引》(*How to Make an Index*, 1902)是該領域的經典;他編輯過十卷本《佩皮斯日記》(1893 - 99),並寫出《山繆爾·佩皮斯及其身處的世界》(*Samuel Pepys and the World He Lived in*, 1880)。

37 尚 - 賈克·盧騷(Jean-Jacques Rousseau, 1717-1778):法國政治哲學家。出生於瑞士日內瓦的鐘錶匠家庭,學問來自刻苦自學。一七五五年發表《論人類不平等之起源及其基礎》(*Discours sur l'origine et les fondements de l'inégalit parmi les hommes*)。

◎盧騷,Lécuyer de Saint-Quentin繪

38 "Rousseau is positively secretive in comparison with Pepys.":語出詹姆士·羅素·羅威爾(參見第一卷 I 譯註23)於一八八二年七月五日為惠特利版《佩皮斯日記》的序文。對不起各位,我借用紐頓的口氣,原文義並不像譯文這麼輕佻。

39 奧斯汀・達伯森（Austin Dobson, 1840-1921）：英國詩人、散文家。

40 十二便士（12 pence）恰合一先令（one shilling）。

41 檸檬、蘋果在英文中分別有「劣等品」和「高檔貨」的意涵，此處宜引伸為「醜女」和「美女」。

42 羅德斯（Rhodes）：應指羅德斯獎學金（Rhodes Scholarships）。依據南非英國行政長官兼商人賽席爾・羅德斯（Cecil John Rhodes, 1853-1902）的遺囑設立的牛津大學獎學金，授與大英國協與美籍學生。羅德西亞（Rhodesia，國土涵蓋今尚比亞、辛巴威）即以他的姓氏命名，以紀念他生前大力參與創建。摩利當年領用羅德斯獎學金在牛津研習歷史。

43 布列克威爾（B. H. Blackwell's）：歷史悠久的英國書商。班傑明・亨利・布列克威爾（Benjamin Henry Blackwell, ?-1924）於一八七九年元旦在牛津創立。起初只是一爿小書舖，但很快成為販售學術與專業書籍的重要單位。班傑明之子巴希爾・亨利・布列克威爾（Basil Henry Blackwell, 1889-1984）於一九二一年主持Shakespeare Head Press（原本由A. H. Bullen於一九〇四年在莎士比亞故鄉史特拉福成立，一九二七年Bullen歿後被布列克威爾收購），一九二四年繼承家業後更將出版當成事業重心。一九九九年布列克威爾成功併購另一家百年歷史的劍橋學術書店W. Heffer & Sons Ltd.。布列克威爾書店目前由班傑明・亨利・布列克威爾的曾孫Philip Blackwell主持，在英國境內有八十家分店、九家劍橋門市仍習用Heffer店號。.

44《第八罪》（*The Eighth Sin*）：克里斯多佛・摩利的詩集，亦是他（時年二十二歲）的處女作。一九一二年牛津出版。

45「若說還有比七大罪更嚴重的罪行，莫過於詩人自視過高。」（“There is no greater Sin after the seven deadly than to flatter oneself into an idea of being a great Poet.”）：語出濟慈於一八一七年五月十日、十一日寫給友人Benjamin Robert Haydon（1786-1846，英國浪漫派詩人）的信。Haydon曾勸勉當時仍是業餘詩人的濟慈切莫陷入李・杭特過度自我膨脹的後塵，濟慈因而以此回信明志。

46《一六八八年為止，與英格蘭皇家海軍事務相關的十年回憶錄》（*Memoires Relating to the State of the Royal Navy of England for ten years, determin'd December, 1688*）：佩皮斯著作。一六九〇年Ben Griffin出版。

47 高佛瑞・涅勒爵士（Sir Godfrey Kneller, 1646-1723）：英國肖像畫家。出生於德國，在阿姆斯特丹、羅馬、威尼斯等地受教育，一六七五年起定居英國，不久便在名流、貴族圈子內博得聲名，並於一六八八年被欽點為御用畫家，服侍的君主從查理二世到喬治一世。他與麾下的畫師班子在此期間創作的宮廷畫包括：「宮廷十美圖」（Ten Beauties of the Court）、「朴資茅斯公爵夫人」（The Duchess of Portsmouth）等。一七〇二年至一七一七年間，他為當時著名的Kit-Cat Club成員（包括沃爾波、康格列夫、阿迪森、史迪爾與涅勒自己等）繪製了四十二幀肖像，成為他最好的作品之一。一七一一年，他成為倫敦繪畫學院（Academy of Painting）的首任院長，深刻影響隨後數代英國肖像畫風。

◎涅勒自畫像（1685）

48 “Pepys”若以尋常英語發音規則其實應較接近「辟普斯」（/ˊpɪps/），但惠特利主張應唸作「佩普斯」。「佩皮斯」譯音應是依字面想當然爾而來。一九二七年十一月三日，多倫多三一學院院長F. H. Cosgrave在一場演說〈山繆爾・佩普斯及其時代〉（“Samuel Pepys and His Time”）亦曾提及“Pepys”的發音問題，亦援用紐頓文末那首打油詩，他還根據惠特利的主張，為該詩補上兩句：“Yet Wheatley declares that the truth still escapes, / For Pepys was not ‘Pepps'

nor 'Peeps'; he was 'Papes.'"。

49「就此安歇。」("And so to bed.")：紐頓套用《佩皮斯日記》的慣用語。此詞首次出現在一六六〇年四月六日的日記，此後頻繁作為當日日記的結束詞，用法類似中文章回小說中的「一夜無話」，開頭則常用"Up this morning."。

Ⅲ　書店到底怎麼搞的？

前一陣子，吾友威廉・哈里斯・阿諾德先生告訴我，他寫了一篇談論書店形勢一片大好的文章[1]。一等《大西洋月刊》登出那篇文章，我便找來仔細拜讀，但是我卻不太同意他歸納出來的幾項結論。鑒於所有愛看書的人對於這個主題似乎也會感興趣，我或許值得將個人的看法在此野人獻曝、就教方家。

針對當前公認書店業的艱難處境，阿諾德先生提出的解決之道是：由出版商授權零售書店，允許他們能夠「自行選擇以直接買斷或立約代銷」的方式賣書——換句話說，賣掉則已，賣不掉就退還給出版商。我猶記得已故的安德魯・卡內基[2]多年前曾經對某個經商的人說：如果他無從判讀某個特定月份的損益情形，甚至連最起碼的粗估都辦不到的話，那麼，他一定得趁早轉行。他還說：做生意能賺錢自然最好；即便不賺錢，也必須做到：明知自己賠錢——但積極尋求補救之道。這下可好了，要是哪家出版社果真同意讓客戶以所謂「賣剩可退」的方式銷售其出版品，那我倒想知道，出版商又該如何向那些登門要債的上游（即作者、印刷廠、造紙廠與裝訂所等）拍胸脯保證自己有償款能力，並贏得他們未來的信心。

我隱約覺得，出版商們承擔了極大風險。竊以為目前絕大多數的書籍尚能符合最起碼的損益平衡，就算有盈有虧，數字也都不至於太龐大；其間容或少數幾部能出現小小的獲利，至於銷售成績極其亮麗——或賠得慘兮兮——的書仍只是其中極其少數的特例。《啟示錄四騎士》是近期極為顯著的一個成功案例：即使紐約市的出版單位全體總動員，短時間內日夜連續趕工、一再重印再版，仍不敷鋪貨應市。反觀另一個例子，多年前出版的狄茲拉勒（後來成了畢肯斯菲爾德伯爵）《恩底彌翁》[3]則造成難以估計的嚴重虧損。出版商以當年慣用的三卷本形式印行那部小說，我記得當初的定價大概是兩基尼上下。結果根本沒有人能讀完全書的一半，可說是淒慘無比。該書出版了幾個月之後，倫敦每家二手書店全都以賤價（約相當於裝訂工本費）拋售成堆書口未裁、書葉未開的「圖書館版」[4]。我必須承認，上面所舉的這兩個案例都過於極端：前一部暢銷書的獲利簡直像中了第一特獎；後一個挫敗例子的虧損赤字則幾乎蝕光出版商的老本。

出版這一行向來都被歸為極具高風險的行業——比起演藝業雖然體面有餘，卻缺乏其趣味刺激，但兩者有個共通點：每推出一部作品到底會一炮而紅抑或一敗塗地，不到最後關頭（即覆水難收的田地）沒人曉得。這種情況自古即然。華特・史考特爵士（大家往往都忘了他一度經營過出版社）曾說：書商（在他那年頭，所謂的書商就等於咱們現在的出版商）乃「放眼天下唯一義無反顧、心甘情願跳進這種所謂『聽天由命』[7]的勾當；每刊印二十種書籍，只敢奢望裡頭有一部能脫穎而出，簡直和一口氣買好幾張連號彩券，巴望其中一張能僥倖矇中頭彩沒什麼兩樣」。華特爵士之所以會那麼說，自然有其充分道理[8]（馬克・吐溫也有資格講同樣的話[9]）。

我這會兒還想起前幾年問世的一部小書——由達博爾戴與佩吉出版社[10]出版的《一介出版人的肺腑之言》（現在終於真相大白，當時那位匿名的作者不是別人，正是華特・海恩斯・佩吉[11]本人，即咱們派駐到英國的前任公使）。該書曾列舉出版社面臨的種種困境（不只財務，還包括其他各方面）。作者所下的結論是：業界內頂尖人才如此之多，舉凡史格利布納氏[12]、麥克米蘭氏[13]或其他許許多多同樣傑出的人士，若是從事銀行、鐵路或其他任何一行，想必早已飛黃騰達外加日進斗金；因為，他說：「綜觀各行各業，出版乃其

■四位出類拔萃的藏書家：（左立者）C. B. 廷克教授、（右立者）W. H. 阿諾德先生、（左坐者）R. B. 亞當[5]先生、（右坐者）W.F. 蓋博[6]先生

中最難獲利的一行，除非出版宣教材料、教科書，那兩種書可說是哥倆好。」要是這位鞠躬盡瘁、案牘勞形、比大多數生意人都更有使命感的人地下有知，聽到阿諾德先生一個勁兒鼓吹挹注全國（東起緬因州西達加州）無數的書店（姑且不論其中有多少經營不善的店家），他一定會大感百思不解。阿諾德先生的建議美則美矣，但我納悶到底有多少出版社能夠心悅誠服地接受。或許他們壓根就認為阿諾德先生顯然事不關己（我上回見到他的時候，他正悠遊在滿滿一屋子的珍本書裡頭），而他提出來的方案對於刻正遭受苦難的各出版社而言無異火上加油。

事實上，比起出版商，我個人畢竟還是比較偏袒書店。這年頭當某些出版商（至少就我所認識的那幾位）出門有黑頭轎車代步的時候，書商們都還只能光靠自個兒的兩條腿呢。當霍格[14]怒氣沖沖，揚言要把某名書商的腦子挖出來[15]的時候，華特．史考特爵士急得直嚷嚷：「霍格好樣兒的，看在老天爺的分上，怎麼還挖掉人家的腦子，你應該是找一副大腦放進他的腦袋裡頭才對嘛。」書店遭遇的困境主要來自二端：首先是某幾家特定百貨公司的強勢競爭；再者，就是咱們自己（即讀者大眾）輕忽怠惰使然。身為富有、聰穎、揮霍無度的民族，我們居然渾然不察（似乎也根本不想弄明白）購置、擁有書籍的樂趣。依我看來，書店業如今之所以走上衰頹之路，早在幾年前各種學堂、辯論社、講座紛紛式微便已種下遠因了。若非吾人普遍荒廢閱讀皆源自那些社團之蕩然無存，我還不至於感到如此遺憾；歸根結蒂，我們不僅喪失人與人相互激盪的智性觸媒，卻又沒有其他事物適時取而代之。當然，當我說那些東西全沒了的時候，是以咱們的人口數量和富裕程度的比例而言。

一談到買書，大家似乎都很吝於冒險。但是咱們卻寧可花上四元、六元甚至十元買兩張票去看一場「秀」（我忒厭惡這個字眼！）而且就那麼白白耗掉一整個晚上，事後當有人問及有何觀後感時，

●費城的文化地標李爾利書店

我們只須以短短一個「爛」字即可簡短帶過，沒一會兒工夫便全然拋諸腦後。其實買書本身就是（或，應該是）一項樂趣；若能再遇上一名見多識廣的書店店員（為數亦不在少數），那更是樂事一樁。就談談我所認識的幾位好了。假如你對插圖本或配補插圖的書感興趣的話，像喬治・瑞格比（George Rigby）那麼風趣的傢伙，你在費城就算打著燈籠還能找出幾個呢？還有賽斯勒書店的梅蓓兒・贊（我有時會促狹地逗她：「梅寶兒卿卿如晤」[16]）：她屢屢以其豐沛的知識教我無地自容；還有，堪稱國內規模最大、貨色最精的二手書店李爾利書店（Leary's）；他們從來不跟顧客胡攪蠻纏，也不會硬死皮賴臉要你非買不可，你大可天天按時上他的書店報到，只逛不買也沒關係。不過話說回來，咱們費城人對那家書店的老闆也算是仁至義盡，不但讓他當上了本市的父母官，還索性一舉將他推上州長寶座。他一路看著我長大，而我現在居然可以大剌剌地稱呼他為「吾友阿德・史都爾特[17]」，著實令我大感臉上有光。

李爾利書店是少數幾家目前還撈得到便宜貨的書店之一。吾友廷克（老好人廷克）每回只要上費城，一定會在李爾利書店磨蹭個把鐘頭；就在昨兒個，一位忒懂得精打細算的書友詹姆士・雪爾德（James Shields）跑來串門子，還問了一個我答不出來的問題。他掏出一張剛從羅勒（John Lawler）（羅森巴哈書店的店長）手裡賺來的十元鈔票向我炫耀，他先光顧李爾利書店，花五毛錢「撿到」一部書，馬上轉手賣給羅勒。現在幹這種勾當還有機會，但得先具備十分精準的知識，那種本事我老學不來。我差點忘記告訴大家他當時問我什麼了：那部書，羅勒會訂什麼價錢呢？真是天曉得。

◎描寫安德魯．卡內基耗資普設圖書館的漫畫

為了極力撇清（原本該咱們自個兒的）罪過，我們有時乾脆把全部責任推到安德魯．卡內基先生身上：還不都是因為他生前拚命到處蓋公共圖書館，才會害書店不得不走到這步田地；但我並不贊成由圖書館背所有的黑鍋。相反地，它們倒是有極其正面的作用。我每造訪一座陌生城市，一定會去當地的圖書館東看看西瞧瞧，甚至我的朋友裡頭還有不少人在圖書館當館長哩；不過說穿了，當我每回面對滿坑滿谷的書籍，無非是為了要過過君臨天下、被成群冠蓋夾道簇擁的癮頭罷了；話說回來，冠蓋雲集那種虛榮場面怪沒營養的，只要嚐過一次便了無新意。

就是這麼回事，由於我不是學者亦非一窮二白，除了自己的書房之外，我並沒有經常利用任何一所圖書館。我很早以前便養成自己買書的習慣，而且這個習性至今猶未稍減（感謝老天爺）。許多仍在世抑或早已作古的作家們（作古的佔絕大部分）帶給我極大的快樂，而且我也樂於購買多於我所能讀的書。忘了是誰曾經說過：「余向來堅守買書應多多益善，不該侷限於心血來潮時的吸收量，此原則無非用以提升性靈達致極高境界；亦令吾人得以超越茹毛飲血的鳥獸蟲豸。」[18]不管這句話是誰說的，我都舉雙手雙腳贊成；雷夫．柏根格蘭[19]也以一首可愛的小詩闡釋過類似觀點（但不像前面那一句那麼正經八百），那首詩收錄在堪稱自 R. L. S.（史蒂文生）《童稚詩園》以降最動人心弦且老少咸宜的《珍、約瑟夫與約翰》[20]一書當中：

我爹老是買書買不厭：
娘說他的書房看起來
簡直活像一爿舊書店。
層層書架疊得高又滿，
遮住牆面壁紙瞧不見，

古籍舊書堆得到處都是，
桌上、窗邊、座椅裡頭，
連地板上也全都是書。

才一轉眼他又買回了
更多書，搬回來正打算
騰出更多空間來擺放，
東移西挪忙得一頭汗。

有一回，我問他為何要買
那麼多書，他說：「為何不？」
我左思右想實在猜不透。

對於家中各項開銷，我們當中許許多多人出手頗為大方（儘管還談不上揮霍），卻似乎老認為買書是一項要不得的浪費。我們甘願花大錢購置自動鋼琴和會出聲的機器[21]，只為買一輛汽車還將房屋抵押，但是一提到買書，非到萬不得已，說什麼就是不肯掏腰包。如果從朋友那兒借不到書，頂多只會上圖書館碰運氣；如果要舉出一件比借書給別人更令我討厭的事，那便是伸手向別人借書，我也明白沒有比人家硬要借你一本你壓根沒打算看的書更教人受不了。當然，要徹底根治這種毛病也不是沒有辦法，譬如：故意把那本書搞丟，不過那樣做實在太費工夫了。

我的人生哲學十分簡單；根本犯不著研讀一大堆德國勞什子哲學家（或其他任何傢伙）的著作，也能發現獲致快樂之道，說穿了不外乎每天開開心心地過日子就行了。我無意向大家說教——而是我知道：沒有別的事兒能比得上手裡捧著一大堆書回家，而且每一本全是自個兒「花錢」買來的更開心了。

「我從來不買新書，」有一回，某人看著我書房書桌上的一疊書，這麼對我說，「我得量入為出，新書實在太貴了。」

「可是，」我打抱不平，「既然你喜歡閱讀；難道你不覺得該對那些賜給你喜悅的作家們盡點義務嗎？總該有人支持他們呀。我自認盡了自己該盡的義務。」

每當我一想到閱讀帶給我如此多樂趣，就益發覺得自己的責任便是盡可能地將市面上的書全買回家。甚至連梅若迪斯與史蒂文生的著作也全在我「善盡義務」之列，買他們的書說穿了對他們本人壓根一點好處也沒有。或許你會質問我：那幹嘛不為喬治・穆爾、洛克[22]、或康拉德[23]、賀爾杰胥莫[24]……等依然健在的人略盡綿薄呢？嘿嘿，告訴你無妨，那幾位作家的書我照樣一部也沒漏掉。就算你或許無法像我一樣，買到有尊克瓦特[25]落款的首版《亞伯拉罕・林肯》，但是你畢竟應該趁猶時未晚，說什麼也要趕緊購置一部。這些作家全都兢兢業業地致力於延續英語文學輝煌的傳統香火。我的職責就是盡量地給予鼓勵；為他們做出一丁點貢獻。這檔事我可不希望光我一個人悶著頭幹。

再回頭談書店吧。除了要抵禦五十年前聞所未聞、五花八門的各種娛樂——應該用不著多此一舉明講出其中最新鮮的玩意兒（即「電影」）吧——還要與百貨公司分庭抗禮，各書店無不選擇販賣「刊登全國廣告」的東西。出版社容許書店只要在維持一定利潤的前提下，便能以薄利多銷的方式賣書；但是百貨公司削價削得更凶。但是他們心裡頭十拿九穩，再怎麼壓低價格，他們仍然有利可圖：仗著龐大的「營業額」和相對極小的「經常開銷」，他們便能夠經得起以折扣價販售特定幾部流行書籍，其道理就像旁邊賣巧克

ABRAHAM LINCOLN
A Play
By John Drinkwater

For
Mr. A. Edward Newton
with every good wish from
John Drinkwater
-November 11th 1920
London

When the high heart we magnify,
And the sure vision celebrate,
And worship greatness passing by,
Ourselves are great.

London: Sidgwick & Jackson, Ltd.
3 Adam Street, Adelphi. MCMXVIII

■尊克瓦特《亞伯拉罕・林肯》首版書名頁

力糖的專櫃，儘管上頭明明標示「原價一元；週末特價只賣七角」，但實際成本才四毛錢（甚至更低）；只要多賣出幾盒，他們照樣能從大家口袋裡賺回那一塊錢。既然巧克力糖行得通，其他玩意兒（除了少數幾種他們用來當作「主力商品」的書籍和若干特殊產品）自然也可以統統比照辦理。

書籍是唯一「廣告遍及全國」、但每家書店都佯裝成獨家販賣的一種特殊商品。想當年（那段不堪回首的當年），幾種每月定期發行的雜誌，如《大西洋》、《哈潑》[26]、《史格利布納》[27]等，原本的批發價是每一百本二十八元，等到一擺進費城的大書店架上，卻以每本二角五分零售。最高法院對此早有判例，足以支持每個零售商皆可隨自己高興，愛賣什麼價格都行，零售商倒也都沒平白辜負這項特權，舉例來說：他仗著龐大的購買力才能夠以低於其他競爭同業的價格銷售。在某些極稀罕的情況之下，出版商也會提供「優惠」：只要採購量高於一定數目，他們便給予若干折扣；而且，每回總無可避免的「庫存品」（唉⋯⋯），出版商也只能以低價認賠批發給零售商，好讓零售商仍能賺點蠅頭小利；大致情形大概不出我上面所述幾種。

不容否認，還多虧有百貨公司共襄盛舉，諸如《親愛的梅寶兒》[28]、《啟示錄四騎士》等書才得以賣出成千上百部，還有《小訪客》[29]（即便不是貝瑞[30]或其他人寫的）也開出非常亮眼的銷售數字。但是，像這些書居然能有如此驚人的銷售成績，和另外一些具有恆久價值、卻只能賣出寥寥幾部的書籍形成鮮明對比。或許我的看法不盡正確，但我隱約覺得男人比較喜歡買我姑且稱之為好書的書；而小說和其他比較軟性的文學形式則受到女性的偏愛。

不如這麼著，試想你走進某家百貨公司（至於哪一家咱們心照不宣），指名要買一部《湯姆．瓊斯》[31]，你的面前倏地冒出一名身穿迷你洋裝、兩腳蹬著高跟鞋的售貨小姐，她的頭髮攏成高高一大坨頂在頭上，兩隻耳朵全被蓋住不曉得藏在哪兒；鼻頭才剛剛撲上一層脂粉，她的模樣活像準備出席晚宴似的。「《湯姆・瓊斯》喔！」她說，「是兒童書嗎？童書部就在從這兒算過去右手邊第二排。」「不不不，那是一部小說，」你一說完，她馬上回答：「故事書嘛，那在左手邊第二排。」

你依照指示一路走過去，小心地避開標示「最新出版品全在此平擺桌上」牌子的桌檯，此時又竄出另一名妙齡售貨小姐，也是一副盛裝赴宴的模樣，你再詢問一遍。她卻反問你：「那是新書嗎？」「不不不，」你向她解釋；於是她把你帶往陳列著好幾百本「人人文庫」[32]的書架前（的確全是好書沒錯）。可是那些書擺得亂七八糟，想從那堆活像煞費苦心洗過牌似的書裡頭找出你要的那一本簡直比登天還難。當你正和她找得不亦樂乎時，「半路殺出」一個要買《爪哇頭》[33]的傢伙，她一聽，連想都沒想便立刻回他一句：「一塊六毛九。」說完便帶了那名顧客走向另一堆書，繞到後頭，從此芳蹤杳然。

你只好獨自繼續埋頭翻找，過了半晌好不容易終於有人走過來問你有何需要效勞之處。你說：「我要找《湯姆・瓊斯》。」而這名女生說：「哦，費爾丁寫的嘛。」喲，可真不簡單喲。接著她引領你來到善本書區，你總算在這兒看見一整套花枝招展（顯然是摩洛哥羊皮裝幀）的費爾丁作品全集，標價四十元。面對如此天價，你面有難色地向她解釋：買《湯姆・瓊斯》是要用來讀的，並沒打算拿來擺在書架上妝點門面；最後，你向「售貨小姐」連聲道謝，抱歉給她們添了麻煩，終究兩手空空地走出百貨公司大門，白白浪費了半個鐘頭。

隨便哪個店主或某位飽學的店員要是讀了這篇文章，他一定會大呼冤枉：「你說的實在對極了，可是這些情形我們又何嘗不曉得呀，你可有什麼錦囊妙計沒有？」當然，對於該如何做才能大發利市，我完全一竅不通；但是我鄭重建議業者：不妨將比較好的二手書和新出版品擺在一起販售，而且我會特別加強二手書，並稱它為珍本書區，如此一來，該部門的銷售利潤必然會高得令人大出所料。我想對書店老闆說：「給生意注入些許創意。」創意對於生意人來說，正如同對詩人一般不可或缺。沒錯，只有打算只幹一天就捲舖蓋走路的人可以完全不需要這玩意兒。我想起皮內羅[34]的劇作《艾麗斯》裡頭一個精采橋段——一名高大挺拔、相貌堂堂的男子上場；他一亮相便立刻引來全場的目光，戲中那位黃花大閨女竊問來者何人，旁人告訴她：「此人乃瑪爾多納杜（Maldonado）先生，人稱偉大的金融家是也。」小女子這下聽迷糊了：「金融家，何耶？」旁邊冒出一句：「我說小姐呀，金融家，無非就是當舖老闆——略添創意耳。」

我應該說得夠明白了。當大部分偉大的美國生意人還死命緊抱眼看著就快沒啥搞頭的行當、困坐愁城的時候，查爾斯・M. 舒瓦伯[35]早已趕在戰端初啟時跑了一趟英國，三兩下便談成金額高達數千萬元的訂單，這般生意頭腦豈止等閒？這就是創意！已故的 J. P. 摩根當年之所以能夠穩坐大鋼鐵公司的龍頭地位，憑藉的也正是這種極富創意的生意頭腦。

在書籍零售業中要施展如此優異素質的空間或許極其有限，但也並非全然無望。多點衝勁、常與優秀的人才來往、把櫥窗與店面布置得更吸引人。說穿了，每年有那麼多青年男女跑去當老師，在在顯示這個社會上仍然有許多人甘願接受很低的待遇，只為進入他們憧憬的行業。遠在喬叟的年代，就有一批「樂於學且喜於教」[36]的人，這種現象今日依然，咱們大學裡頭的董事、理監事與校友們無不善加利用這一點，只須付出區區（連一名全職司機都嫌少的）酬勞便能雇到一批人任勞任怨、當牛當馬。任何一家值得存活下來的書店，也起碼都有能力提供一份和專科學校或學院同樣水準的薪資。這麼一來，你便能輕鬆愉快地找到許多能力不錯的人，而那些人多半也都是可造之材，甚至你還能從他們身上學到一點東西哩。我們常常聽到戲劇表演的水平需要提升的呼籲；現在看起來，那擺明了是緣木求魚；不如讓大夥兒致力於提升書店水準吧。此事多少還有成功的機會。吾友克里斯多佛．摩利在他那部討喜的作品《帕納瑟斯上路》[37]中的詩句「……福玻斯[38]！偉哉斯名／將聲名遠播而千古流芳！」鋪陳出一個充滿想像的浪漫世界，並彰顯一名攜帶大量書籍的行腳人胸臆間那股「向上提升」的充沛力道。誠然，吾輩大可依循羅傑．米夫林[39]極富新意的販書之旅，過一個無比愉悅的假日。我大膽預言：總有一天此書將與目前受世人珍愛的史蒂文生《偕驢旅行記》[40]齊名。其實，這本書現在已經名滿天下，雖然大家都認為書裡頭那匹白色大肥駒「佩加索斯」[41]，比起史蒂文生那頭活靈活現、愛耍驢子脾氣的「瑪戴思汀」[42]（堪稱史蒂文生筆下最出色的女性角色）少了那麼一丁點迷人的氣質。

所有愛書人均十分熟知摩利所創作的高雅詩作與雋永散文；我的預言不爽：他的處女作《帕納瑟斯上路》果然與 R. S. L.（史蒂文生）的《偕驢旅行記》齊名。

最近我在某大學城勾留時途經一家書店，我先打量擺在櫥窗裡頭的幾本書，接著便立刻走進店內瀏覽（一如我的慣常習性）。但我在裡頭沒待多久，因為我一抬頭瞥見店內有一塊大牌子，上頭寫著：「九點前送洗衣物，當日可取。」──論衝勁企圖心，這一招當之無愧，但偏偏失了準頭。如果那家書店還想繼續開張營業，勢必得再想出更具號召力的招數。書店必須把購買書籍（就像閱讀一樣）營造成一樁樂事；如此一來，不但能夠吸引愛書男女開開心心走進店裡消磨一個鐘頭，店家亦可因而實實在在增加不少收益。

◎石磚巷印書館商標

每座大學城也都應該供養一家像樣的書店。但未必全都得像拜恩．海克特[43]在紐賀芬搞得有聲有色的「石磚巷印書館」[44]，也無須

■克里斯多佛．摩利

盡如劍橋的佛路斯基（Maurice Firuski）先生的「唐氏屋書店」[45]。若要達到成功的目標（不成功也難），首先必須讓全體教授同仁、學生們與尋常大眾都成為忠實顧客；但是也別忽略了，書店最好不要、也不可以全部倚賴當地客戶。印行幾份花不了多少錢的簡單目錄小冊，便可廣發、寄送給另一半散布在全世界其他角落的顧客。

◎位於梅菲爾的「牧羊人市場」小巷，E. W. Haslehust（1866-1949）繪

說到目錄，我正巧剛收到上回在倫敦逛過的一家書店寄來的目錄，那家書店名叫「世外桃源」（"The Serendipity Shop"）[46]。它坐落在梅菲爾（Mayfair）的中心，一處人稱「牧羊人市場」（Shepherd's Market）的破落小胡同裡頭。或許讀者們會對它的店名由來感到好奇。「世外桃源」是賀拉斯・沃爾波[47]根據錫蘭的古稱──「桃源鄉」──所自創出來的名詞。他在寫給友人曼恩[48]的信上首度使用這個從古代寓言故事改造而來的字眼，故事裡的主人翁「不管是否出於意外抑或憑藉自身的聰明才智，總能『山窮水盡疑無路，柳暗花明又一村』」。因此，從那個店名的字面上就可以看出：儘管你或許不能在「世外桃源」找到你原先想找的書，但是你必然可以發現你一直想要，卻從沒料到會在那兒出現的東西。店東艾夫拉德・梅涅爾（Everard Meynell）先生是愛麗斯・梅涅爾[49]的兒子（愛麗斯・梅涅爾與夫婿兩人曾大力幫助傑出詩人法蘭西斯・湯普遜[50]免於饑饉之苦，而她本人亦是一位頂尖的詩人兼散文家）。其實說穿了，所有的書店除了名稱互異之外，不也都是一座座不折不扣的「世外桃源」嗎？

◎賀拉斯・沃爾波，George Dance繪（1793）

我最受不了自詡喜歡閱讀卻又對書籍版本毫無所悉、還兀自沾沾自喜的人。「我唯一在乎的，」他們如是說，「就是字體──只要字體看起來順眼，其他都無關緊要。」這種偏頗的論調可謂司空見慣。關於書籍周邊的一切都該盡可能地完備、周全、精到；然而，昂貴則不包括在內。

◎賀拉斯・曼恩，John Astley繪（1752）

威廉・莫里斯[51]對待書籍的態度總是教我生一肚子氣。他口口聲聲為了民眾、斤斤計較其美觀、藝術性，而他那些大肆鋪張親手

打造、精心製作的書籍，美則美矣，卻往往只有財主富翁才買得起，結果，擁有那些書的有錢人裡頭，一百個也找不出一個會拿出來讀。有鑒於此，吾友（我之所以稱呼他為朋友，乃是因為他和我氣味相投；事實上，我不曾和他謀面，兩人的唯一交情只限於我曾向他郵購過一部書），緬因州波特蘭市的莫歇[52]先生便致力製作盡善盡美、無可挑剔，價格卻十分低廉的書籍（不只寥寥幾本，而是數百部）。眾所周知，莫歇先生的產品並不循正規的書店門市管道銷售，而是倚賴書目型錄（本身亦是藝術品等級）直接賣給特定顧客。我們現在或許還無法全然理解，但是只要等到莫歇先生過世，下一代的藏書家就會對其無懈可擊的品味、編輯手法和其他各方面的成就感到驚訝；屆時他將被視為有史以來最頂尖的藝術工匠。

若說一個從事書籍零售業的人能夠在短時間內迅速致富，我絲毫不會感到意外。咱們這個國家為數最多的並非閱讀人口，而是年輕、不文的民眾。大家不要忘了，每年都有大批青年男女踏出校門。那些人都是（或者，照理應該是）潛在的閱讀人口；他們能不能升格為閱讀人口，端視出版社與書店是否各自善盡本身的責任。

倘若真如大家老生常談：圖書館就是最好的大學，那麼書店也自該有它的一席之地。讓我們努力將書店塑造成所有人都樂於上門——一座文化發祥的中心。而每個上門的顧客都必須被教育。不管是什麼東西，每當有新產品問世，一定都得經過這道手續（即吾輩製造業者口中所謂的「推廣工作」）。

紐約市內有許多上好的書店，舉例來說吧：足以在全世界排名數一數二的布連塔諾書店[53]；不過布連塔諾書店裡的善本書部門，一如史格利布納書店、達頓書店[54]與普特南書店[55]；那些所謂的善本書部門為了要匹配紐約，全是既高貴又昂貴，而我所寄盼的，無非是每家書店都能依據地方特色，一如麥克克魯格書店[56]之於芝加哥。

猶待開發的商機可說俯拾皆是。眼光應該擺在如何源源不絕地培養出更多閱讀人口。大家不該阻攔百貨公司涉足書籍零售市場，至少——它們目前可以扮演某些特定等級出版社的絕佳客戶，讓它們得以繼續存活，而整個書籍零售業，也可因而越來越蓬勃茁壯。如此一來，未來才會有品質更好的書不斷陸續面世——我這裡所謂的「品質更好」，乃僅指印刷、用紙、裝幀等範疇而言。

至於我殷切敦促每一家書店刻不容緩、盡快設立的善本書部門，則應去蕪存菁；堅持只經營好書——從各種標準（道德除外）加以衡量都無懈可擊的書。該部門必須委派最有學識的人（就算再怎麼難找也得找出一個）來掌理；基於現今普遍提倡利益共享的原則，我主張該部門的盈餘應該讓他分紅。不過我個人仍然會繼續向英國的二手書商買好書，因為他們賣得非常便宜；總而言之，我無時不刻記取這句古諺（被我稍微修改過）當中所蘊涵的智慧：

> 早早入睡，早早起床，
>
> 賣命工作，勤登廣告。[57]

【譯註】

1 指阿諾德（參見第一卷 I 譯註72）於一九一九年八月號（第124卷第2號）《大西洋月刊》上發表的〈欣欣向榮的書店業〉（“The Welfare of the Bookstore”）；紐頓閱後頗感不以為然，於翌年在同刊物發表〈淒慘兮兮的書店業〉（參見第一卷緒論譯註5）大唱反調。此篇〈書店到底怎麼搞的？〉疑改寫自該文，文末提及莫歇（參見本章譯註52）出版品的部分內容曾兩度被該出版社用作廣告文宣。此處姑且不論紐頓文中關於「買斷／代銷」的見解正確與否，就後來的普遍經營態勢看來，書籍零售業顯然步上阿諾德的路子；至於紐頓所擔憂的後果：出版社將面臨「上游（印刷廠）與下游（書店）的前後包夾」，以及紐頓欣見的「百貨公司型」大賣場，倒都成了現今的常態。

2 安德魯．卡內基（Andrew Carnegie, 1835-1919）：美國大企業家、慈善家。原籍蘇格蘭，一八四八年移居美國賓州。卡內基生前推動圖書文化不遺餘力，自一八八一年起直至一九一九年，他總共耗費美金五千六百七十萬四千一百八十八元，開設兩千八百一十一座圖書館（第一座設立在他的家鄉Dunfermline）。

3 《恩底彌翁》（*Endymion*）：B. 狄茲拉勒的小說（與約翰．濟慈的詩作同名）。一八八○年出版。

4 「圖書館版」（“library” copies）：由出版社另行裝訂、專供圖書館典藏的版本。通常比一般市售的通行版（trade edition）更堅固、高雅。關於狄茲拉勒的《恩底彌翁》在市場上失利，市面上之所以會出現大量圖書館版的本子，可參考葉靈鳳在〈喬治摩亞和三卷體小說〉（收錄於《讀書隨筆》）中的說明。蓋當時英國的小說多半還是以供應中上階級或貴族消磨餘暇之用，為了顯示貴重（亦不無提高售價的用意），便以工整的三卷分裝印行；小說逐漸普及之後，這種出版習慣一時仍未能改變，加上公共（借閱）圖書館也大為流行，成為一般人接觸小說的管道，三卷本轉而仰賴各圖書館的採購。因此，萬一某部書籍未能受到勢力龐大的圖書館垂青，便會導致原先預備供應圖書館而大量印製的圖書館版的銷路成了頭痛問題。

5 羅勃．B. 亞當（Robert Borthwick Adam, 1863-1940）：美國藏書家。原籍蘇格蘭，一八七二年被父母安排到紐約州水牛城依親，從此襲用舅父（1833-1904）姓名。

6 威廉．F. 蓋博（William F. Gable, 1856-1921）：美國藏書家。

◎威廉．F. 蓋博

7 此處原文是“a pig in a poke”，原義為：在未看到實物的情況下盲目購買。俚語“never buy a pig in a poke”源自文藝復興時代，根據可資查考的資料，最早出現於一五六二年。“poke”在此的意思為“bag”，“a pig in a poke”意指當時市場豬販慣用的詐騙伎倆，在袋子裡裝進大小相仿的其他動物，讓顧客在毫不知情之下當成乳豬買回家。

8 華特．史考特爵士（參見第一卷Ⅳ譯註14）曾於十九世紀初與友人約翰．巴蘭汀（John Ballantyne, 1774-1821，史考特昔日同窗、曾於一七九九年刊印史考特兩部處女作*An Apology for Tales of Terror*、*The Eve of St. John*的倫敦印刷商James Ballantyne〔1772-1833〕之弟）在愛丁堡成立出版社；一八一○年代此出版單位陷入財務困難，到了一八二六年終於破產；史考特只好沒日沒夜拚命寫作、以作品抵債，他在日記中寫下：“I am become a sort of writing automation, and truly the joints of my knees, especially the left, are so stiff and painful in rising and sitting down, that I can hardly help screaming - I that was so robust and active...”

9 美國作家馬克．吐溫（Mark Twain, 1835-1910。原名Samuel Langhorne Clemens）正式執筆寫

作前曾從事排字師傅（一八四七年至一八五五年）、在密西西比河上駕駛汽船（一八五七年至一八六一年）；一八六二年擔任維吉尼亞市《在地企業報》（*Territorial Enterprise*）的記者時開始使用行船人的行話「馬克．吐溫」（意為「水深二噚」）為筆名。馬克．吐溫曾於一八八四年與人合夥開辦出版社「查爾斯．L. 韋伯斯特公司」（Charles L. Webster & Co.），期間出版自著數種（包括《頑童歷險記》等），初期還出版過幾部暢銷書，但維持十餘年後因破產而關門大吉。

10 達博爾戴與佩吉出版社（Doubleday, Page & Co.）：美國出版社。法蘭克．尼爾遜．達博爾戴（Frank Nelson Doubleday, 1862-1934）於一八七七年至一八九五年參與「史格利布納出版社」（Charles Scribner's Sons）；一八九七年至一九〇〇年與麥克可勒（參見第四卷II譯註22）合營「達博爾戴與麥克可勒出版社」（Doubleday & McClure Co.）；「達博爾戴與佩吉出版社」則是與華特．佩吉合營並自兼社長，營業期間為一九〇〇年至一九二七年；一九一〇年達博爾戴另行創辦「鄉居出版社」（Country Life Press）；一九二七年擔任「達博爾戴與杜蘭出版社」（Doubleday, Doran & Co.）老闆直至身故。

11 華特．海恩斯．佩吉（Walter Hines Page, 1855-1918）：美國報人、教育家。曾擔任《論壇》、《大西洋月刊》編輯（分別於1890-1895、1896-1899）；一九〇〇年創辦《大千世界》（參見第五卷II譯註1）並親自主持編務直至一九一三年被威爾遜總統聘任為駐英大使，任內對於促進兩國關係貢獻極大，第一次世界大戰爆發後，他在美國參戰問題上與威爾遜意見相左（參見本卷I譯註46）。一九〇〇年他擔任「達博爾戴與佩吉出版社」合夥人。佩吉回憶錄《一介出版人的肺腑之言》（*A Publisher's Confessions*）於一九〇五年出版。佩吉為人風趣健談、處事圓融，一九二八年六月二十七日出刊的《展望雜誌》（*Outlook*）曾讚譽他擔任編輯工作期間："He made a friend of almost every contributor and a contributor out of almost every friend."

12 史格利布納氏（Scribners）：查爾斯．史格利布納（Charles Scribner, 1821-1871）。一八四二年他與Isaac D. Baker合夥成立Baker and Scribner開始其出版事業。一兩年後Baker過世，史格利布納將公司改名為Charles Scribner，後來Charles Welford（?-1885）入夥又改為Charles Scribner and Co.。一八六五年他刊行《家居時光》（*Hours at Home*），該刊物於一八七〇年代轉型為《史格利布納月刊》（*Scribner's Monthly*）。查爾斯．史格利布納去世後次年，原公司改組為Scribner, Armstrong, and Co.，合夥人為John Blair Scribner（1850-1879，查爾斯長子）、Andrew C. Armstrong和 Edward Seymour。當Seymour去世、Armstrong退休之後，正式更名為Charles Scribner's Sons，成為家族企業，一九七九年起由John的兩個弟弟Charles Scribner（1854-1930）與Arthur Hawley Scribner（1859-1932）接掌事業（參見本章譯註27）。

13 麥克米蘭氏（Macmillans）：指出身蘇格蘭的丹尼爾（Daniel）與亞歷山大．麥克米蘭（Alexander Macmillan, 1815-1896）兄弟於一八四三年在英國成立的出版社。一八六〇年代後期麥克米蘭在紐約設立公司（此公司後來脫手成為Macmillan USA）。麥克米蘭現今已是跨國企業。

14 詹姆士．霍格（James Hogg, 1770-1835）：蘇格蘭裔英國詩人，別號「愛翠克牧者」（the Ettrick Shephard）。出生於愛翠克，繼承牧羊祖業，但自學有成，及長受華特．史考特爵士鼓勵成為作家。與史考特、拜倫、約翰．威爾遜、華滋華斯、騷堤等人交好。作品有：《唐納．麥唐納》（*Donald M'Donald*, 1800）、《蘇格蘭牧歌集》（*Scottish Pastorals*, 1801）、《山巔詩人》（*The Mountain*

Bard, 1807）、《林中詩人》（*Forest Minstrel*, 1810）、《女王守靈會》（*The Queen's Wake*, 1813）、《追日集》（*Pilgrims of the Sun*, 1815）、《詩鏡》（*The Poetic Mirror*, 1816）、小說《洗心革面的罪人之私憶與懺悔錄》（*Private Memoirs and Confessions of a Justified Sinner*, 1824）等。

15 原文是"Knock the brains out of sb"。

16 梅蓓兒・贊（Mabel Zahn）當時任職於費城賽斯勒書店（參見第一卷Ⅱ譯註32），由於古書業界原本陽盛陰衰，她始終頗受顧客喜愛，加上對書籍相關知識頗不惡，大家都稱呼她"rare booklady"。梅蓓兒・贊與紐頓私交甚篤，紐頓援用當時頗流行的一部書信體小說：史崔特（Edward Streeter, 1891-1976）的《親愛的梅寶兒，菜鳥情書》（*Dear Mable, Love Letters of a Rookie*，紐約：Frederick Stokes一九一八年出版）逗她，該書假借一名從軍小兵的身分，寫一大堆營中流水帳給女友Mable Grim。該書在當年頗為流行（售價七十五分），七個月內暢銷了五十萬部。「梅寶兒」（Mable）與「梅蓓兒」（Mabel）兩個名字僅一字之差且發音雷同。

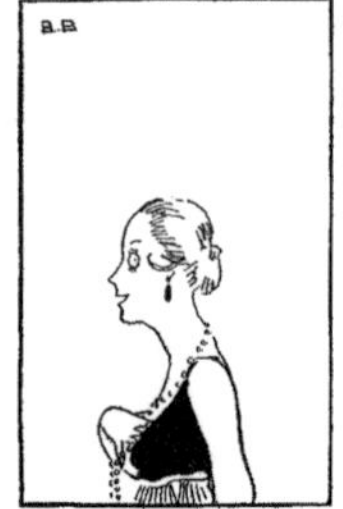

◎《親愛的梅寶兒，菜鳥情書》書中插圖，G. William Breck繪

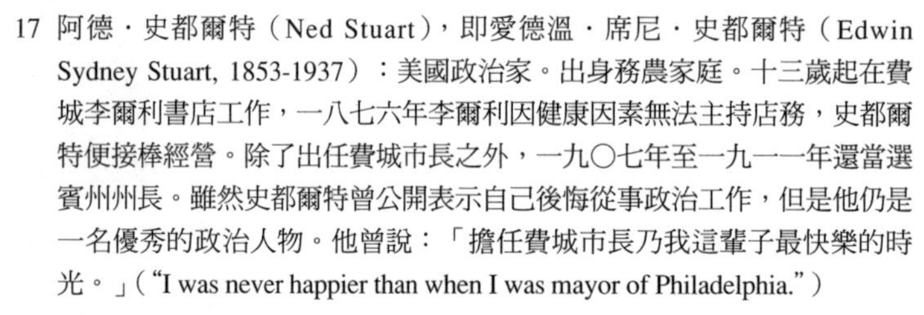

17 阿德・史都爾特（Ned Stuart），即愛德溫・席尼・史都爾特（Edwin Sydney Stuart, 1853-1937）：美國政治家。出身務農家庭。十三歲起在費城李爾利書店工作，一八七六年李爾利因健康因素無法主持店務，史都爾特便接棒經營。除了出任費城市長之外，一九〇七年至一九一一年還當選賓州州長。雖然史都爾特曾公開表示自己後悔從事政治工作，但是他仍是一名優秀的政治人物。他曾說：「擔任費城市長乃我這輩子最快樂的時光。」（"I was never happier than when I was mayor of Philadelphia."）

18 "I hold the buying of more books than one can peradventure read, as nothing less than the soul's reaching towards infinity; which is the only thing that raises us above the beast that perish."——此文句出處不詳，但現在皆將它視為紐頓名言。

19 雷夫・柏根格蘭（Ralph Bergengren, 1871-1947）：美國詩人。

20《珍、約瑟夫與約翰》（Jane, Joseph & John: Their Book Of Verses）：柏根格蘭的詩集。一九一八年波士頓大西洋月刊社出版。

21 自動鋼琴、會出聲的機器（piano-player, talking machine）：前者指放入特定鑿洞樂譜，啟動開關便會自動彈奏的花俏裝置（最有名的是美國Aeolian公司製造、名為pianola的鋼琴）；後者疑指電話。

22 指威廉・J.洛克（參見第一卷Ⅲ譯註91）。

23 約瑟夫・康拉德（Josef Conrad, 1857-1925）：波蘭裔英國小說家。

24 約瑟夫・賀爾杰胥莫（Joseph Hergesheimer, 1880-1954）：美國小說家。以小說《賓州三黑手》（*The Three Black Pennys*, 1917）竄紅文壇。

25 約翰・尊克瓦特（John Drinkwater, 1882-1937）：英國詩人、劇作家。一九〇七年創立並經營「朝聖伶人」（Pilgrim Players），即今日「伯明罕戲目劇場」（Birmingham Repertory Theatre）的前身。作品有：《劍與犁》（*Swords and Ploughshares*, 1915）、《詩選》（*Collected Poems*, 1923）、《英格蘭國君查理先生》（*Mr. Charles, King of England*, 1933）、《佩皮斯》（*Pepys*, 1930）、《莎士比亞》（*Shakespeare*, 1933）、《約翰・韓普丹的英格蘭》（*John Humpden's England*, 1933）；自傳

《本性不移》(*Inheritance*, 1931)與《發現》(*Discovery*, 1932)；劇作包括：《叛亂記》(*Rebellion*, 1914)、《亞伯拉罕・林肯》(*Abraham Lincoln*, 1918)、《赤膽忠心》(*Loyalties*, 19191)、《羅勃・彭斯》(*Robert Burns*, 1925)、《仲夏前夕》(*Midsummer Eve*, 1932)、《擊垮惡魔》(*Laying the Devil*, 1933)、《單身居》(*A Man's House*, 1934)等。尊克瓦特關於藏書的作品則有《書人集珍》(*A Book for Bookmen, being Edited Manuscripts & Marginalia with Essays on Several Occasions*, London: Dilac & Co., 1926)。

26《哈潑》(*Harper's*)：應指哈潑出版社(參見第四卷Ⅱ譯註76)發行的《哈潑雜誌》(*Harper's Magazine*)。《哈潑新月刊雜誌》(*Harper's New Monthly Magazine*)於一八五〇年六月創刊，一九〇〇年聖誕專號起改名《哈潑月刊雜誌》(*Harper's Monthly Magazine*)，一九一三年三月號起改名《哈潑雜誌》。

27《史格利布納》(*Scribner's*)：應指《史格利布納雜誌》(*Scribner's Magazine*)。一八八一年史格利布納出版社(參見本章譯註12)出讓《史格利布納月刊》持股，並協議五年內不會出版任何刊物；該刊改由世紀公司編印發行，刊名改為《世紀雜誌》(參見第四卷Ⅱ譯註23)。期間屆滿後，史格利布納於一八八七年元月另行創刊《史格利布納雜誌》(*Scribner's Magazine*，Edward L. Burlingame主編)。

28《親愛的梅寶兒》(*Dear Mable*)：參見本章譯註16。

29《小訪客》(*The Young Visiters, or Mr. Salteena's Plan*)：英國童書作家黛西・阿西福(Daisy Ashford, 1881-1972，本名Margaret Mary Julia)作品。阿西福在正式入學前已寫出一部劇本和數則故事，本書為她於九歲時寫成，但她成年後以秘書為業，直到母親去世，她才取出書稿，經Chatto & Windus出版社的選書人法蘭克・史溫納頓(Frank Swinnerton)相中，一九一九年終於出版，一推出即受到歡迎，並暢銷不輟。該書首版還商請貝瑞(參見下則譯註)作序。注意作者刻意將書名中的Visitors拼成Visiters。

30 詹姆士・馬修・貝瑞(James Matthew Barrie, 1860-1937)：蘇格蘭記者、劇作家、童書作者。著名少年讀物主人翁小飛俠彼得・潘(Peter Pan)的創造者。此角色原於一九〇四年為某齣戲劇所寫，直到一九一一年才以書籍《彼得與溫蒂》(*Peter and Wendy*)廣為流傳。

31《湯姆・瓊斯傳》(*The History of Tom Jones*)：英國作家亨利・費爾丁(Henry Fielding, 1707-1754)的小說。一七四九年出版。

32「人人文庫」(Everyman's Series或Everyman Library)：倫敦出版商丹特(參見第五卷 I 譯註29)自一九〇四年起開始籌劃，立意印行一千部經典作品，並以精巧開本、盡可能低廉的價格(當時訂為每冊一先令)吸引「形形色色的讀者：勞工、學生、文化人士、男女老少」之興趣(would appeal "to every kind of reader: the worker, the student, the cultured man, the child, the man and the woman.")。此書系由丹特長子Hugh掌理，於一九〇六年起開始發行，丹特甚至特地成立「聖殿印書坊」(Temple Press)專責投入此書系的印製工作；該叢書有系統地編印全世界最重要的經典，首任主編為Ernest Rhys(1859-1946)。丹特與Rhys選作此書系的第一部書為鮑斯威爾的《約翰生傳》；頭一年便出版了一百五十二種。「人人文庫」是讓許多文學經典得以在二十世紀初迅速普及的重要功臣。「人人文庫」前蝴蝶頁上總會有這麼一段文案揭櫫其宗旨："EVERYMAN, I will go with thee, / and be thy guide, / In thy most

need to go / by the side.”典出十五世紀晚期英國的教化劇作《人人》（*Everyman*）中由「知識」（Knowledge）向「眾人」（Everyman，各由一位演員扮演）所說的台詞。一九九一年起，「人人文庫」改由美國出版商Alfred A. Knopf（1892-1984）刊行。此書系目前仍由「蘭燈書屋」（Random House）持續印行並開發出許多子系列。

33《爪哇頭》（*Java Head*）：美國（費城）小說家約瑟夫・賀爾杰胥莫（參見本章譯註24）作品。一九一八年紐約Alfred A. Knopf出版，內容描寫經營海上貿易的新英格蘭混血家族的故事。

34 亞瑟・皮內羅爵士（Sir Arthur Wing Pinero, 1855-1934）：英國劇作家。早年習法。一八七四年至一八八一年先擔任舞台演員。作品有：《周轉高手》（*The Money Spinner*, 1880）、《鄉紳》（*The Squire*, 1881）、《保安官》（*The Magistrate*, 1885）、《女校長》（*The Schoolmistress*, 1886）、《狄克公子》（*Dandy Dick*, 1887）、《香甜薰衣草》（*Sweet Lavender*, 1888）、《浪蕩子》（*The Profligate*, 1889）、《檀克禮二世》（*The Second Mrs. Tanqueray*, 1893）、《聲名狼藉的艾伯史密斯小姐》（*The Notorious Mrs. Ebbsmith*, 1895）、《多疑有利》（*The Benefit of the Doubt*, 1895）、《快樂的奎克斯爵爺》（*The Gay Lord Quex*, 1899）、《艾麗斯》（*Iris*, 1901）、《公主與蝴蝶》（*The Princess and the Butterfly*, 1901）、《晴天霹靂》（*The Thunderbolt*, 1908）、《魔屋》（*The Enchanted Cottage*, 1922）、《漢默先生的假日》（*Dr. Hammer's Holiday*, 1930）、《寒冷六月天》（*A Cold June*, 1932）等。

◎亞瑟・皮內羅，Spy繪（1891）

35 查爾斯・麥可・舒瓦伯（Charles Michael Schwab, 1862-1939）：美國鋼鐵大亨。原本是卡內基（參見本章譯註2）鋼鐵公司的基層員工，一八九七年當上總裁；一九〇一年更入主甫成立的美國鋼鐵公司（U.S. Steel Corp.），同時還經營當時該領域產能最高的巴斯勒罕鋼鐵公司（Bethlehem Steel Company）。

36 “gladly learn and gladly teach”：語出喬叟《坎特伯里故事集》（*The Canterbury Tales*）。原文句應是：“Gladly would he learn and gladly teach.”。

37《帕納瑟斯上路》（*Parnassus on Wheels*）：摩利（參見本卷代序譯註6）的小說。一九一七年花園市、紐約博達爾戴與佩吉出版社出版，首版由紐頓作序。內容講述一名書商驅策馬車巡遊各地的販書奇遇，「帕納瑟斯上路」為故事中無定所的巡迴書店名號。這家書店後來在續篇《幽魂書店》（*The Haunted Bookshop*, 1919）中終於定下來，店名也改成了「帕納瑟斯落腳」（Parnassus at Home）。

38 福玻斯（Phoebus）：太陽神阿波羅的別號。

◎新版《帕納瑟斯上路》（1998）封面，David Terry設計

39 羅傑・米夫林（Roger Mifflin）：摩利小說《帕納瑟斯上路》中虛構的書販。摩利在書中藉米夫林之口道出許多愛書名言，譬如：「把書賣給一個人，並不光只是賣給他十二盎斯重的紙、墨、背膠，而是售予他一個全新的生命。」（“When you sell a man a book, you don't sell him just twelve ounces of paper and ink and glue, You sell him a whole new life.”）

40《偕驢旅行記》（*Travels with a Donkey in the Cevennes*）：史蒂文生的遊記。記述一八七八年九月二十二日作者牽著一頭驢子自Monastier啟程，徒步前往位於Haute Loire的Gazeille。最初以Journey with a donkey to shortcoming the Cévennes為題於一八七九年在報紙連載。

41 佩加索斯（Pegasus）：摩利《帕納瑟斯上路》中拉車那匹馬的名字，引自希臘神話中的雙翅

天馬。

42 瑪戴思汀（Modestine）：史蒂文生的遊記《偕驢旅行記》中那頭母驢的芳名。

43 愛德蒙・拜恩・海克特（Edmund Byrne Hackett, 1879-1953）：「石磚巷印書館」（參見下則譯註）的創辦人暨店東。

44 石磚巷印書館暨書店（Brick Row Print and Book Shop）：美國出版社兼書店。一九一五年在康乃狄克州紐賀芬市（New Haven）由一群耶魯大學校友成立，旨在讓當地學生、同僚能輕易買到較好版本的正統文學讀物。後來陸續在普林斯頓大學、紐約、德州奧斯汀與舊金山等地開設分店。

45 唐氏屋書店（Dunster House Book-Shop）：位於麻薩諸塞州劍橋的哈佛大學的校園書店暨出版社。

46 "Serendip" 原為錫蘭（今斯里蘭卡）古稱，今已失傳，但serendipity現在成了通行的英文名詞，《牛津高階詞典》對serendipity的解釋是：「全然無意中有所新奇發現（的本事）。」原文義實與「世外桃源」稍有差距，我在此處刻意依咱們自己的文化典故做了調整，務請讀者諒察。

47 賀拉斯・沃爾波（Horace Walpole, 1717-1797）：十八世紀英國作家。

48 賀拉斯・曼恩爵士（Sir Horace Mann, 1701-1786）：英國外交官。一七四〇年至一七八六年代表英國出使義大利佛羅倫斯。曼恩爵士是賀拉斯・沃爾波的好友，兩人長年互通公開信多年（數量高達數千封）。

◎愛麗斯・梅涅爾，（石版畫）William Rothenstein繪（1897）

49 愛麗斯・梅涅爾（Alice〔Christiana Gertrude〕Meynell, 1847-1922）：英國詩人、散文家。原名Alice Christiana Gertrude Thompson。一八七七年嫁給英國詩人、記者兼出版商Wilfrid Meynell（1852-1948）。她與夫婿因出版《喜樂英國》而結識、發掘法蘭西斯・湯普遜並長期資助後者創作。她自己則於一八九三年出版首部詩集奠定文名。梅涅爾家的另一名兒子Francis Meredith Meynell（1891-1975）為書籍裝幀設計師、書法學家，一九二三年成立Nonesuch出版社。

50 法蘭西斯・湯普遜（Francis Thompson, 1859-1907）：英國詩人。原為製鞋匠，業餘寫詩。一八八八年出版首部詩集《喜樂英國》（*Merry England*，Wilfrid Meynell出版），自此受到梅涅爾家族的熱情接納與照顧（至一八九三年）。一八九三年以《詩集》獲得好評；其他詩集包括：《姊妹歌》（*Sister Songs*）、《新詩集》（*New Poems*）。他亦寫作評論，一九〇九年出版《散論雪萊》（*Essay on Shelley*）。

51 威廉・莫里斯（William Morris, 1834-1896）：英國文學家、藝術家、工匠。

52 湯瑪斯・柏德・莫歇（Thomas Bird Mosher, 1852-1923）：美國獨立出版商、手工書製造者。原為海員，十九世紀末年退休後在波特蘭成立莫歇出版社（Mosher Press），自一八九四年至一九一四年間專事生產「禮物書」（gift books），以手工製作出版。至一九二三年為止，他出版了大約八百種書籍，他去世後，Flora Lamb代他的遺孀繼續經營，直至一九三八年被波士頓某書店併購。

53 布連塔諾書店（Brentano's）：美國歷史悠久的出版社暨書店。原籍奧地利的August Brentano於一八五三年抵達紐約，初以開設書報攤起家，後來成為紐約重要地標。

54 達頓書店（Dutton's）：紐約。愛德華・派森・達頓（Edward Payson Dutton, 1831-1923）於一八五二年在波士頓開辦書籍零售生意，一八六四年設紐約分公司，開始自印自銷，早期以宗教書刊為大宗。

55 普特南書店（Putnam's）：喬治・帕瑪・普特南（George Palmer Putnam, 1814-1872）於一八四八年在紐約創設G. P. Putnam's Sons出版公司。

◎A. C. 麥克魯格的商標

56 麥克克魯格書店（A. C. McClurg & Co.）：原籍費城的Alexander Caldwell McClurg（ca.1835-?）創立的芝加哥書店暨出版公司。

57「賣命工作，勤登廣告。」（Work like h——, and advertise.）：常用的英語格言句型，較常被引用的有 "Early to rise and early to bed makes a male healthy and wealthy and dead." 語出James Thurber（1894-1961）；班傑明・富蘭克林則說："Early to bed and early to rise, Makes a man healthy, wealthy, and wise."；美國前副總統高爾（Albert Gore, Jr., 1948-）曾於一九八八年競選總統時說過："Early to bed, early to rise, work like hell and organize."。hell在當時被上流文人視為粗鄙字眼，只要文章中用到這個字，皆以"h——"取代。

Ⅳ 有個文案，賣書不難

我自認小時候不算是壞胚子——可不像時下那些小鬼頭，但實際上我曾經從一所（寄宿）學校逃學，而且始終沒再回去復學。不過，我並沒有到處胡搞鬼混，而是溜去應徵了一個書店的差事，他們答應只要一有空缺就會錄用我，結果我沒等多久便走馬上任了。事情是這樣子的：某天當我翻閱費城《日報》[1]的時候，我的眼光掃過廣告欄，發現有人登了一則啟事找我，我當下決定應該去和那個人見個面。那則廣告是這麼寫的：「徵求伶俐、勤快男童乙名，負責抄寫郵件地址。週薪三元，誠可議。」

這便是我與賽路斯．H. K. 寇提斯[2]頭一回見面（並非正面相逢，也不是平起平坐，而是誠惶誠恐地舉頭瞻仰）的原委：我們倆算是有志一同；當時他的事業尚未完全步上軌道，而且一連好幾個月都不見他現身出面帶我；就那麼著，我和他之間原本不算小的距離越來越大，最後大到索性連他的人影也瞧不著了。一直得等到他成了全國知名人士，我才有機會再度看到他。他的成就完全奠基在廣告上頭。對於許多錢賺得比他多的人來說，做廣告就像男人逢場作戲，無非只是偶一為之；但是對寇提斯先生而言則是無時不刻；而那幢巍峨、華麗的出版大樓，正是他孜孜於廣告的紀念碑。

有些人傾向一口咬定廣告只是無謂的金錢浪費；寇提斯先生並不同那種人一般見識。雖然他從小到大只服用自家偏方；或許他膜拜「三位一體」；三不五時還暗地裡誦唸《亞大納西信經》（"Athanasian Creed"）亦未可知；但是我曉得（全天下也都曉得），廣告才是他信仰最虔誠的宗教；當然啦，因為他的成功泰半——並非全然，而是泰半——拜廣告所賜。

不可否認，「寇提斯出版公司」本身其實就是一個歷史悠久、直至今天依舊日復一日、月復一月、年復一年持續不斷進行的廣告企劃產物，再說得過火一點，它所生產的商品說穿了就是廣告。廣告偶爾能帶來一些（正確地說，應該是「許多」）其他效應，而轉嫁到「消費者」身上的額外費用，比起生產那些商品的成本簡直少之又少，真可說是惠而不費。我大可無庸擔心自打嘴巴、放心大膽地說：《星期六晚間郵報》(Saturday Evening Post)是全世界最便宜的商品。倘若事實也的確如此的話，又何來「廣告乃無謂的金錢浪費」之說呢？

不過，對寇提斯先生、他的公司或他的產品歌功頌德，並非這篇文章的主旨。若各位不嫌棄的話，我比較想做的是為另一類出版商（即專事出版書籍的單位）提供一個廣告點子。我對於書籍向來具備極大的興趣。書籍是咱們最好的朋友——不論你生性嚴肅拘謹抑或活潑外放——而且你隨時能叫它閉上尊口。大多數的人都不把它們當一回事；他們自以為在乎，但事實不然；換句話說：他們在乎其他事物猶勝書本，每當該掏腰包買書的時候，他們的口袋總是碰巧沒錢了。而我呢，只要能達到起碼的生活溫飽，我最念茲在茲的東西就是書本。

我先稍微岔題一下。我已經到了逢年過節「送多收少」的年紀（我並非藉機發牢騷，只是道出實情罷了）。我用來擺放禮物的桌檯只需小小的一張便已綽綽有餘。我最近一次收到的禮物是我太太送的一只錶。我原本有錶，並不需要多一只來湊熱鬧；但是我太太老以為我還想要一只好錶，於是就體貼地買來送給我；如果我沒記錯的話，那是聖誕節過後大約十天，她把一大疊家中各項開銷的帳單擺到我的面前，其中夾帶了那只錶的帳單，她說：「勞駕，順道將這張帳單一併付清，我原本想自己付，但是一旦付了那筆錢，我手頭就緊了；反正對你來說只是九牛一毛嘛。」於是我輕輕嘆了一口氣，繼續彎身扛起生活重擔，果然正是九條牛那麼重。

過了一個禮拜後，我到外地出差。當我坐在吸菸車廂裡看書看得正起勁的時候，一名與我略有點頭之交的男子走到我的座位前，問我是否願意賞臉和他來一局衛生撲克。我開門見山地告訴他：我完全不會打牌。他一聽便說：「那咱們來聊天吧。」他的意思無非：他想找人聽他說話；他還果真卯起來滔滔不絕自顧說個沒完，而且淨講些有的沒的，直到最後他才問我今年收到什麼聖誕禮物。我總算逮到機會可以向別人吹噓內人如何慷慨大方，並當場掏出那只新錶向他炫耀一番，那位朋友瞅了一眼，他也不甘示弱，開始講起他太座送給他的古董書櫃。

「那真不賴呵，」我說，「您喜歡書啊？敢情您有很多書？」

「也沒多少啦，」他回答，「反正那也不是什麼書櫃；反倒比較像一張豎起來的寫字檯。最上頭有一排櫥櫃，紅色絲質襯裡附加玻璃門；正合適用來儲放威士忌、雪茄和值得鎖起來的東西。」（虧他頭一個想到要將威士忌鎖進保險櫃裡。）「下面有一塊板子，可以擺平當寫字桌；最底下才是擺書的空位。我說呀，」他接著說，「書多可不見得就代表喜歡書，夠塞滿兩排書架就行了。」

真是青天霹靂，但我還是先把痛心疾首按捺下來，改口問他喜不喜歡閱讀。

「喜歡極了，」他說，「每逢週日早上，吃過早飯，我最愛躲進房間，好整以暇、不受打擾地閱讀我的報紙。」

各位您聽聽，一個人兩眼茫茫盯著星期天的報紙，居然還妄想他正在閱讀！

說真格的，許多人（絕大多數人）現在八成都已經忘了該怎麼閱讀（就算他們以前知道）；要導正這種情形，必須透過廣告，不僅要教導這些人學會如何閱讀，也要教導他們該如何買書。既然廣告能促進普遍使用牙粉的風氣，我確信藉由相同的方式也能打開書籍的銷路，但是必須透過巧妙地、有系統地、持續地運作。每個人都很熟悉的諺語「好的開始是成功的一半」，呃，這句話並不太適合套用在廣告上：在廣告的領域中，得改成「好的結束才是成功的一半」；廣告必須靠日積月累才能見到效果，得等到每個人都從口袋裡掏出錢來，廣告才算大功告成。當某個人頭一回看到一則廣告，除非那則廣告非常具有震撼力，否則並不能立即對他產生影響；只有透過頻頻曝光，廣告才會開始發生作用。

放眼全世界，運用廣告最好的例子便是一、兩年前集中火力頻頻推銷的「戰時公債」（Liberty Bonds）。由於當時絕大多數的人壓根不曉得公債到底是啥玩意，所以必須先教導教導他們；但是淒慘得很，當大家好不容易終於接受買公債是全世界最好的投資管道的時候，它們便開始一路慘跌。「多買多貸」還有「買到手軟為止」[3]喊得震天價響，喊得大家全部乖乖照辦。同一句口號重複一千遍的效果由此可見一斑，咱們到頭來統統都在廣告的淫威之下俯首稱臣。我們果真多買、多貸，也真的全都兩手軟趴趴；我這麼說完全是出自切身的經驗。

◎第一次世界大戰美國大力促銷戰時公債的海報

君不見數百萬人惑於廣告的強大力量，糊里糊塗地買了汽車，只因為那玩意——從廣告上看起來——是如此時髦先進、維修毫不費力。

將廣告視為一門藝術或科學說起來仍屬非常新穎的觀念，姑且不論山繆爾・約翰生博士在一篇寫於一七五九年、如今已鮮有人知的「閒人譚」[4]中早就提及廣告乃是一門「如今已臻近完善且不易再有任何進展的行當」；當論及報紙日益充斥

■約書亞・雷諾茲繪製的約翰生博士肖像
此圖由 W. 薇維安・查佩爾（W. Vivian Chappel）特為本書翻攝自原畫

通篇廣告時，他進一步剖析：「頭一位藉報刊一角披露訊息，讓讀者獲悉哪家舖子兜售上好的糕餅點心、胭脂水粉，成功地將大眾的好奇心自征戰新聞中吸引過來，無疑乃極具先知灼見之人。」許多人一想起約翰生博士（若大家還想得起來的話），總是不分青紅皂白地編派他下筆既艱澀沉重又迂腐過時；艱澀沉重或許偶爾有之，但是他指稱從事廣告業人士「洞燭先機」的說法，時至今日倒是還相當跟得上時代。

由於我沒把握各位讀者（就算親眼看到當年刊登在報紙上頭的那些廣告）也都能聯想到約翰生博士那幾句溢美之辭，且讓我從《每日宣傳報》[5]中隨便挑揀幾個例子：

出身桶橋井（Tunbridge Wells）的鐘錶師傅大平屈貝克先生（Mr. Pinchbeck, Senior），長年飽受比鄰設店的胞弟愛德華·平屈貝克連續中傷，並脅迫他更換招牌，特此刊登啟事昭告大眾：他（即前述之大平屈貝克）乃正港以先父嫡傳商標為正字標記之唯一行號，店址設於艦隊街太陽客棧（Sun Tarvern）正對面。

由此可見，平屈貝克家中兄弟鬩牆的戲碼正要熱烈上演。反觀「製錶師傅湯瑪斯·麥基（Thomas Madge）」的運氣就沒那麼背，他爽利地宣稱自己：

師承已故的葛雷安先生，沿襲葛雷安先生之營業風範。敬請顧客認明日晷招牌。店址位於艦隊街螺栓胡同[6]與大酒桶[7]正對面。

約翰生博士的《詞典》當初問世時也是同樣這副調調兒——區區吋餘見方的小小聲明啟事，以短短一欄寫著：

由 S. 約翰生先生編製之對開兩卷本英語詞典甫於今日出版。本書詳列各詞演繹、源流，並援引歷代佳作美文以實例闡述其字義差野。書前附錄〈國語進程〉(History of the Language) 與〈英文文法〉(English Grammer) 各乙篇。本書由 A.米剌 (A. Millar) 氏隆重印行。

底下則列出長長一串不怕蝕本、打算靠那部詞典大撈一票的經銷書店名單。

大家可想而知，當年佔掉最多報刊版面篇幅的廣告，或許該算是聲稱能夠治好折磨咱們列祖列宗各式各樣疑難雜症（不管是生理和心理）的五花八門「妙方」了；而由各藥房——數量多得數不清——調配出的琳琅滿目藥方之中，廣告打得最凶、生意也最興隆的莫過於「詹大夫驅熱散」(Dr. James's Fever Powders)（順道一提，那帖藥正是讓奧立佛．戈爾德史密斯命喪黃泉的元凶[8]；賀拉斯．沃爾波則直言：只有當房子著了火，他才會萬不得已考慮使用它來退燒[9]）。那些藥方在廣告中皆被形容成「仙丹妙藥」，而那些仙丹妙藥的建議服用量動輒都是幾磅、幾夸脫，更甭提那年頭動不動就搬出桶子給病人「放血」[10]的大夫們下手抓藥多半沒啥準頭。依照「多佛散」(Dover's Powders) 和「詹大夫散」洋洋灑灑的醫師指示，一名發高燒的男子若要一回見效，他得服用的劑量居然高達六磅。廣為宣揚、效用如神的藥品才賣區區幾先令，既然如此，藥舖老闆們個個日進斗金又有什麼值得大驚小怪的呢？何況，它們還得和許多自家獨門秘方——比如像「蝸牛汁」，或是把鴉片在碗公中充分攪拌，徐徐拌入熱酒熬製成的「蜘蛛湯」（在臥榻上飲用即可「祛高燒、止盜汗」云云）——一較高下。說到這裡，不由得感嘆老祖

■威廉．豪斯《故戈爾德史密斯罹病之研究》書名頁

AN
ACCOUNT
OF THE LATE
Dr. GOLDSMITH's ILLNESS,
SO FAR AS RELATES TO THE
EXHIBITION
OF
Dr. JAMES's POWDERS:
TOGETHER WITH
REMARKS on the USE and ABUSE of POWERFUL MEDICINES in the Beginning of FEVERS, and other ACUTE DISEASES.

By WILLIAM HAWES, APOTHECARY.

The THIRD EDITION:
WITH
CORRECTIONS, and an APPENDIX.

LONDON
Printed for W. BROWN, and H. GARDNER, in the Strand; J. HINTON, T. EVANS, and J. BEW, Paternoster-Row; S. HOOPER, Ludgate-Hill; J. WILLIAMS, Fleet-street; and W. DAVENHILL, opposite the Royal-Exchange.
MDCCLXXIV.
[Price One Shilling.]

宗們遺傳給咱們的體質肯定棒得沒話說，因為只有金剛不壞之身才捱得住那些玩意兒。

此種廣告演變在英國報紙上的進展比較遲緩，這是他們未善加利用報紙高曝光性的緣故。上一代幾乎無人曉得該如何展示廣告。當時，如果有人想宣傳某件東西，喏，他就一再重複刊登（或許登個十來遍）同一句簡短的句子。當時有一種很出名的藥（天曉得現在市面上還找不找得到）叫做「畢氏丸」（Beecham's Pills），它的廣告就採用了這年頭咱們稱之為文案的一句話：「一盒只賣一基尼」。不管走到哪兒，到處都能看到「畢氏大補丸，一盒一基尼」；或隨高興唸成「一基尼一盒，畢氏大補丸」也照樣能朗朗上口。過程中雖然花掉大把鈔票，但也賺進不少銀子。其實，只要廣告夠水準（就像我大力推崇的「畢氏丸」廣告一樣），這年頭想靠廣告賺大錢也不成問題。說出來你可別嚇一跳；畢先生現在的身分可是騎士之類的貴族喲。沒錯，我才剛從《名人錄》上查出他的底細：「約瑟夫・畢屈漢先生，一九一一年冊封騎士爵位；身兼保安官、製藥商、慈善家……」嚇！乖乖不得了，「廣告果真一本萬利」[11]。《岡多拉船伕》[12]裡頭的唱詞恰可作為註腳：

> 此事乃千真萬確無庸置疑……
> 甭懷疑，一絲一毫也不必……
> 無論如何切莫猜疑……

時至今日，咱們見識的世面更形寬廣，所以這年頭的廣告也非得加倍高明不可，最近某期《新共和》[13]就為大家預示了廣告手法可以多麼出神入化。拿裡頭這篇描寫一對情侶私奔的故事當例子大家就明白了：……男主角瞄了手錶一眼（對頁正是「愛琴錶」（Elgin Watch）的廣告），正準備開口說時間不多了。只見貝蒂哭喪著臉道：

「那我到底該不該攜帶我的行李箱？」（對頁恰有「強固牌旅行箱」（Instructo Trunk）的廣告）「免了，」傑克說，「我們如果還缺什麼，等到了紐約安頓好（「畢爾特摩大飯店」[14]的廣告就在旁邊）再買新的就行了。」「可是咱們只缺盤纏呀（「美國運通支票」（American Express Cheques）的廣告適時出現）。」「頂多再添購些日用品（「威哥刮鬍棒」[15]、「沛甦登（Pepsodent）牙膏」雙雙登場……）。」他飛快地把車子（「魔蠍」[16]赫然在目）檢查一遍，試試輪子（「美國牌」輪胎）是否耐得著長途跑路，傑克先把貝蒂攙上車，然後點燃一根香菸（「駱駝」香菸），沒一會兒工夫，車子已經咻的一聲跑得不見蹤影（「路面鋪上『塔維亞』[17]，輕輕鬆鬆好上路！」）。

◎紐約畢爾特摩大飯店

我實在很納悶，「美國書商聯合會」（American Booksellers' Association）居然遲鈍到這種地步，直到前一陣子總算才開始考慮運用廣告來拓展圖書銷路（不僅為特定某一部書，而是所有的出版品，也不是獨獨為某家出版社或個別書店，而是廣泛促進購書風氣——新書也好，舊書也罷，總而言之：「一切能被稱之為書的東西」）。這就對了嘛。雖然這是一項耗時花錢的工作，但還是非常值得做。

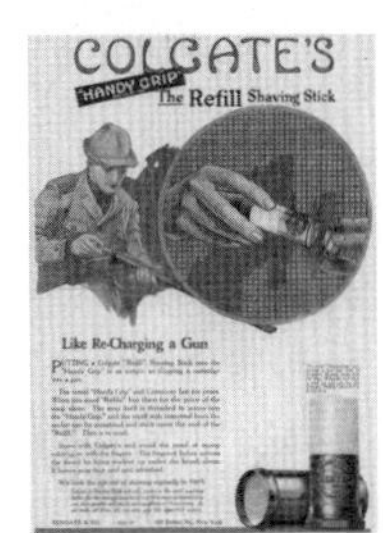

◎（上）「高露潔」刮鬍棒的雜誌內頁廣告
◎（下）「沛甦登」牙膏的雜誌內頁廣告

為了方便接下來的討論起見，我在此不妨拋磚引玉率先貢獻一句文案——「每個星期買一本書」。對數以百萬計的人來說，這句話或許無關痛癢，但是對於其他數百萬人來說，這一句（或其他人能想出別的更好的）文案或許能令他們怦然心動；數百萬原本沒有購書習慣的人，剛看到這句話的時候一定會覺得一頭霧水，自然也不會馬上採取實際行動。但是經過一而再、再而三持續地灌輸這個觀念，其力量必不能小覷：這種效應頗值得心理學家們加以高度重視（他們顯然也都已經注意到了）。長此以往，每個星期不買一本書就會像還穿戴假領子[18]或使用金牙籤[19]一樣，變成一件極不光彩的事。因為看了這句文案而產生購書念頭的人目前尚區區可數：透過不停地說服、不斷地慫恿；過一陣子之後大家便會自動自發去買書了。

當人們漸漸同時養成購書與看書的習慣之後，接著就可以順理成章地進一步告訴他們：為何要買書、該買哪些書、該從哪兒開始買*。

我們何以需要閱讀呢？歷代無數愛書人花費許多時間、挖空心思創造美言佳句，多得數也數不完，這個問題早就不成問題。年劭德高的書界前輩奧古斯丁·伯雷爾在他本人輯註的《鮑斯威爾之約翰生傳》[20]所寫的序文，字裡行間無不充滿睿智：「文學之宗旨乃帶來怡樂、引發興趣、驅逐孤寂；讓爐畔燈下更適宜耽溺徜徉，猶

* 這篇文章初次發表後，波士頓某家著名的書店，或許是受到它的啟發，舉辦了一個徵文比賽，懸賞徵求以這個主題所寫的最佳詩文。以下是投稿角逐的眾多詩稿之一：

每週一本書

每週一本書！我大嘆一口氣；
一句不由分說的「文案」
我既不要聽也不想理。
他們憑何認定我必然需要
每週花我的錢買他們指定的書？

反正文案恆變，朝遷夕改；
我的幼小心靈，誠惶誠恐敬聆，
全新指令——「現在，閱讀
每週一本書」。

讀呀！讀呀！彷彿展開雙翅高飛
飛過陽光普照大地、穿越雲氣深鎖長天，
直到載著我們渡抵先烈先賢指引之地！
我必一路相隨，我如是懇求
兩片魔翼。我必遵命（或盡力）閱讀
每週一本書。

勝酒館買醉尋歡；令知樂之輩獲樂無窮；再者，——我們何不乾脆坦白招認？——吾人藉讀書以療殤解愁、排憂遣悲也。」此話出自一位耄耋老者之口雖不免攙帶一絲悲涼；但依然非常精確地總括了文學的目的。

我面前的寫字檯上有一本短小精悍的書，白色布面裝幀，污損得相當厲害，它的標題是《愛書人隨身小典》[21]。編者亞歷山大·愛爾蘭[22]「誠摯、衷心敬獻」給詹姆士·T. 菲爾茲[23]；它的內容全是前人所說過、寫過禮讚書籍與閱讀的精華。當我著手構思這篇文章的時候，便從頭到尾先將它讀了個滾瓜爛熟，希望能從中找到些許靈感。結果卻一無所獲，蓋《隨身小典》是一部專供早已深知愛書為何物之人賞讀的書（我好幾回隨手拿起這本書，原本只打算讀個十來二十分鐘，卻屢屢無法罷休以致耽誤就寢時間）；但是對於我眼前迫切的需求來說，書中摘錄的引文就稍嫌太深奧、太高明、太不切實際了；我需要的是實實在在、一目瞭然、能教所有不看書的凡夫俗子一讀便自慚形穢的句子。依此看來，此書實在過於天馬行空，舉愛默生的句子為例吧：「試想你置身幅員雖小然卷帙皆精的書齋之中。環宇各國、千百年來的成群智者、賢人隨召即來。」[24]像我此刻端坐在自己的書房裡頭，自然能夠充分心領神會這句話當中的含義：與古人神遊，不亦樂乎；可是你如果在街上隨便對一個人貿然蹦出那句話，誠心誠意告訴他：只要耐住性子便可親晤「千古智者、賢人」，保證他會當場撂下一句：「你別嚇唬人」（或其他更蠢的話），然後一溜煙跑得不見人影。

不成！訴求一般民眾必須採用更通暢流利、更直截了當的大白話，好比「每個星期買一本書」，如此一來，他才能夠一個口令、一個動作比照實行（不是馬上，而是假以時日）。儘管可以成立社團、組織讀書會；但是在走到那步田地之前，眼前（其實是最頭一樁）應該做的就是採納廣告界頂尖專家的意見，謹慎地研擬一套可行的方案。這得耗費許多時間、金錢，但是這本來就不是一蹴可幾的工作；圖書業已經在世上存活了好幾個世紀，這應該用不著我在這裡提醒大家吧。該項計畫花一年的時間來籌備應該就綽綽有餘了；至於所需費用，應該也不成問題：只要從全國圖書銷售總額之中撥出區區一成即可支應，這筆款項應該向每個批發、零售書商徵收——從舉足輕重的大出版社（如紐約的麥克米蘭公司），到地處偏遠的小書商（如費城的喬治．瑞格比），一個都不許漏掉。用這筆稅金應該足夠延聘國內最有能力的廣告長才。

長久以來，在我自己所處的行業裡頭慣常使用的一句文案就是「電子化」。或許有人不明白：什麼東西需要電子化？任何東西：舉凡從焊錫到冷霜；不管開一艘船或操一根針。那麼，「每個星期買一本書」*又該買什麼書呢？任何書都成——不管是《啟示錄四騎士》還是《亨利．亞當斯傳習錄》[25]——我們便能指日期待廣大的購書群眾逐步順勢湧現，而不再老是區區那麼一小撮人，東一個西一個成不了氣候；屆時，大家便能夠認同「宅中無書置架猶如房內無窗觀景」[26]。

考察各國廣告的表現便可看出其民族性。廣告是一種自吹自擂的形式，論及做廣告這檔事，全世界沒有其他民族能比咱們美國人更在行：法國人對此所知甚為有限，幾乎可說是一竅不通，英國人也僅僅略知皮毛。他們向來習慣奉行「謹守私密」，咱們這兒則時興「開誠布公」。在英國，你若是想買一件東西，只怕你得踏破鐵鞋上窮碧落下黃泉，累得半死還不一定能找著；至於在咱們這兒，最麻煩的是你得煞費苦心才能避開你不想買的東西成堆堵在面前。

* 這個「文案」在全國媒體上曝光後過了一陣子，我收到一封朋友的來信，裡頭寫著：「那個害人不淺的鬼文案可把我整慘了。上個星期我花了四千五百元買首版的《莎士比亞詩選》；這個星期花了三千元買首版《失樂園》；照這麼玩下去，下個星期我就該買《哈姆雷特》簽贈本嘍。天曉得我還得再賠掉多少銀子。」

一般而言，大家都或多或少誤解廣告。其實，吾人的一舉一動無時不刻全是廣告；頭戴絲質禮帽、端坐在歌劇院的包廂裡就是某種形式的廣告（藉以宣告世人此君在社會中的身分、階級），但是，專業人士在這方面可不能像商人那麼露骨。就這一點來說，我始終認為做小生意有成的人是全世界最走運的：他甚至連絲質禮帽也甭戴，只消開門見山地吆喝：「來買蠟燭喔，三根賣一毛喔。」意思再明白不過：要買就快，不買拉倒。

咱們還是回頭談文案吧。試想，一個簡簡單單的隻字片語重複出現數百萬遍所能產生的龐大力量。政客們成天淨發明一大堆口號，但其中用得最巧妙的人莫過於羅斯福[27]，君不見他的「劫貧濟富」、「大棒伺候」[28]、和其他數以百計的政治口號全都相當成功地打入人心。總歸一句話，口號、文案就如同礎椿；它們既然可以作為營造民心士氣的磐石，自然也能夠當成廣告的起點。

依照我的看法，任何能夠立即勾起人們聯想起另一件事物的一個字、一個詞、甚至一幅畫面、一件東西，都可視為文案。隨便哪個美國人乘船行經直布羅陀岩（Rock of Gibraltar）時，腦中必然都會想到那家保險公司[29]；或當他進入紐約港，看到一縷白煙自一座白色大理石金字塔[30]頂尖裊裊升起，怎能不聯想到那家雄霸一方的信託公司？「輕輕一按」、「問問買過的人」、「輕飄飄柔細細」[31]——和其他成千上百個諸如此類的絕妙好詞之所以能夠穩坐舉足輕重的地位，並非由於它們在美國專利署註冊有案，而是因為它們早已根深柢固地深植在數百萬人的心底。

我實在無法置信，任何思想前進、作風開明的機構（好比「美國書商聯合會」），竟然會無視於日新月異、推陳出新的各種廣告手法，永遠只會千篇一律在店門口立看板、掛招牌，把咱們的市容搞得滿目瘡痍，彷彿存心要將原本就不怎麼樣的城鎮風光整得更加面目可憎似的。正因為在位執政者的「默許放任」，才會導致教人眼花撩亂的各式招牌、看板鋪天蓋地且肆無忌憚地到處豎立，在街頭爭奇鬥妍，其內容更是五花八門、無奇不有。這種差勁透頂的廣告手法，早晚都必須徹底摒棄。你不妨請教我的朋友喬・潘迺爾[32]（我聽說此君向來刀子嘴豆腐心），他必然會告訴你一個妙招：那些大招牌簡直教咱們國家丟盡了臉，應該要予以課徵重稅讓它們從此銷聲匿跡。他說的可真是一點兒都沒錯。何況咱們現在正處於非常時期，合法的建材木料這麼昂貴、運輸又是如此困難的年頭，耗掉數百萬呎木材在公路兩旁架設醜不拉嘰的鬼畫符看板簡直罪該萬死。要是哪個傢伙一天到晚站在我家門口敲鑼打鼓，他最後的下場就算不是被抬進殯儀館，至少也會橫著送醫院；那些用誓不驚人死不休的招牌把全國搞得其醜無比的人也都活該得到同樣下場。至於告示看板廣告，各鄉鎮的情形可說是無可救藥；但我對此倒不全然絕望。

適當合宜的廣告媒體不勝枚舉：就以報紙和雜誌來說好了，發行量高達數千萬份的報刊不在少數，版面自然也不虞匱乏；姑且不論許多社會新鮮人早就買了車子滿街跑，就算咱們這些天天擠電車的人，抓著吊環的時候也會不由自主揣摩手握方向盤的滋味哩。我對於書店的櫥窗擺設也多所期待，書店人員至少該把書本擺放得——我該怎麼說好呢？——就像陳列男士的帽子。且容我再進一步引伸我的創意（如果這也能算是創意的話）。商店櫥窗具有極高的廣告價值；它們總是任由送貨員過度繁複地更換裝飾，我一直搞不懂那麼做的道理何在。我在此提出以下的建議。

書店不妨保留一個櫥窗（最好是某個固定櫥窗），或櫥窗中的局部（最好是固定的位置）——如果可能的話，別被後頭那堆暢銷書干擾視線；使用絲質、暗色的活動帘幕加以區隔應該不錯——趁某位作家的誕辰或忌日前後那段期間，陳列出與他相關的書籍。

就以魯迪亞・吉卜齡[33]（除了湯瑪斯・哈代之外，現在仍然在

■當代偉大畫家——約瑟夫・潘迺爾。F. 華特・泰勒（F. Walter Taylor）畫下他面露慍色的模樣。當我還拿不定主意是否買得起這幅肖像時，我的兒子買下了它並把畫與帳單一併交給我，解除了我遲遲難以下決定的窘境。

世最傑出的文人）為例來說明吧。假設一九二一年十二月三十日當天，我們能夠找出一幀他的照片或肖像畫，旁邊擺一張卡片寫上：「魯迪亞·吉卜齡先生五秩晉六壽誕誌慶」，然後，在四周置放他的相關物品——首版書、親筆信、紀念品等物件（如果找得到的話）；萬一書店自己沒有那些東西，那也有辦法解決，如果是開在費城的書店，可以去拜訪手上有絕佳吉卜齡相關藏品的人（好比說：靄理思·安姆斯·巴拉德[35]），向對方情商租用其中幾件一兩天，保證一擺出來便能教看到櫥窗的人兩眼為之一亮。

這個點子甚至還能無限延伸，各書店大可自由發揮創意，添加各式各樣的內容；假以時日，此種不斷替換的展覽將形成一種公民教育。它必會匯聚一股龐大吸引力，令大眾趨之若鶩。他們甚至還會從對街特地過馬路來欣賞；一旦造成風氣、形成話題，一般民眾也會因能夠與書店相互交流而感到興奮不已。試想，如果當我們走進某家氣派典雅的餐廳，領班馬上迎面叫出我們的名字，那有多教人窩心！書店也應該要對它的顧客營造出這種受寵若驚的喜悅。

但是或許有人會說：「那樣太花錢費工夫了；我騰不出人手來幹那些活兒。」那麼我告訴各位：那些活兒可以由好幾家店聯合起來進行，每家店分攤的人力、開銷自然也就相對降低了。「美國書商聯合會」長年榮譽會員、並以其對書籍販售所講授的課程與研究論文而聞名的貝西·葛拉翰[36]小姐，就非常合適出面主持這項工作（或其他任何能夠及時、有效地對書店業有實質幫助的方案）。

書店可以（事實上也應該）為大眾提供某種出了校門之後還能夠繼續深造的文藝教育。讓這項教育推廣至無遠弗屆：我僅能略盡綿薄之力，期盼每一個男女老少讀完這篇文章全都一溜煙——奔向附近的書店的懷抱。大家不要誤會，我不是開廣告公司的。約翰生博士稱廣告為生意；我則將它視為一項專業。這項專業值得每一位具備特殊才能和訓練的人士好好地加以深入鑽研。

■吉卜齡《鄉土小調集》[34]別出心裁的書名頁

【譯註】

1 《日報》（“Ledger”）：應指費城《公眾報》（*Public Ledger*）。寇提斯（見下則譯註）於一九一三年買下此報經營權，從此跨入報業版圖；他後來陸續收購費城《新聞報》（*Press*，一九二〇年）、紐約《晚間郵報》（*Evening Post*，一九二四年）、費城《詢問者報》（*Inquirer*，一九三〇年）。但他在報紙經營上並不如雜誌成功，後來均一一賤價出售。

2 賽路斯．賀曼．柯茲希默．寇提斯（Cyrus Hermann Kotzschmar Curtis, 1850-1933）：美國出版家、慈善家。一八七二年創辦《民眾刊》（*People's Ledger*）起家；隨後在費城創辦《論壇與農民》（*Tribune and Farmer*）。一八九〇年創立寇提斯出版公司（The Curtis Publishing Company）；一八九七年買下《星期六晚間郵刊》（*Saturday Evening Post*）。寇提斯一生挹注醫院、博物館、學校不遺餘力。

3 「多買多貸」（“Buy and Borrow.”）、「買到手軟為止」（“Buy till it hurts.”）：第一次世界大戰期間美國政府為了推銷政府公債，以廣播途徑頻頻大力放送廣告，令民眾毫無招架的餘地；當時的促銷口號琳琅滿目、不勝枚舉，「愛（國）到最高點，手中有公債」（“Buy bonds till it hurts.”）是丹佛記者George Creel（1876-1953）於一九一七年受邀主持宣傳委員會（Committee on Public Information）時設計出來的點子，還有另一句也教人朗朗上口的「前線將士從容獻身；後方百姓慷慨捐輸。」（“The Soldier Gives—You Must Lend.”）

4 「閒人譚」（“The Idlers”）：山繆爾．約翰生於一七五八（四月十五日起）至一七六〇年（四月五日止）在《環宇紀事周報》（*The Universal Chronicle*, or *Weekly Gazette*）上發表的專欄，總數達一百零三篇。此專欄的概念脫胎自「漫遊者」（參見第一卷IV譯註17），其中有不少內容段落後來皆成為膾炙人口的諺語，例如：「兩個英國佬一見面，劈頭淨聊天氣。」（“When two Englishmen meet, their first talk is of the weather.”）此處提及約翰生關於廣告的言論（前一段：“The trade of advertising is now so near perfection that it is not easy to propose any improvement.”後一段：“The man who first took advantage of the general curiosity that was excited by a siege or battle, to betray the readers of news into the knowledge of a shop where the best puffs and powder were to be sold, was undoubtedly a man of great sagacity.”），出自一七五九年「閒人譚」專欄的文章。見《約翰生傳》（一七五九年段）。

5 《每日宣傳報》（[The] *Daily Advertiser*）：倫敦報刊。自一七三一年（二月三日起）至一七九八年（九月九日止）共發行二萬一千七百七十一號。

6 螺栓胡同（Bolt Court）：艦隊街尾的小巷。其名稱可能是來自昔時一家名叫「大酒桶螺栓」（Bolt-in-Tun）的客棧。一七七六年至一七八四年約翰生生前最後的居所即位於此巷內的高夫廣場八號。

7 大酒桶（Tun）：倫敦舊城區置高點「孔丘」（Cornhill）的別稱。

◎十九世紀初的孔丘，Tho. H. Shepherd繪、S. Lacey版刻，出自*Jones & Co. Temple of the Muses, Finsbury Square, London, March 20, 1830*

8 一七七四年三月，戈爾德史密斯隱疾爆發、高燒不退，他不顧藥師反對，堅持服用平日常吃的詹氏散退熱。結果病情加劇，直至四月四日清晨終告不治。當時在床邊看顧的醫師對他說：「你的脈搏跳得十分劇烈紊亂，完全不像是個發高燒得如此厲害的人該有的樣子，你是否願意就此安息了？」（“Your pulse is in greater disorder than it should be from the degree of fever which you have: is your mind at ease?”）戈爾德史密斯的臨終遺言是：「還沒。」見《約翰生傳》（一七七七年九月十九日段）。

9 自一七六二年起，沃爾波多次在致親友的信中提及詹氏散。起初他時而誇讚它妙效如神（一七六二年三月五日致Ailesbury伯爵夫人：“I have taken James's powder for four nights, and have found great benefit from it.”），時而大力推廣（同年五月二十五日致George Montagu：“Had I been with you, I should have cured you and your whole family in two nights with James's powder.”）；結果，原本只是頭疼肚子痛的Waldegrave勳爵在他的建議之下一藥斃命（見一七六三年四月六日致George Montagu信），他才開始憂心是否糊里糊塗害死人家：“I was excessively shocked, not knowing if the powder was good or bad for it.”但他仍自我辯解：“The cure performed by James's powder charms me more than surprises me. I have long thought it could cure every thing but physicians.”（見一七六四年三月二十七日致Charles Churchill信。）從此之後沃爾波對詹氏散也退避三舍，連兩三年來的痛風痼疾發作也強忍著不吃（見一七六五年二月十二日致Hertford伯爵信）。

◎十六世紀的放血情景

10 放血（let blood）：西方自中古時期出現的醫療手續，十四至十六世紀尤其盛行，此種暴烈的療法施用範圍十分廣泛，特別是用在治療痛風、療毒、外創瘀血、傷疽、無名腫……等。

11 “It Pays to Advertise”：引自蘇格蘭鄉俚民謠〈送嫁歌〉（“The Miller's Daughter”）尾句。歌詞如下：“The fish, she never cackles ‘bout / Her million eggs or so. / The hen is quite a different bird, / One egg and hear her crow! // The fish we spurn, yet crown the hen, / Which leads me to surmise: / ‘Don't hide your light, but blow your horn! / It pays to advertise!'”

12《岡多拉船伕》（*The Gondoliers*）：「吉爾伯特與蘇利文劇場」（參見第一卷Ⅲ譯註46）於一八八九年首演的輕歌劇戲碼。

13《新共和》（*New Republic*）：一九一四年由Willard Straight與Herbert David Croly創辦的政論刊物。

14「畢爾特摩大飯店」（Biltmore Hotel）：坐落於紐約市麥迪遜大道上（四十三街與四十四街之間），樓高二十層的高級旅館，全美各大城市皆有分店。

15「威哥刮鬍棒」（William's Shaving Stock）：威廉・高露潔公司（William Colgate and Company，一八〇六年創業）製造生產的理容用品。刮鬍棒是當年的新穎產品，外觀狀似一管大口紅，內填固態刮鬍膏，供出門在外的男士刮鬍子前塗抹在臉上當作肥皂的代用品。

16 魔蠍汽車公司（Mercer Automobiles）：一九〇九年於美國紐澤西州川東（Trento）摩歇郡（Mercer）設立的汽車製造廠，專門生產拉風跑車。

17 塔維亞（Tarvia）：鋪設道路用的柏油廠牌，由美國巴瑞特公司（Barrett Manufacturing Co.）製造生產，於二十世紀初大量使用在公共道路。

18 假領子（celluloid collar）：由John Wesley Hyatt（1837-1920）一八八五年開發出的暢銷商品。以塑膠製成，讓男士不用漿燙襯衫也能長保領口硬挺有形。假領子也是史上頭一件成功的塑膠製品

19 金牙籤（golden toothpick）的典故出自《匹克威克外傳》第四十章中描寫法庭執事Namby先生登門逮捕匹克威克時所說的句子：“Giving Mr. Pickwick a friendly tap on the shoulder, the sheriff's officer (for such he was) threw his card on the counterpane, and pulled a gold toothpick from his waistcoat pocket.”此外，狄更斯後來在《巴納比・魯吉》（*Barnaby Rudge*, 1841）第十五章中亦有一段類似描述：“…our idler, lounged; now taking up again the paper he had laid down a

hundred times; now trifling with the fragments of his meal; now pulling forth his golden toothpick, and glancing leisurely about the room, …"

20 奧古斯丁．伯雷爾輯註的六卷本《鮑斯威爾之約翰生傳》出版於一八九六年（Westminster: A. Constable）。

21《愛書人隨身小典》（*The Book-Lover's Enchiridion*）：亞歷山大．愛爾蘭編。原書全名為*The Book-Lover's Enchiridion; a treasury of thoughts on the solace and companionship of books, gathered from the writings of the greatest thinkers, from Cicero, Petrarch, and Montaigne, to Carlyle, Emerson, and Ruskin*。一八八八年倫敦Simpkin, Marshall, Hamilton, Kent & Co.出版。

22 亞歷山大．愛爾蘭（Alexander Ireland, 1804-1894）：英國文人。曾擔任《曼徹斯特考察者暨時報》（*Manchester Examiner and Times*）編輯，與卡萊爾等作家及許多十九世紀散文家有交情。

23 詹姆士．湯姆斯．菲爾茲（James Thomas Fields, 1817-1881）：美國作家、出版家。十九世紀波士頓提克諾與菲爾茲（Ticknor and Fields）出版社的合夥人之一。一八六一年至一八七〇年擔任《大西洋月刊》主編；並寫作多部文壇掌故，包括：《我所認識的上一代作家》（*Yesterdays with Authors*, 1872）、《霍桑》（*Hawthorne*, 1876）、《門裡門外看狄更斯》（*In and Out of Doors with Charles Dickens*, 1876）……等。

24 "Consider what you have in smallest chosen library. A company of the wisest and wittiest men that could be picked out of all countries in a thousand years."：原載於愛默生的〈群聚與索居〉（"Society and Solitude", 1870）。

25《亨利．亞當斯傳習錄》（*The Education of Henry Adams*）：美國歷史學家亨利．亞當斯（Henry Adams, 1838-1918）以第三人稱寫成的自傳。

26 西塞羅（Cicero）名言本為「宅中無書猶如體內無靈」（"A home without books is like a body without soul."）。後來此句型語被許多後人援用改成「宅中無書猶如房內無窗」（"A home without books is like a room without windows."），包括亨利．沃德．畢歇爾（參見第三卷謹識譯註11）在一八七〇年的《亨利．沃德．畢歇爾講道集》（*The Sermons of Henry Ward Beecher*）中寫道："Books are the windows through which the soul looks out. A home without books is like a room without windows." 另，美國教育家、政客賀拉斯．曼（Horace Mann, 1796-1859）則說："A house without books is like a room without windows. No man has a right to bring up his children without surrounding them with books, if he has the means to buy them. It is a wrong to his family." 德國作家昂利屈．曼（Heinrich Mann, 1871-1950，作家湯瑪斯．曼的哥哥）亦曾在不同場合使用過相同的句子。

27 西奧多．羅斯福（Theodore Roosevelt, 1858-1919）：美國政治家、第二十六任總統（任期自一九〇一年至一九〇九年），此間習稱老羅斯福。

28「劫貧濟富」（"Predatory Rich"）、「大棒伺候」（"Big Stick"）：老羅斯福總統主政期間提出的政策口號。他曾在一次演說中引用西非古諺：「嘴上和悅溫柔，手裡大棒在握，必能無往不利。」（"Speak softly and carry a big stick; you will go far."）不但為他任內恩威並濟的外交政策定調，並奠定此後美國擴張主義的基礎，史稱「大棒政策」（"Big Stick"）。

29 直布羅陀岩（Rock of Gibraltar）：位於西班牙西南海岸直布羅陀東端的狹長岩岸半島。此處應指位於美國紐澤西州紐瓦克市之「保德信金融集團」（Prudential Financial）及其分支機構之商標。

30 疑指位於紐約市華爾街的「銀行家信託公司」（Bankers Trust Company）。該公司大樓頂部造型為四角尖錐形。

31「輕輕一指按，其餘讓我來」（"You push the button, we do the rest."）是「柯達（Kodak）相機」於一八八八年啟用的文案；「問問買過的人」（"Ask the man who owns one."）是底特律「沛卡汽車」（Packard Motor，其標誌為一頭展翅彎頸天鵝，電影《太陽帝國》裡的小主人翁家的豪華私家轎車便是「沛卡汽車」）於二十世紀初使用的文案；「輕飄柔細」（"It floats."）是辛辛那提「寶鹼公司」（Procter & Gamble，台灣稱為「寶僑」）出品的「伊芙玉皂」（Ivory Soap）於一八九一年啟用的文案（現在已成了該商品標準字的一部分）。

32 喬・潘迺爾，即約瑟夫・潘迺爾（Joseph Pannell, 1857-1926）：美國費城出身的插畫家、作家。伊麗莎白・羅賓斯・潘迺爾（參見第一卷 I 譯註147）的丈夫。約瑟夫・潘迺爾的插畫家生涯始於一八八一年為《史格利布納雜誌》繪製插畫，婚後與妻子合作供稿給《世紀雜誌》。潘迺爾後來一度移居倫敦，一九一七年遷返美國，約瑟夫在紐約藝術學生聯盟（Art Students' League）任教多年。他的繪畫作品現由華盛頓特區的國會圖書館、費城美術學院、匹茲堡卡內基學會、紐約布魯克林博物館等單位典藏。約瑟夫・潘迺爾生前的著作有：《鋼筆畫與鋼筆畫家》（*Pen Drawings and Pen Draughtsmen*, 1889）、《現代插畫》（*Modern Illustration*, 1895）、《紐約石版畫紀》（*Lithographs of New York*, 1905）、《版刻家與版刻畫》（*Etchers and Etching*, 1919）、《插畫家的冒險》（*Adventures of an Illustrator*, 1925），以及與妻子合作的多部文集與惠斯勒傳記等。

33 魯迪亞・吉卜齡（Rudyard Kipling, 1865-1936）：英國作家。

34《鄉土小調集》（*Departmental Ditties and Other Verses*）：吉卜齡早年詩作合集。一八八六年由拉合爾（Lahore）的The Civil and Military Gazette Press出版。

◎吉卜齡，Elliott & Fry攝（1900）

35 靄理思・安姆斯・巴拉德（Ellis Ames Ballard, 1861-1938）：美國律師、藏書家。原為費城執業律師。以致力蒐羅吉卜齡相關資料著稱。其藏書於一九四二年一月二十一日由派克－貝涅特公司拍賣。

36 貝西・葛拉翰（Bessie Graham, 1883-?）：美國圖書館學者、書商。著作有：《書人手冊》（*Bookman's Manual. A Guide to Literature*, New York, R.R. Bowker Co., 1921）、《著名文學獎項及其得主》（*Famous Literary Prizes and Their Winners*, New York, Bowker, 1935）等。

◆第三卷◆

舉世最偉大的書，及其他零篇

The Greatest Book in the World and Other Papers

1925

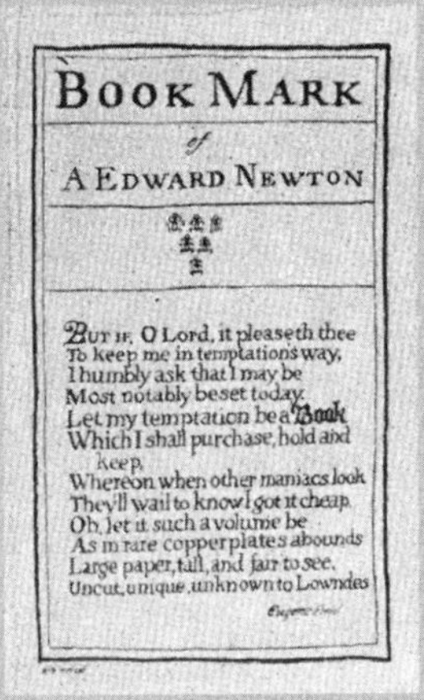

◆紐頓自用藏書票之三◆

■賓夕法尼亞州佛吉谷華盛頓紀念禮拜堂[1]

§第三卷目錄§

第四版說明

早在本書第三版上市之前，敝社即預料第四版之印行勢必在所難免。於是，在來不及事先知會紐頓先生的情況之下（由於他此刻還在國外），我們便逕行交付印刷廠進行印製作業。至於他所懸賞的錯誤[2]，我們相信，至今仍未有任何讀者發現；我們也一直找不出來。經過此回再版，《最偉大的書》的總印行量即達一萬五千部。

出版社[3]謹識，一九二五年十一月

敬呈
社團發起人
亨利·漢比·海

敬愛的恩師：

您必然猶未忘懷，四十年前由您帶頭，率領一小群志趣相投的費城青年籌組了一個社團。在您的構想中，該社團之宗旨乃在於致力鑽研英文文學，特別是當時較少受到世人關注的幾位作家的作品；而該社團將不訂名稱、不設大小職位、亦無須繳納會費、更沒有任何規範準則；一言以蔽之：完全不沿襲任何一種組織形式。

您旋即與亨利·H. 邦迺爾與費利克斯·E. 謝林共商大計，兩位先生亦對該項計畫大表贊同；您們接下來便找來約翰·R. 莫濟斯（John R. Moses）和羅倫斯·B. 瑞吉利（Lawrence B. Ridgely）（前者後來成了一位傳教士，後者現在則在中國的一所神學院當院長）加入討論。當時瑞吉利及時獻言：為了避免社團成員成分過於一致，最好再邀集立場互異的人入會，以免像中國那樣，到頭來成了一言堂，他還堅持會員應廣泛吸納各不同領域的人士。於是您們幾位先進，再加上約翰·湯姆遜（John Thomson），便成了社團的創始會員。後來，其他人（包括筆者）才陸陸續續加入這個小圈子。

您一定也還記得，在某次草創初期的聚會當中，大家一致決議：往後每名新進會員都必須經由現有會員全體無異議通過，並通過一段期間的觀察（至於該觀察多久倒沒有硬性規定）方可入會。後來大家才發現：不僅入會資格非常難以取得，想中途退出更是毫無可能，因為沒有人有權受理退會。冬季時，每兩個星期召開一次例行社團聚會，地點則輪流在每位會員的家中，每次開會照例都會宣讀四篇文章。一篇是針對事先選定為當晚會議主題的某位作者的評介；另一篇則是關於該作者年代風格的研究論文；第三篇則專注探討他的作品；而最後則是模仿該作者風格的一篇仿文習作。等到四篇文章全部讀畢之後，便是點心時間，這時大夥兒便一塊兒享用餅乾、乳酪、啤酒。

社團如是針對各種不同主題持續運作了若干年。我們這群人早年都是挺認真地把它當作一回事：不管是觀念想法或是實際寫作功課上都頗下工夫。漸漸地，情況有了變化；大家紛紛視寫作仿體文為畏途：仿體文不僅非常難寫，大家也不太容易聽得進去。您一定記得，有一回輪到我寫仿體文，我練習的對象是穀物法打油詩人埃班納葸．艾略特，由於我壓根沒有半點兒合仄押韻的慧根，便只好連哄帶騙，央求您捉刀頂替我寫一首仿體詩；現在回想起來，那件勾當實在是糟糕透了，害得我這一輩子始終難以釋懷；不過，請您放心，直到現在我都一直為您謹守著這個秘密。

同樣也由於您的提議，不但論文研讀縮減為一篇，例行聚會也改成每個月舉辦一次；最後，連正經八百的文章研讀也幾乎完全停擺，害得大家每回磨刀霍霍，打算請當天的主講者結結實實地吃一頓排頭（出於戲謔或認真的成分都有）都苦無機會，雖然我們曾經大加抗議、百般詰問，您卻始終不予辯駁。

然後，不曉得從什麼時候開始，原本簡單的茶點搖身一變成了菜色豐盛的晚宴（當然，您依然高踞餐桌主位）；光陰似箭，二十個年頭轉眼飛逝，我們當中某些人在社會上力爭上游且已小有成就，您卻照例不許任何人（不管他在外頭多麼吃得開）在聚會中「頤指氣使」——除了您自己之外。

恩師，可惜我們沒能把歷代會員的名單完整保留下來。經常出席聚會的總是那八、九個老面孔，但前前後後加起來，少說也有上百名社員。您可記得，當年我們多麼來者不拒（只要是具備真材實料可資貢獻的人）？您是否還記得那位以盛宴款待全體會員的富翁？當時我們有位會員，幾杯黃湯（那位富翁無限量供應的好酒）下肚之後人就糊塗了，居然率自邀請那名富翁入會，還自作主張宣布他從此成為正式會員，而其他人卻說什麼也不願意承認他具備會員資格，我們當時所堅持的理由十分光明正大：光是有錢還不配當咱們的會員。

恩師，您所創立的社團可真不簡單；足令其他團體相形失色；而那些論文也是篇篇皆屬上乘（有某幾篇例外，唯有登峰造極才差堪形容）；但是其中最棒的畢竟要算是聚會中的討論，總是充滿睿智或機鋒，一整晚接連不停、此起彼落，不管當天輪到誰擔任主講人都難以招架。您可記得，當大夥兒你一言我一語吱吱喳喳吵成一團不可開交，唇槍舌劍之間偶有靈光閃現（不過，爭辯到最後個個臉紅脖子粗的情形最為常見）？當然您一定全都記得；我之所以提出這些問題，只是為了讓它們留下記錄以便留待後世稽考。

恩師，您必然會同意，經過社團的千錘百鍊之後，您、我以及其他成員對於那輝煌多采、縱貫古今的玩意兒（咱們尊稱為英文文學）均足足增強了一甲子的功力。若一一列出我們研討過的作家：從艾克頓勛爵[4]依序一路排到楊大詩人[5]，那鐵定將洋洋灑灑一長串，族繁難以備載。

總而言之，恩師，加入社團如同接受一趟脫胎換骨的高深課程；不管如何，那亦算是筆者唯一接受過的教育。恩師，您也曉得當我們的社團年近四十大關，它的元氣也喪失大半；畢竟，任誰都很難對同一件事物從一而終。我們當中部分成員被工作的重擔壓得喘不過氣；加上您離開費城遷居他鄉；某些人也紛紛趕上定居郊區的風潮；許多傑出的會員亦相繼棄世。自從法蘭西斯·B. 岡默芮往生、昔日種種風發回憶一一消逝之後，我們便再也不曾召集大夥兒聚會了。但是我們將於近日再度聚首，而我也將在現場當眾將這部書親自呈獻給您。

恩師，我又犯了您向來諄諄告誡的大忌：把文章寫得又臭又長。就此停筆，最後謹容我對您說：我虧欠您與社團如此之鉅，雖可一一以筆墨誌之，卻永遠無能償報其中萬一。

恩師的大恩大德，後生永誌難忘。

十二萬分愛戴您的

A. 愛德華・紐頓敬上

一九二五年三月一日於賓州柏溫「橡丘齋」

謹識

〈史金納街新聞〉一文的標題靈感得自波士頓的法蘭克・B. 貝米斯[6]先生私人珍藏的「私奔信」[7]。

感激費城的T. 愛德華・羅斯（T. Edward Rose）先生提供珍本聖經圖版數幀。

佛吉谷華盛頓紀念禮拜堂（Washington Memorial Chapel）彩色圖版委由倫敦R. B. 佛萊明（R. B. Fleming）根據照片影刻，費城的亨利・綽斯（Henry Troth）上彩[8]。

其餘彩圖[9]與網版圖版則由費城的「林布蘭特雕版公司」（Rembrandt Engraving Company）承製。

「閣下，」約翰生嘗曰，「人們鮮少閱讀他人饋贈的書……要推廣一部作品，賣得便宜方為正途。」[10]

「買書錢終賴不停寫書賺。」——亨利・沃德・畢歇爾[11]

所有的塗塗寫寫，終究僅為博君一粲。——拜倫

本書內容所出現的所有錯誤——我現在信手拈來就是一個——一概由本人獨自承擔責任。

A. E. N.

【譯註】

1 此圖乃搭配〈一天二十五小時〉（譯本未收）的插圖。佛吉谷（Valley Forge）參見附錄II譯註23。

◎首版《最偉大的書》書名頁

2《最偉大的書》出版後，紐頓曾在《大西洋月刊》（一九二八年二月號）上刊登一則啟事，聲稱他將提供獎賞給頭一名找到書中錯誤的讀者。

3 指波士頓「利特爾與布朗出版公司」（Little, Brown, and Company）。《最偉大的書》之通行版（trade edition，或稱「市售版」，乃相對於「圖書館版」而言）首版於一九二五年九月問世，同月即再版，十月發行第三版；譯本所援用的第四版則於同年十一月出版。

4 約翰．E. E. 埃克頓勛爵（Lord John Emerich Edward Acton, 1834-1902）：十九世紀英國歷史學家。

◎約翰．E. E. 埃克頓

5 愛德華．楊（Edward Young, 1683-1765）：英國詩人。

6 法蘭克．B. 貝米斯（Frank Brewster Bemis, 1861-1935）：美國藏書家。歿後其藏書由A. S. W. 羅森巴哈收購。

7「私奔信」（elopement letter）：指一八一四年七月雪萊與威廉．戈德溫的女兒瑪麗私奔到歐陸時寫給戈德溫的信。

8 以上兩段前文乃針對〈舉世最偉大的書〉一文而言。紐頓提及的彩圖原為本書扉畫（見譯本卷首），所謂影刻（photo-engraving），即是以照片為底稿改刻成金屬版再進行印製的技法。

9《最偉大的書》是紐頓首部附彩色圖版的出版品。原書另有〈運動書籍面面觀〉中的「約翰．邁通行獵圖」（"John Mytton"，Giller根據Webb原作繪製）、〈舉世最偉大的小書〉中的「聖誕幽靈下凡塵」（"The Ghost of Christmas Present"，利屈繪）兩幅彩圖（譯本皆未收）。

10 鮑斯威爾與畢亞克勒克相偕拜訪約翰生。席間鮑斯威爾提及某作者最近送給約翰生的一部尺牘集（Andrew Stuart致Lord Mansfield），約翰生道："They have not answered the end. They have not been talked of; I have never heard of them. People seldom read a book which is given to them; and few are given. The way to spread a work is to sell it at a low price. No man will send to buy a thing that cost even sixpence, without an intention to read it."。見《約翰生傳》（一七七三年四月二十七日段）。

11 亨利．沃德．畢歇爾（Henry Ward Beecher, 1813-1887）：美國傳教士。

◎亨利．沃德．畢歇爾

I　舉世最偉大的書[1]

絕大多數過於斬釘截鐵的陳述總會招惹眾人駁斥，可是假使我宣稱：「聖經乃舉世最偉大的一部書。」普天之下所有人應該都沒話可說吧。但即便如此，存心抬槓的傢伙還是免不了硬要在雞蛋裡挑骨頭：「你指的到底是哪一部聖經？」面對這種問題，我總是盡量避免正面作答，因為一旦扯下去鐵定沒完沒了。蓋聖經版本琳琅滿目，族繁不及備載，我會索性以簡單一句「全部都是」稀哩呼嚕搪塞過去；但其實我心目中真正的首選，畢竟還是以下這兩種英語世界最熟悉的版本：其一是「拉丁文聖經」，通常稱為「俗文聖經」[2]；其次是一六一一年在倫敦印行的「欽定版」，或所謂「詹姆士王版」[3]。

好幾個世紀以來（究竟幾個世紀，隨便哪位學者都能給你肯定的答案；甭來問我），具備學問的人摩刻在岩石、陶板上、描畫在草紙、羊皮紙上，最後，繕寫在紙張上頭的文字，已然造就出一種階級，即：有閱讀能力的人——只須安安靜靜坐在寫（或畫）成的手稿前，便能追隨其他人的思想順理爬梳自己心思的人。我個人將此視為人類心智發展歷程最了不起的一項成就；那簡直就像發射「電波」到廣袤太虛（吾人稱之曰時間）。完全毋須借助「天線」，也不會發出丁點聲響，更用不著耍弄什麼奇技淫巧；一個人只消悄悄盯著書頁，便能夠吸收全天下所思所為的精華。不消說，那些遠古手稿——由成群抄寫員、繪圖師埋首數年，終得一冊卷帙——如今全成了無價珍寶，其頁首通常都會不約而同寫著這麼幾句警語，大致可翻譯成：「凡偷盜、藏匿（亦一律視為偷竊）此書；或擅自塗銷此警語註記，將受逐出教會之懲戒。」罰責雖不算頂重，但也夠嗆的了。

隨著知識逐步累積進展，世人對書籍的需索也不斷與日俱增；然而，一筆一畫的製作方式令書籍的價格始終居高不下，若非身為王公貴族，也只有教會、國家有財力能夠擁書自重。此類書籍的許多善本、精品，如今都典藏在「舊世界」與「新世界」[4]的博物館、圖書館裡頭（新世界在這方面的分量明顯相形見絀），當大家瀏覽那些用玻璃櫃小心翼翼罩護著的昔日無價珍寶時，想必都會情不自禁連聲讚嘆：「好美喔！」不過，美則美矣，若是拿來和印本書相比，它們畢竟還差得遠哩。

我不妨先把印本書的歷史盡量簡短地加以闡釋一番（必須將漫長的時間極度濃縮再濃縮才行）。學術界普遍同意：吾人今日所知曉的印刷技藝乃源自德國。在最早期的若干印刷品之中，不只插圖，連文字也全是一併鐫刻在一整塊木板上，但是得一直等到金屬活字發明、個別字母得以任意排列組合成無數的字、詞，印刷術才能算是真正實現。大家也一致認同：此項偉大發明的功勞應該歸給約翰．古騰堡[5]。吾輩對於他個人生平細節知之甚少，但咱們都曉得大約在一四五〇年的時候，他曾經向一個姓法斯特[6]的冶金匠調頭寸以便籌措資金繼續進行他的新發明，過了幾年之後，由於雙方對於出版的獲利（或虧損）的分擔比例談不攏，兩人從此分道揚鑣（這種情形在歷代發明家身上屢見不鮮）；同一時間，那部偉大的「聖經」也大功告成了。

◎約翰．古騰堡

◎約翰．法斯特

那兩位仁兄著手印製那部曠世鉅製之前，極可能已先行印出許多篇幅規模較小的試版書，但是迄今為止尚未發現任何與「古騰堡聖經」使用相同字體的書籍，於是我們便只能據實認定「古騰堡聖經」乃此項偉大發明的破天荒成果，而在作為印刷範例的意義層面上，其重要性亦找不出其他書籍足以超越它。綜觀各行各業、琳琅

滿目的技藝，能夠在甫萌芽之初便臻近完備的唯有印刷術一項而已。有人甚至這麼說過：印刷術是一項始終無須日新月異的藝術，君不見頭一部印刷品即已達致盡善盡美的地步。而後人也將此一「以巧技保存藝術」的偉大功名獨獨頒給古騰堡一人。時間是一四五〇年至一四五五年間，地點則在緬因茲（Mainz），或者——按照咱們的唸法——梅恩斯（Mayence）。

這部美不勝收的「俗文聖經」的內容出自一名僧侶之手，其功績亦同樣偉大非凡：此人於一千五百年前自甘捨棄羅馬的優渥求學生涯，換來巴勒斯坦伯利恆的牢獄之災，他完全不假他人之手，忍辱負重、獨力完成這部希伯來經典的翻譯、修訂工作；同時，借助希臘文和拉丁文的新約古抄本，終於譯寫成這部雄霸千百年、迄今仍屹立不搖、遍及西歐且所向披靡的經典。這位僧侶，世稱「聖桀洛姆」[7]，果不辱聖人美名也；他也是當年學問最頂尖的人，該部巨著向來被世人譽為「拉丁教會的榮耀與支柱」，某位偉大的英國聖公會學者甚至說：「歐洲之所以能夠屹立千秋萬世於不墜，乃在於她的精神、知識遺產得以倖存，並藉以抵禦北方蠻族的盲瞽洪流，而這一切皆拜聖桀洛姆之賜。」這是何等崇高的盛譽讚揚！賓州大學校長潘尼曼[8]博士也在他的《關於英文聖經的書》一書中指出：自基督教入主以來，直至宗教改革年代，整個西歐的文學、藝術皆以此部「俗文聖經」作為基石；他還在書中舉了一個例子：米開蘭基羅之所以會在法典制定者摩西（Moses, the lawgiver）的雕像頭上雕出一對犄角，正是根據該書某段著名經文的描述。

不過那部書倒是有幾個小地方值得詬病。全書以拉丁文印行，採用哥德體大號活字，每頁兩欄、各四十二行，裡頭並未註明出版於何時、何地、由誰印行，也沒有書名頁、珂羅封（參見第四卷III譯註6）；整本書厚達六百四十一頁（譯按：應為「641葉」，即一千二百八十二頁），從頭到尾沒有標明頁碼，亦找不到眉標[9]可供查考。那部尊貴的書剛開始印行時，

Incipit ꝓlogꝰ in apocalipsim.
Johannes apostolus et euangelista
a cristo electus atq3 dilectus · in tanto
amore dilectionis uberior habitus ē·
ut in cena supra pectus eius recumbe=
ret et ad crucem assistanti soli matrem
propriam commendasset: ut quem
nubere volentem ad amplexum virgi
nitatis asciuerat: ipsi ad custodiendā
virginem tradidisset. Hic itaq3 cum
propter verbum dei ⁊ testimonium ihe=
su cristi in pathmos insulam sortire=
tur exilium· illic ab eodē apocalipsis
pre ostensa describit̄: ut sicut in princi=
pio canonis id ē libri geneseos incor=
ruptibile pricipiū ꝓnotat̄: ita etiā in=
corruptibilis finis ꝑ virginē in apoca=
lipsi redderet̄ dicentis. Ego sū alpha
et o: iniciū et finis. Hic est iohannes· q̄
sciens superuenisse sibi diem egressionis
de corpore conuocatis ī epheso discipu=
lis descendit inde fossum sepulture sue
locum: orationeq3 ɔpleta reddidit spi=

■「古騰堡聖經」頁面局部
約等同原寸大小

頭幾頁原本印成四十行。印出幾葉之後，印刷者臨時改變主意，決定在每頁多塞進兩行，同時將開本縮小，如此一來，原來印好的那幾頁便只好重印；讓每頁統一為四十二行。於是後世屢屢以「四十二行聖經」稱呼那個版本，至於偶爾聽到有人叫它「馬札蘭聖經」，則是因為該書最早的出土地點是法國樞機大主教的藏書樓[10]。「古騰堡聖經」現存羊皮紙本和紙本兩種本子；至於哪一種的印製時間較早，目前仍無定論，但一般咸信紙本印製在先。

此書內文的印刷字體完全仿照書寫體，印得簡直幾可亂真，有些人乍看之下還當真以為那些字是古人拿筆蘸著幾千年不褪色的上好黑墨徒手寫成的。頁面上頭的段標（headlines）、句讀（accents）——或者說：以朱墨描畫、用以對齊大寫頭字母（initials）的符號——以及每篇篇首的花體頭字母，則是一個一個（不管裡頭共出現幾次）徒手補繪上去，俱是美輪美奐、盡善盡美。法國國家圖書館典藏的本子裡頭夾藏著一份手寫文件，記載某名描紅師（rubricator）（即負責繪製圖飾的人）聲稱其分內工作於一四五六年八月二十四日寫上「哈利路亞」（Alleluia）（此乃當年印製書籍的尋常手續之一）之後全部完竣。此書目前所知仍存世的本子，紙本和羊皮紙本全部加起來還不到三十部[11]，其中許多本子的書況都很不理想，而且每一部均略有差異；除了其中極少數的例外，它們現在全都存放於公家圖書館。

一部「古騰堡聖經」究竟該值多少錢？這是一個相當難以答覆的問題。亨利・H. 杭廷頓先生（此君乃當代最偉大的藏書家無疑）曾透過已故的喬治・D. 史密斯購得一部羊皮紙本，以五萬元創下有史以來單部書籍的最高成交價格記錄。一九一一年四月二十四日星期一[12]，當晚的情景我至今依然記憶猶新，拍賣官敲槌那一剎那，書籍圓滿成交、記錄也應聲摜破，全場旋即響起如雷的掌聲。不過，這年頭咱們隨時隨地都能耳聞各式各樣的記錄被輕易打破，只要哪天再有一件類似的東西現身江湖，價格勢必又會馬上飆揚好幾倍。說真格的，我們不妨想像一下，在久遠的未來，市場上如果又冒出一部「古騰堡聖經」，肯定會有不少精明的有錢人或資金雄厚的博物館樂意出價一百萬元將它請回去[13]。

至於此書在情感上的無形價值，那更是一言難盡。數世紀以來，任何對它的美言誇讚都不嫌過火；它簡直就是從天上掉下來的無上聖品。

第一部來到我國的「古騰堡聖經」如今由紐約公共圖書館保存，那個本子是亨利·史帝芬斯[14]於一八四七年在倫敦幫詹姆斯·雷納克斯[15]買到的（後者稍早前委託書商代尋那部奇書——後來果真出現在蘇富比的拍賣會上）。雷納克斯當時對書商的投標指示很直截了當：「不計代價」。後來，書商以「瘋狂價」五百英鎊[16]為他標下，此結果令雷納克斯先生懊惱不已，甚至一度有意撤標；但是，據轉述這段軼事的人告訴我：他最後還是乖乖把書抱回家，而且終其一生視之為稀世珍寶，後來還慶幸自己揀到便宜，並從此將它當成其私人藏書室的鎮室之寶。

我曾因緣際會買到幾份亨利·史帝芬斯和他的另一位客戶——康乃狄克州哈特福的喬治·布林利[17]——之間的往覆信函，其中部分信文提及第二部「古騰堡聖經」相隔二十五年後輸入我國的原委。信文描述布林利先生一出手便「秋風掃落葉宛如英格蘭銀行」拔得頭籌，壓倒當時同場競標、也想買那部書、身上卻不巧沒帶那麼多錢的另外兩位爵爺，投標過程如何精采不關咱們的事；我想講的重點在後頭：透過信件、電報數度往返聯繫之後，史帝芬斯先生成功標下那部聖經，當他準備將書郵寄給布林利時，先為它買了「最高額度」的保險，同時特地附上一封叮囑函：「敬祈閣下能撥冗明察並珍惜此一古傳寶物之稀罕度及貴重性。此書早在發現美洲前即已風行歐洲長達半世紀，非僅首部聖經耳，誠印本書之鼻祖也。並尊請閣下囑令從員應接此書務必懷抱戒慎恐懼之心。尤應再三嚴誡海關人員乃至其餘各相干不相干人等切莫輕忽怠慢，必以虔誠恭敬盛禮待之。蓋尋常人終其一生皆難得或瞻稍睹『古騰堡聖經』一葉，遑論得此隆福萬幸雙手捧撫全帙。」[18]

光對付一部「古騰堡聖經」居然擺出如此陣仗！理由固然充分；但是，有必要搞成那副德性嗎？要是只有區區少數那幾人能夠擁有那部書（或寥寥幾位運氣忒好的收藏家，幾年前有緣向紐約的加伯瑞爾．威爾斯買到單張零葉[19]），得以關起門來私下賞讀、吟詠，並從中學習、領略它的教誨，那就實在太悲慘了。不過話說回來，我看全世界大概也找不出還有哪部書能夠像《聖經》一樣，有那麼多種環肥燕瘦的版本，供大家各憑本事從中挑選。

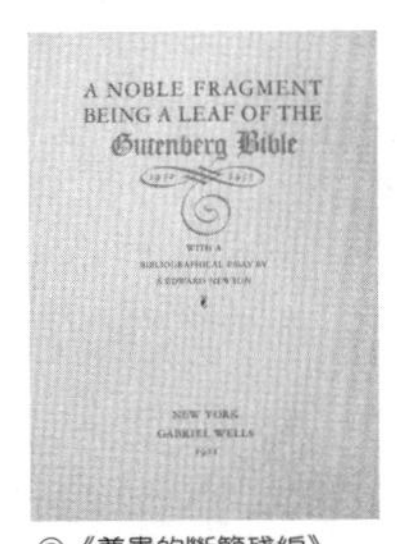

◎《尊貴的斷簡殘編》

當然，大家理應瞭解，遠在印刷術尚未發明的千百年前，《聖經》（或其部分經文）皆以抄本的形態流傳，以數種語文（包括：希伯來文、希臘文、拉丁文……等）書寫；而各版本或優或劣則端視謄抄者的學養良窳、解經能力的有無、多寡，和良心裁奪而定（因為經文的譯寫可能完全操在一人之手），其內容自然也互有參差。加上長達數世紀以來，（根據現有史料看來）始終不曾有所謂「國編本」《聖經》，不過倒是曾經出現我們姑且稱之為「國際版」的《聖經》：由當時的羅馬教廷——總舵主是羅馬大主教（後來頭銜改成「教宗」）——統一頒布給各國教會遵照使用的「俗文聖經」，內文則以當時每個基督教世界的學者都看得懂的拉丁文寫成。

鄙人對於凱德蒙[20]和他用撒克遜古文寫成的那些詩歌、以及畢德[21]（即大家口中習稱的「高尚畢德」）均所知甚少，不便在這兒瞎掰；至於約翰．威克里夫[22]個人對拉丁文聖經的翻譯工作涉入程度究竟多少，各家學者的見解也莫衷一是。所謂「威克里夫聖經」出現的時間約莫在十四世紀末，原來僅見抄本流傳，直到一八五〇年才有四開四卷本刊行於世。

說真格的，要不是威廉・廷德爾[23]（此人向來被譽為「英文聖經之父」）的大作千呼萬喚始出來，恐怕世人直到今天都還陷在猶抱琵琶半遮面的版本謎團泥淖之中打混仗（蓋版本學的領域原本就充斥許多模稜臆測）。當世人好不容易終於有了一部英文聖經印本，卻也正式步上政、教合一（且導致日後萬劫不復）的年代。這年頭我們頻頻聽到內部改革的論調，事實上，不論政治抑或宗教，具備實際效果的改革都是由外部施壓造成的。內部改革就像一個人猛扯自己的頭髮，打算把自己提起來一樣：雖然姿勢有模有樣，實際上卻徒勞無功；原因無他，蓋內部改革往往都是從那些一心一意只想維持現狀的人嘴巴裡喊出來的。當時，天主教會的腐敗程度已到了無以復加的地步，有權有勢、作威作福的宗教人士不思努力「向上提升」，反而拚命「向下沉淪」、紛紛將基督的訓示拋在腦後、不擇手段競相追逐世俗的功名利祿。隨著時間的推移，他們的權威地位終於全部喪失，政權淪入另一群領導班子的手裡；而那些頭上戴著假髮的老頭子[24]（腐敗程度相去不遠，玩法弄權的本事則更勝一籌）手操生殺大權，所有人的死活皆只能聽其發落（儘管理由往往極度荒謬絕倫）。這種把人命當兒戲的勾當，現今似乎還有人樂此不疲呢。

當時掌權者下令禁絕所有未經許可的翻譯聖經行為。而威廉・廷德爾發覺：根本就不可能取得翻譯許可。他曾向倫敦主教提出申請卻石沉大海，廷德爾或許就是因為那起毫無下文的申請案，日後才會有感而發說出那句名言：「若得上蒼垂憐容吾苟活，不消數年光景，吾必使操犁村童嫻熟經文猶勝於汝。」[25]說歸說，可是廷德爾版《新約全書》（當時少說也印了成千上萬部）僅兩種早期版本各三、兩部伶仃殘篇得以存留至今——其餘的想必早已悉數慘遭銷毀。

接著我們來談談有意思的「宗教改革」(Reformation)年代。當時眾主教們（儘管他們對於教義的見解人言人殊）都一致同意：用熊熊烈火加以燻烤（而不是以聖經教義加以薰陶）最能淨化——別人的——靈魂；而那幫人還進一步發現：若能在焚燒冥頑不化的信徒之餘，順道也將他們的作品一併送進莊嚴、喜樂的火堆裡，其矯正效果則更形巨大。廷德爾嘗曰：「余作《新約》橫遭祝融乃不出吾之意料，若渠等亦投余入火，亦天意所歸也。」[26]真是說的比唱的還好聽，結果廷德爾依然千里迢迢出亡安特衛普。不料最後還是被就地逮捕、關進大牢，終究賠掉老命。鑒於他畢生信仰尚稱虔誠、行為亦堪為典範，他得以幸免被五花大綁於柱樁之上任火舌舔噬，而是先予以絞斃，遺體再投入火堆焚化。一切過程皆依宗教名義進行。

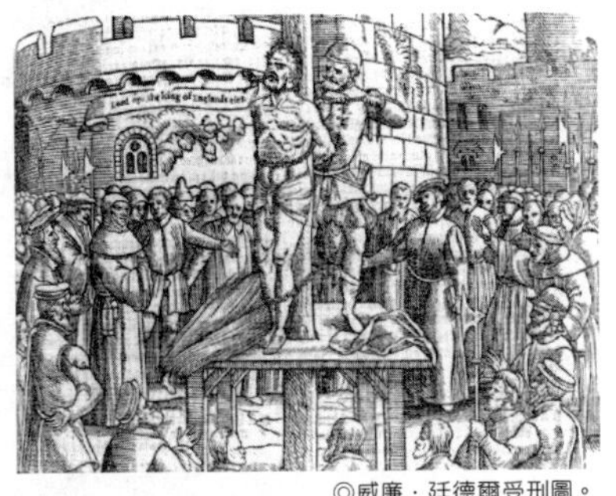

◎威廉．廷德爾受刑圖。出自福克士《*Acts and Monuments*》(1563)

有人曾經估算過，截至廷德爾命喪黃泉為止，無視當局明令禁止印行、私藏，他所譯寫的《新約全書》還是印了超過一萬五千部，最主要應歸功於那部書小巧玲瓏的體積（僅六吋高、四吋寬）。

廷德爾死後沒多久，翻譯、印行聖經已不再被視為犯罪行為，一部由後來成為艾克塞特（Exeter）主教的約克夏人邁爾斯．卡佛戴爾[27]掛名的《聖經》（那部著名的本子也相當袖珍，高約十二吋、寬僅八吋）旋即於一五三五年問世（地點或許是安特衛普，但以在蘇黎世印製的可能性較高）。該書上頭有一句極為卑屈諂媚的題獻辭——敬呈「惟上帝之下、萬民之上的英格蘭聖公會極高至偉之信仰捍衛者」（"defendour of the fayth and under God the chefe and supereme heade of the Church of Englande"），大剌剌地猛拍英國國教創始人——英王亨利八世——的馬屁，而書名頁上則恰如其分地引用聖保羅致帖撒羅尼迦的〈第二使徒書信〉（the Second Epistle）中的一段經文：「為我們禱告，好叫主的道理快快行開。」[28]

學者們均普遍認同，卡佛戴爾前前後後總共促成五部拉丁文聖經和數部德文聖經的翻譯作業，包括「路德聖經」[29]，而且打從頭

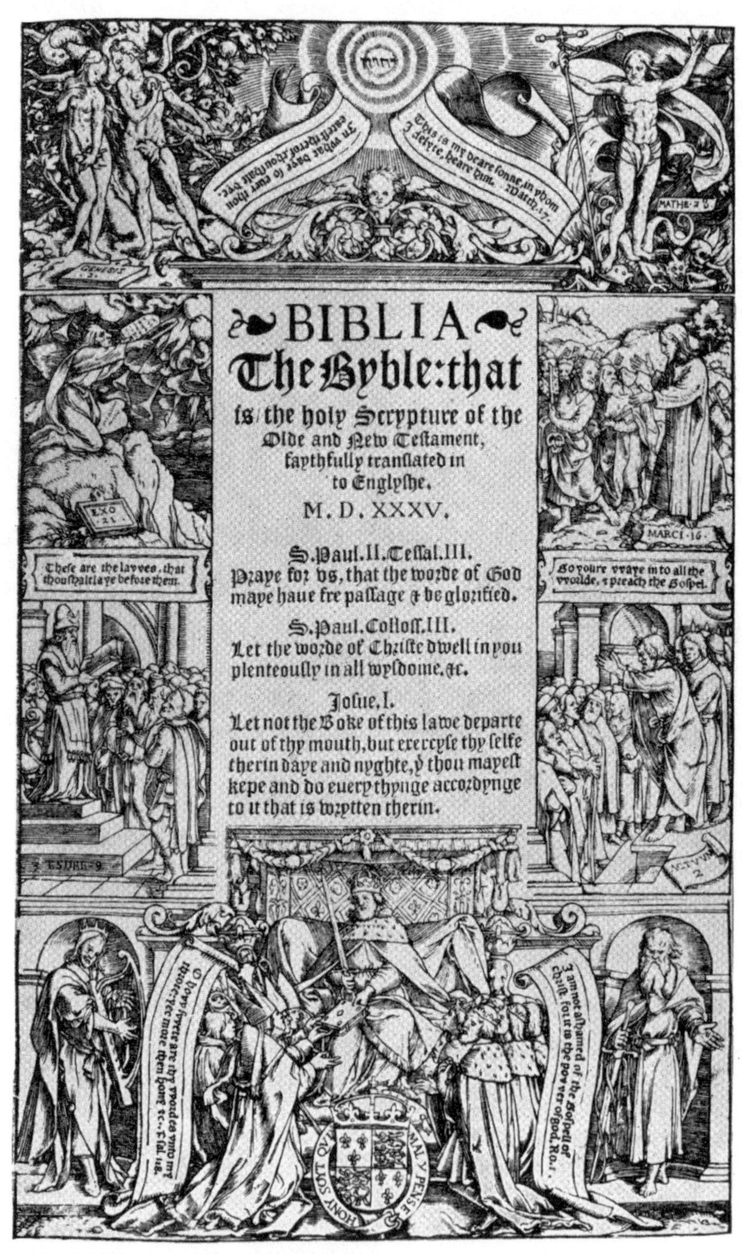

BIBLIA
The Byble: that
is/ the holy Scrypture of the
Olde and New Testament,
faythfully translated in
to Englyshe.
M. D. XXXV.

S. Paul. II. Tessal. III.
Praye for vs, that the worde of God
maye haue fre passage & be glorified.

S. Paul. Colloss. III.
Let the worde of Christe dwell in you
plenteously in all wysdome, &c.

Josue. I.
Let not the Boke of this lawe departe
out of thy mouth, but exercyse thy selfe
therin daye and nyghte, ỷ thou mayest
kepe and do euery thynge accordynge
to it that is wrytten therin.

These are the lawes, that thou shalt laye before them.

Go youre waye in to all the worlde, & preach the Gospel.

■「卡佛戴爾聖經」（一五三五年版）書名頁
首部以英文印行的聖經完本

一個譯本問世後，他對後出譯本的影響力也越來越大且長期不減。據悉此君對於美、善事物的感受極為敏銳；「溫柔慈悲」、「親切和睦」……和其他許許多多諸如此類的字眼都很合適拿來套在他的身上。他生前一直希望能夠盡快催生出更好的譯本，好讓自己的譯本功成身退，於是乎，短短兩年之後，「馬太聖經」便堂堂登場了。

◎亨利八世

此版本在愛德華六世在位期間相當受到歡迎，但是它的風光日子並沒有維持太久，或許問題出在它的實際執筆譯者約翰・羅傑斯[30]（他憑空捏造出「湯瑪士・馬太」（Thomas Matthew）這個實際上根本不存在的人名），他是瑪麗女王（諢號「血腥瑪麗」）在位期間頭一個被冠上異教徒罪名並遭處極刑的人。羅傑斯在瑪麗登基之後沒多久便被判處火刑定讞，行刑地點就在距離聖巴多羅買醫院大門口不遠處的史密斯斐[31]，現在那堵牆上還嵌有一方勒石誌下該段史實。

我好像一口氣講太快了。咱們再把場景拉回亨利八世還沒下台那會兒。話說他成天光忙著休舊后、納新妃，忙得不可開交；加上還要掌管老百姓的信仰和肚皮諸事。身、心交瘁之餘，這時，或許是他的宰相湯瑪士・克倫威爾[32]向前稟奏：聖上若能命人編製新版聖經必將更為功德圓滿。於是，他聽從大主教克蘭莫[33]的建議，御命卡佛戴爾進宮主持馬太譯本的修訂工作。一五三九年終於修成正果，即「大聖經」（"Great Bible"）（偶爾有人誤稱為「克蘭莫聖經」），該版本也順理成章成了當時的欽定版本。那部聖經相當美觀大方：內文以黑體字印製、版面編排舒朗有致，印墨、用紙俱佳。由於當時英國境內找不到任何印工有足夠設備能夠勝任如此富麗堂皇的書籍，亨利八世腦筋一轉，決定徵得法王佛杭濟一世（Francis I）的首肯，商借他的御前印刷工雷格農[34]承接印務。但是儘管該項委外作業乃依聖旨行事，仍然遭遇重重阻攔：當鉛字排妥，也印出好幾張印張的時候，異端裁判所[35]突然出動大批人馬搗毀印刷坊並逮捕相關作業人

The Byble/
which is all the holy Scrip-
ture: In whych are contayned the
Olde and Newe Testament truly
and purely translated into En-
glysh by Thomas
Matthew.

Esaye .i.
Hearcken to ye heauens and
thou earth geaue eare: For the
Lorde speaketh.

M, D, XXXVII,

Set forth with the Kinges most gracyous lycēce.

■「馬太聖經」（一五三七年版）書名頁

員，此事件引起群情譁然。當時，特地自倫敦趕赴法國的印刷工格拉夫頓[36]和編輯兼翻譯卡佛戴爾兩人正準備「珠聯璧合」、進行（套用咱們現在的行話來說——）「上機」（"in press"）事宜。那一次原本打算要印製兩千部聖經，但究竟及時印出了多少部、而多少部不幸當場被毀，沒有人曉得；只知道其中幾部被拿去焚銷示眾，若干僥倖流出的印張，也被某個開針線舖的老闆收購充當包裝紙，英國公使波拿[37]則趁動亂之際偷偷買下幾部，暗中安排船隻跨海（英吉利海峽）運回英國。至於那些印刷機具、鉛字模版則被悄悄遷往另一個安全地點，最後總算交差了事。

當然，這些阻撓只能算是例外，而該起事件也令後人看待那部古書時更加肅然起敬：其實，大家本來就應該抱持這種態度看待任何一部古書。從作者或編者將稿子交到印刷工手上，那部聖經的印製過程融合了淵博的學識和高超的技藝！匯集了不可限量的宏偉理想（或不可逆料的人為災厄）。咱們這些成天動不動就把「電子化」掛在嘴邊的現代人，不妨稍稍放慢腳步，想想三、四百年前的人們如何費盡千辛萬苦才得以生產出一部今天普受世人讚嘆不已的書籍。巴黎現在當然是一座蕞爾小城沒錯，但是在一五三九年那會兒，她也才不過是一個小鎮哪；至於今天地廣人眾的倫敦，當年也僅由區區五、六個村落組成，各村之間也只以羊腸小道相通（冬季大雪封路；夏天塵土飛揚——皆寸步難行）。那年頭的印刷工哪有啥像樣的設備可言？依我來看，除了「一無所有」之外無以名狀。然而他們卻依然有本事設計、鑄造出極為漂亮、直到今天來看依然賞心悅目的字體；還以高雅的眼光、巧妙地編排組合，那些以糙紙、粗墨印製的書籍，音容猶如當年在嘎吱作響的水車房中初次面世一般。昔日印刷工無疑個個都是藝術家兼巧手工匠，手邊無精器巧械可供操使，惟獨一心一意——腳踏實地埋首工作。每當我看著一部古籍善本，這些念頭總是在心中油然滋生。

The Byble in Englyshe, that is to saye the content of all the holy scrypture, bothe of ẏ olde and newe testament, truly translated after the veryte of the Hebrue and Greke textes, by ẏ dylygent studye of dyuerse excellent learned men, expert in the forsayde tonges.

Prynted by Rychard Grafton & Edward Whitchurch.

Cum priuilegio ad imprimendum solum.

1539.

■「亨利八世大聖經」（一五三九年版）書名頁
此頁版刻原圖疑為漢斯・霍爾班所作

言歸正傳。「大聖經」是一部大型對開本，品相良好的本子今日罕不可見。其印行標示登錄的名字是理察．格拉夫頓與愛德華．懷丘齊[38]。書名頁（同時也是扉畫）是一幅細密精緻的版刻畫（engraving），據說是根據漢斯．霍爾班[39]的原畫改刻而成，畫面中密密麻麻地描繪聖經情節和具政治意涵的圖像。亨利國王端坐在最頂端的王座，將手裡的聖經透過站在右側的克蘭莫大主教頒贈給列隊恭迎的傳教士；左手邊的傳教士則由宰相湯瑪士．克倫威爾手中接過御賜。同時還有一堆大大小小的人像，個個前呼後擁、爭相高喊：「聖上萬歲（Vivat Rex）」和「天佑吾王（God Save the Kynge）」。不過，唉，幾個月前剛被冊封為愛塞克斯（Essex）伯爵的克倫威爾，由於和某位王妃搞三拈四，不幸被聖上逮個正著，亨利國王一怒之下將他關進倫敦塔，不久之後就讓他腦袋搬家了。

這位湯瑪士．克倫威爾和另一位比他更偉大的老兄——一百多年後把查理一世送上斷頭台的奧立佛．克倫威爾[40]偶爾會被混為一談。這讓我想起一則令人捧腹的笑話：某個年輕學生一看到考卷上要他簡述湯瑪士．克倫威爾的事蹟時，他大筆一揮：「湯瑪士．克倫威爾是偉大的英國政治家，他把當時的英國國王斬首處決，他說過一句名言：『要是我服侍上帝能和我服侍國王一樣虔誠的話，祂現在就不會丟下我赤條條被敵人看光光。』」[41]

「大聖經」前後總共印行七次，書名頁上的克倫威爾徽章於最後三次印刷時橫遭削除，留下一個一先令銅板大小的圓形空白。此部聖經有時會被誤稱為「克蘭莫聖經」，但「此鉅製乃由克倫威爾促成；由卡佛戴爾主持編纂；印工則為法國著名字體設計師雷格農，輔以英國同儕格拉夫頓與懷丘齊之鼎力襄助也。」（"the promoter of the enterprise was Cromwell, the editor was Coverdale, the printer was Regnault, the famous French typographist, with what assistance could be rendered him by his English associates, Grafton and Whitchurch."）之所以會冒出那個誤稱，八成是因為克蘭莫曾為它寫了一篇洋洋灑灑、文情並茂的前言，當作一五四〇年及隨後再刷本的序文。或許我該順道周告眾讀者：克蘭莫本人不久之後也成了宗教改革下的犧牲者——被綁在柱子上活活給烤了。

不過，當那位大主教和宰相依然集三千寵愛於一身的時候，國王曾下了一道聖旨，規定英國境內的每名神職人員都得提供「以英文印行、博大精深之聖經完本乙部，並陳設於各派任教堂內便利位置，以供其教區信眾自在從容頻閱之。」（"one book of the whole Bible of the largest volume in English, and have the same set up in summe convenient place within the church that he was cure of, whereat his parishioners might commodiously resort to read it."）。不過那道命令始終沒有嚴格執行，因為亨利國王有好幾個大小老婆和一大堆雜事已經夠教他忙不完的了。打從那部聖經問世起整整十八年，幾乎沒有進行過任何修訂內文的工作，等到愛德華六世登上王位，也只是掛名印行了一部《公禱書》[42]，除此之外毫無建樹。

◎愛德華六世

一五四九年出版、一般通稱為《公禱書》的「愛德華六世祈禱書」並不是一部像聖經那麼了不起的書，也不如聖經那般通行全世界，但是其內文遣詞用字極其優美，遠非聖經所能企及。它的每篇文字、每個句子、甚至每一個字都扎扎實實地下過一番工夫。此書不專屬於特定某一宗、哪一派，甚至也不專屬任何特定年代。一千五百年以來，基督教的眾多偉人賢哲們相繼貢獻己長、孜孜埋首於斯，方造就它今日如此崇高的地位——囊括基督教文學中所有優美精華的一部文選。即便如此，奇怪的是歷代藏書家們卻從未給予它應有的評價。此書的重要性雖然略遜於聖經；然而，當人們毫不遲疑地花費一千、五千、甚至一萬元購置某部晦淫晦盜、一無是處（在某些體面場合甚至還不方便明白講出書名）的復辟時代劇作，卻在面對這麼一部收錄絕佳散文、極其優美詩句（不單單針對英文而言，跟其他任何語文擺在一起相比也更勝一籌）的書的時候，連掏出區區幾百塊錢都要考慮再三。大家千萬不要會錯意，以為我不

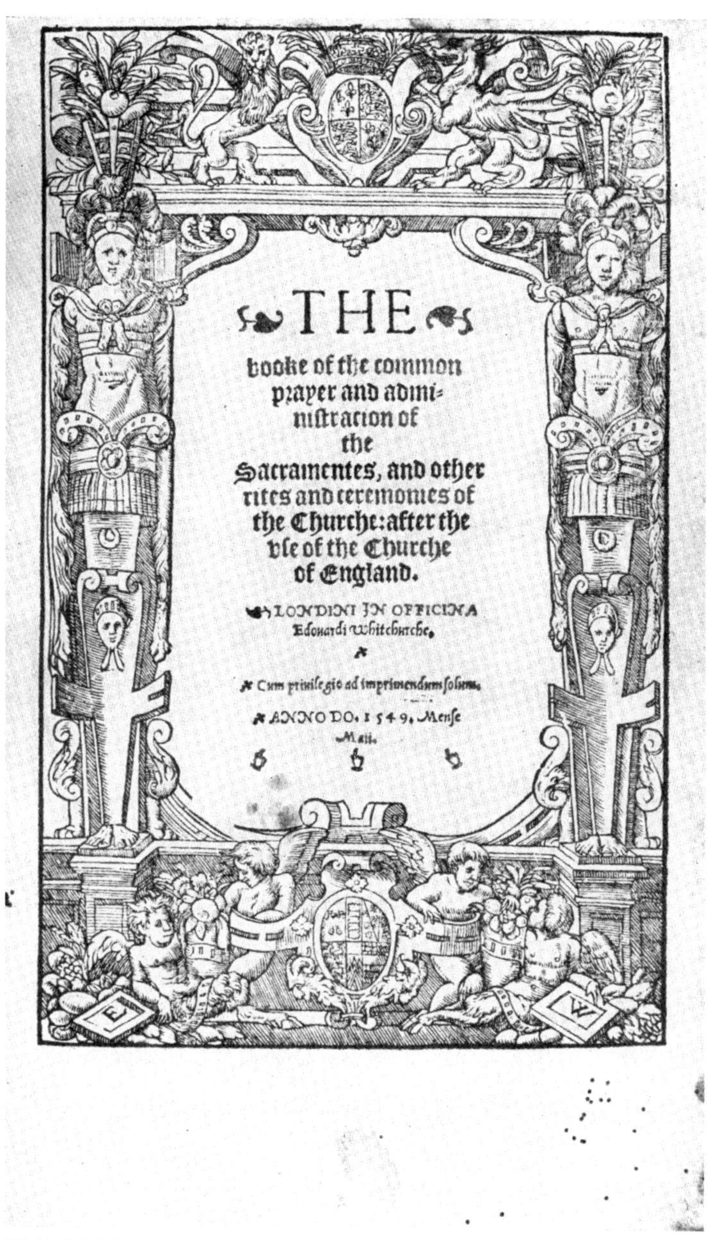

THE

booke of the common prayer and admi-
nistracion of
the
Sacramentes, and other
rites and ceremonies of
the Churche: after the
vse of the Churche
of England.

LONDINI IN OFFICINA
Edouardi Whitchurche.

Cum privilegio ad imprimendum solum.

ANNO DO. 1549. Mense
Maii.

■《公禱書》（一五四九年版）書名頁

遺餘力建議大家不分青紅皀白蒐羅聖經或祈禱書的所有雜七雜八本子；我只是在三強調：要是沒在書房裡頭擺上這兩部咱們的文學基石，根本就不配侈談藏書；而我指的正是「詹姆士王欽定版聖經」和「愛德華六世祈禱書」。

「大聖經」出版之後十年（即一五四九年），《祈禱書》首版問世。由於當時政、教之間頻生齟齬，兩方人馬隨後甚至還各自搞出幾種內容互有差異的版本，最後，經過角力協商的結果，雙方都同意再那麼修來改去沒完沒了也不是辦法；於是，一部後世稱為「封版」（"sealed copy"）的本子（內文經絕大多數人通過認可）被收存在倫敦塔，作為未來印行該書的標準參考本。直到一七一七年，才又出現另一部足令當今藏書家眼睛為之一亮的《祈禱書》。那一年，一名以擅長雕飾細密圖案聞名的倫敦版刻師傅約翰・史都爾特[43]（這位老兄曾經將〈天主祈禱文〉全文刻在一枚半便士銀幣上；〈使徒信條〉則刻在一枚一便士的銀幣上）完成一百八十八塊銀板的雕版工作，用以印製《祈禱書》（當年版本）的全部完整內文。他的手藝硬是要得：每幅頁面上都有版框、小插圖，同時內文字體亦非常精緻，每個字皆能以肉眼清晰辨識，除了扉畫（光一幅畫面上就有喬治一世的肖像、〈使徒信條〉、〈天主祈禱文〉、〈十誡〉全文，外加一篇皇室專用祈禱文，甚至連〈詩篇第二十一〉也一併刻進裡頭！）之外，還有超過五百個裝飾用的花體頭字母，全書可說是無懈可擊。我很久以前就擁有一部小紙本[44]善本，但是幾個星期前，我在紐約的石磚巷書店[45]無意間聽到一位傳教士在店內閒聊，他言談之中多次提及聖經和祈禱書的種種，害我聽過之後也跟著相信：這個世界上一定還有一部絕頂佳善的本子藏在某處。那個本子以大紙印製，手工描畫的紅、綠、金三色頁面絲欄；精緻華美的後世重裝；還因上頭貼著一枚山繆爾・普特南・埃佛利[46]（一位極為傑出的藏書家、亦是我的老朋友）的藏書票而平添不少價值。何況，史都爾特的《祈禱書》問世的時間比起派恩版《賀拉斯》[47]（另一部著名的雕版書）更早了將近二十年。

◎以薩克．魏茨

我對聖經以及祈禱書的喜愛，並不光滿足於裡頭那些讚美詩。當然，書中的確有一些華麗的舊體讚美詩，兼具辭藻和音樂之美，不過要寫出言之有物的讚美詩著實不容易。即使年紀尚屬青澀的孩童時期，我就對威廉．考伯充滿強烈的排斥，他以哀戚的語調譜出的〈寶血活泉〉[48]總教我雞皮疙瘩掉一地。我記得有一回聽到某人說他剛挖空心思寫好一首挺不錯的讚美詩，另一人馬上反唇相稽：「我總認為全天下最沒出息的文學活動就是寫讚美詩。」善哉斯言。咱們還不如合唱一首以薩克．魏茨[49]博士寫的讚美詩：

擁有悲天憫人良善好心腸
施同情予貧苦之人最有福；
他的胸臆間滿是憐憫關愛
與古聖先賢皆能感同身受。

他一心一意只為實踐信仰
心有餘縱使雙手力猶未逮；
而他，經歷一場苦難災厄，
方感悟天主亦有慈悲心腸。[50]

◎瑪麗一世

在愛德華國王的妹妹「血腥瑪麗」（此姝連她老哥的殘酷暴虐脾氣也一併沿襲下來）掌政期間，鮮少有人研讀聖經。不過，等到依莉莎白女王繼位[51]，閱讀聖經「巨帙」成為一件頗受鼓勵的行為。不多時，另一部從歐陸進口的舶來版聖經讓它原本唯我獨尊的地位發生動搖。這部聖經便是「日內瓦本」，也叫做「短褲聖經」（之所以會有這個稱號，乃因書中〈創世記〉第三章第七節以「為

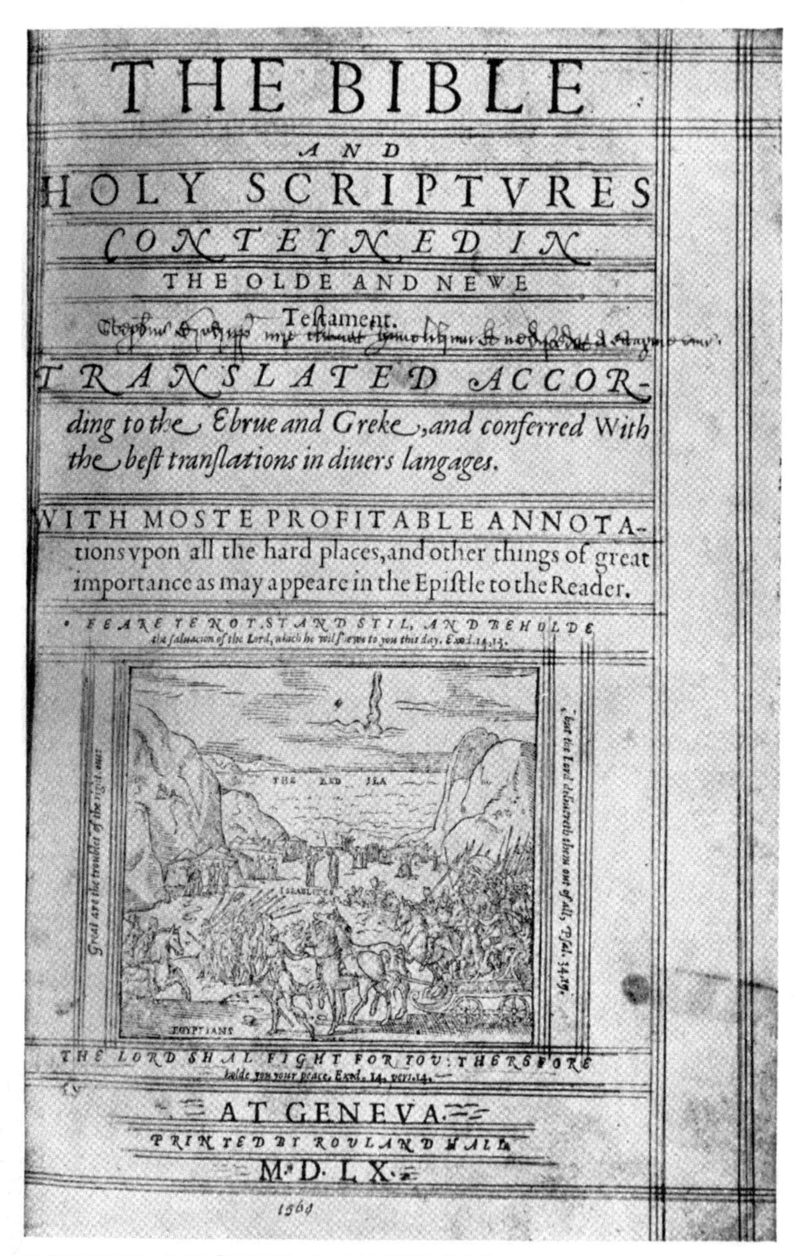
THE BIBLE

AND

HOLY SCRIPTVRES

CONTEYNED IN

THE OLDE AND NEWE

Testament.

TRANSLATED ACCORding to the Ebrue and Greke, and conferred With the best translations in diuers langages.

WITH MOSTE PROFITABLE ANNOTAtions vpon all the hard places, and other things of great importance as may appeare in the Epistle to the Reader.

FEARE YE NOT, STAND STIL, AND BEHOLDE the saluacion of the Lord, which he wil shewe to you this day. Exod. 14, 13.

THE LORD SHAL FIGHT FOR YOU: THERFORE holde you your peace. Exod. 14, vers. 14.

AT GENEVA.

PRINTED BY ROULAND HALL.

M.D.LX.

■「日內瓦聖經」或稱為「短褲聖經」（一五六〇年版）書名頁

頁面上的線條乃以朱墨畫出

他們自己編成『短褲』」取代原本的「圍裙」[52]）；整個依莉莎白時代，那部聖經前後印行了不下六次。

◎依莉莎白一世

這年頭，聖經教義（換句話說：徹頭徹尾都擺出一副信誓旦旦、倨傲凌人姿態的教誨、訓示）只要一攤在灼利的科學眼光下檢驗便顯得蒼白無力了，現代人似乎很難想像，四百年前在自稱受基督教洗禮的文明國家，卻有許多懷抱信仰的人只因發出尖銳質疑（倒不是針對聖經本身，而是衝著握有解釋經文大權的人）便橫受迫害甚至慘遭殺身之禍。當時的艾克塞特主教邁爾斯・卡佛戴爾（我們對這位信仰虔誠、堪為楷模的七十高齡老者著實虧欠良多）在瑪麗女王血腥狂暴的魔掌下，其主教職位不僅硬被剝奪，他老人家還不得不四處逃亡。此人值得大家永遠緬懷，身處暴政當道、浮雲蔽日的時代，他依然「無時不刻孜孜不倦畢盡全力校勘各版譯文」（"always willing and ready to do his best as well in one translation as in another."）。由他掛名的一五三五年版、一五三九年的「大聖經」、以及一五六〇年的「日內瓦聖經」等三部聖經，皆有他的心血澆灌其中。

當他好不容易結束海外流亡生涯返回故鄉，雖然未能立即恢復在艾克塞特的原管轄職務，但仍被委以「殉道者聖馬格納斯教堂」（Church of St. Magnus the Martyr）的神甫一職。但是不多時，他便撒手人寰，殮葬於倫敦的「今交易所之聖巴多羅買教堂」[53]。後來該教堂被拆除，他的信眾便將他移靈至他生前服聖職的老教堂「倫敦橋之聖馬格納斯教堂」[54]繼續供奉。最近我風聞那座教堂也即將面臨拆遷的命運：因為它坐落的位置正好阻礙了陳年古橋北端出口的交通，但在全盤衡量得失之下，或許當局會同意將它保留下來，畢竟邁爾斯・卡佛戴爾的英靈正在該處安息。你現在到那兒還能看見一塊大理石碑嵌在教堂東側牆面（距祭壇不遠處），上頭刻著讀來頗為吃力的冗長紀念文。

歷年來不斷有人舉出「短褲聖經」備受歡迎的諸多原因。它有個挺浪漫的誕生背景：它是宗教改革的產物、也是喀爾文和納克斯以及眾多追隨者忠心奉守的聖經、再加上它的開本大小適中；不但易於隨身攜帶、價格亦不昂貴。最重要的是：它首創將經文分節（verses）處理，讓讀者能夠輕鬆自在地翻查、誦讀。綜合以上種種因素，它遂成為當年深受尋常百姓喜愛的本子，其受歡迎程度令過去出版的任何一種版本都望塵莫及。

但是英國傳教士眼見它在民間廣受歡迎，心裡頭自然很不是滋味，決定要盡一切努力取而代之；他們的成果便是一五六八年出版的「主教聖經」（"Bishop Bible"）。為了要讓那部聖經具備足夠吸引力，他們可說是無所不用其極，除了將依莉莎白女王的尊容印在書名頁上以壯大聲勢之外，旁邊還擺上她的謠傳情夫萊切斯特伯爵羅勃・達德利[55]（那樣做實在有欠高明），和她的內閣大臣伯雷勛爵（Lord Burleigh）。那部聖經當年的售價約合今天的二十英鎊，「主教會議」（Convocation of Bishops）還下令每位大主教、主教都應該購置「近期出版的《聖經》乙部」放在家裡，甚至明文規定必須擺在大廳或餐室，如此才能夠「便利僕役、訪客使用」。話說回來，「主教聖經」最大的功勞，乃在於它為後來的「詹姆士王版」鋪下一道平坦的道路。

不過，讓「詹姆士王版」上場之前，我們還得先談談另一個重要版本：唯一一部內文完全不依據威廉・廷德爾譯本的聖經——「杜埃聖經」（"Douai Bible"）[56]。話說當年清教徒集體流亡日內瓦，而羅馬天主教徒則潛逃到法國境內的天主教城市理姆斯（那批人隨後又遷往杜埃，還在當地成立了一所大學）。「杜埃版」向來都被世人當作天主教徒逼迫英格蘭聖公會回歸羅馬教廷法統的鐵證[57]。《新約全書》於一五八二年在理姆斯先行出版。該版本由某位頗富爭議性

■「主教聖經」(一五六八年版）書名頁
頁面上有依莉莎白女王肖像

的人士附加許多註解，並且在後來的完本的末尾還放進直接譯自一六〇九年拉丁文「俗文聖經」的經文；這項由它起頭的措施後來在英國天主教普遍接受的各版本中都依樣加以保留。

還有一部可歌可泣的「糖蜜聖經」，名稱得自其中那段經文「在基列豈沒有糖蜜呢?」（其他版本皆作「乳香」）[58]；也有人叫它「葡萄醋聖經」，因為那段「葡萄園」的譬喻在書中被誤植成「葡萄醋」[59]。那部聖經乃由一個名叫約翰．巴斯克特[60]的人出版，由於實在錯誤連篇，有人因此戲指該版本「錯得真該百響磕頭」[61]。但是真正要命的錯誤還在後頭呢；一六三一年印行的本子捅了個大樓子：十誡之中的第七誡居然漏印了一個「不」（not）字，讀起來成了：「汝當姦淫。」（"Thou shalt commit adultery."）那個版本自然旋即遭到查禁，粗心漏植的手民（真不曉得他到底是不是故意的）則遭到撤職查辦，還被重罰三百英鎊。據「佛蒙特州亨利．史帝芬斯氏」（此乃這位老兄慣常使用的自稱）說：詹姆斯．雷納克斯先生曾付給他五十基尼，買下一部當時舉世公認的存世孤本（現由紐約公共圖書館收藏）；但是，當時風風光光、被吹捧上天的「孤本」，後來又接連冒了好幾部出來。潘尼齊[62]先生就曾為大英博物館買到另一個原本有缺頁但後來補齊的本子；緊接著又陸陸續續出土；曼徹斯特的約翰．萊蘭茲[63]圖書館（專門典藏聖經善本的寶庫）裡頭確定也有一部，因為我上回造訪該圖書館，為人一向熱心大方的館長亨利．蓋皮[64]博士曾親自將它捧出來，讓我飽享眼福。

我們差點耽誤了時間談「欽定版」（不過還來得及）——一六一一年問世的「公版」（"Great He"）。此書有一段頗曲折離奇又饒富趣味的歷史。

一六〇三年，依莉莎白女王駕崩，統治蘇格蘭已有一段時日的詹姆士王（他在蘇格蘭的封號是：詹姆士六世）緊跟著登基。他從愛丁堡晉升到倫敦黃袍加身的那段路途可說是險阻重重（或至少頗

◎詹姆士一世

生波折）。好幾幫分屬不同勢力、各有所圖的傢伙紛紛跳出來湊熱鬧；其中包括一干動歪腦筋等不及要竄改《祈禱書》的人。清教徒打的如意算盤是：由於新國王從小一直置身在蘇格蘭長老教派的嚴密掌控之中，他必定樂於進行他們認為十分迫切的教會儀式改革。而另一方面，羅馬天主教徒則希望新王能夠更有擔當，正視國家長年偏離法統（即宗教分裂前信奉的那一套）的嚴重錯誤。左有喀爾文教派催趕，右有羅馬教派拉扯，被包夾在當中的詹姆士私下忖思：與其立刻表態投靠英格蘭聖公會陣營，不如先讓清教徒發發牢騷來得有利。由於察覺一場宗教火併即將爆發，他見獵心喜（一如歷代缺德君王），立即召集各派人馬齊聚漢普頓宮，開會研議《祈禱書》纂修方案，他自己則扮和事老作壁上觀。

雖然該次會議的決議只造成《公禱書》幾處可有可無的小修改，但一場會議開下來，還是讓國王（照他自己的說法）逮到機會得以服服貼貼地「嗆住那些清教徒們」（"pepper the Puritans"）。接著，或許因為背上的芒刺業已拔除，他便寬宏大量地接受其中一位帶頭的清教徒約翰・雷農茲[65]（當時地位崇高、通曉多國語言的牛津聖餐學院（Corpus Christi College）校長）的提議：陛下龍威浩瀚，當囑令編修新版聖經，以便與通行於先王亨利八世、依莉莎白女王等朝各種舛誤、未能忠於原典之版本較量拚搏。於是，為了責成此事，詹姆士王又御令召開另一回合的專案會議。

新版本的編製工作恰巧碰上天時地利人和：英國語文已不若前代頻有闕陋而趨於穩定；口語白話放諸各地皆能暢通無阻；同時其辭藻語彙亦已祛除原本的陳腐老套。我們只要拿出那部聖經和比它早幾年的版本相互比對一下，就能輕易發現它有令人十分驚訝的長足改進。而擔任該次翻譯工作的人士已不光只是學者；他們簡直就是藝術家，其造句遣詞就像常人開口說話一般行雲流水宛如琴瑟和鳴（只是他們以巧手彈奏的樂器叫做「英國語文」）。他們不單只會「覓得」（我這裡當然不能用「找到」這麼稀鬆尋常的字眼）好字妙詞，由於那批人對於原典經文的意義早有通透理解，方能投注極大的精神斤斤計較每個字詞的節奏、音律。不但歷代高人能士均未達到同等的成績；那般兢兢業業、踏踏實實的工作方式，即便後代也肯定幹不出來。就一部卷帙無比繁浩的書來說，居然能夠做到如此精準確實的地步，且歷時兩個半世紀仍能保持獨尊地位於不墜，實在相當了不起。

一般人往往忽略英王詹姆士一世本身也是個書獃子；他是書獃子應殆無疑義，但他不僅止於此；若非他貴為一國之君，他應該會成為一位學者，而除非我全盤誤解了這段以他為名的新版聖經的纂修歷史，否則整項工程的確是由他大力推動且一手擘劃，指揮、掌管在他底下效命的好幾批學者通力完成。

但是編製新版本的原始構想並非來自國王；那項工作甚至從未得到他、國會、或任何一位主教，甚至某個地方教士的正式授權。此外，以現在所知的史實來看，國王對此項大業不曾挹注過任何經費：蘇格蘭佬果真一毛不拔。那部新版聖經在許多方面的確都與當年〈道茲報告〉*[66]的情形頗為神似。大家全都心知肚明：所謂的〈道茲報告〉實際上是美國政府在背後策動，然而參議院裡頭的應聲蟲們卻完全找不到把柄加以否決，因為它既沒有任何來自官方的檯面上授權，實際做出報告的人也壓根沒拿過半毛錢公帑。

一等「漢普頓宮會議」做成決議，國王便火速召集英國境內所有的頂尖學者——唯一被排除在名單之外的是某位以忒愛找人吵架

＊註：事實上，該報告是由紐約市的歐文．D. 楊[67]先生執筆。

出了名的傢伙——並御令他們即刻著手展開新譯本的編製工作。為了讓所有人都能徹底明瞭自己被分配的工作內容，每名參與工作的成員都領到一套完整的作業守則，用來參照遵行以便順利執行任務。原本總共來了五十四個人，但不曉得怎麼搞的，過程中人數逐漸遞減，我們現在所能掌握到的名單只有四十七人的名字。審訂工作分成六個小組：兩組人在牛津進行工作；兩組在劍橋；另外兩組則待在西敏斯特（Westminster）。每當其中某一組完成被指派的部分工作，便遞交五份謄本給其他五組進行評鑒。如此一來，每個人的知識便可以與其他所有成員交流分享，整個工作流程就那麼一路保持既分工也合作、有競爭又平等的進行模式。

該書前面有一篇洋洋灑灑、文情並茂的序文，清清楚楚地交代了翻譯成員的努力成果及意圖。他們原本「從未存心非做出一部全新的譯本不可，也不想交出一部差強人意的本子，只發願要做出猶勝以往的版本，至少要比過去的各優良版本更勝一籌，以期使它成為正宗定本」；他們也不至於「不屑參酌前人的譯作與見解」（不論哪一種語文版本）；亦毫不遲疑地「反覆推敲、一再鍾鍊」；他們「無懼怒責斥罵放慢腳步、不因貪圖褒揚而倉促成章」，而始終堅持「天下絕無一下筆寫就即臻近完美」，並相信再三字斟句酌才可能寫出最好的文章[68]。秉持如此令人佩服的精神、耗時將近四年工夫，「欽定版」聖經終於呈現在大眾面前。

「好不容易，」我姑且引用「老富勒」（Old Fuller）所言：「歷經萬眾翹首引頸多年，此熱望殷盼終得回報，聖經《新約全書》之全新譯本如今堂堂問世，精挑細選、專心銜命負責編纂之能士賢人，誠惶誠恐、惟恐工作不力庸擾他人；念茲在茲、深怕稍有闕漏頓成憾事。」[69]

剛開始，那部聖經——就像所有偉大的巨著甫問世時一樣——完全沒得到外界的任何回響。還好當局亦無意施加壓力強迫已看慣了「喀爾文聖經」（即「短褲聖經」）的無心大眾接納它。直到後來，新版本才憑藉其簡潔的內容、優美的文筆，以極緩慢的速度（而不是一下子）取代了其他所有版本，要是官方一開始就將它奉為「指定讀本」硬性規定大家閱讀，反而會適得其反，害它迅速被人民唾棄，三兩下就白白斷送了生路。詹姆士一世原本就不是個深受愛戴的君王；要是他當時把心一橫，下道聖旨，規定每個人都得改讀那部由他掛名的新版聖經，豈不正好又多攬了個「揠苗助長」的歷史臭名。在此之前，人們本來習慣在教堂、家中分別使用不同版本的聖經，打從那會兒起，所有宗派、每個階級皆不約而同接納同一種版本。聖經不再被當成各個不同教派用來互相攻訐的工具；在它的每個差別字詞上大作文章的情形也不復見。由此觀之，「詹姆士王版」正是平息政教紛爭、統一整個國家的最大功臣。

行文至此，我們不妨停下腳步，稍稍揣摩一下聖經對於十七世紀讀者的意義。閱讀聖經原本被列為特權，屢屢將平民百姓摒除在外。亨利八世主政期間甚至明令限制，只允許王公貴族可以閱讀聖經；任何匠人（無論學徒抑或師傅）、僕役、工奴或平民婦女，若膽敢逾越身分擅自翻讀聖經，必將遭受監禁一個月的刑罰。還有比這種手段能更穩當地保障特定讀者的嗎？接著，聖經徹頭徹尾被視為「神的道」(the Word of God)，每個字詞皆神聖不容侵犯：「太初有道，道與神同在，道就是神。」[70]斬釘截鐵印在白紙黑字：還有什麼能比這更明白、更清楚呢？誰要是膽敢稍露冒犯、略表質疑，鐵定會被扣上一頂魔鬼同路人的大帽子。

姑且想像一下這會兒仍然是一六一一年，「童貞女王」[71]雖然已成昨日黃花，但是她所開創的壯闊波瀾仍未隨之消逝。英國正值百家爭鳴、百花齊放的鼎盛時期。莎士比亞尚且在世（雖然嚴格說來他已經退出文壇，賦歸史特拉福[72]頤養晚年去了）；而培根猶著述不懈：《學問進階》[73]業已問世，刻正埋首筆耕《新工具》[74]。他的後世弟子咸稱他與新版聖經的關係密不可分，此種說法的可信度頗高，因為他是當時全英國最有學問的人。他們還信誓旦旦舉出一個鐵證（姑且就當它是鐵證吧）：〈詩篇〉第四十六篇從頭算起第四十六個字是「顫抖」（"Shake"），從後頭算過來第四十六個字則是「槍矛」（"speare"）[75]，他們言之鑿鑿：那道玄機便是培根故意安排的；當然，說穿了那無非只是個巧合，因為早在培根出生前幾年，某部印行於一五三九年的本子上就出現過一模一樣的字眼了。班．瓊生此時名聲已如日中天。德克和馬斯頓（後者兼具教士與劇作家的身分）、韋伯斯特與麥辛杰、鮑芒和佛萊契[76]依然虎虎活躍於文壇，皆各自為璀璨輝煌的玩意兒（吾人名之曰「英文文學」）做出卓越貢獻。另一方面，整個世界正蓄勢待發：文藝復興方興未艾、帝國主義蠢蠢欲動；英國國力正熾，其艦隊橫掃四海；蕞克的航跡遍及全球；一名布里斯托籍的水手羅勃．索恩[77]一語道盡所有人的心聲：「大英健兒無疆不能征、七海皆可航。」[78]君不見約翰．史密斯[79]船長西出陽關，渡海建立了維吉尼亞殖民地，其所憑藉的正是這股蠻勁兒。

十七世紀伊始，宗教與政治之間的界線尚未明確劃分（恰似分隔南北兩半球、只能靠揣摩想像的虛擬赤道線），其關係之密不可分就如同海盜船之於海盜（對偉大的探險家就更不用說了）。要牢牢鞏固整個帝國（蓋英國早在狄茲拉勒正式周告世人[80]之前即儼然一副帝國姿態）惟有倚仗淺顯簡白、文義共通、人人皆懂且能夠用以治學的語文。此部不折不扣的「經典」──「欽定版聖經」──正足以擔負此項重責大任。這部英文聖經的影響力誠可謂空前絕後。它對於散文的宏偉貢獻猶如莎士比亞第一對開本之於韻詩，然而前者的歷史更為悠久、地位更形崇高、成就亦更加恢弘長遠。詩詞僅不過陶冶吾人一己之性靈；散文的影響力卻能澤被全世界。這部聖經不僅形塑了我們的語言，更形塑了所有使用此種語文的人。

◎（上）法蘭西斯．鮑芒
◎（下）約翰．佛萊契

沒聽說過哪部法文版、西班牙文版，或義大利文版聖經能具備這般功效；雖然，歷史上的確出現過一部德文的「路德聖經」，但它也只侷限於某個自外於廣大德國民眾的特殊教派內部流通，一旦離開那個小圈子，它便幾乎等於不曾存在。

歷代以來，許多人為了獲取閱讀聖經的權利而壯烈捐軀，他們隨時準備拋頭顱、灑熱血，因為一旦閱讀聖經能夠普及，即代表階級平等的實現。不管男女無不深受書中每個字的啟迪。他們頻頻勤翻《舊約》、《新約》，直到無比簡潔、優美的文句屢屢自動展頁。無比舒緩性靈、撫慰人心的經義盡在字裡行間！在那個遙遠的古老年代，所有的人都是「基本教義派」；換句話說，他們皆全心全意地由衷信仰且無怨無悔。對前人來說，外在的現實世界就像一隻牡蠣，必須持一把利劍始能剖開，但是這個牡蠣仍有許多秘密猶待訴說，現在該是咱們回頭探究的時候了。華特・惠特曼說得好：

> 出帆向前航！駛往那極深邃的海域，
> 不懼危險之靈魂探索啊，我同你同舟共濟，
> 因我們緊緊相繫只為深入那行船人未敢近身之處，
> 而我們無視船身傾覆之危、罔顧個人災厄、不顧一切。[81]

〈創世記〉第一章對於開天闢地的精采描述，如今在科學的犀利強光照射之下已漸漸站不住腳；但是宗教人士（為數甚夥）卻依然死命緊抱潰不成軍的信仰，傻乎乎地企圖力挽狂瀾。他們不思坦率宣稱：聖經經文乃文藝產物，豈能斤斤於咬文嚼字；科學是一回事，而宗教──即：用以導引人心、端正風氣也者──則是另外一回事；反而兀自陷在那些迷糊帳裡頭和科學家死纏濫打，依舊一口咬定句句經文皆為真理，神就是道路云云。到頭來自然是狼狽敗北，還連帶引出一批無恥鼠輩，好比已故的羅勃・G. 殷格索[82]，此

君以到處宣講「摩西的罪狀」("Mistakes of Moses")為職志，打算用低俗的插科打諢破除迷信。湯瑪士・赫胥黎[83]可不像他那麼缺德，你聽聽他怎麼描述「詹姆士王版聖經」：

君不見斑斑史蹟皆為明證，此部歷時三世紀的經典，將英國史中最崇高、極美好的精華盡收於斯；君不見此書已儼然成為大英民族的史詩，不僅家喻戶曉，更是膾炙人口，從蕞爾海隅遠播遙廣地疆，一如昔日塔索[84]、但丁[85]之功在義大利；君不見其用字遣詞皆屬至典雅、極精純之英文，融以高妙的文學筆法，最後，君不見它令世居窮鄉僻壤未曾遠遊之村夫農婦脫去蒙昧，不再渾然不知世上尚有其他國度、另種文明，亦從此通曉歷史最久遠之文明古國的悠遙歷程。[86]

反而咱們自己人卻鮮少——或不夠死心塌地——欣賞英國語文（一種服膺文學而非科學的語文），吝於給予它尊貴地位的崇高評價。連不可理喻的德國佬都懂得竭盡所能不斷闡揚其母語的優越性，咱們卻一再忽略自己有幸擁有莎士比亞賴以訴說衷曲、「詹姆士王聖經」所使用的語文。

我們注定生活在一個快速變遷的關鍵年代，一個證明聖經中的許多陳述均屬無稽的年代。科學領域的長足發展早已摧毀了父祖輩對於上帝的信仰，連吾人日常生活舉止也不再凡事依循耶穌的教誨。就算咱們掩耳盜鈴，無視今人早已荒廢聖經的事實亦無濟於事，區區數代以前，聖經尚能以其睿智、優美、顛撲不破的真理，得到世人普遍給予它應得的關注。咸稱這一代的年輕人自幼便對這部偉大的經典極度輕忽；我不但同意且深感惋惜。疑神論先驅伏爾泰曾說過一句至理名言：「倘若上帝不存，我們也應該自行創造出一個來。」[87]一語道破人類自開天闢地以來始終未曾停歇的行為—

一憑自己的想像創造上帝。

我不在乎您的信仰為何——那不是藏書家該管的事；至於我個人而言，我發現聖經也不是所有的內容都具備同等價值；有的部分過於瑣碎、有的太老套過時、有的則偏激突梯。想必就算以羅馬天主教廷的立場也不得不說：整部聖經並非從頭到尾都值得一讀；然而率爾刪改某些部分卻難免牽一髮而動全身；我最想讀的是被刪掉的經文，而不是經過加油添醋的段落。於此，我完全贊同湯瑪士・傑佛遜[88]（各位想必還記得，此君曾自行編製專供他個人使用的聖經，世稱「傑佛遜聖經」，但他自己叫它「拿撒勒耶穌的行誼與德懿」），他自行摘錄〈四福音書〉[89]經文、以四種不同文字（希臘文、拉丁文、法文和英文）改寫耶穌的教誨。當他提及此書（手稿現藏華盛頓的史密森學會，幾個月前我才剛去瞻仰過）時，曾自詡：「余前所未見其他道德訓示能如此優美典雅、微言大義：親手誌之正足以證明吾乃堂堂虔誠基督徒，亦即，耶穌信徒也。」[90]

這種人實在太少了——正是因為太多像咱們這種貨色的人憑空搞出一大堆箋傳、訓詁、註疏等勞什子玩意，才導致整個基督教深陷聲名狼藉的處境。以聖經作為根源的基督信仰，其信條不僅能夠適應一千八百年前即已存在的社會，亦可切合今日現存的社會，更能在世界往前邁進的過程當中，為吾人指引出一個理想的方向。它始終不曾大張旗鼓（尤其是對於所有視基督信仰為奇恥大辱的人來說）。如今基督信仰的勢力遠比其他任何教派都要來得更大：基督信仰創造了「山邊寶訓」[91]；創造了〈亞大納西信經〉（其大意姑且可以一語道盡：「凡一切奧義皆受吾全心信仰，越是深奧不可解，吾信之尤深。」狄茲拉勒曾說此乃有史以來天才所能創作最壯麗輝煌的教會詩歌。我個人卻認為恐怖透頂）。我誠心祈望「異端」審判能消弭於無形——一群位高權重的老頭身不由已地役使一批衛道人士（多麼教人沾沾自喜的字眼！）戕害另一群老頭——堪稱歷史上最慘絕人寰的荒唐鬧劇。當然啦，這年頭咱們已不再像從前那樣，動不動就把他們送入火堆或剁掉腦袋；咱們頂多只會將他們「謫為平民」，教他們傷心欲絕罷了。雖然不能不說有進步，但仍嫌不夠；這個世界進步得太慢了。

不久前，當我在一家書店裡頭翻讀聖經的時候，一位女士劈頭問我：「你是基本教義派（fundamentalist）還是維新派（modernist）？」我曉得，最好不要隨便回應這種擺明找人抬槓的唐突問題，因為一旦我乖乖照實回答，不僅有自貶身價的危險，還會陷自己於不義。我隱約記得有句經文：字句令之死而聖靈欲其生[92]，講的就是這回事。不幸得很，我這人一向傾向樂於相信惟有詩人才能拯救我們，靠傳教士是萬萬沒指望的。傳教士與律師就像打古羅馬時代來的江湖術士，根本休想絲毫打動我。

有時候光靠冥想，思緒就能像翻觔斗雲一般蹦到十萬八千里遠；我們不妨再次揣摩一下，此刻咱們正置身於一六一一年，「欽定版聖經」剛出版那會兒吧。我們先把那本書捧在手上好好地檢視一番。這是一部大書，再借用老富勒的說法——「有史以來印得最漂亮的書」；原始手稿極可能已悉數毀於祝融[93]。該書的印刷工羅勃．巴可[94]承印聖經的經驗頗為豐富，我們在好幾種前出版本上頭都能找到由他掛名的版行標示。羅勃．巴可死後，其子馬修在一樁版權官司中聲稱他的父親先前已付出三千五百英鎊買斷印製版權，因此，該項權利順理成章應該由他繼承。但是不曉得出了什麼岔，沒有人知道到底是誰拿了那筆錢；可以肯定的是：沒有半毛進到翻譯者的口袋裡，而且，雖然巴可生前貴為「御前印工」，手中也握有好幾部書的專印權，但是他的晚景頗為淒涼，不但經濟陷入絕境，還被囚禁在「王座監獄」（King's Bench Prison）裡頭，直到去世為止都沒被放出來。

◎王座監獄入口，Tho. H. Shepherd繪、J. Garner版刻

THE
HOLY
BIBLE,
Conteyning the Old Teſtament,
AND THE NEW:
Newly Tranſlated out of the Originall
tongues: & with the former Tranſlations
diligently compared and reuiſed by his
Maieſties ſpeciall Cōmandement.
Appointed to be read in Churches.
Imprinted at London by Robert
Barker, Printer to the Kings
moſt Excellent Maieſtie.
ANNO DOM. 1611.

■舉世最偉大的書——「公版」聖經（一六一一年版）的雕刻書名頁

那部聖經的初印本目前非常稀罕；想買到一部完美無瑕、乾淨如新的首刷本根本就是痴人說夢。我的手上有一封E. H. 德齡先生（夸立奇書店）[95]的來函，多年以來他一直殫思竭慮尋覓此書。他在這封回覆給我的信中寫道：就記憶所及，他從未經眼過任何一部，對於購藏此書已萬念俱灰云云。真多虧他就此罷手，我才有機會僥倖買到這幾年來市場上僅見的一部絕佳善本。此書經過法蘭西斯．弗萊[96]（英國布里斯托有錢的貴格教派老紳士）的精心校勘修繕，此君耗費畢生大量時光研究聖經版本（多有意思的課題哪）。這個本子裡頭夾著一份他親筆寫的提要手稿，聲稱此本乃書品乾淨、端正之舊式裝幀。弗萊在提要中還寫道：「經余逐葉細審，確認此本乃正宗首版首刷無疑，誠屬琳琅滿目各版聖經中之佳槧罕本也。內附書名頁、精繪地圖各乙幀。」[97]

購買原版「詹姆士王欽定版聖經」時，必須先把裡頭各個「版記」一一找出來。該書原本有兩款書名頁，出版年份皆標明一六一一年。一款以銅雕版印製；另一款則是以木刻圖框再套印文字於版心；其中以銅雕版書名頁的本子較佳。此外，還得留意〈出埃及記〉第十四章第十節必須有三道重複絲欄。同時還要確定你掌握了該本的「血統證明」[98]（其血統必然無甚可觀），特別仔細查驗迦南地（the land of Canaan）的地圖底下是否印有「約翰．摩爾（John More）先生起草，約翰．史畢德[99]成圖」這麼一行字。那幅地圖可說是當年繪圖技術的登峰造極之作。圖上一一標出數字，方便讀者對照旁邊詳實臚列的聖經大事表，重要事件的發生地點均可一目瞭然，舉例來說：上頭居然連大衛摺倒巨人的地點都找得到，更令人拍案叫絕的是，莫名其妙被放逐的約拿（Jonah）的船和將他一口囫圇吞下肚的鯨魚也都在上頭。乖乖，「埃及」（"Ægiptian"）海果真處處伏海妖。這些加油添醋的細節均已遠遠超出聖經內容所述及的情節，但是由於史畢德有「直達天聽」的本事，領有懿旨得以安插那些圖樣，讓每部大紙版得以額

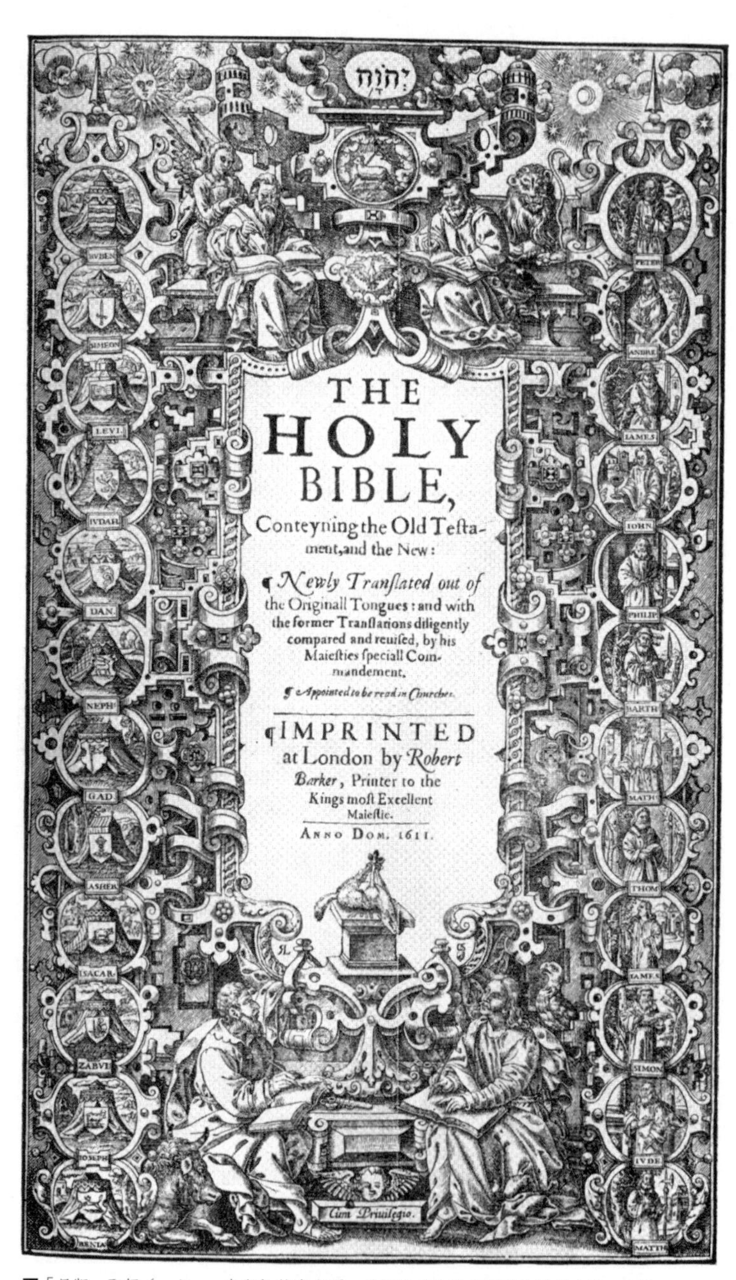

THE
HOLY
BIBLE,
Conteyning the Old Teſta-
ment, and the New:

¶ *Newly Tranſlated out of*
the Originall Tongues: and with
the former Tranſlations diligently
compared and reuiſed, by his
Maieſties ſpeciall Com-
mandement.

¶ *Appointed to be read in Churches.*

¶ IMPRINTED
at London by *Robert*
Barker, Printer to the
Kings moſt Excellent
Maieſtie.

ANNO DOM. 1611.

Cum Priuilegio.

■「母版」聖經（一六一一年版）的書名頁。外圍框飾也用來印製數種「公版」聖經外多收兩先令、中形版十八便士、小紙版則多一先令。

且慢付錢，最要緊的版記我擱在後頭還沒告訴大家呢。該書的首版先後刷印兩次，依序分別稱為「公版」與「母版」（"Great She"），兩者之間的差別在於〈路得記〉第三章第十五節的最後一句，前一刷是：「他秤了五石大麥……他便進城去了。」後刷本的末行則印成：「……她便進城去了。」[100]比對兩者的字間，前刷本分明是故意漏植"S"字母。這也就難怪各公私立博物館、圖書館和一大票收藏家全都有志一同，紛紛爭相競逐「公版」搶破頭了。

「未曾有如此重要非凡的文學建樹卻那般備受冷落忽視。」（"Never was so important a literary enterprise carried out with so little record thereof."）它始終未能——依照以往的慣例——入藏「文林閣」（Stationers' Hall），因而也無從得知確切的出版月份。據後世推測，當時應為兩家不同印刷坊承攬印製作業（從印刷錯誤互有參差即可看出）。那部聖經還印行了大紙版——部分人士宣稱其印量高達兩萬本；假如此說成立的話，那些書到底全到哪裡去了？答案很簡單：一部大紙版，如果老是被搬來拿去的話，幾乎無可幸免不是缺了前葉就是少了後葉（要不然就是前、後葉一塊兒全掉了）。聖經的首刷本只有極少數本子流入大戶人家，大部分還是由各教區教會收存，以方便讓所有人都能看得到，這樣的結果便是無比頻繁地被翻閱，就算沒五馬分屍大概也會遍體鱗傷。一部聖經擺在鄉下教會講台旁供大家翻閱，其下場如何大家可想而知。年復一年，書葉開始鬆脫，最後終於和書體分家，本來那些內葉還被小心翼翼地保管下來，只要一看到地板上有從書上掉下來的紙葉，就會有人將它們一一撿起移往別處收存。最後那些內葉還是全不見了；反正，剩下的部分還有那麼多——誰有閒工夫看書名頁來著？就那麼丟三落四地經過一、兩個世紀，老朽的聖經也差不多可以功成身退了，更嶄新易讀的新版本就此登堂入室取而代之。

接下來或許該來談談在美洲印製的聖經了，我不妨就以開山鼻祖「艾略特聖經」起頭吧：那部首度在本土（即現在的美國）印製、特地印來供印地安人使用的聖經，原本有個沒人曉得該怎麼唸的書名。此書於一六六一年在麻薩諸塞州劍橋出版。此外，克里斯多佛・叟爾[101]則於一七四三年在賓夕法尼亞州的日耳曼鎮印出德文聖經。當時，母國始終不允許殖民地自行印製英文聖經：上頭嚴格規定每本聖經都必須從英國真品輸入，三令五申的結果，反而圖利了一門高利潤的生意——自歐陸（尤以荷蘭為其大宗）走私英文聖經。

獨立戰爭期間，聖經——一如其他許多東西——成了稀罕的玩意兒。戰爭末期，已渡海來美約十五載，並且在費城經營書籍買賣、出版、裝訂生意的蘇格蘭人羅勃・艾特肯[102]，覺得在國內印製英文聖經的時機已臻成熟。他向國會遞交一份出版提案，一收到艾特肯呈報上來的案子，國會旋即召開審查會，經過一番討論之後，做出以下決議：

本案議決通過；經美利堅合眾國國會召開會議並經過表決，責成羅勃・艾特肯先生進行此一虔誠且值得嘉許之任務，以昭吾人崇神敬天之美意，且促進我國印刷技藝之提升，並於工作執行期間，供應渠一切資金所需，此版聖經將由各席鄭重推薦給美利堅合眾國住民，本會特授權渠以妥適方法不日遂行此案。

就那麼著，艾特肯先生著手印製作業，不久之後他印出一部小不拉嘰的書——開本大小為：六吋高三吋半寬，書名頁上還大剌剌地印著賓夕法尼亞州的州徽。此時有人建議政府應該設法讓每名準備解甲歸田的軍人都能人手一部；華盛頓乍聞此建議大表贊同。但此事在國會反覆辯論遲遲猶疑不決；而阿兵哥們個個歸心似箭，一直等到大夥兒紛紛作鳥獸散——戰士授書案依舊懸宕未成，一片美

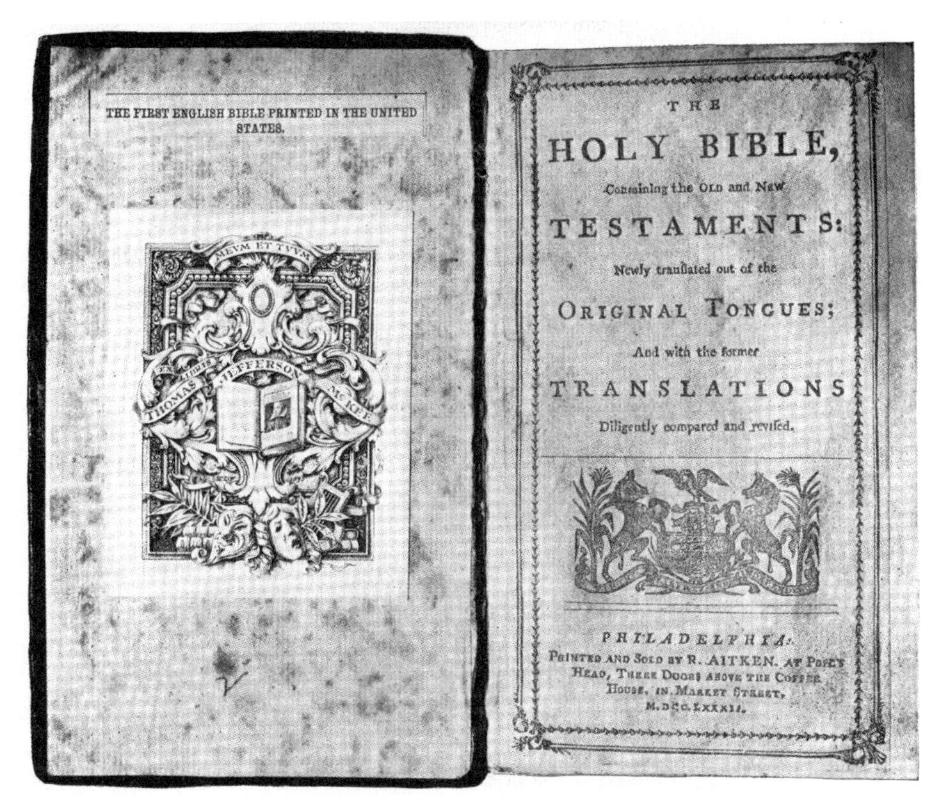

■首部在美洲印行的英文聖經（一七八二年）

意終成一場空談。當年國會的議事效率簡直跟今兒個沒啥兩樣。我手邊恰有一封華盛頓的親筆函，當中有一段提及此事，我將它迻錄如下：

台端對於艾肯（原信筆誤[103]）先生聖經之相關提議若能更早提出，必可獲在下之高度關切。然因國會做成解散軍部之決議，為數三分之二的軍人業已遣返復員，如今此一美意為時晚矣。倘國會當初能速納雅言，及時以此厚禮一一致贈我英勇袍澤子弟，以誌其保國衛民之豐功偉業，予豈不大快哉。

「艾特肯聖經」問世之後，不僅獲得前所未有的極高讚揚，但它所遭受（來自各方面）的非難也比以往諸本來得更多；即便那些中傷詆譭對它造成的傷害不可謂不大，但我們仍不可因而抹殺它當年的確帶給咱們老祖宗們閱讀上的極大滿足。各位必須留意，那些經文（《新約》、《舊約》皆然）的譯文源頭，就算不是斷簡殘編，八成也都是七零八落；如果你還記得若干年前咱們見過的那些照片的話，上頭那十幾二十張臉三不五時就來個東拼西湊、移花接木，那你就不難明白多處論及過往宗教派系傾軋的段落何以如此語焉不詳了。據說，希伯來文《舊約》譯成英文後成績頗不惡；但是自希臘文迻譯的《新約》（基於某種原因）則沒那麼理想。沒有任何一個譯文能讓所有學者一致滿意；這本著重文義，那本則以音韻見長。許多原始經文根本找不到意義相符的英文加以對應，於是只能勉強以意思差不多的字詞充數；何況大家可別忘了，我們眼前面對的作品，乃是出自一票天馬行空的作者、詩人，同時也是先知、哲學家、歷史學家與傳道人之手。不過，導致咱們聖經謬誤的主要原因或許來自：某位翻譯者或抄經人擅自加油添醋，把自己的觀點、註解，甚至褒貶一股腦兒全寫進稿紙裡頭，加上後來的抄寫者未能明察，不分青紅皂白將它們當成正文一再傳抄；這便足以簡單地說明，何以細心的讀者會被裡頭一大堆前後矛盾的內容搞得一個頭兩個大了。

我國一代鴻儒，已故的莫里斯・賈斯綽，曾於他的著作《諾諾犬儒》（此乃他對〈傳道書〉的戲稱）中十分精準地一一指出那些謬誤的出處、源由。試想：當某位父親打算從中挑出一句合適的話來教導兒子走上正途，結果他對兒子唸出第十二章開頭擲地有聲的那句：「汝當趁年幼記念造你的主。」要是有哪個好心人能事先告訴他，其實那一章的真正含義是：「能吃就吃、有得喝快喝、及時行樂，因為一切的一切，不折不扣，全是虛空，俱為捕風。」（“Eat, drink, and be merry, for verily all is vanity and vexation of spirit.”）104他不就可以及時避開陰溝裡翻船的麻煩嗎？

蓋〈傳道書〉行文用語優美如詩，恰如奧瑪之《魯拜集》，令虔誠教徒、昏庸犬儒皆不約而同銘記在心，一打開書本就彷彿不由自主聽見琴音飄送，一不小心便會沉迷於其旋律而忽略其意涵。我猜想：我的朋友，舊金山的亨利・納許[105]（我國的偉大印刷工）八成就是基於同樣的心態，才會乾脆親手製作出我生平見過最美的一冊聖經，他曾說：「我以雙手一一組排鉛字成書，無非只為一己之愉。」整部聖經裡頭提及「麵包」一詞，前前後後不下兩、三百回，可是誰會想知道，其實那年頭（不論《新約》或《舊約》寫就的年代）哪來這個字眼呢？或者，又有誰會在乎那段「惡人的燈必將熄滅」[106]能否修改得更對勁些？哪個人又因為〈主禱文〉被偷偷動過手腳[107]而到處哭爺爺告奶奶啦？

難不成，連那段描寫亞當、夏娃創生的美妙傳說，發生地點「伊甸園」（"the Garden of Eden"）也要改成「公園」（！）；或者，將諾亞逃避毀天滅地的大洪水時所乘的「一隻歌斐木造方舟」改為「一艘畫舫」，然後「裡裡外外抹上松香」[108]，好讓大家更加信服嗎？

今（一九二五）年適逢「廷德爾聖經」問世四百週年，我們正準備大張旗鼓地歡慶，各界莫不以大量印行新版聖經、發表連篇研究論文等熱鬧活動來紀念這個日子，但是我對其中絕大部分活動內容卻頗不以為然。我景仰聖經的程度絕對比得過任何人；說真格的，正因為我對聖經如此尊崇有加，才會不甘就此忍氣吞聲。一心一意致力於「譯筆之精益求精」的眾多人士，老是在枝微末節上頭猛鑽牛角尖，卻平白放任原有的文采大量流失，這些行徑在在都罪無可逭。科學家、學者們只要一個不小心，便極有可能摧毀咱們對於某一句曾令列祖列宗喜樂平安的經文的信仰，可是，面對處心積慮打算藉通俗語文讓聖經「大眾化」的一幫人，我們還有什麼話好說的呢？某節經文竟把莎樂美（Salome）形容為「一名舞姿無比曼妙、優雅年輕女郎」。聖路加頭一章那首原本絕佳的〈尊主頌〉（"Magnificant"）

■針繡裝幀的絕佳範例
詹姆士一世時期臻於巔峰的一項英國手藝。原尺寸為九吋寬十三吋高，上下兩面與書背皆有繡飾

居然被改成：「我的靈帶著無比虔誠景仰我的造物主，而我謹帶著狂喜傾盡全力歡慶主上的恩澤，誌其紆尊降貴眷顧我貧乏、敝陋卑職之顯赫德懿。」（"My soul with reverence adores my Creator, and all my faculties with transport join in celebrating the goodness of God, who hath in so signal a manner condescended to regard my poor and humble station."）109

我們從以掃拿名分換「一碗燕麥粥」的典故歸結出一句成語[110]——相對的，就像「拿伯的葡萄園」——其背後乃凝聚了咱們文學遺產之中何其漫長的歷程。竟然有人會比較喜歡「讓我嚐一口擱在那兒的紅豆糊。」此等智商真教人不寒而慄（奇怪得很，「一碗粥」這個詞兒倒是從未出現在任何版本的聖經經文之中。它來自一五三七年版「馬太聖經」某章節的標題，亦出現在一五三九年版的「大聖經」以及後來出版的數種版本裡頭）。

看倌！你不妨試著背誦〈詩篇〉第二十三篇，要是你背不出來，趕緊叫人把你的聖經拿出來唸給你聽。如果你無法感受它的優美，那你合著該去看精神科大夫了。你且再聽聽以下這段依莫法特[111]大博士建議改良過的句子：

有上帝引領我，我無任何匱乏；
祂令我靜臥翠綠草地，
祂帶領我至清澈甘泉，
且賜我以重生。
祂指引我以真理道路，
而祂自身即為真理。
我的道路或將穿越陰暗幽谷，
但我無懼傷損，只因有汝伴我一路相隨；
汝之法竿、汝之權杖，皆賜予我勇氣。[112]

好個「陰暗幽谷」！到底是哪位智者說過：「當心渾然不知誤入頭韻圈套」？莫大博士果真亂了方寸，應了那句：學問過大反令

◎一八四八年七月十九日伊利莎白．凱迪．史丹頓 在 Seneca Falls的Wesleyan循道宗禮拜堂進行美國首度的倡導女權演說

智昏[113]。

這年頭女權高漲，催生女性適用聖經的呼聲自然乃勢所難免。伊利莎白．凱迪．史丹頓[114]的心底顯然早就萌生這個念頭。這位女士組織了一支為數二十三人的娘子軍，而且，您瞧瞧喂，菲比．漢拿福[115]牧師還名列最前頭哩，她在一本擲地有聲的小冊子（於一八九七年在紐約出版，我手上這會兒正拿著一冊第三版）裡頭，號召麾下每名成員都去買一部聖經，將內文中所有提及女人的段落（從〈創世記〉起一直到〈啟示錄〉為止）一一標示出來；再將那些段落裁剪下來，貼到空白的簿子上，然後在每段經文下頭逐一改正、批註。

或許大家會對她們的舉動一笑置之（就算咱們國人同胞沒那麼缺德，至少在英國，無論一般社會或宗教領域，女性的權利無不處處遭到非常卑劣的歧視），但是我在此必須為她們講幾句公道話。實際上，數世紀以來，女人壓根不曾嚐過一絲一毫男人們自認為天經地義、理所當然的權力。她只要一嫁為人婦便只能以夫為貴：成了他的財產、成了他的牲口；而她的財產，也從此全歸他所有。為人妻子的三從四德並非空口白話，聖保羅（Saint Paul）之所以能夠如此嚴詞厲色、頤指氣使地指著太太說出——「破瓢爛盆」[116]——這種重話，乃是因為聖典（Holy Writ）裡頭早就把女人家合該遵守、奉行的事項寫得明明白白、清清楚楚呢。她們被殷殷告誡：應對丈夫恭馴，凡事須景仰、服從他，蓋丈夫乃妻子的主子，「正如同」基督為全體教徒的主子一樣。那些文句如今聽起來實在頗為粗魯霸道；說真格的，要求女人對成天喝得爛醉、一回到家還要拿她痛揍一頓的男人百依百順，也實在太強人所難了（直到今天，英國的法律還明文保障男人有「以粗細不超過大拇指的棍子調教妻子」的權利，有事沒事揍揍老婆打發時間，方便得很）。

我再舉一部「臭蟲」聖經——此諢號的由來是：該版本把〈詩

for sinners, the iust for the uniust, for to
bringe vs to God, and was kylled, as per-
teininge to the fleshe; but was quickened in
the spirite.

☞ In which spirite, he also wente and prea-
D ched vnto the spirites that were in prison,
which were in tyme passed disobedient, when
the longe sufferinge of God abode excedinge
paciently in ye dayes of Noe, whyle the arcke
was a preparing wherin fewe (that is to saie
viij. soules) were saued by water, which signi
fyeth .c. baptisme that nowe saueth vs, not ye
puttinge awaye of the fylth of the fleshe, but
in that a good conscience consenteth to God,
by the resurreccion of Jesus Christe, whyche
is on the right hande of God, + and is gone
into heauen, aungelles, power, and mighte,
subdued vnto him.

Gene. vi. b
Mat. xxiiij. d
Luc. xvij. f

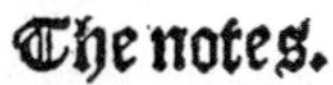

To dwell wt a wyfe accordinge to knowledge.

a. He dwelleth wyth his wyfe accordinge to
knowledge, that taketh her as a necessarye
healper, and not as a bonde seruaunte or a
bonde slaue. And yf she be not obedient and
healpfull vnto hym, endeuoureth to beate the
feare of God into her heade, that therby she
maye be compelled to learne her duitie and
do it. But chiefelye he muste be ware that he
halte not in anye parte of his dutie to her
warde. For his euill exemple, shall destroye
more then al the instruccions he can geue, shall
edifie.

X

To geue honour to the wyfe.

b. Erasmus in his annotacions, noteth out of
Sainct Jerome, that this honoure is not the
bowynge wyth the knees, nother the decking
wyth gold and preciouse stones, neither yet
the settinge of them in the vpper seates & high-

synne, th
as much
not after
of God.
spent the
wil of the
lustes, dr
in abomi
☞ And i
that ye ru
excesse of
of you, w
that is red
this purp
.a. vnto th
lyke other
before G
ges is at
+ Be pe
maye be a
ges haue
couereth t
berous o
ginge. A
minister t
nisters of
anye mar
spake the
tre, let h
God min
thinges m
Christ, +

■某初期聖經的頁面局部
此圖顯示出一則「註釋」多麼容易和內文混淆在一起難分難解，這種情形屢見不鮮篇〉中那句膾炙人口的「你必不怕黑夜的驚駭」，譯成：「汝必毋須畏懼黑夜臭蟲。」[117]——裡頭的一則註解竟然如此寫道（而且不是列在頁尾，也不是印在欄邊，而是以內文字體、和正文排在一起）：女人倘若對夫婿「不乖巧聽話、沒勤快利落」，他便可運用一切手段「將敬畏上帝的念頭揍進她的腦袋裡」[118]。這年頭動不動就撂這種狠話（恐怕只有街上的混混嘴巴裡能夠吐出那些字眼）的傢伙，恐怕還不曉得早在一五四九年版的聖經裡頭，就已經好端端地印著一道註解給他們當靠山了。

我在前頭向各位說明過：那些前後矛盾不一、語意含糊不清的段落，如何被頭腦簡單或粗枝大葉的抄寫員糊裡糊塗、不費吹灰之力挾帶進內文之中，長久以來屢屢成為誦讀經文的絆腳石。既然如此，眼見進步婦女挺身反抗充滿大男人的陽剛臭屁、進而反對「三位一體」的陳腐概念，並且主張上帝的概念應以聖父、聖母、聖子加以取代，咱們又何須大驚小怪呢？她們不滿的根源乃來自〈創世記〉頭一章第二十七節的經文：「神就照著自己的形象造人，」——此處的「人」（man）即泛指人類——「乃是照著他的形象造男造女。」接著，在隨後幾節經文之中，上帝先是讓亞當呼呼大睡了一覺，趁機從他身上偷了一根肋骨，用那根肋骨造出女人，再將那個女人奉送給那個男人。

話說回來，最教我感到不寒而慄的論調，則是出自西部某大學的一位教授之口，那位老兄認為咱們大家都過度倚賴他所謂的英國製聖經太久了，於是他煞有介事提出一項改善方案（十足美國大爺調調），呼籲國人以美式英文重新翻譯一遍，還信誓旦旦地保證他一定會提供必要支援！現在已萬事俱備，要是他果真付諸實行，而且喜不自勝地收到一封居住在紐約的某名黑人的來信，信中不但大力稱讚他英明睿智，還把他捧上了天，我們一點也不用感到意外。我非常相信這一點。

我猛然想起多年前《噴趣》刊登過一幅諷刺漫畫，譏笑庸人自擾終至徒勞無功的窘態。當時西奧多．羅斯福興致勃勃地頒布一項轟動一時的簡化英文拼字法案[119]。畫面中，那位大總統（他當時已榮登總統寶座）捲起袖子，揮舞一把碩大無朋的巨斧，使盡吃奶力氣朝一棵枝繁葉茂的英國橡樹（象徵英國語文）的樹幹猛砍，可是不管他怎麼汗流浹背，那棵樹硬是文風不動。肩上扛著大鐮刀的閻王老子打旁邊經過，瞧見那幕光景，便停下腳步喃喃自語道：「唷，有些人就是永遠長不大。」[120]

◎刊登在一九〇六年九月號《噴趣》上的漫畫「窮極無聊自找罪受」

有好那麼一陣子，聖經似乎偶爾被譏評為全天下印得最糟糕的書，再怎麼讀裡頭的文章（或可姑且稱之為詩）也分辨不出這個句子和那個句子之間的差野。我此處所指的自然是尋常的版本。

大家也不要忘了，早期的經文既無「章」、亦沒有分「節」；如此專斷的區分段落，純粹是為了讓內容讀起來更加清楚明瞭，不消說，還有更高明的斷句手法。譬如說，那段描寫智者於岩石上築屋的優美經文，或許就很合適印成一首詩：

任那雨水洗淋，
任那洪流沖刷，
任那暴風狂吹，
不斷撲打房子，
房子依然屹立不搖，
只因根基立於磐石之上。[121]

或聖保羅致科林斯人（Corinthians）的第一使徒書信裡頭那段意氣風

發的經文，也合該當成詩來讀，其中幾句還被英格蘭聖公會編成優美的祭文，整段引用太累贅了，我只寫出它的結尾：

> 死泯滅於勝利。
>
> 死啊！你得勝的權勢在哪裡?
>
> 死啊！你的毒鉤在哪裡? [122]

我們現在最迫切需要的並非一部全新譯本，也不是花力氣再印出更多本子，而是更透徹地參悟我們手頭上已經擁有的版本。不過話說回來，我恐怕逾越了自己的本分，我只是個藏書家，並非傳教士。

再把話題拉回到「公版」與「母版」聖經：它們後來還生出了一大堆子孫，恰恰應了那句「要生養眾多，遍滿地面，治理這地」[123]。如果印行量真能反映實際流傳情況的話，聖經可說是傳布極廣，十部排名在它後頭的暢銷書的全部發行量加起來也沒它多。完本聖經目前已經出版並發行了一百三十五種語文版本，若單單只算《新約全書》，數字還得往上再加一百。單單一八〇四年成立的「大英暨域外聖經公會」(British and Foreign Bible Society)一個單位就印行了數千萬部聖經。至於幾年前才在費城成立的「美國聖經公會」(American Bible Society)，初試啼聲便印行了超過兩千五百萬部完本聖經，和超過一千萬部的《新約全書》。若再將牛津與劍橋兩所規模龐大的大學出版社的產量也一併計算在內，完本聖經、《舊約全書》、《新約全書》每年的出版量粗估大約可達三百萬部上下。另一方面，相對於其龐大流通量，真正讀它的人卻仍嫌太少。這是一件憾事，因為不管就什麼角度而言，它都算得上「舉世最偉大的一部書」：其偉大的程度，就算哪個文明社會之中有人從未讀過它，他的日常生活也免不了受到它的影響，甚至是極為久遠的影響。

大家想必以為我說得興起，以至於忽略了〈傳道書〉裡的教誨：「且讓我們聆聽結論。」[124]而諸位或許把我想成一個剛剛才發現聖經之美的人（如果這麼想能令閣下開心的話也無妨）。那敢情好；我就套用那位年輕代理牧師令他的會眾瞠目結舌的話：「假使『詹姆士王版』配得上聖保羅，對我亦綽綽有餘。」[125]

【譯註】

1 我個人並非教徒，只曾於多年前旁修外系課程時，因課程需要粗淺讀過中文聖經，因此翻譯此章頗感吃力，若譯文出現曲解經文的地方還盼各方指正。其中關於英文聖經的部分內容乃參考淡江大學英文系蔡振興教授的論文〈英文聖經的版本演義與文學研究〉以及Alister McGrath的《當上帝開始說英文》（*In the Beginning, The Story of the King James Bible*. 2001，中譯本張曌菲譯，新新聞文化，二〇〇二年）。後者是瞭解「詹姆士王版」英文聖經來龍去脈的絕佳論著，亦是一部引人入勝的讀物。講述「詹姆士王版」英文聖經的書籍非常多，另一部值得向大家推薦的論著是*Adam Nicolson的Story in God's Secretaries: The Making of the King James Bible*（Harper Collins）。

2 「俗文聖經」（Vulgate）：即「通俗拉丁文本聖經」或（以音譯）稱「武加大譯本」，拉丁文"vulgata"意即「通俗本」。

3 「欽定版」（Authorized Version）、「詹姆士王版」（King James Version）分別為英、美兩國不同稱呼。

4 「舊世界」（Old World）、「新世界」（New World）：指歐洲、美洲（國）。

5 約翰·古騰堡（Johannes Gutenberg, c.1397-1468）：日耳曼印刷工匠、活版印刷發明者。生平不詳。現今視為現代書籍的鼻祖「古騰堡聖經」即在他手中完成。「古騰堡聖經」又稱「四十二行聖經」（42-line Bible），顧名思義該書每頁內文四十二行（其實在現存版本中，第一頁至第九頁為四十行、第十頁為四十一行）、分為兩欄。關於此書，可參閱John Man的《古騰堡革命》（*The Gutenberg Revolution: The Story of a Genius and an Invention That Changed the World*. 2001，樂為良譯，商周文化，二〇〇四年）

6 約翰·法斯特（Johann Fust, c.1400-1460）：日耳曼（緬因茲地方）印刷工、金匠。一四五〇年、一四五二年間（另一說一四四九年）貸款給約翰·古騰堡進行書籍的刷印作業，一四五五年以勝訴取得的古騰堡印刷設備，與未來的女婿彼得·修佛（Peter Schuffer, c.1449-1502）成立史上首度在商業獲致成功的印刷事務所。一四五六年出版古騰堡版《聖經》和《詩篇》（*Paslter*, 1457），其他產品有：教宗克雷蒙五世（Clement V, c.1260-1314）的《*Constitutiones*》（1460）、西塞羅的《論責任》（*De officiis*, 1465）……等書。

7 聖桀洛姆（Saint Jerome, ca.342-420）：古代神學家。出生於羅馬帝國史特利頓（Stridon），三五九年赴羅馬求學，約三七九年在安修奇亞（Antiochia，今土耳其Antakya）擔任神父，三八二年返羅馬擔任教宗達馬蘇一世（Darmasus I, 在位期間366-384）的教務秘書，銜命編訂統一本聖經；桀洛姆遂於三八五年定居伯利恆埋首編譯。該譯本遲至十六世紀中葉，才經川特公議會（Council of Trent，天主教廷第十九次公議會）確立為法定版本。

◎聖桀洛姆，Michelangelo Merisi da Caravaggio繪

8 喬西亞·H. 潘尼曼（Josiah H. Penniman, 1868-1940）：美國學者。一九二一年至一九四〇年擔任賓州大學第十四任校長。《關於英文聖經的一部書》（*A Book about the English Bible*），一九一九年紐約麥克米蘭公司出版。

◎喬西亞·H·潘尼曼（約1939）

9 眉標（catchword）：早期書籍將每頁內容綱要印在該頁前緣（或末行）以方便翻查，現今的辭書仍保留此項作法，一般書籍則進化為內文小標題眉標（running titles）；另一層意義（亦是本文所指）則是指早期印本書的排字傳統：在每頁末行欄外（右下角）會印上次頁頭

一個字，而每頁首行欄外（左上角）亦會重複印上前一頁最後一個字，稱為「導字」或「導詞」，此原為昔年進行裝訂時避免排頁失誤的措施，亦成為版本學家校勘某部古書是否有缺頁、錯頁的重要依據。

10 巴黎的法國樞機大主教馬札蘭（Jules Mazarin, 1602-1661）藏書樓。一七八七年Luc Vincent Thierry在其著作*Guide des amateurs et des étfrangers voyageant B Paris*中率先披露此藏本：「馬札蘭學院藏書約六萬卷，其中包括對開兩卷本聖經乙部，內頁以哥德字體印製、每章頭字母皆以徒手彩筆描繪。此部未註明出版時、地之聖經，誠極古極希之物也。」（The library of the Mazarin College comprises about 60,000 volumes, including a Bible in two in-folio volumes and printed in Gothic characters. The initials of each book of the Bible are drawn and colored. This Bible, which bears neither a date nor a place of printing, is very old and very rare.）迪柏丁於十九世紀初赴歐訪書（參見附錄II譯註18）時曾特地親訪此本，並在《法、德訪書訪古覓奇之旅》中表示：「吾念茲在茲欲睹此聖經凡十二載……蓋此本乃該版至精之善本，以馬札蘭聖經作為該版稱謂亦不為過。」（For 12 years, I harbored the ardent wish to see that Bible... because it is the perfection of that copy which led to the entire edition being called the Mazarin Bible.）

◎馬札蘭大主教，Paul Guth繪

11 截至二〇〇〇年的普查結果，全世界現存「古騰堡聖經」共有四十八部（其中僅二十一部完本）。詳細的分布地點（典藏單位）可參閱網站 http://www.clausenbooks.com/gutenbergcensus.htm。

12 即郝氏藏品拍賣會（參見第一卷II譯註3）。

13 本文發表後翌年（一九二六年），羅森巴哈在一場拍賣會上以美金十萬六千元購得一部「古騰堡聖經」，轉手售予哈克尼斯（參見第四卷III譯註5），該本現藏普林斯頓大學。一九九六年三月二十二七日，日本慶應大學圖書館向丸善書店購得一部（僅第一卷之三百二十四葉），丸善書店則是於一九八七年十月二十二日的克利斯蒂拍賣會上以美金四百九十萬元標得加州「Edward Lauerence Doheny紀念圖書館」原藏殘本；至於完本的成交記錄則可溯至一九七八年四月七日克利斯蒂公司在紐約拍賣的紙本兩卷完本，原屬紐約高等神學院（NY General Theological Seminary）藏本，得標價格是美金兩千兩百萬元（買主是Bernard Breslauer，現藏司圖卡特Württembergische Landesbibliothek）；同年，德州大學的「Harry Ransom人文中心」以美金兩千四百萬元，購得原屬卡爾·福澤默（參見本卷II譯註53）自藏的紙本兩卷本（福澤默本人則是於一九二三年委託羅森巴哈，以九千五百英鎊自倫敦蘇富比拍賣會中標得）。「古騰堡聖經」（不論殘本或完本）現今幾乎已不在市場上流通（倘若真有，價格必定不下紐頓所言之百萬之譜），倒是偶爾可見手中握有殘本的書商將它拆散以零葉出售，我最近在某古書目錄上看到一部加了皮面裝幀的零葉，定價高達美金六萬五千元。

14 亨利·史帝芬斯（Henry Stevens, 1819-1886）：美籍英國古書商。原籍佛蒙特州（Vermont）。一八四五年赴英，在倫敦從事古書掮客兼書探子。直到去世前，他一直都在該地從事相同的行業，曾經手販售許多珍本給大英博物館，頭一部出土的《帖木兒》（*Tamerlane and Other Poems*, Boston: Calvin F. S. Thomas, 1827，愛德格·愛倫·坡以「波士頓某氏」名義發表的首部詩集，存世僅十二部）便是由他於一八五九年購自波士頓書商Samuel G. Drake後，連同一批波士頓地方出版品低價轉賣給大英博物館；史帝芬斯曾為好幾位美國藏書家湊齊他們的私人藏書。他的生意現由兒子與合夥人繼承（行號稱為Henry Stevens, Son, and Stiles）。史帝芬斯個人集藏的美國學相關藏書，於一八六一年三月六日起至二十三日止，分八天由Puttick and Simpson在倫敦進行拍賣（共兩千四百一十五件拍賣品）。

15 詹姆斯·雷納克斯（James Lenox, 1800-1880）：十九世紀美國藏書家、慈善家。其藏書多得力於亨利·史帝芬斯代為蒐羅。一八九五年雷納克斯藏書併入紐約公共圖書館。可參考史帝芬斯著作《詹姆斯·雷納克斯藏書成形瑣記》（*Recollections of James Lenox and the Formation of His Library*, London: Henry Stevens & Son , 1886、New York: New York Public Library , 1952 V. H. Paltsits修訂版）。

16 一八四七年，亨利·史帝芬斯在倫敦蘇富比的威爾克氏（Wilkes）拍賣會上代美國藏書家雷納克斯投標，買下一部「古騰堡聖經」（藍色摩洛哥羊皮舊式裝幀兩卷略殘本）。當時的成交價五百英鎊，被當地報紙形容為「瘋狂」（mad）。

17 喬治·布林利（George Brinley, 1817-1875）：十九世紀美國藏書家。早年自波士頓遷徙至康乃狄克州哈特福（Hartford），為當地首屈一指的大地主。布林利歿後，大量藏書分多次拍賣：一八七九年三月、一八八〇年三月、一八八一年四月、一八八六年十一月（Leavitt）、一八九三年四月（Libbie）。

18 該部「古騰堡聖經」為紙本兩卷本殘本（缺其中五葉內文），一八七〇年被布林利購進美國，漢彌爾頓·柯爾（Hamilton Cole, 1844--1889）在一八八一年的布林利拍賣會中以美金八千元標得。該本子後來在許多藏書家之間數度易手。最後，約翰·H. 薛德（John Hinsdale Schiede, 1875-1942）於一九二四年自羅森巴哈手中購入，並於一九三四年至一九三七年間陸續購得零葉加以配補。薛德歿後，其藏書入藏普林斯頓大學，校方成立「約翰·H. 薛德圖書館」（John H. Schiede Library）加以典藏。

19 一九二〇年十一月九日，紐約古書商加伯瑞爾·威爾斯在倫敦蘇富比拍賣會上購得一部「古騰堡聖經」（原藏主Robert Curzon因有另一部，故將複本出售），由於該本殘缺不全（內頁約短少五十葉），他決定予以肢解零售，除了抽出少數可獨立成書的章節之外，其餘大部分則以零葉形式出售。威爾斯還為每幅零葉配上精緻的大開本（高40公分，寬28.8公分）皮面裝幀，題以《尊貴的斷簡殘編》（*A Noble Fragment, Being a Leaf of the Gutenberg Bible 1450－1455*），並邀請紐頓撰寫一篇詳介專文附在其中。該「零葉本」（leaf book）於一九二一年上市，當初的訂價是每部美金三百元，後來在古書市場上以驚人速度增值，一九九五年「橡樹丘書店」的目錄（no. 168）上標價為美金一萬九千五百元。

20 凱德蒙（Caedmon, ?-c.680）：盎格魯撒克遜時代詩人。生平不詳，活躍於約六五八年至六八〇年間。凱德蒙為英國首位有姓氏可考的詩人，他遺留下來的手稿現藏波德里圖書館。

21 聖畢德（Saint Bede, 673?-735）：盎格魯撒克遜時代學者、史學家、神學家。「高尚畢德」（"Bede, the Venerable"）為畢德受封「聖人」之前的封號。

◎畢德《英格蘭教會與民眾史》（*History of the English Church and People*, 1722）

22 約翰·威克里夫（John Wycliffe, 1330-1384）：十四世紀英國宗教改革先驅。他為了讓平民亦可讀懂聖經，努力催生第一部英譯本，加上他不時抨擊教會腐敗，被當時掌握宗教權力者視為大逆不道。他於一三八〇年譯成《新約》，《舊約》則於一三八四年由其弟子John Purvey修編完成。

23 威廉·廷德爾（William Tyndale, 1494-1536）：十六世紀英國聖經翻譯者。因譯寫聖經（內容深受馬丁·路德派教義的影響）以異教徒罪名下獄，後來在比利時遭處決。

24 指昔時歐洲皇室、貴族統治階級。

25 據福克士《殉道者全書》(參見第一卷Ⅲ譯註29)所載:某日廷德爾與一群自詡飽學的教士同桌言詞交鋒。某人說道:「吾輩與其遵從神之律法,還不如奉守教宗旨意。」("We are better to be without God's laws than the pope's.")廷德爾聞言不以為然:「吾蔑視教宗及其一切旨意。」("I defy the pope and all his laws.")並信誓旦旦地誇口:「若得上蒼垂憐容吾苟活,不消數年光景,吾必能令執鋤操犁之村童嫻熟經文猶勝座上諸公。」("If God spare my life, ere many years I will cause a boy that driveth the plough to know more of the Scripture than thou dost.")

26 一五二六年,廷德爾的小開本英譯《新約全書》暗中輸入英國,此舉被官方查獲,搜出來的本子全遭焚毀。廷德爾得知此事後,於一五二八年五月出版的《惡毒財神寓言故事》(*The Parable of the Wicked Mammon*,首部由廷德爾掛名的著作。印行者為安特衛普的Johannes Hoochstraten,但其珂羅封故意印成"Hans Luft of Marburg")序言中聲稱:「容或若干人有問於我:既然此部福音遲早會遭焚毀,何苦還自找麻煩寫作此書。余答以:渠等焚燒《新約》並不出我意料;若渠等亦投余入火,亦為天意注定不得不然也。無論如何,繙譯《新約》乃吾職責所在……」("Some will ask peradventure why I take the trouble to make this work, inasmuch as they will burn it, seeing they burnt the Gospel: I answer, in burning the New Testament, they did none other thing than that I looked for; no more shall they do if they burn me also; if it be God's will it shall be so. Nevertheless, in translating the New Testament I did my duty...")

27 邁爾斯・卡佛戴爾(Miles Coverdale, 1488-1569):英國神職人員、聖經翻譯者。

◎邁爾斯・卡佛戴爾

28 "Praie for us, that the worde of God maie have free passage and be gloified.":見《新約・帖撒羅尼迦後書》(2 Thessalonians)第三章第1節。此句以及以下各《聖經》引句的譯文原則上皆以此間通行的和合本為準,內文則為了行文順暢起見略有修整。

29「路德聖經」(Luther's Bible):一五二二年,德國宗教改革者馬丁・路德(Martin Luther, 1483-1546)將聖經譯成德文出版。

◎馬丁・路德

30 約翰・羅傑斯(John Rogers, 1500?-1555):十六世紀英國宗教改革者。

31 指史密斯斐市集(Smithfield Market)。現在是倫敦市內佔地最廣(十英畝)的肉品市場(更早之前的中世紀則為牲口市場)。從十四世紀起長達四百年,此處被當成處決人犯的最佳地點。史密斯斐由於地處平坦,名稱源自古稱「平緩地」(Smoothfield)。電影《依莉莎白》(*Elizabeth*, 1999)片頭就是一場瑪麗女王時代在史密斯斐焚燒「異教徒」的驚心動魄場面。不過各位讀者不要忽略,由於英國自亨利八世起,國定宗教便一再更迭,此種迫害不同派別教徒的手段並不獨「血腥瑪麗」專美,歷代與繼任各朝英王全都幹過。

32 湯瑪士・克倫威爾(Thomas Cromwell, 1485?-1540):英國政治家。年輕時在海外擔任軍人,返國後經營羊毛買賣,後來成為律師,並於一五二三年進入國會、擔任紅衣主教伍爾習(Cardinal Wolsey)的秘書;一五三一年他晉身國王的策士,翌年榮任內閣首席大臣。任內通過許多反對宗教改革的法案,招致不少民怨;尊亨利八世為「英格蘭聖公會至高無上首腦」("supreme head of the church in England")或許正是出自他的主意。最後失勢被政敵斬首。

33 湯瑪士・克蘭莫(Thomas Cranmer, 1489-1556):十六世紀英國神職人員。

34 佛杭濟・雷格農(Francis Regnault):法國印刷工。

35 異端裁判所(the Inquisition,全稱為"the Holy Office of the Inquisition"):起源自十三世紀

教宗葛立果里九世（Gregory IX, 1170-1241，在位期間1227-1241）為了管控各天主教地區的信仰忠貞度，責成羅馬教廷設立的宗教法庭，有至高權力審判各地叛教分子並執行罰刑。異端裁判所後來幾乎成為教廷的特務機構，在各地的血腥劣跡多不勝數。Umberto Eco小說《玫瑰的名字》（*Il nome della rosa*, 1980，皇冠文化出版，謝瑤玲譯，一九九三年、二〇〇二年）中草菅人命的異端裁判官Bernardo Gui的嘴臉可見一斑。

36 理察・格拉夫頓（Richard Grafton, ?-c.1572）：十六世紀倫敦書坊主人、愛德華六世的御前印工。

37 艾德蒙・波拿（Edmund Bonner, 1500-1569）：十六世紀英國學者、外交家。曾分別被派往教宗克雷蒙七世（一五三二年）、佛杭濟一世（一五三八年）、查理五世（一五四二年）等處擔任公使。

38 愛德華・懷丘齊（Edward Whitchurch）：十六世紀英國印刷工。

39（小）漢斯・霍爾班（Hans Holbein, the younger, 1497-1543）：十六世紀英國畫家、版刻家。

40 奧立佛・克倫威爾（Oliver Cromwell, 1599-1658）：十七世紀英國清教徒。十七世紀中葉，英國皇室與議會的扞格日深，終引發內戰；克倫威爾率領擁護議會的「圓顱黨」（Roundheads）擊敗保皇的「騎士黨」（Cavaliers）、驅逐英王查理一世，建立共和政體（參見第四卷Ⅲ譯註27），在位最後五年人稱「護國公」（Lord Protector）。但克倫威爾後來漸趨獨裁，甚至遺命自己的兒子繼任「護國公」，但此人治國無方，終引發保皇人士將流亡在外的查理一世之子查理二世迎回視事，開啟「復辟時代」（Restoration）。查理二世重掌政權後，將克倫威爾及其黨羽的棺木掘出懸屍示眾（參見第二卷Ⅱ譯註13）。

41 這個情急生智、錯把張飛比岳飛、將莎士比亞抬出來應卯胡謅一通的渾小子用來答題的那句話乃出自《亨利八世》第三幕第二景末尾，伍爾習老來失勢，眼見即將揮別榮華富貴，因而對湯瑪士・克倫威爾興嘆。原台詞是：「……倘我當初侍奉上帝能及我事君赤忱之半，他必不致令我臨老猶須赤手空拳面對敵人。」（“... / Had I but served my God with half the zeal / I served my king, he would not in mine age / Have left me naked to mine enemies.”）。

42《公禱書》（*Book of Common Prayer*）或稱「愛德華六世祈禱書」（*The Prayer Book of Edward Sixth*）：一五三四年英國與羅馬教廷斷絕關係，亨利八世除了保留原天主教儀式又亟思建立一套獨創的膜拜系統。一五四七年愛德華六世年少繼任王位，仍奉英國國教為正宗，便於一五四九年編修《公禱書》供教會使用。

◎《天路歷程》（London, 1728）插圖，史都爾特版刻

43 約翰・史都爾特（John Sturt, 1658-1730）：英國版刻家。一六八〇年曾為當時的名書法家John Ayres《賢達牧師》（*The Accomplished Clerk*）製作書中插圖。

44 小／大紙本（small/large paper edition）：嚴格而言，在版本分野之中，有「大紙本」，並無所謂「小紙本」（因為其本身就是正常形態，毋須另加贅述）。小、大紙本在內容上完全一致，其差別正如字面上的意義。大紙本乃是印在尺寸較大的紙張上，成書後每頁的外緣空白較寬（裝訂後自然開本較大）、版面比小紙本舒朗開闊。大紙本通常是書籍印刷過程中為了特殊用途（如準備呈獻給王公貴族）製作的極少數成品，其版本價值自然較高。十八世紀的經典則常以兩種版本同時問世。

45 石磚巷書店紐約分店：參見第二卷Ⅲ譯註44。

46 山繆爾・普特南・埃佛利（Samuel Putnam Avery, 1822-1904）：美國書、畫收藏名家。原本是版刻師，後來成為畫商。埃佛利所藏畫作現今藏於紐約公共圖書館。

47《賀拉斯作品集》（*Horace Opera*）兩卷：正式書名應為*Quinti Horatii Flacci Opera*，為Quintus Horatius Flaccus（習稱Horace）文集。一七三三年至一七三七年倫敦約翰・派恩（Johannes Pine）出版。

48〈寶血活泉〉（"There is a fountain filled with blood"）：威廉・考伯（參見第一卷V譯註13）的讚美詩。有興趣知道中譯詞曲內容的讀者請參見http://www.hkmbc.org.hk/worship/hymn/Index-t.htm。

49 以薩克・魏茨（Isaac Watts, 1674-1748）：英國傳教士、詩人。年輕時即獲「英國讚美詩之父」稱號。

50 此處引錄魏茨作的讚美詩〈妙音〉（"Melody"）的前兩段。全部詩文如下："Blest is the man whose bowels move, / And melt with pity to the poor; / Whose soul, by sympathizing love, / Feels what his fellow saints endure. // His heart contrives for their relief / More good than his own hands can do; He, in the time of gen'ral grief, / Shall find the Lord has bowels too. // His soul shall live secure on earth, / With secret blessings on his head, / When drought, and pestilence, and dearth / Around him multiply their dead. // Or if he languish on his couch, / God will pronounce his sins forgiv'n; / Will save him with a healing touch, / Or take his willing soul to heav'n"

51 愛德華六世、瑪麗一世、依莉莎白一世，這三位兄妹是都鐸（Tudor）王朝最後三任英國君王，各由不同母后所生（父親皆為亨利八世），在位期間依序為一五四七年至一五五三年、一五五三年至一五五八年、一五五八年至一六〇三年；依莉莎白一世去世後，由蘇格蘭的詹姆士六世繼位（在位期間一六〇三年至一六二五年），改號詹姆士一世，開啟斯圖亞特（Stuart）王朝。

52《舊約・創世記》（Genesis）第三章第7節的內文是：「他們二人的眼睛就明亮了，才知道自己是赤身露體，便拿無花果樹的葉子為自己編作裙子。」「詹姆士王欽定版」原文為："And the eyes of them both were opened, and they knew that they were naked; and they sewed fig leaves together, and made themselves aprons." 一五六〇年在日內瓦出版的「日內瓦聖經」（即「短褲聖經」）的最後一句則為："making themselves breeches out of fig leaves"。

53「今交易所之聖巴多羅買（教堂）」（〔Church of〕St. Bartholomew-by-the-Exchange）：指稱一個曾經有過今已不存的建物地點。位於舊倫敦城中心，現址為皇家證券交易所（Royal Exchange）。聖巴多羅買教堂最早見諸史料可遠溯一一五〇年，一四三八年一度修建；一六六六年毀於倫敦大火，一六七四年至一六七九年重建；一八四〇年至一八四一年，為了要興建交易所，教堂地上建築被拆除，除了少數物品出售之外，大部分硬體材料於一八四八年往北移至摩爾道（Moor Lane）重新組建，教堂從此改名「瘸子門摩爾道之聖巴多羅買教堂」（〔Church of〕St. Bartholomew Moor Lane, Cripplegate）。卡佛戴爾於一五六八年葬於此地。

54「倫敦橋之聖馬格納斯（教堂）」（〔Church of〕St. Magnus, London Bridge）：位於舊倫敦橋頭（距「聖巴多羅買教堂」原址不遠處），設立時間早於一〇六七年。

55 羅勃・達德利（Robert Dudley, 1532?-1588）：依莉莎白女王的寵臣。兩人相識於倫敦塔的牢獄中，依莉莎白即位後將他延攬到身邊服侍，一度封他為萊切斯特伯爵。後世偶有關於兩人韻事的傳聞。

56 一五八二年在法國理姆斯（Rheims）出版的《新約全書》是史上首部以英文印行的羅馬天主

教聖經。參與譯寫的學者皆是在依莉莎白一世治下流亡歐陸的秀異天主教徒。

57 此文至此，似乎有必要對英國獨樹一幟的「英國國教」的來龍去脈稍作解釋：約於一五三二年至一五三四年間，英王亨利八世因一己的王位與納妃問題與羅馬教廷頻生齟齬，他索性順勢切斷與羅馬天主教廷長達數百年的從屬關係，並逕自宣告英格蘭教會自此不再奉羅馬教廷為最高權力機構，再透過由他一手操控的議會聲稱自己為「英格蘭聖公會在人間最高的首腦」，英國國教於焉誕生。但此階段的英格蘭聖公會除了與羅馬教廷不相往來之外，於體制儀式乃至內涵仍與原本的天主教並無二致，直到愛德華六世時期改革教義，另行編製《公禱書》，英國國教自此更具備主體色彩。瑪麗女王即位後，因她與西班牙的血緣關係（瑪麗的母后為西班牙裔），英格蘭重回與羅馬天主教的懷抱，對內則極力迫害新教徒（包括自己的妹妹，即後來繼任王位的依莉莎白一世）。英國宗教於是在天主教、國教與基督新教之間來回更迭，血腥的宗教彈壓綿延甚久。

58《舊約．耶利米書》（Jeremiah）第八章第22節的經文是：「在基列豈沒有乳香呢？在那裡豈沒有醫生呢？我百姓為何不得痊癒呢？」「詹姆士王欽定版」原文為："Is there no balm in Gilead; is there no physician there? Why then is not the health of the daughter of my people recovered?"；「糖蜜聖經」的第一句則為："Is there no treacle...?"（「……豈沒有糖蜜呢？」）。

59「葡萄園工人的譬喻」見《新約．馬太福音》第二十章。原文為："vineyard"（葡萄園）；「葡萄醋聖經」以一字之差誤印為："vinegar"（醋）。

60 約翰．巴斯克特（John Baskett）：英國印刷工。一七一七年擔任御前印刷工。

61 原文為「差錯一籮筐」（Basketfull of Errors）。蓋「籮筐」（basket）與「巴斯克特」異字同音。中譯難以傳達諧音字，姑以「百響磕頭」與「巴斯克特」勉強對仗。

62 安東尼．潘尼齊（Anthony Panizzi, 1797-1879）爵士：英國圖書館學者。原籍義大利，一八二三年定居英國（一八三二年歸化入籍）。一八三一年至一八三七年在大英博物館擔任館員；一八三七年至一八五六年任印本書部門主管；一八五六年至一八六七年升任館長。他於一八三九年制定的「九十一條」（91 rules）成為往後館編目錄的基礎，他的貢獻還包括：設計出圓形的大閱覽室、（一八四六年）推動法案確定英國境內出版物均須提供一部供館方典藏（後來成為各國家圖書館的慣例）。

63 約翰．萊蘭茲（John Rylands, 1801-1888）：十九世紀英國曼徹斯特紡織富商。歿後由遺孀Augustina Rylands成立約翰．萊蘭茲圖書館（一八九九年落成啟用）。

64 亨利．蓋皮（Henry Guppy, ?-1948）：英國學者。一八九九至一九四八年擔任萊蘭茲圖書館館長。

◎安東尼．潘尼齊，出自《浮華世界》雜誌（*Vanity Fair*, 1874）

65 約翰．雷農茲（John Rainolds, 1549-1607）：十六世紀英國教士、聖經學者。他隸屬「低教會派」（Low Church，英國國教中一支，一六〇四年他以清教徒代表身分出席的漢普頓宮會議，會中建議英王製編新譯本聖經（即後來的「詹姆士王欽定版」），並參與其中〈先知書〉（Prophets）的翻譯工作。

66〈道茲報告〉（"Dawes Report"）：美國針對戰（第一次世界大戰）後向德國索賠問題的計畫案，由查爾斯．道茲（Charles Gates Dawes, 1865-1951，身兼工程師、律師、政治家、公用事業專家、銀行家、慈善家、軍人、政府財政預算家、音樂家等多重身分）於一九二四年主持研擬。因此方案協助重整德國趨於破產的財政困局，致力於平衡預算與穩定通貨膨脹，使道

◎道茲

茲因而於次年（一九二五年）與當時的英國外交大臣奧斯丁・張伯倫同獲諾貝爾和平獎。

67 歐文・D. 楊（Owen D. Young, 1874-1962）：美國商界人士。年輕時曾執律師業，一九一二年起擔任奇異公司的律師。道茲計畫於一九二四年付諸執行，由於楊居中牽線，奇異公司給予希特勒不少政治獻金。

68 紐頓此段原文引號內的文句皆引自一六一一年「詹姆士王版」的前言〈譯者群致讀者〉(The Translators to the Reader)，除了最後一則(“nothing is begun and perfected at the same time.”)語出其中第十二節“A Satisfaction to Our Brethren”，其餘則摘自第十五節“The Purpose of the Translators, with Their Number, Furniture, Care, etc.”。關於「詹姆士王欽定版聖經」的形成原委以及版本說明，茲略加補充如下：一六〇三年詹姆士王即位之初，清教徒教士屢屢上告陳情。國王便於一六〇四年一月十四日以“hearing and for determining of things pretended to be amiss in the church”為名義假漢普頓宮（Hampton Court）召開會議，「漢普頓宮會議」（“Hampton Court Conference”）共進行三天。約翰・雷農茲於會中提議編修《聖經》新譯本，雖然其他與會人士均加以反對，但國王仍接受該案並下詔進行。奉命執行任務的五十四位頂尖學者共分為六組，其中三組譯寫《舊約》，另三組則負責《新約》；工作則在牛津、劍橋、與「近畿」西敏斯特分頭進行（《舊約》、《新約》各派駐一組到各地）。根據H. Wheeler Robinson在《開放聖經》(*The Open Bible Expanded Edition*, Thomas Nelson, Inc., 1985）中的考據（以下雙引號內文句為Robinson的話）：牛津小組由欽點教授希伯來文學者John Harding博士與雷農茲主持，『其博學強記近乎奇蹟』，旗下有『希伯來文化手到拈來』的Miles Smith（?-1624）博士、『精通、嫻熟拉丁語、希臘語、迦勒底語、阿拉伯語、衣索匹亞語』的Richard Brett（1567-1637）博士、曾為克里索斯托（John Chrysostom, 347?-407）編纂文集的Henry Saville（1549-1621）勛爵、以及『最有名的拉丁學家、希臘學家、賢哲』的希臘文學者John Harmer博士；劍橋小組原由欽點教授Edward Lively主持，但他於一六〇五年病逝（正式工作甚且尚未展開），改由Robert Spalding博士頂替，成員包括通曉希臘語、希伯來語的Lawrence Chaderton（1537-1640）博士、『希伯來語、希臘語皆能出口成章』的Thomas Harrison、『渾身充滿希臘細胞、極為勤勉賣力』的Andrew Downes、與『國寶級的希伯來文、希臘文學者』John Bois；西敏斯特小組由西敏斯特教長（後來升任至主教）、『可為巴別（Babel）城內居民翻譯互通話語』的Lancelot Andrews（1565-1626）領軍，成員囊括希伯來專家Hadrian Saravia（1530-1612）、當時最偉大的阿拉伯學者William Bedwell（1562?-1632）等首屈一指的人士。原始編制共有五十四人，但由於部分成員於過程中因故離去（譬如死亡），最後列名者僅四十八位。編製工作於一六〇七年開始，至一六一〇年結束，翌年印行初版，書中超過三百處錯植、印誤則在一六一三年版加以改正（後來再由John Bois、Samuel Ward校定，印行一六二九年版、一六三八年版）；由於當時英文拼字尚未完全確定、統一，此書歷經多次改版，進行修訂拼法、增補新字等手續（包括一七六二年Thomas Paris修訂版、一七六九年Benjamin Blayney修訂版等）。一七〇一年版的內容按時序排列、註於邊欄，一七六〇年代，編欄加入約三萬筆註釋。原本世人皆以《聖經》(“the Holy Bible”）直呼本書，直到一八八一年，由於出現另一部以希臘文古抄本為底本的新版本，故該本從此被定名為「欽定版」(Authorized Version, AV）或「詹姆士王版」(King James Version, KJV)。

69 紐頓此處引用一六一一年「詹姆士王版」前言〈譯者群致讀者〉。

70 “In the beginning was the word, and the word was with God, and the word was God.”：《新約・約翰福音》第一章第1節經文。

71「童貞女王」（Virgin Queen）：即依莉莎白一世。

72 史特拉福（Stratford）：位於英格蘭中部沃立克郡內。莎士比亞的出生地。

◎《學問進階》（Oxford: Printed by Leonard Lichfield for Robert Young & Edward Forrest, 1640）

73《學問進階》（*Of the Advancement and Proficience of Learning, or, The Partitions of Sciences*）：培根著作。一六〇五年出版。

74《新工具》（*Novum Organum*）：培根著作。一六二〇年出版。

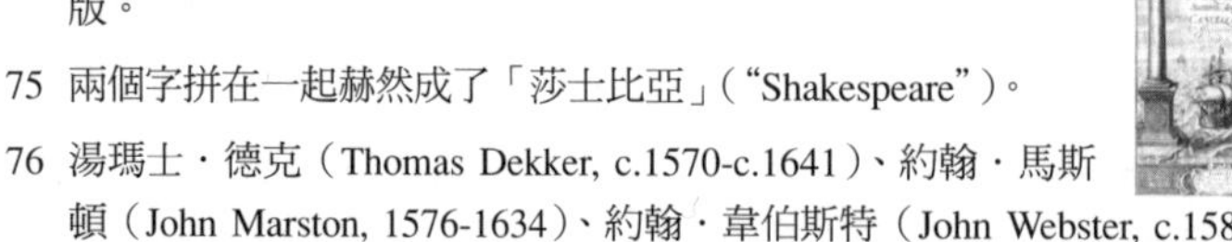

◎《新工具》書名頁

75 兩個字拼在一起赫然成了「莎士比亞」（“Shakespeare”）。

76 湯瑪士．德克（Thomas Dekker, c.1570-c.1641）、約翰．馬斯頓（John Marston, 1576-1634）、約翰．韋伯斯特（John Webster, c.1580-c.1625）、菲立浦．麥辛杰（Philip Massinger, 1583-1640）、法蘭西斯．鮑芒（Francis Beaumont, c.1584-1616）、約翰．佛萊契（John Fletcher, 1579-1625）：皆為依莉莎白（一世）時代劇作家。

77 羅勃．索恩（Robert Thorne）：十六世紀布里斯托貿易商的商務代表。

78 “There is no land uninhabitable, no sea innavigable to an English man.”：語出羅勃．索恩於一五二七年印行的小冊子《索恩方略》（*Thorne's Plan*），內容出自他稍早前上書亨利八世，建議拓展東方航路。

79 約翰．史密斯（John Smith, 1580-1631）：英國航海家、殖民先驅。

◎約翰．史密斯

80 班雅明．狄茲拉勒向來被史學家定位為帝國主義的先聲，他於擔任英國首相期間揭櫫的治國方針皆已此為張本。

81 引自惠特曼長詩〈印度之旅〉（“Passage to India”, 1900，收錄於《草葉集》）第一一九至一二二句。

82 羅勃．G. 殷格索（Robert Green Ingersoll, 1833-1899）：十九世紀美國無神論演說家。

◎羅勃．G. 殷格索

83 湯瑪士．赫胥黎（Thomas Henry Huxley, 1825-1895）：十九世紀英國生物學家。

84 多夸托．塔索（Torquato Tasso, 1544-1595）：文藝復興晚期義大利詩人。代表作是描寫十字軍東征的敘事長詩《解放耶路撒冷》（*Gerusalemme Liberata*, 1581，Edward Fairfax英譯版*Jerusalem Delivered*, 1600）。

◎多夸托．塔索

85 阿里基耶利．但丁（Alighieri Dante, 1265-1321）：義大利中古時代作家。

◎但丁，出自《百位歷史名人》（*The Hundred Greatest Men*, New York: D. Appleton & Company, 1885）

86 引自赫胥黎的〈英文聖經及其發展〉（“The English Bible & Its Development”），收錄在《增補版詹姆士王開放聖經》（*The King James Open Bible, Expanded Edition*）之中。紐頓此處引文與原文略有出入，原文應為“Consider the great historical fact that for three centuries this book has been woven into the life（紐頓引文缺“the life”） of all that is best and noblest in English history; that it has become the national epic of Britain（紐頓作“Great Britain”）, and is as familiar to the noble and simple, from John-o-Groat's House to Land’s End（紐頓作“from John o’ Groat’s to Land’s End”）, as Dante and Tasso（紐頓作“Tasso and Dante”） once were to the Italians; that it is written in the noblest and purest English, and abounds in exquisite beauties of pure（紐頓缺“pure”） literary form; and finally that it forbids the veriest hind who never left his village

to be ignorant of the existence of other countries and other civilizations, and of a great past stretching back to the furthest limits of the oldest civilizations（紐頓作“nation”） of the world.”

87 “If there were no God we should have to invent one.”：語出法國作家、名哲伏爾泰（Voltaire，本名Francois Marie Arouet, 1694-1778）。見《*Epître à l'Auteur du Livre de Trois Imposteures*》。

88 湯瑪士·傑佛遜（Thomas Jefferson, 1743-1826）：美國第三任總統（任期一八〇一年至一八〇九年）。坊間所謂「傑佛遜聖經」（Jefferson Bible）乃指傑佛遜約於一八一九年至一八二〇年間自行編撰的經文抄本，稿本每頁皆以希臘文、拉丁文、法文、英文分四欄繕寫，標題為《耶穌之德懿》（*Morals of Jesus*），此手稿於一八九五年由美國政府購藏，於一九〇四年以《拿撒勒耶穌之行誼與德懿》（*Life and Morals of Jesus of Nazareth*）為名刊行景印本（翻攝原稿本書頁以珂羅版印製），當時僅印製九百部，目前典藏在華盛頓特區國立博物館（the United States National Museum，即「史密森博物館」）。

89 〈四福音書〉（Four Gospels）：指《新約》中的〈馬太福音〉、〈馬可福音〉（Mark）、〈路加福音〉（Luke）、〈約翰福音〉（John）等四部「正典福音書」（canonical Gospels）。

90 引自湯瑪士·傑佛遜於一八一六年一月九日寫給友人查爾斯·湯姆生（Charles Thomson）的部分信文。原文應為“A more beautiful or precious morsel of ethics I have never seen; it is a document in proof that I am a real Christian, that is to say, a disciple of the doctrines（紐頓引文缺“of the doctrines”） of Jesus.”

◎傑佛遜寫給湯姆生的信

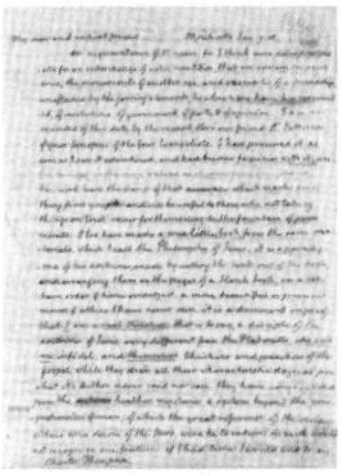

91 「山邊寶訓」（the Sermon on the Mount）：《新約·馬太福音》（Gospel according to Matthew）第五章到第七章，記載耶穌復活後在山上向眾人講道。「山邊寶訓」開宗明義即大家耳熟能詳的「八福」：「虛心的人有福了！因為天國是他們的。」「哀慟的人有福了！因為他們必得安慰。」「溫柔的人有福了！因為他們必承受地土。」「饑渴慕義的人有福了！因為他們必得飽足。」「憐恤人的人有福了！因為他們必蒙憐恤。」「清心的人有福了！因為他們必得見神。」「使人和睦的人有福了！因為他們必稱為神的兒子。」「為義受逼迫的人有福了！因為天國是他們的。」（見〈馬太福音〉第五章第3節至第10節。）

92 「字句令之死而聖靈欲其生。」（“the letter killeth but the spirit giveth life.”）：《新約·哥林多後書》（2 Corinthians）第三章第6節：「他叫我們能承當這新約的執事，不是憑著字句，乃是憑著精意；因為那字句是叫人死，精意是叫人活。」（“Who also hath made us able ministers of the new testament; not of the letter, but of the spirit: for the letter killeth, but the spirit giveth life.”）

93 “The great fire”：應指發生於一六六六年的倫敦大火，但從紐頓的敘述看來，時序似乎不大吻合。

94 羅勃·巴可（Robert Barker, ?-1645）：英國印刷工。依莉莎白女王御前印刷工克里斯多福·巴可（Christopher Barker）的長子。

95 E. H. 德齡（Edmund Hunt Dring, 1864-1928）：英國藏書家。當時擔任夸立奇書店的經理。

96 法蘭西斯·弗萊（Francis Fry, 1803-1886）：十九世紀英國歷史學家、聖經收藏家、版本研究家。

97 紐頓自夸立奇書店購得此部「欽定版」後，在封面裡寫下：「書名頁既經法蘭西斯・弗萊修繕，此本堪稱盡善盡美之善本也，然其中仍由夸立奇氏配補內文一葉。一九二四年八月十七日A. E. 紐頓識」。

98 “genealogies”乃版本學用語。在正式的古物（當然包括古書）目錄上往往會列出此項記錄，交代該品的收藏及轉手經歷。

99 約翰・史畢德（John Speed, 1552-1629）：英國地圖測繪師。重要作品為《大英帝國輿地全圖》（*Theatre of the Empire of Great Britaine*, London: Sudbury and Humble, 1611-1612）、《*Prospect of the Most Famous Parts of the World*》（1627）。

100《舊約・路得記》（Book of Ruth）第三章第15節：「又對路得說：打開你所披的外衣。他打開了，波阿斯就撮了六簸箕大麥，幫他扛在肩上，他便進城去了。」（和合本在第三人稱不分男女、主／被動態的語法極易造成混淆。路得為女性，句中的「他」應全作「她」）；英文今版為：“Also he said, Bring the vail that thou hast upon thee, and hold it. And when she held it, he measured six measures of barley, and laid it on her: and she went into the city.”。其中所有的“he”皆指「波阿斯」（Boaz），“she”則指「路得」。紐頓提及兩種略有差異的「欽定首版」分別作：“HE measured five measures of barley… and HE went into the citie.”與“SHE went into the citie.”顯然後一刷（「母」版）才正確。

101 克里斯多佛・叟爾（Christopher Sauer, 1693-1758）：德裔美國印刷匠。一七二四年移民至美國賓州。原本擔任裁縫師，後來一度務農，並經營鐘錶製作與藥草生意。一七三八年他在日耳曼鎮（Germantown，即「德國城」）開設印刷坊，同年使用自德國輸入的鉛字、紙張印出美國境內第一部德文書，並創刊第一份德文期刊（原為季刊，後改成月刊）。他於一七四三年在當地出版德文路德聖經（首開在美國以歐洲文字印行聖經的先例）。他的印坊後來由他的同名兒子（1721-1784）繼承，後者於一七六三年重印叟爾聖經（一七七六年第三度印行），並創立美國第一所鑄字坊（一七七二年）。他（克里斯多佛・叟爾二世）與父親皆為虔誠教徒，本人亦擔任浸信會的教士，屢次在講壇和自家發行的報紙上攻訐蓄奴制度，以致被控叛國罪入獄，更因獨立革命期間鼓吹反戰思想，導致全部家產遭充公（一七七八年）。

102 羅勃・艾特肯（Robert Aitken, 1734-1802）：美國建國初期費城書商。艾特肯於一七八二年在費城印行，是首度在美國本土以英文刊印的聖經，史稱「艾特肯聖經」；由於出版時間適逢美國獨立建國，又稱為「開國聖經」（“The Bible of the Revolution”）。

103 華盛頓在信中把「艾特肯」（Aitken）寫成「艾肯」（Aiken）。

104 前一句為《舊約・傳道書》第十二章第1節：「你趁著年幼、衰敗的日子尚未來到，就是你所說，我毫無喜樂的那些年日未曾臨近之先，當記念造你的主。」（“Remember now thy Creator in the days of thy youth.”）；後一句中的「……都是虛空，都是捕風。」（“all is vanity and vexation of spirit.”）是〈傳道書〉各節使用頻繁的結語，譬如第八章第15節：「我就稱讚快樂，原來人在日光之下，莫強如吃喝快樂；因為他在日光之下，神賜他一生的年日，要從勞碌中，時常享受所得的。」（“Then I commended mirth, because a man hath no better thing under the sun, than to eat, and to drink, and to be merry: for that shall abide with him of his labour the days of his life, which God giveth him under the sun.）

105 約翰・亨利・納許（John Henry Nash, 1871-1947）：美國印刷工匠、版本學家。原籍加拿大，一八九四年移居美國。曾在奧勒崗大學講授字體設計。納許自行出版數部精美的手工書，包括《神曲》（*The Divine Comedy*, 1929）、佛蘭克林的《自傳》與《俗文聖經》（*Vulgate*, 1932）等。

106《舊約．約伯記》第二十一章第17節：「惡人的燈何嘗熄滅？患難何嘗臨到他們呢？神何嘗發怒，向他們分散災禍呢？」（“How oft is the candle of the wicked put out! and how oft cometh their destruction upon them! God distributeth sorrows in his anger.”）《舊約．箴言》第二十四章第20節：「因為，惡人終不得善報；惡人的燈也必熄滅。」（“For there shall be no reward to the evil man; the candle of the wicked shall be put out.”）

107 聖經中有兩處登載〈主禱文〉（Lord's Prayer）：《新約．馬太福音》第六章第9節至第13節與《新約．路加福音》第十一章第2節至第4節，但兩段禱詞並不一致。前者第13節：「不叫我們遇見試探；救我們脫離凶惡。因為國度、權柄、榮耀，全是你的，直到永遠。阿們！」（“And lead us not into temptation, but deliver us from evil: For thine is the kingdom, and the power, and the glory, for ever. Amen.”）其中「因為……。阿們！」一句為古本所無；後者第2節：「耶穌說：你們禱告的時候，要說：我們在天上的父：願人都尊你的名為聖。願你的國降臨；願你的旨意行在地上，如同行在天上。」（“And he said unto them, When ye pray, say, Our Father which art in heaven, Hallowed be thy name. Thy kingdom come. Thy will be done, as in heaven, so in earth.”）其中「我們在天上的父」古本作「我們的父」、最後一句「願你的旨意……天上」為古本所無；第4節：「赦免我們的罪，因為我們也赦免凡虧欠我們的人。不叫我們遇見試探；救我們脫離凶惡。」（“And forgive us our sins; for we also forgive every one that is indebted to us. And lead us not into temptation; but deliver us from evil.”）最後「不叫我們……脫離凶惡」一句為古本所無。以上多出來的句子皆為後人添加。

108《舊約．創世記》第六章第14節：「你要用歌斐木造一隻方舟，分一間一間地造，裡外抹上松香。」（“Make thee an ark of gopher wood; rooms shalt thou make in the ark, and shalt pitch it within and without with pitch.”）。

109《新約．路加福音》第一章第46節至第53節：「馬利亞說：我心尊主為大；／我靈以神我的救主為樂；／因為他顧念他使女的卑微；從今以後，萬代要稱我有福。／那有權能的，為我成就了大事；他的名為聖。／他憐憫敬畏他的人，直到世世代代。／他用膀臂施展大能；那狂傲的人正心裡妄想就被他趕散了。／他叫有權柄的失位，叫卑賤的升高；／叫饑餓的得飽美食，叫富足的空手回去。」（And Mary said, My soul doth magnify the Lord, / And my spirit hath rejoiced in God my Saviour. / For he hath regarded the low estate of his handmaiden: for, behold, from henceforth all generations shall call me blessed. / For he that is mighty hath done to me great things; and holy is his name. / And his mercy is on them that fear him from generation to generation. / He hath shewed strength with his arm; he hath scattered the proud in the imagination of their hearts. / He hath put down the mighty from their seats, and exalted them of low degree. / He hath filled the hungry with good things; and the rich he hath sent empty away.）

110 以掃（Esau）為了區區「一碗燕麥粥」（和合本譯為「紅湯」、「紅豆湯」）自甘放棄其名分（birthright）的故事載於《舊約．創世記》第二十五章第29節至第34節。「一碗燕麥粥」（“a mess of pottage”）可引伸為「貪圖眼前的微利小惠」、「令人見而忘義的誘因」、「因小失大」等。「拿伯的葡萄園」典出《舊約．列王紀上》（1 Kings）第二十一章記述以色列王亞哈圖謀拿伯的葡萄園，使盡一切手段，但拿伯始終不為所動，後來皇后耶洗別獻計害死拿伯。「拿伯的葡萄園」（“Nabot's vineyard”）因此可引伸為「威武不能屈」、「抵死不從」的意思，寓意恰與「以掃的燕麥粥」形成對比。

111 詹姆斯・莫法特（James Moffatt, 1870-1944）：蘇格蘭裔英國神學史學家。生於格拉斯哥，及長赴劍橋求學，一九一一年在牛津曼殊斐學院（Mansfield College）擔任希臘文教授與《新約》解經人；一九一五年回到故鄉，在格拉斯哥聯合公共教會大學（United Free Church College）教授教會史至一九二七年；一九二七年至一九三九年擔任紐約聯合神學院（Union Theological Seminary）教授。莫法特畢生最大的功績是譯寫出流傳甚廣的白話聖經譯本；一九一三年，《白話新約全書》（*The New Testament: A New Translation in Modern Speech*, by James Moffatt, based upon the Greek text by von Soden. London: Hodder and Stoughton, 1913）先行問世，《白話舊約全書》則於一九二四年、一九二五年在美國分兩次出版，完本《白話聖經》（*A New Translation of the Bible, Containing the Old and New Testaments*. New York: Doran, 1626）則於一九二六年出版。莫法特晚年在紐約度過。

112《舊約・詩篇》第二十三篇的六節原文為：「耶和華是我的牧者，我必不致缺乏。／他使我躺臥在青草地上，領我在可安歇的水邊。／他使我的靈魂甦醒，為自己的名引導我走義路。／我雖然行過死蔭的幽谷，也不怕遭害，因為你與我同在；你的杖，你的竿，都安慰我。／在我敵人面前，你為我擺設筵席；你用油膏了我的頭，使我的福杯滿溢。／我一生一世必有恩惠慈愛隨著我；我且要住在耶和華的殿中，直到永遠。」（"The LORD is my shepherd; I shall not want. / He maketh me to lie down in green pastures: he leadeth me beside the still waters. / He restoreth my soul: he leadeth me in the paths of righteousness for his name's sake. / Yea, though I walk through the valley of the shadow of death, I will fear no evil: for thou art with me; thy rod and thy staff they comfort me. / Thou preparest a table before me in the presence of mine enemies: thou anointest my head with oil; my cup runneth over. / Surely goodness and mercy shall follow me all the days of my life: and I will dwell in the house of the LORD for ever."）

113 學問過大反令智昏（much learning hath made him mad）：《新約・使徒行傳》第二十六章第24節：「保羅這樣分訴，非斯都大聲說：保羅，你癲狂了吧。你的學問太大，反叫你癲狂了！」（"And as he thus spake for himself, Festus said with a loud voice, Paul, thou art beside thyself; much learning doth make thee mad."）

◎伊利莎白・凱迪・史丹頓，出自Susan B. Anthony、Matilda Joslyn Gage《女性投票權史》（*History of Woman Suffrage*, New York: Fowler & Wells, 1881）第一卷

114 伊利莎白・凱迪・史丹頓（Elizabeth Cady Stanton, 1815-1902）：美國社會改革家。十九世紀末推動美國女權進步不遺餘力，領導促成婦女投票權。

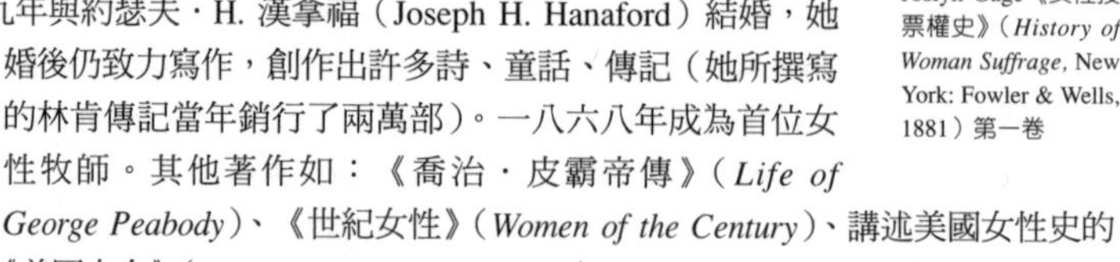

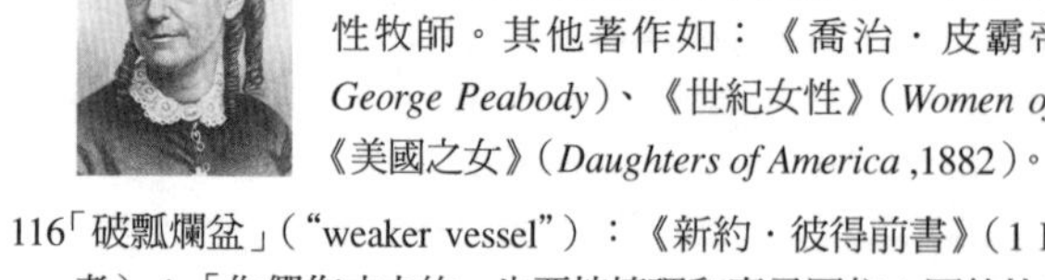

115 菲比・安・卡芬・漢拿福（Phœbe〔Phoebe〕Ann Coffin Hanaford, 1829-1921）：美國宗教、社會改革者、作家。少女時代便已頻頻在報刊發表文章。一八四九年與約瑟夫・H. 漢拿福（Joseph H. Hanaford）結婚，她婚後仍致力寫作，創作出許多詩、童話、傳記（她所撰寫的林肯傳記當年銷行了兩萬部）。一八六八年成為首位女性牧師。其他著作如：《喬治・皮霸帝傳》（*Life of George Peabody*）、《世紀女性》（*Women of the Century*）、講述美國女性史的《美國之女》（*Daughters of America* ,1882）。

116「破瓢爛盆」（"weaker vessel"）：《新約・彼得前書》（1 Peter）第三章第7節（教導為人夫者）：「你們作丈夫的。也要按情理和妻子同住；因他比你軟弱（比你軟弱：原文作是軟弱的器皿），與你一同承受生命之恩的，所以要敬重他。這樣，便叫你們的禱告沒有阻礙。」（"Likewise, ye husbands, dwell with them according to knowledge, giving honour unto the wife, as unto the weaker vessel, and as being heirs together of the grace of life; that your prayers be not hindered.”）莎士比亞於《亨利四世・下篇》（*Second Part of Henry IV*）第二幕第四景中亦藉福斯塔夫（Falstaff）之口以“weaker vessel”挖苦兩名女子；此外，《皆大歡喜》（*As You Like It*）第二幕第四景中羅薩琳以“weaker vessel”自嘲則只作「弱女子」解。我必須承認：將“weaker vessel”譯成「破瓢爛盆」的確比聖彼得和福斯塔夫更惡毒。

117《舊約・詩篇》第九十一篇第5節：「你必不怕黑夜的驚駭。」（“Thou shalt not be afraid for the terror by night.”）；一五五一年版「馬太聖經」作：「汝必毋須畏懼夜裡的臭蟲。」（“So that thou shalt not need to be afrayed for any bugges by night.”）曾有一說，指譯者原本是寫「夜裡的『鬼魅』（bogies）」，卻因筆誤或植字疏忽而成了「臭蟲」（bugges）。

118《新約・彼得前書》（1 Peter）第三章第1、2節：「你們作妻子的，要順服自己的丈夫，這樣，若有不信從道理的丈夫，他們雖然不聽道，也可因妻子的品行被感化過來。這正是因看見你們有貞潔的品行和敬畏的心。」（“Likewise, ye wives, be in subjection to your own husbands; that, if any obey not the word, they also may without the word be won by the conversation of the wives; / While they behold your chaste conversation coupled with fear.”）。而一五四九年版的「馬太聖經」卻於此處多出一道註解：「若女人對男人不順服亦百無一用，便盡力將敬畏上帝的念頭塞進她的腦袋裡，如此方可令她知曉自身的義務並切實履行之。」（“And yf she be not obedient and helpfull unto hym endevoureth to beate the feare of God into her heade, that therby she maye be compelled to learne her dutie and do it.”）其實原字義顯然是「灌輸」（“beat into”），大概當年有不少男人樂於曲解此段教義，故有人戲稱該版本為「揍老婆聖經」（“Wife Beater’s Bible”）。

119將累贅英文字詞加以簡化的呼籲，自十九世紀七〇年代起，在英美兩國始終存在（對此有興趣的讀者可參考http://www.barnsdle.demon.co.uk/spell/histsp.html），這項主張由來已久，利害益弊則見仁見智。「簡化拼字局」（Simplified Spelling Board，為了名副其實，不妨稱它「簡拼局」）於一九〇六年三月十一日成立（參見隔日《紐約時報》的新聞http://www.twainquotes.com/19060312.html），初期三十名委員包括安德魯・卡內基（該單位經費由他提供）、馬克・吐溫和許多專家、學者，該單位曾經印行許多宣導小冊，例如《簡化拼字局頒訂之簡化拼字規則》（*Rules for Simplified Spelling Adopted by the Simplified Spelling Board*, New York, 1919）、《簡化拼字運動實施手冊》（*English Spelling and the Movement to Improve It: Part 1 of Handbook of Simplified Spelling*, Simplified Spelling Board, New York, 1919）、《簡化拼字運用辦法》（*The Case for Simplified Spelling: Part 2 of Handbook of Simplified Spelling*, New York, 1920）、《簡化規則字詞表》（*Rules and Dictionary List: Part 3 of Handbook of Simplified Spelling*, n.d.）等。（老）羅斯福之所以特別被反對人士揪出來批判，乃因他是首位以行政手段「踐踏」（“assault”，引當時報紙用詞）國語的總統，他於一九〇六年八月二十七日趁國會休會期間印行《政府機關簡化拼字要則》（*Simplified Spelling for Government Departments*），通令各行政單位依照「簡化拼字局」頒布的三百多個新拼法字詞進行行政革新；國會復會之後，旋即以一百四十二票對二十四票要求撤銷該項行政命令，並決議羅斯福先前自作主張印製的《要則》不得以公帑支應。結果羅斯福的革新方案，只能在任內交代白宮關起門來自行實施（但也只革新了十二個字）。一九〇八年英國亦跟進成立「簡化拼字學會」（The Simplified Spelling Society，簡稱“SSS”），至今猶運作不輟，其宗旨為「簡化英文拼字以利各方人士便於學習、使用」（“The reform of English spelling for the benefit of learners and users everywhere.”）。有興趣的讀者可參考其網站http://www.spellingsociety.org/index.html。

120 該幅諷刺羅斯福簡化英文政策的漫畫，刊登在一九〇六年九月號的《噴趣》雜誌上，標題是「窮極無聊自找罪受」（"Twisting the Lion's Tongue"），底下的說明文字為：閻王老子察看樹幹上的小切口：「是誰那麼費勁想把樹砍倒來著?」「泰迪」羅斯福擺出當年喬治．華盛頓的架式：「閻王老子！不滿你說，是俺用俺的小斧頭欠的。」閻王老子聞言嘆道：「唁！真是朽木不可雕也！」（Father Time (closely examining small incision in tree-trunk). "WHO'S BEEN TRYING TO CUT THIS TREE DOWN?" "Teddy" Roosevelt (in manner of young George Washington). "FATHER! I KANNOT TELL A LI. I DID IT WITH MY LITL AX." Father Time. "AH WELL! BOYS WILL BE BOYS!"）。紐頓的說法有個小地方值得挑剔，圖中羅斯福拿的斧頭一點也不「碩大無朋」（enormous）。

121《新約．馬太福音》第七章第25節：「雨淋，水沖，風吹，撞著那房子，房子總不倒塌，因為根基立在磐石上。」（"And the rain descended, and the floods came, and the winds blew, and beat upon that house; and it fell not: for it was founded upon a rock."）

122《新約．哥林多前書》第十五章第54節：「這必朽壞的既變成不朽壞的，這必死的既變成不死的，那時經上所記死被得勝吞滅的話就應驗了。」（"So when this corruptible shall have put on incorruption, and this mortal shall have put on immortality, then shall be brought to pass the saying that is written, Death is swallowed up in victory."）第55節：「死啊！你得勝的權勢在哪裡? 死啊！你的毒鉤在哪裡?」（"O death, where is thy sting? O grave, where is thy victory?"）

123《舊約．創世記》第一章第28節：「神就賜福給他們，又對他們說：要生養眾多，遍滿地面，治理這地，也要管理海裡的魚、空中的鳥，和地上各樣行動的活物。」（"And God blessed them, and God said unto them, Be fruitful, and multiply, and replenish the earth, and subdue it: and have dominion over the fish of the sea, and over the fowl of the air, and over every living thing that moveth upon the earth."）

124《舊約．傳道書》第十二章第13節：「這些事都已聽見了，總意就是：敬畏神，謹守他的誡命，這是人所當盡的本分。」（"Let us hear the conclusion of the whole matter: Fear God, and keep his commandments: for this is the whole duty of man."）

125 "If the King James Bible was good enough for St Paul, it was good enough for me." ：當時美國教徒使用的聖經版本駁雜不一，其中包括多種美國人自行編寫的本子。此言出自擁護「詹姆士王版」的人士。

II 藏書碩果僅此一人

不久之前，有一位紳士、學者兼藏書家撒手西歸，要找出另一個人足以填補此君在此道中的地位勢必相當困難（或許根本就找不到）。他不是別人，乃比佛利・周是也。不管過去抑或現在，比他傑出的收藏家大有人在，但是我心中很篤定：國內絕對沒有其他任何業餘玩家，能夠像他生前一般造成如此深遠的影響，亦無法具備與他等量齊觀的版本知識

一八五〇年三月五日，周先生誕生於紐約州一座風光明媚、文風鼎盛的小城日內瓦（Geneva），一幢坐落崖畔、可眺望湖面的華麗古宅便是他的降生地點，而他辭世的場所則是距出生地不遠的另一幢古宅。周先生畢業於郝拔特學院[1]，那是日內瓦城內的一所袖珍學院，他終其一生都與母校保持極為密切的關係。大學畢業後他遷居紐約，短短幾年光景就成為一名銀行家。他曾經擔任大都會信託公司（Metropolitan Trust Company）的副總裁長達數年，直到前幾年，他才自職場光榮退休。他去世時已然是全日內瓦成就最傑出的居民，但是周先生天性謙遜內向、不喜炫耀出鋒頭，以致連他的左鄰右舍或許至今都還不曉得家鄉出了這麼一位名人。他畢生的熱情全數投注在書籍上頭，而他對於書籍的知識不僅浩瀚無邊，更是分毫不差。

直到現在，我都還清清楚楚地記得當年我與周先生初識的情景：時間大約距今三十五年（我剛結束光棍生涯不久）之前，在紐約葛羅里亞俱樂部的一場招待會的場合。由於他是最早一批加入俱樂部的成員之一，所以在俱樂部的地位十分崇高，從藏書室主任到會長等一大堆職務都等著他點頭。我當年的懵懂無知和他的學富五

■比佛利・周審讀他最鍾愛的一部書——海立克的《金蘋果守護者》
此照片由紐約的阿諾・簡特所攝

車擺在一起相比簡直有如雲泥。總之，當時我們聊著聊著，他突然話鋒一轉，詢問我都蒐集哪些書來著，我自信滿滿地回答：「古代詩人的集子。」我所指的倒不是朗費羅[2]、丁尼生或白朗寧，而是濟慈、雪萊之流。我永遠忘不了他當時板起臉孔對我說：「你可別把濟慈、雪萊歸為『古代詩人』。」後來，當我更進一步瞭解他之後，我才明白：原來周先生定義下的「古代詩人」，指的是那些早在一六四〇年之前就作古的詩人——而那幾位詩人的大名，我（當時）甚至連聽都沒聽過哩。過了幾年之後，等到我和他成了極親密的朋友，才漸漸瞭解（所有熟識他的人一定也都會同意我的看法）：其實他是一位極其和藹可親、慷慨大方且禮貌周到的人。

周先生出身自一個顯赫的家族，和費城日耳曼鎮（Germantown）大名鼎鼎的周姓氏族有遠親關係。他的祖父生前是紐奧良港史料收藏家，並曾於拉法葉[3]最後一次訪美時被指派擔任官方接待隨員。當那位國賓到訪的時候，正巧碰上周先生的父親（當時還在襁褓之中）準備受洗，那位偉人於是從旁人手中接過嬰兒，賜名亞歷山大·拉法葉（Alexander La Fayette），打那會兒起，這個與日月同光的名字在周家一直留傳至今。

他跨出大學校門不久即迎娶克萊里莎·皮爾森（Clarissa Pierson）進門，兩人婚後生活始終幸福美滿，直到一八八九年五月周夫人過世為止。曾經有人聽他說過：他期盼自己也能於五月告別人世，而這個令人鼻酸的悲願後來果真如願以償：經過長期的昏迷之後，周先生於一九二四年五月二十一日駕鶴西歸。他生前也是一名極為虔誠的教徒，在紐約工作時期，他十分規律且虔誠地上聖母堂（Church of St. Mary the Virgin）做禮拜。平日探視悲苦的失怙孩童、貧病寡婦是他厲行宗教信仰的一部分；至今無人知曉他在慈善事業上所付出的金額之鉅與規模之大，因為即使面對最親密的友人，他也一概絕口不提那些義舉。他的喪禮在（自他童年起便深深喜愛的）日內瓦三一教堂內舉行。幾名大學生（同屬他和他父親以及三位兄長都曾先後加入過的「ΣΦ兄弟會」成員）將他的靈柩從側廊抬入。當天雖然天色有點灰暗，但是當光線透過金黃色的玻璃窗——他始終對一世紀前在日內瓦當地製造、現已失傳的那些鑲嵌玻璃感到無比自豪——灑進室內，泛起金光，伴隨英格蘭聖公會祈禱文的誦禱聲，形成恰如其分的莊嚴、典雅氣氛，令人畢生難忘。在教堂內的瞻仰儀式開始之前，他暫時停靈於他的書齋，讓生前最親密也是所知最多、所愛最深的朋友——他的藏書們——再次環繞、簇擁於他的周身。

◎費索恩版刻的Abraham Cowley肖像扉畫，出自《拉丁詩集》（*Poemata latina*, 1668）

除了書籍，周先生最喜愛的東西就是畫片；他一向視肖像畫為傳記具體而微的形式；尤其是出自著名雕版師的作品最能得到他的青睞，譬如：曾製作一六四〇年版《莎士比亞君詩集》扉畫、一六四六年版《吉光片羽集》中美麗的沙克令（原書拼法[4]）肖像、以及一六四八年版《金蘋果守護者》中海立克的雕版肖像的馬歇爾[5]；或，曾為一六六四年版的《喜劇與悲劇集》[6]製作吉勒葛路[7]絕佳肖像（周先生曾經對我說：他個人認為此圖乃有史以來最佳的書前扉畫肖像）的費索恩[8]等名家手筆。我也不宜漏掉另一部極受他珍愛的藏書——拉夫雷斯的《盧卡斯塔》——裡頭的美妙圖版[9]。拉夫雷斯！詩人有此姓氏真是令人拍案叫絕！[10]偉哉費索恩！他的朋友湯瑪斯．佛列特曼[11]先生曾如是形容他的畫功：「此君刀法精妙如神，向無呆滯、無奇、委頓之作也。」至於周先生手中收藏的彌爾頓肖像，我個人則認為那是有史以來蒐羅最齊、品相最精的一批收藏品。我何必在此一一點名呢？反正不管是鋼筆畫、或鉛筆素描、還是肉筆畫，只要是畫得極好的作品，皆能得到比佛利．周的慧眼賞識。

我尚未提及周先生最值得大書特書的長處呢——他那教人不可思議的好記性。大抵每位偉人都會具備常人所沒有的奇賦異稟：我聽說已故的皮耶邦．摩根就有一項絕頂工夫，當一大堆同事還搖著鉛筆桿算帳算得天昏地暗時，他只消在心眼裡稍微那麼兜轉一下，管它多大數目的加、減、乘、除，皆能運算自如；周先生的超凡記憶力也同樣教人咋舌。只要是和書本沾上一點邊的事兒，他好像連一件也忘不了。各位想想看，那有多少該記該背的玩意哪！光想想有多少書本就夠嗆的了，何況，每一部重要非凡的書，必然都會有某些和其他本子互有出入的特徵，只要有哪部書打算登上周先生的書架，都得先經過徹頭徹尾地驗明正身：舉凡各版印行年代、各字誤植（甚至其中只有一個字母錯置）均難逃他的法眼。許多年以前，我在拍賣場上購得一部霍桑的首版《紅字》[12]。當我將書帶回家中悉心翻讀，赫然發現裡頭夾著一封周先生寫給前任書主的長信，信中說：「我一返家便逐頁比對《紅字》首版與第二版之間的異同處，果然驗證了我過去一貫的說法，即……」接下來是一大段極其詳盡的說明，結尾寫著：「……書中第二十一頁上原該有的『reduplicate（倍增）』一字，誤植為『repudiate（摒棄）』。」

在我個人的眾多好友之中，足以和比佛利．周相提並論的人，我惟獨只想得到倫敦的湯瑪斯．詹姆斯．魏斯[13]先生一人而已，只不過，魏斯先生的機運比周先生好太多了，因為他就坐鎮在書籍進出的門戶，然而，周先生卻（很教人納悶地）從未踏出國門一步。除此之外，我壓根無法想像咱們這一輩的藏書家裡頭有誰能夠稍稍趕上周先生的豐功偉業。或許充其量，我們只能亦步亦趨地尾隨這些（具備咱們所沒有的優點的）前輩之腳步；而每當我思及幾位故人，譬如：羅勃特．郝與山繆爾．P. 埃佛利[14]、查爾斯．B. 富特與佛雷德利克．R. 荷爾西[15]、愛德華．賀爾．比爾史戴德[16]，還有威廉．洛林．安德魯斯……等諸位先進，我便不由得大加興嘆這一代藏書家的質量似乎有江河日下的趨勢。

我先前曾提及當我嘴裡輕率蹦出「古代詩人」（周先生個人的最愛）的時候，他馬上不假辭色對我耳提面命一番，我後來才逐漸明白：在他的心目中，「古代詩人」指的是存活於十七世紀的詩人；

我認為他對於那個時代的知識簡直無人能及。只要在書籍圈子（不管國內抑或英國）走一遭，便能聽到許多人頻頻提及葛羅里亞俱樂部印行的版本書目；而那些出版品正與周先生有著密不可分的關係。任勞任怨、為眾多藏書家提供服務的俱樂部圖書室主任葛蘭尼斯小姐（繼H. W. 肯特[17]先生之後接任該職）曾經告訴我，她為俱樂部藏書編製《從魏舍到普萊爾：英文藏書書目》[18]的始末。俱樂部裡的那批藏書泰半都由比爾史戴德先生蒐集得來，當他過世後，則另行籌組編委會接手編纂工作。顯然，審訂、校讎的重責大任（無比繁瑣、艱鉅的差事）捨周先生不作其第二人想，那亦是他對俱樂部不計其數的重大貢獻之一。可想而知，五花八門的棘手問題接踵而至；於是那段期間葛蘭尼斯小姐養成一個固定習慣，她先將一整個星期下來發現的各種疑難雜症全部彙整起來，到了星期六，周先生照例準時上俱樂部報到，一等他在椅子坐定，點上香菸，說：「儘管問吧！」她便連珠砲似的提出一連串疑問；我以下引用她某封來信當中的陳述：

> 我不記得有哪個問題他無法馬上「躍然腦中」並隨口解答，雖然我不時提醒自己要準備一張白紙，隨時將他的話登記下來，事後再一一查對參考書、驗證他告訴我各種版本的拼字差異是否正確，但我十分確定事後從未發現他犯下絲毫差錯。他耗費畢生精力得來的那些知識，恰可符合這項任務所需且令所有人受惠無窮。

戰後不久，我去了一趟倫敦，照例在大英博物館裡消磨不少時光，某天我不期然遇見那位傑出的紳士，亞佛雷德．W. 波拉德[19]先生（當時他擔任印本書部門的主任），當我和他閒聊之際，由於我不經意提到耶魯大學出版社最近總算出版了由紐約的亨利耶塔．C. 巴特列[20]女士與波拉德先生聯手主持的《莎士比亞四開本劇本版本現況普查》[21]（該書乃鑽研此一極度艱辛的版本難題的一項輝煌成果），波拉德先生於是向我透露一件事：大戰期間該書校稿於兩地之間跨海來回寄送，因一再發生郵件延誤等情事，屢屢令他急得光火跳腳。他說：「當時我眼看再這樣子搞下去鐵定永遠沒法子交差了，於是我最後提筆寫了一封信給亨利耶塔，告訴她：只要她能夠說動周先生願意在當地就近審讀校稿，我便可以放一百個心了。只要能通過他的認可，隨便哪部書要掛上我的名字，我都非常樂意。」平日俗務纏身的商界忙人居然能獲得一位德高望重學者如此稱頌！真是應了那句古諺：「能者多勞，勞者必多能也。」

周先生亦是許許多多學會、社團和機構（且不在此一一細數）的成員，而那些組織也全都和我所屬的葛羅里亞俱樂部全體會員一樣，對於失去這位成員感到哀慟不已。我們都失去了一位老朋友。儘管一個人終其一生可以結交到許多朋友，但是老朋友——就像古書一樣——必須花費許多時間方能成就。

周先生到底算不算詩人？我並不知道，不過他至少寫過一首〈萬事莫如古書好〉[22]，還曾被某選集收錄其中。

距今一年多前，我和好友、也是藏書同好的R. B. 亞當先生一塊兒在水牛城（Buffalo）盤桓數日之後，我臨時決定：既然要上紐約，豈有不順道拜訪住在日內瓦的周先生之理。我很高興當時去見了他。周先生親自到火車站接我並一路陪伴我到他的府上（實在是盛情難卻，畢竟他是那種老派的紳士），途中還頗得意地指給我看他出生的屋宅（坐落於優美的大學小城的大街上）。當晚用罷晚餐，我們雙雙在他的書房坐著抽菸、聊天，恣意暢談兩人的共同嗜好，話既投機不嫌多；直至夜深當我們準備告退各自回房的時候，他轉身對我說：我的造訪令他感到十分窩心，而我則回答：能獲他如此親切的邀約，才真教我倍感榮幸哩。我倆於是「就此安歇」。隔天清晨，由於我一向習慣早起，看見他的房門仍然掩著，便踮著腳尖、躡手躡腳地下樓走到書房；沒想到老紳士已經好整以暇在裡頭等我了。他當時坐在一張靠窗的安樂椅上，手邊擺著好幾份報紙（全都還沒翻開）。他的手上則捧著一本書，當我走進去的時候，他正戴著老花眼鏡讀得起勁；一看到我進來，他立刻把書往旁邊一擱，興高采烈地起身招呼我，我當時察覺他似乎因為被我發現他的視力欠佳而感到有點兒尷尬。我見狀趕緊轉移話題，談剛剛他手裡頭的那本書；那是一部海立克的《金蘋果守護者》（一六四八年首版），我告訴他：我收藏的本子比他那本更好。他一聽這話馬上不甘示弱：他原有那部真正堪稱善本的本子（我記得那是一部羅傑・佩恩[23]裝幀本）早就被亨利・E. 杭廷頓先生買走了。

眾所周知，大約十幾二十年前，周先生曾將他的部分藏書（其中比較精善的大部分）脫手賣給杭廷頓先生。那段易手的過程頗為曲折；話說杭廷頓先生長久以來一直處心積慮想收購周先生的藏書，而周先生——雖然出人頭地多年，卻始終與大富大貴無緣——

■比佛利・周位於日內瓦寓所的書房

則擔心對方要是開出大方的價碼，他勢必難以招架。由於周先生對於割捨藏書百般不捨，那樁交易就那麼蹉跎了好一陣子之後，他終究還是勉為其難接受杭廷頓先生的求購；但是等到真正要和那批書告別的那一刻，周先生兩眼噙著淚水（用「錐心泣血」來形容亦不為過）走到杭廷頓先生面前，告訴杭廷頓先生：他實在割捨不了那批書，但是他說：「如果我哪天真能狠下心賣掉這些書，我一定頭一個就賣給你。」杭廷頓先生當時雖然大失所望，但也頗能體諒周先生的心情，於是他十分君子風度地放過周先生一馬。過了好幾年之後；那批書的價值越來越高；杭廷頓先生又重提舊案——這一回周先生總算接受了。當杭廷頓先生把一張面額奇高的支票交到周先生的手中時，他說：「周先生閣下，我非常樂意再多付一倍價錢，將您的高瞻遠矚也一併買下。」此般讚美不啻加倍祝福，有道是：「上天賜福予施者亦賜予受者。」[24]我還想到奧瑪．開儼《魯拜集》中的睿言智語，並不時揣想：當一個人一口氣賣掉那麼多好書，手裡拿到一大筆錢的時候，他會怎麼辦呢？我當然曉得周先生會怎麼辦：馬上再度動手收集；直到去世的時候，他已經又聚了一批為數不豐但件件精善的藏書（雖然他非常客氣，始終自謙不成氣候）——說穿了，只因周先生不能須臾沒有書本相伴為伍。

我來講一則關於周先生殷愛古書的動人軼事：當他一聽說杭廷頓先生剛剛購入兩部出自不同印工的莎士比亞首版《十四行詩》[25]，便馬上親自登門拜訪，懇求杭廷頓先生將那兩部書（或許是英文書籍中最珍貴的兩部書）讓他以雙手捧之——想必是左、右手各捧一部。我真希望當時能有人拿照相機把那個有趣的歷史畫面拍攝下來，不過我倒是有一幀把他拍得非常好的照片，畫面中他正凝神捧讀《金蘋果守護者》（他最鍾愛的一部書籍，就是我最後一次在他日內瓦家中目睹他晨讀的那部）。

再說另一則：周先生客居紐約的最後幾年，每逢星期六他絕不

◎《莎士比亞十四行詩集》

出門上街，整個上午都乖乖地待在他的「皇頓」（Royalton）公寓裡埋頭看書；由於我很清楚他這個習慣，如果我人剛好也在紐約，我總是挑星期六去找他。有一回，我們一塊兒在他的公寓裡消磨了好幾個鐘頭之後，我猛然想起來稍早前和蕞克約好要去他第四十街的書店，看他剛從倫敦購進的幾部好書。於是我只好匆匆起身告辭，很出乎意料地，周先生居然也正好要趕赴另一個約會，於是兩人依依不捨揮手道別，我一離開他那兒便火速直奔蕞克書店。我才剛進書店不到十分鐘光景，周先生也跟著晃進來了；原來他和我的約會竟是為了同一樁事兒。我們面面相覷相互調侃一番之後，才一塊兒回頭檢點那批剛從倫敦運來的書。周先生先抽出一部舊式裝幀的《鄉巴佬皮爾斯》對我說：「你真該把這部書買回去，如果你手上還沒有的話。」他還要我特別留意上頭經過更正的印行日期——一五五〇年[26]。我回答他：「可是這個和我的收藏路數不合啊。」他說：「正因為不合，你才更應該收。」接著我眼睛一亮，瞥見一部布雷克的《詩草》，前喬治・昆柏蘭[27]藏本，還附著他半弔子的藏書票，裡頭收錄布雷克生前最後幾幅版刻。我對周先生說：「這一部你才該收哩。」（我曉得他原有那一部已經進了杭廷頓先生的書房。）蕞克先生瞧我們倆在那兒一搭一唱，喜孜孜地說：「繼續繼續，兩位客倌；像你們這麼能幹的推銷員，我花多少銀子也請不起哩。」過了一會兒，我們走出書店相偕去吃午餐，我懷裡揣著那部《鄉巴佬皮爾斯》，而周先生的口袋裡則放著一部布雷克的《詩草》。

回顧過往，大家不難想起一九一八年是令所有購書人特別開心（對於書商亦然）的一年。當時正是大戰即將落幕、熱錢四處橫流的時節，許多批佳善藏書紛紛傾巢而出，盡付米歇爾・肯納利的安德遜藝廊進行拍賣。其中令我印象最深刻的，應屬五月開拍的哈堅藏書拍賣會，和十二月舉行的賀榭爾・V. 瓊斯[28]藏書拍賣會。那時海內外皆已呈現一片昇平景象，而每場拍賣會結束後，我們一大夥人總習慣到「廣場」[29]續攤，大家團團圍坐一張大圓桌，七嘴八舌再鏖戰數十回合。每場聚會總會邀請周先生來參加，周先生也是哈堅先生的老朋友，還為他的拍賣目錄撰寫序文。他在那篇文章中寫道：「若有人問我，整場拍賣會最珍稀的是哪一部善本，我必毫不遲疑地回答他：正是那部收錄亨利七世的桂冠詩人約翰・史蓋爾頓四首詩的迷人小書。此書還有兩部在郝氏手中，然而此部原屬洛可[30]舊藏的本子或許是其中最特別的一部。」周先生並不常像這樣子透露某部書的「玄機」，但是他所言在在俱為事實，他對於那批書的高成交金額頗為開心但絲毫不感到意外。他說：「這批書的價值必然還會不斷上揚。」在那兩場拍賣會上，我——為自己——買了一大堆書（只要在財力許可範圍內，周先生怎麼說我就怎麼做）。我一再將我的揮霍行為歸納為投資有方，但是我的荷包卻每每不作如是想。

●詹姆斯・F. 蕞克。沃爾（Wall）版刻（原載《洋相百出話藏書》〈四開本《哈姆雷特》沉吟錄〉）

吾友已駕黃鶴去，儘管世間誰無死，

畢生盡瘁俱若此，意志何等遠恢弘。[31]

當周先生的遺囑一經揭曉，大家才發現他果然追隨偉大的法國藏書名家愛德蒙・狄・岡寇爾特的腳步，狄・岡寇爾特曾對自己的後事留下這樣子的交代——

余所度藏之字畫、畫片、古玩、書籍——即豐富我此生之藝品也者——等等物事，切莫移交博物館冷藏，任由無心過客蒙昧觀覽；務必託付賣場標售落槌，藉此，余長年逐一蒐羅各物過程所得之種種樂趣滋味、品味雅興，方可再度一一施與同好中人矣。

於是，周先生的全部藏品被送到他的朋友米歇爾・肯納利（安德遜藝廊的總裁）那兒——進行拍賣，除了其中的四幅畫：傑拉德・杭索斯特[32]畫的班・瓊生肖像、高佛瑞・涅勒爵士畫的蒲伯和德萊登，和一幅愛德華・路特芮爾[33]畫的德萊登；加上精美的日耳曼、荷蘭、法蘭德斯銀面裝幀本（他生前共收藏了大約五十本以上）；他特定指名遺贈給葛羅里亞俱樂部。他的決定相當正確，那批精品無疑地將能在此受到悉心照料，一如置身在他原來的書房，同時亦可讓他與俱樂部中其他所有善心捐獻人士同列，蓋葛羅里亞俱樂部乃全世界地位最重要、運作最成功、也最具權威的書籍同好社團。願它繼續興旺茁壯，綿延千秋萬世！

當周先生藏書要出售的消息一經發布，整個藏書界無不摩拳擦掌、屏息以待。他到底有哪些書？價錢會飆到什麼程度？我想要其中哪幾部自己心裡有數，也下定決心要悉數照付。總有一天我一定要寫篇文章來談談拍賣場上的心理學：那裡頭實在有太多好玩的事兒可談。重要非凡的本子開高走低屢見不鮮；有時候又以高於實際價值的天價決標。其中奧妙誰能說得準？總算盼到開拍那一天終於來臨；我單刀赴會去了。

先讓我說明一下，在紐約舉行的書籍拍賣會和在倫敦舉行的雷同拍賣會其實非常不一樣。倫敦的拍賣會上不管出現多麼重要的書，也不太會引起雀躍激動的場面。就拿蘇富比來說吧，拍賣官往那座大講台上一站（或坐），他的正前方擺放一張長窄桌，前端抵靠講台，重量級的「行內」（他們全都這麼稱呼書商）人士排排坐在桌子兩邊。每逢善本登場，拍賣官便叫助手拿給右手邊第一位書商審閱，等他看夠了便交給鄰座，待鄰座這位也看夠了再往下輪流傳閱。傳到桌尾則遞給桌子對面左手邊的最後一位書商，等到在座幾

◎倫敦蘇富比公司舉辦的古書拍賣會「如火如荼」進行中，正在審視拍賣品的是美國書商羅森巴哈（原載羅森巴哈《書籍與競標客》）

位「行內」都看過了，那本書輾轉回到拍賣官的手上之後，他這才敲槌賣給其中出價最高的買家，其熱烈程度就像賣甘藍菜一樣稀鬆平常。英國人始終認為熱切並非美德。但是且容我們以小人之心假定整個拍賣過程全是事先套好招（那也不是全然不可能的事），而某位行外人（即藏書家）在現場眼見出價僅及該書價值的一半便率爾投標。當然，拍賣官理應接受他的投標，但是這時馬上會不知從哪兒蹦出一筆更高額的出價——某位行內閉不吭氣地投標，而且會一直如影隨形、緊迫釘人，直到那名圈外人知難而退，或是價格已飆出該書價值三倍之譜，書商才會罷手。那傢伙這會兒也得到教訓了，要是真讓他標得了那件寶貝，價格八成會教他頓足搥胸、懊惱不已；就算他沒買成那部書，恐怕也從此和一票書商結下梁子；反正不管怎麼說，他日後八成都不敢再投標了。「行內」是一個圈子——密密嚴嚴、毫無缺口的小圈子。

在紐約舉行的拍賣會可就大不相同了：它頗像社交場合、任何人都可下場參與的比賽（只要你自認玩得起的話）；但是請先謹記在心：你屆時可是和一群行家在一塊兒玩。一個揮棍舞棒的業餘打手或許夠讓武功高強的劍俠不堪其擾，但是贏面畢竟小之又小。我自己可不至於那麼不長眼，由於我累積了多年的經驗，要是看上哪件拍賣品，我會事先委託某位有把握得標（不管是為他自己進貨或為某位顧客購買）的書商全權代我投標。舉例來說，若是有一部像《魯賓遜漂流記》這樣的拍賣品出現，為了避免和羅森巴哈博士在場上正面交鋒、爭得頭破血流，我乾脆挑明了告訴他我的出價上限，全權委託他去下標。而他呢，只須專心對付拉斯洛普・哈潑、華特・希爾和加伯瑞爾・威爾斯[34]那些人就行了。換另一個情況，假使我想買一部《童年之歌》[35]（華特・拉瑪爾[36]頭一部出版的詩集，這年頭忒搶手）或是《雪洛普郡小子》[37]（一部薄薄的小書，不久前在安德遜藝廊賣到兩百元以上的價碼，不到一年前我才在同樣的場合以一百三十元買到一部）的話，我就會找詹姆斯・F. 蕞克，由他代我出面和小羅較量、比畫。話說回來，要是出現比較稀鬆平常的玩意兒，加上事前取得「行內」的諒解默許，我也會當仁不讓，挺身自行投標。但是一旦碰到要緊的品目，我就不會痴心妄想自己投標；我曾經看過不少人只因把重要的委託權交到錯誤的代理人手裡，平白無故多花了好幾千元。

我怎麼搞的又岔了題，趕緊回頭談周氏藏書拍賣會。頭一場的開幕式當晚，真可說是群賢畢至、少長咸集；所有頂尖的書商和傑出的圖書館館長、藏書家們全都到齊了。我還注意到現場出現許多女士，特別是代表皮耶邦・摩根圖書館的葛林[38]小姐和莎士登[39]小姐、葛羅里亞俱樂部的葛蘭尼斯小姐、還有亨利耶塔・巴特列小姐全都翩翩赴會。拍賣會正式開始前幾個小時，米歇爾・肯納利先生宣讀一封由明尼亞波里斯年高望重的藏書家瓊斯[40]先生發來的電報：「我理應本人親自到場，不為買書，而是為了向一位偉大的藏書家致敬。」我猜，其他藏書家也都是抱著相同的心情來參加這場拍賣會。法蘭克・B. 貝米斯也自波士頓趕來，但是我從頭到尾都沒看見他舉牌投標，一直等到拍賣會結束，我們才有空稍微閒聊一下子，經他私底下告訴我，我才恍然得知，原來許多部重要書籍都將以他位於北濱的優渥宅邸為歸宿。

誰能決定一部書的價值究竟幾何？我想，最好的衡量標準就是鐵錚錚的成交價。全場的目光緊緊盯著那部原始裝幀、有顯赫流傳履歷的《失樂園》。其書前空白頁上有其中一任書主M. 迪格比・魏特爵士[41]於一八五七年九月六日以鉛筆註記：「此為首版並有第一書名頁也；其價幾近十鎊，然必將持續上揚。」果不其然，它攀上了五千六百元的歷史新高價。那個本子是周先生若干年前花了一千五向夸立奇買的。我很高興看到那部原始裝幀的首版三卷本《魯賓遜漂流記》（誠然善本無疑，但比起我手上的本子還是略遜一籌）的成交價飆到五千三百元，而周先生當年花七百五十元購置的布雷克《純真之歌／練達之歌》亦以五千五百元破了該書歷來的成交記錄。昆柏蘭舊藏的布雷克《詩草》（正是我在蕞克書店以四百五十元推銷給他的那一部）賣了九千元；至於《鄉巴佬皮爾斯》（版本和他當年在蕞克書店推銷給我的那一部相同）則只以我當初買進價格的三分之二價碼成交，這幾項結果令我更加篤定地驗證了我長久以來的論斷：紐約的拍賣每每能讓明星級的好書錦上添花，對於次級品則往往價難符值。才稍微那麼一閃神，我就錯失掉原先打定主意要買的那部小牛皮原裝三卷本《胡地不拉斯》[42]，後來我發現那部搶手的書是被傑洛姆・可恩[43]買走，我只能衷心向他道賀。

不管怎麼說，我的「戰功」即便稱不上彪炳輝煌，也還算差強人意；我當時特別在意的胡克[44]《阿曼達》[45]，最後好不容易如願買到。那是一部極其稀罕、由「劍橋三一學院某紳士」於一六五三年出版的小巧詩集，其響亮名氣或許應歸功於安德魯・朗[46]曾在〈書人天堂之歌〉[47]中記上一筆：

彼處庋藏朗皮耶委製裝幀之美書
藍摩洛哥羊皮精裝依然光彩奪目，

AMANDA,
A
SACRIFICE
To an Unknown
GODDESSE,
OR,
A Free-will Offering
Of a loving Heart to a
Sweet-Heart.

By N. H. of Trinity-Colledge in CAMBRIDGE

——— Unus & alter
Forsitan hæc spernet juvenis——
——Sed quisquis es accipe chartas,
Scribe.——

LONDON, Printed by T. R. and E. M. for Humphrey Tuckey, at the signe of the black Spread-Eagle, near St. Dunstans Church. 1653.

■胡克《阿曼達》（一六五三年版）書名頁

胡克《阿曼達》在那兒稀鬆頗尋常，
古早秘魯珍本亦毋庸嘖嘖稱稀奇！[48]

多年前我曾在郝氏藏書拍賣會上見過版本一模一樣的本子，打那回起，這還是它頭一遭重現江湖。此外，我還透過「小羅」標得一部佳善的查普曼譯註《荷馬》，書上有「獻給無可匹敵的英雄，威爾斯親王亨利，以誌一段永不磨滅的回憶」（"To the Immortal Memorie of the Incomparable Hero. Henry Prince of Wales"）的落款，引發濟慈寫下那首膾炙人口的十四行詩[49]的正是這個版本；我還買到一部附極佳肖像畫的大紙本《喜劇與悲劇集》，周先生和我每每對該書的肖像畫讚不絕口；加上小巧可愛的柯葉特《問候英格蘭諸友》[50]（我苦苦尋覓此書良久）。這幾部書，加上另外幾部無足輕重的零星本子，便是我當天的成績單。雖然，這些書都是我光明正大掏錢買來的，但是眼見它們置身在我的書房內，心中還是覺得百味雜陳，一部舊書往往得經過一段時間，才能夠漸漸地融入新環境，這是我長期觀察的心得。

當某位藏書家辭世，其藏書亦隨之散佚，一切就此戛然而止——惟有點滴回憶依稀尚存。我向來將周先生形容為藏書一族的「末代族裔」；嚴格說來，此話現在已然失效。在卓越崇高的藏書族譜（tree）上，還有另一位高人（或者該說：最後一葉（leave））。此人便是我的朋友——布魯克林的W. A. 懷特先生：他此刻依然與我們同在。他在藏書志業上的表現比周先生更為傑出，若要比學問，他或許也略勝一籌，但是他所造成的影響卻不及周先生那般深廣。此君最為世人熟知的藏書成績不只是他的布雷克藏品，更重要的是他的依莉莎白時代藏品（他手上擁有幾部極為出色的本子）。一九一六年，紐約公共圖書館為了紀念莎士比亞逝世三百年，隆重推出以莎士比亞及其年代為主題的圖書展覽，那場展覽非常精采。全部展示內容均由巴特列小姐（該領域數一數二的權威）擔任統籌，但是事實上，當時並非人人都曉得其中有一、兩部珍本乃由懷特先生提供[51]。他為人十分謙虛、與世無爭，儼然一派學者風範，正因為如此，大家根本不知道他手中其實掌管龐大的生意，但是他卻無時不刻準備將他自己、他的學識、他的藏書傾囊挹注在他真正有興趣的事物上。要是連他也離我們而去，那麼，美國藏書史第二個黃金時代——無疑地，以皮耶邦・摩根名列榜首，由他兒子最近以父親的珍藏成立的大圖書館便足以證明——亦將隨之告終。

杭廷頓先生目前也尚在人間，但是他並不能算是單一個人；他現在已儼然成為一整個機構（而且還是個雄霸一方的機構）。他於短短數年前才開始蒐集書籍，但是到目前為止，他已經陸陸續續買下總價約合兩千萬元的書籍，並且「二話不說」將它們捐出去——給了加利福尼亞州。如果我們找不到這個世界上還有哪裡能夠像美國這麼富有，那必然是因為在別的地方，財富絕對無法像咱們這兒這樣快速、自在地供大眾分享。

新一代藏書族群正在逐漸形成，我現在馬上想得到名字的就有：小威廉・安德魯・克拉克[52]、R. B. 亞當、法蘭克・B. 貝米斯、傑洛姆・可恩、卡爾・福澤默[53]、J. A. 史布爾、J. L. 克勞森[54]……等人。我期盼，我誠摯地期盼，這些人與其他人能夠有志一同，繼續將知識（版本學及其他學問）的火炬往下傳衍，令它持續發光發熱——而這炷香火，就算不是由比佛利・周和葛羅里亞俱樂部的仁人志士點燃，也曾經在他們手中盡心盡力呵護多年。

【譯註】

◎郝拔特學院校徽

1 郝拔特學院（Hobart College）：位於紐約州日內瓦（Geneva）的小型學院。一八二二年由當地聖公會主教約翰・亨利・郝拔特（John Henry Hobart, 1775-1830）創辦。

2 亨利・朗費羅（Henry Wadsworth Longfellow, 1806-1882）：十九世紀美國詩人。一八二九年至一八五四年擔任現代語言學教授；一八五四年起專事寫作。作品有：《夜聲集》（*Voices of Night*, 1839）、《歌謠與零詩集》（*Ballads and Other Poems*, 1841）、《伊凡吉林》（*Evangeline*, 1847）、《海畔爐邊集》（*The Seaside and the Fireside*, 1850）、《黃金傳奇》（*The Golden Legend*, 1851）、《海厄瓦塔之歌》（*The Song of Hiawatha*, 1855）、《邁爾斯・史丹迪許求愛記》（*The Courtship of Miles Standish*, 1858）、《道畔旅店故事集》（*Tales of a Wayside Inn*, 1863）、《但丁的神曲》三卷（*The Divine Comedy of Dante Alighieri*, 1863）等。

3 拉法葉侯爵（Marquis de〔Marie-Joseph-Paul-Yves-Roch-Gilbert du Motier de〕La Fayette, 1757-1834）：法國政治家、官員。貴族家庭出身，且曾擔任路易十四的朝臣，但在法國大革命時與資產階級革命派結合，成為當時法國最有權勢的人。一七七七年七月抵達費城，官拜少將參與美國獨立戰爭，成為美國人的英雄。一七八四年再度訪美並成為好幾個州的榮譽公民。此處應指他於一八二四年的赴美行程。

4 約翰・沙克林（參見第二卷 II 譯註17）姓氏應拼作“Suckling”，其若干著作上皆拼作“Sucklin”。

◎威廉・馬歇爾為Edward Littleton爵士製作的藏書票（約1630）

5 威廉・馬歇爾（William Marshall, 1630-1650）：十七世紀英國版刻師。

6 《喜劇與悲劇集》（*Comedies and Tragedies*）：湯瑪斯・吉勒葛路的劇作集。一六六四年，倫敦出版。書前的肖像扉畫由威廉・費索恩根據薛帕（Sheppard）的原畫改繪雕版。

7 湯瑪斯・吉勒葛路（Thomas Killigrew, 1612-1683）：十七世紀英國劇作家。

8 威廉・費索恩（William Faithorne, 1616?-1691）：十七世紀英國版刻師、肖像畫匠。師承老羅勃・畢克（Robert Peake the Elder）與約翰・佩恩（John Payne）。一六五八年製作倫敦地圖；一六六二年出版《雕版與刻版的技藝》（*The Art of Graving and Etching*）。其子威廉・費索恩（1656-1710）亦繼承父業，並曾為安妮皇后、查理一世、查理二世和約翰・德萊登製作肖像。

9 費索恩為一六五九年版《盧卡斯塔、阿拉曼沙合編》製造全書雕版插畫。其中第二部有一幅Lucy Sacheverall（Lucy Sacheverell）肖像乃費索恩根據雷利爵士（Sir Peter Lely, 1618-1680）的原畫改繪雕版。費索恩還繪製全書插圖。

10 拉夫雷斯（Lovelace）拆開便成了love、lace，兩字皆為細膩婉約的字眼。

11 湯瑪斯・佛列特曼（Thomas Flatman, 1637-1688）：英國詩人、細密畫（miniature）家。一六七四年出版的《詩與歌》（*Poems and Songs*），收錄祈禱詩、頌德詩。

12 此部《紅字》（*The Scarlet Letter*）為一八五〇年波士頓版；原屬Bayard Taylor藏本（受友人James T. Fields所贈）。

13 湯瑪斯・詹姆斯・魏斯（Thomas James Wise, 1859-1937）：英國版本學家、藏書家。曾經編

纂許多英國作家的書目。他典藏大批珍貴手稿與書籍（以十七世紀英詩為其大宗）的「阿胥禮藏書樓」（Ashley Library，以其生前自宅所在街道命名）。其私人藏書於一九三七年由其遺孀售予大英博物館。魏斯曾自行輯印將近三百部英國詩人作品集，其中部分經版本學者約翰·卡特（John Carter, 1905-1975）與格雷安·波拉德（Graham Pollard, 1903-1976）在《十九世紀小冊子類型調查》（*An Enquiry into the Nature of Certain Nineteenth Century Pamphlets*, 1934）一書中揭發為偽書，此藏書界醜聞於焉爆發。進一步詳情請參考德拉瓦大學圖書館網頁 http://www.lib.udel.edu/ud/spec/exhibits/forgery/wise.htm。

14 山繆爾·P. 埃佛利：參見本卷 I 譯註46。

15 佛雷德利克·R. 荷爾西（Frederick R. Halsey, 1847-1918）：美國藏書家。一九一五年，荷爾西藏書悉數被亨利·杭廷頓收購，其中包括兩部《帖木兒》（*Tamerlane and Other Poems*, Boston: Calvin F. S. Thomas, 1827，愛德格·愛倫·坡以匿名A. Bostonian發表的處女作），杭廷頓旋即將其中一部交由喬治·D. 史密斯脫手（售予某波士頓藏家），該書現藏德州奧斯汀。

16 愛德華·賀爾·比爾史戴德（Edward Hale Bierstadt, ?-1896）：美國藏書家。專收英美文藝作品，曾提供私藏珍版書供葛羅里亞俱樂部展覽並編成《從朗蘭到魏舍：英國作家散文作品之早期暨原版藏書書目》（*Catalogue of Original and Early Editions of Some of the Prose Works of English Writers: from Langland to Wither*, 1893）。

17 哈利·魏特森·肯特（Harry Watson Kent, 1866-1948）：美國圖書館學家、藏書家。出生於麻薩諸塞州波士頓。年輕時在波士頓公共圖書館工作，後來在哥倫比亞圖書館學校（Columbia Library School）修習Melvil Dewey（「杜威圖書分類法」創始人）的課程。一九〇〇年肯特移居紐約，旋即成為「葛羅里亞俱樂部」圖書館助理館長，一九〇三年升任館長，後來參與會內多項（包括出版等）事務，一九二〇年被選為會長（至一九二四年）。一九三六年至一九三八年擔任「美國平面藝術學院」校長。

18《從魏舍到普萊爾：英文藏書書目》（*English Bibliography from Wither to Prior*）：原題應為 *Contributions to English Bibliography: Catalogue of Original and Early Editions of Some of the Poetical and Prose Works of English Writers from Wither to Prior*。三卷本，一九〇二年紐約葛羅里亞俱樂部出版。

19 亞佛雷德·W. 波拉德（Alfred William Pollard, 1859-1944）：英國版本學家。一八八三年至一九三四年擔任大英圖書館館長；一九一九年至一九三二年在倫敦國王學院教授版本學；一九〇三年至一九三四年擔任《圖書館》期刊主編。著作有：《早期繪本書》（*Early Illustrated Books*, 1893）、《莎士比亞對開本與四開本》（*Shakespeare Folios and Quartos*, 1909）、《莎士比亞四開本普查》、與G. R. Redgrave等人合編的《一四七五年至一六四〇年於英格蘭、蘇格蘭、與愛爾蘭印行的書籍簡目》（*A Short Title Catalogue of Books Printed in England, Scotland, & Ireland 1475-1640*, 1626）等。

20 亨利耶塔·C. 巴特列（Henrietta Collins Bartlett, 1873-1963）：美國專治莎士比亞的版本學家（參見第一卷III譯註19）。

21《一五九四年至一七〇九年刊行之莎士比亞四開本劇本版本現況普查》（*The Census of Shakespeare's Plays in Quarto, 1594-1709*）：亞佛雷德·W. 波拉德、亨利耶塔·C. 巴特列合編。一九一六年紐賀芬、倫敦：耶魯、牛津大學共同出版。

22〈萬事莫如古書好〉（“Old Books Are Best”）：比佛利・周的詩作。原刊登於一八八六年三月十三日《評論家》（*Critic*），後收錄在《歌詠書籍》（參見第一卷Ⅲ譯註9）。

23 羅傑・佩恩（Roger Payne, 1738-1797）：十八世紀英國裝幀名家。幼時在伊頓（Eton）書商Joseph Pote的書店當學徒。約於一七六六年，他與弟弟湯瑪士遷居倫敦，初以販書為業，後投身裝幀業。

24「上天賜福予施者亦賜予受者。」（“It blesseth him that gives and him that takes.”）：語出莎士比亞《威尼斯商人》（*The Merchant of Venice*）第四幕第一場中鮑西婭（Portia）的台詞。

25《十四行詩》（*Sonnets*）：莎士比亞作品。一六〇九年倫敦出版。

26 首版《鄉巴佬皮爾斯》（參見第二卷Ⅱ譯註10）為倫敦Robert Crowley印行，出版年份應為一五五〇年，但書名頁上誤印成一五〇五年，經出版商以徒手改正。

27 喬治・昆柏蘭（George Cumberland, 1754-1847）：英國作家、水彩畫家。布雷克生前友人。

28 賀榭爾・V. 瓊斯（Herschel Vespasian Jones, 1861-1928）：美國藏書家。瓊斯藏書拍賣會（由安德遜藝廊主辦）自一九一八年年底開始，直至翌年年初。

29 應指紐約「廣場大飯店」（Plaza Hotel）。

30 應指佛德瑞克・洛可－蘭普森（參見第一卷Ⅲ譯註101）。

31 “Our friend is gone, if any man can die, / Who lived so pure a life, whose purpose was so high.”：出處不詳。

32 傑拉德・凡・杭索斯特（Gerard van Honthorst, 1590-1656）：十七世紀荷蘭畫家。

33 愛德華・路特芮爾（Edward Lutterel, 1650?-1724?）：英國畫家。

34 拉斯洛普・哈潑（參見第四卷Ⅱ譯註76）、華特・希爾（參見第一卷Ⅱ譯註31）、加伯瑞爾・威爾斯（參見第一卷Ⅱ譯註59）：皆美國重要書商。

35《童年之歌》（*Songs of Childhood*）：華特・拉瑪爾（華特・德拉馬）的詩集。一九〇二年出版。

36 華特・拉瑪爾（Walter Ramal）：英國詩人、小說家華特・德拉馬（Walter de la Mare, 1873-1956）的筆名。作品有：《童年之歌》（以筆名Walter Ramal發表）、小說《亨利・布洛肯》（*Henry Brocken*, 1904）、《詩集》（*Poems*, 1906）、《傾聽者》（*The Listeners and other Poems*, 1912）、《孔雀派》（*Peacock Pie*, 1913）、劇本《越》（*Crossing*, 1921）、《侏儒回憶錄》（*Memoirs of a Midget*, 1921）、《謎語故事集》（*Riddle, an other Stories*, 1923）、《巫婆的掃把》（*Broomsticks, and other Tales*, 1925）、《胡說八道集》（*Stuff and Nonsense*, 1927）、《童詩集》（*Poems for Children*, 1930）、《大風吹》（*The Wind Blows Over*, 1936）、《憶往詩》（*Memory, and other Poems*, 1938）、《睇這夢人》（*Behold, This Dreamer*, 1939）、《鈴與草》（*Bells and Grass*, 1941）、《熊熊烈草》（*The Burning Grass*, 1945）、《旅人》（*The Traveller*, 1946）、《兒童故事選》（*Collected Stories for Children*, 1947）、《內在伴侶》（*Inward Companion*, 1950）、《倩兮英格蘭》（*O Lovely England*, 1953）。

◎《雪洛普郡小子》（Berkeley Heights, N.J.: Oriole Press, 1959）

37《雪洛普郡小子》（*A Shropshire Lad*）：亞佛雷德・E. 豪斯曼（參見第四卷Ⅱ譯註81）詩集。一八九六年倫敦K. Paul Trench, Truber & Co.出版。

38 蓓拉・達・柯斯塔・葛林（Belle da Costa Greene, 1883-1950）：美國圖書館學版本學家。她的父親理察・西奧多・葛林（Richard Theodore Greene, 1844-1922）是美國史上首位得到哈佛學位的非裔美國人。一九〇五年，當她的年紀才只有二十出頭的時候便獲得約翰・皮耶邦・摩根本人賞識，受邀出任其圖書館的館長一職，摩根一九一三年歿後其子Jack（J. P Morgan, Jr.）續聘她留任，總共在位長達四十三年，任內擴充館藏不遺餘力。

◎葛林，Clarence White攝（1911）

39 艾達・莎士登（Ada Thurston, 1872-1948）：當時皮耶邦・摩根圖書館館長。

40 即賀榭爾・V. 瓊斯（參見本章譯註28）。

41 馬修・迪格比・魏特爵士（Sir Matthew Digby Wyatt, 1820-1877）：十九世紀英國建築師、藝術家。

42《胡地不拉斯》（*Hudibras*）：十七世紀英國詩人山繆・巴特勒（Samuel Butler, 1612-1680）的諷刺詩集。另有同名作家（參見第一卷IV譯註51），後世為了區分兩者，以各自代表作將十七世紀的巴特勒稱為「胡地不拉斯巴特勒」（Hudibras Butler）、將十九世紀的巴特勒稱為「埃瑞宏巴特勒」（Erewhon Butler）。

43 傑洛姆・可恩（Jerome David Kern, 1885-1945）：美國作曲家、藏書家。原本的興趣只是蒐集作曲家的簽名，不知不覺便累積了一堆書籍、樂譜、手稿（可見他並沒有只將簽名割下來）。可恩晉身藏書家乃受共事的哈利・B. 史密斯（參見第一卷V譯註8）的啟迪，藉由史密斯的穿針引線，可恩深入十八、十九世紀文學領域，加上夸立奇、羅森巴哈、威爾斯等書商灌輸給他不少版本、書價等知識，他很快地精通十八、十九世紀書籍各種版記和裝幀形式的差異。至於他專注收藏狄更斯、薩克雷、蘭姆、瓊生、戈爾德史密斯等作家，則是依循紐頓《藏書之樂》書中所揭櫫的原則。可恩結束其藏書事業一如他起步一般急促，原因眾說紛紜，一說耗費大量心力照料龐大藏書已讓他不勝負荷、一說他有意轉移投資項目。可恩出清藏書是二十世紀藏書史上的重大事件。一九二七年，可恩藏書委由安德遜藝廊拍賣，當天拍賣會場萬頭攢動，媒體形容為「一如馬戲團公演」，當天可恩藏書屢創新高成交價，總成交金額高達美金一百七十萬元，是當時單場書籍拍賣會的最高記錄。可恩後來又於一九二九年舉辦另一場拍賣會。

◎傑洛姆・可恩的藏書票，當年許多人爭相購藏貼有此藏書票的可恩舊藏本

44 尼可拉斯・胡克（Nicholas Hookes, 1628-1712）：十七世紀英國作家。

45《阿曼達》（*Amanda, A Sacrifice to an Unknown Goddesse, or, A free-will Offering of a Loving Heart to a Sweet-Heart*）：胡克的小說。一六五三年倫敦T. R. and E. M. for Humphrey Tuckey印行。

46 安德魯・朗（Andrew Lang, 1844-1912）：蘇格蘭裔英國民俗學者、作家。研究中古歷史與民間傳說，論著包括：《風俗與神話》（*Custom and Myth*, 1884）、《神話、儀式與信仰》（*Myth, Ritual and Religion*, 1897）、《宗教之形成》（*The Making of Religion*, 1898）；詩作：《古代法國歌謠》（*Ballads and Lyrics of Old France*, 1872）、《特洛伊的海倫》（*Helen of Troy*, 1882）、《帕納瑟斯草地》（*Grass of Parnassus*, 1888）；史學論述：《羅馬帝國佔領下的蘇格蘭史》（*A History of Scotland from the Roman Occupation*, 1900-1907）；《史實探秘》（*Historical Mysteries*, 1904）、《法國婢女史》（*The Maid of France*, 1908）；小說：《堆石標》（*The Mark of Cain*, 1886）、《致函已故作家》（*Letters to Dead Authors*, 1886）、《書與書客》

（*Books and Bookmen*, 1887）、《老友》（*Old Friends*, 1890）、《解鈴人》（*The Disentanglers*, 1902）……等。安德魯．朗本人亦是愛書人，曾創作許多歌頌書籍的詩、文，其中部分作品集結成《歌詠書籍》（*Ballads of Books*）、《文學講函》（*Letters on Literature*, 1889）、《書海探涯》（*Adventures among Books*, 1905）等。商周文化已陸續出版他編寫的系列童話集中譯本。

47 〈書人天堂之歌〉（"Ballade of the Bookman's Paradise"）：安德魯．朗的詩作。原收錄於《世間謠》（*Rhymes à la mode*, 1885，倫敦Kegan Paul出版），後收錄在《歌詠書籍》（參見第一卷Ⅲ譯註9）。

48 此四段詩文為〈書人天堂之歌〉第二段。「朗皮耶」或指法國收藏家朗皮耶男爵（Baron Longpierre）；「秘魯古本」（early tracts upon Peru）不詳所指為何。

49 指濟慈詩作〈初讀查普曼註荷馬有感〉（參見第一卷Ⅳ譯註46）。

50 《問候英格蘭諸友》（*Greeting to his Friends in England*）：柯葉特（參見第一卷Ⅲ譯註90）著作。原題為《湯瑪斯．柯葉特於一六一六年十月末自印東蒙兀兒帝國轄地首府亞格拉向其英格蘭諸友致意問候》（*Mr. Thomas Coryat to his friends in England sendth greeting: From Agra the Capital City of the Dominion of the Great Mogoll in the Eastern India, the last of October, 1616*）。一六一八年倫敦首版。

51 懷特拿出多部私人藏書供該次展覽使用。根據當時配合展覽的《莎士比亞大展目錄》（*Catalogue of the Exhibition of Shakespearianan*, New York Public Library, 1916），亨利耶塔．巴特列（參見本章譯註20）指出：此展覽乃由懷特先生率先提議，並於策劃期間給予諸多協助，促成此次展覽大為成功。

52 小威廉．安德魯．克拉克（William Andrew Clark, Jr., 1877-1934）：美國藏書家。出身蒙大拿州銅業世家，父親（William Andrew Clark，人稱「銅業大王」）與兄長（Charles）皆為收藏家。一九一七年起他發憤藏書，透過（George與Alice）Millard夫婦、喬治．D. 史密斯等書商，陸續購入大量珍本。一九二〇年史密斯建議他為藏書編製目錄，於是他延請加州版本學家（亦是書商）Robert E. Cowan擔任編纂，加上納許（參見本卷Ⅰ譯註105）的精美編排、印刷、裝幀，克拉克藏書目錄出版後便享有盛名。受Millard與史密斯的鼓舞，他繼續藏書不輟，除了擁有若干莎士比亞劇作對開本、四開本之外，他的王爾德藏品亦堪稱一流，該批收藏後來於克拉克擔任加州參議員期間捐贈給加州大學，並以父親為名出資興建的「威廉．安德魯．克拉克紀念圖書館」（The William Andrew Clark Memorial Library，地點並不在校園內，而是在距校區十哩的克拉克故居舊址Cimarron街2520號），並允許校方日後可自行增添品項，由於原本克拉克藏品的質、量俱佳，加州大學於是成為王爾德相關研究的重鎮。

53 卡爾．H. 福澤默（Carl H. Pforzheimer, 1879-1957）：美國財閥、藏書家。專攻雪萊及其相關作品與同時代作家，生前共庋藏了兩萬五千多件珍稀的書籍、作家手稿、書信等。一九八六年，其子嗣將該批藏品以父母親的名義「卡爾與莉莉．福澤默基金會」（The Carl and Lily Pforzheimer Foundation, Inc.）捐贈給紐約公共圖書館，現今館內設有「卡爾．H. 福澤默之雪萊及相關文物特藏室」（The Carl H. Pforzheimer Collection of Shelley and His Circle）。

54 約翰．L. 克勞森（John Lewis Clawson, 1865-1933）：美國藏書家。原居紐約州中部，後來舉家遷往水牛城，在當地與人合夥經營全美規模最大的南北乾貨運銷公司。其藏書歷程頗具戲劇性，一九一四年前從未有藏書資歷的克勞森，至一九二三年已聚藏了一批內容頗精的依莉莎白時期（特別是一五五〇年至一六六〇年間）文學作品。由於他自始便無意廣泛蒐羅龐雜的各類書籍，反而更能專注精良的品目。克勞森藏書主要來自一九一八年與一九一九年的哈堅、瓊斯（參見本章譯註28）兩場拍賣會，以及杭廷頓出清複本等機緣，並藉由羅森巴哈的若干協助。一九二四年，版本學家Seymour De Ricci為他編製藏書目錄《水牛城約翰・L・克勞森早期英文書籍目錄》（*A Catalogue of Early English Books in the Library of John L. Clawson, Buffalo, Philadelphia*, New York: The Rosenbach Company, 1924）。一九二六年，克勞森藏書委託安德遜藝廊拍賣，羅森巴哈為其他客戶如歐文・D. 楊、佛爾格、福澤默等人標下其中大部分藏書，其中福澤默花了大約美金二十萬元成為最大買家，而該次拍賣會的總成交金額為美金六十四萬兩千六百八十七元，不僅保持記錄多年，更一舉洗刷外界原本對克勞森藏書品味欠佳的猜疑。

◆第四卷◆

蒐書之道

This Book-Collecting Game

1930

◆紐頓自用藏書票之四◆

■自得其樂的A. 愛德華・紐頓。根據高登・羅斯的水彩原作複製。（左下方狐狸：「啥都攔不住他。」）

§第四卷目錄§

謹以此書獻給四名甜美可人的小姪女：——其實她們全是我的孫女[1]，然而，有鑒於以姪女稱呼她們比較符合我的年紀和習慣，我和她們之間總以伯姪相稱。

A. E. N.

銘謝《大西洋月刊》、《仕女家居月報》[2]與《星期六晚間郵報》諸位編輯女士先生，感謝他們慷慨授權，讓我得以在此重印這些曾假貴刊一角披露的文章；感激「羅芳俱樂部」[3]的會長及同仁諸君，提供圖版供我於〈英文小說的格式〉[4]一文中使用；並向各位不吝提供寶貴意見的眾多友人致謝，若沒有他們的鼎力相助，本書必將大為失色。

A. E. N.

【譯註】

1 參見附錄譯註3。

2 《仕女家居月報》(*Lady's Home Journal*)：原為寇提斯（參見第二卷Ⅳ譯註2）創辦的《論壇與農民》雜誌當中的女性專欄，由於頗受歡迎，於一八八三年獨立成刊，是當時女性刊物的翹楚。

3 「羅芳俱樂部」(The Rowfant Club)：設籍於美國俄亥俄州克利夫蘭的文藝社團。一八九二年創立，其宗旨為「精研群籍」("critical study of books")；每年均假社團會所舉辦一系列活動，並印行僅供會員流通的限量出版品。「羅芳」乃以佛德瑞克・洛可－蘭普森（參見第一卷Ⅲ譯註101）的故居命名。

4 〈英文小說的格式〉("The Format of the English Novels")：原書第十四章，譯本未收。

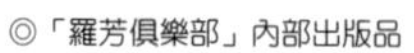

◎「羅芳俱樂部」內部出版品

■「如入無人之境」，誌A. 愛德華・紐頓君之先斬後奏德性
高登・羅斯水彩原作

I　開門幾件事

蒐集書籍，乃是一項了不起的競賽。任何人只要具備一般資質，皆可下場一搏（的確，有人甚至據此一口咬定藏書根本用不著動腦筋；此種論調大可不加理會）。這項活動並不會花費太多金錢（除非你貪得無厭妄想巴蛇吞象），不管在國內、國外都能從事；可單槍匹馬獨樂樂，呼朋引伴眾樂樂亦無不可；甚至你還能以通信的方式進行。而且每個人都可以各自訂定一套自己專用的規則（於進行過程之中還能隨自己高興，愛怎麼改就怎麼改）。它不像其他競賽，動不動就「犯規出局」。

頻頻有人問起我的規則為何：這個問題倒不難回答。我規定自己只能關照少數幾部抄繪、印刷與裝幀俱精的本子，而且將大部分的精神、力氣集中投注於英文文學傑作的首版書上。最後還有一道最嚴格的限制：即使我早在五十年前就給自己訂下極為宏偉的目標，但是二十年來，我絕不因此三步併作兩步、氣急敗壞地匆忙趕路。許多收藏家現在的成果皆已遙遙領先在前頭，但是我一步一腳印穩穩扎下的根基卻無人能及。當初我花十五分錢買來的許多書（現在的價值均已遠高於此），直到今天都還留在身邊，而且我記得很清楚，那年頭花一塊錢買一部書簡直可說是出手闊綽。當我只擁有幾百部書，每次提及那些書的時候總還是大言不慚地說成「我的藏書」，如今我庋藏的書籍總量大約八千到一萬冊之譜，我現在明白了：它們依然還不夠資格稱為一批藏書，充其量不過就是一堆書罷了。

我實在無法理解為何有人沒書還能活得下去，我個人絕不會把一冊席爾斯百貨公司（Sears Roebuck）的商品型錄或一本電話簿稱作「書」（儘管它們多麼妙用無窮）。我很明白大多數世人全都活得渾渾噩噩：他們何苦跟自己過不去呢？——君不見大家全是一副理直氣壯，浩浩蕩蕩高唱：「只要我喜歡，有什麼不可以？」一路悶著頭往前走。生命之道比起「藏書之道」要難走多了。生命之道要走得好，就該奉守多讀少講這條金科玉律：盡其可能地多讀；不得已必須開口的時候，也要盡量言之有物。對於那些逢人就高談一加侖汽油能讓車子跑多少哩路的呆瓜、老是闊論當年在球場揮桿如何神勇的高爾夫球友，你能避開多遠就避多遠。古有明訓：絕大多數的友誼若非狐群狗黨結伴，就是笨瓜白丁成群[1]。但是這句話並不適用於我們這種人：咱們這些在藏書道上闖蕩的人都曉得，藏書的副產品無非就是「朋友」。

偉大的英國藏書家湯瑪斯·J. 魏斯在其自用藏書票上印著一句格言，頗能彰顯此君個性：

> 不管置身任何角落，書籍總為我召來友朋，
> 相濡以沫或離群索居——皆得友誼相維繫。

以書為媒，我所結交的朋友何其不可勝數、何其廣被四海！倘

使多采多姿乃生命的調劑（事實上也的確如此）的話，藏書家生涯之多采多姿更是罄竹難書。「哦，合著您喜歡書哪，」某位來客沒安好心眼地瞟了我的書房一眼；講話的神態活像衝著人說：被我給逮著了吧。「我從小就是一路看書長大的喲，我愛死了書本。真想讓您瞧瞧我那本《耶誕頌歌》；那一本應該是首版：插圖是克魯克香克畫的，」（外行人老愛把克魯克香克當成頭一個為狄更斯繪製插圖的插畫家）[2]「而且是用摩洛哥羊皮精裝的，封面上還鑲著一枚手繪在象牙上的狄更斯頭像。」趕緊斃了那傢伙！別手下留情，一槍斃掉他！「逢損收手、見利快追」實在是個挺不錯的建議，就算這句話是從某位股市營業員嘴裡冒出來。很少有什麼事能比「和懂書的人聊書」更棒、更樂趣無窮的了。或許去了天堂就能夠得到喜樂——我聽大夥兒都這麼說——但由於從來沒聽到去過那兒的人親口證實，我索性在自個兒的書房裡頭尋找喜樂得了。我最近收到的信就教我喜樂個老半天！（我雇了一名手腳伶俐、腦筋靈活的年輕小姐專門幫我處理信件。）且聽我娓娓道來：

前一陣子，我收到一封信，一開頭便是一幅親筆畫，就是印在這篇文章最前頭那一幅。那幅精美的素描儘管尺幅不大，但每道細節無不充滿幽默感，讓我耽擱了好幾分鐘才定神往下閱讀信文。我費了好一番工夫才讀懂內容（筆跡簡直龍飛鳳舞得可以）：

敬愛的紐頓先生如晤：

幾個月前，E. R. 紀[3]先生捎了一封信給我，其中提及您希望我能授權讓您在即將問世的大作《舉世最偉大的書》中使用在下繪製的修特茲肖像。我相信紀先生已經轉告您：我欣然同意，而且，我很樂意特地為您準備另一幀圖稿，以利單色印刷之用。另外——萬分恭敬且冒昧地請教您：您向某人的鄰居借用東西，卻連一聲「謝謝」都不說，您覺得很樂是吧？

謹祝您

其樂融融，樂此不疲

高登・羅斯[4]上

◎紀的著作《早期美國運動書籍》

我看完之後不禁莞爾，感到又好氣又好笑。整件事情的原委是這樣子的：當我動手撰寫那篇關於運動書籍的文章[5]的時候，曾經三番兩次向紐約的E. R. 紀先生（該好玩領域中鼎鼎大名的專家）討教。某一天，當我和他討論到一半，他告訴我他正打算印製一幀羅勃・史密斯・修特茲（曾創造出不朽的傑克・裘洛克[6]、碧格[7]、餿皮・史邦吉[8]和其他一大堆角色）的精美肖像畫。那幅畫的確漂亮得沒話說，為了對我的朋友紀兄略盡綿薄，我於是對他說：若是他也願意的話，我很樂意把那幅肖像收進那篇關於運動書的文章裡頭，我一直認為此舉是賞紀先生和那位畫家一個面子。當時還是我頭一回聽到那位畫家——高登・羅斯——的大名，後來那篇稿子因為倉促送印，同時我也埋頭忙著準備出國事宜，一不小心就疏忽了要在文章內註明原繪者的姓名。我匆匆忙忙地將稿子和書中使用的一堆插圖，一股腦兒丟給出版社之後，便乘著滔滔汪洋我就此遠航，／行也疾疾色也匆匆，／晚餐時大夥兒暢飲甘醇香檳[9]，當然，也少不了其他許多好菜佳餚，管他羅先生還是紀先生，早就全被我拋到後腦勺兒去了。

●羅勃・史密斯・修特茲肖像
翻製自紐約E. R. 紀印行之精美複製品（原載於《舉世最偉大的書》中之〈運動書籍面面觀〉）

可偏偏咱們這位羅斯先生是個英國佬——呃，其實嚴格說起來應該是蘇格蘭佬（反正，還不都是英國）——而且還是個不甘忍氣吞聲的英國佬。當時落戶紐約、早已闖出一片江山的羅斯先生顯然認定我就算再怎麼糊塗渾帳，也沒道理連一句「謝謝」都不吭就擅自「借用」（遵照他

■「運動家精神可嘉」或「亡羊補牢其情可憫」

的說法）他畫的肖像畫——於是才寫了那封信給我。

「坦白從寬」是我長年以來奉行不悖的一貫原則。於是我馬上回了一封信向羅斯先生解釋：由於當時出國在即，不免便宜行事，以至於將原該在使用修特茲肖像之前先取得他的許可這檔事兒給忘得一乾二淨；我還提到該書能夠收入那幀肖像著實令我倍感榮幸（謝天謝地，還好我當時掏錢買了一幅）。最後還加上：非常高興由於先前的馬虎大意，我才有機會收到那封以絕妙小畫開頭的興師問罪信。末了，我正式委託他依原圖樣為我再繪製一幀尺幅較大的彩圖，讓我可以裱褙起來，和我的其他運動畫掛在一塊兒，並且將它縮印成一款藏書票，專門用來貼我的運動類書籍。

過了沒有多久，我再度收到羅斯先生的來信，這回同樣附了一幅畫（就是上頭這一幅）。信中如此寫道：「且容我仿效拍賣目錄上文謅謅的語氣：『此批備受推崇的畫片乃以成套方式出售』。」閱罷全信，我發覺他——大人已經完全不記小人過了。

前後兩幅羅斯的珠玉之作，究竟哪一幅比較逗趣？哪一幅比較巧妙？就留給眾看倌自行裁奪。但在我眼裡看來，兩幅畫都同樣可

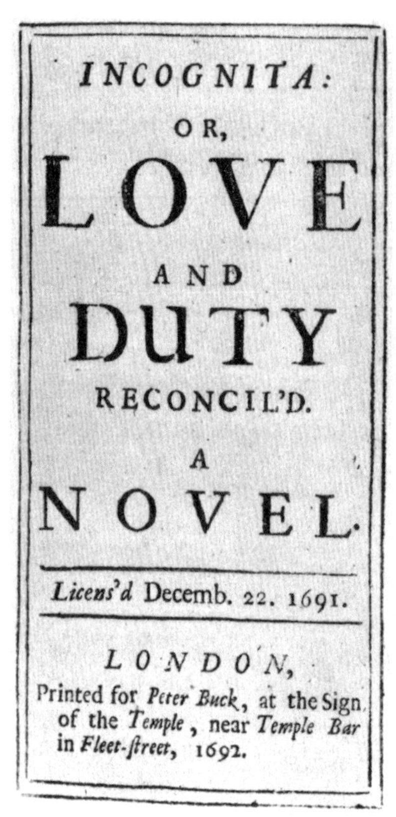

INCOGNITA:
OR,
LOVE
AND
DUTY
RECONCIL'D.
A
NOVEL.

Licens'd Decemb. 22. 1691.

LONDON,
Printed for Peter Buck, at the Sign of the Temple, near Temple Bar in Fleet-street, 1692.

■康格列夫的首部「小說」。一部非常早（可能是最早）使用「小說」這個字眼的英文著作。此乃康格列夫最初一部出版品。存世僅餘四部

愛，沒有哪種關係會比這樣子不打不相識起頭的友誼更牢固耐久的了。愛情或許還能一見傾心，但是友誼的滋長得靠細火慢熬。

再回頭談書本吧。有道是：「我向來葷素不忌。我不嫌沙夫提斯伯里高不可攀，亦不嫌強納森．維爾德粗鄙不堪。」我不但蒐集各種版本的聖經——也蒐集運動書籍。「我求神賜予我以包羅萬象、無所不包的胃口。」[10]時至今日，我也深深被小說吸引。多年來，人們的收藏目標總是繞著詩集、劇本打轉，而最新穎、也最受大眾歡迎的文學形式——小說，卻始終未能獲得藏家青睞：不過風水遲早一定會輪轉到它的頭上：你瞧這會兒我不就迷上了嗎？

就在前幾天，我才從紐約的艾德格．威爾斯（Edgar Wells）那兒買了一部《隱姓埋名》[11]。此書極可能是當年頭一部在書名頁上以現代意涵印上「小說」這個詞彙的英文著作。威廉．康格列夫寫那部小說的時候年僅二十一歲。此書目前已成了難得一見的珠玉小品。約翰生博士嘗曰：他就算沒讀過也願意吹捧它[12]：好樣的，博士可真是直腸子！他從不拐彎抹角：心裡想什麼就說什麼。

既然提到小說。我直到最近才頭一回讀《頑童歷險記》[13]。此書實在是一部偉大的作品：高斯沃西[14]甚至將它與《唐．吉訶德》相提並論——這個類比相當公允貼切。假使這輩子沒機會讓我碰到一部開價一千元以內、首版首刷的本子，我一定會死不瞑目。行啦，看倌，看在老天爺的分上，趕緊從您的座位站起來，拿出筆、墨、紙，寫一封信來告訴我：您打算把手上的《頑童歷險記》以五

百元賣給我吧。我指的是首版首刷──藍色布面精裝（您的本子或許是綠色的）：第二百八十三頁經過換補的本子；如果您想知道原委，請逕自洽詢您的書商：他一定會告訴您[15]。我並不函授藏書之道。我的腦袋既鬆散又粗枝大葉：只勉強記得住寥寥幾個要緊的版本年份和零碎事項，等到您的信寄達，我早就又忘得光溜溜了。您不妨去問約翰．T. 溫特里屈[16]：他必定曉得答案；如果我沒弄錯的話，他曾經寫過一篇關於那部書的文章。我在此重申：《頑童歷險記》是一部偉大的書。這個發現算不了什麼。

■馬克．吐溫的《頑童歷險記》

【譯註】

1 語出約翰生博士。較完整原句應為「誰人能曉曩昔諸友今何在？而他們渡抵他界是否情義依然？汝可知多少友誼乃出於德行義結？泰半友誼均緣自陰錯陽差，若非狐群狗黨沆瀣一氣，就是笨瓜白丁結夥成群。」（"How can a man know where his departed friends are, or whether they will be his friends in the other world? How many friendships have you known formed upon principles of virtue? Most friendships are formed by caprice or by chance, mere confederacies in vice or leagues in folly."）見《約翰生傳》（一七八四年五月十九日段）。

2 由於喬治．克魯克香克（參見第一卷Ⅲ譯註7）曾為狄更斯的《鮑子隨筆》（*Sketches by Boz, Illustrative of Every-Day Life and Every-Day People*）單行本（一八三六年至一八三七年倫敦J. Macrone出版）繪製插圖，他的確堪稱最早為狄更斯繪製插圖的幾位插畫家之一；但是在此之前，已有羅勃．西摩爾（參見第一卷Ⅴ譯註10）、Robert W. Buss、H. K. Browne（筆名"Phiz"）為分冊版《匹克威克外傳》（參見第一卷緒論譯註11）繪製插圖；而首版《耶誕頌歌》的插畫則是由約翰．利屈（參見第一卷Ⅲ譯註47）繪製。

◎克魯克香克為《鮑子隨筆》繪製的插圖「琴酒館」（The Gin Shop）

3 厄尼斯．R. 紀（Ernest R. Gee）：紐約出版商、運動書籍作者。著作有《早期美國運動書籍》（*Early American Sporting Books, 1734 to 1844: A Few Brief Notes*, 1928）、《運動書籍精選》（*The Sportsman's Library: Being a Descriptive List of the Most Important Books on Sport*, 1940）等。

4 高登．羅斯（Gordon Ross, 1872-1946）：美國插畫家。原籍蘇格蘭，移居美國後先在舊金山為報紙繪製插圖（此時期的部分作品現由舊金山「波西米亞俱樂部」典藏）；一九〇六年或一九〇八年移居紐約，成為全美知名的插畫家。羅斯後來曾為一九四六年Doubleday版《(鮑斯威爾之）約翰生傳》繪製插圖。限定版俱樂部（參見第五卷前言譯註7）於一九三二年撮合羅斯與紐頓兩人（前者繪圖，後者作序），出版限量一千五百部的《裘洛克的歡暢漫遊》（參見第一卷Ⅲ譯註35）。

5 指〈運動書籍面面觀〉（"Sporting-Books"）。收錄於紐頓前作《舉世最偉大的書》，譯本未收。

6 傑克．裘洛克（Jack Jorrock）：羅勃．S. 修特茲（參見第一卷Ⅱ譯註45）一系列作品中的主要角色。

7 詹姆斯．碧格（James Pigg）：修特茲筆下的人物。裘洛克行獵時的得力助手。

8 餿皮．史邦吉（Soapy Sponge）：修特茲《史邦吉先生的運動之旅》中的主人翁，一名四處獵狐狸為樂的無賴。"soapy sponge"乃雙關語，暗指「小頭銳面的傢伙」。修特茲在書中還創造出其他數位各具特色的代表性缺德人物，如：魏貨司（Waffles，敗家子）、賈勒福（Jawleyford，郎中）、帕粉騰（Puffington，暴發戶）、裘葛不力（Jogglebury，蠢蛋）、史蓋克噓（Scattercash，淫蟲）等。

9 "I sailed away on the forming main, / In the biggest possible hurry, / For dinner we'd lots of dry champagne,"：出處不詳。

10 此兩段文句均出自《伊利亞續筆》中的〈書籍與閱讀斷想〉（"Detached Thoughts on Books

and Reading")。前一句為該文第二段起首，「沙夫提斯伯里」指的是英國美學家沙夫提斯伯里伯爵（the Earl of Shaftesbury, 1671-1713）；強納森・維爾德（Jonathan Wild, 1682?-1725）原為倫敦鎖釦工匠，後來成為惡名昭彰的盜賊頭子，最後被處以絞刑，狄福曾為文記述他的生平事蹟，亨利・費爾丁亦寫過一篇諷刺文章〈偉哉強納森・維爾德〉（"Jonathan Wild the Great"）；後一句則引自〈書籍與閱讀斷想〉第三段最後一句。該段原文為"I have no repugnances. Shaftesbury is not too gentle for me, nor Jonathan Wild too low. I can read any thing which I call a book. There are things in that shape which I cannot allow for such. / In this catalogue of books which are no books -- biblia a-biblia -- I reckon Court Calendars, Directories, Pocket Books, Draught Boards bound and lettered at the back, Scientific Treatises, Almanacks, Statutes at Large; the works of Hume, Gibbon, Robertson, Beattie, Soame Jenyns, and, generally, all those volumes which no gentleman's library should be without: "the Histories of Flavius Josephus (that learned Jew), and Paley's Moral Philosophy. With these exceptions, I can read almost any thing. I bless my stars for a taste so catholic, so unexcluding."。

11 《隱姓埋名》（*Incognita, or Love and Duty Reconciled*）：威廉・康格列夫的小說。一六九二年倫敦Peter Buck出版。

12 "(I) would rather praise it than read it."：語出約翰生《詩人列傳：康格列夫卷》序文。

13 《頑童歷險記》（*The Adventure of Huckleberry Finn*）：馬克・吐溫的小說《湯姆歷險記》（*The Adventure of Tom Sawyer*, 1876）的續篇。一八八四年倫敦Chatto & Windus出版，美國首版於一八八五年由紐約Charles L. Webster and Co.出版（書名刪去"The"）。

◎首版《頑童歷險記》，由Edward Windsor Kemble繪製的哈克

14 約翰・高斯沃西（John Galsworthy, 1867-1933）：英國小說家、劇作家。一九三二年諾貝爾文學獎得主。重要的作品包括：小說「弗塞特世家」（*The Forsyte Saga*, 1922）三部曲：《家財萬貫之人》（*The Man of Property*, 1906）、《進退維谷》（*In Chancery*, 1920）、《吉屋招租》（*To Let*, 1921）、「新喜劇」（*A Modern Comedy*, 1929）三部曲：《白猿》（*The White Monkey*, 1924）、《銀湯匙》（*The Silver Spoon*, 1926）、《天鵝歌》（*Swan Song*, 1928）；《法利賽島民》（*The Island Pharisees*, 1904）、《手足情》（*Fraternity*, 1909）、《貴族》（*The Patrician*, 1911）；劇作《銀盒》（*The Silver Box*, 1909）、《相持不下》（*Strife*, 1909）、《公義》（*Justice*, 1910）、《爾虞我詐》（*The Skin Game*, 1920）、《忠肝義膽》（*Loyalties*, 1922）等。

15 關於首版《頑童歷險記》的版本詳情簡直可以寫成一部專書；有興趣的讀者請參見http://www.trussel.com/books/bal.htm。美國首版有綠色布面與藍色布面與皮面幾種裝幀；紐頓後來如願購得此版本（兩部）。

16 約翰・T. 溫特里屈（John Tracy Winterich, 1891-1970）：美國報刊編輯、作者、藏書家。第一次世界大戰在役期間編輯軍方報紙《星條旗》（*Star and Stripes*），結識繪製漫畫的Abian A. Wallgren，兩人合作出版《漫畫中的美國遠征軍群像》（*The A.E.F.*〔American Expeditionary Force〕*in Cartoon*, 1918-1919）。一九一九年溫特里屈接替Harold Ross執掌《美國域外兵團雜誌》（*American Legion Magazine*）編務直至一九三八年。一九三〇年代他從事的工作皆與藏書活動有關，除了加入葛羅里亞俱樂部之外，亦擔任藏書刊物《珂羅封》（參見第五卷誌謝譯註6）編輯；第二次世界大戰期間他被指派至國防部負責審核出版品內容；一九四六年起擔任《星期六文學評論》（*Saturday Review of Literature*）撰稿人直至去世。溫特里屈的著作有：《藏家的選擇》（*Collector's Choice*, c.1928）、《書與人》（*Books and the Man*, 1929）、《二十三部書籍背後的故事》（*23 Books & the Stories Behind Them*, 1938）、《走馬燈：美國圖書與圖書業及其相關現象文集》（*Three Lantern Slides; Books, the Book Trade, and Some Related Phenomena in America*, 1876, 1901 and 1926, 1949）、《藏書初步》（*A Primer of Book Collecting* / by John T. Winterich and David A. Randall, c.1966）、《葛羅里亞俱樂部不凡的歷程》（*The Grolier Club: An Informal History*, 1967）等。

II 蒐書之道

首先我得做個聲明：咱們的英國同宗們八成會誤解這個篇名。在他們口中，所謂的「道」[1]跟咱們這兒的意思並不相同——對他們而言，這個字眼往往都是指那些不三不四的勾當。要是一名倫敦警察瞧見兩、三個長得獐頭鼠目的傢伙鬼鬼祟祟地在街角磨蹭，他會上前盤問：「你們在這兒搞什麼道？」而且還會唸成「道兒」。反正不管那些人在那兒搞什麼，他都會厲聲喝斥他們：「快滾兒！」或是「快閃兒！」[2]至於咱們這裡，當我們說某個社會新鮮人即將踏上高科技之道，意思是：他將進入高科技產業、以此為職志並在該領域盡情發揮所長。

自余浸淫藏書之道以來凡四十年（此言不虛，這的確也是我唯一耽溺甚深之道）。我記得很清楚當初如何踏上此道。打從小時候起，我就是個好讀不倦的人（我是指在學期間，而且是在我逃離學校並且從此走上輟學不歸路之前）：我年紀輕輕便讀過拿破崙的傳記；以區區一介小鬼之姿，我讀遍了全部「羅洛叢書」[3]，還有《海角一樂園》、《桑德福與莫頓》[4]、《魯賓遜漂流記》和《前程遠大》[5]等等。不過，由於阿波特[6]以生花妙筆描寫拿破崙把我迷得神魂顛倒，打從那會兒起，我陸陸續續蒐集了大約二、三十部關於拿破崙的書——對一個小毛頭來說的確稍嫌太多了點。後來，當我某天睡眼惺忪一覺醒來，赫然發現拿破崙成了衣冠禽獸（直到現在我依然如此相信）；於是，我不辭辛勞地跋涉到費城有名的二手書店——李爾利書店，把那堆書一股腦兒全賣掉，同時十分雀躍地以為我的讀書生涯總算可以洗心革面、從頭再來一遍。

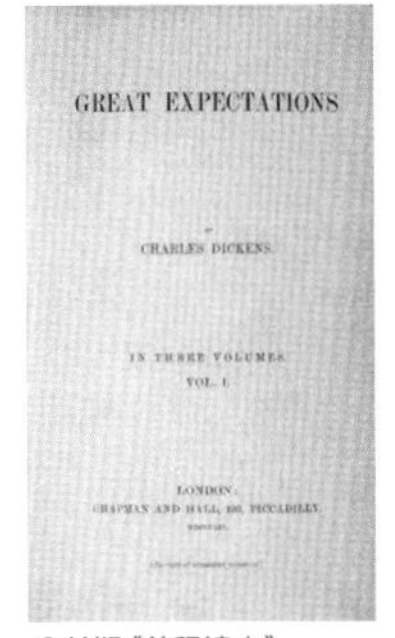

◎首版《前程遠大》

後來，我得到一位老得足以當父親的長者適時調教，他糾正我的閱讀方向（他本人並非存心要那麼做），並建議我該著手累積一批藏書，他對我說：「等到你的年紀再大一點，必可從中獲得莫大樂趣。」而我回答：「好哇，可是我該從哪一本書開始收藏起呢？」他說：「當然是從頭——蒲伯翻譯的荷馬史詩——開始，先讀《伊里亞德》；然後再讀《奧德賽》，你會比較喜歡後頭這一部。」我聽完他的話之後，馬上就去把那些書買回來，直到現在都還放在我的書房一角。那是一部綠色布面裝幀略微磨損、褪色的二卷本波恩版；那部書便如此這般成為我藏書的起點。接著，在那位恩師的指點之下，我陸續讀了《修院與爐邊》[7]和《班納紐透・切里尼自傳》[8]。順藤摸瓜一路讀到馬特利[9]和普瑞斯考特[10]的著作；到了二十歲，我已經讀完鮑斯威爾的《約翰生傳》，也去過倫敦，而我的教育至此可謂大功告成——但也到此為止。當然啦，現在看來似乎還有許多可以改進的地方，不過話說回來，那會兒我稍一不慎便會誤入歧途亦未可知哩。

當我孜孜埋首在我一度自詡為「深度閱讀」之餘，我還抽空讀了狄更斯、薩克雷、史考特[11]和查爾斯・李德[12]的作品。接下來，生活的重擔就逐漸壓得我喘不過氣來，但我還是盡量匀出時間讀點兒東西；曾經有某位好心人對我說：買書要盡量挑首版。我當時問他為什麼，他告訴我：要是哪天我打算把書賣掉的話，首版書或許還有機會把本錢撈回來；換句話說：萬一我買的不是首版的話，那麼就甭打主意將它賣掉。

時光荏苒：我買書越買越勤；然後我討了媳婦、買了房子、也有了孩子，開始覺得有必要在鄉間購置一棟可供消夏避暑的房子，那會兒，有一棟房子似乎比坐擁幾百部首版書更形迫切，但鐵錚錚的事實擺在眼前：我實在沒本事同時得兼，於是我只好痛下決心脫手部分藏書。經過一段時間的磋商和書信往返，再透過中間人居中斡旋，我決定將那批書送往紐約拍賣，並且——為了省錢——自行印製拍賣目錄。我現在還留存著那本載滿我當時萬般殷切期盼和忐忑躊躇的輕薄小冊[13]。裡頭共列出兩百四十六件拍賣品。

我使盡吃奶的力氣——為那些書寫出生動有趣的品目說明，到了一八九六年五月十八日星期一下午，我把那冊目錄塞進口袋裡，揣著一顆幾乎要從嘴巴蹦出來的心臟，走到坐落於第五大道的班氏公司，步上陳舊寒磣的台階，進入拍賣會場。當我一走進拍賣廳，裡頭有一、兩個人朝我點頭示意，但是沒有人曉得當天要拍賣的書全是我的。話說回來，我對其中哪一部書究竟能賣多少銀子也完全沒主意，而為了帶動買氣，我自己甚至還投標買下一、兩部眼看著就要流標的書；但是我可得當心偷雞不著蝕把米，因為我必須靠那場拍賣會為我淨賺兩千五百元。結果我居然辦到了。我記得後來收到的支票面額大約是二千七百元；我拿那筆錢在鄉間蓋了一棟小宅院（直到現在我還住在裡頭）[14]——只要哪天我掙錢的本事趕上縣太爺，就有餘力再進行幾次大規模的翻修擴建。

接下來一連好幾個年頭，我根本勻不出空檔靜下心來認真考慮重新蒐集書籍的事兒；同時，我還犯了每個搬到鄉下落戶的城市佬都會犯的該死錯誤。我們——不管三七二十一——開始蓄養各種有的沒的牲畜，還栽種一大堆硬是長不出來的蔬菜水果，等到大把鈔票嘩啦嘩啦如水一般流逝，我們才猛然驚覺：只有非常非常富有的人才負擔得起飼雞養牛、春耕夏耘的龐大開銷——成天這樣子白忙瞎搞累得半死，哪還有力氣妄想什麼悠然見南山呢？我命中注定，重拾書本方為正途。

打從我頭一回造訪倫敦，我的人生與興趣的走向便就此改弦易轍。四十年前，她的獨特性比起今天不曉得多了好幾倍：現在有一股龐大的力量存心教每個人的人生變成黑白、轉為單調（或許這就叫民主罷）。身處這個越來越乏味的世界，為了敦促自己苟日新又日新，我惟有發憤勤讀各種傳記。如今我已領教夠了談軍旅、論征戰的傳記；至於政治人物的傳記，看他們在裡頭耍詐鬥狠、玩權弄謀，老早（至今依然）令我心生厭惡。而伶人俳優的傳記，乍看彷彿有趣其實往往不然。我現在最大的遺憾就是：年輕時雖然幾乎讀遍所有的書，卻獨獨漏掉莎士比亞。不過當時他的作品對我而言似乎頗有一段距離；以至於我跳過整個十七世紀，直接一頭栽進十八世紀的閒適氛圍（我個人向來最欠缺的氣質）當中。就這麼著，我「順理成章」成了約翰生幫的黨羽。每回讀到奧立佛．戈爾德史密斯頻頻費心傷神處，我亦屢屢（喜孜孜地）心有戚戚焉：新戲碼該定什麼劇名才好呢？（此乃為了要正面痛擊康格列夫那些教人看得一頭霧水的風尚喜劇[15]）。那齣戲上演時觀眾的反應會怎麼樣？至於《爭風吃醋》究竟在怎樣的環境下搬上舞台？遭遇過哪些阻礙？還有《閒話漫天》到底又如何呢？《口誅筆伐》[16]上演時我無緣親身恭逢其盛，但是畢竟我還有劇本可讀；我手上有一個本子，因為我發現——此乃我絕無僅有的一項重大發現——凡是值得讀的書，也都值得花錢買下來。就在不知不覺之中，我又開始頻繁買書了：而且這一回還躋身成了一名藏書家。

我一路追隨許多藏書前輩的步伐往前邁進。如果是有錢的藏書家，他會從裝幀簽贈本開始買起，如果一路這麼玩下去，到頭來他鐵定會越來越討厭簽贈本。如果是年輕人，則會從某位現代作家（譬如狄更斯、史蒂文生、吉卜齡、甚至柏瑞特．哈特[17]的作品）開始下手；但是從何者入手，其結果皆會略有不同，長此以往：他遲早會妄想能擁有所有文學傑作的首版書，只要是找得到的，他一定都不會放過。我經年累月、朝思暮想首版《威克菲爾德牧師》的心情簡直難以形諸筆墨。對鮑斯威爾死心塌地的人若不購置一部書口未裁、紙板裝幀的首版《約翰生傳》也實在說不過去（何況當年一部品相良好的本子只索價區區五十元）。我給大家一個良心的建議：不要看到一部壞本子（不論它有多便宜）就見獵心喜；一部品相絕佳的好書，不管花多少錢都划得來。

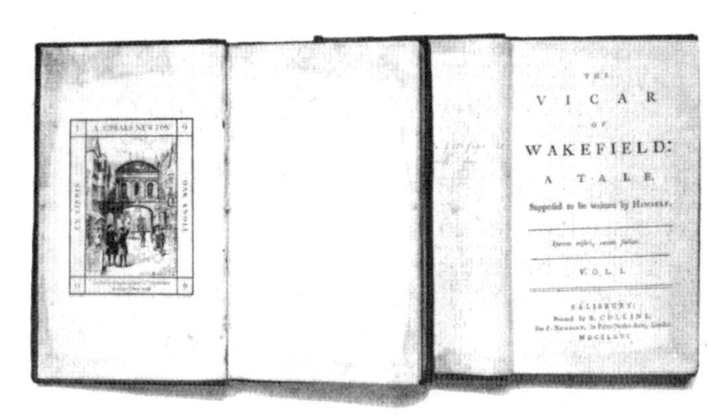

■感人肺腑的故事──《威克菲爾德牧師》，舊式裝幀的本子

我先前曾將藏書比喻為「道」（絕非戲言，而且它還是個挺好玩的「道」）：它不但能激發出原本埋沒的潛能，還能讓你傾囊花錢依舊無怨無悔。如果你像莎拉．貝透[18]和查爾斯．蘭姆玩橋牌一樣「食古不化」的話，那就難保不傾家蕩產了（雖然事後回想起來仍是樂事一樁）。在此我姑且假設你正打算（或已經）停止藏書，那麼照理說你八成會想將那批藏書脫手，要是能夠撈回本錢你必然也不會反對。要達到此目的，你當初就絕對不能瞎打誤撞、亂槍打鳥。且聽我好好地闡釋一番。

打個比方來說吧，就說你打從一開始便決定要以吉卜齡（當今仍在人間最偉大的英文作家）為蒐羅目標好了。至於要從他的哪一部作品入手，得視你的荷包和運氣來決定。或者你心裡盤算著要買他的第一部書（如果那也能叫做書的話）《童生歌吟》[19]──一本薄薄的小冊子，分成棕色或白色兩種紙面裝幀，後一種乃由他的父親印製，僅僅五十部；如果是那種本子，現在可值（或至少開價）兩千五百元之譜──或者，你只要能買到《回聲集》[20]便已心滿意足。對一個年輕小伙子來說，能從《怒海餘生》[21]作為起步就可喜可賀了，那部書（原始手稿最近才被皮耶邦・摩根圖書館收購）已知存世的印本共有三種版本，即：S. S. 麥克可勒[22]版（為了保住版權，該刊只意思意思登了五期）、一八九七年在紐約發行的世紀公司[23]版、和同年在倫敦發行的版本[24]；不管上述哪一種，都不是隨隨便便花個五塊錢就能買得到。當然啦，能夠擁有僅僅印行五期的版本鐵定要比美國首版或英國首版好太多了；但是無論如何，只要能買到其他任何一種版本都算是好的開始，橫豎都是「書」嘛。至於收在雜誌裡的文章，那可就另當別論了：一一追索某位作家發表在雜誌上的文章不僅實際上毫不可行，也是一件徒勞無功的事。而且，除非你的終極目標是要蒐集一整套齊全的藏書，然後捐贈給某間圖書館或哪家機構，否則就別耗費心神兼顧重要的書和重要的斷簡殘編（儘管這個詞兒看起來似乎有點矛盾）。要不然，一個人的時間、金錢全部將會葬送在某件就算千辛萬苦找到也划不來的玩意兒上頭。早在吉卜齡奇貨可居之前，我就已經將注意力轉移到其他和他一樣優秀的同輩作家身上；欸，大家猜得沒錯，湯瑪斯・哈代就在燈火闌珊處。

■吉卜齡《童生歌吟》簽贈本

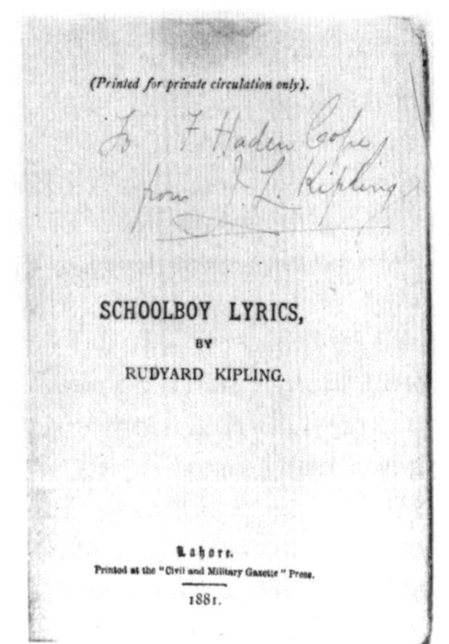
(Printed for private circulation only).

SCHOOLBOY LYRICS,

BY

RUDYARD KIPLING.

Lahore.

Printed at the "Civil and Military Gazette" Press.

1881.

咦？你問我為什麼？原因無他。且讓我們假設有這麼一場拍賣會：以單一作家的作品為主題、拍賣品總數高達三、四百件。如果全部都是吉卜齡的書，保證無法令在座所有人皆大歡喜；並非每個人——甚至連鐵定會親臨現場的每個書商亦然——都能像長年鑽研該領域的人那麼瞭解某個特定主題，其結果很可能是：某件曾經害你破費無數的玩意兒，在拍賣場上卻以區區低價決標。還有另外一個原因：在整場死氣沉沉、缺乏變化的拍賣過程中，拍賣官勢必很難從頭到尾緊緊抓住所有買家的興致：生命須有曲折變化加以調劑[25]，而拍賣場比任何地方都來得更需要這帖調劑。

大家一定都看穿了，方才我是以賣方的角度下筆；要是站在買方的立場，拍賣會越冗長、越是令人呵欠連連，則越能提供絕佳的機會，正好可以讓人趁機補齊收藏。這麼說吧，尋常人若打算以某位卷帙繁浩的作家作為收藏對象，聚累一批夠看頭的藏書，勢必得耗費數年光陰；甚至，得花上一輩子——這種情形也屢見不鮮。我腦海中浮現的是波士頓的蘇珊・閔[26]小姐從前蒐羅的那批有史以來最齊、最精的「死亡之舞」[27]藏品。那批收藏好幾年前由美國藝術協會[28]經手在紐約開拍，閔小姐在精美拍賣目錄的序文中詳述她經年累月、一件一件地湊成整批收藏的過程。面對即將與它們分手，她仍一本運動家精神地寫道：「收藏的美妙樂趣我已經享用過了；且讓別人也品嚐品嚐這滋味吧。」此等高尚情操令我深深折服，不過說實在話，那批收藏真該繼續保持完整，以誌一代女傑過人的智識和不懈的勤勉。曾經有某個討厭鬼問奧立佛・賀福特[29]：什麼是他最想見識的事；他想了一陣子之後如此回答：「我想瞧瞧你朝電風扇扔顆生雞蛋。」如果拿同樣的問題來問我，我會說：我倒真想瞧瞧哪個不曉得閔小姐來頭、自以為博學又好為人師的傢伙，有眼不識泰山地在她面前高談闊論「死亡之舞」。

我們再把話題拉回湯瑪斯・哈代。他的處女作是一開始以匿名方式出版的三卷本《孤注一擲》，出版商是汀斯利兄弟，那年頭所有的小說都是以三卷本的形式印行，而圖書館通常都會趁每部新小說一問世，便認購幾部供人借閱，一般人很難得甘心花三十一先令六便士（公定價格）買一部虛構的作品，出自某個名不見經傳的作者就更甭提了。這也就是為什麼現在留存下來的作者處女作（我現在乃單指小說而言）幾乎全部都是「前圖書館藏本」[30]——即裝幀上頭還留著圖書館標籤貼過又撕掉的痕跡、遍體鱗傷的本子——的原因。因此，要遇到一部品相極佳的布面裝幀本有多困難也就可想

■實至名歸的湯瑪斯·哈代
根據奧古斯塔斯·強（Augustus John）繪製的肖像原作複製，原畫現藏於劍橋費茲威廉（Fitzwilliam）博物館

而知了。經過裝訂的書擺在書架上比較體面自不在話下，但是，吹毛求疵的藏書家只願意（且不計代價）購求布面或紙板原裝、附紙標籤[31]的本子——只要他能找得到的話。喏，就在我寫到一半的當兒，芝加哥的華特．M. 希爾的目錄寄來了（順道一提：這家書店的目錄非常值得細讀）。各位不妨瞧瞧他把這部書講得有多棒：

珍．奧斯汀著：《理性與感性；小說，共三卷，出自某女士之手筆》。倫敦，作者自行發行，T. 艾格騰（T. Egerton）承印。一八一一年。首版。

$ 900.00

藍色紙板原裝附有紙標籤，品相完好。書體未施任何外加元素。誠屬難能可貴、最值得珍藏之絕佳稀罕逸品。

■衣衫襤褸的《最後摩希根人》（*The Last of the Mohicans*）

我正需要這麼一個本子來湊齊我原有的收藏。雖然想買的強烈欲望沛莫能禦，但是回頭想想，做人畢竟不能如此貪得無厭。遇到重新裝幀的書，必須格外仔細審視。那種本子通常都缺了半書名頁[32]，就算半書名頁仍在，往往也是從再版或後出版本拆去補的。還有一種情形亦時有所聞：部分書籍原本出版時就沒有半書名頁，卻被某些無知的書商不分青紅皂白地補上去。過猶不及；違逆作者當初推出一部作品時的原本樣貌所施行的任何添加、削減，現今都被視為萬萬要不得的事。而且，很明顯地，除非萬分小心地處理，否則重新裝幀一本書通常會造成開本尺碼的縮減——而版本大小正是購書時頂要緊的考量項目之一。裝訂匠如果還老是和他們的老祖宗犯相同的過錯，都活該被倒吊起來直到斷氣為止。這年頭，要是哪個裝訂匠膽敢漫不經心地宰割書籍，任意切除原本的頁緣，可是會被當成滔天大罪來辦的。如果每一所典藏珍稀古籍的重要圖書館都能聽任書籍保持原本的狀態，萬一書頁鬆脫也只是拿條繩子將它們簡單綑紮了事的話，肯定那些書直至今日依然價值連城；那才是對待書本的正確方式，但是不幸得很，它們全都難免挨上幾刀，以致價值一落千丈。

真多虧丹尼爾・查爾斯・索蘭德[33]（此位雲遊四海的傑出植物學家後來榮任大英博物館的「監管人」）的精明腦袋。他所發明的皮面書匣——以他的姓氏命名——乃是一種仿造書本外形製成的外匣，專供存放珍貴書籍，讓它擺放在書架上，外觀看起來依舊維持一本書的模樣。這種書匣通常都以摩洛哥羊皮裹覆高耐火性的石棉板製成。我幾乎從未把一本書送去裝訂：一旦幹下那種勾當，就得嘗到天下本無事、庸人自擾之的苦果了。許多藏書家雇人重新裝幀他們的藏書、或為它們量身訂製書匣（形式較簡單的書盒[34]）的時候，會將小說統一裝成同一種顏色、詩集則用另一種顏色，以此類推。如此一來不但能夠增添架面的變化和美觀，而且要找出某部特定的書也會比較容易。一七八二年索蘭德去世後，世人為了紀念他生前的貢獻，便以他的姓氏命名太平洋上某座小島；但是我敢打包票，那個島名絕對遠遠不如「索蘭德書匣」這麼經常被人提及。

■費城H. 祖克製作的索蘭德書匣

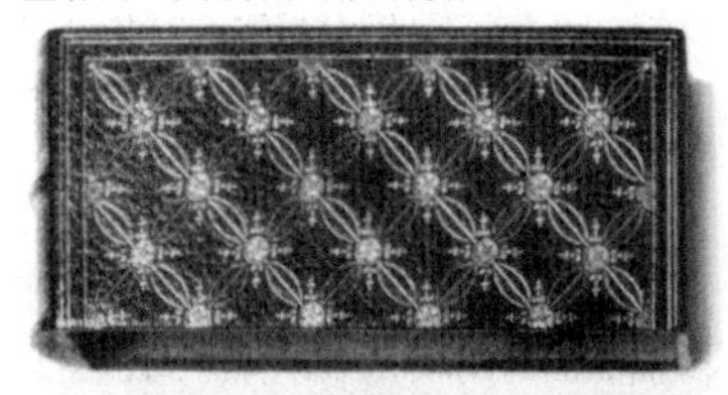

一味收集套書的行為也無甚可取。關於這一點恐怕我得解釋一下。的確有若干頗值得購藏、同時也是紳士書房不可或缺的全集，好比：狄更斯、史考特、或帕克曼[35]、馬特利，和其他林林總總數百種作品全集。這些全是書中棟梁——人人必備、家家必藏；但是對於書主來說，擁有那些書和擁有一條褲子在意義上並沒有什麼差別。畢竟，真正能夠帶給人們恆久喜悅的是全集之外的其他書。就拿我自個兒來說吧，一部首度在美國問世的古典譯作——班傑明·富蘭克林版《老卡托》善本（一七四四年於費城出版），才能符合這種需求；有鑒於此，已故的亨利·E. 杭廷頓先生才不得不念茲在茲，非要趁他還在世的時候，將富蘭克林的《自傳》印出來不可，他還差點就辦到了[36]。

●此部著名的書來歷甚偉。一七七一年至一七八九年間，分別在許多地點、不同時間寫成，最初一度被迻譯為法文——無人知曉出自何人之手——於一七九一年在巴黎出版。由於原始手稿散佚，後來經由兩位不同人士自法文版回譯成英文，於一七九三年由兩家出版社在倫敦各自出版打對台的版本。待威廉·坦普·富蘭克林[37]（富蘭克林之孫）尋獲原稿，依其見解增補若干合適材料之後，於一八一八年出版。率先、亦是唯一一部自詡精確無誤的版本則於一八六八年由約翰·畢吉羅[38]編輯、李平寇[39]出版。原始手稿現存杭廷頓圖書館（原載〈美國文學〉）

我買過唯一一套已裝訂的首版「套書」是那套「特洛羅普全集」。我是早在這一波維多利亞熱開始流行之前好幾年就買的。我雖然很高興能擁有那套書（其中有好幾部作品，現在壓根買不到原始版本），但是我絲毫不覺得它有什麼了不起。不久前，一位熱情的特洛羅普英國書迷麥可．薩德里爾[40]來信詢問我一個關於特洛羅普某部早期著作原始版本的問題，我很老實地承認我的全集都是已裝訂的本子，因此無法給他滿意的答覆。順道一提，薩德里爾寫過一部很棒的特洛羅普研究論著，由荷頓米夫林出版公司[41]出版，每個擁護這位偉大作家的讀者（現在為數甚多）都該買來讀，而且保證各位一定都會喜歡。

想到自己能夠（與其他讀者與藏書家共同攜手）為當今的特洛羅普流行風潮做出若干程度的貢獻，我就覺得十分開心。他幽默的文筆，和他筆下所描繪的十九世紀英國生活風貌，一直都令我樂在其中。特洛羅普辭世後，他的名氣亦因其《自傳》[42]問世而宣告死亡。他在書中描述自己寫小說如何草率馬虎，於是，與他同輩的讀者將隨他一併凋零，下一代讀者亦對他不加聞問云云。大家便據此一口咬定：「如此寫出來的小說怎麼可能不糟糕透頂呢？」多年前，英國某雜誌甚至刊登過一篇立論荒唐的文章，聲稱特洛羅普與凱撒一樣，都該被掃進歷史的垃圾堆裡頭，我為此還特地提筆寫了一篇短文，讚揚特洛羅普的過人文采。而大約就在同一時間，耶魯大學的費爾普斯[43]教授在那部談論英國小說的論著中寫道：「從未有人膽敢宣稱特洛羅普為天才。」我一讀到那句話，連忙挺身大聲說出：「我敢。」時至今日，特洛羅普的著作隨處可見，連英國本土亦不例外。在特洛羅普畢生寫作歷程之中，創作出比其他任何一名作家更多的一流小說。一套囊括六十八部特洛羅普作品的全集高達一百三十四冊之多！任何人要是打算和這位小說家一塊兒消磨一、兩個愉快的夜晚，一定得讀他那部《自傳》。你想見識何謂真正高明的小說嗎？不妨讀讀《尤斯塔斯寶鑽》[44]。

我時常覺得，在蒐書之道上闖蕩，伴隨而來的最大快樂便是沿途總能結識許許多多同伴，由於品味相投而讓友情迅速滋長。我之所以與專攻威廉·布雷克的英國專家、收藏家──葛雷安·羅柏森[45]有緣相識進而深交，正是源於我們對那位文壇偉人的共同喜好。這段友誼的來龍去脈是這樣子的：話說某一天，我正在大英博物館裡頭和勞倫斯·賓雍[46]聊天；他突然問我認不認識羅柏森。我回答他：「不認識，但是我十分樂於結識此君。」他一聽便說：「那敢情好，我來安排一下。」過了幾天之後，我收到一封短箋，上頭說：羅柏森先生此時不在城內，但是我若願意自行前往他位於騎士

■葛雷安·羅柏森與他的愛犬理察合影

橋（Knightbridge）的宅邸，管家會開門讓我參觀他的藏書。我乖乖去了，也果真看到幾幅好畫（如今皆已委由泰特藝廊（Tate Gallery）典藏）；事後我回了一封信給羅柏森先生，感謝他的盛情款待；並提及兩人的嗜好還有頗多雷同之處；我在信中舉了吉伯特與蘇利文、艾文[47]、泰莉[48]等人。稍後，我便收到羅柏森先生的另一封來信，他說：原來我除了蒐集布雷克，還喜歡吉伯特與蘇利文、艾文和泰莉，既然如此，他很希望我能擇日到鄉間一遊；因為他最好的布雷克藏品都儲放在鄉下的別墅（這也是他長年不待在倫敦寓所的原因）。他說他會親自到火車站來接我；而且我一定不會認錯人，因為他本人雖然長相平庸，但是屆時他會牽著一頭全英國最俊美的牧羊犬。我後來依約前往，果然毫不費力便認出羅柏森先生，也同那位和藹可親的紳士悠閒地共度了愉快的一天，打從那一回起，每回只要我到英國，一定都會騰出一天和他聚聚，而讀他寫來的信也是樂事一樁。此外，我和吉歐佛瑞．凱因斯[49]自然也很熟（他是「巴治」[50]的外科妙手），此君對布雷克版本研究所下的苦工，在該領域之中可說無人能出其右——至少，當葛羅里亞俱樂部為他出書[51]時是那麼認為的。

●聖巴多羅買醫院面對史密斯斐的大門（原載於《洋相百出話藏書》中之〈大難不死〉）

讓我再提另一個人，英國當今的工黨領袖——約翰．勃恩斯，此君是我生平見過最精明幹練的人。他和我相識於叟伊亞（Sawyer）書店。約翰大人儘管自學出身，但是其自學成果可真不是蓋的！他擁有半打由各不同大學頒授的學位。至於他有哪些興趣呢？這個嘛，除了各位想像得到的各種關於倫敦的歷史、建築、城市規劃的數據、資料（人家畢竟是當官的嘛）之外，就是湯瑪斯．摩爾爵士[52]的相關文物——關於後頭這一項，他手中擁有一批全世界最精善的收藏品。他是個挺上道的獵書客，坐擁一屋子的好書，而且他的記性也堪稱一絕，尤其像我這種打娘胎起就少了好幾根筋的人看來，簡直只有瞠目結舌的分兒。他本人雖然始終不支持參戰，但是為了要對得起良心，他寧可主動放棄官職和每年五千英鎊的俸祿；而且，當英國一旦決定參戰，他還是克盡自己的義務：將自己的兒子（而且是獨生子）送往戰場——從此一去不返。如今，他處於半退休狀態，和他美麗的妻子和他的書本一塊兒過日子。如同所有優秀的國會議員一樣，約翰．勃恩斯十分善於雄辯；我很樂於在此重述一則關於他的軼事，以饗諸位未曾聽聞的人。若干時日以前，當約翰大人仍在內閣擔任閣員時，他執掌倫敦城內各項大小事務運作的機構，有一次，某位同僚走進他的辦公室，對他說：「約翰，有兩位從美洲來的客人想要在最短的時間內參觀完倫敦的精華。」

「他們指名要我帶路？」約翰問。

「沒錯。」

「好吧，」約翰說，「通知他們：明天上午十點準時出發。」隔天他果真帶著訪客參觀倫敦去了。他教那兩個人開足了眼界——不是大家耳熟能詳的尋常景點，而是外地人鮮少光顧、極有意思的物事。到了下午，他招待兩位精疲力竭的客人到河邊茶座（即許多小說家屢屢形諸筆墨的迷人處所）享用下午茶。約翰興致勃勃地說：「接下來請看，」他趾高氣揚地往旁邊一指，「此乃堂堂泰晤士河是也。」兩位訪客瞄了一眼，一點兒都不覺得有啥稀奇。

加拿大來的訪客說：「勃恩斯先生，您可曾見過聖羅倫斯河？」

密蘇里州來的客人也不甘示弱：「別忘了，還有俺老家的密西西比河喲。」

約翰聲如洪鐘答道：「兩位先生，那兩條河我全瞧過。聖羅倫斯河無非只是一泓溪水罷了；而密西西比河，也不過是一攤泥水而

John Burns.

To my friend A. E. Newton

●約翰·勃恩斯送給紐頓的簽名照（原載於〈風華絕代老倫敦〉）

已；閣下，至於兩位眼前這一道——可是源遠流長、浩浩蕩蕩的歷史哪！」真是好話甭說第二遍。

回歸正題。藉由藏書因緣，我得以拜見並結識性情中人艾咪·羅威爾[53]，再透過她的穿針引線，又認識了哈佛的帕爾默[54]教授。我和他的邂逅經過是這樣子的：我曾經花幾個星期遠道造訪幾位「東疆」[55]友人，當我抵達波士頓時，不巧碰上炎熱的八月天，我心裡嘀咕著：「唉，這個假期實在太愉快了，可惜眼看著就要落幕。所有的朋友們鐵定都不在家。我曉得艾勒里·塞吉威克已經離開了，艾咪·羅威爾八成也正準備到鄉下避暑。總之，我再也沒機會再到處串門子了。」結果，我猜對了一半，塞吉威克的確溜得不見人影，但是羅威爾小姐還待在城裡。我從話筒中聽見羅威爾小姐慣有的中氣十足、珠圓玉潤嗓音（唉，那聲音如今只應天上有，人間再也不得聞了）：「喲，什麼風把你吹到咱們這頭兒來？你一定得過來和我一道吃頓飯才行。我派一輛車去接你。你到時候會發現車裡頭坐著一位和氣的老紳士，帕爾默教授也要過來用餐；他也是藏書家喲。」我又驚又喜：「唉呀！我這回上波士頓也正想見見他呢。」「唷！」羅威爾小姐叫了一聲，「我還當你是特地來看我的呢！好啦好啦，反正你只管過來吃飯就是了，我一定叫帕爾默教授讓你見個夠。」

帕爾默教授不只在課堂上教授哲學——他本人也身體力行；他最為人稱頌的長處，畢竟還是他對於古希臘的淵博知識。他曾經將荷馬的《奧德賽》譯成「暢銷書」[56]。套用吉卜齡的話：「其音繞梁三日不絕。」[57]我很納悶，假使有人告訴荷馬：約莫三千年之後，在一個他完全無法想像、風俗習慣截然不同的國度，有個姓帕爾默的傢伙會用蠻夷不文的語言，對著為數超過二十五萬名聽眾高唱他的詩歌，不知他會作何感想。

那天傍晚，當羅威爾小姐派來的車子抵達的時候，帕爾默教授已經好端端坐在裡頭，我馬上警覺這場飯局將會成為一場精心設計的版本研討會；因為那位和氣的老先生隨身帶著一只綠色呢毛袋（就像費城的律師們慣常提在手上的那種），裡頭裝滿了他準備帶去給羅威爾小姐鑒賞的珍本書，羅威爾小姐則將展示她收藏的上好濟慈藏品作為回報（該批珍藏如今已成了哈佛的鎮館之寶）。收藏家們一湊在一起，互相較勁的火藥味兒難免油然而生。我再三叮囑自己，今晚姑且按兵不動，乖乖聽取別人暢談他們的蒐書之道就好了，結果連我自己後來也把持不住，開始加入戰局大放厥辭，有那麼一、兩次還差點兒不能自休，還好都適時努力按捺下來。

那真是一個教人回味無窮的夜晚。羅威爾小姐氣色甚佳：她親自站在那幢坐落在綠草如茵、古樹參天的園圃內的豪宅大門口熱情迎接我們。我差點脫口將那些漂亮的大樹說成榆樹，還好我聽過一則故事——話說從前有一名小女孩受邀到一座英國鄉間屋舍作客，那幢屋舍坐落於以茂密古樹著稱的庭園之內。當她用罷晚餐，隨主人在園內巡遊一趟之後，突然文思泉湧，開口便說：「百年榆樹錯落滿園如許美麗，若古樹有靈，不知可與小女子同此一嘆歟？」主人一聽便接嘴道：「依俺看，它們八成會嘆：『我們乃橡樹也。』」為了不讓羅威爾小姐逮到同樣的辮子訓我一頓，我只輕描淡寫地讚嘆那些樹「雄偉壯觀」，其餘便按下不表。

我旋即發現「詩」乃當晚言談的主軸。只見帕爾默先生從綠色袋子裡掏出一部接一部珍稀的善本詩集：海立克、赫柏特、布雷克、彌爾頓；雖然都是薄薄一冊，卻俱為名家、巨著，令人目不暇給，存心叫羅威爾小姐招架不住。由於我不是被拉去當裁判，大可神色自若地說：「那部書我也有。」最後我對帕爾默先生說：「拿出您的拉夫雷斯《盧卡斯塔》讓我們見識見識嘛；我收藏的本子是羊皮舊裝本喲。」他從袋子裡掏出來，嘿，可惜可惜，他的本子只是後世重裝本。「你們那兩本都不夠看哪，」羅威爾小姐一臉幸災樂禍的表情，捧出她所收藏的珍貴善本：「喏，過來瞧瞧書名頁唄。」我們湊近一看，上頭一道“Ex dono authoris”[58]落款赫然映入眼簾。羅威爾小姐冷不防使出這麼一招「至尊神掌」，堪稱道上最高強的招數，直教我當場眼冒金星、茅塞頓開。我們三人就那麼過招、接招，一直鏖戰到深夜才偃旗息鼓，這時，全體一致推派我明兒個一早就去帕爾默先生的藏書樓，親眼見識見識他「閉門練功」的成果。

我赴帕府參訪的過程更是值得大書特書；帕爾默先生真可稱得上藏書武林的昔日大俠，自我初次拜訪過後，他便將那批極精善的首版英詩藏書悉數捐贈給衛斯理學院（Wellesley College），以紀念他已過世的愛妻艾麗絲．佛利曼．帕爾默[59]。他還特地為那筆饋贈編寫了一冊絕佳的目錄（一本印刷精美、裝幀細膩的巨冊），此外，他曾經委託劍橋的河畔印書館[60]代為印行一冊薄薄的《英詩藏品小引》（*Notes on a Collection of English Poetry*），此書僅僅印行三十部，其中一冊現在就擱在我的面前。書名頁背面印有引自巴克萊《愚人船》的「吾心之所向，余獨有一樂，即眼看書籍堆積如山」，和其他幾段意思相近的文句。

帕爾默先生在書中一一闡釋該批藏書的來龍去脈之後，此位優秀的學者、卓越的藏書家接著下了一道發人深省的結論（我不如將部分原文直接迻錄如下）：「古書的價值極易被人高估……其版式往往大而無當，而印刷、紙張亦皆頗為簡陋；裡頭且頻頻出現大量白字，更缺乏足供讀者藉以理解的註釋、說明……但由於經過作者的同輩人士——甚至作者本人——的手澤披閱，為它們平添一層情感上的價值……我每每能感覺詩人躍然紙上，此乃後出版本所感受不到的。」接著他進一步說明：「此類書籍的價格一直居高不下，而且還會持續且迅速上漲。貨源不

■巴克萊譯本中的藏書呆子（一五七〇年）

斷縮減正是其勢所難免的原因。更因其中泰半往往遁入公家藏書機構，從此不見天日。是故，即使隨著財富與鑒賞力的提升、普及，但購求意願則益發生猛，市面上可買的品目乃年復一年漸稀殆盡。單單一年之內，光憑少數幾名有錢人就能令它們的價格往上攀騰一倍之譜。」

哪位收藏家們又在文藝精品上頭花了多少多少銀子，這種事情咱們聽過太多了，大家往往以為收藏家買下那些玩意兒會抑制價格上揚；這簡直是無稽之談。當某人以五百、一千、五千元甚至一萬元買下一件東西，他自然會冀望他買到的是能夠保值的玩意。假使他得知自己以前買的某件東西的行情已經漲了一倍（這屢見不鮮），接下來呢？——他會將它脫手嗎？絕對不會。他會慶幸自己當初買下它；他或許還會三番兩次向他的朋友們津津樂道——這也難免；等到他壽終正寢時，他的財產或許還比大家原先預期的更值錢。但是，在這個錙銖必較的時代，非常有錢的人依然面不改色一擲千金、爽快大方地付出極高的價碼，只求自己的收藏品能夠盡善盡美——他們所為何來？無非是藉由捐贈使其價值倍增——那些藏品終究還是全進了公立圖書館、博物院。我想起那些早在二十年前就卯足勁兒蒐購書籍的人（當初還被無知大眾譏為冒失莽撞）。他們的藏書如今花落何處呢？哈利・威德拿的書進了哈佛；柯契蘭[61]的書給了耶魯；摩根先生的書落腳紐約；杭廷頓先生的書遠適加州；查賓[62]先生的書送給威廉斯；克雷蒙茨[63]先生的書送給密西根大學；佛爾格先生的書則捐給了國家。這份名單還可以一路列下去沒完沒了。畢竟，我們無法——雖然我真希望能夠——帶著書進墳墓。

至於該以何種最妥適的方式為書上架，帕爾默教授的想法完全和我不謀而合。他說：「分門歸類之首要法則乃在易尋快取。」但是，正如同我一樣，他個人也偏好以作品年份先後而非以姓氏筆畫來排序。要是看到克萊蕭[64]旁邊挨著克萊伯[65]，或是彭斯後頭緊跟著白朗寧，他就渾身不舒服：「站在書架前，我希望放眼看到一群曾在同一個時代賣力筆耕的人都能團聚在一起，也看著承襲後輩在他們所師法的大師身後亦步亦趨。如此一來，我們才能夠用當年周遭社會一分子的眼光來審視那些詩人。以年代關係著眼來排架乍看之下似乎鬆散，實乃最順乎人心的規則。」

當我結束愉快的參訪，走出帕爾默教授的藏書樓，閒步穿過哈佛校園的時候，我的心思琢磨著老不正經的勞倫斯．史德恩在《崔斯特朗．榭帝》中說過的一段話：「歷代智者無一不擁有個人嗜好，他們或蹓馬、或泛舟、或擊鼓、或吹號、或拉琴、或讀書、或捕蝶，既然他一路好自為之、循著坦途正道經營其嗜好，亦無求你我仿效追隨，豈容吾輩置喙乎？」[66]說得真是絲毫不爽！可是，當我們在人生的道路上看見旁人蹣跚蹎顛，既然同在一條路上，難道不該拉他一把？尤其當咱們本身所從事的嗜好正適合眾樂樂而非獨樂樂；若是沿途能夠招攬「各路兄弟」或「眾家姊妹」與你並肩前進，而你也藉此發現與你氣味相投的人。如此一來，我會說：這段路程就算再怎麼漫長，走來亦絲毫不覺艱辛。

至於沒有任何嗜好的人，不但值得大家寄予同情且應盡量避而遠之：這種人就算並未存心主動找碴，也難免會半路出紕漏；他的生活索然無味卻又不肯乖乖學習別人。我不太在乎一個人有哪項嗜好：只要有嗜好就好。我想起哈利．伍切斯特．史密斯[67]這麼一號人物；他正是我心目中典型的嗜好中人（他曾帶領一班打獵同好和一大群獵犬遠赴愛爾蘭從事真槍實彈的狩獵之旅）。如果要他對自己那部精美的兩卷本《運動之旅》[68]（書中描述他置身古老鄉野的親身經驗）發表一句感言，他一定會寫道：「從事運動縱使有時起有時落，卻從不枯燥。」讓他在你家的早餐桌上出現是一件令人雀躍的事，一如深夜暢飲香檳。他總是時時探詢你打算上哪兒去、頻頻殷問到了那兒是否如你預期一般開懷：他不厭其煩、心甘情願與你分享一切；對他而言，目的地沒那麼要緊，重要的是過程本身。

有時候，有人看到我如此努力擺脫生活的枯燥單調而獲致許多樂趣，他們會問我：「我該選哪樣嗜好？我該收藏些什麼？」不過，在回答這個問題之前，我得先弄清楚當你的嘴巴上說「收藏」的時候，心裡頭到底在想些什麼：你只不過是為了殺時間（那可是全世界最昂貴的東西喔），抑或，你的心目中已有某件特定的東西、或某個人（或某位女士）、或歷史上的某個朝代、或只要是亞當的後代創造的物事都令你大感興趣。如果是這樣的話，選它就對了。

要當收藏家可是有一定規矩的（當然，例外的情形也不勝枚舉）。舉例來說，大家都認為收藏應趁年紀尚輕時起步，而且某些人也的確如此。距今大約一年前，我收到一封從紐約寄來的信，這麼寫道：「我讀過您的幾本書且深深著迷，因此我在此冒昧地請您為我簽名留念。我今年才十一歲。等我長大成人之後，我也要擁有一座像J. P. 摩根那樣的圖書館。」我閱後笑得前俯後仰，總算有人膽敢不把摩根先生的財力放在眼裡了。等我回了信之後，我興致勃勃地將那封來函轉寄給摩根圖書館的館長蓓拉．達．柯斯塔．葛林小姐，並告訴她：哪天她要是幹不下去的時候，這兒有一位現成的人選可以遞補她的職缺——那種差事可不是平常人隨隨便便都做得來的。

過沒多久，我聽到那件事的後續發展：葛林小姐回了一封信給我那位小朋友，告訴他：如果他真有心打算效法摩根先生坐擁滿室藏書的話，現在開始正是時候；她還邀他哪天不妨親自到館一遊。等到約好的那一天，那小子居然還真的去赴約了；葛林小姐親自在館內恭候小駕。那名小男生一副天不怕地不怕的模樣（我頭一回走進那幢既宏偉又富麗堂皇、擺滿了全世界最珍貴的書本的房子也像他一樣）；他走到葛林小姐的跟前，先自我介紹一番，再回答她幾句問話，解釋自己目前雖然還未獲允許可以任意買書，不過他不間斷地蒐集米歇爾·肯納利的安德遜藝廊和美國藝術協會的拍賣目錄，而且，過去這一年來比較重要的拍賣會的標價目錄[69]他都有。葛林小姐平日難得碰上旗鼓相當的對手，但等到親眼看見接下來發生的事，才教她不由得佩服得五體投地——當她問他有沒有哪部書特別想看，那小子答道：「是的，我很想看看史上第一部印本書《古騰堡聖經》。」那部書一送到他的面前，他忙不迭地開始算起行數，用心檢查頭幾頁究竟是印成四十行還是四十二行[70]。區區十一歲的小鬼頭哪！

話說回來，手中擁有當今最貴重藏書的杭廷頓先生則是年屆中年才開始藏書。我曾聽人家說某款新車能在五秒鐘內加速到二十五哩，拿來和杭廷頓先生一比，那簡直是小巫見大巫。

當一個人辛辛苦苦涉水渡河後，才反過頭來後悔當初幹嘛不過橋根本於事無補；要緊的是——好歹都已經到了對岸。但是我始終無法釋懷，要是我能夠從頭再活一遍，我一定要專攻「美洲學」。那個領域沒有一丁點能教大家「趕一頭熱」的玩意兒（譬如說：現在當紅的康拉德或史蒂文生）。這個門類已漸趨確立，但是現在要我重燃興趣，孜孜埋首印得亂糟糟的書本，探究維吉尼亞殖民地的起源；或盯著老地圖遐思神遊（任何人只消瞧一眼便能看出裡頭明顯的錯誤，因為大家老早都曉得那是頭一張北美洲地圖）皆為時晚矣。一年前，我在如今併入密西根大學的威廉·L. 克雷蒙茨圖書館內消磨了幾個鐘頭，我曾經結結實實地讀過克雷蒙茨先生講述他的藏書（即後來捐贈給該所大學的那批珍本）的巨著[71]。以一名生意人來說，能夠寫出那樣一部書可真是了不起，同時他也以實際的作為證明了所有認為「美國商人胸無大志」的人是何等大錯特錯；克雷蒙茨先生的行為證明了事實恰恰相反。

打前一陣子開始，親赴安納堡[72]拜訪那座造型雖簡單卻不失優雅的藏書殿堂成了平日案牘勞形的生意人樂此不疲的行程。參閱克雷蒙茨先生既平易近人卻又飽富學問的文章，裡頭寫道：「每批藏書必然皆有其發端，本藏品乃於一九○三年以購入……約千部藏書作為基礎。」我個人雖不把他藏書的進展神速說成一則傳奇神話，但是任何人只要願意讀讀關於發現北美洲的書、瞧瞧先人是如何蓽路藍縷地建立了咱們今天稱為美利堅的偉大國家（誠然舉世最驚人的傳奇），必然能夠瞭解他的見地是多麼高瞻遠矚。至於圖書館的監管人蘭道夫・亞當斯[73]，此君可說是從小在我的書房裡長大，足以證明他是個不折不扣的愛書人；他那部備受推崇的小書《威廉・L. 克雷蒙茨圖書館的來龍去脈，或探討藏書巧藝的短論》[74]（確實是一篇出自深諳美國歷史的學者之手的傑出論文）。當我在報上讀到亞當斯的《美國外交政策史》獲得極佳好評，我內心滿懷欣慰，還好我當初苦口婆心勸他乖乖當一個快樂、有用的公民就好，不要

■威廉・L. 克雷蒙茨圖書館

汲汲營營投入所謂「興訟」的行當，那勾當——我贊同蕭伯納的觀點——根本不能算一門職業，充其量盡是些鑽漏洞的活兒。要不是亞當斯寫出那麼一本書，我還不曉得原來美國居然有「外交政策」——布萊安[75]當家那年頭顯然連影兒都沒有哩。

我尚未提及全國各州現在皆能提供藏書家一個平等的收藏環境；而這個蒐集項目未來必將持續增溫且受到重視；甚至，只要假以時日，各位現在以區區幾塊錢買來的書都能賣到好幾百、甚至好幾千元。我對此有十足把握。或許你會問：「幹嘛不乾脆告訴我們到底是哪些書呢？」哦！那我可就不曉得了。你該去問那些專門鑽研該領域的大學教授們，或紐約的拉斯洛普．哈潑[76]，他必能提供最可靠的方向；也可以請教羅森巴哈博士，他前幾天才花了大把鈔票買進一件玩意；要不然也可以去問我的朋友J. 克里斯欽．貝[77]，他正在講授一門課，題目叫做「芝加哥的搖籃本」（這個題目雖然頗令人想入非非，但他所指的其實是慘遭回祿之災[78]前在當地印行

■威廉．L. 克雷蒙茨圖書館內的大閱覽室

的書籍）！大家不妨想像一下：現在成千上萬名成年人還在娘胎的時候，那座城市仍然是一片焦土哩。看到芝加哥今日的大幅成長，我們便不難斷言美國有多麼前途無量了。

藏書是一項了不起的運動；每天都有許多生力軍加入陣容；我們這些業餘選手有時候得多花點兒錢，才能和職業高手互相較量，但是金額也沒有大家想像的那麼多。和羅森巴哈比畫就像妄想撬開蒙地卡羅的金庫一樣；不過就算是羅森巴哈，也曾經賣給我一些他現在恨不得以高於我當初付給他的三、四倍代價買回去的書。一部罕見珍本照理說應該後市看漲（通常也的確如此），但是趁早擁有它、看著它不斷增值，比起等它竄升到高價再買有意思多了。成千上百部重要作家的傑出著作，都因為當初首版印量太多而導致今日「乏人問津」。真正受到青睞的書，是那些曾遭受一時困頓終至出人頭地、或是某位已經在文壇取得一席之地的作家後續的作品：這種書的價值往往只漲不跌。至於前一陣子才問世的書：德拉馬的《童年之歌》、麥斯菲爾德[79]的《海調歌頭》[80]、豪斯曼[81]的《雪洛普郡小子》、席拉・凱-史密斯[82]的《邁步信徒》[83]、摩利的《帕納瑟斯上路》等，其行情均持續看俏，甚至連作者本人亦莫不大感匪夷所思。無人知曉那些書的價格是否能一路保持不墜或甚至扶搖直上；但是我們或許可以大膽斷言：若是某位作家後來發表的作品也能通過評論家的嚴格把關，那麼，壓寶在他的處女作就萬無一失了。現在有許多傑出版本學家專為蒐集現代作品的人指引迷津；那些人在我初試啼聲時，就算打著燈籠也找不到半個哩。其中若干位甚至對於版本學的導正有著不可磨滅的建樹，雖然頻出紕漏的亦大有人在；但是，不論好或壞，套句約翰生博士談到詞典時說的話：再怎麼糟糕也比完全沒有強[84]。

我一路親眼目睹書市的諸多轉變：倫敦（乃至全英國）如今已不再是獨步全球的書籍市場。將近一世紀以來，國內也蓄積了充沛的能量，各類書籍始終供不應求；現在英國的好書店較往昔更多，但是好書的數量卻遠遠不及從前。在那個古老國度的書店淘書獵書仍是一種風雅、一則傳奇，但是現在要挑好書最好的地點則是在國內，其中尤其首推紐約市。新手上路的藏書家，必然會想和某位優秀的書商建立關係。這倒容易：只要和他們談成兩、三樁買賣、外帶問幾個夠水準的問題就能辦到。但是，一旦你的名字被列入書商的客戶名單，書目便會源源不絕地寄來，那些目錄你說什麼都得規規矩矩地詳加研讀，而拍賣會的消息也千萬不能漏掉。參加書籍拍賣會太有意思了，而且拍賣目錄裡頭也載滿了有用的資訊。在紐約的拍賣場上，一部好書總能賣得它該有的價碼，甚至還常常超出甚多。不久以前，一部彌爾頓的《柯摩斯》[85]以兩萬一千五百元成交。雖然一般人通稱那部書為「柯摩斯」，但是其首版書名頁上卻只印著「一齣假面劇」("A Maske")。之所以特別舉出這部書，倒不是我認為它的成交價超過其實際價值，而是因為——你還能上哪兒再去找另一部呢？就算果真讓你找到另一部，它鐵定還能值更多錢。但是其他名氣不如它那麼響亮的書，雖然也是同樣稀罕，卻往往只能以低於實際的價值決標。其原因便在於——我實在不大情願說得這麼白——我們這些藏書家對於文學下的工夫太少了；我們把心力過度集中在寥寥幾部大名鼎鼎的書籍上頭。這使得書市也出現一如股票市場所謂「盤面不均」的現象。這些實際情況各位務必列入考慮，而且也應時時謹記在心，單憑稀罕度一項因素並不足以讓一部書賣成高價；或者，換個方式說：若你偏不信邪，硬要逆向操作某部書的市場行情著實不智。一部在巴黎極為搶手的書，一旦擺在紐約的拍賣場，或許只能以很低的價碼成交或甚至根本不值錢。

我們切莫見樹不見林。英文文學何等博大精深！選擇以首版書進入藏書堂奧就像跨上一匹名駒。英文文學其源之遠、其流也長、其廣亦無邊也。我們擁有舉世最偉大的詩歌、戲劇和小說；至於散

■彌爾頓《柯摩斯》首版書名頁

A MASKE
PRESENTED
At Ludlow Castle,
1634:
On Michaelmasse night, before the
RIGHT HONORABLE,
IOHN *Earle of Bridgewater, Vicount* BRACKLY,
Lord Præsident of WALES, And one of
His MAIESTIES most honorable
Privie Counsell.
By John Milton!

Eheu quid volui misero mihi! floribus austrum
Perditus ——

LONDON,
Printed for HUMPHREY ROBINSON,
at the signe of the *Three Pidgeons* in
Pauls Church-yard. 1637.

文，我們的成就也僅次於蒙田[86]（但是咱們有絕無僅有、值得誇耀世人的一部蒙田傳記[87]）。何其燦爛輝煌、多采多姿！足供吾輩藏書家任意挑選各自的座騎（這只是比喻）；不過就另一方面來說，每個人皆一律平等：大家都得各憑本事、一步一腳印小心邁步；還得挖空心思、苦口婆心說服咱們的帳房通融（如果大家都像我一樣幸運有個賢內助的話），如此一來，我們便可盡情享受生命的美好滋味，而那些沒有嗜好的人則無福消受，只能在一旁乾瞪眼。如此身體力行一輩子，即使垂老耄耋、百無一用甚至壽終正寢，我們仍能養出一身天地正氣。至於結果好、壞，就留待咱們的後代子嗣、法定遺產執行人去操心吧。

我曾經認識一位費城人，佛迪南．J. 蕞爾，他還不到四十歲便自職場退休回家等死（因為他老覺得自己不久人世）。為了排遣時間，他決定找點事情做，於是他開始蒐集簽名，結果他一活就是八十歲，因此累積了一批傲視全國的精湛收藏品。他死後將那批簽名藏品遺贈給賓夕法尼亞州歷史學會，而他的名字也因而從此永誌不朽。把約翰生褒揚莎士比亞的那句話——即「時間在他身後苦苦追趕，卻只能疲於奔命。」——拿來形容這位道上高手豈不正合適？

■「橡丘齋」的遊憩間

【譯註】

◎「學園叢書」第二卷《羅洛識字記》（*Rollo Learning to Read*, 1835）

1 為了順理前後行文，此處將“game”不無牽強地譯成「道」。

2 紐頓此處乃以倫敦土腔（cockeny）拼出：“gaime”（“game”）、“move h'on”（“move on”）、“be h'off”（“be off”）。

3 「羅洛叢書」（Rollo books）：傑寇・阿波特（Jacob Abbott, 1803-1879）以Rollo Holiday為主人翁所創作的「學園叢書」（School Library，波士頓Thomas H. Webb & Co.出版）系列少年讀物，十九世紀中期開始刊行，一直風行至第一次世界大戰前後。

4 《桑德福與莫頓軼史》（*The History of Sandford and Merton*）：英國中殿法學院（Middle Temple）執事湯瑪斯・岱（Thomas Day, 1748-1789）的童話作品。首卷於一七八三年問世；第二卷於一七八七年出版；一七八九年出版第三卷。內容描述卑劣猥瑣的富家子Tommy Merton與德性高潔的農家子弟Harry Sandford的故事。

◎湯瑪斯・岱，Joseph Wright繪（1770）

5 《前程遠大》（*Great Expectations*）：狄更斯的小說。出版於一八六〇年至一八六一年。

6 約翰・阿波特（John Stevens Cabot Abbott, 1805-1877）：美國史學家。傑寇・阿波特（參見本章譯註3）之弟。就讀鮑都因大學（Bowdoin College）時與作家朗費羅（Longfellow）、霍桑（Hawthorne）同窗。他的著作多達五十四部，包括此處提及的四卷本拿破崙傳記《拿破崙・龐納邦軼史》（*The History of Napoleon Bonaparte*），該書內容先在《哈潑新月刊雜誌》（參見第二卷Ⅲ譯註26）連載（一八五一年至一八五五年），後由哈潑出版社集結出版（一八五五年）。

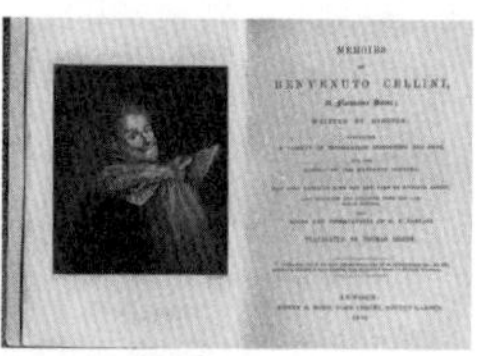

7 《修院與爐邊》（*The Cloister and the Hearth*）：查爾斯・李德（參見本章譯註12）的歷史演義故事。一八六一年出版。

8 《班納紐透・切里尼自傳》（*The Autobiography of Benvenuto Cellini*）：佛羅倫斯金匠、雕刻家班納紐透・切里尼（1500-1571）的自傳。一七三〇年在那卜勒斯出版（義大利文原版），英文版由J. A. Symonds翻譯，一八八八年出版。是當年頗暢銷的書，公認為有史以來寫得最生動有趣的自傳作品，亦是瞭解文藝復興時期文化的絕佳史料。

9 約翰・L. 馬特利（John Lothrop Motley, 1814-1877）：美國歷史學家。一八四一年擔任美國駐聖彼得堡公使秘書；著作有《荷蘭共和的興起》（*The Rise of the Dutch Republic*, 1856）、《尼德蘭聯合王國史》（*The History of the United Netherlands*, 1860-1867）、《約翰・巴納維之生與死》（*The Life and Death of John Barneveld*, 1874）等；一八六一年至一八六七年擔任駐奧地利公使；一八六九年至一八七〇年擔任駐英國公使。

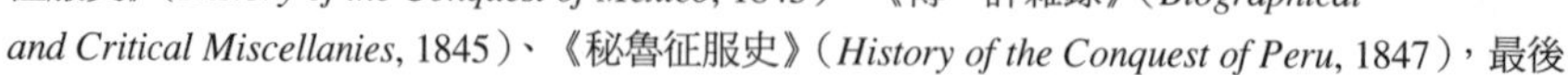

10 威廉・希可靈・普瑞斯考特（William Hickling Prescott, 1796-1859）：十九世紀美國歷史學家。首部著作《費迪南與伊莎貝拉朝代史》（*History of the Reign of Ferdinand and Isabella the Catholic*, 1838）即奠定學術名聲，其他著作有《墨西哥征服史》（*History of the Conquest of Mexico*, 1843）、《傳、評雜錄》（*Biographical and Critical Miscellanies*, 1845）、《秘魯征服史》（*History of the Conquest of Peru*, 1847），最後

作品《菲立普二世朝代史》（*History of the Reign of Philip the Second*, 1855-1858）生前僅完成三卷。

11 指華特・史考特（參見第一卷IV譯註14）。

12 查爾斯・李德（Charles Reade, 1814-1884）：英國劇作家、小說家。成功的劇作有：《假面具與真面目》（*Masks and Faces*, 1852）、《金子》（*Gold*, 1853）、《里昂信差》（*The Courier of Lyons*, 1854）、《未遲》（*Sera Nunquam*, 1865）等；《亡羊補牢猶未晚》（*It Is Never too Late to Mend,* 1856）則是一部專注攻訐獄政的小說；他接連寫出數部成績平平的小說之後，創作出他的傑作：以伊拉斯謨斯之父一生行誼為題材的歷史演義小說《修院與爐邊》。李德身故時留下一部尚未完成的小說《險惡的秘密》（*A Perilous Secret*）。

13 此目錄厚僅二十九頁，今罕不可見。內容參見下則譯註。

14 該場匿名拍賣會的名目是“A Small Collection of Choice English Books, for the Most First Part or Scarce Editions in Original Cloth Bindings, Including, also, A complete Set of the Beautiful and Exceedingly Scarce Publications of the Grolier Club”。於一八九六年五月十八日假紐約班氏拍賣公司舉行。共兩百四十六件拍賣品分為下列幾類：「文學」（品目1~173）、「海報」（174~181）、「葛羅里亞俱樂部出版品」（182~208）、「圖書目錄」（209~219）、「克爾史考特出版品」（220~225）、「與書籍相關的書籍」（226~246）。紐頓晚年曾致贈一冊目錄給梅蓓兒・贇（參見第二卷III譯註16），上頭的題辭是：「吾編此目錄、鬻書乃為在鄉間起一小屋（現為『橡丘齋』是也），A. 愛德華・紐頓謹贈梅蓓兒・贇，一九三四年九月十日識。」紐頓自藏、後由其子捐贈給費城公共圖書館（參見附錄III）的目錄上則寫著：「余編寫這冊目錄、出售這批藏書，得款用以興建自宅前廂（現為『橡丘齋』），A. 愛德華・紐頓識於一九三〇年六月二十日。」

15 風尚喜劇（artificial comedy）：西方戲劇流派，盛行於英國復辟時代；對上流社會貴族圈的生活習性著墨，筆調多所矯飾。或稱「世態喜劇」（comedy of manners）。

16《爭風吃醋》（*The Rivals*）、《閒話漫天》（*The School for Scandal*，一譯《造謠學校》）、《口誅筆伐》（*The Critic, Or A Tragedy Rehearsed*）：皆為英國劇作家R. B. 薛里登的劇作。分別於一七七五年、一七七七年、一七七九年搬上舞台。

17 法蘭西斯・柏瑞特・哈特（Francis Bret Harte, 1839-1902）：美國作家。原籍紐約，一八五四年隨寡母遷居加州，他在當地幹過礦工、教師、送貨員、印刷工、記者等職業。住在舊金山時，他為《加州人報》（*The Californian*）撰稿，寫下許多詩、散文。他曾被延攬擔任美國造幣局官員，他服公職直到一八七〇年。擔任《跨陸月刊》（*Overland Monthly*）編輯期間，他以一篇〈咆哮野營的命運〉（“The Luck of Roaring Camp”）聲名鵲起，自此他創作出許多以西部風光為題材的文章，受到美東上流讀者的極大喜愛。一八七一年他遷返紐約，後來移居波士頓，期間仍創作不懈。一八七八年他被指派出任美國駐德國克雷非領事，一八八〇年被調往格拉斯哥，後來定居倫敦。

18 引自《伊利亞隨筆》中之〈貝透小姐論方城之戰〉（Mrs Battle's Opinions on Whist）。文中記述一名生前酷愛打「惠斯特」（whist，由兩對牌手進行的四人牌戲名，現代橋牌的初期形態）的老太太：莎拉・貝透（Sarah Battle）。貝透面對牌戲的態度絕對認真、一絲不苟且兢兢業業、得失必較。有一回某文藝青年敵不過旁人力邀他參加牌局，大剌剌地當眾表示：長時間埋首閱讀之餘，「偶爾放鬆一下心情、陪她玩一把作為調劑消遣亦無妨。」不料貝透聞言大怒，斥責對方褻瀆了她神聖的志業：蓋惠斯特乃「她一生的職志、她的使命、她到世上走一遭唯一該做的事」，她的確也如此身體力行。後來蘭姆述及她曾一度「放鬆一下心情、看看書（作為調劑消遣）」。

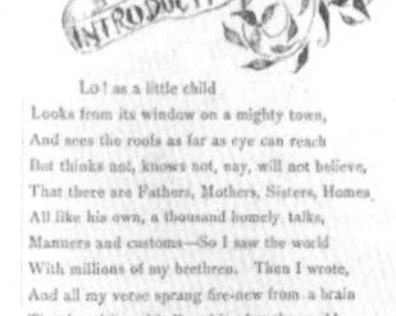
INTRODUCTION

Lo! as a little child
Looks from its window on a mighty town,
And sees the roofs as far as eye can reach
But thinks not, knows not, nay, will not believe,
That there are Fathers, Mothers, Sisters, Homes
All like his own, a thousand homely talks,
Manners and customs—So I saw the world
With millions of my brethren. Then I wrote,
And all my verse sprang fire-new from a brain
That loved it and believed it; but the world
Coldly, in silence passed my numbers by,
Wherefore I sang in fury! When the years
Brought with them coolness, all too late I found
There were ten thousand, thousand thoughts like mine

◎《童生歌吟》序文首頁，書頁繪飾為吉卜齡自繪

19《童生歌吟》（*Schoolboy Lyrics*）：吉卜齡首部出版作品。一八八一年出版。

20《回聲集》（*Echoes*）：吉卜齡與妹妹Alice（1868-1948）模擬當代英美諸詩家筆法寫作的詩集。一八八四年出版。

21《怒海餘生》（*Captains Courageous, A Story of the Grand Banks*）：吉卜齡的海洋冒險小說。一八九六年十二月至次年四月分五回在《皮爾森雜誌》（*Pearson's Magazine*）連載。吉卜齡於三十一歲發表此作，剛與他的美國經紀人Wolcott Balestier（1861-1891）的妹妹Caroline Starr Balestier（1862-1939）新婚未久，居住在佛蒙特。單行本於一八九七年由倫敦麥克米蘭公司（London: Macmillian & Co.）出版，該版本附二十一幅I.W. Tabor繪製的插圖；美國首版則於同年由紐約世紀公司印行，美國版內含十六幅Tabor插圖，但加錄二十一幅Fred T. Jane繪製的插圖、兩幅Swain插圖。

22 S. S. 麥克可勒（Samuel Sidney McClure, 1857-1949）：紐約出版商。愛爾蘭人山繆・夕尼・麥克可勒少年移民美國，於一八八四年創立美國第一個報業集團「麥克可勒集團」（McClure Syndicate）；一八九三年創辦《麥克可勒雜誌》

（*McClure's Magazine*）並親自擔任編輯，其扒糞作風除了令該雜誌賣座，更引發同業紛紛效尤，導致當時新聞界興起一股扒糞風潮，史稱「扒糞年代」（the era of the muckrakers）。麥克可勒個人的文字作品有：《通向和平的障礙》（*Obstacles to Peace*, 1917）、《民主自由的成績》（*The Achievements of Liberty*, 1935）、《自由對人類的意義》（*What Freedom Means to Man*, 1938）。

23 世紀公司（Century Company）：紐約出版商。原本是史格利布納（參見第二卷Ⅲ譯註12）的子公司。一八八一年Roswell Smith以美金兩百萬元買下、改名「世紀公司」，首部出版品是《世紀圖畫月刊》（*The Century Illustrated Monthly Magazine*，前身是《史格利布納月刊》，一九三〇年起改為季刊。參見第二卷Ⅲ譯註27）。

◎（上）紐約世紀公司版《怒海餘生》
◎（左）倫敦麥克米蘭版《怒海餘生》

24 指一八九七年倫敦麥克米蘭公司版。

25 英諺：“Variety is the spice of life.”

26 蘇珊・閔（Susan Minns）：波士頓收藏家。專門蒐集與「死亡之舞」相關的各類文物。閔氏藏品於一九二二年由美國藝術協會進行拍賣，拍賣目錄（*The Dance of Death from the XIIth to the XXth Century: The notable collection of Miss Susan Minns of Boston Mass., N.Y.: American Art Association*）上登載的品目總數達一千零二十件，包括已知最早一部以「死亡之舞」為主題的書籍，除了相關書籍、畫作、手稿等，還有以此為票面圖案的藏書票、錢幣，繪畫作品則囊括丟勒、霍爾班、Hollar、Van Leyden、湯瑪士・羅蘭德森、畢威克（Thomas Bewick）……等名家手筆。據當時的拍賣目錄前言所言：「此回拍賣諸品，乃麻州波士頓閔氏蘇珊自幼涓滴收藏，矢志不輟持續至今已逾半世紀，其為私家聚藏『死亡之舞』藏品之集大成、至精善乃毋庸置疑也。」（“The present collection begun, in her

girlhood, by Susan Minns of Boston, Massachusetts, and continued over a period of more than half a century, is without doubt the most comprehensive as well as the largest single private collection of Dance of Death material ever brought together."） 蘇珊・閔於該批藏品拍賣前自編專書 *Illustrated catalogue of the notable collection of Miss Susan Minns of Boston, Mass.: books, bookplates, coins, curios, prints*（康乃狄克州 Greenwich: Conde Nast Press, 1922）。

◎漢斯・霍爾班《死亡之舞》

27 「死亡之舞」（"The Dance of Death"）：西方文學、藝術常見之創作題材，將死亡具象化與常民、貴族生活結合用以警世，源自歐洲中古時期頻仍肆虐、每每擄人性命的黑死病。歐美各文物機構多以專類典藏之。

28 美國藝術協會（American Art Association）：美國首家正規拍賣公司。一八八三年由湯瑪斯・E. 柯比（Thomas E. Kirby）在紐約成立，一九二九年起與安德遜藝廊（參見第一卷Ⅲ譯註22）合併經營至一九三四年。

29 奧立佛・賀福特（Oliver Herford, 1863-1935）：美國作家、插畫家。出生於英國，一八七五年移居美國。為雜誌撰稿（最早為《世紀雜誌》，作品散見當時各報刊），曾出版若干部幽默文集、詩集並自繪插圖。作品有：《突梯滑稽集》（*Artful Anticks*, 1888）、《花園私語》（*Overheard in a Garden*, 1900）、《波斯小貓魯拜集》（*Rubaiyat of a Persian Kitten*, 1904）、《瑣事小書》（*Little Book of Bores*, 1906）、《呆地理》（*Simple Jography*, 1908）、《鈴鐺叢林》（*Jingle Jungles*, 1915）、《憤世者現形記》（*Cynic's Calendar*, 1917）、《賀福特畫說伊索寓言》（*The Herford Aesop*. 1921）、《敬請解釋》（*Excuse It Please*, 1930）、《閨女初入社會要典》（*The Deb's Dictionary*, 1931）等。

30 「前圖書館藏本」（"ex-library"）：指稱曾經由圖書館典藏，後來因各種原因（諸如館藏淘汰或遭竊）而外流的本子。此類書籍除非是極端稀有，否則因曾被頻繁地使用而往往導致書況欠佳，加上圖書館往往另行施加統一裝訂，通常是市場上較不受藏家歡迎的品類。

31 紙標籤（paper label）：版本學用語。貼在書脊（或稱「書背」）、標示書名的紙片。施用在尚未以皮革、布料裝幀的紙板裝幀的原版上。

32 半書名頁（half title）：或稱「簡書名頁」、「假書名頁」（bastard title）。在正式書名頁（full title，或稱「全書名頁」）之前的一葉，通常只印出書名，其用意在於保護正式書名頁；若此葉沒有印上任何文字，則稱為「扉葉」、「襯葉」或「空白葉」（fly leaf）。

33 丹尼爾・查爾斯・索蘭德（Daniel Charles Solander, 1736-1782）：瑞典裔植物學家。曾師事並輔佐林奈（Carolus Linneaus, 1707-1778）；一七六〇年赴英，將林奈氏物種分類體系導入英國植物學；親赴世界各地蒐集植物標本。一七七三年起擔任大英博物館館長。索蘭德群島（Solander Islands，位於紐西蘭南島西南方外海）的命名乃紀念他在植物學上的貢獻。

34 書盒（slip case）：單面缺口的書匣，將書插放進去時可露出書脊。

35 法蘭西斯・帕克曼（Francis Parkman, 1823-1893）：專治美洲開拓史的美國歷史學家。出生於波士頓。一八四六年循奧勒崗拓荒古道旅行，寫下《加州與奧勒崗古道》（*The California and Oregon Trail*, 1849）；其他史學論著包括：《龐蒂亞克戰史》（*History of the Conspiracy of Pontiac*, 1851）、《新大陸的法國拓荒者》（*Pioneers of*

France in the New World, 1865）、《耶穌會教士北美腳蹤》（*The Jesuits in Northe America*, 1867）、《大西部的發現》（*The Discovery of the Great West*, 1869）、《加拿大舊政體》（*The Old Régime in Canada*, 1874）、《弗隆特納克伯爵與路易十四治下的新法蘭西殖民地》（*Count Frontenac and New France under Louis XIV*, 1877）、《蒙卡爾姆與伍爾夫》（*Montcalm and Wolfe*, 1884）、《紛爭半世紀》（*A Half-Century of Conflict*, 1892）。

36 杭廷頓於一九二〇年代初期大肆收購私人藏書，其中富蘭克林的《自傳》手稿乃購自E. Dwight Church藏書（該筆收購共斥資一百萬美元，包含兩千一百三十三部英美歷史文件）。

37 威廉・坦普・富蘭克林（William Temple Franklin, 1760-1823）：富蘭克林的孫子。該版本書名為*Memoirs of the life and writings of Benjamin Franklin ... written by himself to a late period, and continued to the time of his death, by his grandson; William Temple Franklin. Now first published from the original mss. comprising the private correspondence and public negotiations of Dr. Franklin, and a selection from his political, philosophical, and miscellaneous works.*，一八一八年倫敦H. Colburn出版，三卷本。

38 約翰・畢吉羅（John Bigelow, 1817-1911）：美國外交官、作家。一八四八年至一八六一年擔任紐約《晚間郵報》編輯，期間以撰寫反蓄奴與鼓吹自由貿易的犀利社論著稱。一八六一年他受命擔任駐巴黎總領事，一八六五年至一八六六年則擔任公使。富蘭克林自傳手稿乃畢吉羅在巴黎發現，經他親自編輯，於一八六八年出版。此外，他還著有富蘭克林的傳記（1874），並編製十卷本富蘭克林作品全集（1887-1888）。

39 李平寇（J. B. Lippincott and Company）：費城出版商。

40 麥可・薩德里爾（Michael Sadleir, 1888-1957）：英國版本學者、藏書家。因其對特洛羅普作品版的關注而與紐頓成為好友；兩人對於推動英、美兩地藏書文化均不遺餘力。其著作有：《出版原裝風格之演進》（*The Evolution of Publisher's Binding Styles, 1770-1900,* New York: Garland, 1900）、《淺談維多利亞時代版本學》（*Excursions in Victorian Bibliography*, London: 1922）、《特洛羅普版本分析》（*Trollope: A Bibliography - An Analysis of the History and Structure of the Works of Anthony Trollope*, London: Constable, 1928）、《特洛羅普評析》（*Trollope: A Commentary*, London: Constable, 1927）、《讀者藏書指南》（*Book Collecting, A Reader's Guide*, Cambridge: National Book League, 1947）等，並編輯牛津大學版特洛羅普作品全集（1948）。

41 荷頓米夫林出版公司（Houghton Mifflin & Company）：參見本章譯註60。此處所指為薩德里爾的《特洛羅普評析》的美國首版（一九二七年出版，原版是同年倫敦Constable版），該版由紐頓作序。

42 特洛羅普《自傳》（*An Autobiography*）二卷：一八八三年愛丁堡首版，當時以匿名發表。

43 威廉・里昂・費爾普斯（William Lyon Phelps, 1865-1943）：美國文學學者、作家、評論家。耶魯大學英文教授。

44《尤斯塔斯寶鑽》（*The Eustace Diamonds*）：特洛羅普的小說。一八七三年出版。內容描述一名機關算盡、尖酸刻薄的聰明女子挖空心思，企圖保有非她所有的鑽石項鍊。電影《高斯福庄園》（*Gosford Park*, 2001）的製片班底：美國製片家Bob Balaban與Ileen Meisel已買下此小說的改編版權，交由英國編劇Julian Fellowes撰寫劇本，將於近日開拍。

45 W. 葛雷安・羅柏森（Walford Graham Robertson, 1866-1948）：英國畫家、收藏家、插畫家。由於熱中戲劇表演，他曾為五齣倫敦劇場設計服裝。

46 羅勃・勞倫斯・賓雍（Robert Laurence Binyon, 1869-1943）：英國詩人、藝術史家。一八九三年至一九三三年任職於大英博物館，一九一三年至一九三三年間負責東方印刷品、繪畫部門。他曾經著述若干以中國、日本、印度藝術為主題的論著，包括《遠東地區的繪畫》（*Painting in the Far East*, 1908）、《龍翔》（*Flight of the Dragon*, 1911）等；詩作有：《賽蓮女妖》（*The Sirens*, 1924）、《偶像》（*The Idols*, 1928）、《詩選》（*Collected Poems*, 1931）、《北辰》（*The North Star*, 1941）。

47 亨利・艾文（Henry Irving, 1838-1905）：維多利亞時期英國著名舞台演員。

48 愛倫・泰莉（Ellen Terry, 1847-1928）：英國舞台演員。泰莉與艾文曾合作演出多齣莎劇，皆紅極一時。除了舞台成就之外，愛倫・泰莉最為人津津樂道的事蹟便是與蕭伯納之間長年魚雁往返、相知相惜。

◎亨利・艾文與愛倫・泰莉合演的戲劇

49 吉歐佛瑞・凱因斯（Geoffrey Langton Keynes, 1887-1982）：英國外科醫師、作家。經濟學家約翰・梅納德・凱因斯（John Maynard Keynes, 1883-1946）之胞弟。早在劍橋大學求學期間便與文化界頗有往來。一九一〇年至一九一三年在聖巴多羅買醫院（參見第一卷 I 譯註58）擔任駐院醫師，一九一三年曾救活首度自殺的維吉尼亞・伍爾芙。他在兩次世界大戰期間救助無數戰場傷患，且對於乳癌治療有極大貢獻。後來成為該院資深外科醫師並受封騎士爵位。紐頓在倫敦摔車斷腿即由凱因斯操刀救治。

50「巴治」（“Barts”）：聖巴多羅買醫院的暱稱。

51 吉歐佛瑞・凱因斯編著的《威廉・布雷克作品目錄》（*A Bibliography of William Blake*）由葛羅里亞俱樂部於一九二一年委託Chiswick出版社限量印行二百五十部。

52 湯瑪斯・摩爾爵士（Sir Thomas More, 1478-1535）：英國政治家。一五二九年伍爾習下台後擔任內閣大臣，因為反對亨利八世與羅馬教廷斷絕關係而辭職，後來因為不承認亨利八世是宗教領袖而下獄斬首。

53 艾咪・羅威爾（Amy Lowell, 1874-1925）：美國詩人、傳記作家、評論家、藏書家。一九一二年出版詩集《色彩斑斕玻璃圓頂》（*A Dome of Many-Colored Glass*），翌年赴英國，結識寓居倫敦的龐德（Ezra Loomis Pound, 1885-1972），後來繼龐德之後成為「意象派」重要代表詩人。其詩集有《劍刃與罌粟籽》（*Sword Blades and Poppy Seed*, 1914）、《男、女、鬼》（*Men, Women, and Ghosts*, 1916）、《坎・格蘭德的城堡》（*Can Grande's Castle*, 1918）、獲普立茲獎的《時辰為何》（*What's O'Clock*, 1925）、《東風》（*East Wind*, 1925）、《待沽詩》（*Ballads for Sale*, 1927）等；以及傾注畢生心力撰寫的濟慈傳記（1925）。其藏書於歿後依遺囑送交哈佛大學，再轉由波士頓公共圖書館典藏，並設置「艾咪・羅威爾詩集特藏室」（Amy Lowell Poetry Room）。

54 喬治・H. 帕爾默（George Herbert Palmer, 1842-1933）：美國學者、藏書家。哈佛大學哲學教授。其藏書於他死後交由哈佛大學的衛斯理學院典藏。

55「東疆」（“down east”）：美國對新英格蘭地區的俗稱，尤指緬因州（地處美國最東端的一州）。

56 喬治・帕爾默從十九世紀九〇年代起以白話散文體翻譯的《荷馬奧德賽》（*The Odessey of Homer*）由麻州劍橋大學出版社於一八八四年印行，此後

◎喬治・帕爾默，Charles Hopkinson 繪（1926）

多次再版，成為二十世紀前半葉最普及的英文譯本。

57 “When 'Omer smote 'is blooming lyre,”：引自吉卜齡詩集《柳營歌集》（*Barrack-Room Ballads*, 1892）的序詩首句：“When 'Omer smote 'is blooming lyre, / He'd 'eard men sing by land an' sea; / An' what he thought 'e might require, / 'E went an' took—the same as we!”。

58 “Ex dono authoris”：（拉丁文）意為「作者親贈」（a gift from the author）。

59 艾麗絲・佛利曼・帕爾默（Alice Freeman Palmer, 1855-1902）：美國教育家。喬治・帕爾默的第二任妻子；一八八一年至一八八七年擔任（麻薩諸塞州）衛斯理學院（Wellesley College）校長。

60 河畔印書館（Riverside Press）：美國著名的精緻出版社。亨利・奧斯卡・荷頓（Henry Oscar Houghton, 1823-1895）於一八五二年在麻薩諸塞州劍橋瀕臨查爾斯河（Charles River）的一幢古宅內設立，實際主導社務者為布魯斯・羅傑斯（參見本卷Ⅲ譯註61）。一八八〇年喬治・米夫林（George Mifflin）入夥；為了因應日益擴張的學生圖書市場，兩人於是在波士頓組成荷頓米夫林出版公司。一九七九年，河畔出版公司（Riverside Publishing Company）併入荷頓米夫林出版公司，至一九一一年歇業為止，前後僅出版約六十種限量出版品。

61 亞歷山大・史密斯・柯契蘭（Alexander Smith Cochran, 1874-1929）：美國工業界鉅子、藏書家。一九一一年他出資在母校（耶魯大學）成立「依莉莎白文化社」（Elizabethan Club）並捐贈自己的部分藏品給該社團。他生前的藏書活動十分低調、鮮為人知，直到他該批維多利亞珍品捐給耶魯大學，世人才大開眼界。巴特列與波拉德在《一五九四年至一七〇九年間印行的莎士比亞劇作四開本普查》（*A Census of Shakespear's Plays in Quarto 1594-1709*）一書中，將該批藏品的重要性排名為全國第三（僅次於佛爾格與杭廷頓）。

62 阿佛列・C. 查賓（Alfred Clark Chapin, 1848-1936）：美國律師、藏書家。其藏書於他死後交由母校威廉斯學院（Williams College）典藏。

63 威廉・L. 克雷蒙茨（William Lawrence Clements, 1861-1934）：美國鐵路機具製造商、藏書家。年輕時赴湖灣市（Bay City）參與家族企業，一八九五年接掌公司。克雷蒙茨受到一名愛書的商界友人Aaron Cooke的影響，對藏書開始感到興趣；一九〇三年Cooke健康情形欠佳，便將若干產業與一批美國學藏書售予克雷蒙茨；克雷蒙茨後來繼續透過幾位高明書商，併購若干批藏書，其中包括Newbols Edgar與哈斯等人的珍貴善本、手稿。一九〇九年克雷蒙茨受聘接掌故鄉母校密西根大學教務部，他特別注重校內總圖書館的業務，並陸續將自己的收藏遷往該校儲藏，後來更另闢「克雷蒙茨美洲關係圖書館」（參見本章譯註71）。

64 理察・克萊蕭（Richard Crashaw, 1613-1649）：十七世紀英國學者、詩人。

65 喬治・克萊伯（George Crabbe, 1754-1832）：英國詩人。

66 “Have not the wisest men of all ages had their hobbyhorses, their running horses, their cockleshells, their drums, their trumpets, their fiddles, their books, or their butterflies, and as long as a man rides his hobbyhorse peacefully and quietly along the King's highway and compels neither you nor me to get up behind him, why should we complain?”：語出《崔斯特朗・榭帝》第七章。但此段引文似乎與原典意義稍有出入，該段完整原文為：“I own I never could envy Didius in these kinds of fancies of his : -- But every man to his own taste. -- Did not Dr. Kunastrokius, that great man, at his leisure hours, take the greatest delight imaginable in combing of asses tails, and plucking the dead

hairs out with his teeth, though he had tweezers always in his pocket ? Nay, if you come to that, Sir, have not the wisest of men in all ages, not excepting Solomon himself, -- have they not had their HOBBY-HORSES ; -- their running horses, -- their coins and their cockle-shells, their drums and their trumpets, their fiddles, their pallets, ---- their maggots and their butterflies ? -- and so long as a man rides his HOBBY-HORSE peaceably and quietly along the King's highway, and neither compels you or me to get up behind him, ---- pray, Sir, what have either you or I to do with it ?"。耐人尋味的是其中"maggots"居然被紐頓改成"books"，亦漏列"pallets"，應是故意斷章取義。

67 哈利．伍切斯特．史密斯（Harry Worcester Smith, 1865-1945）：美國推廣狩獵運動代表性人物。他曾率領獵狐隊赴英行獵；一九〇七年創立「美國獵狐大師協會」（Masters of Foxhounds Association）。相關著作有：《縱貫愛爾蘭、英格蘭、威爾斯與法國運動之旅》（參見下則譯註）、《艾肯運動生涯》（*Life and Sport in Aiken*, 1935）、《昔時南方運動家族》（*A Sporting Family of the Old South*, 1936）。

68《縱貫愛爾蘭、英格蘭、威爾斯與法國運動之旅》（*A Sporting Tour Through Ireland, England, Wales and France in the Years 1912-1913*）：哈利．伍切斯特．史密斯著。一九二五年Columbia, SC The State Co.出版。

69 標價目錄（priced catalogue）：經某參與拍賣會的買家使用過，以筆一一寫上實際拍賣成交價的拍賣目錄。拍賣公司通常於拍賣結束發表最後結標結果，但現場即時登記的目錄往往還會記載場上競標過程的若干細節（譬如：曾經投標的人與金額），對仔細的收藏家（或商賈）而言都是彌足珍貴的資料。

70 摩根圖書館典藏了兩部不同版本（一為紙本、一為羊皮紙本）的《古騰堡聖經》，其中以紙本為存世二十五部之中最佳版本。而古騰堡最初曾以每頁四十行和每頁四十二行印出兩種試版。

71 指典藏威廉．L. 克雷蒙茨藏書的「威廉．L. 克雷蒙茨美洲關係圖書館」（The William L. Clements Library of Americana at The University of Michigan），位於密西根州安納堡市密西根大學內，該圖書館由底特律著名建築師Albert Kahn（1869-1942）設計，造型仿照義大利文藝復興風格，於一九二三年六月十五日啟用。

72 安納堡（Ann Arbor）：美國密西根州東南部城市。一八二四年建立聚落，一八三三年設村，一八五一年設市；一八三七年密西根大學入駐，促成該城發展居功甚鉅。

73 蘭道夫．G. 亞當斯（Randolph Greenfield Adams, 1892-1951）：美國版本學家、歷史學家、散文家。著作有《美國獨立之政治信念》（*Political Ideas of the American Revolution*, 1922）、《美國外交政策史》（*A History of the Foreign Policy of the United States*, 1929）、《美國學三家》（*Three Americanist*, 1939）等。一九二三年至一九五一年擔任「威廉．L．克雷蒙茨美洲關係圖書館」首任館長。除了擔任密西根大學歷史學教授之外，亞當斯生前亦是「美國歷史協會」（American Historical Association）、「美國古典學會」（American Antiquarian Society）、「葛羅里亞俱樂部」、「美國版本學會」（Bibliographical Society of America）等社團的活躍成員，一九四〇年至一九四一年間擔任其會長。

74《威廉．L. 克雷蒙茨圖書館的來龍去脈，或探討藏書巧藝的短論》（*The Whys and Wherefores of William L. Clements Library, or a Brief Essay on Book Collesting as a Fine Art*）：蘭道夫．亞當斯論述克雷蒙茨圖書館緣起的文章。一九二五年密西根大學校友出版社限量印行二百部。

75 威廉・簡尼斯・布萊安（William Jennings Bryan, 1860-1925）：美國律師、政客。

76 拉斯洛普・哈潑（Larthrop Colgate Harper, 1867-1950）：美國出版商。哈潑兄弟於一八一七年在紐約創立Harper and Brother出版公司。一九〇三年十月起哈潑是馬克・吐溫在美國地區的獨家出版商。Fletcher Harper於一八五〇年創辦《哈潑雜誌》（*Harper's Magazine*）、一八五七年創辦《哈潑周刊》（*Harper's Weekly*）。

77 J. 克里斯欽・貝（Jens Christian Bay, 1871-1962）：丹麥裔美國版本學家。

78 指發生於一八七一年的芝加哥大火。當時十平方公里的面積（包含市中心商業心臟地區）全部夷為平地，並造成三百餘人喪生，財產損失高達兩億美元。此事促成芝加哥全市得以進行大規模更新的契機。

◎A・E・豪斯曼

79 約翰・麥斯菲爾德（John Edward Masefield, 1878-1967）：英國詩人、劇作家、小說家。

80《海調歌頭》（*Salt Water Ballads*）：麥斯菲爾德的詩集。

81 亞佛雷德・愛德華・豪斯曼（Alfred Edward Housman, 1859-1936）：英國學者、詩人。

82 愛蜜莉・席拉・凱－史密斯（Emily Sheila Kaye-Smith, 1887-1956）：英國小說家。

83《邁步信徒》（*Traming Methodist*）：凱－史密斯的小說。

84 "the worst is better than none."：完整原句為"Dictionaries are like watches; the worst is better than none, and the best cannot be expected to go quite true."。出自皮歐濟（Robina Napier編）《約翰生大全》（*Johnsoniana, Anecdotes of the Late Samuel Johnson, LL.D.*, London: George Bell & Sons, 1892）。

85《柯摩斯》（*Comus*）：彌爾頓的詩劇。

86 蒙田（Michel Eyquem de Montaigne, 1533-1592）：十六世紀法國散文作家。

87 疑指Bayle St. John（1822-1869）的《散文家蒙田傳》（*Montaigne the Essayist: A Biography*, London: Chapman & Hall, 1858）。

III 書之為物

姑且假設現在手裡捧著這本書的人全都曉得：咱們現今稱之為書的東西，其原始形態是「卷軸」（"rolls"）──「開卷有益」的說法就是這麼來的──不過，惟有真正經歷過從「開卷」到「展頁」這道轉變過程的人，才能夠體會兩者之間究竟代表多麼巨大的進步。書籍原先是用羊皮紙製成，然後是小牛皮紙[1]（兩者差異甚小），最後才演進到紙張。有不少書籍專門探討紙張與造紙技術，和隨後誕生的印刷術以及鉛鑄活字的發展歷程。最近就有一部很棒的書問世，哥倫比亞大學的湯瑪斯・法蘭西斯・卡特[2]撰寫的《中國印刷術的發明》，他在書中說：中國熟悉印刷術遠比歐洲來得更早。然而我們現在所知道的印刷技藝，一般公認應歸功於一四五〇年前後古騰堡所發明的那一套；總之，咱們還是從古騰堡印製聖經那檔事兒開始談起。

每回只要那部書在市場上出現，就會引發一場大騷動；最近一筆成交記錄發生在一九二六年二月十五日，紐約安德遜藝廊舉辦的拍賣會[3]上，一部梅爾克[4]藏本以刷新記錄的十萬六千元決標。當時的買主是羅森巴哈博士，會後他旋即將那部書轉售給哈克尼斯[5]先生，哈克尼斯先生則又把它捐給耶魯大學：真是送者慷慨大方、受者顏面沾光。

◎初期書籍的形式──卷軸

此部仰之彌高的珍本有個美中不足的地方：它既沒有珂羅封[6]也沒有書名頁；這兩項印本書[7]歷程上的重大發展後來才逐漸成形。要是有人問我「珂羅封」到底是什麼玩意兒；而其名稱又從

¶ Imprynted at London in Fletestrete/by Wynkyn de Worde/dwellynge at the sygne of the Sonne/and fynysshed in the yere of our lorde god. M.CCCCC. xxxiij. The.xxvij. daye of Maye.

■溫京・迪・沃德[8]在某部著名的善本末頁印上的「卡克斯頓商標」，至今始終無人能夠全然破解其圖案意義。縮寫字母W、C各自代表「威廉」、「卡克斯頓」殆無疑義，但中間那道鬼畫符究竟代表什麼名堂？天曉得。

何而來，我會這麼回答：珂羅封無非是一道註記，以印刷或手寫於書末，提示該書的標題，偶爾還會列上寫作者或印刷工的姓名和出版日期，簡單地說：十分類似我們現在在書名頁上讀到的一些訊息。「珂羅封」通常還會加上一個「哈利路亞」(“Alleluia”)以銘謝各方襄助，讓整個印製工作得以畢竟全功。至於它的名稱則是源自一座位於小亞細亞的古城（據說荷馬就是在那兒出生的）；原委是這樣子的：很久很久以前，該城由一位富有的貴族統治，他蓄養一支威震天下的騎兵勁旅，作為保衛那座城市的最後殊死戰之用：就這麼著，那個城的名字便被挪借來指稱寫完或印成一部書的最後一道手續。

大英博物館印本書部門的前任主管，亞佛雷德・W. 波拉德最在行的研究項目之一就是珂羅封，他曾經就這個主題寫過極為精闢的論文[9]。各位只要稍微動腦子想一想，就不難理解何以珂羅封和書名頁在書中的地位會那麼重要了，任何人只消看看自己家裡頻繁翻閱的大書——聖經、字典、甚至是電話簿——的德性，一定曉得一本又厚又重的書的前、後書頁特別容易脫落散佚。經歷漫長歲月的笨重古籍自然也難脫此宿命。如此一來，要一眼判斷出某部古書的版本勢必加倍困難。

我們自認生存在一個不斷進步的年代，事實也的確如此，但是，整個世界從所謂的「黑暗時代」甦醒過來，主要還是拜印刷術的發明之賜，加上美洲的發現，全世界才得以迅速大躍進。印刷術當年在歐洲傳布的過程有如野火燎原。德國、義大利、法國，以及荷、比、盧等地，對於印刷的渴求甚殷；只有英國遠遠落後一大截，基於什麼原因，且聽我細說分明。早年的活字乃經由刻（cut）或鑄（cast）、排印成拉丁文、希臘文與希伯來文，只有在這幾種文字能夠通行的國家才會生產書籍。據統計的結果，最初不到五十年的期間內（更準確的說法應再加上：在一五〇〇年以前）總共刊印了大約三萬八千種書籍：我們現在統稱那些書為「搖籃本」。這是一個拉丁文複合名詞，其意義是搖籃或誕生地（其真正含義在不同時、地均略有差異），意即：一切事物的原初起點。雖然現在越來越多人使用另一個法文同義字incunables，總之，這已經成為所有人都認得的歐洲文字。考量其原本的意涵，它過去或許只侷限於稱呼某個（或所有）國家於一四七五年以前印製的書籍（但由於湊成整數的習慣使然，現在大家都籠統地以一五〇〇年為其分界）。一個世紀前問世、由拉德威格·海恩在司圖卡特出版的大部頭拉丁文書籍書目，是關於搖籃本這個主題最重要的一部書。他在該書目中列舉大約一萬六千部搖籃本書籍（後來有人另行增編了七千部），我們常常會在一些舊目錄的書介中發現某書註明是否曾被列入海恩書目[10]；海恩在部分條目前冠上星號（*）代表他本人曾親自經眼該書。該部書目最近出了全新版本、甚至還得到德國政府的背書認可，卻受世界大戰戰火波及而遭到擱置，面世之日至今仍遙遙無期。

搖籃本往往沒有書名頁或珂羅封，對於該書內容梗概、印製日期、出版地點、由何人刊行等資訊亦一概付之闕如：這也是它們之所以會那麼難搞定的原因；不過學者們透過嚴謹地研究其使用字體、仔細觀察紙張上的浮水印，還是能研判出其版本大概。

英國運用印刷術的時程相當遲緩，但是大家不宜因此便認定英國佬對於此項新發明缺乏興趣或不具備相關知識；那是因為當時世界上大部分的書皆以希臘文或拉丁文印行（蓋此兩種文字在當年都可算是國際語文），至於義大利文、法文、德文和英文，一旦出了各自國度便寸步難行（甚至連在其國內也往往不能完全暢通無阻）。直至十四世紀，英國的宮廷以及法庭仍以法文為正式語文，甚至咱們國內的法庭裡頭，直到現在也還殘留著古法文的蛛絲馬跡。卡克斯頓首部以英文（如果勉強稱之為英文的話）印行的書，是一四七一年在布魯日（Bruges）印製的《特洛伊史集成》[11]；第二部則是相隔不久的《人生如弈》[12]（亦是首部在書中附入插圖的印本書）。而他在英國本土出版的第一部書是一四七七年在西敏斯特印行的《先哲語錄》[13]；此書是頭一部在書末附上珂羅封的英文印本書，現在存放在曼徹斯特萊蘭茲圖書館[14]中的本子，清楚地記載著印製日期——十一月十八日。雖然《特洛伊史集成》與其他幾部由卡克斯頓印製的書籍風靡不少英、美兩國的收藏家，但作為印本書

morn be tymes / the kynge pryant assemblid alle the
troians for to here the answer of Anthenor / the whiche
sayd to the kynge otherwyse than he had founden / ma-
kyng a longe sermone for to couere wyth hys felonnye
where he spack longe of the puyssance of the grekes &
of theyr trouthe in theyr promesses / And how they
had holden the trewes that they had maad lyyng to
fore the Cyte. And had ben faythfully gouerned with
oute brekyng of them. And after spake he of the ffe-
blenes of the troians and of the grete daungers that
they were Inne. And in thys concluded that forthon
hit were prouffitable to seke peas and that they come
therto. And sayd hyt coude not be / but yf they gaf a
grete quantyte of gold and syluer vnto the grekes for
to restore to them the grete domages and losses that they
hadd in the warre / And after auysed the kynge and
the other eche in hym self / for to employe hym in thys
thynge wyth oute ony sparynge / And for as moche
sayd Anthenor as I can not knowe at thys tyme alle
theyr wylle / I wolde that ye wold late Eneas goo
wyth me vnto them for to knowe better theyr wylle
and to thende that they beleuyd vs better / Every man
alowed the wordes of Anthenor. And than wente he
and Eneas vnto the grekes / and wyth hem the kynge
Cassilyus.

Han the counceyll was fynysshyd and alle
doon / the kynge Pryant entryd in to hys cham-
bre and began to wepe right strongly as he that
apperceyuyd well the trayson / And playned sore
the deth of hys sones and also the grete domage that he
bare / And yet that worste is that he muste bye hys

■首部以英文印行的書——卡克斯頓於一四七一年在布魯日印製的《特洛伊史集成》其中一頁。

◎克里斯多福・佛洛蕭爾

的標竿，它和歐陸出版的成品一比，卻是十足的劣品。遲至一五三九年，鑒於世人對英文「大聖經」[15]的需求甚殷，才在巴黎印製（或至少開始準備印製），而首部英文完本聖經則早在一五三五年即由佛洛蕭爾[16]在瑞士蘇黎世刊印問世。

對於各位有意著手藏書、或只想讀點兒藏書文章的人來說，本書實在不值得花太多篇幅詳述「如何辨識卡克斯頓版」。除非置身紐約羅森巴哈兄弟書店的保險庫，否則我們就算想和卡克斯頓版古書不期而遇，機率也肯定不高，反正就算真給咱們碰上了，到時候光看標價就能知道它們究竟是不是真的卡克斯頓版。何況我也不打算費太多唇舌泛論搖籃本。每位藏書家或許都想在不傾家蕩產的前提之下購藏幾部早期印刷的產物，要買到不錯的古版聖經、祈禱書，或諸如此類的玩意兒，現在也都還有機會；只是現代藏書家對於中世紀的神學、法學、哲學和語言學的論著並不太感興趣（那些老掉牙的觀點其實也已然過時），而早期書籍著墨最多的正是那些主題。這年頭，我們的心力都投注在所謂有人味兒的書籍上頭，意即：由和我們並無多大差別的寫作者所寫、被和我們沒有多大差別的閱讀者所讀的書。

距今一百年前，蒐書之道和現在大不相同：當時這種消遣幾乎只有上流紳士能夠獨享（所謂紳士，大抵是用來指稱成天遊手好閒、無所事事的人）。他或許曾經接受過正統教育、閱讀拉丁文、希臘文不費吹灰之力，而那種人往往會認為花太多時間、腦筋在英文書上頭有失其身分、地位，但是卡克斯頓版和他的嫡傳弟子所印行的本子則又另當別論。

看倌，竊問您的手上可有迪柏丁的《訪書十日談》[17]？那是一部大部頭的三卷本，通常以舊式的直紋紅色摩洛哥羊皮精心裝幀，一度被奉為紳士書房不可或缺的書籍之一。時至今日，那部書——嗯，雖然還不至於被視為「雞肋」，然亦不遠矣。其內文頗不堪卒

The thyrd chapitre of the firſt tractate treteth wherfore the playe was founden and maad   Capitulo iij

He cauſes wherfore this playe was founden ben iij
t The firſt was for to correcte and repreue the kyng
for whan this kyng euylmerodach ſawe this playe / And
the barons knyghtes and gentilmen of his court playe
wyth the phyloſopher, he merueylled gretly of the beaulte
and nouelte of the playe. And deſired to playe agaynſt
the philoſopher / The philoſopher anſwerd and ſayd to hym
that hit myght not be doon / but yf he firſt lernyd the play
The kyng ſayd hit was reſon and that he wold put hym
to the payn to lerne hit / Than the phyloſopher began to

■首部在書中附插圖的印本書——卡克斯頓的《人生如弈》其中一頁。

◎羅克思堡公爵

讀，不過排印得又細又小、密密麻麻的註釋（主要集中在第三卷）卻結結實實地令它歷久不衰。翻到第四十九頁，讀讀那段長篇累牘的「羅克思堡之役」（故作幽默的作者以此稱呼那場藏書史上重要非凡的拍賣會）——羅克思堡藏書拍賣會。那段公案其實只消用大家以肉眼就能看清楚的字體印成一本小冊子便已算仁至義盡，像迪柏丁那樣巨細靡遺、詰屈聱牙地冗長贅述未免也太囉唆了。

那場拍賣會假現在早已作古的羅克思堡公爵[18]約翰的府邸（位於聖詹姆斯廣場（St. James's Square）北面）餐廳內舉行。迪柏丁將當天（一八一二年六月十七日）的慘烈戰況描述得活靈活現，彷彿本人親眼目擊似的——當時他的確在場。重頭戲是一部一四七一年版《十日談》[19]，當場教兩個貴族爭得不可開交。一開始，某位鄉紳先以一百基尼投標開啟戰端；接著，有人喊價五百；史賓賽伯爵立刻加碼到一千；布蘭德福侯爵見狀又往上加了十基尼。每回只要史賓賽伯爵一投標，侯爵大人就——不慌不忙地——再添個十基尼，最後，伯爵的出價已經飆到令人咋舌的兩千兩百五十基尼，侯爵照例再加碼十基尼；就此落槌成交。這時伯爵大人上前道：「在下甘拜下風。」旋即向侯爵深深一鞠躬。布蘭德福侯爵趕緊說：「我倆的情誼仍然依舊。」同時伸出手。敗陣的伯爵則補了一句：「正是。」誠可謂藏書道上一段高人交手的佳話[20]，不過我這裡要講的重點是：當年每個出席那場拍賣會的人再怎麼想像力豐富也萬萬料想不到，時至今日，一部莎士比亞的第一對開本或第一四開本居然能引起大家極為熱烈的興趣；而鼎鼎大名的《十日談》在各重要拍賣會上的成交金額卻區區可數。

我越講越偏離主題了。回頭繼續講印本書：初期印本書的字體、油墨、紙張以及我們稱之為「版式」[21]的一切元素，其臻近完美的進步之快，足令任何考察過其他技藝、科技發展的人大呼匪夷所思。珂羅封不多時便被書名頁取代；最早一部有書名頁的英文書，據說是約莫一四八六年由卡克斯頓同時代的麥屈林人威廉[22]印製的《防疫抗瘟必備且實用之便利隨身小冊》（*A Passing Godle Lityll Boke Necessarye snd Behovefull agenst the Pestilens*）。書名頁自此迅速發展；木刻紋飾圖框廣受重用，框內原本只刊出書名，後來偶爾也印上出版者的商標。當時有一些出版商的標誌非常漂亮，連現今的出版社也無法望其項背。那些印刷者的標誌原本皆印在書末珂羅封的下方；後來全移到書名頁上當成裝飾，在書名的底下亮相，從此位置底定並一路延續至今。

過了一段時日之後，大家發現又粗又寬的木製榫接圖框[23]不但一不小心就會印歪，木版亦不堪長久使用，因此銅刻雕版書名頁便順勢取而代之，從雕版書名頁往前再跨那麼一步（非常順理成章的一步）便出現了雕版扉畫。早在十六世紀之初，即使丟勒[24]、霍爾班這些數一數二的大師也無法長期甘心委身屈就於製作書名頁圖框（據說亨利八世「大聖經」的書名頁便是出自霍爾班手筆），而一般公認登峰造極的雕版書名頁則出現在安特衛普的普蘭汀－摩塔斯出版社[25]的出版物上。對於愛書人來說，這個難能可貴的古老出版社（現在仍留存著，但成了一座出版博物館）一直都是全世界最有意

◎克里斯多福．普蘭汀的標誌：
「印刷工之王克里斯多福．普蘭汀，一五八八年」（"Christopher Plantin, king of printers, 1588"）

思的場所。

話說回來，書名頁上的資料也並非全然可靠。須知：昔年的編纂者、印刷工恆常處於命在旦夕的狀態；當權者對於知識的散播總是心懷芥蒂——他們寧可讓老百姓只曉得他們該信仰的事。因此，許多書籍於刊印當時常常會使用假名以掩飾作者的真實身分，歷史上這種魚目混珠的例子屢見不鮮。所謂「馬太聖經」其實是死於瑪麗女王統治之下的約翰・羅傑斯的作品[26]；而某部於共和時期[27]刊行的書籍，書名頁上甚至赫然出現「本書於天國印製，有責購者自負」這麼一段文字。

早年書籍於印製過程之中，書名頁和肖像的圖版都是一再重複使用；任何人只要蓄了一臉濃密的大鬍子，就被拿來權充某位哲學家的肖像，而且同一幀肖像還會被張冠李戴好幾回，甚至在同一部書上頻頻出現。某位墨西哥市的未具名讀者很好心地來函指出：至少有其他三部書重複套用「愛德華六世祈禱書」（一五四九年版）書名頁的圖框紋飾，其中之一是一五五四年在墨西哥市印行的《亞里斯多德言論集成》[28]；在此正好可以順道一提：新大陸最早一家印書坊就是設立於墨西哥市[29]。

■《威廉・佩恩皈依傳》的書名頁

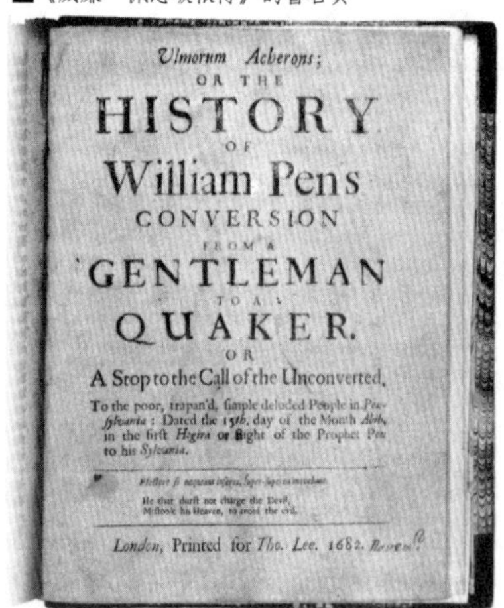
Ulmorum Acherons;
OR THE
HISTORY
OF
William Pens
CONVERSION
FROM A
GENTLEMAN
TO A
QUAKER.
OR
A Stop to the Call of the Unconverted,
To the poor, trapan'd, simple deluded People in Pensylvania: Dated the 15th. day of the Month Abib, in the first Hegira or flight of the Prophet Pen to his Sylvania.

He that durst not charge the Devil,
Mistook his Heaven, to avoid the evil.

London, Printed for Tho. Lee. 1682.

我並不熟悉英國以外地區印製書名頁的情況，無法在此侈言暢談歐陸出版的古書上頭各式各樣光怪陸離的書名頁，但是僅僅英國一地，此類令人噴飯的書名頁亦不在少數。我臨時想到的一部書就很適合拿出來講一講：不只因為它的出版年份（一六四二年，其中數字6印反了）成了一九四二年，更絕的是上頭居然標示「於大戰[30]爆發後在英國印行」。那部書的標題是《慘遭當前戰火奪去心上人以及長年違逆己願獨守空閨且守身如玉的貞節烈女之控訴》[31]。

在鑒別古籍時，若不是靠「浮水印」這玩意兒頻頻扮演吃重角色的話，沒有人還能夠長年孜孜不倦地鑽研古書，要是少了它，古書的考據可就難上加難了。奇怪得很，《大英百科全書》裡頭居然隻字未提及這個玩意兒。浮水印是在造紙的過程中，植進紙張中的一枚印行標示（或一個花體字母、有時是日期、商標，或是一方徽章）。將那組圖案（通常是以線條構成）安置在篩子內的紙漿中，等到紙張成形，它便隱身其中了。由於圖案的紋路比周圍的紙張稍稍薄了一點點，只要把紙拿高就能透過光線清楚地看出來。

考察造紙術的發展，不管是研究其製造流程或是查驗浮水印，都是一件十分引人入勝的事。這年頭大概找不到比俄亥俄州契利柯提（Chillicothe）的達德．杭特[32]對造紙術更在行的人了。他曾經寫過一部名為《古代造紙術》[33]（現在已成為珍本）的迷人書，深入探討此項技藝，並一一考據古代各造紙坊的浮水印。同時，杭特先生也是全國（或許也是全世界）最樂於此道的書籍製造師。他述及自己以及他的工作：

◎達德．杭特

「我在充斥紙張、鉛字、印墨的環境中長大，記憶中的年幼時光，我總是目不轉睛盯著父親組排鉛字，操作一架老式手工印刷機進行印刷作業。兩百種書就在我仰頭望著印刷機的當兒源源印出。至今仍無人能夠超越十五、十六世紀義大利書籍印刷工匠的技藝：他們所使用的紙張，即使經過四百年之後，仍顯現出現代造紙術難以企及的豐富色澤、肌理（只要看看古騰堡聖經的紙頁即可見一斑）。我後來前往義大利學習造紙技藝；然後轉赴維也納，在全世界最古老的一所平面美術機構中學造字美工，接著到倫敦的皇家工藝學院（Royal Technical College）研習裝幀加工術[34]。回國後，我以赤手空拳蓋了一間小小的水車房，房頂覆上我在自家小農地植栽的麥草，然後在這間小水車房裡安裝完全仿造自十五世紀造紙匠使用的設備。那具嘎吱作響的木造水車，便是用來將麻屑、棉絮搗成紙漿，供我一

◎達德．杭特設計的字體與紋飾

葉一葉抄製純手工紙張。接下來，我開設了一家小規模的鑄字坊，而且，裡頭的每件工具、器械均完全仿照四百年前的作坊，我便如此雕出一個接一個字模、逐一澆灌鑄成鉛字、再翻製型版。若值水量充沛足以轉動水車的日子，我一天大約能抄出七十五張紙。若逢枯水期，我便進行造字。在所有的作業過程之中，最教我感到津津樂道的莫過於造紙與製作浮水印。」

使用那些機具、紙篩、鑄模、鉛字、型版所製成的兩部書籍，現在典藏在華盛頓特區的史密森學會（Smithsonian Institution），儲放那些書的展示櫃上的牌子如此寫道：「此乃印刷史上首度由個人從頭到尾獨力製造完成的書。」有人為文論及這位偉人時，如此形容他：雖則此君永遠無緣致富得貴，然而憑藉其無與倫比的卓越貢獻，他的名字已足以在書籍製造史上獨佔一頁。

在我們從印刷紙葉談到裝幀造本之前，還有好幾件與印本書相關的事項值得在此一提。我們之前已經提過珂羅封和書名頁；但漏說了半書名（偶爾也稱為簡書名）。半書名的功用在於扼要點出標題，讓人一望可知該書梗概。半書名通常會置放在頁面的上半部，而它的背後頁面總是保留空白。實際上現在每一部書都有半書名，要是少了它，一部書就不能算完整；而且，除非是稀罕得不得了的書，否則沒有任何藏書家肯收購一部原該有卻缺了半書名頁的本子。唯有仔細地審核帖序[35]、相互對照不同的本子，或善加利用編修完善的版本書目，才能夠得知哪些書原該有半書名頁。大家須謹記：藏書之道乃「道可道非常道」也。並不是每個人都得擁有約翰生的首版《志業徒勞》[36]；沒有那部書，日子照樣可以過得規矩、起勁（就算無法太開心）；但是一旦能夠收藏此書，人生便百無遺憾了。這部出版於一七四九年的書，原本就沒有半書名頁，不過他於一七四四年出版的《薩維奇傳》[37]則有半書名頁。這些小地方大家不可不察，必須一一搞清楚。

我剛剛用了一個字眼——「帖序」。所謂帖序，是為了讓裝訂工能夠準確無誤地排列整本書頁的一項標記措施。據威廉・布雷德斯[38]所言，帖序的發明並非始於印本書時代：對抄寫員或排字工人在排放正確頁序來說，帖序均同樣不可或缺，因為，在每道步驟進行中時時保持正確無誤的順序，不管書頁是以手寫或用器印都不能忽略，其功能非僅只於讓裝訂工有排序頁面的線索而已。最早期的書籍，帖序都是徒手寫在印製完成的每一頁下方角落；據說擺在溫莎（Windsor）的皇家圖書館裡頭那部書口未裁的卡克斯頓《特洛伊史集成》可資明證；但是過了一段時間之後，印刷時一併印上帖序成為普遍作法，布雷德斯進一步將印刷帖序定義為「隱匿印在特定頁數，用以判別個別書帖（偶或稱為摺帖或書疊）[39]的符碼或記號」。時至今日，它們還具備另一個更形重要的功能：讓細心的版本學家能夠根據這些記號，考察一部書裡頭是否缺頁、甚至明確查出缺了哪幾頁。

考據一部書（尤其是古書）絕不是一樁輕鬆的勾當，而考據書籍的工作則必須——實際上也只能——交給具備真才實學的版本學家才能夠勝任。我舉一個例子來說明為什麼非得（盡其可能地）蒐求保持出版原貌（紙板或布面簡裝）的書不可。前些日子，我的朋友吉歐佛瑞・凱因斯問我為什麼不將手邊那幾部原裝的珍・奧斯汀本子一一校對、考證一番。我老實回答他：我可沒本事幹那種活兒，但是我正打算找梅蓓兒・贊代勞。我把那批書一股腦送到她那兒，另外還跟人家借了一套「裝幀套書」（也是首版）一併交給她去考據——你猜結果怎麼著？我那幾部原裝本一個錯誤也沒有；而「裝幀套書」卻沒有任何一本是從頭到尾完全不出錯的。我從來沒有想過要自己動手從事版本考證工作：那是大可交給別人去操煩的許多事情之一。那是藏書道上的苦差事，活像清理獵槍，你若要硬著頭皮自己幹，其結果難保不槍枝走火——尤其是在還沒裝填子彈的情況下——順道格斃身旁哪個倒楣鬼。

好啦，這會兒咱們這本書已經規規矩矩印出來了、印張[40]一一摺疊妥當、裡頭的錯誤也逐一校正、書疊（或，按照英國人的說法——摺帖）排列得工工整整，可以送到裝訂工那兒進行裝幀了嗎？嗯，沒問題。到目前為止，我們自己幾乎什麼也沒幹：只是（粗略地）釐清幾個經常會用到、能幫助咱們在藏書之道上走得更平順一些的字眼。

早期的書籍都很巨大，大得不像話，但是全世界對於該如何稱呼比較大或碩大無朋的書卻始終莫衷一是。「對開」（folio）、「特大對開」（elephant folio）、「超大開」（double elephant）、與「圖籍對開」（atlas folio）等名詞均含糊不清，全都是表示「大」——但到底有多大呢？最好還是得將幾吋高、幾吋寬（或學歐洲人，用「公分」）清清楚楚地寫出來，才能讓人一目瞭然。

不久前，我在一本英國期刊上讀到：現在已經到了召集全世界的造紙商齊聚一堂、共同商討出紙張統一尺寸的時候了；那麼一來，一張紙對摺兩次便成四開（quarto），摺疊四次則為八開（octavo），以此類推，才能有個放諸四海皆準的尺寸標準。這種呼籲說穿了誠屬無稽。硬性規定的方式壓根就行不通，因為不管未來抑或過去，一張紙的尺寸取決於許多客觀因素，光舉其中三項就夠了：製造當時、當地的外在環境條件、造紙者本身技術的良窳、以及預設的用途為何。各造紙商之間競爭激烈，總有人會為了搶生意而削價求售；何況他們的本業只是製造紙張，犯不著為一本書正名、決定大小，書只要能印妥裝訂好就沒有他的事了。不成，若我們打算要統一開本（即尺寸大小）的名稱好讓大家一看便知的話，那麼，每個出版商都必須先有共識：今後要將所有大大小小、參差不齊的書籍——分別定名為——（不管叫做啥，總之無論怎麼摺、怎麼疊都有規則可循）；經過一段時間（勢必是一段漫長的時間）之後，我們現在濫用的各種混帳稱呼才會慢慢銷聲匿跡。

某位住在英國愛塞斯特（Exester）地方的編目員為了要讓一名住在芝加哥的顧客看得懂目錄，嘿，他居然突發奇想，將某一部書形容為「小型大八開（small foolscap octavo）」；我的天，這一大堆亂七八糟狗咬尾巴的名稱到底什麼跟什麼嘛，「八開」、「菊八開」和「正八開」究竟有什麼不同？在「四開」的前頭畫蛇添足冠上大、小根本是白搭；我們需要更多字詞——必要的話，新造亦無妨——藉由統一稱呼某特定尺寸、特定開本，讓它們各安其位——就像咱們規規矩矩在帳簿上填表格一般——好讓大家都能一目瞭然。

莎士比亞筆下的某個角色有這麼一句台詞：「吾足足可寫滿好幾冊對開本。」[41]如果我沒記錯的話，那傢伙當時正詩興大發，打算提筆寫十四行詩。當時把一首十四行詩印在摺疊一次（即對開）的紙頁上完全不成問題，因為它的大小就和你現在讀的這本書差不了多少；但是，現在對開大的頁面上若是只印上一首十四行詩，那還能看嗎？

以國內現況而言，要為書籍開本正名的困難度甚至比在英國更高，因為我們頻繁地根據他們所編寫的目錄購書，但是他們比較不常（或根本不）利用咱們的目錄買書，而且我們使用的術語與他們大相逕庭。以我們來說，十二開（12mo）約略等於一冊尋常小說大小——即七吋半高、五吋寬；而一冊八開（8vo）的書大小約合九吋半高、六吋半寬。我手上正好有一冊（編得極好的）目錄——這是和我有老交情的書商朋友詹姆斯・崔加司基斯寄來的，裡頭有一部連體書（或稱為接背裝（dos-á-dos））——將一冊袖珍《新約全書》和一冊《祈禱書》併裝在一塊兒，頭尾相連，這種裝幀形式很難形諸筆墨但並不罕見。目錄上說它是十二開。我曉得他們所描述的開本是何等短小精

■接背裝

悍，因為我手頭上就有一部和它一模一樣的書。它是以白色綢緞裝幀，鑲綴著繁複的彩絲和金屬線。要是哪個藏書菜鳥依照目錄上的說明訂購那部書，等收到時一看竟然如此小不拉嘰（只有四吋高、兩吋寬）的本子，一定會大呼受騙。但這也不能怪崔加司基斯，他只不過是採用英國普遍的術語罷了，因為這部大有問題的書乃來自哈斯舊藏，幾年前曾經在伯靈頓美術俱樂部（Burlington Fine Arts Club）舉辦的書籍裝幀展中亮過相，而我碰巧看過當時的簡介上寫成十二開。光開本的名稱就有那麼多種分歧的說法，要定於一尊勢必困難重重[42]。

照這麼說來，諸位出版者不妨記取約翰生博士的諄諄教誨：「閣下，沒有人能伏案長讀一冊對開本。書籍畢竟還是得讓人能攜到火爐邊、捧在手中展讀方為受用。」

現在，咱們該來關心一下印刷了。我想大家都同意，早年人們印刷書籍時皆刻意把內文印得看起來就像是以手執筆寫成的一模一樣。（要不然，你以為他們還能怎麼辦？）但是過沒多久，大家就恍然大悟，原來他們正在讀的每一個字、每一行都是印出來的，並不是手寫的。印本書被視為奇蹟的日子並不長；印刷作坊如雨後春筍到處冒出來，而五花八門（不管其內容聖潔正經或下流低俗）的書本也源源不絕刊印問世；頂尖的藝術家陸續投入字體設計的行列，設計出不再以手寫體為範本，而是具備個別風格的字體。探討這門藝術的書籍一大堆，載滿幾卡車也不成問題，有些字體曼妙非凡，有些則匠心獨運；此外，我也見過某些字體教人光看就一肚子火，因為我始終認為：爽朗可讀乃印刷字體最該具備的首要條件。

在這個世界上，萬事萬物並非全都一個勁兒沿著直線演進，而是周而復始地交替輪轉，印刷亦是如此。許多早於一五〇〇年刊印的書籍，其漂亮程度比起後代的書不遑多讓，甚或有過之而無不及。我認為，國人對於從古到今字體設計的驚人演進歷程並不真正瞭解或打心底佩服；這倒也不能責備大家，因為除非上規模龐大的公共圖書館，否則我們根本就難得見識到好東西（不過話說回來，就算在冷冰冰、硬邦邦的博物館地板上逛得腿痠腳麻，再怎麼拚了老命死盯著玻璃櫃裡的玩意兒，我也常常看不出什麼所以然來）。因此我覺得，擺在朋友家裡書桌上、或你自己的書房裡頭隨便哪一部稀鬆平常的書，都要比那些供奉在廟堂上的無價珍本來得有意思多了，現今，把圖書館搞得活像帝王陵寢的例子比比皆是。世界上有林林總總、各式各樣的藏書機構：其中經營得最上軌道的首推大英博物館；至於辦得最糟糕的（無疑也是最大的）則非巴黎國家圖書館莫屬。

不過這篇文章要談的是書本，並非圖書館。一般而言，早年的英文印本書都印得極差；就連其中最顛倒眾生、價值不菲的卡克斯頓版，也是其貌不揚。至於世上數一數二的善本——莎士比亞第一對開本，那更是醜得可以（裡頭的錯誤百出就更甭提了）。

自從所謂的「第一對開本」問世後的五十年間，印刷技藝有了長足進展；接著又開始走下坡；就在書籍逐漸印得一塌糊塗之際，約翰·貝斯可維爾[43]適時現身江湖，再度為這項技藝注入生氣活水。我不敢在這兒巨細靡遺地介紹這位偉大的印刷工匠生平，以免落人口實，說我趁機灌水充篇幅。但由他印行的維吉爾[44]、彌爾頓等人的著作，套句麥考萊的話：其雍容美貌足令全歐洲的圖書館學者為之驚豔不已[45]，還有，他的袖珍本賀拉斯[46]也不該漏掉。若用這年頭的流行說法：貝斯可維爾著實讓伯明罕（Birmingham）在地圖上熠熠發光；他所設計的字體秀逸雅麗，而他對於紙張、印墨等重要元素也非常講究。

在英國，成績僅次於貝斯可維爾的要算是創立聲名遠播的契斯

◎約翰·貝斯可維爾，James Millar繪（1774）

威克出版社[47]的兩位查爾斯・懷廷罕[48]（兩人是伯姪關係）的產品，該出版社至今依然運作不輟。既然為文探討印刷，必定不能漏掉成立於一四六八年、仍持續不斷成長茁壯（直至今日登峰造極）、偉大的牛津大學出版社——全仰賴吾友韓福瑞・彌爾福[49]與R. W. 查普曼[50]的英明領導。

我們這會兒總算聊到——非僅印刷匠，而是集詩人、藝術家、製器匠、社運人士、最後身兼印刷工於一身的——威廉・莫里斯了。時至一八九〇年代，印刷技藝再度從高峰跌落谷底；正亟需一位像莫里斯這樣的狂熱分子來振衰起弊。他的成就非凡：終其一生孜孜不息，一八九〇年，他成立了克爾史考特出版社[51]，直到他去世（一八九六年）之前，該出版社為印刷技藝指引出新的方向，也讓他的大名得以永垂不朽。針對莫里斯復興印刷工藝一事，我向他致上最高敬意；不過私底下，我個人對於他的作品卻沒啥好感。他在自著的《克爾史考特出版社成立宗旨》[52]中如是說：「當我著手進行書籍刷印時，心中便抱定目標，期許自己生產盡善盡美的出版品，同時，這些書籍將必須利於閱讀而絕不能只是令人目眩，或因行字編排不當以致造成讀者的理解困難。」按照他自己的說法，我卻認為他做的並不成功。他的書一點兒都不利閱讀，而且非常令人目眩。書頁和只用來觀賞的圖畫不同——書頁是用來讀的。畢竟，書頁內文編排的首要條件便是能供人閱讀，而我認為，沒有人能夠長時間展讀克爾史考特出版社的書而不會心浮氣躁。反而是莫里斯的追隨者和徒子徒孫，在這方面的手法都比這位大師來得更高明；但是莫里斯的作品的價值並不因此稍減。他以其豐沛的美術造詣從事書籍創作，自行設計出許多種字體和為數甚夥的裝飾字母、圖框和一大堆玩意兒；而他在印刷上最重大的成就便是《喬叟作品集》[53]。果真如此嗎？專家們對此看法頗為分

◎克爾史考特的商標

HEREBEGINNETH THE TALES OF CANTERBURY AND FIRST THE PROLOGUE THEREOF

WHAN THAT Aprille with his shoures soote
The droghte of March hath perced to the roote,
And bathed every veyne in swich licour,
Of which vertu engendred is the flour;
Whan Zephirus eek with his swete breeth
Inspired hath in every holt and heeth
The tendre croppes, and the yonge sonne
hath in the Ram his halfe cours yronne,
And smale foweles maken melodye,
That slepen al the nyght with open eye,
So priketh hem nature in hir corages;
Thanne longen folk to goon on pilgrimages,
And palmeres for to seken straunge strondes,
To ferne halwes, kowthe in sondry londes;
And specially, from every shires ende
Of Engelond, to Caunterbury they wende,
The hooly blisful martir for to seke,
That hem hath holpen whan that they were seeke.

BIfIL that in that seson on a day,
In Southwerk at the Tabard as I lay,
Redy to wenden on my pilgrymage
To Caunterbury with ful devout corage,
At nyght were come into that hostelrye
Wel nyne and twenty in a compaignye,
Of sondry folk, by aventure yfalle
In felaweshipe, and pilgrimes were they alle,
That toward Caunterbury wolden ryde.

■美不勝收的書頁——莫里斯克爾史考特版《喬叟作品集》其中一頁

歧。我聽過某位古書愛好者將它與拉丁俗文聖經相提並論，我能夠瞭解他的意思為何。不管從哪一方面來看，沒有比一四九三年柯柏格[54]印行的《紐倫堡年代記》[55]更精美的書了；其實，它並沒有比莫里斯的作品更精美，但是，《紐倫堡年代記》的美乃渾然天成，而莫里斯的《喬叟作品集》卻是百般造作。這豈不就跟現在的情況——我們讓這部新作品動輒賣得上千元，卻聽任另一部較舊也更稀有的書卻只能值半價——完全一個樣兒嗎？別管價錢，實際拿那兩部書一比就高下立判了。

如此詆譭莫里斯我並不引以為樂，但是抱歉得很，我還沒全部說完，在此我必須舉出另一位與莫里斯相隔大西洋兩岸、在同一個領域（硬將他們歸為同領域的話）分庭抗禮、但作品更樸實無華的傑出人士。沒錯，我指的就是緬因州波特蘭的湯瑪斯・莫歇。

將這兩位深刻影響當代圖書的人擺在一起比較著實有趣，威廉・莫里斯與湯瑪斯・莫歇兩人的出版事業雙雙於同一年（一八九〇年）各自展開。距今將近四十年前，我買了克爾史考特出版社的首部出版品《金光閃閃之平野阡陌》[56]（幾乎一上市就買了）。我當時是向E. D. 諾斯[57]買的，他當時還在史格利布納書店工作。我之所以買那部書倒不是因為它長得漂亮，而是我覺得那是一部很有意思的書。那部書當時一砲而紅：它被譽為一項非凡的成就。至於莫歇的第一部書（天曉得是什麼書）出版的時候卻悶聲不響。就我所知，他根本沒發布任何消息；他只是（以其有限的資源，蓋九〇年代[58]初期，緬因州波特蘭的條件還相當貧乏）埋首投入工作——繼續印製字體漂亮、版式美觀，利於閱讀且方便取拿的書；甚至，他的書還有一個偉大的優點：每一部出版品的價格都訂得十分平易近人。莫歇從不會一面空談什麼平民技藝、普及美術等高調，一面卻又拚命製造只有超級有錢佬才買得起的書；相反地，他始終兢兢業業貫徹其品味、美感並腳踏實地實踐其初衷，光這一點就足以令他

Secunda etas mũdi　　Foliũ　XI

Ecunda etas mũdi principiũ a Noe habuit post diluuiũ: qd fuit vniuersale p totũ Anno sexcẽtesimo vite Noe a pncipio aũt mundi sm he. Millesimosexingentesimoquinquagesimosexto. Sed sm .lxx. interptes quos Beda et ysido. approbãt Bis mille ducenti ⁊. xlij. ⁊ durat vsq ad abraham sm he. 292. annis. Sed sm .lxx. 842. annis. Ante diluuiũ vo p. 100. annos Dominus apparuit Noe id ẽ quingentesimo anno vite Noe.

NOe diuini honoris et iusticie amator filius Lamech. ingenio mitis ⁊ integer inuenit grãm coram dño. Cũ cogitatio hominũ pna erat ad malũ. Omi tpe omes in viam rectã reducere satagebat. Cũq instaret finis vniuerse carnis precepit ei dñs vt faceret arcam de lignis leuigatis bituminatã intus et extra. que sit trecẽtor cubitor geometror longitudinis. Orosius ⁊ post eũ Augusti. ⁊ Hugo. Cubitũ geometricũ sex cubitos visuales facere dicũt: quã pticaz noiant. Sit itaq trecẽtor pticar lõgitudis: qnqginta latitudinis ⁊ triginta altitudinis. i. a fundo vsq ad tabulatũ sb tignis. Et i cubito cõsum mab illã. In q mãsiũculas cenacl'a fenestrã ⁊ ostium i latere deorsum facies. Noe igit post cẽtuz ⁊ xx. ãnos ad arcã fabricatã. q p solatio vite erant nccria cõportauit. Cũctorũq aĩalũ ad suãdũ genus cor masclos sil' ⁊ feminas pariter introduxit. Ipe deniq ⁊ filij ei⁹ vxor ⁊ vxores filior primo die mẽs april ingressus ẽ. Facto diluuio cuz dñs oẽm carnẽ deleuit. Noe cũ suis saluat⁹ ẽ. Stetitq arca sup altissimos mõtes armenie. Qui loc⁹ egressor vocat. Egressi deo grãs egerũt. Et altare facto: deo sacrificabant.

HOc signũ federis qd do inter me et vos ⁊ ad omnẽ animã. Gñ. ix.

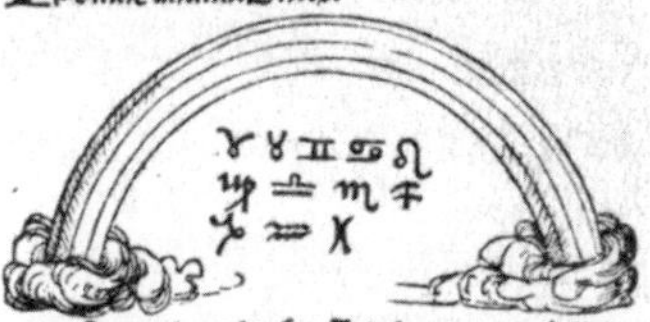

ARcus pluuialis siue Iris licet dicatur hñe sex vel quatuor colores. tñ duos colores pncipaliter habet. q duo iudicia repñtant. aq̃us diluuiuz pteritũ figurat ne ampli⁹ timeat. igneus futurũ iudiciũ signat per ignem vt certitudinaliter expectet.

Illo diluuij Anno prima seculi etas terminata ẽ ab Adaz vsq ad diluuiũ inclusiue. Etas scda incepit q ⁊ ad abrahe natiuitatẽ vsq perdurat.

NOe vna cũ filijs ⁊ vxore ac filiorũ vxorib⁹ ex archa egresso: ↄfestim altare edificato de cũctis pecorib⁹ volatilibusq mũdis holocausta dño obtulit. Et ei⁹ odorẽ suauitatis odorat⁹ est dñs. Propter qd eidem dñs benedixit ac filijs suis dicens.

■一四九三年出版的柯柏格的《紐倫堡年代記》典型內頁

◎《金光閃閃之平野阡陌》

鶴立雞群；雖然他自己並不動手印書，但是他腦筋好、理想又高；隨著時間的推演，他逐漸取得所需的資源（最精美的字體、紙張、油墨），讓那些材料在這位藝術家（他當之無愧）的手中發熱發光。

在我寫稿的桌面上，這會兒就擺著兩冊戰前發行的莫歇目錄（他以前每年固定出版一冊）。其中一冊的發行日期是一九〇六年：只有六十八頁的薄冊子；深藍色的封面上印著滿版墨綠色圖案，只在左上角套印朱紅色的莫歇叢書和發行日期。雖然我還是稱它為目錄，但它實在不容小覷：它簡直就是一部文學選集。另一冊四年後發行的目錄更漂亮：此時它已是一本厚達八十頁的小書；封面以深淺不同的古雅玫瑰色調印成。所有用來免費送人的目錄小冊，絕對找不到能比它更簡單大方的了。不過我要特別強調：其歷久不衰的迷人美感才是它最了不起的地方。我相信，不管過去抑或未來，沒有第二個人能為讀者、愛書人提供如此窩心的精美產品。他自廣袤、浩繁的文學星空中精挑細選最美的詩句、辭藻灌溉其產品，光看目錄上描述的字體、開本、裝幀，就已令人忍不住要提筆寫信向他買書了（因為他的出版品僅供郵購）。

偶爾（不常，或應該說：還不夠常）會有人親赴波特蘭想光顧他的店（或作坊、事務所）卻遍尋不著。當他的大名正如日中天、廣被四海的時候，那人[59]千里迢迢跑到波特蘭，先在旅館訂好房間，詢問櫃台人員上哪兒可以找到鼎鼎大名的T. B. 莫歇。櫃台人員坦承自己從未聽過那個名字，但很樂意幫客人打聽打聽；過了好一陣子，櫃台人員上前回報：全館上上下下他全問過了，可就是沒人曉得這麼一號人物；他甚至還說：倘若此人果真待過波特蘭，那麼他一定早就作古了。先知是絕不會就這麼被埋沒的，大家等著瞧好了。

莫歇的書還具備一項你在別處找不到的長處，那就是它們的文學品味極高。儘管我心裡很清楚許多人之所以買他的書，只因為那些書均出自莫歇印行（而那些人從來不曾後悔過），但我從不認為他費那麼多工夫印製的書籍只是為了賣錢。他挑書的眼光和他實際操持事業的知識一樣精準、萬無一失，他讓歷代、各國最好的文學名著大受歡迎（雖說大受歡迎，但即使在這個人口數千萬的國家，也只能賣出一百部。然而，大量出版那一套並非他的作風）。

◎莫歇出版品目錄

簡潔（或者也可說成：可讀性）是他自始至終最執著的原則。不論開本大或小、採用何種裝幀，大家只消瞄一眼，便能夠認出莫歇的書籍（直到後來許多國內印刷者、出版社開始或多或少地抄襲他的風格）。莫里斯身後有一堆美國徒子徒孫——魯吉[60]、羅傑斯[61]、納許[62]、厄普迪克[63]、高迪[64]——但是，那些人（姑且可稱為商業出版家）從莫歇身上吸取的養分也不少，正是這批人將書籍的品味傳播至全國；的確，我覺得所有的從事書籍印刷的人虧欠莫歇的和虧欠莫里斯的一樣多。或許莫歇自認非常平民化；要是曉得後世人們會稱呼他為書界貴族，他一定會笑得前俯後仰；不過從他的精神、技法層面來看，稱他貴族的確一點也不為過。吾輩所有熱愛書籍的人，不管是在自己的內心或對外的說法，都該對湯瑪斯・柏德・莫歇表達最深的敬意和感激。我自己就毫不遲疑地對他讚不絕口。我從沒當面見過他，自始至終也只收到過他的一封信，大約十年前，我曾在《大西洋月刊》上寫過幾句話，盛讚他致力製作精緻圖書的義舉。我很慶幸自己當時寫了那幾句話；我很高興能夠趁他還在人間的時候說出那些話；如果等他去世後，我才把真心話講出來，那就只不過是錦上添花罷了。

◎佛雷德利克・高迪印行的字體範例目錄（1923）

目前有諸多人士為廣告行業效力，其中有幾

位堪稱國內頂尖的寫作高手。曾經有一則香菸廣告是這麼寫的：「所有上好的香菸裡頭皆含有少許土耳其菸草，然而〇〇〇（某品牌的香菸）則是整根百分之百土耳其菸草。」我不妨借花獻佛，姑且剽用那句廣告文案：所有印刷精良的書籍都含有莫歇的成分，但是莫歇的書則是渾身上下印得最好的書。布魯斯・羅傑斯曾經於某個晚上在葛羅里亞俱樂部舉辦的紀念莫歇演講會上說：「我希望當初能在他手下工作。」這是一句大方的讚美，不過布魯斯・羅傑斯有其功績，自然敢放心大膽說出那種話。但是，我擔心還是有點兒危險——因為莫歇是出版者而不是印刷工，而且，作為一名出版者，他付給人家的版稅實在少得可憐——他為愛書人做出的貢獻終究還是會被世人遺忘。

人比人，氣死人。反正榮耀足夠他們所有人雨露均霑。如今兩人皆已過世，但是他們的手藝仍然存留於後世；而在英國與我國兩地，現在也不光只有獨獨一位至高無上的大師，而是擁有許許多多傑出的印刷坊——本來就應該如此。假如你想要印一部印製精美的書，不是交給這家印就只能交給另一家，那實在太沒道理了。現在優秀的印刷坊所在多有。好比說：負責承印這本書的費城愛德華・史德恩公司[65]，他們雖然從未擺出一副「藝術印刷者」的高姿態來標榜自己，但是他們的成品又好又扎實，你現在拿的這本書便是明證。他們印製這本書時所運用的技術——「充珂羅版法」[66]——讓印製「半色階」（"half-tone"）插圖不再需要塗上厚厚一層又醜又臭的塗料。各位手中這本書乃是率先使用此項新技術的開路前鋒，其成果必然將對往後的出版業造成深遠的影響。我想起丁尼生的兩句詩：

人人如今都能種出繁花，

只因大家都有種籽在手。[67]

而這顆印書的種籽，正是由威廉・莫里斯在英國、湯瑪斯・柏德・莫歇在我國親手所種下的。

【譯註】

1 羊皮紙、小牛皮紙（parchment、vellum）：以植物纖維抄製紙張發明前的書寫材料，兩者皆以槌打皮革（使其變薄並增強韌性）製成。

2 湯瑪斯·法蘭西斯·卡特（Thomas Francis Carter, 1882-1925）：美國漢學家。一九〇六年（〔清〕光緒三十二年）與友人進行環球之旅途經中國，意外地脫隊羈留當地三個月以學習中文；一九一〇年攜眷重返中國，一住十年，並在當地興辦學校。返美後，他於一九二四年擔任哥倫比亞大學中文系系主任兼教授。自初訪中國起，他便以向西方世界闡揚東方文明為一生職志，其中最重要的功績應算是他考察許多中、外文獻，歸結出印刷術（以及紙、火藥與羅盤等所謂「四大發明」）乃由中國人發明，並於文藝復興初期輾轉傳播到歐州，促成宗教改革、教育普及、封建制度瓦解等效應。集其理論大成的便是《中國印刷術的發明及其西傳》（*The Invention of Printing in China and Its Spread Westward*）一書（首版於一九二五年問世，旋即受到學術界高度重視，作者本人於該書出版後幾天即病逝）。然而，現代印刷術是否能夠遠溯及中國；或，歐洲的印刷技術是否的確源於中國，近年來由於新的史料陸續出土，使卡特「歐洲的印刷術與中國印刷術有實質關聯」的說法成為太過一廂情願的假設，卡特的論點亦逐漸受到西方學者質疑；至於東方人（尤其是中國人）倒是樂於忽視新事實，長期擁抱卡特的論據。中譯本《中國印刷術的發明和它的西傳》於一九三八年問世（文言文節譯本，劉麟譯，上海商務印書館）；白話文完譯本於一九五七年出版（吳澤炎譯，上海商務印書館）；目前可見之中譯本為台灣商務印書館根據一九五五年哥倫比亞大學教授富略特（L. Carrington Goodrich）輯註的修訂本所出版的中譯本（「漢譯世界名著」之一，一九六八年，胡志偉譯）。

3 指R. B. 亞當（參見第二卷Ⅲ譯註5）藏品拍賣會。

4 梅爾克（Melk）：位於奧地利多瑙河畔崖邊的修道院。

◎梅爾克修道院

5 愛德華·S. 哈克尼斯（Edward S. Harkness, 1874-1940）：美國石油大亨、慈善家、藏書家。經營「標準石油公司」（Standard Oil）致富，第一次世界大戰後，哈克尼斯斥資興建許多醫院並贊助博物館，受妻子瑪麗的影響，哈克尼斯開始蒐羅古籍。一九二六年哈克尼斯委託羅森巴哈在R. B. 亞當藏品拍賣會上標得紙本「梅爾克本」《古騰堡聖經》，當時哈克尼斯的指定上限原僅七萬五千元（參見本卷Ⅳ譯註56）。他的母親安娜·M. 哈克尼斯（Anna M. Harkness, 1837-1926）曾遺贈三百萬美金給他的母校耶魯大學興建「哈克尼斯紀念四合院」（Harkness Memorial Quadrangle，一九二一年落成）。除了耶魯大學之外，他的藏書還分別捐贈給紐約公共圖書館與國會圖書館。

6 珂羅封（colophon）：書尾題署。此傳統作法可溯至抄本書（manuscript books）時代，萊諾·卡森（Lionel Casson）在其著作《藏書考》（*Libraries in the Ancient World*，中文版張曌菲譯，新新聞二〇〇三年出版）甚至推及泥版時期。原為書籍繕寫完畢時由作者、謄寫者在最後一頁署名或寫下若干簡短說明，主要包括製作者姓名、成書（印製或抄寫）地點、完全日期等事項；進入印刷時代之後，成為印刷工註明該版使用何種字體、紙張、印量等事項，有時會加印作坊（或出版單位）商標（device）。「珂羅封」一詞的語源除了紐頓在文中的略述，在此引用Geoffrey Ashall Glaister編纂的《書籍百科全書》（*Encyclopedia of the Book*）補充說明如下：此詞原為愛奧尼亞（Ionia）某城市名，來自古希臘文Colophonians（意為「驍勇戰士」），Colophonians在戰役中擔任前鋒部隊，以期能制敵機先，伊拉斯謨斯挪用為著述完畢用語“Colophonem adidi”（意為「吾於此已畢竟全功」），後來便被用來指稱書籍製造完成的最後總結語；另外，根據約翰・卡特（John Carter）編纂的《藏書入門》（*ABC for Book Collectors*）的解釋：此詞乃希臘文「頂點」（summit）的意思。十六世紀初葉伊始，印本書上開始設置書名頁，也吸納了珂羅封的泰半功能（如出版者、印行時、地等元素），現代出版的版權頁更將其僅存的版本說明功用取代殆盡，目前僅在歐陸出版的書籍以及少數比較講究的英文出版品中尚保留此作法。中文傳統出版世界中亦有雷同措施，稱為「牌記」或「墨圍」、「木記」、「碑牌」、「書牌」等，出現的位置並不統一，通常都在正文前（序文或目錄之後）。此處考量紐頓原文刊登時，這個字眼在西方讀者眼中仍屬陌生字詞，乃因循若干早期前輩的譯法，以其發音譯為「珂羅封」。中文名稱「尾署」由來不詳，或許源自日文「奧付」。

◎中國古籍的「珂羅封」──「牌記」

7 印本書（printed books）：意義一如字面所示，即：以印刷技術製成的書籍；為「寫／抄本」、「繪本書」（illuminated books）的相對詞。

8 溫京・迪・沃德（Wynkyn de Worde, ?-1535）：法裔英國印刷工匠，卡克斯頓（參見第一卷 I 譯註34）的助手及繼承人。沃德印行的書籍品數達七千部以上。

9 應指亞佛雷德・W. 波拉德（參見第三卷 II 譯註19）於一九〇五年在芝加哥發表的論文〈珂羅封研究〉（“An Essay on Colophons”）。

10 拉德威格・F. T. 海恩（Ludwig F. T. Hain, 1781-1836）編纂的《迄一五〇〇年刊印之古籍書目鉤沉》（*Repertorium bibliographicum, in quo Libri Omnes ab Arte Typographica inventa usque ad annum MD, Typis Erpressi ordine alphabetico vel simpliciter enumerantur*）四卷，一八二六年至一八三八年於司圖卡特由J. F. Cotta出版，收錄一萬六千三百一十部搖籃本條目（該批古書現藏慕尼黑巴伐利亞國立圖書館）。英國版本學家Walter Arthur Copinger（1847-1910）於一八九五年至一九〇二年出版補編三卷，增錄七千部（有題解的僅六千六百一十九部）搖籃本條目。至於紐頓指稱因戰爭受阻的書目應為一九〇五年至一九一四年在慕尼黑出版、在海恩書目的基礎上再增列一千九百二十一部搖籃本條目的增訂版。

11《特洛伊史集成》（*The Recuyell of the Historyes of Troye*）：卡克斯頓印行的英譯本中世紀騎士小說。原著者是Raoul LeFevre。成書約於一四六九年。

12《人生如弈》（*The Game and Playe of Chesse*）：Jacobus de Cessolis作。英文首版由卡克斯頓約於一四七四年或一四七五四年印行。倫敦著名出版商艾略特・史托克（Elliot Stock）於一八八三年發行復刻版，書前附William E.A. Axon撰寫的導讀。

13《先哲語錄》（*The Dictes and Sayings of the Philosophers*）：第一部明確註記出版日期（一四七七年十一月）的卡克斯頓出版品。內容收錄印度、希臘、羅馬等古代賢人的名句格言，是當時普遍的書籍類型。此書問世四百年之後（一八七七年），艾略特・史托克發行復刻版，書前附有專攻卡克斯頓有成的印工威廉・布雷德斯（William Blades, 1824-1890）撰寫的序文；一九七四年在倫敦、紐約兩地再度翻印出版以紀念此一在英格蘭的首部印本書。

14 參見第三卷 I 譯註63。

15 參見第三卷 I 中關於「大聖經」（Great Bible）的說明。

16 克里斯多福・佛洛蕭爾（Christopher Froschover〔Froschover應為古代拼法，現今拼作Froschauer〕，操業期間1521-1564）：日耳曼裔瑞士印刷工匠。出生於巴伐利亞的新堡（Neuburg），一五一九年獲得蘇黎世公民權並在當地設立印坊，成為該地區首屈一指的印刷作坊。現知最早的佛洛蕭爾印本是一五二一年的兩部伊拉斯謨斯的德文譯本；一五二九年他印製了首部德文聖經全譯本（史稱Froschauerbibel）。在他去世前至少以德文、拉丁文或英文印行了二十七種聖經完本、十五種《新約全書》。

17《訪書十日談》（*Bibliographical Decameron; or, Ten Days Pleasant Discourse upon Illuminated Manuscripts*）三卷：迪柏丁（參見第一卷 I 譯註6）編纂，一八一七年倫敦W. Bulmer and Co.印行。

18 羅克思堡公爵三世（third Duke of Roxburghe），即約翰・克爾（John Ker, 1740-1804）：十八世紀英國貴族、藏書家。收藏大量中世紀抄、繪本與卡克斯頓版圖書，並於一八一二年與當時富有的藏書家組成「羅克思堡俱樂部」（Roxburghe Club），復刻出版若干書刊。

19 此部《十日談》（*Decameron*）為克里斯多佛・瓦達佛（Christopher Valdarfer，操業期間1470-1480）於一四七一年在威尼斯印製。此書在羅克思堡拍賣會上決標後，迪柏丁對成交價咋舌之餘下了這樣的結論：「薄伽丘本人從沉睡五百年中詫然驚醒。」（"Boccaccio himself startled from his slumber of five hundred years."）該筆單部印本書的成交價記錄保持數十年，直到一八八四年才被J. 皮耶邦・摩根以美金兩萬四千七百元向夸立奇購買一部一四五九年版的「緬因茲詩篇」（Mainz Psalm）打破。此書現藏約翰・萊蘭茲圖書館。

20 羅克思堡公爵藏書拍賣會於一八一二年五月十八日起至一九一四年七月四日之間斷斷續續舉行（前後共計四十二天），迪柏丁在《訪書十日談》形容該場拍賣會為「遠近馳名的羅克思堡戰役」（"the far-famed Roxburghe Fight"）。對於該場拍賣會的熱烈情況有興趣的讀者，現在或許不容易找到《訪書十日談》，但可參閱巴斯班斯根據迪柏丁在現場「觀戰」的記載，寫下詳細且極精采的描述（見《一任瘋雅》第一部第三章，頁114-116）。

21 版式（format）：廣義乃指書籍的開本、形狀、用紙、字體以及一切裝幀形式（即美國俗稱的"get up"）；狹義則單指書籍的開本大小。

22 麥屈林人威廉（William de Machlinia，操業期間1482-1490）：十五世紀倫敦印刷工匠。因出身自法蘭德斯的麥屈林（Machlin）地方而得名。

23 榫接圖框（mortised frames or borders）：由於活字已廣泛用於印刷，昔時以手繪或雕版的裝飾圖框為了因應各種開本，印刷所通常會準備各種寬度、長度的木刻框條，依據各種不同開本拼成合適尺寸的圖框，再另行套印。

24 亞伯特・丟勒（Albrecht Dürer, 1471-1528）：德國畫家。

◎亞伯特・丟勒自畫像，繪於二十六歲

25 普蘭汀－摩塔斯出版社（Plantin-Moretus Press）：十六世紀法國出版商。由裝訂工、印刷工暨出版商克里斯多福・普蘭汀（Christopher Plantin, c.1520-1589）創立，女婿約翰・摩塔斯（原名Jan Moerentorf、拉丁名Johannes Moretus, 1543-1610）後來加入。普蘭汀初期在康城（Caen）皇家印刷工羅勃・馬切二世（Robert Macé II）手下擔任學徒，在巴黎短暫停留之後，於一五四八年遷往當時歐洲的出版中心安特衛普。他先從事皮箱製造和裝幀的工作，一五五五年正式以印刷為業。一五六二年，他出版第一部出版品：義、法文對照的喬凡尼・布魯托（Giovanni Bruto）的《*La institutione di una nata nobilmente*》。他最重要的作品則是一五六九年至一五七二年印行的八卷本《多語聖經》（*Biblia regia*）。一五七〇年起，他在出版品中引進大量的銅雕版插畫（之前的書籍插圖普遍以木刻方式印製）。摩塔斯起初在出版社職掌營業與會

◎克里斯多福・普蘭汀

計的工作，後來亦加入經營陣容。此出版社後來由摩塔斯的兒子Balthasar（1574-1641）與Jan（1576-1618）繼承，並致力延續普蘭汀所定下的品質基準。一六〇八年至一六四〇年間，盧本斯還曾與他們簽約擔任扉畫製作師。此出版社一直開業至一八六七年，摩塔斯家族轉而經營其他事業為止（最後一部成品的出版日期是一八六六年），原使用的硬體則於同年以成立「普蘭汀－摩塔斯博物館」保存下來。

26 羅傑斯在「馬太聖經」上掛名「湯瑪士·馬太」。參見第三卷I「馬太聖經」段。

27（英國）共和時期（Commonwealth）：英國內戰（參見本章譯註30）後，由「護國公」奧立佛·克倫威爾（參見第三卷I譯註40）於一六四九年至一六五三年的短暫政體。期間雖未能平息內部的政治紛爭，但對外用兵平定了蘇格蘭與愛爾蘭，並擊潰西班牙與荷蘭的海軍。雖然表面上稱為共和，但實際大權仍由克倫威爾一人獨攬，由於他對內實行清教徒式的高壓統治，人民漸感不耐，趁克倫威爾一死便又將前國王（查理一世，被克倫威爾斬首）流亡在外的兒子迎回英國，登基為查理二世，英國史上短暫、名不副實的共和政體於焉告終。

28《亞里斯多德言論集成》（*Dialectica of Aristotel*）：一五五四年由Juan Pablos（參見下則譯註）在墨西哥市（the City of Mexico）印行。其書名頁上刊印的書名應為*Dialectica resolutio cum textu of Aristotelio*。

29 一五三九年，當美洲大部分的歐洲殖民地還仰賴母國輸入書籍、尚未普遍重視就地印刷的時候，一名義大利裔印刷工Juan Pablos受命帶領一批助手橫渡大西洋，抵達當時受西班牙管轄的「新西班牙」（今墨西哥境內），並在墨西哥市設立印刷坊。由於此舉有利於傳播天主教教義，故受到西班牙駐墨西哥大主教Juan de Zumárraga與總督Mendoza的極力支持。該印坊出品的第一部書籍為《牧教手冊》（*Manuel de Aultos*, 1540），此書被認定為首部在美洲完成全部印刷過程的書。

30 大戰（Great War）：指發生於一六四二年至一六四六年以及一六四八年的英國內戰，因信奉羅馬天主教的英王查理一世鎮壓清教徒，導致國會分裂成「保皇黨」（Cavaliers）與「圓顱黨」（Roundheads，即清教徒），兩派連年相互討伐（帶領「圓顱黨」的克倫威爾便在此時崛起，戰後成立共和政體）。要是紐頓寫這篇文章的時候（第一次世界大戰尚未發生），知道他竟一語成讖，「一九四二年」英國果真處於「（第二次世界）大戰爆發後」，必定會覺得造化弄人吧。

31《烈女控訴》（*The Virgins Complaint, for the losse of their Sweet-Hearts by these present Wars. And their own long solicitude and keeping their Virginities against their Wills*）：中文讀者或許會對西洋古書的冗長書名感到納悶，其實，初期書籍並無明確的書名頁制度，往往都是由兼具序文意義的長篇大論，詳述內容、源由、作者的整篇引介文章，我們今天習慣的簡短書名乃經年累月、慢慢演化而來。

32 達德·杭特（Dard Hunter, 1883-1966）：美國書籍製造師、出版家。出生於俄亥俄州史丟班維爾（Steubenville）。年輕時在維也納修習書籍設計，並為當地一家出版社製作數部書籍，一九一一年轉赴倫敦學習造紙術。返美後成為該領域的泰斗。一九三八年成立「達德·杭特紙張博物館」（Dard Hunter Paper Museum）。重要著作包括《美國的手工造紙》（*Papermaking by Hand in America*, 1950）等。可參見其回憶錄《伴紙過一生》（*My Life with Paper*, New York, Knopf, 1958）。

33《古代造紙術》（*Old Papermaking*）：疑指杭特於一九三二年出版的《中國與日本的古代造紙術》（*Old Papermaking in China and Japan*）。

34 裝幀加工（toolmaking或tooling）：手製書籍工作的一環。主要是指全書的基本裝幀完成後，以各式工具在封面施加裝飾的手續，包括壓紋、壓字、燙金等。

35 帖序（signatures，或稱「帖碼」）：指印製完成的印張（參見譯註40）經過摺疊成為「摺帖」或「書疊」（參見譯註39）。由於一部書籍往往需要用好幾疊組成全部內頁，為避免摺帖次序錯置，於印製時便在印張上固定位置（最後會露在外面的摺線處）加印「帖序」，通常是數字或字母或小墨塊，當裝訂工組裝摺帖時不用翻讀內頁，僅看外頭的帖序便可裝訂無誤。

36《志業徒勞》（*Vanity of Human Wishes, being the Tenth Satire of Juvenal imitated*）：約翰生博士的諷刺詩集。一七四九年出版。

37《李察・薩維奇傳》（*Life of Mr. Richard Savage*）：約翰生博士為英國詩人李察・薩維奇（Richard Savage, ?-1743）著作的傳記作品。一七四四年出版。

38 威廉・布雷德斯（William Blades, 1824-1890）：倫敦印刷工、藏書家。曾與友人開設Blades, East & Blades印刷坊。他鑽研版本學問甚深，曾寫過為數甚多的相關論著，其中最著名的是《書的敵人》（*The Enemies of Books*, 1880），台灣可見的中譯本是《書的禮讚》（葉靈鳳譯，北京三聯，一九九八年）或《書的敵人》（同書繁體字版，揚智文化，二〇〇二年）。順道一提，前述兩種中文版內容相同（僅章節次序不一），除了〈書的敵人〉之外，另收錄藏書文章七篇，其中若干篇章譯自威廉・塔格（William Targ）編選的文集《愛書人狂歡會》（*Carrousel for Bibliophiles: A Treasury of Tales, Narratives, Songs, Epigrams and Sundry Curious Studies Relating to a Noble Theme*, 1947），原書收錄四十六篇關於藏書、愛書的各類詩、文；塔格另一部同類選集為《愛書人大雜燴》（*Bouillabaisse for Bibliophiles: A Treasury of Bookish Lore, Wit & Wisdom, Tales, Poetry & Narratives & Certain Curious Studies of Interest to Bookmen & Collectors*, 1955）。雖然同樣主題的選集目前市面上頗多，但我個人認為塔格選編的這兩部書擇錄最精，有興趣讀更多二十世紀中期以前藏書文章的讀者不妨找來讀（《愛書人狂歡會》有一九六七年重印的Scarecrow版，國外舊書店應不難找到）。

39 摺帖、書疊（quires、gatherings）：一張印張（a sheet）摺疊而成一個摺帖，數個摺帖合訂成一冊（a volume）。

40 印張（sheet）：版本學用語。未摺未裁，供印刷的全開大紙。印妥摺疊後即成一帖（或一疊）。

41「吾足足可寫滿好幾冊對開本。」（"I am for whole volumes in folio."）：語出莎士比亞喜劇《愛的徒勞》（*Love's Labor's Lost*）第一幕第二景最後一句劇中要角Adriano de Armado的台詞"Devise, wit; write, pen; for I am for whole volumes in folio."，藉以形容自己詩興大發。

42 雖然自機器造紙蔚為主流以來，紙張尺寸因工業因素而趨於統一，但各不同國家對書籍開本的標示法仍互有歧異。以下試舉英、美兩國現行較符合各自工業規則且較常見的書籍開本：（由小到大排列，單位為英寸）

◆英國 菊八開（Post Octavo/Pott 8）：$6\frac{1}{4}$x4、大八開（Foolscap Octavo/F'cap 8）：$6\frac{3}{4}$x$4\frac{1}{4}$、
長八開（Crown Octavo/Cr. 8）：$7\frac{1}{2}$x5、大菊八開（Large Post Octavo/L. Post 8）：$8\frac{1}{4}$x$5\frac{1}{4}$、
正八開（Demy Octavo/Dy 8）：$8\frac{3}{4}$x5、中八開（Medium Octavo/Med. 8）：9x$5\frac{3}{4}$、
皇八開（Royal Octavo/Roy. 8）：10x$6\frac{1}{4}$、超皇八開（Super Royal Octavo/SuR 8）：10x$6\frac{3}{4}$
超大八開（Imperial Octavo/Imp. 8）：11x$7\frac{1}{2}$、大四開（Foolscape Quarto/F'cap 4）：$8\frac{1}{2}$x$6\frac{3}{4}$
長四開（Crown Quarto /Cr. 4）：10x$7\frac{1}{2}$、大菊四開（Large Post Quarto /L. Post 4）：$10\frac{1}{2}$x$8\frac{1}{4}$

正四開（Demy Quarto /Dy 4）：$11\frac{1}{4}$x$8\frac{3}{4}$、中四開（Medium Quarto /Med. 4）：$11\frac{1}{2}$x9

皇四開（Royal Quarto /Roy. 4）：$12\frac{1}{2}$x10、大對開（Foolscape Folio/F'cap fol）：$13\frac{1}{2}$x$8\frac{1}{2}$

◆美國 三十六開（Thirtysixmo/36mo）：4x$3\frac{1}{3}$（英吋）

中三十二開（Medium Thirtytwomo/Med. 32mo）：$4\frac{3}{4}$x3

中二十四開（Medium Twentyfourmo/Med. 24mo）：$5\frac{1}{2}$x$3\frac{5}{8}$

中十八開（Medium Eighteenmo/Med. 18mo）：$6\frac{2}{3}$x4

中十六開（Medium Sixteenmo/Med. 16mo）：$6\frac{3}{4}$x$4\frac{1}{2}$

方八開（Cap Octavo/Cap 8vo）：7x$7\frac{1}{4}$

十二開（Duodecimo/12mo）：$7\frac{1}{2}$x$4\frac{1}{2}$

長八開（Crown Octavo/Cr.8vo）：$7\frac{1}{2}$x5

菊八開（Post Octavo）：$7\frac{1}{2}$x$5\frac{1}{2}$

中十二開（Medium Duodecimo/Med. 12mo）：$7\frac{2}{3}$x$5\frac{1}{8}$

正八開（Demy Octavo/Dy. 8vo）：8x$5\frac{1}{2}$

小四開（Small Quarto/S. 4to）：$8\frac{1}{2}$x7

廣四開（Broad Quarto）：$8\frac{1}{2}$x7

中四開（Midium Quarto/Med. 4to）：$9\frac{1}{2}$x6

皇八開（Royal Octavo/Roy. 8vo）：10x$6\frac{1}{2}$

超皇八開（Super Royal Octavo）：$10\frac{1}{2}$x7

超大四開（Imperial Quarto/Imp. 4to）：11x15

超大八開（Imperial Octavo/Imp. 8vo）：$11\frac{1}{2}$x$8\frac{1}{4}$

43 約翰・貝斯可維爾（John Baskerville, 1706-1775）：英國伯明罕地方鑄字匠、印刷工。一七五一／二年成立自己的印刷坊，第一部成品（維吉爾著作）於一七五七年問世。

44 維吉爾（Virgil, BC70-BC19）：羅馬時代拉丁詩人。

45 "astonished all the librarians of Europe by their beauty."：語出十九世紀英國歷史學家麥考萊勛爵（Lord Thomas Babington Macaulay, 1800-1859）論及貝斯可維爾印刷的聖經。

46 賀拉斯（Horace, BC65-BC8）：羅馬時代拉丁詩人。

47 契斯威克出版社（Chiswick Press）：英國老字號出版社。首部標註「契斯威克出版社」的出版品於一八一一年問世。

◎懷廷罕印坊商標

48 查爾斯・懷廷罕（Charles Whittingham）：英國印刷工匠。一七七九年左右老查爾斯・懷廷罕（1767-1840）只是一名地方印刷工並往來伯明罕、倫敦打零工，一七八九年他在倫敦費特巷（Fetter Lane）成立作坊。他自好友威廉・卡斯隆三世（William Caslon III）手中購得大量鉛字，除了部分轉售其他印刷工之外，他於一七九五年與一七九六年各出版了字形樣品目錄，同時他亦是首位以「印度紙」（India paper，即東方棉紙）印製書籍的人。後來由查爾斯・懷廷罕二世（1795-1876）繼承家業。

49 韓福瑞・彌爾福（Humphrey Milford）：英國出版商。牛津大學出版社成立樂譜部門創始人。

50 R. W. 查普曼（R. W. Chapman, 1866-1942）：英國學者。以研究、輯註約翰生、珍・奧斯汀等人的著作聞名。

51 克爾史考特出版社（Kelmscott Press）：威廉・莫里斯（參見第二卷Ⅲ譯註51）於一八九一年在哈蒙史密斯（Hammersmith）自宅創辦的私人出版社。至一八九八年為止，該出版社共生產五十三部書籍（總印量為一萬八千冊）。克爾史考特出版社的出版品貫徹了莫里斯個人的美學觀，對於紙張、字體、版式乃至於裝幀、繪飾，無不以最高標準一一講究。

52《克爾史考特出版社成立宗旨》（*Aims in Founding the Kelmscott Press*）：寫於一八九五年，一八九八年出版，僅印行五百二十五部。克爾史考特出版社最後一部出版品。

53《喬叟作品集》（*The Works of Geoffrey Chaucer. Printed in Chaucer and Troy types, in red and black, with woodcut boarders, initials and woodcut illustrations designed by Sir Edward Burne-Jones*）：一八九六年克爾史考特出版社出版，僅印行四百二十五部，其中四十八部以白色豬皮精裝。此書被譽為「史上最美麗的書」。

54 安東・柯柏格（Anton Koburger, 1440-1513）：十五世紀紐倫堡地方印刷工匠、企業家。他於一四七〇年左右開辦印刷事業。主要印行聖經、哲學和學術論著，書籍遠銷至布達佩斯、科隆、法蘭克福、里昂、巴黎、維也納和華沙等地。一四九三年問世的《紐倫堡年代記》是他最聞名的出版品之一，其中精美的木刻版畫插圖為印刷史上的里程碑。

55《紐倫堡年代記》（*Nuremberg Chronicle*）：由紐倫堡醫師兼藏書家哈特曼・薛德爾（Hartmann Schedel, 1440-1514）編纂，一四九三年出版拉丁文版（*Liber Cronicarum*）與德文版（*Die Weltchronik*）。書中有一千八百零九幅插圖（其實總數僅六百四十五幅，但其中若干幅圖版經巧妙地重複使用）由Michael Wolgemut（或Wohlgemuth）與Whihelm Pleydenwurff繪製的木刻版畫插圖，是當時德文書最極致的成果。我最近在某古書商目錄上看到手工上彩的零葉售價高達美金一千五百元。

56《金光閃閃之平野阡陌，或長生不老之國度》（*The Story of Glittering Plain, or The Land of Living Men*）：威廉・莫里斯自著。克爾史考特出版社的創業作，一八九一年出版，僅印行二百部。

57 E. D.諾斯：即厄尼斯・卓塞爾・諾斯（參見第一卷Ⅱ譯註36）。

58 九〇年代：指一八九〇年代。

59 我猜測此人應該就是紐頓自己。

60 威廉・愛德溫・魯吉（William Edwin Rudge）：美國印刷坊主人、出版商。曾印行達特的《十八世紀以來之裝幀》（*Papermaking Through Eighteen Centuries*）。

61 布魯斯・羅傑斯（Bruce Rogers, 1870-1957）：美國書籍裝幀家、印刷工匠、造字師。一八九〇年自普渡大學畢業，初期從事報紙插圖繪製工作；一八九三年開始為《現代藝術》（*Modern Art*）雜誌設計書名頁。由他設計的第一部書是一八九五年由莫歇印行的G.W. Russell詩集，曾擔任劍橋與哈佛兩所大學出版社的印刷顧問。

62 即約翰・亨利・納許：參見第三卷 I 譯註105。

63 丹尼爾・柏克萊・厄普迪克（Daniel Berkeley Updike, 1860-1941）：美國印刷工匠、字體史學家。一八八〇年至一八九三年任職於荷頓米夫林出版公司（一八九二年起轉調河畔印書館）；一八九三年在波士頓成立「歡樂山出版社」（Merrymount Press），以“to do common work well”為宗旨。一九二二年根據他在哈佛大學講授字體與印刷課程的教材出版《印刷字體：其歷史、形制與用法》（*Printing Types: Their History, Forms and Use*）。

64 佛雷德利克・W. 高迪（Frederic William Goudy, 1865-1947）：美國字體設計家。一九〇三年在伊利諾州創立村莊出版社（Village Press），後移籍紐約州。一九一八年創辦期刊《字體藝術》（*Arts Typographica*）。

65 本中譯本所採用的《蒐書之道》為一九三〇年倫敦喬治・勞特列吉父子出版公司（George Routledge and Sons, Ltd.）的版本，但印製工作則是在美國完成，由愛德華・史德恩公司（Edward Stern & Company）承印。

66「充珂羅版」（aquatone process）：一種以照相製版的平版印刷技術。

67 "Most can raise the flowers now, / For all have got the seed."：引自丁尼生詩作〈植花詩〉（Flowers）第五段末兩句。

IV 拍賣場風雲

有許多順口溜、歇後語可供咱們拿來形容身邊的傢伙是個怎麼樣的人。我現在馬上就說一句：「什麼人玩什麼鳥。」可是，一個人若是想瞭解自個兒的為人，只要瞧瞧自己在拍賣會場上究竟是啥德性便能思過半矣：只是結果往往無法盡如人意。

我頭一回參加的拍賣會是在某位熟人的自宅內舉行的，我當時頻頻喊價壓過一個討厭鬼，結果標得好幾件根本派不上用場的東西，包括一口髒兮兮、全身上下一大堆毛病的冰櫃，和一座大得塞不進臥房（我買的時候早就了然於胸）的四腳大床。於是，我終於恍然大悟：原來我是一個心狠手辣、貪得無厭的傢伙。至於內人對那口冰櫃發表的高見，實在不合適在此一一細表。就在此刻，我一抬起頭彷彿還能瞧見那座原本刻滿了花果雕飾、床頭板則是盤根錯節的鏤空藤蔓花紋（我們現在鄙稱為「早期維多利亞風格」）、早在幾年前就被五馬分屍的龐然黑桃木古床。我後來自己花錢雇了一名黑人將那口故障的冰櫃扛走（順道送給他），連床一塊兒標來的床單，因為某些不得已的理由，放了一把火給燒了個一乾二淨。至於那張四腳大床（簡直就是一頭又大又醜的怪物），我們還得延請木匠帶著鋸子到家裡，總算才把它大卸八塊送進屋子裡頭，結果，我們平白添了一堆絕頂豪華、無比昂貴的生火乾柴。時至今日，每當我又碰到某個可憐蟲（這種人還真是不少）硬著頭皮跟我競標某件我絲毫不需要的東西，我依舊按捺不住心中的歹念，甭等拍賣官賣力敲邊鼓、陪笑臉，我也會自動自發催促自己走向那萬劫不復之境。對我來說，拍賣會正如一團熊熊烈火，而我就是那隻蒙著頭往裡撲的飛蛾——勇往直前奮不顧身！

拍賣會（不管拍賣的東西是被哪個地方法院裁定抵押的某段鐵路經營權，還是從深色絲絨簾幕之間、聚光燈下款款現身的一幅織毯）乍看之下——純就理論而言——無非是為了要讓商品價格盡可能地符合買、賣雙方期待的公道方法；但實際上，眾買家注意[1]：許多事情卻似乎無法全然符合咱們的一廂情願。昔時拍賣會開場前，拍賣官會搖鈴昭告大眾，但是假使他存心圖利某位特定買家，他就會把鈴兒藏在褲兜裡頭輕輕地晃，不教其他人聽見（故意讓大家搞不清楚拍賣會什麼時候開始、什麼時候結束），然後草草決標。那該怎麼辦？你又如何防範那種「偷吃步」和其他五花八門的作弊伎倆？「把戲行行有」[2]，拍賣這一行特別多：關於這一點我最清楚不過了，我在那裡頭繳過的學費可不算少哪。

多虧約翰・羅勒（他曾經在老字號的蘇富比擔任編目主筆一陣子）不吝賜告，咱們才得以知曉最早的書籍拍賣會是啥模樣。羅勒憑藉無比的耐性和罕見的豐富知識，編纂了一部關於拍賣會的小書[3]，我們從書中得知英國頭一個拍賣商名叫威廉・庫柏（William Cooper），他於一六七六年在小不列顛[4]的鵜鶘巷內開了一爿書舖。小不列顛就是倫敦聖巴多羅買醫院後頭那片胡同。庫柏在他所發行的第一本目錄裡頭的前言如是說：「以拍賣或賣給喊價最高者的方式販售書籍，在英國始終是一件非比尋常的事，然而此種對買、賣兩造皆有利的商業行為在其他國家早已行之有年……我謹寄盼此舉能不受眾方家捐棄。」此段聲明登載於拿撒勒・西曼[5]博士（當年倫敦城內動見觀瞻的神學家）的藏品拍賣會目錄上，一萬五千零二十本書總共賣了大約三千英鎊。那個天下承平的年代實在教咱們無從挑剔——有道是：「承平歲月轉眼過；黃金年代逝不返。」（"those halcyon days, that golden age is gone."）——當年只花十九先令就能買到一部約翰・艾略特[6]的

「印地安聖經」，而一四八八年版的荷馬史詩則索價區區九先令。

若庫柏算頭一位拍賣商，而密林頓[7]堪稱早期拍賣商之中最重要的一位，那麼，最耐人尋味的則非約翰・當頓[8]莫屬（此人集作家、印刷工、書商、拍賣商與旅行家於一身）。他出生於一六五九年，其自傳《約翰・當頓不堪回首的一生》頗值得一讀。所有人的一生不也都是不堪回首嗎？已故的克雷門・蕭特[9]（除了擔任《天下事》[10]的編輯，他生前亦是一名狂熱的藏書家）是頭一個提醒我特別留意那部奇書的人，現在還曉得那部書的人已經不多了。當頓本人對女色和書香的興趣同時開竅——在他十四歲那一年——並且從此和那兩樣玩意兒難捨難分、如膠似漆。他宣稱自己印行的書籍總數超過六百種，這自然是吹牛不打草稿；不過他出版過的書籍不在少數也是不爭的事實，就算他不曾在英國本土舉辦過任何一場拍賣會，他在愛爾蘭倒是辦過好幾回。當老家的圖書業日漸低迷，他毅然決然地拋下妻子伊莉莎白[11]（他總是肉麻兮兮地暱稱她「小伊兒」），遠渡重洋到波士頓另起爐灶。「老婆這玩意兒，相見不如懷念」是他老掛在嘴邊的名言之一——從此之後，許多男人皆不由自主奉這句教誨為圭臬。他在波士頓（根據他自己的說法，那兒有人欠他五百英鎊）頗受當地人接納，接著他轉赴當時還是一片粗礫的新英格蘭，在當地一一走訪篳路藍縷以啟山林的哲人賢士。不過他顯然沒討回那筆債款（要不然就是他一拿到後馬上花了個精光），因為當他一返回故鄉便旋即遭到通緝，為了躲避警方追捕，他足不出戶窩在家裡幾乎整整一年，最後，他逃往荷蘭和現在的德國境內。不過那碼事已超出本文探討之列。

一七六四年，亨利・費爾丁的藏書交付拍賣；許多部經他親手眉批的本子皆只得款區區幾先令，而五大冊親筆法律相關文件也才賣了十三先令而已。而稍早幾年前，這位小說家和安德魯・米拉[12]之間的一紙《湯姆・瓊斯》版權合約則以一千英鎊出頭成交，和前面那幾筆成交價格相比簡直有如天壤之別，如今，心甘情願付三千元給查爾斯·賽斯勒，只為購置一部紙板原裝、書口未裁的不朽名著《湯姆·瓊斯》的人比比皆是，要是讓費爾丁知道居然有這麼一天，他又會作何感想呢？

我們省略其他無關緊要的拍賣會，直接跳到一七八一年，當托范·畢亞克勒克[13]脫手賣掉傲世群倫的藏書那會兒。那場拍賣會的目錄[14]現在就擺在我的面前；裡頭列出超過三萬冊「囊括多種語文、涵蓋各門類之科學與高雅文學等」圖書。值得一提的是：畢亞克勒克乃查理二世的曾曾孫，據族譜所載，他系出涅爾·關[15]之後；正由於他擁有過人的學識、風采，加上腦筋靈活，約翰生博士才會和他做朋友，甚至隨他和貝聶特·蘭登[16]結伴進行鮑斯威爾筆下那趟著名的出遊[17]。我忒愛那段故事：話說，兩名剛在附近酒肆吃飽喝足的酩酊醉漢，半夜三更到約翰生博士家門口搥門敲窗，將一代鴻儒自夢中驚醒。害約翰生還以為是強梁上門，趕緊抄起一根沉甸甸的撥火棒下樓應戰，不意竟是好友不速造訪，接著才搞清楚他們特來邀他一道夜遊，博士此時亦心血來潮，便速速著裝，三人於是又蹦又跳地「踏上征途」。他們先逛到科芬園[18]，約翰生還自告奮勇要幫果菜販子卸貨，惹得眾人頻頻敬謝不敏；接著他們又晃進一家酒館，暢飲一巡主教[19]；然後雇了一艘小船在河上泛舟，最後有人提議去找姑娘，但約翰生臨陣卻步，還數落他們重色輕友，丟下他不管，滿腦子光想著要去和不三不四又「腹笥甚窘」的姑娘廝混[20]。

畢亞克勒克過世時年僅四十，約翰生因為好友驟逝鬱鬱寡歡了好一陣子，他當時寫了一封信給鮑斯威爾，其中寫道：「嗚呼，親愛的畢亞克勒克，他的聰慧、他的胡鬧、他的機敏，他的惡毒、他的樂觀逗趣與條理分明，如今俱亡矣：而他人勢必難以企及。」[21]幾年前，我意外淘到好幾部畢亞克勒克前藏本和一冊登記成交價的拍賣目錄，令我欣喜若狂。自某人書房中流出的藏書總能拉近我們與藏家本人的距離；我當場覺得自己彷彿正同他們一夥人在河上泛槎夜遊哩。據說，那批藏書被送到拍賣場前，前後總共花了四十九天才處理妥當，但是，由於目錄編寫得極為粗魯潦草、漫無章法（英國現今的拍賣目錄依舊沿襲此一弊病），想從裡頭找到某一部書，恐怕也得耗費同樣長的時間。

我接下來要談的是「已故鴻儒法學博士約翰生先生藏書，由克利斯蒂（Christie）先生，將於一七八五年二月十六日，及隨後三日，假位於大馬路的大廳進行拍賣」目錄裡的那批藏書。我手上這一冊目錄原為約翰生博士的朋友歐格勒索普[22]將軍本人所藏；在他遺物拍賣會上被古典學者山謬爾・萊森斯[23]買下，後來輾轉成為傑出的約翰生研究學者兼收藏家葛蘭特上校（Colonel Grant）的藏書，一九〇〇年五月在他的藏品拍賣會上，這冊目錄以二十五英鎊十先令成交。

早在好幾年前我就央人印一冊約翰生博士藏書拍賣目錄的復刻本[24]——不是用我自藏的本子複印，而是向別人（我的朋友雷夫・伊斯罕[25]上校）借來印的。伊斯罕的目錄來頭雖然比不上我的本子那麼拉風，但是比我的有意思多了，因為他的本子不僅一一登記每一部書的成交價，還詳細地寫上每位得標買主的姓名。我當時為了介紹這本薄薄的目錄，還特地寫了一篇題記，若各位不嫌棄的話，可否容我在此引錄幾段？該段題記是我在約翰生博士高夫廣場故居的閣樓（即博士纂修詞典的房間）裡頭寫的。

約翰生博士藏書目錄！

吾輩藏書，皆終將難免步此後塵。故人耗盡光陰、金錢，以及精力——死而後已。趁故人新墳未乾之際，其遺囑執行人依囑將一度隸屬故人之書籍逕付敲槌拍賣。處置故人藏書，自然亦該如同處置他的「遺體」一般恭敬虔誠，差可符應故人藏書風貌也。

A

CATALOGUE

OF THE VALUABLE

Library of Books,

Of the late learned

SAMUEL JOHNSON,

Eſq; LL. D.

DECEASED;

Which will be Sold by Auction,

(By ORDER of the EXECUTORS)

By Mr. CHRISTIE,

At his Great Room in Pall Mall,

On WEDNESDAY, FEBRUARY 16, 1785,

AND THREE FOLLOWING DAYS.

To be Viewed on Monday and Tueſday preceding the Sale, which will begin each Day at 12 o'Clock.

Catalogues may be had as above.

■克利斯蒂舉辦的「約翰生藏書拍賣會」目錄

諸位光臨拍賣會的人士之中，有多少人會將每回目錄妥善保留？而不在會後即丟者或許僅寥寥數人；更遑論能起意以筆一一詳實記下各品賣價、得標者名氏，而事後悉心保存留待吾輩得以觀睹者僅區區一、二人耳。想必無人能稱此乃空前編寫最糟的書籍拍賣目錄，據聞，主持紐約安德遜藝廊的米歇爾·肯納利僅稍一過目便叨叨詬病不已——此說大可毋須在意：且讓我們為這批書的品目說明並未「言過其實」額手稱慶。

該次付諸拍賣的書籍數量並不多：為數共約三千冊。此批藏書去向為何？而那部落款「此乃親愛的泰蒂之書」赫然在目的本子又花落何方？各位必然知曉，泰蒂乃約翰生博士之妻也[26]。又何書耶？至於那部賣得區區一英鎊二先令的莎士比亞第一對開本，其品相如何？想必不甚佳善；或許書主的眉批適足以害之！何書乏人問津？該部柏頓氏《憂鬱之剖析》[27]果真為博士用以充當鬧鐘，令他較平日早兩個鐘頭起床的本子？而我所度藏的本子——我的本子乃完整如新的首版——卻一如鴉片，教我立即沉沉昏睡[28]：此乃我何以仍保留至今之原因也。

博士生前聚書品類甚為駁雜。他對待書籍的方式亦頗難教人恭維，眾所皆知，他只著眼於「生吞活剝書中精髓」[29]。當他某次欲向加雷克（此君對於版本、裝幀忒是講究）商借某書未果，因而大為不悅[30]。然而，他總能對藏書後進提供絕佳建言，一如他在其他林林總總事物上的貢獻。

暫且讓我們放任想像力馳騁，幻想此批藏書經過漫漫一百四十年，如今再度聚首、在紐約米歇爾·肯納利的安德遜藝廊重新面市，而原本成套出售的品目亦一一拆散且悉心編寫書介——肯君自然當仁不讓非親自執筆不可——妥適登載於目錄之中。其競標場面勢必萬分激烈！成交書價亦必將無比高昂！而「滿堂」賓客又將是何等摩頂放踵景象？小克·摩利亦必再譜一首〈拍賣場現形

In an Auction Room

(Letter of John Keats to Fanny Brawne,
Anderson Galleries, March 15, 1920

How about this lot? said the auctioneer;
One hundred, may I say, just for a start?
Between the plum-red curtains, drawn apart,
A written sheet was held .... And strange to hear
(Dealer, would I were steadfast as thou art)
The cold quick bids. (Against you in the rear!)
The crimson salon, in a glow more clear
Burned bloodlike purple as the poet's heart.

Song that outgrew the singer! Bitter Love
That broke the proud hot heart it held in thrall—
Poor script, where still those tragic passions move—
Eight hundred bid: fair warning: the last call:
The soul of Adonais, like a star....
Sold for eight hundred dollars—Doctor R!

◎摩利即席詩作〈拍賣場即景〉（原載〈書目面面觀〉，收錄於《版本學與「偽」版本學》）

記〉[31]，而我亦將傾家蕩產：倘能如此豈不大快人心。有幸得見此批藏書當初「完璧」(“disseverated”)（引加伯瑞爾．威爾斯語）之姿，我至感欣喜。

我接下來要談的最後一冊舊目錄是小詹姆士．鮑斯威爾[32]藏品拍賣會的目錄。傳記作家詹姆士．鮑斯威爾卒於一七九五年。大家都曉得這位老兄積藏東西的本事堪稱一流，為了準備《約翰生傳》的撰寫工作，他囤積了數量驚人的信件、日記、琳琅滿目的各種資料，而他一開始就打定主意要將那批文件永久保存下來，儲放在奧欽列克(Auchinleck)祖宅的檔案室裡頭；不過根據某個傳奇性的說法：鮑斯威爾一過世，他的全部（或，將近全部）文件便旋即遭到銷毀。每位研究約翰生的專家學者——舉凡克羅可[33]、希爾與萊斯利．史蒂芬爵士，甚至是無懈可擊的學者R. W. 查普曼——似乎全都贊同這種說法；但是後來，有意思的玩意兒又接二連三陸續流入市場；其中若干件還出現在他的兒子的藏書拍賣會：「由蘇富比先生於一八二五年在河濱區威靈頓街的拍賣堂舉行」。那場拍賣會的目錄現在就擱在我的面前，不過，由於這冊目錄的排序方式是依照書籍開本的大小（一種很陳舊的編目方式），讓人很難查到某部特定品目。再者，品目說明上光寫著「勸世詩十冊」（其中許多條說明都像這樣），說了等於沒說。既然有專家柏克貝克．希爾撐腰，咱們大可請鮑斯威爾的後代吃一頓排頭，他們竟敢如此漫不經心，枉費他們的先祖和偉大的詞典學者過從甚密的一段交情，著實可惡。傳紀作家鮑斯威爾歿後，約書亞．雷諾茲為約翰生所繪製的精美肖像立刻被束之高閣，而一百年後，當希爾本人要求造訪奧欽列克時卻遭到悍然拒絕。他後來在一篇有趣的文章中敘述那段原委：當鮑斯威爾的女兒[34]得知他添加了若干新資料、正準備出版一部被她名之為「又來一個畫蛇添足的約翰生傳」（引希爾轉述鮑斯威爾女兒的用語）的時候，她馬上寫了一封信去興師問罪，質問他手上的東西是打從哪兒弄來的。

話說到這裡，我正好可以順道提提一、兩年前大量鮑斯威爾史料意外出現在都柏林那檔事兒，話說當時雷夫・伊斯罕費了好大一番討價還價的工夫後買下那批東西，他允諾等他好好地消化、編輯之後，便會將它們付梓。我很想將整段有趣的出土過程從頭到尾細說分明，但是我畢竟不是當事人，我只夠資格在這兒說：那批史料誠然是過去多年以來，文學史上最重要的一筆大發現。

舊目錄這玩意兒實在教人血脈僨張。雷諾茲畫的約翰生肖像（因鮑斯威爾亡故而失寵，後人將它自起居室中取走的那一幅），後來在鮑斯威爾兒子的倫敦拍賣會上以七十六英鎊又十三先令賣出；而鮑斯威爾自己的肖像，全長三又四分之一（我納悶單位究竟是什麼），則賣得十一英鎊六。那場拍賣會總共賣了大約一百五十件約翰生相關品目；無疑地，其中大部分原先都是歸在小鮑斯威爾名下的財產（如今全妝點了我的朋友——水牛城的R. B. 亞當——的書房），不過我始終沒有耐性一一追查其他品目各自流落何方。或許有人想知道由約翰生一個人從頭到尾徒手寫成的詞典「芻議」[35]草稿原件（當時以區區十七先令六便士成交）現在的下落；它是被一個姓「索普（Thorpe）」的大戶給標走的；看到那七件祈禱文抄本一口氣以九基尼成交也頗令人玩味，其中一件抄本，以及一部首版《約翰生傳》（上頭還有一道落款：「贈予詹姆士・鮑斯威爾[36]君，摯愛你的父親暨本書作者」），最後則輾轉入藏「橡丘齋」。在鮑斯威爾的拍賣會上，那部書的成交價是一英鎊又十六先令，過了十年，當約翰・莫瑞（就是出版拜倫詩集的那個莫瑞）[37]購買這部書的時候（他後來還為它補配插圖），付了兩英鎊十先令（我有白紙黑字的證明）[38]！

還是回頭談拍賣會吧。就我所知，所有關於拍賣成交價這個主

■「橡丘齋」藏書室

題，最引人入勝的一部書就是一九〇一年出版、由已故的威廉・哈里斯・阿諾德編寫的《書籍、尺牘交易帳》。首先我必須說明：阿諾德先生終其一生都不是多麼有錢的人，他只是不管做任何事都非常精明罷了。約莫在一八九五年前後，他下定決心要在明確的規範（即，購買時必須考量財力許可）、前提（當他想脫手時必須有利可圖）之下，開始認真、有系統地購藏所有的古籍善本；可是據他本人告訴我，他最大的獲利其實是蒐求過程之中所得到的喜悅。他從按部就班研究各書店和拍賣會的目錄入手；從此他夜以繼日埋首蒐書且樂此不疲，這樣子過了六年之後，就像開始一樣，他戛然歇手並一口氣出清他的藏書：「當然是透過拍賣嘍，要不然怎麼曉得誰肯出最高價？」他之前買的都是英國和美國出版的首版書，事後他將這一趟走來的結果編成兩部極精采的書（如今皆已成為珍本），標題依序各是：《書籍、尺牘交易帳》和《（美國作家）首版書交易帳》[39]，由牙買加的梅里翁印書館[40]印行。那兩部書由當時紐約的光鮮拍賣公司——班氏公司[41]經銷，分別在一九〇一年的冬、春兩季上市。我先前說過阿諾德先生絕頂精明：此言的確不假，不過，要是他當初沒賣掉那批藏書（縱使過後沒多久他便又開始買書藏書，而且這一回直到他過世都沒再脫手），那他可就精明加三級了。我寫這篇文章的時候，他的兩部《交易帳》就擱在案前。這兩部書都是規規矩矩地將各拍賣目錄複印下來，印得非常精美，朱墨套印的買價和黑色的拍賣成交價，以欄目對照，一筆一筆全部列得清清楚楚。如果您的太座哪天又數落您花錢買書連命也不要的時候，您不妨將這本書捧到她的面前，保證能教她立刻三緘其口、從此不再嘮叨。您瞧瞧：阿諾德購買英國作家的書，總共花費$10,066.05——共賣得$19,743.50；從名單上隨便挑一個美國作家，當初的買價是$3508.16——賣價則是$7363.17。光是獲利總金額就高達$13,532.46之譜，雖然他一開始並非著眼於蒐羅之樂、亦無關厚植文化，而是以獲利為初衷，然而其結局也確實夠感天動地了。

這年頭有不少公司大張旗鼓地為公債做廣告（推銷那玩意兒可不簡單，因為大家連手邊原有的都想拿去兌現），「保證讓投資人二十年（或其他或長或短的期限）不虞虧損。」任何一名兢兢業業的書商大可依樣畫葫蘆，也拿同一句話來自誇，向老客人們保證絕不害他們虧本。沒有其他勾當能像藏書之道如此穩當，魚與熊掌皆能得兼。

阿諾德先生的書目乃依照姓氏字母順序排列（恰如咱們美國許多目錄的慣用編法），列在最前頭的是「W. L. 安德魯斯[42]著；《書籍裝幀技藝史略》(*A Short Historical Sketch of the Art of Book Binding*)」，當時他買那部書花了一塊半，後來以三十四元賣出：真可謂開張大吉。列在《交易帳》裡的前九部都是「安德魯斯」的書，全部花費加起來總共是九十一元，得款則高達三百九十元。「安德魯斯」的書在當時可說忒流行；換成今天，它們可就值不了那麼多了——蓋藏書和所有的事物一樣，也是風水輪流轉哪。阿諾德先生在濟慈的書上頭的投資表現也同樣亮麗。一部有詩人親筆落款——「致吾親愛的喬凡尼

（Giovanni），期盼你的雙目早日復元得以輕鬆愉快地展讀此書」——的《濟慈詩集》簽贈本，他買的時候花了七十一元，賣掉時得款五百元；若是留到今天，它會值多少錢呢？就在我才剛剛寫下前面這幾句話的當兒，一部紙板原裝、上頭沒有任何落款、「書背破裂，有局部缺損」的本子，昨天晚上在美國藝術協會舉辦的拍賣會上以驚人的三千三百元落槌成交，等到你讀到這篇文章的時候，或許它的價格早就不曉得又飆到哪兒去了。阿諾德先生當初以二十八元買的小牛皮裝幀《湯姆・瓊斯》，則只以三十三元賣出；此乃因為那部書在當年還不算太稀罕，不過換作今天，開價五百元都不算過分。十八世紀文藝正逐漸受到它們應得的重視。

還有一部摩洛哥羊皮裝幀、裝前刷金[43]、「現知存世孤本」的戈爾德史密斯《荒村》（一七七〇年版），當時標明為「第二」版。明眼人一看就看得出來，那句「現知存世孤本」顯然參考過魏斯[44]的說法——假使現在還能找得到那套價值連城的目錄[45]的話，便能在裡頭發現版本一模一樣的本子，我酌錄幾句魏斯目錄的品目說明：「首版，私家印行；該版本的來歷至今仍存有疑點：倘若培西主教[46]的註解可信的話，此書可能在一七六九年末即以小冊子形式印行。此四開版本則遲至一七七〇年五月才又出現。至於十二開（高七吋、寬四又二分之一吋）的本子至今只能追查出五部存世。」想當然爾，當時魏斯手上那部八成是書口未裁的本子。阿諾德先生當初花了三十三元買到那件小玩意兒，後來賣了一百九十元。幾年前我以三十英鎊向倫敦某書商購得一部，而最近市場上有個本子還賣了四百五十元。阿諾德先生曾以大約十五元買到一部紙板原裝、書口未裁的約翰生博士自藏本《詞典》；後來以七十六元賣出；幾年後我從A. J. 包登手中買來的本子只花了三十八元。

一提到包登的名字，我的思緒一下子跳回到許多年前：此人生前是個非比尋常的厲害角色。他原籍英國，當年他做好萬全的準備來到我國。他學富五車、記性過人且分毫不差，而且還具備雄心壯志、極其高明的手腕，不過他卻有一個很要命的毛病：每回當你急著找他的時候，偏偏遍尋不著他的下落。雖然大家對於他的專業判斷皆深信不疑，但是沒有人敢（全然放心大膽地）委託他代為投標；因此他往往只能一個人唱獨腳戲——還屢屢唱得有聲有色哩。

一部花五塊錢買來的書，他只要花三兩下工夫便能以五十元脫手，然後跑去喝一杯，接著繼續再接再厲——我是指喝酒，不是做買賣。他最成功的一次出擊是一八九〇年在費城，當我初識他的時候。那一年有一場華盛頓家族裡頭某名後代的家當拍賣會，品目包括一部瑪莎・華盛頓[47]自用聖經。由於某些陰錯陽差，目錄上原本漏編了那部聖經，只好等到開拍時當場宣布：那部書也要列入拍賣，保留底價臨時訂為七百五十元。包登以七百五十元投出第一標，由於無其他人競標，那部書於是便以底價落槌賣給他，所有在場的人都不禁莞爾竊笑，他見狀便站起身並道出一番慷慨激昂的陳辭。他說：雖然身為英國人，但是他依稀記得華盛頓也曾經對祖國做出一番傑出貢獻；他認為在場的其他書商好心肯將那部書留給他著實可歌可泣，讓他得以一介英國人的身分，珍重華盛頓家族的家用聖經，還說他估計那部書起碼有五千元的價值！等到他離開拍賣場之前，現場爭先恐後要向他買那部聖經的人已經喊價到一千八百元，但是他堅持低於五千絕對不賣——後來果然從芝加哥的C. F. 甘瑟[48]手裡賺到他開的價碼。

我非常喜歡包登，我曾經接過他的許多來信，也向他買過不少書。他的眼光銳利獨到，教人既無從批駁也無庸置疑。喬治・D. 史密斯在郝氏藏品拍賣會上便曾經大量倚賴他的專業知識，史密斯在拍賣會進行中慫恿我去叫包登審慎下標，不過我覺得我不夠格對他講那種話。我最近一回見到他是在他去世前不久的某一天下午；我們先在第五大道碰頭，然後一塊兒沿街閒逛，他當時已經有點兒醉醺醺——吐出滿嘴牢騷——而我倒還好。我每思及這位書籍世界的老好人，總會想到他曾經駁斥某位道貌岸然的業界人士的一句話（那位老兄對他說：論長相、談吐、甚至氣味，他怎麼看就怎麼不像是個賣書的）「唷，我說白兄[49]呀，」包登回嘴道，「你真想知道我怎會跑來幹這一行？還不是他奶奶的那副假正經調調教我實在看不下去啦。」

眼見某件特殊的東西在各藏家之間輾轉易手實在是一件頗有意思的事兒。我手邊有一封很好玩的信，是當年戈爾德史密斯寫給加雷克的，信文提及他的《委曲求全》首度公演的情形。我和這封信的邂逅是若干年前在倫敦舉行的那場名聞遐邇的莫里森手稿藏品拍賣會上。它後來從倫敦飄洋過海遠渡巴黎，接著又回到倫敦，最後終於覓得現在的歸宿——「橡丘齋」藏書室，它這一回又會在我這待多久呢？[50]

我沒打算要巨細靡遺地一一詳述郝氏拍賣會之前在國內舉行的每一場重要拍賣會，不過，追述一八六四年春天在紐約舉行的約翰・艾倫拍賣會應該還滿有意思的。艾倫原本預估他的書大約能賣個一萬出頭應該不成問題；結果一場拍賣下來，那批書的成交總額直逼三萬八千元大關，雖然當時正值內戰如火如荼期間，拍賣會進行中還因大街上兵荒馬亂、鼓笛喧囂而不得不被迫數度中斷。那場拍賣會的重頭戲是艾倫早些年昏了頭（據其友人所言）以兩百一十元重金購置的一部「艾略特聖經」；那部書在會中以八百二十五元成交，而他的基爾瑪諾克版《彭斯集》則賣得一百零六元。我還記得早些年隨處都聽得到人們津津樂道一八七九年三月舉行的喬治・布林利藏品拍賣會，我當時還在波特與寇提斯書店的文具部門工作（由於老闆認為我沒有慧根，所以老是進不了圖書部）。那場拍賣會共拍賣兩千七百件品目，總成交金額高達五萬元；光想想那些書若是在今天能賣好幾百萬元就夠教人口水直流了。其中大多數都是美

Dear Sir

I ask you many pardons for the trouble I gave you of yesterday. Upon more mature deliberation and the advice of a sensible friend I begin to think it indelicate in me to throw upon you the odium of confirming Mr. Colman's sentence. I therefore request you will send my play by my servant back, for having been assured of having it acted at the other house, tho' I confess yours in every respect more to my wish, yet it would be folly in me to forego an advantage which lies in my power of appealing from Mr. Colman's opinion to the judgement of the town. I entreat, if not too late, you will keep this affair a secret for some time. I am Dear Sir

your very humble servant

Oliver Goldsmith.

■一封有意思的信——戈爾德史密斯寫給加雷克，提及《委曲求全》首度公演的事宜。

洲學的書，否則也不可能會受到那麼多的青睞。

話說回來，一九一一年四月二十四日由安德遜藝廊舉辦的郝氏藏品拍賣會該算是記錄保持者了——但隨時都有被取代的可能。亨利．E. 杭廷頓先生就是靠那場拍賣會一炮而紅，躍身成為全球首屈一指的藏書名家。當時喬治．D. 史密斯先生的名聲正如日中天，而羅森巴哈先生則仍名不見經傳。在座無虛席的拍賣大廳裡，喬治穩坐在最前面一排座椅，身旁就是杭廷頓先生，包登則是挨著另一邊；哈利．威德拿和我就坐在他們幾位的後頭。杭廷頓先生曾經告訴我：他已在西岸城市買下幾塊面積廣大的房地產，不遠處動土施工的大型火車站也是由他投資興建；只要哪兒有「地皮」出售，他便不計代價買下來——絕不囉唆。他在郝氏拍賣會上大手筆買書的恢宏氣勢也如出一轍，而他當時付出的那幾筆價碼，現在看起來簡直低得離譜。

我在國內、國外參加過許多拍賣會，其中我最最喜歡的還是紐約拍賣場的氣氛而非倫敦拍賣場。凡是重要的拍賣會，不管由安德遜藝廊抑或美國藝術協會舉辦，都是一樁大事；那些拍賣會通常都在晚餐時間過後開始，一大群人身穿體面晚禮服、攜帶女伴前來參加。為數三、四十位書商們，表面上似乎互相都已經事先談妥了，但其實檯面下的較勁非常激烈。他們的同行情誼純粹只是表面工夫：人家可全是為了買書才上那兒去的。反觀倫敦的拍賣會，會場的布置擺設似乎就和那些常去光顧的人一樣——全是一副寒酸模樣：那兒雖然看不到呼朋引伴的虛偽客套、連噓寒問暖的表面熱絡也沒有，不過每次的落槌成交卻（極有）可能是大家事先套好招的拍賣形式——全然是咱們國人壓根搞不明白的詭計。成交流程簡直不堪聞問（也鮮少有人去聞問）；鄉下的拍賣會全都是那麼幹的；在倫敦舉行的重要拍賣會亦屢見不鮮。

拍賣會以如此行禮如儀的方式運作。一群共同參與拍賣會多年、彼此間互相熟識的書商（或畫商、家具商、銀器商……等等）齊聚會場，這個人包辦某些特定等級的貨、那個人包辦另外某些特定等級的貨，整場拍賣會便如此這般以此類推；現場絲毫嗅不出一丁點拚搏較勁的煙硝味兒。等檯面上的拍賣會一結束，另一場旋即登場，這場拍賣會更教外人插不了手，各書商攬標下來的書籍這時重新洗牌轉售，其價格則以高於原先的成交價，按照某種行之有年的行規分配給在場的人。常常會看到某人只要到會場轉一圈便能平白賺到一大筆錢；他根本連一本書都甭買。而且，哪個不長眼的門外漢要是陰錯陽差跑進拍賣會場插花，那些業者包準教他吃不完兜著走，如果他硬著頭皮投標，就算他最後如願得標，成交價格保證會令他這輩子只要一想起來就頓足捶胸。

屢屢可見某人越洋委託英國的大書商下標，事後卻旋即在報紙上看到那部書以等同於或遠低於他所投標的價格成交，他八成會對自己居然沒能得標感到大惑不解。報紙上刊登的價格全是唬人的；其實在場外的交易中，那部書賣得的價格比他們所聲稱的成交價高出甚多；連拿那部書出來賣的人也被蒙在鼓裡，他拿到的錢或許還不到整批藏書價值的一半[51]。郝氏遺產的處置權人之所以決定將他的大批藏書留在紐約進行拍賣，就是為了要避免可能發生的人為操作，要是哪個「有錢的美國佬」不信邪，偏偏要把藏書送往倫敦拍賣，大概就只能任憑宰割了，君不見一九〇七年由蘇富比舉辦的凡．安特衛普拍賣會就是個血淋淋的現成例子。

我的案前現在就擺著一冊登記成交結果的凡．安特衛普拍賣會目錄，當書價紛紛蒸蒸日上且漫天要價的當兒，那批數量雖不多但件件皆屬精品的藏書付之拍賣，只消稍微細讀一下目錄，便可看出當年那些書的下場有多麼悽慘了。裡頭有一部簽贈本《濟慈詩集》只賣了九英鎊（阿諾德曾以七十一元購得一個本子，六年前以五百元脫手賣出）；而彌爾頓的《柯摩斯》居然還賣不到八百英鎊（現在的行情高達兩萬五千元）！一定有人會主張：只要大家從今天開始都老實行事，便能終結那種見不得人的運作方式，但是，英國長年陋習積重難返，要徹底根除唯有透過立法一途。此事現在倒是露出一線曙光。就在前幾天，達靈勛爵[52]（就是咱們多年來很耳熟的「達靈青天大人（Mr. Justice Darling）」）才剛剛提出一項法案送交議會審議，計畫訂定法條明確禁止任何迴避公開競標的私下交易協商，而會後一切檯面下的書籍買賣均屬違法，所有參與該交易的人也將被科以最高一百英鎊的罰鍰或處六個月的刑期（情節重大者可兩罰並

◎查爾斯・達靈，Leslie Ward（Spy）繪

施）。在審議法案的過程中，某位拍賣商同業公會的代表出面陳情，聲稱該項暗盤交易形式乃眾多行業普遍採行的商業行為，拍賣商很難自外於主流云云。他毫不諱言：要禁絕業者私下買賣著實有其困難，若通過該法案勢必會相當程度抑制圈內的經濟活力。當然啦，對私下交易勾當最深惡痛絕的莫過於拍賣商自己了，因為他們的獲利端賴商品（不管是什麼商品）的售出價格高低而定。場外拍賣的習慣乃源自古老的行會（guild）或同業公會約定俗成的行規：若沒在業界長久打滾混跡，就甭想進來分一杯羹。

拍賣場上的傳奇始終無人形諸筆墨，未來八成也不容易看得到；那裡頭有太多詭譎刺激直教人無從招架；恐怕連「斗篷女奈莉」[53]也要相形失色。無價珍品賣不了幾個子兒——當然，不是每每如此，只是偶爾。不久前在倫敦舉行的一場重要的拍賣會上，查令十字路的約瑟夫花了三英鎊標到一紮樂譜，後來以二十五英鎊轉售給基爾德福（Guildford）的索普。誰會料到那疊玩意兒裡頭居然夾著一冊雪萊的大作——《瑪格麗特・尼可森遺稿殘篇》[54]？當然沒有人料得到，可是它偏偏就躲在那兒，經過數度易手，短短幾個星期之後，加伯瑞爾・威爾斯在紐約以八千元脫手。

難不成是某個拍賣公司內部的員工手腳不乾淨，心知肚明那件寶貝的真正價值，先偷偷將它「塞入」整落看起來毫無價值的樂譜裡頭，再內神通外鬼讓某個事前串通好的人不費吹灰之力以低價得標？我希望實情並非如此，不過那起事件畢竟惹出極大的風波，害得法院巷的「哈吉森先生父子公司」[55]不得不趕緊投書到《書客雜誌》極力撇清關係，嚴正聲明該公司完全沒有經手過那件東西。

在國內參加拍賣會有三條路可走。你可以自行投標——此舉風險頗高，因為一旦碰到某件搶手的東西，整個拍賣場裡頭每個人都會想盡辦法將你除之而後快。或者你也可以委託主辦單位代你下標——這個作法也很蠢。我最近聽說某場拍賣會上就發生這麼一樁蠢事。那場拍賣會的目錄上有四本版本相同但編號各自獨立的書。我的一位朋友將投標權交給拍賣公司，並告知對方……姑且就說八塊錢好了，他打算以八元為上限標購第三本；結果一開出來，第一本賣了三元；第二本賣了兩塊半；第三本八元；第四本則又以三元決標。我的朋友還為此寫信去興師問罪，拍賣公司回了他一封信，開門見山就告訴他：何以會出現這種巧合，他們也說不上來。光用膝蓋想也知道嘛。

第三條路（也是最好的途徑）便是找一位可靠的書商代你投標。不過這說起來容易，實際執行可沒那麼簡單：得同時動用腦筋和膽識才能行得通。你必須先打準主意，挑一個最有得標相的書商；然後上門告訴他「幫我買下某某書」而你打算最高出到什麼價格。打這兒起就得運用一點技巧了：那位書商或許會說：「用這個價錢買到應該不成問題。」或者（當其他顧客已經向他開出更高的價碼）他會明白告訴你：「想用那個數字去買八成沒指望。」或者，他會很乾脆地滿口答應：「放心交給我來辦吧。」或者，他會說……天曉得他會說啥，反正什麼情況都可能發生。拍賣會這勾當活像天氣──教人摸不準。股票市場要是大漲，績優股一定也會跟著上揚；如果股市低迷或暴跌（這種事也不是沒發生過），股價亦必然會隨之下跌（少數幾檔不管什麼時候都差不了多少的牛皮股除外）。最好的情形不外乎：你不僅挑對了投標代理人，事後也沒賴掉該付給人家的一成佣金。我經常看到有人因為挑錯書商而平白讓白花花的鈔票就那麼飛了；我還看過某人為了省下那一萬元佣金，眼睜睜將《古騰堡聖經》拱手讓人。這事發生在安德遜藝廊，時間是一九二六年二月十五日「約莫晚間十點半」。

那是歷史性的一刻。話說R. B. 亞當藏品拍賣會頭一場的壓軸好戲正要上場，此時整個拍賣大廳萬頭攢動、水泄不通；大家都睜大眼睛等著，要親眼目睹某位大戶將不惜以天價標下那部大名鼎鼎的書[56]（他打算拿去敬獻給聖約翰大教堂（Cathedral of St. John the Devine））。結果他頂禮供養的弘願終究沒能達成。怎麼搞的？某位頂精明的藏書家曾經自羅森巴哈博士手中購得一部，花了大約六萬五千元──真是便宜得沒話說。沒有人曉得當天是否有人委託羅博士代為投標，不過我倒是很篤定他鐵定會（不計代價）出手搶標。這時，那部書終於在眾目睽睽之下隆重登場；台上的肯納利先生先扼要地講了幾句開場白──對那部書實在用不著太多廢話。那部書以五萬元起標。「小羅」按兵不動，場上只見加伯瑞爾．威爾斯和那位「大戶」（請容我在此姑隱其名，僅以他的大名字母縮寫"C. R. M."稱之）捉對厮殺。威爾斯在七萬五大關前敗下陣來，C. R. M.還以為他投出七萬六千元已經穩操勝券了呢，怎料羅博士尊口一開就是：「八萬。」那口氣彷彿周告在場所有的人：「大家甭玩了。」C. R. M.見狀仍不肯服輸，再喊出八萬五。拍賣場風雲再起，價格就那麼兩千、五千地繼續往上飆，最後羅博士使出撒手鐧：十萬六千元。競標才總算就此打住。C. R. M.就那麼硬生生被打落凡間與我為伍──都無緣一親該書芳澤。

當台上響起落槌聲的那一刻，整個拍賣大廳也旋即騷動起來。從來沒有任何一部書能賣到那麼高的價碼；羅博士究竟是純粹為他自己買的，還是他早就找好了買主？大夥兒東猜西想莫衷一是，結果所有人（一如往常）全猜錯了。過了幾天之後，安傑爾[57]校長宣布：哈克尼斯太太慷慨捐贈《古騰堡聖經》乙部，令耶魯大學圖書館從此蓬蓽生輝。羅博士完全憑藉平日料事如神的本事下標。他沒拿半毛錢佣金；當時哈克尼斯太太也還遠在加州呢；但是羅博士即刻拍了一封電報通知她得標結果，就在硝煙猶未止息之際，那部書早已銀貨兩訖了。C. R. M. 當初若不斤斤計較那區區一成佣金，乖乖地將投標權交給羅博士，那部書必然十拿九穩，甚至只花七萬五到八萬元之間的價碼就入袋了哩。這就是一樁不會投標的慘痛教訓。

近年來，許多人紛紛著了魔似地熱中蒐羅巴騰・昆奈特[58]的簽名，此人乃〈獨立宣言〉的連署人之一。蒐集「連署簽名」的人比其他收藏家更加艱辛；他們必須上窮碧落下黃泉苦苦追尋巴騰・昆奈特，才能夠湊齊完整的「連署簽名」收藏。昆奈特當年自英渡海來美、在喬治亞落腳、以經商維生。一七七〇年他買了一塊農地，改行務農度日。他在殖民者圈子內頗為活躍，還被推舉為「立法委員」，甚至當上代表，出席「大陸議會」[59]並參與簽訂〈獨立宣言〉。當他忙著革命抗暴大業的時候，他的田產被英軍沒收並且慘遭搗毀殆盡，不過直到一七七七年他才真正倒了大楣。他原本心存野心，想在軍中謀個參謀將軍的官銜，不料橫遭一個姓麥金塔[60]的軍官從中作梗：他從此視麥金塔為不共戴天的寇讎，還下了戰帖要和姓麥的一決生死，一七七七年五月十五日清晨兩人相約決鬥。結果兩個人雙雙中槍掛彩；麥金塔後來康復生還，但昆奈特卻傷重不治白白丟掉一條小命——得年四十有五。

為何昆奈特的簽名會如此稀罕？這是美國史上難解的懸案之一。照理說，昆奈特在我國居住十二年以上；何況他還做過買賣，一定簽過許多文件、收據和一大堆拉拉雜雜的東西，更甭提他肯定也寫過信，可是直到目前為止，他的簽名只出土四十枚，而且其中只有一枚仍附在完整的信函上。最清楚這整件事情的人非羅博士莫屬。一九二四年十一月，著名的湯瑪斯(Thomas)藏品拍賣會在費城舉行，當羅博士一舉打破記錄，以一萬四千元標得那枚令人費解的簽名的時候，我就坐在他的身旁。當我正打算開口恭賀他又買到一件好東西時，他對我說：「其實我在紐約的店裡頭還有一枚昆奈特簽名，我原本開價一萬元。願不願意幫我一個忙？你去打電話告訴大家，現在不管多少錢我都不賣了。打從這會兒起，我要開價兩萬元。」他後來果真開出那個價碼，還真的讓他給賣成了，若干年後

◎紐約安德遜藝廊舉辦的拍賣會，左側倒數第二排兩名回頭看鏡頭的與會者即羅森巴哈與紐頓（原載羅森巴哈《書與競標客》）

他又花了兩萬二買到另一枚[61]（麥迪根[62]當場以些微差距敗陣飲恨）。十年前當曼寧（Manning）上校花費四千六百元買下一枚昆奈特簽名的時候，大家還笑他簡直頭殼壞掉，時至今日，專家們皆異口同聲：今後五年之內，那玩意兒就算開價五萬元都算便宜。一大群人殫思竭慮、破費傷財只為湊齊「連署簽名」，首版莎士比亞或其他一大堆玩意兒還不是照樣湊不齊？「連署簽名」的價格之所以能夠居高不下——正因為其中獨獨缺了昆奈特的簽名。我自己早就看開了，與其汲汲營營蒐求能補齊收藏的東西，還不如回頭認真過日子。我沒有任何收藏能湊得齊。我應該開心自己能擁有「一八六五年版《愛麗絲》[63]」，就算無緣購藏，我也該以手上有「一九〇三年版《君王豪傑》[64]」或戈爾德史密斯親筆信函或《金銀島》地圖，而感到心滿意足了。對於葷素不忌、來者不拒的收藏者來說，其他刺激興奮的玩意兒還多的是。

任何一場盛大的拍賣會一結束，一大堆生意人（不管經營哪一行）恐怕就有得手忙腳亂了。大家紛紛走告：前一晚哪件東西的價碼又創了如何新高。有道是：女人稍加猶疑嫁不到郎，男人腳步略慢全盤皆輸[65]。

以上這篇文章寫好之後閒置多年；我在文中所提及的每一筆成交價格，如今看起來都實在很驢，依此類推，今天的價格再過個幾年再看也會很蠢。這全是供需法則從中作祟——需求不斷增加而供給卻日益減少——所致。才不過三年光景，我們便看到巴騰．昆奈特的一枚簽名攀上五萬一千元的高價！就在幾個星期前，羅博士（在倫敦）花了一萬四千四百英鎊買下《愛麗絲》手稿，當時立刻引發英國人群情激憤。他們大聲疾呼：「那批手稿絕對不能離開英國。」於是乎，小羅便以原價賣給該國政府，還允諾另外再捐贈一千英鎊！小羅真是好說話！他簡直就是當今全世界最了不起的書商：雖然我大可指證歷歷，但是我寧可套一句約翰生博士說過的話：「吾寧要毋須證明的說法。」（"I expect some statement to be accepted without proof."）當然啦，他的死對頭們肯定不會同意。

一九二五年四月，喬治．巴爾．麥克卡契昂[66]脫售他所收藏的哈代、吉卜齡、史蒂文生精品。近來市面上幾乎看不到任何哈代的好東西流通了，如今此位維多利亞時代的偉人葬在西敏寺詩人墓園（Poet's Corner of Westminster Abbey）的屍骨俱已成灰，再費神推敲哪件好東西價值如何皆無多大用處，但是在所有的哈代作品之中，有兩部或許堪稱他的重要作品與扛鼎之作。前者是哈代的處女作《孤注一擲》，出版於一八七一年、鮮紅色布面裝幀，約翰．C. 埃克爾提及該書時，曾經表示：「今日欲覓得書品尚可的本子幾近無望，尋常可見的本子則往往經過大刀闊斧的整飭。封面污損、更別提襯頁遭到拆換、書脊經過修復、強化，皆為現今可見之三卷本尋常樣貌。多年以來，在我國拍賣場上唯一出現的《孤注一擲》乃麥克卡契昂所藏善本。該本『附貼』[67]了兩封作者寫的信，其中

■哈代《孤注一擲》首版書名頁

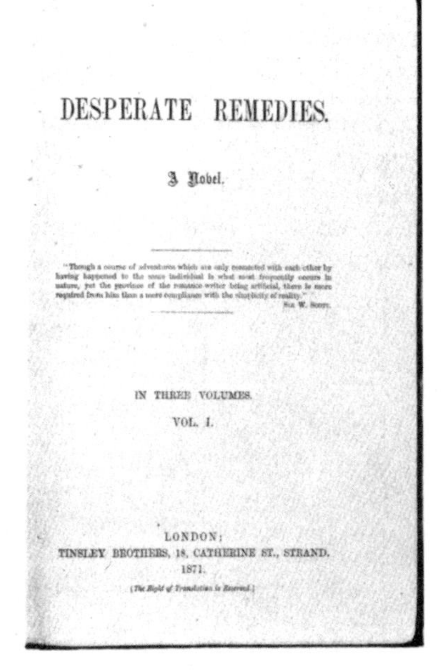

DESPERATE REMEDIES.

A Novel.

"Though a course of adventures which are only connected with each other by having happened to the same individual is what most frequently occurs in nature, yet the province of the romance-writer being artificial, there is more required from him than a mere compliance with the simplicity of reality."

SIR W. SCOTT.

IN THREE VOLUMES.

VOL. I.

LONDON:
TINSLEY BROTHERS, 18, CATHERINE ST., STRAND.
1871.
[The Right of Translation is Reserved.]

一封如此寫道：『最初幾冊乃原以綠色布面裝幀，於一八七一年復活節前後發行。該版本幾乎無人問津……我認為，剩餘印張以其他顏色裝幀是為了讓此書能重獲生機。』」直到目前為止，還沒有人看過綠色布面裝幀的本子。拍賣會上那部三卷本後來以二千一百美金成交。某西部書商最近開價二千七百五十美元兜售一個本子，而紐約的嘉農[68]最近才剛剛賣給保羅・海德・波拿[69]一部善本，據悉索價超過四千美金，其實那部書有值一萬美元的潛力。

■《君王豪傑》書名頁

至於哈代的扛鼎之作則是《君王豪傑》。普遍認定為首版的第一卷雖然標明一九〇四年印製，但是少數（極少數）幾個本子上頭的出版日期則是一九〇三年。麥克卡契昂藏本就是印著一九〇三年的本子，而且那個本子裡還有簽贈題辭：「湯瑪斯・哈代敬呈阿爾傑農・C. 史溫朋」。一年前，羅森巴哈博士以兩千一百元幫我的朋友兼競爭對手巴爾頓・W. 庫里[70]標下一部沒有落款的本子。直至今日，那個本子的價碼或許也能趕上極佳的簽贈本（好比麥克卡契昂的本子），達一萬元之譜。

早在三十年前我便開始蒐集哈代的作品，當時只要花十或十五元就能買得到簽贈本呢！不過這就算是給上了歲數的老頭兒一丁點補償罷。

至於吉卜齡，我們就更萬無一失了。就在前不久（一九二八年一月十六日），紐約的美國藝術協會舉辦了一場吉卜齡藏品拍賣會，會中屢創令人嘖嘖稱奇的成交價——話說回來，有哪筆成交價不令人嘖嘖稱奇的呢。那場拍賣會上沒看到《史密斯當局》[71]的蹤影，但是幾個星期前有個本子賣了一萬四千元，再往前推一年，我的朋友靄理思・安姆斯・巴拉德只花四千六百元便買得一部。我聽說巴拉德的藏書之精在國內、甚至英國都無人能出其右。

假使憑藉過往的經驗（要不然還能憑藉什麼呢？）便能斷言未來情勢的話，我們不難得出一個推論：書本這玩意兒，似乎隨時都能迅速脫手（不管是透過拍賣會或其他任何方式），何況好書永遠不嫌「重複」。我自己就曾因一時失察賣掉幾本書——幾年前在紐約的「落難藏書家」藏品拍賣會上，雖然為我賺進一筆還算不少的金錢，但是每回只要一想起那些書從此海角天涯各一方，我心裡頭就難過。說真格的，中意的書至少都得擺兩部在書架上，這樣子才夠資格稱自己為正港藏書家。英國大藏書家賀伯[72]生前堅決主張每部書都不可少於三部，但我老覺得那樣子稍嫌過火了點。

【譯註】

1 「買家須知」（caveat emptor）：商業買賣用語。此拉丁文警語（或英文“let the buyer beware”）常出現在拍賣目錄前，敬告買家須先留意拍賣品條件、狀況，一旦購買，責任自負，也可解為：出價無悔大丈夫。

2 “There are tricks in all trades.”：義大利古諺。

3 《十七世紀英國書籍拍賣會》（*Book Auctions in England in the Seventeenth Century [1676-1700] with a Chronological List of the Auctions of the Period*），約翰．羅勒著，一八九八年倫敦Elliot Stock出版。

4 小不列顛（Little Britain）：位於倫敦城內的蜿蜒狹小巷弄街區。名稱來自十六世紀前世代在此落戶的不列塔尼公爵（Dukes Brittany）世族。約莫一五七五年至一七二五年期間，此處曾是許多書商聚集的區域。多塞特伯爵（Earl Dorset, Thomas Sackville, 1536-1608）曾在此地逛書店時發現《失樂園》，書舖老闆告以該書根本賣不出去，還央求多塞特伯爵幫忙拿去扔掉；彌爾頓本人於一六六二年亦曾居住此地；一七一二年，三歲的約翰生博士被家人帶到倫敦時，便借宿在書商Nicholson住處；班傑明．富蘭克林一七二四年亦曾住在此地；另有許多名人都和此地沾帶或深或淺的關聯。小不列顛或鵜鶘巷（Pelican Court）現在均已滄海桑田不復可見。

5 拿撒勒．西曼（Lazarus Seaman, ?-1675）：十七世紀英國神學家。目前有記錄可考的最早一場在英國境內舉辦書籍的拍賣會，是一六七六年十月三十一日起一連八天的拿撒勒．西曼藏品拍賣會（由書商威廉．庫柏在倫敦舉行）。

6 約翰．艾略特（John Eliot, 1604-1690）：十七世紀美洲殖民地傳教士。參見第一卷Ⅲ譯註74。

◎約翰．艾略特

7 愛德華．密林頓（Edward Millington, ?-1703）：十七世紀英國書商。

8 約翰．當頓（John A. Dunton, 1659-1733）：英國出版商、書商。十五歲起在Thomas Parkhurst的書店當學徒，一六八四年自行創業；一六九一年至一六九七年印行《雅典人週刊》（*Athenian Gazette*，後來更名為*Athenian Mercury*）。其自傳《約翰．當頓不堪回首的一生》（*The Life and Errors of John Dunton*, 1705）寫成於約一七〇三年。

◎約翰．當頓自畫像（1705）

9 克雷門．蕭特（Clement King Shorter, 1857-1926）：英國記者、文學評論家。一八九三年至一九〇〇年參與《札記》（*Sketch*）編務；一九〇〇年至一九二六年擔任《天下事》編輯。他的文史論著包括《夏洛特．勃朗黛交遊錄》（*Charlotte Brontë and her Circle*, 1896）、《維多利亞文藝六十年》（*Sixty Years of Victorian Literature*, 1897）、《拿破崙的旅伴》（*Napoleon's Fellow Travellers*, 1909）等。

10 《天下事》（*Sphere*）：英國時事期刊。以印刷精美、報導詳實著稱，發行於一九〇〇年至一九六四年。此刊物對於「歐洲大戰」（“the Great European War”，即第一次世界大戰）的圖文記述被大英圖書館視為重要史料。

11 閨名伊莉莎白．安涅斯利（Elizabeth M. Annesley, c.1657-?）。

12 安德魯．米拉（Andrew Millar, 1707-1768）：十八世紀英國出版商。一七二九年在倫敦河濱道開業，除了出版之外還兼營零售。米拉本人對於文學品味並不算高深，但是他善於雇用具備文學長才的員工，更不吝於付出優於當時行情的稿酬購買秀異文稿。「我佩服米拉，」約翰生博士嘗曰：「他提升了文學的價碼。」(見《約翰生傳》，一七五五年五月段)。米拉以一百零五英鎊向湯姆森買下《四季詩詠》(參見第一卷 I 譯註128)；一百英鎊買費爾丁的《湯姆·瓊斯》；一千英鎊買《阿美利亞》(*Amelia*)；他同時也是助印約翰生英語詞典的共同出資書商之一，他本人亦負責該書的印務，一路監督印刷流程直至全書大功告成。

13 托范·畢亞克勒克(Topham Beauclerk, 1739-1780)：十八世紀英國學者、約翰生的至友。

14 此目錄列於紐頓歿後的藏書拍賣會的目錄中：《畢亞克勒克藏書》(*Bibliotheca Beauclerkiana, A Catalogue of the Large and Valuable Library of the late Honourable Topham Beauclerk*)，一七八一年倫敦出版。

◎托范·畢亞克勒克，Francis Cotes繪(1756)

15 涅爾·關(Nell Gwyn, 1650-1687)：英國女伶。出生於賀勒福(Hereford)，本名為愛蓮諾(Eleanor)，幼年時在倫敦德魯里巷的皇家劇院一帶叫賣柑橘。演員查爾斯·哈特(Charles Hart)將她納為情婦，並安排她於一六四四年首度登台。由於唱作俱佳且舞姿曼妙，她成為當時頗受歡迎的演員。約一六六七年她成為多塞特(Dorset)伯爵六世查爾斯·薩克維爾(Charles Sackville)的情婦，一年多後又成為國王查理二世的情婦。她為查理二世產下二子，由於忠於國王，查理二世去世(一六八五年)前還囑咐繼位的弟弟詹姆士二世：「別讓可憐的涅爾受罪捱餓。」於是直到去世前她都過著優渥的日子。

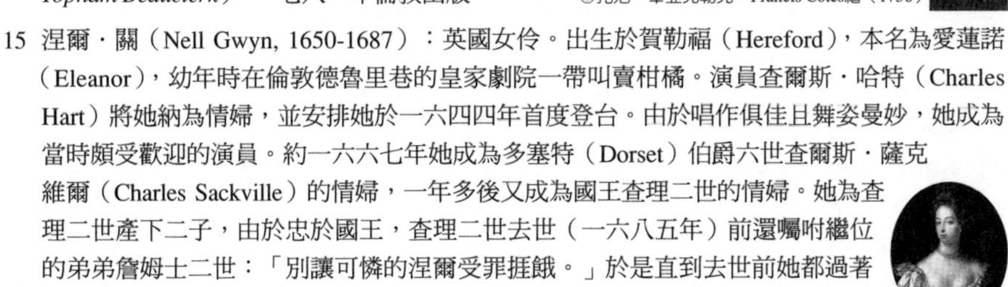

◎涅爾·關，Simon Verelst繪(約1680)

16 貝磊特·蘭登(Bennet Langton, 1737-1801)：十八世紀英國學者、約翰生之友。於牛津大學三一學院求學期間與畢亞克勒克結為好友。他與約翰生博士的友誼亦十分堅實，一七八八年繼約翰生之後成為皇家學院的古典學者。

17 指某日半夜，帶有幾分醉意的畢亞克勒克與蘭登晃到約翰生家將他吵醒，然後三人結伴在倫敦城內徹夜遊蕩的一段放浪形骸經歷。

18 科芬園(Covent Garden)：昔時倫敦的花果菜蔬的集散批發市場。今日市場規模稍減，成為著名購物商圈及觀光景點。

19 主教(Bishop)：一種調和辛辣香料和甜酒(通常使用產於葡萄牙東北部的波特酒)的烈酒。約翰生嗜飲的酒類飲料。

20 紐頓此處的記述與鮑斯威爾原書略有出入，根據《約翰生傳》的記載：三人遊河之後，蘭登因先前已與幾位年輕女士約好共進早餐，便一人先行離去，反倒是約翰生與畢亞克勒克玩興猶濃，約翰生眼見蘭登存心脫隊便將他訓了一頓。而蘭登前去會晤的並非真如約翰生所稱「不三不四的蠢姑娘」(wretched un-idea'd girls)，這應該只是約翰生心有不甘之餘的氣話。後來，加雷克知悉三人在外頭廝混一整晚，立刻對約翰生說：「吾耳聞汝等一行人竟夜冶遊。此事恐會登上《記事報》無疑。」針對此事，約翰生事後鄭重其詞推得一乾二淨：「渠必不至於如此。蓋其太座絕不會批准也。」("He durst not do such a thing. His wife would not let him!"——約翰生常常以第三人稱指自己。)見《約翰生傳》(一七五二年段)。

◎歐格勒索普在約翰生藏書拍賣會上聚精會神的模樣，Samuel Ireland(?-1800)版刻(1785)

21 語出約翰生於一七八〇年四月八日寫給鮑斯威爾的信。見《約翰生傳》。

22 詹姆斯·愛德華·歐格勒索普(James Edward Oglethorpe, 1696-1785)：十八世紀英國軍官、政客、美洲喬治亞殖民地設立者。一七三二年他夥同其他英國移民，獲准在喬治亞建立殖民地，由於他在當地禁止蓄奴而引發廣大民怨。一七四三年他返回英國，成為國會議員。歐格勒索普是約翰生晚年舊識，曾親自參加二月十八日那場拍賣會；歐格勒索普本人於四個月後逝世。

◎山謬爾．萊森斯，William Daniell繪

23 山謬爾．萊森斯（Samuel Lysons, 1763-1819）：英國古典學者、收藏家。

24 指一九二五年紐頓商借伊斯罕藏本（──註明成交價、得標者的目錄），委託書商復刻出版（限量印行二百五十部）的《約翰生博士藏書拍賣會目錄》（*Sale Catalogue of Dr. Johnson's Library*, New York: Edmond Byrne Hackett）用以分贈友人。書後附一篇紐頓的介紹專文（長達十一頁）。

25 雷夫．伊斯罕（Ralph Heyward Isham, 1890-1955）：美國金融家、收藏家。伊斯罕於一九二七年費盡心力、不顧家族反對聲浪，斥資購入整批鮑斯威爾相關歷史文件，隨後委交母校耶魯大學，由Frederick A. Pottle等人編成許多冊「耶魯版私藏史料」（*Yale Editions of the Private Papers*）。

26 泰蒂（Tetty）：指約翰生夫人伊莉莎白（Elizabeth, 1689-1752，原姓Jervis）。伊莉莎白原適綢緞商人亨利．波特（Henry Porter），兩人育有二子一女，約翰生博士於一七三三年在伯明罕結識波特夫妻。波特死後不久，約翰生便於一七三五年（當時他二十五歲）迎娶大他二十多歲的伊莉莎白進門，他的朋友們背地裡形容她為「猶賣風韻的半老徐娘」（"antiquated coquette"）。對於這樁在當時頗驚世駭俗的老少配，托范．畢亞克勒克（參見譯註13）曾促狹地模仿約翰生的語氣說：「閣下，此乃一樁心心相印、兩情相悅之愛情結合也（a love match 'on both sides'）。」（見《約翰生傳》，一七三五年段）。但兩人婚後感情至深，約翰生照顧波特母女無微不至。伊莉莎白去世時，約翰生哀慟逾恆。約翰生對伊莉莎白一往情深，屢屢以自創的小名「泰蒂」或「泰西」（Tetsey）暱稱伊莉莎白（蓋伊莉莎白的慣用暱稱應為「貝蒂」或「貝西」），相對身材壯碩、老近半百、又抽煙又酗酒的伊莉莎白著實唐突，此肉麻行徑常被當時在約翰生私塾受教的童生引為笑柄（見《約翰生傳》，一七三六年段）。

27 《憂鬱之剖析》（*The Anatomy of Melancholy, What it is. With all the Kindes, Causes, Symptomes, Prognostickes, and Severall Cures of it. Philosophically, Medicinally, Historically, open and cut up*）：十七世紀英國學者勞伯．柏頓（Robert Burton, 1577-1640）的哲學論著。一六二一年牛津首版。

◎首版《憂鬱之剖析》書名頁

28 鮑斯威爾曾在《約翰生傳》中描述：「他（約翰生）嘗曰：柏頓《憂鬱之剖析》乃是唯一曾經令他違逆己願，提前一個時辰振作起身的書。」（"Burton's *Anatomy of Melancholy*, he said, was the only book that ever took him out of bed two hours sooner than he wished to rise."）見《約翰生傳》（一七七〇年段）。但紐頓則在〈柏頓《憂鬱的剖析》拉雜談〉（"Burton's 'Antomy' and Other"，原為《蝴蝶頁》第九章，譯本未收）中直言：「惟有此書能令人違逆己願，提前一個時辰昏沉入睡。」

29 語出萊斯利．史蒂芬（參見第一卷 I 譯註4）《英國文人列傳》系列中的《山繆．約翰生卷》第一章〈童年暨早年時期〉：「他嗜書極婪。生吞活剝其精髓，而非拘泥於按部就班。」（"He gorged books. He tore the hearts out of them, but did not study systematically."）

30 以藏書的觀點來說，約翰生可說是極度糟蹋書籍（用力翻頁以致書脊斷折、隨手將書扔擲在地板上）。約翰生曾對鮑斯威爾表示他苦於無人願意提供善本供他校讎研究，鮑斯威爾坦白告訴他：大家（鮑斯威爾特別以加雷克為例說明）原本很歡迎博士能夠大駕光臨、使用他們的藏書，但是一想到他對待書本如此粗魯且漫不經心，才不敢將手上的好書借給他（見《約翰生傳》，一七七二年段）。

31〈拍賣場現形記〉（"What Am I Bid? Said the Auctioneer"）：一九三六年賓州大學以「羅森巴哈版本學基金會（Rosenbach Fellow in Bibliography，一九三〇年成立，首任會長為克里斯多佛・摩利）系列」為名，出版紐頓的演說講稿《版本學與偽版本學》。書中收錄三篇講稿的題目分別為：〈版本學與「偽」版本學〉（"Bibliography and pseudo-Bibliography"）、〈書目面面觀〉（"Books Catalogues"）、〈散文與散文家〉（"Essay and Essayists"）。在〈書目面面觀〉文後附了一首摩利的詩作，內容記述一九二〇年三月十五日安德遜藝廊舉行的拍賣會（Walter T. Wallace藏品拍賣會，紐頓與摩利當時連袂參加）的情景；當一份濟慈（寫給Fanny Brawne）的情書進行競標時，摩利即席寫下打油詩〈拍賣場即景〉（"In an Auction Room"）："How about this lot? / said the auctioneer; / One hundred, may I say, just for a start? / Between the plum-red curtains, drawn apart, / A written sheet was held.... And strange to hear / (Dealer, would I were steadfast as thou art) / The cold quick bids. Against you in the rear! / The crimson salon, in a glow more clear / Burned bloodlike purple as the poet's heart, // Song that outgrew the singer! Bitter Love / That broke the proud hot heart it held in thrall-- / Poor script, where still Prose tragic passions move-- / Eight hundred bid: fair warning: the last call: / The soul of Adonais, like a star.... / Sold for eight hundred dollars--Doctor R!）；另外，在《洋相百出話藏書》之中的〈當仁不讓何罪之有〉，紐頓亦援引過這首詩。順道一提：該批濟慈情書流入市場的始作俑者是Fanny Brawne的兒子Herbert Lindon，他在母親死後將該批信函交付拍賣（蘇富比，一八八五年）。當時親蒞拍賣會現場的王爾德也曾寫下一首詩：〈目睹濟慈情書付拍賣〉（"On the sale by auction of Keats's love letters"）。

32 小詹姆士・鮑斯威爾（James Boswell, Junior, 1778-1822）：詹姆士・鮑斯威爾的次子。鮑斯威爾膝下育有三女（參見本章譯註34）二子，長子為Alexander（1775-1822）。

33 約翰・威爾森・克羅可（John Wilson Croker, 1780-1857）：愛爾蘭裔英國學者、評論家、政治家。一八〇七年至一八三二年擔任國會議員，平日亦舞文弄墨，長期投稿《評論季刊》（*Quarterly Review*）；一八三一年精心編註《約翰生傳》。

34 鮑斯威爾的三個女兒，分別為Veronica（1773-?）、Euphemia（1774-?）、Elizabeth（1780-1814）。

35「芻議」（Plan）：指《英語詞典編輯芻議》（*Plan of a Dictionary of the English Language*）。一七四五年至一七四六年間，約翰生博士的文學活動幾乎完全停擺，一九四七年他決定編纂一部詞典，當時聽從書商建議，寫成一份計畫書題獻給當時受朝廷寵信的切斯特斐伯爵菲利浦・多瑪（Philip Dormer, Earl Chesterfield, 1694-1773），據約翰生對鮑斯威爾形容：此舉無非「便宜行事」；編纂詞典期間，切斯特斐伯爵反應始終冷淡、未曾多加聞問，使約翰生頗為不悅；切斯特斐伯爵雖然趁詞典出版前夕在報刊撰文推薦，但已難挽回兩人芥蒂；約翰生甚至寫了一封措辭優雅有禮但態度嚴峻的信，要「衮衮大人，毋庸溢美」。

◎約翰・威爾森・克羅可大理石半身像，Francis Chantrey爵士（1781-1841）雕刻

36 鮑斯威爾的同名兒子（參見本章譯註32）。

37 約翰・莫瑞（John Murray）：蘇格蘭裔英國著名出版世家。由約翰・莫瑞（1737-?）創業於

一七六八年，傳衍七代（皆名「約翰・莫瑞」）共兩百三十四年。出版拜倫《哈洛德小子之旅》（一八一六年出版，參見第二卷 I 譯註33）和其他許多作品的是第二代約翰・莫瑞（1778-1843）。

38 紐頓在這篇文章中並未交代他後來花了多少錢購置那部《約翰生傳》，據紐頓藏品拍賣會（一九四一年）目錄所載，那個本子經莫瑞配補雕版插圖多達五百三十幅左右，使原本的兩卷規模暴增為四卷本。除了原有鮑斯威爾致贈其子的題辭之外，底下還有莫瑞的落款（即紐頓所謂「白紙黑字的證明」）：「購自羅茲氏（Rodds）目錄第503號，一八三五年一月十三日，價二鎊十先令，約翰・莫瑞識」，同一頁上還有李察・賀伯（參見本章譯註72）的藏書印（印文為“Bibliotheca Heberiana”），在紐頓購藏之前，這個本子還曾由哈利・B. 史密斯（參見第一卷Ｖ譯註8）收藏過。

39《（美國作家）首版書交易帳》（*A Record of First Editions of Bryant, Emerson, Hawthorne, Holmes, Longfellow, Lowell, Thoreau, Whittier, Collected by William Harris Arnold*）：一九〇一年出版，限量一百二十部。

40 梅里翁印書館（Marion Press）：設籍於紐約州牙買加市的私人出版社。法蘭克・E. 霍普金斯（Frank E. Hopkins, 1863-?）於一八九六年在牙買加自宅「紅樓」（Red House）以其女兒之名創立。可參考由其後人編寫的《梅里翁印書館研究及其出品一覽》（*Merion Press, A Survey and a Checklist*. By Thomas, Amy Hopkins Larremore, New Castle, DE: Oak Knoll Books, 1981，書目部分由Joseph W. Rogers編製）。

41 班氏公司（Messrs. Bangs and Company）：參見第一卷Ⅲ譯註122。

42 即威廉・洛林・安德魯斯（參見第一卷Ⅱ譯註56）。

43 裝前刷金（gilt on the rough）：書口未裁（參見第一卷 I 譯註93）的書，其刷金（參見第一卷Ⅱ譯註65）的手續通常先於合訂。等到將書疊縫綴組裝完成後，其金口便會略呈不平整狀（rough），而不像內頁裝訂好切齊書口再上金那麼平滑。此種作法便稱為「裝前刷金」或簡稱「裝前金」（rough gilt）。

44 即湯瑪斯・詹姆斯・魏斯（參見第三卷Ⅱ譯註13）。

45 指《阿胥禮藏書樓藏品目錄：湯瑪斯・J. 魏斯所藏印本書、稿本、親筆信札》（*The Ashley Library Catalogue of Printed Books, Manuscripts and Autograph Letters collected by Thomas J. Wise*）十卷。一九二二年至一九三六年私家印行（限量二百部，不對外發行）。

46 培西主教（Bishop Thomas Percy, 1729-1811）：十八世紀英國神職人員、文學家。一七六五年編製《英文古詩殘篇》（*Reliques of Ancient English Poetry*）三卷。與約翰生、戈爾德史密斯皆有交往。

◎培西主教

47 瑪莎・華盛頓（Martha Washington, 1731-1802）：美國首位第一夫人。閨姓Dandridge，一七五九年帶著與先夫Daniel Parke Custis所生的兩個孩子與喬治・華盛頓（George Washington, 1729-1799）結婚。華盛頓夫人襄助夫婿革命事業甚力。

◎瑪莎・華盛頓

48 C. F. 甘瑟（Charles Frederick Gunther, 1837-1920）：德國裔芝加哥甜食商人、史料收藏家。

49 紐頓並沒有點出那名書商究竟是何人，而是以「白（Blank）先生」姑隱其名，不無「空心大老倌」的雙關意思。

◎C. F. 甘瑟

50 這封由奧立佛・戈爾德史密斯寫給大衛・加雷克的親筆信函原先在莫里森（Morrison）藏品拍賣會上被法國Le Ganlois的編輯兼社長亞瑟・梅耶（Arthur Mayer）標得；羅森巴哈後來在梅耶藏品拍賣會上買下；紐頓購入此函後，終其一生不曾外流、一直安居在「橡丘齋」書房。

51 由於英國書籍買賣歷史極為悠久，書商之間的流通亦早有一套穩定牢固的網絡。相對於拍賣會這個「後生晚輩」，書商自然比較「老大」；雖然頻頻被紐頓斥為不光明磊落的「詭計」，其實就某方面而言，當時英國書籍拍賣的封閉形式並不無道理。由書商掌控拍賣會，可壓低進貨成本（因參與拍賣會的書商之間不會因相互瘋狂競標而令書價飆高），會後的場外交易則可安排某部書籍交到最適合的書商手裡，至於不輕易讓外人參與，則是要確保書商的生意管道（讓一般人買書皆須透過書商），這些措施都是著眼於書籍流通的效率（雖然對賣書與業外的人比較不公平）。而美國自建國（甚至早於建國）初期，以拍賣形式銷售各種商品即已司空見慣，參與者自始即為一般民眾，自然不易被書商完全把持。由於歷史條件基礎不同，因此兩地的拍賣會在本質、形式上皆不一樣。現今英國的拍賣會早已十分健全茁壯，早年那種完全封閉的形態也轉趨開放（尤其大型拍賣會更不可能排斥外人參加），倒是日本古書界仍維持此種業內運作的方式，大部分古書拍賣會仍只開放給書商參與投標。

52 達靈勛爵（Lord Charles J. Darling, 1849-1936）：英國法官。

53《斗篷女奈莉》（應為*Nellie, the Beautiful Cloak Model*，紐頓原文誤作*Nelly, the Beautiful Cloak Model*）：一九二四年在美國上映的奇情電影。由Emmett J. Flynn執導。根據美國劇作家歐文・戴維斯（Owen Davis, 1874-1956）一九〇六年發表的劇本改編。

◎《斗篷女奈莉》劇照，右方為飾演奈莉的Claire Windsor

54《瑪格麗特・尼可森遺稿殘篇》（*The Posthumous Fragments of Margaret Nicholson; Being Poems Found Amongst the Papers of that Noted Female who Attempted the Life of the King in 1786*）：雪萊與門生Thomas Jefferson Hogg於一八一〇年在牛津發表的敘事長詩（由瑪格麗特・尼可森的外甥John FitzVictor編輯）。瑪格麗特・尼可森（c.1750-1828）原為女傭，因屢遭不幸導致心智扭曲，一七八六年八月，她混入歡迎國王回宮的人群之中，伺機行刺喬治三世不成，經樞密院（Privy Council）審理判決監禁。當時就讀牛津大學的雪萊與湯瑪士・傑佛遜・霍格出版此書。

55「哈吉森先生父子公司」（Messrs. Hodgson and Son）：英國書商暨拍賣商。在倫敦開設文具書籍舖子的Edmund Hodgson（1793-?），一八二六年與老字號書商Robert Saunders（一八七〇年開業）合併，並於一八二八年取得經營權；一八六三年將店面遷至法院巷（Chancery Lane）115號。一八六七年其子Barnard Becket（1831-?）與Henry Hill（1837-?）接掌生意；一九〇〇年再傳給Henry Hill的兒子John Edmund（1875-?）與Sidney（1876-?）。此行號於一九六七年被蘇富比公司併購，但仍以「哈吉森廳」（Hodgson's Room）為名，在蘇富比旗下延續其書籍拍賣業務。直到Sidney的兒子Wilfrid（1915-2002，一九四七年入夥）於一九八一年退休，哈吉森家族的販書事業才告終止。

56 參見本卷Ⅲ譯註5。

57 詹姆斯・羅蘭・安傑爾（James Rowland Angell, 1869-1949）：耶魯大學第十四任校長（任期一九二一年至一九三七年）。

◎詹姆斯・羅蘭・安傑爾

58 巴騰・昆奈特（Button Gwinnett, 1735-1777）：美國建國時期政治家。昆奈特的簽名在古籍市場向來被視為珍品，一九七九年一封署名信函在紐約拍賣場以十萬美元成交，至一九八三年已增值為二十五萬元。

◎巴騰．昆奈特

59「大陸議會」（Continental Congress）：美國獨立戰爭期間，由十三州推派代表參與的過渡政體。一七七四年召開第一次大會，第二次則於一七七五年至一七七六年間舉行。一七七四年七月二日，此機構議決獨立，兩天後發表〈獨立宣言〉成立美利堅合眾國。

60 拉克蘭．麥金塔（Lachlan McIntosh, 1725-1806）：美國建國時期軍官。原籍蘇格蘭。一七八四年參與大陸議會；一七七七年與昆奈特決鬥勝出。

◎拉克蘭．麥金塔

61 羅森巴哈於一九二五年在安德遜藝廊舉辦的拍賣會上以兩萬兩千五百美元標下一紙包含昆奈特簽名的〈獨立宣言〉；隔年又以兩萬八千五百美元向Arthur W. Swann夫人買到另一枚，創下當時名人簽名的成交價記錄。一九二七年三月十六日，他又在安德遜藝廊的拍賣會買到一封有昆奈特署名的一七七六年信函，這次花了五萬一千元，羅森巴哈自述此事「簡直樂死我了」（"I was tickled to death." 見《書與競標客》）。

62 湯瑪斯．F. 麥迪根（Thomas F. Madigan, 1891-1936）：專門經營手稿買賣的紐約著名書商。按月發行《簽名收藏快訊》（*The Autograph Bulletin*）；曾著作《美國公眾人物事典》（*A Biographical Index of American Public Men: A useful Hand-Book and Check List for Autograph Collectors, Librarians, etc.*, New York: 1916）、《偉人筆蔭》（*Word Shadows of the Great: The Lure of Autograph Collecting*, New York: Frederick A. Stokes, 1930）以及其他數種關於名人簽名收藏的參考書與專著。

63《愛麗絲夢遊奇境》（*Alice's Adventures in Wonderland*）：英國作家路易士．卡洛（Lewis Carroll, 1832-1898，本名Charles Lutwidge Dodgson）的童話作品。一八六五年初問世時的書名是《愛麗絲地底漫遊記》（*Alice's Adventures Under Ground*）。

64《君王豪傑》（*The Dynasts, An Epic-Drama of the War with Napoleon*, I three Parts, nineteen Acts and one hundred and thirty Scenes）：哈代的劇作。全書共分三部，分別於一九〇三年（首刷本存世甚稀，以致一九〇四年再刷本亦被當成首版對待）、一九〇六年、一九〇八年出版。

65 "The woman who hesitates is lost; the man who deliberates loses."：前一句出自約瑟夫．阿迪森（Joseph Addison, 1672-1719）一七一三年的劇作《卡圖》（*Cato*），原句應是"The woman that deliberates is lost." 後來引伸成為男、女都可適用的俚語。

◎Sir John Tenniel繪製的《愛麗絲夢遊奇境》插圖

66 喬治．巴爾．麥克卡契昂（George Barr McCutcheon, 1866-1928）：美國文人、藏書家、作家。麥克卡契昂藏品拍賣會由美國藝術協會主辦，自一九二五年四月延續至翌年。

◎喬治．巴爾．麥克卡契昂

67「附貼」（"tipped-in"）：由於與內文運用不同的印刷方式，舊時書籍的插圖往往會另行印製，待裝訂時再一一貼入書頁中。此作法稱為"tipped-in"或"paste-in"。

68 威廉．嘉農（William Gannon）：紐約書商。

69 保羅．海德．波拿（Paul Hyde Bonner, 1893-1968）：美國作家。

70 巴爾頓．W. 庫里（Barton W. Currie, 1877-1962）：美國藏書家。曾在紐約許多報社擔任記者，後來參與《鄉紳》（*Country Gentleman*）、《仕女居家月報》（參見本卷致謝辭譯註2）、

《大千世界》(參見第五卷Ⅱ譯註1)等刊物的編輯工作,在寫作圈交遊甚廣。受紐頓與羅森巴哈的影響開始涉足藏書。庫里藏書並不盲目追隨其他藏書家,而是專注於自己喜歡的作家作品。他曾在自傳《漁書生涯》(*Fishers of Books*)中自承他不顧紐頓、廷克等人的勸阻,對康拉德作品義無反顧並見機購入大批康拉德手稿。庫里晚年投入寫作,較無暇兼顧藏書。其藏書於一九六三年五月七日由派克一貝涅特公司拍賣,那批康拉德手稿的成交金額創下記錄。

71《史密斯當局》(*The Smith Administration*):吉卜齡的短篇小說。一八九一年出版。

72 李察・賀伯(Richard Heber, 1773-1833):十九世紀初英國極為活躍的藏書家。賀伯曾對外公開表示:「每位紳士庋藏的任何一部書都得儲備三部,一部用來展示、一部專供翻讀、一部則備以外借。」(“No gentleman can be without three copies of a book, one for show, one for use, and one for borrowers.”);因此他的藏書量迅速增長,據悉總量達十五萬冊以上,不得不分別儲放在八幢不同的房子(地點則分布於英國與歐陸);友人華特・史考特爵士(參見第一卷Ⅳ譯註14)曾讚譽他的藏書質量「超越全世界」(“superior to all others in the world”)。他死後藏書送交拍賣,單單儲放在英國本土的部分就賣得五萬六千英鎊。

◆第五卷◆

蝴蝶頁──文藝隨筆集

End Papers: Literary Recreations

1933

◆紐頓自用藏書票之五◆

■喬扮成行獵高手的藏書家。H. J. 兄弟（H. J. Brothers）繪製

§第五卷目錄§

謹將此書獻給

阿格妮斯・芮普里亞[1]暨卡洛琳・辛克勒[2]

感謝她們願將其卓越才智

慨然奉獻給此一所謂

手足情誼之城[3]

「以下即將呈現在大眾面前之此回拙作，令吾不僅須負嵎頑抗寫作者恆常遭遇之種種困頓，亦必將改變吾自身過去強加於世界的認知，值此年歲，吾或可無懼不疑，以期更有效率地投入寫作。」[4]——拜倫

「題外漫言，無庸辯駁，一如融雪暖陽；——乃閱讀之生命與精髓！——倘將其自書中摘除，——則與捐棄全書無異；——無垠寒冬將壘壘覆埋書頁矣。」[5]——史德恩

筆者謹向下列各編者、出版社以及個人致上敬謝：《星期六文學評論》、《大西洋月刊》、《耶魯評論》與《珂羅封》[6]的編輯先進；荷頓・米夫林出版公司、哥倫比亞大學出版社、限定版俱樂部[7]；並特別感激卡洛琳・威爾斯小姐、威廉・M. 艾爾金斯[8]先生、與休・崔加司基斯[9]先生。銘謝諸位慨然允許我得以在此刊印這批文章。

【譯註】

◎阿格妮斯・芮普里亞

1 阿格妮斯・芮普里亞（Agnes Repplier, 1858-1950）：美國作家。曾著《書與人》（*Books and Men*）、《珠玉集》（*Essays in Miniature*）、《費城其地其人》（*Philadelphia—The Place and the People*）等書。

2 卡洛琳・辛克勒（Caroline Sinkler, 1860-1949）：費城社交界、藝文圈名媛。

3 「手足情誼之城」（City of Brotherly Love）：費城的暱稱。費城還有另一個暱稱：「回報以愛之城」（The City that Loves You Back）。

4 語出拜倫詩集《閒散時光》（*Hours of Idleness, A Series of Poems Original and Translated*, 1807）首版前言首段。該書出版時拜倫年僅十九歲，仍在劍橋就讀。

5 語出勞倫斯・史德恩的小說《崔斯特朗・榭帝》第一卷第二十二章。

6 《珂羅封藏書家季刊》（*The Colophone, A Book Collectors' Quartely*）：美國藏書刊物。此刊物歷經數度改版。《珂羅封》於一九二九年由紐約品森出版社（Pynson Press）創辦，創刊號於一九三〇年二月出版，直到一九三五年共發行五卷二十輯；《珂羅封革新版》（*The Colophone: The New Series*）第一卷第一號（夏季號）則於同年接續發行至一九三八年，共發行十二輯；一九三八年發行《書籍印製年刊》（*The Annual of Bookmaking*）；一九三九年發行四輯《珂羅封新畫刊》（*The Colophone: New Graphic Series*）。《新珂羅封》（*The New Colophone*）則於一九四八年起復刊，至一九五〇年共出版九輯。此刊物匯集當時藏書、出版、美術、工藝等領域最頂尖的人才，先後擔任編輯的包括Elmer Adler、Burton Emmett、約翰・T. 溫特里屈（參見第四卷 I 譯註16）、Alfred Standford、Frederick B. Adams, Jr.,等，而摩利、紐頓、埃克爾、高迪、葛蘭尼斯……等人與其他許多位藏書家、學者皆曾列名特約編輯、撰述、顧問等職銜（關於「珂羅封」的含義見第四卷Ⅲ譯註6）。

7 限定版俱樂部（Limited Editions Club）：設籍於紐約的愛書社團暨出版機構。喬治・麥西（George Macy, 1900-1956）於一九二九年成立，致力於限量（通常每部書的印量為一千五百部）精緻印行文學經典。麥西死後，其遺孀接續他的職務直至一九六八年由其子強納森（Jonathan Macy）繼承。一九七〇年被Boise-Cascade公司併購；一九七九年華爾街鉅子Sidney Shiff入主，將它轉型為著重書籍藝術（livres d'artiste）效果（非指內容，而是外在形式）的出版單位，他引進許多非裔美術人才並藉由與海外版畫家、設計師合作，提升出版品的藝術典藏價值。

8 威廉・M. 艾爾金斯（William McIntire Elkins, 1882-1947）：費城收藏家、藏書家。曾經透過羅森巴哈買進大批「善感齋」藏書。艾爾金斯曾延請譚波・史考特為他的奧立佛・戈爾德史密斯相關藏品編製目錄（參見附錄二譯註7），該書由好友紐頓作序。艾爾金斯曾限量印行（三百部）小冊子《愛迪・紐頓的座騎：A. 愛德華・紐頓逸史》（*Eddie Newton's Ride; or, The Diverting History of A. Edward Newton,* New York: The Boo Table, 1934），所得用以挹注財務困窘的紐約書店，其中收錄摩利詩作一首。

9 休・崔加司基斯（Hugh M. Tregaskis）：倫敦書商詹姆斯・崔加司基斯（參見第一卷 I 譯註131）之子。

I 藏書江山代有人出

每位收藏家八成都曾在某個（或某幾個）自認興趣盎然的人苦苦央求之下，勉為其難出示收藏品，可是，那些傢伙說穿了，只不過打算要逢人吹噓：「哦，沒錯，某某先生和他的收藏品我都熟得很。」要是那位收藏家碰巧運氣夠好，收藏的東西是名畫或畫片、或任何光用眼睛瞧就能打發的玩意，他自然大可無牽無掛、輕鬆愉快地說：「隨時歡迎光臨。」然後好整以暇等客人上門再把東西擺出來就行了。可是書籍這玩意，除了得從書架上一本一本抽出來之外，還得逐一詳加解說其版本細節。情況完全不能相提並論。我試舉一個例子好讓大家更明白——關於那部薄薄的小書《裘瑞、靄理斯與埃克頓．貝爾合集》（其實是勃朗黛三姊妹寫的）：如果上頭有「埃洛特與瓊斯」的印行標示的話，那個本子約可值五、六百英鎊；同樣一部書，要是印行標示註明的是「史密斯與艾爾德」，其價格就連十英鎊都嫌太貴了。

其實，任何一位專門蒐集英詩的「收藏家」對於那部小書背後的悲慘身世，想必都早已瞭若指掌——話說夏洛特．勃朗黛某日在家裡翻找出一本被愛蜜莉寫滿了密密麻麻詩詞的筆記本，姊妹們經過密集的討論和數度書信往返之後，她們決定將那本由三人合寫（么妹安妮後來也加入寫作陣容）的詩集冊子付梓。可是卻一時找不到任何出版商肯為她們冒風險，直到最後，倫敦的埃洛特和瓊斯兩位先生終於勉強答應代為出版，不過那筆三十來英鎊的印製費用得由她們自行負擔。三姊妹欣然同意，蹉跎了好一陣子之後，那部詩集終於出爐了。過了一年之後，出版商的銷售回報數字居然顯示只賣出兩部。姊妹們大失所望自然不在話下，但她們對此沉重打擊仍然看得很開，三人只各自拿了一、兩部分送好友；就在此時，史密斯與艾爾德出版社出面表示願意接手，她們便將那批原本已經決定要送往紙廠化漿還魂的印張全數轉交給他們，不多時，詩集重新問世。於是，時至今日，有「阿洛特與瓊斯」印行標示的本子自然奇貨可居。此外，還衍生出另外幾項疑點，以裝訂來說，其中幾個本子的封面盲紋壓印呈現豎琴圖案，其他幾部則是幾何圖形；究竟哪種本子成書在先？據吾友莫里斯．L. 帕律希[1]說：該書的裝幀至少有四種不同款式，其中以幾何圖形的本子問世最早⋯⋯——你看吧，光解決掉一部書，就得費掉上頭又臭又長這麼大一串口舌工夫。藏書家假使打算向每位賓客們賣弄自己對藏書的深厚知識，大抵每捧出一部像樣的書，他就免不了得對每個上門的訪客來上一段諸如此類的解說。這些話倘若只說一遍，甚至十遍，還算是樂在其中，但如果再多講個幾趟，那可就苦不堪言了。

我自己就曾有過這麼一個經驗。有一回，我親眼看見某人伸出一雙髒手在一部上好的布雷克《純真之歌》上頭拚命磨蹭，然後信誓旦旦地對旁人嚷嚷：「這些圖版鐵定是用石版（lithography）印的，你瞧上頭的顏色被我擦掉了一些！」我當下真想一刀剁了他，不過，顧念那傢伙家中尚有妻小，不得已只好饒了他的小命。後來我向一位倫敦友人提起這樁事，他便傳授我一記專門對付這種人的妙招。我這位朋友專收上好的現代詩：華滋華斯、雪萊、拜倫、濟慈、丁尼生、白朗寧⋯⋯等名家傑作——每一部都是書品絕佳的原始裝幀本。每逢半生不熟的訪客上門，他不拿出真正的善本，而是出示其他東西，卻照樣能教訪客開心。他會慎重其事地從口袋裡掏出一把鑰匙，指著房間角落的一口書櫥，煞有介事地對客人說道：「詩集乃我的鎮室之寶您是曉得的；瞧見那口櫥子沒？喏，鑰匙交到您手上：敬請盡情欣賞我的珍藏，還請您多多擔待。」接著要是聽到誰又把書本砸到地上、或看見哪個沒長眼的傢伙放著碟子不用，硬將茶杯直接往書本上一擱，他也絲毫面不改色，因為鎖在那口櫥子裡的每一本書其實全是不用腦筋、花費約六便士隨手買來的，一概沒有賴以增值的「版記」；換句話說：那些書正是用來充當首版善本們的替死鬼。只須略施區區小計，便可令賓主兩造盡歡——某某先生既能放心將藏書「驕其賓客」；粗手先生和笨腳小姐亦可飽享眼福。

不過我倒是還有另一種截然不同的經驗。若干時日前，史瓦茲摩學院[2]的史畢勒（Robert Ernest Spiller）教授率領一群在他門下「選修國文課」的年輕先生、小姐到我家，那些孩子們的虛心和聰穎著實令我大為吃驚；其中一位（活脫還只是個小丫頭）竟然拿著鮑斯威爾的《約翰生傳》考起我來了，還差點兒讓我一世英名當場破功。有鑒於此，當同一位史畢勒教授最近又問我是否方便再帶另一批學生來參觀我的藏書，我便回信告訴他，憑我的能耐只許一次接待十名、頂多十二名學生，隨便挑一天大夥兒方便的下午都行。不久之後，賓客們依約登門；幾個人怯生生地進入我的書房，幾個人頻頻問東問西，其他幾個則團團圍住史畢勒教授在課堂上講授過的某部書議論紛紛。談到這裡，暫且容我岔開講幾句題外話。假使我是個在學校教授英文文學的老師，我一定會傾全力灌輸學生們一個觀念：文學乃生命之寫照；而且我會努力將文學營造得像生命本身一樣生動有趣。最要不得的就是讓學生誤入歧途，進而一味認定某些偉大的曠世名著乃「非讀不可」。要是有人問我該如何實踐，我就會告訴他：將每一部偉大的書當成一位偉大的人來對待，華特・惠特曼即有此一說：

> 同志！見書不是書，
>
> 待書如待人，方可盡得其中真髓。[3]

然而不管哪部書如今多麼書如其人，它勢必也都經歷過嗷嗷待哺的嬰兒階段；其孕生過程正如母親懷胎分娩，劇痛難產每每不為人知。任何一部偉大的書都是歷經千辛萬苦方能留存至今；蓋每一千部書得以存活下來，即代表另外一萬部不幸夭折。是故，倖存者才更值得大家細細品味、審讀其何以能抵禦動盪、跨越阻撓，而屹立於這個險惡的世界於不墜。

回頭繼續談那群小訪客吧。他們剛進門時還帶著那麼一絲絲靦腆怕生，但沒過一會兒工夫便將客套矜持全部拋諸腦後；接著有人鼓起勇氣開口發問，就在我忙著回答的時候，這邊又有人冷不防提出另一道問題，大家的芥蒂便在不知不覺之間冰釋於無形，氣氛頓時變得熱絡愉快起來。我從沒見過那麼冰雪聰明的孩子；甚至，一個小伙子還問起關於首版《抒情歌謠》[4]的問題，直教我刮目相看。懂得問這種問題可真不簡單，因為那部書或許是整個文學史上意義最深遠、過程最有意思、也最令人傷腦筋的一部詩集，於是我當場話匣子一開，滔滔講起那部書初次問世的來龍去脈：此部《抒情歌謠》除了甫問世即被譽為英文詩史的里程碑之外，其首版印行的坎坷過程和命運多舛的勃朗黛姊妹詩集相去不遠。我口若懸河、縷縷細述此書如何於一七九八年由畢格氏與柯托[5]首度印行，銷售量比起勃朗黛的詩集好不到哪兒去，那個本子（當初柯托付給華滋華斯三十基尼買斷版權）一度也差點就被送進紙漿廠，最後柯托決定將賣不掉的一大堆印張「原封不動」運到倫敦，僥倖蒙J.與A.亞契[6]眷顧，那部書才從此步上坦途。這一連串經過，全在一七九八年那一年內發生。書中第一首詩便是〈古舟子詠〉（"Rime of the Ancyent Marinere"），而首版卻完全未註明該詩乃由柯勒律治所譜寫。

過了兩年之後，書名頁上印著華滋華斯大名的另一部兩卷本《抒情歌謠》堂堂問世，作者才在序文中詳述了他對於詩歌本質的想法及意圖。在短時間內迅速暢銷的書通常也死得快；而賣得慢吞吞如老牛拖車、奄奄一息的書卻能像星星之火，往往蔓延燎原直至難以想像的地步。總之，咱們現在全曉得那部兩卷本的《抒情歌謠》收錄了若干開天闢地以來寫得最好的幾首詩。直到每個愛書人、藏書家全在心底暗忖或大聲疾呼：「我非擁有一部有布里斯托印行標示[7]的《抒情歌謠》不可。」至於那個版本如今還剩下幾部呢？我不曉得。倫敦的T. J. 魏斯[8]向來一言九鼎，他曾親口告訴我：就他所知該版本存世僅餘六部。好幾年以前，曾經有人拿了一部向我兜售，當時索價七百五十元──欸，你沒看錯，正是七百五十元整。結果那個本子（我連瞧一眼的機會都沒有）被辛西雅．摩根．聖約翰[9]買走；而她所珍藏的那批華滋華斯藏品（恐怕是國內有史以來最精的一批收藏）後來則由維克多．艾曼紐爾一口氣捐給康乃爾大學。史溫朋曾盛讚該書乃「英文文學的黑色鬱金香」。如今誰又說得準一個本子究竟該值多少錢呢？五千、一萬元八成跑不掉，不過就算是這個價碼，你也根本休想買到手哩。一部倫敦印行標示的本子現在市值五百元，但有人預測未來將可上漲十倍。我所收藏的本子，已裝幀，但書口未裁，附勘誤表外加兩頁廣告，其價格一度高達五英鎊之譜[10]。

上頭講了一大堆，或許對讀者而言略嫌枯燥，但是對一名認真鑽研的莘莘學子來說，能夠親手摸到這麼多曾經在世上翻雲覆雨、被學術界定為一尊的書籍，必定大為雀躍。當我賣力地細說從頭的時候（其實我也全是從別人那兒聽來的），我察覺身旁有個女孩一直迫不及待想插嘴發問，她想問我有沒有布雷克的《詩草》，還有：那部書的出版時間是否晚於且無涉及華滋華斯和蒲伯分道揚鑣？「妳這幾個疑問的答案均是肯定的。」我這麼回答她。好吧，咱們就來聊聊那部一七八三年版的《詩草》；布雷克恰如一顆耀眼流星，光熱均已燃盡。而華滋華斯所創立的門派，影響力則一路延續至今。目前正逐步躋身詩人之列的馬修．阿諾德受其影響尤鉅。

沒錯，我認為阿諾德讚詠莎士比亞的那首十四行詩寫得極其美妙：我並不曉得那首詩流露出特別受到華滋華斯的影響，但是的確寫得鏗鏘有力：

> 旁人飽受我們的質疑。汝卻安然自在。
>
> 眾人一問再問：汝笑而不答自在依然，
>
> 絕頂過人之學識……[11]

阿諾德寫作這幾句詩的時候年紀尚輕；幾個星期前我才在大英博物館看過此詩原稿。沒錯，用這樣的句子讚美莎士比亞的確有失莊重。是的，我曾經親自造訪下史道威[12]，那簡直是我生平所見最破敗、凋敝的一座村莊。我對柯勒律治並不太感興趣：我深受奧古斯丁．伯雷爾《閒話漫談》[13]裡頭的某篇文章影響，老早就對柯勒律治死心塌地。這是我在一八八五年買來的本子，而且打從那會兒起我就讀過好幾遍了，且讓我為各位朗誦其中一段吧：

「當蘭姆提及他的姊姊瑪麗（眾所周知，她在整部《伊利亞隨筆》均中化身為『碧麗姬（Bridget）堂姊』）時，他如是說：『吾家堂姊命中注定把那些標榜新潮哲學和理論的自由思想家、意見領袖及其信徒們當作她與我的往來對象（或許其頻繁程度猶高過我自己的意願），然而她對於那些人士的意見卻始終既不辯駁亦不接納。』[14]其實她這個弟弟也沒好到哪兒去。他終其一生只會耍嘴皮子、鎮日沉湎在那些偉大的對開本之中，對周遭眾好友們的意見他同樣也是既不辯駁亦不接納。對於一個不瞭解他的當代人來說，相較於那些高深的哲學家、思想者，他的一生簡直無足輕重、百無一用。他們高談闊論、埋首探究深奧哲理，成天大哉問：『真理為何？』（"What is Truth?"）而他呢，貪戀瓶中物、沉迷桌上牌，只關心：『王牌為何？』（"What are Trumps?"）便已心滿意足。但是對我們而言，再三仔細審視那個小圈子，徹底瞭解那些人的德性之後，咱們絕不至於產生那種錯誤的認知。在我們看來，此正恰恰駁斥所有對他的質疑（不論採用任何標準或合情合理的道德要求），明白證明蘭姆的為人比起那幫人都強得多。用不著拿他與戈德溫、哈茲里忒[15]或洛依德[16]之流相比；我們大可將他與身後名列廟堂的人士──比如：集『邏輯學者、玄學家、詩人』於一身的山繆・泰勒・柯勒律治──等量齊觀。」

接下來他還寫了好幾段話，但咱們只消看結語就夠了：「譏評某些人尚可稱樂事一樁。然柯勒律治並不在此列。如果能夠的話，我們自然十分樂於喜愛這位曾寫出〈克麗絲塔蓓爾〉[17]的作者！然而此事絕無可能。此君並不值得吾人讚佩……柯勒律治年及弱冠便規劃出可發揚所有美德的『大同世界』[18]。相較之下，蘭姆的處境畢竟沒他那麼輕鬆愜意：他必須夜夜陪伴弱智的父親玩牌，聆聽他漫無休止的叨叨唸唸、指責挑剔，即便鐵打的漢子，經年累月承受如此精神轟炸，包準也會志頹氣喪、感官麻痺……柯勒律治娶妻生子一生平順。而蘭姆，囿於養家職責在身，則不得不始終維持單身，父親、姊姊所帶來的悲慘命運便是他的終身伴侶[19]。吾人該為他一掬同情淚乎？非也；他已得其回報──惟獨體現於文學成就的宏偉回報。寫得出〈夢中兒〉[20]的人乃是蘭姆，非柯勒律治也。」[21]

我前面引用了一段不算短的文章，恰好順理成章向大家介紹我最珍貴的一件藏品：〈夢中兒〉手稿原件。這篇稿子寫在印度樓[22]用箋上，想必查爾斯・蘭姆當時正忙著和象牙、靛藍等林林總總物資的價格數字艱苦奮戰。「誠然，竊以為〈夢中兒〉之末段與史德恩《崔斯特朗・榭帝》當中提及考核天使[23]那一段的確有異曲同工之妙，在在皆屬遣辭用字均優之上乘佳作，而我確信那位受人景仰的評論家──溫切斯特（C. T. Winchester）教授，必然也會同意我的看法。」

「《崔斯特朗・榭帝》？喔，沒錯沒錯，那確實是一部偉大的著作。我這兒正好有一部紅色皺紋摩洛哥羊皮裝幀的九卷本首版。」

2

in watching the dace that darted to & fro in the fish pond at the bottom of the garden, with here and there a great sulky pike hanging midway down the water in silent state as if it mocked at their impertinent friskings — I had more pleasure in these busy-idle diversions, than in all the sweet flavors of peaches, nectarines, oranges, and such like common baits of children. Here John slyly deposited back upon the plates a bunch of grapes which, not unobserved by Alice, he had meditated dividing with her, and both seemed willing to relinquish them for the present as irrelevant. — Then in somewhat a more heightened tone I told how, though their great grandmother Field loved all her grandchildren, yet in an especial manner she might be said to love their uncle John L——, because he was so handsome and spirited a youth, and a king to the rest of us; and, instead of moping about in solitary corners, like some of us, he would mount the most mettlesome horse he could get, when but an imp no bigger than themselves, and make it carry him half over the county in a morning, and join the hunters when there were any out — & yet he loved the old great house & gardens too, but had too much spirit to be always pent up within their boundaries — and how their uncle grew up to man's estate, as brave as he was handsome, to the admiration of every body, but of their great grandmother Field most especially; — and how he used to carry me upon his back when I was a lame-footed boy — for he was a good bit older than me — many a mile when I could not walk for pain; — and how in after life he became lame-footed too, & I did not always (I fear) make allowances enough for him when he was impatient and in pain, nor remember sufficiently how considerate he had been to me when I was lame-footed; — and how when he died, though he had not been dead an hour, it seemed as if he had died a great while ago, such a distance there is betwixt life & death; — and how I bore his death as I thought pretty well at first, but afterwards it haunted & haunted me; and though I did not cry or take it to heart as some do, and as I think he would have done if I had died, yet I missed him all day long, & knew not till then how much I had loved him — I missed his kindness, & I missed his crossness, & wished him to be alive again, to be quarrelling with him (for we quarrelled sometimes) rather than not have him again, & was as uneasy without him, as he their poor uncle must have been when the doctor took off his limb. Here the children fell a crying, and asked if their little mourning which they had on was not for uncle John, and they looked up, and prayed me not to go on about their uncle, but to tell them some stories about their pretty dead mother. — Then I told how for seven long years, in hope sometimes, sometimes in despair, yet persisting ever, I courted the fair Alice W—n; and, as much as children could understand, I explained to them what coyness, & difficulty, & denial meant in maidens — when suddenly turning to Alice, the soul of the first Alice looked out at her eyes with such a reality of re-presentment, that I became in doubt which of them stood there before me, or whose that bright hair was; — and while I stood gazing, both the children gradually grew fainter to my view, receding and still receding, till nothing at last but two mournful features were seen in the uttermost distance, which without speech, strangely impressed upon me the effects of speech; "We are not of Alice, nor of thee, nor are we children at all. The children of Alice call Bartrum father. We are nothing; less than nothing, and dreams. We are only what might have been, and must wait upon the tedious shores of Lethe millions of ages before we have existence and a name" — and immediately awaking, I found myself quietly seated in my bachelor armchair, where I had fallen asleep, with the faithful Bridget unchanged by my side — but John L (or James Elia) was gone for ever.

Elia

◎〈夢中兒〉手稿原件之第二頁

接著我繼續說：約莫五十年前，我再怎麼通天本領也猜不到奧古斯丁．伯雷爾有一天居然會成為我的朋友。是的，我和他非常熟稔：我上回到倫敦的時候，還招待他到加雷克俱樂部吃便飯。他是個硬底子的老派愛書人，我真希望終有一天自己也能成為一個硬底子老派愛書人。前幾天我才剛收到他寫來的信，他在信中談到狄更斯，他寫道：「我對他的熱愛熾烈如昔。」真是個好人。伯雷爾現在已經高齡八十四歲了，鎮日足不出戶在坐落於切爾西（Chelsea）的自宅中閉關。他不僅身兼約翰生高夫廣場故居管理委員會的委員，而且曾經是倫敦社交場合上最受歡迎的主講者，他的言論充滿機鋒、睿智與慧黠，當然，其中以機鋒的成分最大。

「我的約翰生藏品都擺在那幀肖像畫下頭，一整排都是……不，我絕不會假裝自己看得懂布雷克的『預言書』[24]，而且任何人要是敢說他看得懂我都不信……《白鯨記》！你可真是問到重點了！我這兒有三卷本的英國版，一八五一年在倫敦印行，同年出版的紐約版卻是單卷本。據說三卷本比單卷本更簡短呢。比對兩種版本的內文，找出其中的差異並一一挑出闕漏的段落，如果真有闕漏的話，必定是一樁挺有意思的事兒。不過，不管是哪種版本，英國版也好、美國版也罷，《白鯨記》都不只是單單一部書喲，而是兩部：一部是你肉眼所讀到的，另一部則隱藏在字裡行間，就那麼著，平白冒出一部既屬靈又玄妙，彷彿出自史溫登堡[25]之手的著作，從某個觀點來說，此書作者必然是史溫登堡的信徒無疑。梅爾維爾的確是天才作家，而且，就像絕大多數的曠世奇才一樣，他在世時並未受到世人的重視。他寫出這部永垂不朽的巨著時，年紀也才不過三十出頭。隨著此書問世，他本人卻就此銷聲匿跡，直到一八九一年住在紐約期間，他再也沒幹出什麼輝煌事蹟——儘管他已油盡燈枯，但是他依然照亮無數後人的道路。每一位在赫曼．梅爾維爾之後寫作海洋題材的人，無疑全受惠於他……至於我所收藏的

《匹克威克外傳》——老實說我收藏了兩部：一部太珍貴了不方便拿出來讓大家看，至於另一部倒還……《失樂園》啊——有有有，放在另一個房間裡頭——《柯摩斯》也擺在那兒。……唉呀呀，我沒有班揚的《天路歷程》；那部書可稀罕了。對，羅森巴哈博士手中有一部，我的朋友賴斯特・哈姆斯沃斯[26]爵士也有，他有兩部……沒錯，我這兒的確有一部莎士比亞的第一對開本。我的弘願就是要蒐盡英文文學史上每一部偉大、以及絕頂偉大作品的首版書。不不不，我尚未達成；有誰敢說自己辦到了？何況我現在蒐集的腳步挺慢的。先把咱們現在的用詞定義清楚。譬如：葛雷的《輓歌》是一部偉大的詩作，但是書倒是不難找。康格列夫的《隱姓埋名》雖然相當罕見，卻算不上多麼偉大……我最喜歡哪位小說家啊？嗯，我還滿喜歡狄更斯的，不過若要論我讀得最勤的，那就非特洛羅普莫屬啦。我最喜歡哪部小說？這個嘛，那得看天氣狀況而定。是的，我非常喜歡珍・奧斯汀的作品。」

一群人圍著我嘰哩呱啦問個不停，問題一個接著一個，有的輕鬆易解；有的艱澀難答，就這麼聊了好幾個鐘頭，直到我瞥見史畢勒站在一旁喜孜孜地打量我一個人疲於應答、不可開交；於是我朝他丟了一句：「你當然樂啦。人家付高薪聘請你專門回答這些問題（眾生聞言紛紛拍手表示贊同）；我這會兒可是不拿錢幹白活哪。你倒說說看：你到底是怎麼教出這批對書本如此感興趣的年輕人呀？」

接著他便告訴我原委（這也是這篇文章的主旨所在）：好幾年前，有一位現已亡故的紳士突發奇想，打算每年捐給史瓦茲摩學院一小筆款子——五十元，如果我記得沒錯的話——作為獎助學金，鼓勵一名在校期間藏書成績最卓越的學生（對象不分男女）。剛開始，壓根沒人把這個競賽當一回事，而遴選優勝者的規則也始終不怎麼嚴謹。後來，某位主事者籌組一個委員會負責頒發該獎項。不

■吉米・赫羅[27]生動描繪「蒐書之道」的作者

幸得很，隨著原發起人亡故，那檔事更形聊備一格，每年給獎都活像最後一屆似的。就在此時，我猛然發覺：這不正是我花小錢做好事的大好機會嗎？班傑明・富蘭克林就常幹這種勾當。他曾經在一封給友人的信中如是寫道：「余財力未豐，不足以屢行善事，拜此之賜，反令余智巧盡施，必藉區區小數以達致極大之功也。」我越想史瓦茲摩那勾當（我以前總那麼稱呼它）就越像那麼一回事兒。只須花費區區五十元，就能讓一名愛書人挺身而出（甚至前仆後繼），要是富蘭克林曉得天底下有這款好事，他不從棺材裡爬出來搶著幹才怪呢！於是我出面承接那項計畫，並順道擬妥後續方案，以免萬一我哪天死了，計畫就會面臨停擺的命運。埃德羅特（Frank Aydelotte）校長悉心瞭解我的全盤擘劃之後慨然接受我的提議，這樁好事就那麼定了下來。

此項獎助計畫若要可長可久，非得制定一套完備的規則不可。但我私下卻又希望這件訂規矩的差事千萬別扯上我，因為本人正是一個和任何規則都不對盤的傢伙。不管怎麼說，若干足供評比參與角逐的學生的標準似乎還是必須一一考慮周詳，於是，負責此計畫的人士提出以下的構想：

此筆五十元獎金，每年贈予符合下列條件之學生乙名。

（甲）蒐集最佳（並非最多）藏書乙批，門類成色、數量多寡不拘，惟須是該生所專精之範疇，舉凡文史、理化、商工……等科目均可。

（乙）鑒於僅有極少數（即使有的話）大學生有能力購置價格昂貴的首版書，然信譽可靠之出版社所發行編輯精良之版本，往往優於重看卻不堪卒讀的本子。學生只須提出實證，足以說明其蒐集、庋藏該批書籍所獲得之樂趣即可。

（丙）能夠適度通過口試，並解釋其何以購置某版本而捨其餘版本之緣由。

假以若干年歲，此構想對於每個蒐集書籍的人必能造成極大、極長久的助益與愉悅。各大學院校必定都有資金、也有人手（差別只在或多或少罷了）足以自行設立一筆類似獎助學金，每年五十元都好，一百元也行；而且這項制度還可以永無止境地持續擴展下去。在這兒我得說一句圖書館不愛聽的話：沒有什麼能比得上自個兒家裡頭一排（或整牆）採光良好（不管是透過一盞燈或是一扇窗）、放滿書本的書架。雖然每個人書架上頭的書一定都不盡相同，討年輕人歡心的書，上了年紀的人不見得受用，但經由閱讀所獲得的喜悅並無二致。若能堅守閱讀的習性，並且持之以恆，（最起碼）便足可令人度過陰霾、捱過慘澹。現今，我每每發現許多家財萬貫的朋友臉上俱是焦慮神色，活得簡直比天天泡圖書館、日日和書本相濡以沫的窮光蛋還不如。一個人要是能愛上閱讀，保證他至死都能無憂無慮。

一個愉快的下午即將步入尾聲：我已經有點累了，但是我的小訪客們卻依然個個精神奕奕。我請其中一個孩子（我忘了是哪位）將他以前寫過的一篇談論那筆獎學金的文章寄給我看，而我後來不但讀得心花怒放，也更堅定了我對那筆獎學金的信心。我深深地為那個計畫一開始並非由我來發起感到扼腕；那可是一樁足以名留青史的好事呀。我滿口答應親自造訪史瓦茲摩學院並擔任評審遴選這一屆的得主；而且，一點兒都不花力氣便從十六名入圍者之中選定得獎者。得主是威廉．H. 克里夫蘭（William H. Cleveland）（正是在我的書房裡問我關於華滋華斯《抒情歌謠》版本問題的那名年輕小伙子）。那批「藏書」裡頭沒有半部首版或珍本，也不是成套的全集，而是經過他親自精心挑選的一批書——總數共約百部詩集、散文、小說、與傳記——眼光真是絲毫不含糊。其中好幾本書的末尾空白頁上還自行編製了特別（不光只有人名）的索引。我自己看書的時候也常常隨手寫下這種註記，不過我總是寫得亂七八糟而且別人看了鐵定會霧煞煞，克里夫蘭君的索引則依字母順序條列得一清二楚。

這年頭要買到一批足登大雅之堂的書並不需要花大錢。雖能擁有量大且質精的書籍是件挺開心的事，但也不需非得如此不可，因為，正如伏爾泰所言：「書籍世界如同人間——僅其中極少數成員扮演極吃重角色。」[28]許多大出版社現在競相推出各式各樣傑出的「文庫」，印刷清晰、用紙精良、裝幀華美，而且開本適中，利於拿在手上展讀亦便於放入口袋中攜帶。其中表現最突出的應屬丹特[29]出版的「人人文庫」、以及牛津大學出版社發行的「世界經典」（Wolrd's Classics）系列，從林林總總的「文庫」之中，光是這兩套就足以取代曩昔（我小時候）十分普及的「波恩叢書」了。卡萊爾嘗曰（忘了他寫在那部書裡頭），大學之用途乃在於訓練一個人能夠閱讀：「良書乙批乃純正大學之本也。」[30]如果真能親炙一百部名著（就算打對折五十部好了），對於促進一個人一生智識活動與餘暇生活必然大有裨益。大家都聽過這句話：沒有任何人在遊樂中還強扮偽君子[31]；此言甚是，那麼一個人透過自我訓練，藉由閱讀好書照樣令自己獲取樂趣，當然也不是絕無可能的事。關於這一點，我是過來人。

要是把今日乏人問津的一百部名著列成一份書單，那肯定很有意思。此舉並非用以指陳那些書已毫無是處，而是它們已經達成了階段性任務，套用培根的話來說——它們皆已被「咀嚼、消化」，並且在不知不覺之中融進我們的內在，而我們也（在不知不覺之中）融入了它們。幾年前，路易士・興德（Lewis Hind）在倫敦出了一部書，他在書中向讀者展示，任何人如何只花費區區十二英鎊，便能夠買到一百部世界名著。縱使每個人所選的百部名著肯定和其他人挑的絕不會完全相同，但只要是秉著誠意良心，任何一份書單都有一定程度的參考價值。

就在我見過那群可愛的大學小朋友之後不久，我和某位有頭有臉的紐約出版商共進晚餐，我在飯局中提起那樁史瓦茲摩計畫（我現在改口這麼稱呼它）。他聽後大表贊同，還催我以此為主題寫一部小書供他出版，不過我念茲在茲的是如何將這個構想更廣泛地散布出去。這也就是我將這篇稿子投給《大西洋月刊》發表的原因。出版商贊成這個構想不足為奇；因為此構想一旦被普遍認同，購書人口勢必會大幅激增。出版社在商言商，必須時時以銷路為念，但我並不是出版商；我所寄望的是終有一天，每個年華老去的人都能看著自己大學時代蒐集的藏書，心底油然而生無限的欣慰。「正是由於這些書籍，」屆時他或許會這麼說，「讓我由衷迷上閱讀，而愛好閱讀從此也成為我生命中喜悅和慰藉的泉源。」

是故，從某個角度來看，這篇文章正像一則廣告——推廣一個構想的廣告，而任何一名老練的廣告人也一定都會這麼告訴你：只要構想的確夠棒，推銷起來就像賣帽子、鞋子一樣不費吹灰之力。何況細心的讀者也會捫心自問：我所被告知的構想究竟好或壞。我再重申一遍：這個構想不是我想出來的，我只不過是——套用時髦的詞兒來說——推銷它的人。總而言之，該項計畫現在已由史瓦茲摩學院經辦，而且，在有識之士心中，這無疑是一道強而有力的品質保證[32]。

【譯註】

1 莫里斯・L. 帕律希（Morris Longstreth Parrish, 1867-1944）：美國商界聞人、藏書家。出身費城書香門第。其藏書以維多利亞時代的小說家相關作品（書籍、手稿、照片與畫作等）為主，歿後捐贈母校普林斯頓大學（帕律希本人於一八八八年畢業）。

2 史瓦茲摩學院（Swarthmore College）：美國賓州一流私立大學。位於費城西南方鄰近郊區，名列「小常春藤」（Little Ivies）名校之一。根據《美國新聞與世界報導》（*U.S. News and World Report*）二〇〇一年所公布的「最佳文理學院」（Best Liberal Arts College）評鑒結果，史瓦茲摩學院在全美一千三百七十三所四年制大學之中排名第二；二〇〇二年全美大學文科排名則與安默斯特（Amherst）學院並列第一。

◎史瓦茲摩學院的新、舊校徽

3 “Camerado! This is no book, / Who touches this touches a man,”：華特・惠特曼一八八一年的詩作〈離別賦〉（So Long!）起首兩句。

4 《抒情歌謠》（*Lyrical Ballads, with a Few Other Poems*）：華滋華斯與柯勒律治合著的詩集（內收柯勒律治僅四首詩）。首版於一七九八年問世（首刷本出自布里斯托畢格氏與柯托，再刷本則由J.與A.亞契印行），此書為英詩開啟全新的風貌，並被公認為英文文學浪漫主義的重要里程碑。此書於一八〇一年一月再版（世稱一八〇〇年版），華滋華斯並補入一篇非常重要的前言；增訂（大都為華滋華斯的作品）第三版則於一八〇二年問世。

5 畢格氏與柯托（Biggs and Cottle）：十八世紀布里斯托（Bristol）地方的出版商（參見第一卷第二章譯註14）。

6 J.與A.亞契（J. and A. Arch）：十八世紀倫敦出版商。

7 布里斯托印行標示：即畢格氏與柯托版。

8 湯瑪斯・詹姆斯・魏斯（參見第三卷 II 譯註13）。

9 辛西雅・摩根・聖約翰（Cynthia Morgan St. John, 1852-1919）：美國藏書家。年輕時即醉心華滋華斯詩作並致力搜羅相關書籍。其藏書於歿後被富商維克多・艾曼紐爾（Victor Emanuel）買下捐贈給康乃爾大學（兩人皆為該校校友）。

10 紐頓收藏兩部倫敦首版《抒情歌謠》（即J.與A.亞契再刷本），分別為Roderick Terry與Charles G. M. Gaskell前藏本。

11 引自馬修・阿諾德寫於一八四四年的十四行詩〈莎士比亞〉（“Shakespeare”）起首三句：“Others abide our question. Thou art free. / We ask and ask: Thou smilest and art still, / Out-topping knowledge. For the loftiest hill,” 此詩收錄在《迷途尋歡客》（*The Strayed Reveller, and Other Poems*, 1849）中。

12 下史道威（Nether Stowey）：位於英格蘭桑默斯特（Somerset）境內。柯勒律治曾與妻（Sara）、子（Hartley）在此處某村舍居住兩年（自一七九七年七月至一七九八年九月），期間創作出《抒情歌謠》。

◎柯勒律治在下史道威的居所

13 《閒話漫談》（*Obiter Dicta*）：奧古斯丁・伯雷爾（參見第一卷 I 譯註150）散文名著，共計三卷（後世編成兩部），分別出版於一八八四年、一八八七年、一九二四年。附帶一提伯雷爾在《閒話漫談》的〈購書之我見〉（“Book Buying”） 一文中對藏書的兩段意見：「從別人手中繼承一筆藏書猶勝自行蒐羅。」(“Good as it is to inherit a library, it is better to collect one.”)、「藏書無法刻意營造，只能任其增長也。」(“Libraries are not made; they grow.”)

14 出自蘭姆《伊利亞隨筆》中的〈希爾福特郡的麥克利莊園〉(“Mackery End, in Hertfordshire”)。

15 威廉・C. 哈茲里忒（William Carew Hazlitt, 1778-1830）：英國評論家、散文家。

16 查爾斯・洛依德（Charles Lloyd, 1775-1839）：英國作家。一七九六年被柯勒律治收為弟子(後來成為朋友)。曾出版小說《愛德蒙・奧立佛》(*Edmund Oliver,* 1798)。

17〈克麗絲塔蓓爾〉(“Christabel”)：柯勒律治未完成的敘事長詩。第一部寫於一七九七年，第二部成於一八〇〇年。描寫李歐萊恩爵士（Sir Leoline）之女克麗絲塔蓓爾。此詩被認為當時最優美的英文詩作之一。

18「大同世界」(Pantisocracy)：柯勒律治與羅勃・騷堤和其他幾位志同道合的朋友（因受法國大革命揭櫫的理念影響）於一七九四年共同構想的理想社會制度。當時一群人計畫在美洲建立共產共享、自給自足、人人平等相待的完美社區，為了遂行此理想，兩人發憤寫作賺錢。但後來兩人意見漸生分歧，加上陳義過高難以爭取認同，此烏托邦家園終未能實現。

19 蘭姆的父親約翰・蘭姆（John Lamb）晚年罹患痴呆症，而姊姊瑪麗亦長年飽受精神方面的宿疾所苦。蘭姆年輕時為了照顧父親、姊姊，不得不格外賣力工作。由於父親只能藉玩牌才能安定情緒，所以蘭姆每天下班還得陪他打紙牌，直到父親就寢。一七九九年父親亡故後，蘭姆將姊姊從療養院接回家中就近照料，並從此相依為命。因此種種緣故，蘭姆的婚事一再蹉跎，雖曾先後有過幾名愛慕的對象，但總無緣結合。

20〈夢中兒〉(“Dream-Chidren: A Reverie”)：《伊利亞隨筆》其中篇章。蘭姆敘述自己與一雙幼兒相處的情景。蘭姆終生未娶，兒女承歡膝下自然純屬想像。

21 紐頓以上兩段引文皆出自《閒話漫談》(第一卷）中的〈獵求真理〉(“Truth-Hunting”)。

22 印度樓（India House）：蘭姆當時任職的官署南海公司（South Sea House）所在的辦公樓，因其內部裝潢的印度風格得名。

23 考核天使（recording-angel）：《崔斯特朗・榭帝》(*The Life and Opinions of Tristram Shandy, Gentleman*. London: 1760-1767）第六卷第八章有一段：“The accusing spirit, which flew up to heaven's chancery with the oath, blushed as he gave it in; and the recording angel as he wrote it down dropped a tear upon the word and blotted it out forever.”而〈夢中兒〉末段為：“We are not of Alice, nor of thee, nor are we children at all. The children of Alice called Bartrum father. We are nothing; less than nothing, and dreams. We are only what might have been, and must wait upon the tedious shores of Lethe millions of ages before we have existence, and a name -- and immediately awaking, I found myself quietly seated in my bachelor arm-chair, where I had fallen asleep, with the faithful Bridget unchanged by my side -- but John L. (or James Elia) was gone for ever.”

24「預言書」(The Prophetic Books)：威廉・布雷克以宗教為題材創作的系列詩畫作品。包括《泰爾書》(*The Book of Thel*, 1789)、《天國與冥府聯姻》(*Marriage of Heaven and Hell*, 1790)、《美洲》(*America*, 1793)、《至理仙書》(*The First Book of Urizen*, 1794)、《彌爾頓》(*Milton*, 1804-1808)、《耶路撒冷》(*Jerusalem*, 1804-1820）等。現代版本可參見A.G.B. Russell（1879-1951）與E.R.D. MacLagan（1879-1955）編輯的《威廉・布雷克之預言書》(*The Prophetic Books of William Blake*)，一九〇四年倫敦A.H. Bullen出版。

25 艾曼紐爾·史溫登堡（Emanuel Swedenborg, 1688-1772）：十八世紀瑞典哲學家、玄秘論者。

26 賴斯特·哈姆斯沃斯（Leicester Harmsworth, 1870-1937）：英國藏書家。他所收藏的班揚著作於一九四七年進行拍賣。

27 吉米·赫羅（Jimmy Hatlo即James Hatlo, 1898-1963）：美國漫畫家。

28 "It is with books as with men play a very small number play a very great part."：語出伏爾泰《哲學詞典》（*Dictionnaire Philosophique*, 1764）中的「書籍」（"Books"）。

29 指英國出版商J. M.丹特父子出版公司（J. M. Dent & Sons）。約瑟夫·馬拉比·丹特（Joseph Malaby Dent, 1849-1926）於一八八八年創立「J. M.丹特出版公司」（J. M. Dent & Company），一九〇九年兒子（Hugh與Jack）入夥後改稱「J. M.丹特父子出版公司」。

30 "The true university being a collection of books."：引自卡萊爾的《英雄與英雄崇拜》（*On Heroes, Hero-Worship, and the Heroic in History*, 1841）第五講〈文壇英雄〉（"The Hero As Man Of Letters"）。原句應是："The true university these days is a collection of books."

31 "No man is a hypocrite in his pleasures."：語出約翰生（與雷諾茲爵士的對話）。見《約翰生傳》（一七八四年段）。

32 此項獎學金最初由W. W. 瑟爾（W. W. Thayer）創設，但始終未成氣候，後來獲紐頓挹注、加以發揚光大，至今仍在史瓦茲摩學院運作不輟，且正式名稱定為「A. 愛德華·紐頓（學生）藏書獎」（A. Edward Newton [Student] Library Prize），依然只限定大學部學生參加，但獎項增為每年五名。得獎的藏書會在校內圖書館大廳公開展示；每年參與競逐的學生藏書均甚為有趣，其中不乏頗有創意、見地的蒐羅題材、範疇。對各年度得獎的藏書有興趣的讀者，可查閱該校新聞室發行的電子週報（http://www.swarthmore.edu/Home/News/Pubs/WeeklyNews/）

II　一吐為快還待何時

一九三〇年十一月二十一日，一位在書籍零售業打滾長達六十載的費城人去世了。此人正是愛德溫・坎平翁（Edwin B. Campion）（即眾好友口中的阿德・坎平翁）。前一、兩天，我剛從歐洲返國，正好有事要找羅森巴哈博士，便撥了一通電話到他的書店，接電話的羅勒先生告訴我：羅博士剛出門參加坎平翁先生的告別式去了。「阿德・坎平翁翹辮子啦？嗐，你別淨瞎說，」我頓時提高音量，「我上回見著他的時候，他還直跟我說他一定會長命百歲呢！」羅勒回了我一句：「能活到那把歲數，差不多也算長命百歲了。」我趕緊問他：「告別式在哪兒舉行？」等他一報出地點，我立刻掛了電話，抓起帽子、外套，跳上計程車，還好及時趕上向這位相交超過半世紀的老朋友上一炷香。最近這些年以來我和他並不常碰面：就像每對老朋友一樣──逐漸疏遠卻渾然不覺。我將藉這篇文章追述一樁約莫三年前發生在我和阿德・坎平翁身上的軼事。

話說某天我在辦公室收到這位老朋友捎來的一封信，剛開始我還覺得很納悶，讀完之後便釋懷了。坎平翁想知道什麼時候方便來拜訪，他有一事相求。我暗叫不妙：他該不會是要找我調頭寸吧。凡是涉及金錢的事，阿德向來十分嚴謹。我這輩子從沒借過他半個子兒，但我想大概是為朋友慷慨解囊的時候終於到了，我事先在心裡琢磨：「如果他打定主意向我借一千元，這個數目門兒都沒有。那鐵定是肉包子打狗有去無回。不過看在老交情的分上，我總該借給他兩百五──那不成問題；搞不好我還能特別通融一下，把額度提高為五百元呢。」然後我便打了一通電話給他，我告訴他我的辦公室在一幢大工廠的頂樓；他光要找到電梯上樓恐怕就得花掉不少工夫，若是爬樓梯，那簡直會要了他的命。「乾脆這麼著，」我說，「明兒個正午前後我去店裡找你得了。」搞不好他還會請我吃一頓便飯哩。

第二天上午，我帶著一張空白支票，打算讓他自個兒填上急用的數目，到了阿德·坎平翁的店門口。他的精神好得不得了（他一向都是那副德性），見了面便告訴我一樁好事。說起我這位老朋友，他對於自己輕率潦草、粗枝大葉的個性頗感自豪──就這點來說，我自己也同樣當仁不讓。同時，他還自有一套機智、幽默的本事。好幾年前我在《大千世界》[1]上發表過一則他在波特與寇提斯書店（當時費城首屈一指的頂尖行號，其叱咤風雲的程度，和今日紐約的史格利布納書店或達頓書店差不了多少）和一位貴格教派[2]女顧客之間的趣事。我當時也在同一家書店工作，但是上司老認為我沒有賣書的慧根。老闆以為假以時日，我或許尚有一絲絲希望能學會販售筆、墨、紙張（全是我現在樂在其中的玩意兒！）的本事。我記得當時成天朝思暮想：「總有一天我也能去賣書」，不過那一天始終沒有到來。

波特與寇提斯書店是一家瀰漫濃厚貴格氣氛的商店，上門的男、女顧客也大都是一身貴格打扮、講話不慍不火的人。當時，大型百貨店的生意競爭來勢洶洶，但是這家店竟然傻呼呼地決定正面迎戰，甚至還抱定決心要給對手來個迎頭痛擊。話說有一天，一位雄壯威武的老太太進門要買小說──她拿不定主意該買什麼，想先四處逛逛。最後，她晃到阿德·坎平翁負責的櫃台前，他當時是個挺機靈的小伙子。

「買小說嗎？這位太太。那敢情好，這位太太。您讀過《賓漢》[3]嗎？」──那是當年最紅的一部小說，而那位女士居然──「書名連聽都沒聽過。」

◎首版《賓漢》

「這可是一部絕佳的好書哪，這位太太。我拍胸脯向您保證。是的，非常適合您讀。價錢是一元十分。」

這兒得暫時打住，我必須先談談那部由哈潑兄弟出版的絕佳好書的價格——公訂零售價應該是一塊半。如果進貨不多，折扣是「七折」；大量進貨的話則為「六五折」；若單筆訂購量非常大的話，便可享「六折」的進貨優惠。那年頭，每家書店通常都會盡量湊足一定的訂購量，好能享有最高的同行折扣——每一部的成本於是成了九毛錢。照阿德的賣法，利潤也就是區區那麼兩角。那簡直是賠錢買賣：在街上賣報紙還比較有賺頭。

「這可是打過折的價錢哪，這位太太；照理說外頭得賣一塊半……

「您要舊一點的本子？這是新書哪，這位太太，不過我很樂意幫您將它弄得舊一點。是的，這位太太，一元十分不能再便宜了……

「您想要別的花色？這位太太，每一本都是同樣款式。這種紋路可是現在最流行的花色——大象紋（elephant's breath）……

「送貨到府？那當然……

「唉呀呀，這位太太，今天不成；明兒個一早給您送去——我還得另外花一毛錢雇個小弟，花一個鐘頭到費城西區跑一趟來回……

「明早您要去醫院探望朋友？真抱歉您哪！非得等到明天不成。真對不起，今天沒法子幫您送。費用？好說好說。您的大名是？」就那麼著，所有的費用加起來正好是兩角。

我再講一樁，然後馬上回到正題。有一年夏天，阿德．坎平翁某日搭乘費城的街車。那年頭，男士們總習慣在頭上戴一頂珍珠灰的禮帽——我們全都那麼做（和這年頭大家時興穿戴的那種軟趴趴玩意兒完全不可同日而語）。就那麼著，坎平翁一上車便摘下帽子擱在旁邊的座位上；那時車上的座椅緊靠兩側車窗對列兩排。他當時只顧埋首閱讀手上的報紙，或是正忙著偷瞄某位坐在對面座椅上的妙齡女郎（他的德性我太清楚了）；反正，他沒留意有個魁梧的貴格教派女士上了車，悶聲不響往他擺放帽子的座位一屁股坐下去，那頂帽子當場應聲而癟。好不容易等到那位女士起身，她才捧起那頂原本漂亮神氣的禮帽交還給他，聲不急、氣不喘地說：「我好像坐到您的帽子了。」

「您他媽的早就知道您坐在我的帽子上。您說，這下子您打算怎麼辦？」

只見她臉上洋溢著天使般的燦爛笑容，這麼答道：「我正打算把它還給您。」阿德生平頭一遭氣得半句話也蹦不出來，只能起身、下車。每回只要我一想起阿德．坎平翁，諸如此類的情景便會浮現在我的腦海中。好吧，現在繼續言歸正傳。

坎平翁啟齒對我說：「小紐呀，咱倆的交情算起來也有五十年了吧，我應該從來沒求你幫過忙吧。」我回答：「一次也沒有。」「喏，眼前就有這麼一樁事兒，我希望你千萬不要回絕。」我早料到，接下來五分鐘內我就得把那張五百元支票掏出來了。他稍微停頓了一會兒，「我這就明說了吧，」他說：「我想請你為J. P. 宏恩[4]（他當時的客戶之一）最近要出版的《賽維尼夫人[5]尺牘集》[6]寫一篇短序。」他接著說，「我們打算在書上掛你的名字。」

我不但保住了那五百元，而且，角色對調——我只須花兩個晚上開開心心地寫一篇稿子，或許他還會付錢給我哩。賽維尼夫人的事蹟我所知甚少，她所遺留下來的那些著名書信，四十年前，或五十年前，我也只從法文版約略讀過一些，而就在去年夏天，我才在巴黎住了幾個星期，還在卡納瓦雷博物館（Musée Carnavalet）（也就是當年夫人寄出那些信件時所居住的聞名宅邸裡頭）消磨了好幾個悠閒的早晨。我對於這個主題雖然原本瞭解有限，但是臨時抱佛腳可一點兒也難不倒我，而且我還能趁這個機會惡補不少學問。於是我假惺惺地半推半就一番，接下了那件差事。

但事情並未就此了結。坎平翁繼續說：「我就曉得你一定會答應；我事前已經先向宏恩拍胸脯了。不過咱們還是親兄弟明算帳。該付多少稿酬給你比較合適呢？」

自己人還談這個就太見外了。「唷，阿德，稿費就免了，」我說，「這種芝麻綠豆事兒我一向不收費；要不然我哪來這麼多好差事可幹。」

「那可不成，」他連忙接口道，「這筆稿費我們說什麼一定得付。」

我瞧他一臉誠懇的模樣，只好說：「不然這麼著好了：等書出版後，給我十本就行了，」（我當時以為那部書會以單卷本的形式印行）「我可以拿去送朋友。」

「我說小紐呀，你做人真是沒話說，為朋友兩肋插刀在所不惜。」

於是那樁事就算是敲定了。我們又閒聊一陣子，兩人互褒了幾句，然後我才跨出他的店門——那五百元仍好端端地擱在口袋裡，並且，我心裡暗自竊喜：這下子十人份的聖誕禮物有著落了。

我如期履行了那件任務（而且還樂在其中），將稿子寄出去，幾個月後也看過校樣，我很高興能夠順利交差。

我記得好像過了約莫一年之久吧，有一天，一名高頭大馬的黑人扛著一個船艙大小的包裹走進我的辦公室。「你姓紐頓？」他劈頭就問。我點點頭。「書！」他一咕噥完，把那包東西往地板上一摔，發出轟隆巨響。我狐疑地說：「該不會是送錯地方了吧？」「那不干俺的事；反正這上頭明明寫著紐頓收。」——他拍拍屁股掉頭走了。我拆開包裹一看：十套卡納瓦雷版《賽維尼夫人尺牘集》赫然映入眼簾，每套堂堂七巨冊，印刷精美、裝幀華麗，「編號限量印行一千五百套」[7]，而且——每套訂價五十元！

故事講完了，我只再補充一句：任何人要是缺了這個版本的《賽維尼夫人尺牘集》，他的藏書都不能算及格。

當我站在好友靈前鞠躬致意的時候，這些林林總總的片段回憶在我腦海一幕一幕閃現。祈盼阿德在黃泉路上有天使為伴，一路平安渡抵西天。我始終無法確定天使究竟是男生還是女生，不過，萬一她們果真（就像許多圖畫上所呈現的那樣）都是處女的話，那可得格外提防阿德讓她們一個接一個失身。

【譯註】

1 《大千世界》（*World's Work*）：華特・海恩斯・佩吉（參見第二卷Ⅲ譯註11）於一九〇〇年創辦的政論刊物。

2 貴格教派（Quaker）：基督教派別之一，正式名稱為「公誼會」或「教友會」（Society of Friends）。十七世紀由福克斯（George Fox, 1624-1691）等人創立（正式成立於一六六七年），「貴格」（或稱「震教」）名稱的由來或許得自福克斯的一句教諭：「聆上帝乃震慴」（“quake in the presence of the Lord”）。由於該教派在英國本土屢遭打壓，成員遂於一六八二年渡海在美洲（今賓夕法尼亞州境內）建立殖民家園。貴格教派倡導寬容、正義與和平，生活、儀式崇尚簡約。教友之間並不使用“Quaker”這個俗稱，而以“friend”互稱，當美國人戲稱某人為“Quaker”（女性則為“Quakeress”），往往是挖苦此人個性古板、木訥、無趣。

3 《賓漢》（*Ben-Hur: A Tale of the Christ*）：路易士・華勒斯（Lewis Wallace, 1827-1905）的小說。一八八〇年紐約哈潑兄弟公司出版。

◎路易士・華勒斯

4 J. P. 宏恩出版社（J. P. Horn & Company）：費城出版社。

5 賽維尼夫人（Madame de Sévigné即Marie de Rabutin-Chantal, marquise de Sévigné, 1626-1696）：法國閨秀作家。本名瑪麗・菈布汀－香朵爾（Marie de Rabutin-Chantal）。貴族出身並嫁入豪門。一六六九年女兒出閣後，連續二十五年寫信給女兒，那些書信以平易近人的白文書寫，翔實敘述當時的社會消息與身邊瑣事。一七二五年問世後，成為研究十七世紀末葉法國上流社會的參考史料。

6 《賽維尼夫人尺牘集》（*The Letters of Madame de Sévigné*）：一七二五年法文首版問世。一九二七年費城J. P. 宏恩出版社以限量印行七卷本，由紐頓作序。

7 應為一千五百五十套。

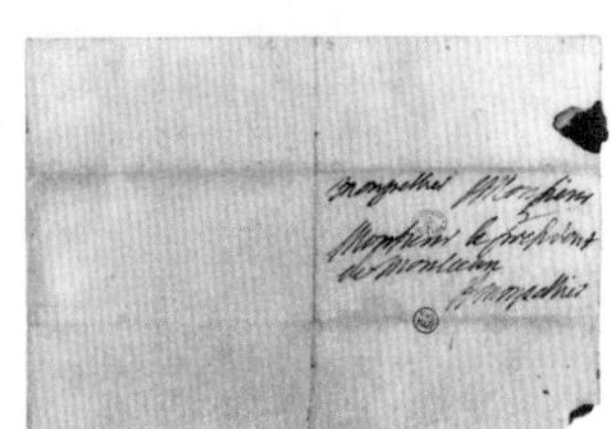

◎賽維尼夫人書信真跡

III 志願人人有，我的不算多！

我的朋友有個年僅八歲的小兒子，有一回大人們逗趣問他長大後想當什麼，他滿腦子大概光想到他老子過得那般優哉游哉，白天騎馬釣魚、晚上打牌看戲，於是脫口答道：「我要當個退休的生意人。」妙哉，雖然我個人向來不喜歡運動，對牌戲更是一竅不通，但是那小子的明智抉擇還是令我擊節叫好。我怎麼能不舉雙手贊成呢？我自己不也剛做出相同的選擇嗎？

我這輩子的志願三番兩次更改過好幾回，不過時不我予，我終於必須下定決心並且擇一而終了。我以前老想當神仙。

我欲升天當神仙
飄然羅列神仙殿
頭頂戴著黃金冠——
拂塵擱在兩手間。[1]

小時候我嘴裡老愛朗朗誦唸這首打油詩！但是我現在用不著唱了，因為再過不了多久我就得進棺材，成仙之日指日可待。我現在的志願自然不是當神仙，雖然我的朋友們信誓旦旦對我說：我就算想當也還早得很哩。

正在讀這篇文章的讀者請先看看下一頁的插圖，那原本是威廉·布雷克的一幀版刻，現在各位看到的這一幅是經過臨摹的放大圖。原圖收錄在一部極其稀罕的小書裡頭，該書有兩個書名：一個叫《為男男女女而寫》，另一個則是《天國之門》[2]。原來那幀版刻

■我要飛上青天！臨摹自威廉·布雷克的原畫

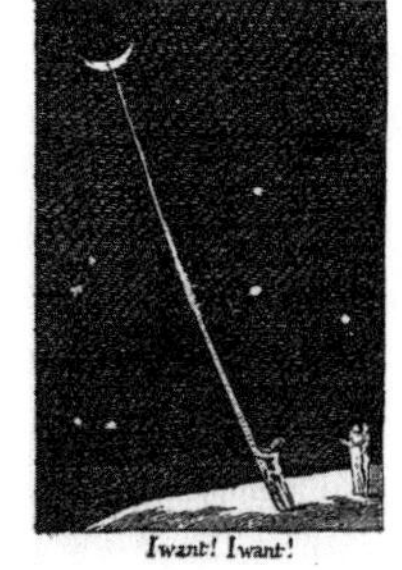

◎〈I want! I want!〉原圖

小不拉嘰的，尺幅只有一又八分之五吋寬、二又八分之三吋高。我不妨告訴各位：這幅畫不是你表面上所看到、以為的意思。它並非描繪一個人踩著梯子準備登月、一步登天[3]，實情恰恰相反。它顯示一個人剛剛爬下梯子正要腳踏實地[4]，就像咱們這群人最近幹的事一樣。不過這年頭下台已經比從前穩當多了；萬一不慎跌下來也不至於摔得鼻青眼腫。

俗話說：「躋身高位，人人有機會。」[5]不過許多曾待過高位的人都曉得：高處不勝寒。我自己便屢屢誡之再三；而且，早在攀上頂峰之前，就趁還來得及的時候趕緊回頭往下爬。將心比心，梯子下頭那個小人兒或許可以視為作者尋求安穩的隱喻。

回首五十餘年前起步的原點，為了打發得來不易、初來乍到的閒暇時間，我四處尋覓、希望能找點事情來做。打發閒暇可不是一件輕鬆勾當；從來沒有人教導我們該怎麼做，而大多數人也都幹得不漂亮。我屢屢在報紙上讀到「週休二日；每天工作六小時」的呼籲，但是卻從沒看過哪個收入優厚、有錢不會花或亂花的主管乖乖退下來，把位子讓給更年輕（或許也更有能力）的人。他們擺出一副他們的職位無可取代的架式，因為他們「有責任為眾股東鞠躬盡瘁」！你先別笑。咱們那些「企業領袖」、「產業大哥」（大名天天在咱們耳邊嗡嗡作響的那些傢伙），實在都活該被降級。結果卻反其道而行，現已卸任的胡佛[6]先生居然還跑到一干銀行家、生意人跟前請益（甚至國會也從中推波助瀾，國家簡直就快被那些人給整垮了），要求他們為國家獻策以解決當前的困局（還不全是那些人捅出來的樓子）。而他們的建議居然不是讓自己少幹幾年，反而是削減勞工的工時和工資。誠可謂：寬以待己，嚴以律人[7]。

坐而言不如起而行，我當下決定扛出人家頒給我的一大堆榮譽學位，轉行當大學教授；後來，當我逐一拜訪了普林斯頓大學的歐斯古（他此刻明明正悠閒地待在佛蒙特州的伍斯塔克（Woodstock）避暑，卻老是要我去新罕普夏(New Hampshire)的伍斯塔克找他）；賓州大學的謝林（目前改行務農，不曉得「目前」究竟會維持多久，但是他現在擁有一座大農莊，生產的作物多得到處拚命送都送不完）；和耶魯大學的廷克之後，我想當教授的想法益發強烈。我不敢祈求老天爺比照祂善待他們的程度關照我，可是，如果一般大學教授都能過得像他們那麼優游自在，我復何求。

前幾天晚上發生了一件事，讓我更堅決非成全這個心願不可。

當時萬籟俱寂，我太太已經上床安歇，我正拿不定主意到底要跟著去睡還是再抽一根雪茄再說，這時，電話鈴聲響起。

我拿起話筒，應了一聲，然後便聽到一個怯生生、我不認得的聲音：「您不認識我，紐頓先生。」──接著沒有下文。

我聽那頭閉不吭聲，只能沒好氣地說：「噢，要是每個我不認識的人全打電話來，那我豈不是整晚都甭睡了。」

「是的，這我明白，不過我有個問題想請教您。」

「唷，你有話直說行不行？」

「關於約翰生博士的事兒您最在行。您知不知道他養的貓叫什麼名字？有人問我這個問題，我答不出來，但是我告訴他紐頓先生一定曉得。這就是我打這通電話給您的原因。」

（大學教授想必成天都忙著應付這種蠢問題。）

「小姐，」（電話那頭是個女人）「約翰生博士養的貓名叫哈吉(Hodge)。約翰生曾說：哈吉是隻好貓，不過他同時也說：然而我更喜歡從前養的那隻。後來，他發覺那句話似乎傷了哈吉的自尊心，他趕緊又補上一句：『但是哈吉的確是一隻不折不扣的好貓。』[8]這下好了，你八成又要問我這位專家：『約翰生博士從前養的那隻貓叫什麼名字？』了。約翰生養的貓叫哈吉，這事兒連小學生都知道，至於另一隻貓的名字──那可是只有大學教授──就是姓氏後頭接著縮寫頭銜[9]、躋身『φβκ』[10]的人才曉得。」

「敢問先生可是其中之一？」

「那當然。」

「這麼說，您曉得約翰生博士的另一隻貓的名字？」

「正是。」

「叫什麼名字來著？」

「我說小姐，那可是天大的機密呀。我只能對妳透露一點點：約翰生博士的另一隻貓是母的，而且『非常乖巧』。至於其他內情，由於我沒有得到層峰的授權，恕難奉告。」話及於此，我撂下一句：「晚安。」然後掛上電話。

我回頭納悶：到底有多少約翰生專家曉得約翰生博士養的另一隻貓叫做啥？

話說回來，我也曾經一心一意想當執法人員。

我欲執法當訟爺
昂然羅列大法院
頭上頂著假頭髮——
鈔票兜進兩手間。

我並不想當執業律師；我比較喜歡扮演能升堂審案判刑的角色。這個念頭在我的心底兜轉了好一段時日，成天垂涎法官的威風神氣，自從我某日從舉足輕重的法理學家靄理思．安姆斯．巴拉德（一位傑出的法律高手，天賦異稟，能教十二個人同時相信壞人使壞都有好理由[11]）口中聽到一句話，更加深了我的信念，他說：「想當好法官很簡單。直接做出判決，但是不說明理由——一旦說出理由，保證會和判決互相牴觸；只要做出判決就行了，其他事兒全甭管。」

於是，幾個月之前，當亨利・菲爾丁・狄更斯爵士[12]（一代偉大小說家唯一仍在人間的兒子）問我有沒有對簿公堂的經驗，我逮到機會趕緊告訴他：我曾經「鐵口直斷」料中加州最高法院一樁重大案件的審判結果。當時有個工人被控管制不周，令路人跌入坑洞導致傷殘。地方法院原本判決該案不成立（因調查結果顯示：事發當時原告因酒醉神智不清）。原告不服提出上訴。高等法院的判決是：「倘被告確實因為怠忽職守，未在坑洞加蓋，而坑洞又是位於人來人往的人行道上，仍不得以原告酒醉不察作為被告疏忽大意之藉口。蓋不論在平坦街頭或崎嶇野地，醉漢與尋常人同樣享有行路安全以及其他種種權利。判原告勝訴。」

紐頓覆決定讞。

亨利爵士聽我一口氣講完後，直說：「真有你的。」接著他問我隔天願不願意上「老貝利」[13]助他一臂之力，我爽快答應了。「太好了，」亨利說，「十點鐘過後咱們在老貝利的公務入口碰頭。真高興你願意來幫忙。」

◎穿著法袍的亨利・菲爾丁・狄更斯爵士，Leslie Ward（Spy）繪（1897）

隔天十點鐘一到，我準時赴約，等了一會兒便有人引領我進入法庭，並安排我坐在一張又高又大的太師椅上，所有人全都目不轉睛上下打量我。整個法庭擠得水泄不通。我的面前有一張桌子，底下鋪著地毯，室內到處散置著薰香藥草，此乃沿襲長達數世紀的古老習俗——用以降低感染「牢獄之災」[14]的機率（莎士比亞的《亨利八世》裡頭那位紅衣主教伍爾習手裡老揣著一只橘子也是基於同樣理由）。此時亨利爵士邁入法庭，即使戴上假髮、多了後頭那根辮子，仍然絲毫沒為那個老好人增加一丁點懾人的氣勢。庭上大人隨身也佩帶一小束鮮花；就那麼著，鮮花加上四處散置的藥草，整個廳堂便充斥著甜甜香香的氣味。不過，在英國的法庭裡頭，還有遠比藥草、鮮花的撲鼻香氣更要緊的東西——就是那股沛莫能禦、肅靜威武的凜然正氣。咱們這兒的法庭跟他們一比，那簡直會笑掉人家大牙。我曾經親眼目睹我國法庭內宛如馬戲班子表演雜耍、國會殿堂上演全武行……也不瞧瞧人家老貝利的正經模樣。

◎紅衣主教伍爾習，Sir John Gilbert繪（約作於一八八六年）。畫面中可以看到伍爾習把鼻子湊向橘子嗅聞

倫敦的大街小巷是各式各樣犯罪活動滋生的溫床，而警察往往不管小扒手、大強盜，先一口氣逮回來，再統統一股腦丟給法官自個兒去——請包涵我的用詞——「掂斤秤兩」。吾友查特斯・拜隆爵士[15]每回一踏進弓街（Bow Street）警局，想都甭想，嘴裡就自動源源吐出：「拘役十天」或「罰鍰十先令」。亨利・狄更斯爵士眼前碰到的棘手多了。光是涉及一條四、五千英鎊的項鍊的一樁失竊案，就得花掉好幾個鐘頭進行審理。我心想：那條項鍊丟不丟有啥差別，反正從「羅伊德」[16]那兒領到的保險金也夠本了嘛。接著便是休庭放飯，喝杯波特酒、餐後再來一根上好雪茄，然後大家紛紛就位再度升堂。就那麼繼續審理了兩、三件雞毛蒜皮的案子（在我看來，盡是情有可原的情節）之後，一名老頭兒站上犯人席，他被控「偽造國幣」的滔天大罪——其實說穿了，不過就是在自個兒家裡土法煉鋼、鑄了幾枚不能拿到外頭使的六便士、一先令、半克朗硬幣罷了。法庭聆訊旋即展開。

「你可知罪？」亨利爵士正色問道。

「稟報大人，小的知罪。」

「我見你似乎有點面善。你可曾到過本庭？」

「稟報大人，小的確實來過。」

「今因何罪而來？」

「小的私造偽幣。」

「你今年多大歲數？」

「小的今年八十七。」

亨利爵士一聽他那麼說，轉身吩咐一名執事：「可有此人前科記錄？」執事依令呈上卷宗，亨利爵士飛快瞄了一遍，然後湊向我：「乖乖弗得了，你瞧瞧喂。這位老兄高齡八十有七，其中有四十個年頭全蹲在牢裡頭。他這回犯的罪最輕也得判五年徒刑，可我實在沒法兒讓一個八十七歲的老頭回籠再蹲五年。」說完他轉向犯人道：「犯下此罪，你可有悔意？」

「是的，大人。」

「倘若我這回饒了你，你可會重施故技？」

「是的，大人。」

「你別老站在那兒一個勁兒猛答『是的，大人』呀。難不成你耳背？」

「是的，大人。」

（亨利爵士提高音量：）「我說，你別老一個勁兒猛說『是的，大人』。你是聾子啊？」

「不，大人。」

「諒你年事已高，我將予你從輕發落。你出獄之後有何打算──誰能照顧你來著？」

「不，大人。」

（亨利爵士再次扯起喉嚨：）「我剛問你，誰可以照顧你？」

「我的房東太太，她會照顧小的。」

「那敢情好，我們暫且就讓她輕鬆一年。刑期確定……十二個月。」

「不，大人。」

「你別老一個勁兒猛說『不，大人』。我說十二個月就是十二個月。」

犯人被帶了下去；接著，趁庭吏傳喚下一名人犯的空檔，亨利爵士又轉頭對著我說：「我爹那年頭，法院判刑可比現在要嚴苛多啦。若是換作當年，剛才那名老頭難保不被活活吊死；就算再晚個幾年，八成也會被發配到波塔尼灣[17]哩。」一聞此言，我馬上表示：人家老說英國歷代改革全部加在一塊兒也抵不過他爹一人造成的多，照這麼看來果然名不虛傳。要是他能活著看到自己的兒子執法如此慈悲為懷，必然會感到十二萬分驕傲。

過了幾個星期，我從佩丁頓（Paddington）搭火車到普利茅斯（Plymouth）準備搭乘開回紐約的郵輪，狄更斯夫人居然親自到火車站為我們送行，有多麼教我們擔待不起就甭提了。這些和藹可親的老人，一舉手一投足依舊保有上一代（喲，上兩代才對）的禮貌優雅。亨利爵士如今已從法官席上退休。我趁離開倫敦前逮住機會央請亨利爵士在我的《匹克威克外傳》上頭題幾個字，他的落款寫著：他看出我已具備出任傑出法曹的資格，能力足堪主審匹克威克的案子。

經過那次升堂會審的考驗，我彷彿取得了一張資格證書。

我越想自己擔任法曹的能力，就越覺得端坐在法官席上審罪問案還真像那麼一回事兒；於是我聯繫賓州最高法院的威廉・B. 林（William B. Linn）大法官，請他幫我安排下個檔期。我告訴他我的能力和經驗，若再加上他從旁輔助，我必可大展鴻圖。何不為我在聯邦最高法庭保留一個席位，讓我也能好好地拷問那些參議員、眾議員；教他們統統來個罪有應得呢？當我在報上讀到國會現在正為了通過所謂「平衡預算」的新稅法，一味進行既愚不可及又毫無意義（罪該萬死就更不消說了）的爭辯——卻對國家受內傷（傷得還不輕）眼看就將不治的慘狀視若無睹。我一想起這事就不禁義憤填膺：我應該不遺餘力報效國家，要是能效法先烈先賢，給每個天花亂墜參議員（Senator Loudmouth）和尸位素餐眾議員（Congressman Dolittle）寄張傳票：「給俺乖乖來法院報到，要審要判先甭急，腦袋先統統剁下來再說。」豈不大快人心？

對於當今這勞什子政府（居然還好意思自稱「全民政府」咧），我一肚子火氣已全數宣泄在這篇文章裡頭。我壓根無法置信：用一張張選票選出一堆令咱們這些人民唾棄不齒的傢伙，竟敢堂而皇之以「全民」自居。過去這些年以來，我國公眾人物的品質持續滑落。回顧五十年前的國會殿堂，那時還有一批足以傲視任何國家的仁人志士在裡頭為民喉舌。他們足堪名留青史；他們有勇有能又有智謀（再稍稍放大範圍來檢驗，歷任先後入主「官邸」[18]的人每下愈況的情形也相去不遠）。但是話說回來，假使那些人今天都還活著，八成連一丁點兒參選、當官的機會也沒有。政府，這個字眼原本被賦予的良善美意如今早已蕩然無存。我們徒有琳琅滿目的法律條文，卻獨獨不見具執行力的政府。說起咱們的法界人士，其道德之淪喪、行為之敗壞，更是教人咬牙切齒：而咱們的政治人物、執法人員卻又泰半全由這些貨色轉任。咱們國家子民的身家性命財產簡直無一受到保障。各位不妨想一想，這麼一個擁有一億兩千五百萬人口、積攢了數代豐碩財富的國家，銀行卻一家接一家關門！原因何在？說穿了，全是那些狗屁倒灶的勾當所導致。這還只是一百五十年的民主毀在改革乏力、行政無能的胡佛先生手上千百件例子之一。至於即將走馬上任的羅斯福先生[19]，鑒於此君向來勇於藐視惡法、挑戰權威，他似乎有能力引導我們走出混亂、脫序的苦日子，帶領全國同胞向上穩定提升。一個全新形態的政府正要逐步取而代之。我個人對此不置可否；沒有人曉得我們的前途在哪兒，但是，我們希望，就算沒辦法達到最好的結果，至少也該小有起色。

這個國家太大了，國會裡頭一下子擠進那麼多人，搞得一年到頭都是開會期間。反倒是埃及還「比較有條不紊」[20]呢，人家畢竟還有個立憲君王福阿德[21]。雖然他凡事都得奉英國最高當局[22]的指示辦理；但是議員、閣員都非常聽命於他，於是他對他們的義氣相挺非常感激，囑咐那些人乖乖在家養老，等到需要的時候自然會找他們來開會。沒事幹的期間薪水還照樣付給人家，所以那群人全沒怨言。我鄭重建議當局：咱們的國會只要一開會，應該立刻停發薪水。

假使羅斯福先生有幸找到夠多正直之士擔任左右手，輔佐他收拾這火燒眉睫的爛攤子，他或許就能帶領大家脫離苦海了。可是他得放聰明點，別淨在華盛頓挑他的人手。就在我寫這篇文章的當兒——一九三三年七月十二日——他正享受著理所當然的擁戴。但是可千萬別忘了，古時候有個羅馬共和國；它覆亡後由羅馬帝國取而代之；至於後者，雖然也難逃同樣的命運，但是它畢竟拖了好長一段時日才覆亡。咱們的情況或許也不外乎如此。歷史的軌跡總是一再重複，過程皆大同小異；由此可見，吉朋所言：「乃人類一連串罪行、愚昧、災禍之印記。」[23]誠然屢試不爽。

P. S.：約翰生博士去世前一年在寫給特勞爾後代的一封信中如此寫道：「那隻小白貓，莉莉（Lily），現在已經長全了，而且非常乖巧。」[24]

【譯註】

1 由Urania Locke Bailey（1821-1882）所作的童謠〈我欲升天成天使〉的頭四句歌詞。收錄於Marinda Branson Moore（1829-1864）女士編輯的《小兒初級教本》（*The Dixie Primer, for the Little Folks*, Raleigh, N. C.: Branson, Farrar & Co., 1864 3rd edtion）第四十三課。中譯略有修改，原歌詞是："I want to be an angel / And with the angels stand, / A crown upon my forehead ? / A harp within my hand."

2 此處疑有筆誤，按布雷克於一七九三年首次出版該書時原題《為兒童而寫：天國之門》（*For the Children: The Gates of Paradise*），約於一八二〇年修訂布雷克再版此書時改題為《為男男女女而寫：天國之門》（*For the Sexes: The Gates of Paradise*）並增加至少兩幅版刻圖版。

3 拉丁文格言"sic itur ad astra"原義應為「摘星捷徑」。

4 不知紐頓此解從何而來，一般都認為圖中那個人正準備登梯。

5 這句西諺原文是"There is always room at the top."，原是一句砥礪人心的話，類似「有志者事竟成」。

6 赫伯特·C. 胡佛（Herbert Clark Hoover, 1874-1964）：美國（共和黨）政客、官員。一九二一年起擔任商務部長；一九二九年獲選為第三十一任總統，時值全球經濟大蕭條，但他在任內始終反對由政府出資援救國內失業人口，因為他無力解決美國經濟蕭條導致民怨四起，而於一九三三年大選被羅斯福擊敗下台。紐頓書寫此文時，正當胡佛遜位之初。

7 原文是法文格言"La morale est toujours pour les autres."。

8 鮑斯威爾曾以約翰生對小動物十分寵愛為例說明他處處流露愛心。鮑斯威爾本人卻極度討厭貓，只要看到貓便渾身不自在，某日約翰生摟著寵貓哈吉撓搔，鮑斯威爾見狀隨口誇了那隻貓幾句，約翰生聞言回答：「噫，閣下有所不知，從前養過的那幾隻我更疼得緊呢。」（"why yes, Sir, but I have had cats whom I liked better than this."）說完覺得不妥，彷彿察覺哈吉不以為然（as if perceiving Hodge to be out of countenance），約翰生趕緊補上一句：「話說回來，牠實在是一隻乖貓，不折不扣的乖貓。」（"but he is a very fine cat, a very fine cat indeed."）見《約翰生傳》（一七八三年段）。後人在高夫廣場內雕了一尊哈吉仰望約翰生故居的雕像。

9 指"Ph.D."、"D.D."、"LL.D."、"Th.D."……之類的學位名銜。

10「φβκ」（φ發音Phi，希臘字母中排列第二十一位、β發音Beta，希臘字母中排列第二位、κ發音Kappa，希臘字母中排列第十位。合起來唸作Phi Beta Kappa）：美國歷史最悠久、地位極崇高的校園文藝暨社福團體，成立於一七七六年十二月五日。

11 不明白紐頓此話因何而來。或許巴拉德擔任律師期間曾為某人辯護並成功脫罪，令紐頓不以為然。

12 亨利·菲爾丁·狄更斯爵士（Sir Henry Fielding Dickens, 1849-1933）：倫敦執業律師。查爾斯·狄更斯之六子。

13 老貝利（Old Bailey）：即倫敦「中央刑事法庭」（Central Criminal Court）。因坐落於老貝利路上而得此俗稱。

14 原文作"gaol fever"，即「斑疹傷寒」（typhus）的俗稱。早年由於盛行於人口稠密、衛生條件欠佳的監獄，故得此諢名。紐頓此處故意一語雙關。

15 亨利．查特斯．拜隆爵士（Sir Henry Chartres Biron, 1863-1940）：英國作家。一九二〇年至一九三三年擔任弓街保安總長（Chief Magistrate）。

16「羅伊德」（Lloyd's）：指「羅伊德保險公司」（Lloyd's Insurance）。愛德華．羅伊德（Edward Lloyd, ?-1713）原本在倫敦泰晤士河畔開設咖啡店起家（確實時間不可考，目前僅能找到一六八八年二月十八日至二十一日的London Gazette上的廣告），順道兼營船貨保險的業務。「羅伊德保險公司」目前已成為全球排名第二大的跨國商務保險機構，業務遍布一百二十餘國。

17 波塔尼灣（Botany Bay，或以字義譯為「植物學灣」）：十八世紀英國罪犯的海外流放地。因一七七〇年庫克船長在此登陸並發現若干歐洲未曾知曉的新植物品種而得名。狹義指澳大利亞東岸（今新南威爾斯省雪梨市以南約八公里處）的淺水灣，即遭流放的罪犯登陸處；後來成為廣義泛稱澳大利亞流放地。

18 紐頓原文作大寫字首的“the House”，應指「白宮」。

19 指（小）羅斯福（Franklin Delano Roosevelt, 1882-1945）：美國第三十二任總統（在位期間一九三三年至一九四五年）。

20“They order this matter better in...”：此語法引自史德恩《愁緒滿途》（參見第一卷Ⅲ譯註57）〈開場白〉首句：「法國人辦起事兒有條不紊多了。」（“—THEY order, said I, this matter better in France.—”）

21 福阿德（Fuad）：指埃及國王福阿德一世（Fuad I, Ahmed Fuad Passha, 1868-1936）。當時埃及還處於英國統治期間。

22 當時駐埃及的英國高級行政長官（British High Commissioner，紐頓作English High Commissioner）是後來曾擔任駐華公使的Miles Lampson。

23 語出愛德華．吉朋（參見第二卷Ⅱ譯註3）《羅馬帝國衰亡史》（*The History of the Decline and Fall of the Roman Empire*, 1776-88）第三章：「安東尼統治期間之於歷史添加血肉甚少，充其量僅留下人類一連串罪行、愚昧、災禍之印記。」（“The reign of Antoninus is marked by the rare advantage of furnishing very few materials for history, which is indeed little more than the register of the crimes, follies, and misfortunes of mankind.”）吉朋此語顯然得自伏爾泰《天真漢》（L'Ingénu. Histoire veritable tirée des manuscrits du Père Quesnel, 1767）第十章中那句名言：“En Effet, l'histoire n'est que le tableau des crimes et des malheurs.”

24 英國作家馬克．涂立（Mark Tully，曾任BBC駐南亞特派員、寫過數部關於印度的專書，台灣可見馬可孛羅版《印度沒有句點》）亦曾在一篇短文〈還魂寵貓〉（“Re-enacting Pets?!”）中，指出約翰生的另一隻貓名叫「莉莉」（Lilly），但此事不見鮑斯威爾著錄，亦找不到其他佐證資料，此處姑且存疑。

IV　欣見卡洛琳・威爾斯也藏書

值此炎炎酷夏，我收到卡洛琳・威爾斯捎來一項請託（與其稱之為請託，其實更像一道聖旨），她囑咐我為她的（部分）藏品拍賣會目錄寫一篇簡短的介紹。「親愛的A. 愛德華：」她信中寫道，「你好歹也得為我的目錄寫點兒東西，寫好後直接寄給米歇爾・肯納利先生；這個麻煩全是你給我惹出來的，解鈴終須繫鈴人。等你收到這封信的時候，我已經遠渡重洋了。」

我還能怎麼辦呢？我又沒法子「飛鴿傳書」給那位女士；何況這會兒她八成正在船上暈得七葷八素，巴不得能立刻靠岸。我當然曉得她信上所說的「麻煩」指的是哪一樁——許多年前她到我的書房來參觀，我特地指出某部書上的一個錯誤（讓那部書大大地增值不少）給她看。她瞄過後大惑不解地問我：「你是說，光這麼一個被渾帳印刷工捅出來的樓子，就讓這本書平白多值八塊錢？」

「正是如此。」我回答。

「合著，我真該把你們這勾當稱作『呆子樂』。」她下了這麼一個註腳。

「行啊，」我說，「妳這麼說雖不中亦不遠矣。」

「那你還不快教我怎麼玩。」她說。

和卡洛琳・威爾斯抬槓拌嘴有趣歸有趣，但是當她一旦決定要幹某件事，就會挖空心思、處心積慮，那股正經勁兒往往令人以為她十分賣力；可是事實不然——她只不過是要消耗掉她多餘的精力罷了。而我當時（現在依然）堅信：假使任何人有意蒐集珍本，「美洲學」正是絕佳的蒐求標的，因為，姑且不論民主政治如何更迭嬗變（我個人是壓根不擁護那玩意兒的），我仍然主張終究得有人保存歷史傳統。

說到這兒，讓我想起一樁往事。我有個現在住在三藩市的朋友；他是個每日經手交易金額不知凡幾的股票操盤人，有一回他的號子來了一位打算做點投資的老太太。凡．安特衛普（就是那位股票操盤人）行事向來非常謹慎保守，說什麼都不肯隨隨便便就把對方有意購買的某幾檔高價股賣給人家。最後她說：「這麼說，你是建議我買政府公債嘍；照你方才的意思，買公債似乎萬無一失。」「這個嘛，」小凡小心翼翼地說：「倒也不全然如此；我只能說：等到別的全賠光了，才會輪到它。」

有鑒於此，除了我國的公債之外，我只敢相信談論我國的書籍（我自己倒是連一本也沒有[1]，也從沒想過要買，原因是我對那玩意兒絲毫不感興趣，英文文學才是我的最愛）。

「那妳到底喜歡什麼？」我問卡洛琳。

「只要是咱們美國人寫的玩意兒都行。」她說。

「既然如此，」我說，「華特．惠特曼對妳來說再合適不過了。此君一天到晚高唱……噢，不對！應該是高叫——四海之內皆兄弟，他肯定遲早會在這個領域佔得一席之地。」

「漫畫書好像比較合我的路數欸，」她說，「不過，你說話我信得過。我就壓寶在惠特曼身上吧。」

接下來，便不斷有人告訴我：卡洛琳．威爾斯的惠特曼藏品如何又如何；又過了一、兩年，我聽人家說她已經庋藏了一批有史以來最棒的惠特曼藏品。後來還聽說：她正在編一份書目，於是我向她打聽那件事情的進展情形。

「什麼書目？才不是咧，」她說，「只不過是列一份清單罷了，就這麼回事。果真很好玩喲。」

接著，我風聞她有意將那批惠特曼藏品脫手；然後又聽說根本沒那一回事兒。後來，傳來消息，說她又臨時變卦，正打算賣掉若干珍稀的複本和幾件精品。或許這回總該玩真的了吧，我實在不曉得；反正不管怎樣都很符合她的一貫作風。無論她最後怎麼拿主意，大家肯定會明白她原本就是那副德性。

回頭談談惠特曼。我堅定地相信：首版《草葉集》[2]勢必會攀升到比其他十九世紀問世的所有重要作品更高的價位——無須提醒，我並沒有忘記昂貴的雪萊、濟慈的書同樣也出版於十九世紀。不過屆時我恐怕早就已經不在人間了。倘若我無法活著親眼目睹此事成真，謹盼望哪位有心人能朝西行、「在帕歐里轉車」[3]，再搭車走一段路，造訪佛吉谷（此處乃「民主願景」發祥地）的華盛頓紀念禮拜堂，等你參觀完那座堪稱全美最漂亮的禮拜堂之後，請循著草葉，尋覓一方不起眼的墓碑，坐下來，對長眠在此的我悄聲細語：「惠特曼那部書，果真被你料中了。」我一定會洗耳恭聽你娓娓為我道來珍本書的最新行情。

【譯註】

1　其實紐頓本人生前亦收藏不少費城史料，嚴格說來也可算是「美洲學」。

2　《草葉集》（*Leaves of Grass*）：華特・惠特曼的詩集。一八五五年出版，初問世版本僅收錄十二首，直至惠特曼死前為止，此書陸續增補共再版九次，最後成書共收三百八十三首詩作。

3　「在帕歐里轉車」（"change cars at Paoli"）：紐頓套用他自己於前一年（一九二二年）發表的另一篇文章（收錄於《舉世最偉大的書》，譯本未收）的標題。

●「藏」書之樂。吉米・赫羅繪（原載《魯賓遜漂流記》）

◆附錄◆

●應邀為大作簽名的A. 愛德華・紐頓
Jean Hercholt繪
(原載《蝴蝶頁》〈簽名談屑〉)

【附錄Ⅰ】

落難藏書家(又名A. 愛德華・紐頓)書籍拍賣會

於一九二六年十一月二十九日八點十五分起進行拍賣

安德遜藝廊〔主持人：米歇爾・肯納利〕紐約市公園大道489號

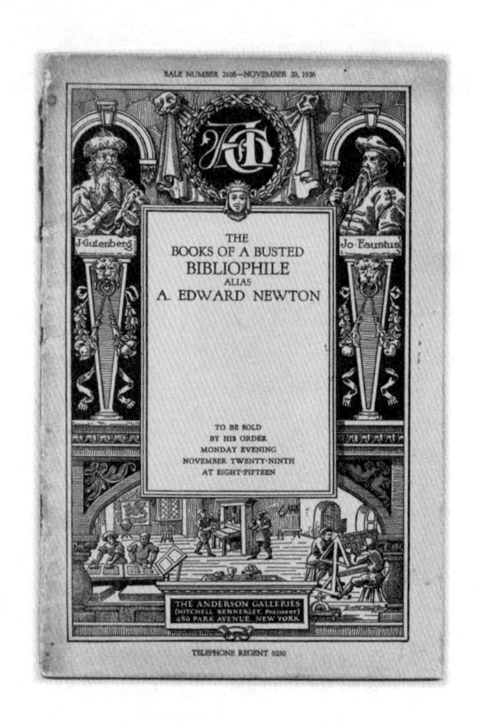

譯按：一九二六年，紐頓委託安德遜藝廊舉辦一場小型拍賣會，名稱訂為「落難藏書家（又名A. 愛德華・紐頓）之書籍拍賣會」（"Books of a Busted Bibliophile, alias A. Edward Newton" Sale），拍賣品數共一百九十四件。紐頓利用該場拍賣會脫手若干自藏複本以籌措更多買書錢，以下這篇文章便是刊登於該次拍賣會目錄上的序文。雖然紐頓在文中暗示這是他頭一回拍賣藏書，但其實他於一八九六年五月十八日曾委由班氏公司脫手一小部分藏書（參見第四卷Ⅱ譯註14）。從此之後，紐頓未再公開脫售任何藏書（當然，購書始終不曾中輟）。直至其歿後，才由家人委交Parke-Bernet Galleries Inc.（一九四一年四月十六日至十八日、五月十四至十六日、十月二十九日至三十日分三階段共八天）拍賣其遺留之所有藏書。

寫在開拍之前

早在好幾年前，我就料到總有一天免不了得舉辦一場拍賣會：當時我心裡有數，那堆書本鐵定會害我傾家蕩產外帶欠下一屁股債，而我為了清償債務，迫不得已只好將那些書出清，拍賣會的主題索性就訂為「落難藏書家大清倉」。那會兒，我自然而然想到「由班氏公司拍賣」以取其順口好記[1]。然而物換星移——如今「班氏」已被安德遜藝廊取代，而我這回也只打算賣掉手中少數幾部藏書，好讓我能多攢點兒經費再去買別的書。

我從不敢躊躇滿志妄想自己坐擁滿室藏書：蓋藏書乃萬萬含糊不得的正經事兒——而我只不過是漫無章法（甚至可說是隨性所至、糊里糊塗）積累了一堆書罷了；不過，即便如此，我依然在能力許可範圍之內，盡其可能地蒐羅最精良的本子（所有收藏家亦皆該如是）。賣書這勾當我以前只幹過兩回：頭一次是賣給華特・希爾，另一回則是賣給「石磚巷書店」。那兩次交易都是拿舊書換舊書：都不能算是「馬失前蹄」——因為，等到我發覺不對勁的時候，它們早就全成了陳年往事。

此回交付拍賣的書籍，除了其中極少數的例外，都是複本——但這批書並非我所有的複本。我拿了兩部《約翰生博士詞典》[2]出來拍賣，可是我家裡頭還擺著四部。我拿出一部鮑斯威爾的《約翰生傳》[3]，而書架上還有另外三部。《拉瑟拉斯》[4]我拿出兩部，我還有五部。我打算賣掉四部「卡洛本」[5]，而我的手上少說也還有四、五部，其中包括兩部簽贈本……。每一本書上都貼有我的自用藏書票，以資驗明正身。

大家都曉得，我之所以購藏某部書，無非是認為它價格便宜——但是外界有所不知，更多時候是因為我看中那部書；曾經有一位女士跑到我的辦公室，她說：自從讀了我的《藏書之樂》之後，不僅讓她晉身愛書人之列，還害她縮衣節食、不計血本買下一堆書，這會兒她需錢孔急，問我能不能行行好接手那批書。我當時好人做到底照辦了，現在輪到我央請各位也送佛送到西——從我的手中接手這批書。

我頭一回上蒙地卡羅（Monte Carlo）就瞎貓碰到死耗子贏了一百元（至於怎麼贏的，直到現在我依然百思不解）；就那麼著，在接下來的旅程中，凡是看見哪件我想要的東西，只要價格大約在一百元左右的，我就統統買下來，一邊還昧著良心對自己說：反正花掉的全是從賭桌上賺來的不義之財——結果我前前後後共付了二十來趟一百元。所以，我這回要從米歇爾・肯納利手裡拿到成交金額絕不能低於這筆數目：賺得越多，我才有越多錢可花嘛——若不是拿去孝敬小羅，就是付給華特或蕞克，反正全是投進其他一口口「純淨無瑕的英文古井」[6]裡頭；至於有多少銀子會長腳跑到「親愛的梅蓓兒」手裡就更甭提了，那小妮子教人破財的高超本領簡直無人能及。

最後，眾看倌，您們或許覺得這篇聲明寫得不痛不癢，但是對於要和這些書分手，我內心委實感到萬般不捨（雖然擱在家裡頭的書更多）：這可不像情侶之間感情一夕生變、協議分道揚鑣那麼輕鬆平常。就拿那部可憐兮兮的《約翰生博士與女流之輩》[7]來說罷——當我今兒個一早將它從書架上抽出來，它彷彿還老神在在地對我說：「諒你不至於拋棄我！你曾經三番兩次對我許下海誓山盟呢。」那倒也是一點不假，可是我怎麼忍心對她吐露實情：前幾天我找到了比她更標致的新歡？真是情何以堪哪。

我有個預感，這批書之中萬一要是有哪幾部不幸淪入某位寡廉鮮恥的律師（加形容詞是否太多此一舉？）手裡，想必將從此不見天日，淪為深宮怨婦、一生難得被寵幸幾回，那麼一來，我對她們可就更難交代了。

A. 愛德華・紐頓

一九二六年十月五日識於賓州戴爾斯福「橡丘齋」

【譯註】

1 「落難藏書家大清倉，由班氏公司拍賣」（A Batch of Books of A Busted Bibliophile To be Bought at Bangs）原文中的每個字詞皆以“B”字母起首。

2 根據「落難藏書家拍賣會」目錄記載，兩部約翰生《英語詞典》均為一七五五年兩卷本首版。

3 該本為一七九一年首版首刷。

4 列入拍賣的兩部《阿比西尼亞王子拉瑟拉斯正傳》（參見第一卷IV譯註53）分別為：一七五九年首版、以及作者致贈特勞爾－皮歐濟夫人的一七六六年第四版簽贈本。

5 拍賣目錄上共列出三部路易士・卡洛（Lewis Carroll, 1832-1898）的書（全是簽贈本）：《愛麗絲鏡中奇遇記》（*Through the Looking-Glass and What Alice Found There*, London, Macmillan and Co., 1872）、據原稿景印本《愛麗絲地底漫遊記》（*Alice's Adventures Under Ground*, London, Macmillan and Co., 1886。此稿為《愛麗絲夢遊奇境》的前身）、作者致贈哈利・佛尼士（Henry Furniss, 1854-1925，該書插圖繪製者）的《席爾薇與布魯諾》（*Sylvie and Bruno*, London, Macmillan and Co., 1889, 1893）。

◎《愛麗絲地底漫遊記》原稿本，稿中的繪飾與插圖亦由路易士・卡洛親筆繪製

6 「純淨無瑕的英文古井」（“Wells of English Undefiled”）：引自約翰生《英語詞典》前言（一七五五年）：「吾殫思竭慮自復辟之前歷代各家雅詞美句中蒐羅引辭用字，竊以為其在在皆屬純淨無瑕之英文古井，皆下筆為文之精粹根源也。」（“I have studiously endeavoured to collect examples and authorities from the writers before the restoration, whose works I regard as the wells of English undefiled, as the pure sources of genuine diction.”）約翰生在〈前言〉中自述，他之所以致力編纂《英語詞典》乃因為：「將近一世紀以來，吾國語文受多方因素干擾，已漸悖離其條頓（原文作“Tentonick”）性格而轉趨高盧（原文作“Gallick”）結構與語法。」他對於母國語文漸失其純度、越來越呆板反智感到憂心忡忡；至於「純淨無瑕的英文古井」（單數“well of English Undefiled”）一詞的原始出處則是史賓賽在《仙后》（第四卷第二首）中禮讚喬叟的詩句：“Dan Chaucer, well of English undefiled, / On Fame's eternal beadroll worthy to be filed.”。如今身處數位時代的我們，面對各種速捷媒體（尤其是網路），運用語文之輕忽隨便，委實要比約翰生博士當年更應該感到憂慮汗顏才對。

7 《約翰生博士與女流之輩》（*Doctor Johnson and the Fair Sex. A Study of Contrasts*）：W. H. 克雷格（William Henry Craig）著，一八九五年倫敦Sampson Low, Marston & Co.出版。

【附錄II】
落難藏書家其人其書
喬治・薩簡

譯按：「落難藏書家拍賣會」之後兩年（一九二八年）的三月十七日，《波士頓晚報》以全版刊登該報專欄作家喬治・H. 薩簡[1]撰寫的〈書叟A. 愛德華・紐頓〉（"A. Edward Newton, the Compleat Collector"）。利特爾、布朗出版公司（Little, Brown & Co.）同年以「充珂羅版」限量印行六百部單行本，標題改為《落難藏書家其人其書》（*Busted Bibliophile and His Books, being A Most Delectable History of the Diverting Adventures of that Renowned Book-Collector, A. Edward Newton*），薩簡並在書末補充一份紐頓相關書目[2]。據韋伯氏（Winslow L. Webber）編撰的《書籍相關書籍》（*Books About Books*, Boston. Hale, Cushman & Flint, 1937）所載：「此書甫問世時，於芝加哥聯合車站售價四塊半，而如今在書商目錄上的訂價為二十五元。」我現在用來翻譯的本子，是前一陣子以美金四十五元向「橡樹丘書店」購買（我先後買過兩本，後一本是衝著藏書票和夾在裡頭的一份向賽斯勒書店預約的訂購單摺頁，摺頁上有一則薩簡的簡短介紹，其中譯內容一併列於此篇譯文之後）。

落難藏書家其人其書

—謹識—

此書標題乃得自若干年前，紐頓先生為其藏書拍賣會之命名，他藉該場拍賣會脫手其部分重複藏書。他所謂的「落難」並非如字面上那般嚴重，不論如何，他畢竟旋即重整旗鼓，不久之後還以破天荒高價買下一部莎士比亞第一對開本。

開場白

我向站在門口的

印地安人朗讀這篇文章

他是全家唯一肯聽我講話的人

讀罷全文，我倆不禁同時羞紅了臉

—A. E. N.—

費城北十九街501號，乃卡特電器製造公司（即電器業界名氣響叮噹的「卡特公司」）坐落之所在。此公司製造多項產品，包括：由已亡故多年的卡特本人親自研發的I-T-E斷路器（天曉得那是啥玩意），此外，他還發明了按鈕開關。據嫻熟該領域的人士向我透露：這是一家成績斐然、享譽海內外的公司。話說回來，這家公司裡頭也有一位成績斐然、享譽海內外的董事長。

不過我接下來要敘述的內容與電器設備絲毫不相干，因為我對電器設備的知識比卡特公司那位董事長更少得可憐——當他於一八九五年擠掉縣長，到那家公司當財務經理的時候，曾坦白對外招認：自己原本壓根對電器一竅不通，後來更是滿頭霧水。這篇文章要向大家介紹的是一位寫作者，因為不管是在拍賣場、俱

■ A. 愛德華・紐頓半身像
碧翠斯・法克士・葛里菲斯作，紐約苟罕公司翻製

樂部、抑或私人書房；或者美國、英國的其他任何角落，每當藏書家們一碰面，大家口耳相傳中的A. 愛德華・紐頓都是以爬格子的作家——而不是財經界董事長之流——的身分出現。

然而，要用寥寥數語道盡這位多面向的愛書人顯非易事。他居住在距離費城市區有一段車程的戴爾斯福「橡丘齋」（隸屬柏溫(Berwyn)郵區）。當你駕車前往該地，會看見一處參天林樹蔽蔭下的錯落屋宅，那便是紐頓一家人和他的寶貝珍藏之所在，一尊木雕印地安人必恭必敬地捧著（不曉得是否也是用木頭雕成的）雪茄立在門口迎賓，或許正可恰如其分彰顯戴爾斯福主人眾多的獨特品味之一。穿過迷宮似的一間間廳堂，紐頓先生的公子史威夫特和我在一間雅室（他們現在稱它作「舊會客室」(“The Old Drawing Room”)）前駐足。「這間廳堂乃由家父親自規劃設計，」史威夫特說，「他差點就成為偉大的建築師，而不是像現在這樣當個大商人；他原本還有機會成為偉大的銀行家；不過他現在儼然已是一位偉大的藏書家、偉大的作家、偉大的父親和丈夫。」就算有人原先抱持懷疑的態度，聽了紐家公子以十分堅定的口吻道出這一席話，也會不由得由衷信服。

至於「舊藏書室」(“The Old Library”)如今則成了紐頓先生的書齋，但是他堅持稱它為遊憩室(play-room)。房內果真擺滿了他的玩具——多年以來，紐頓先生便在這間放置各種版本書目、參考書籍、圖書目錄的房間裡頭從事寫作，至今依然。當我最近一回拜訪紐頓先生的時候，他正在裡頭審讀他的下一本書《蒐書之道》的校樣（他當時信誓旦旦聲稱那是他的封筆之作）。那本書要等到今年秋天才會出版，但大紙版[3]早已被預訂一空。《藏書之樂》（該書不僅令紐頓先生聲名大噪，也——所有書商都會異口同聲如是宣稱——比過去所有談論該主題的書造就出更多藏書人口）、《洋相百出話藏書》和《舉世最偉大的書》都是在這個房間裡頭寫出來

■（上）舊會客室（二十年前所攝）
■（下）舊藏書室，今稱「遊憩室」

的；同樣也是在這兒，他（在腦中）剪貼拼湊出那部傑出的劇本《戲說約翰生》[4]；而這間房間亦是此位不吝為朋友兩肋插刀的大忙人，用以度過無數愉快的夜晚、埋首於來者不拒的文字勞務的場所。當卡洛琳・威爾斯打算拍賣她手上的藏書，開口向他討一篇序文好讓她刊登在拍賣目錄上──紐頓先生恭敬不如從命；約翰・C. 埃克爾決定將多年研究匹克威克的成果付梓，請他代擬書名──紐頓先生經過深思熟慮之後獻出一道高明的書名：《首版分冊本匹克威克外傳：存本普

◎美國首版《戲說約翰生》書名頁

查、徹底校點、讎比對照、次評審批》[5]。威廉・M. 艾爾金斯先生（紐頓先生始終認為他手上那批戈爾德史密斯藏品乃全世界首屈一指）打算出版譚波・史考特[6]的精湛戈爾德史密斯研究論文[7]，特地央請紐頓先生賜序，還問：是否能在他不在國內的時候代為監督該書進度？當然當然，他一概送佛送到西、越忙越開心。紐頓先生曾聲稱：他發現「婚後還能找樂子」的妙方——攬一大堆無關緊要的差事讓自己忙得不可開交。我不禁思及華滋華斯的詩句：「出自善意與愛心之若有若無、無以名狀、不足掛懷行徑——乃一名好人生命中最好的部分。」[8]

寬敞的新藏書間就緊接在「食堂」另一頭——此即「橡丘齋」精華之所在。某人曾將紐頓先生致力的藏書行為歸為「生意人的消遣」[9]。這般見解簡直是本末倒置。紐頓先生蒐集珍本乃時時刻刻莫不戰戰兢兢、嚴肅面對，我們反倒不難想見：董事長職務才是他用以當作消遣的活動。他曾在一篇簡短的自傳文章（收錄於《人名、事物釋疑》[10]）中以第三人稱自況曰：「除了藏書之外，此君尚有一項無傷大雅的缺陷——始終視工作為娛樂。」他自己也不明白當初怎麼會開始藏書。他自小便喜愛書籍，一度在賽路斯・H. K. 寇提斯領一份頗為優渥的薪水——週薪三元。當他後來在費城老字號波特與寇特斯書店工作期間，碰到一名掮客連哄帶騙、極力向他推銷二十年期的壽險，還說好事在後頭：等到他四十歲時會有一千元入袋。但是紐頓先生依然不為所動，甚至反脣相稽：「等我到了四十歲，一千元於我何用哉？」事後證明他的判斷果然是對的。

一八九三年，紐頓先生一度認真地考慮以出版為業，現在還留存著一本亨利・漢比・海的著作，題為《鍍金及雜詩》[11]，上頭標示著「費城：A. 愛德華・紐頓社」[12]的印行標示。他後來仔細巡視卡特公司的圖書室，說出一句遠近馳名的感言：「縣太爺真是辦事不牢。」（"a sheriff is a rotten business manager."）接著他便開始不斷購置書籍並計畫積聚一批藏書，可是不到三年光景，他便發現自己起頭的腳步全踩錯了，於是辦了一場拍賣會出清手中的許多書籍——其中幾本的成交金額恐怕他現在會巴不得想照原價買回來。由此看來，他看待書籍的角度並非從一而終。

藏書家百樣千款，互異各殊。有些人將購置珍本當成投機生意，買進時只著眼於後手能賣出什麼好價錢，這種人和其他專挑熱門貨來居奇搶利的人沒啥兩樣；另外還有一種藏書家，買書的時候就打定主意將來死後要一股腦全數捐給某公家機構；有人只要見到他自己喜歡的作家的東西便不管青紅皂白一律照單全收，和他個人喜好無涉的便連碰也不碰；有的人買書只顧自己高興，全然不管別人是否喜歡；更有些人買書只是為了向別人炫耀，對自己的藏書內容根本一無所悉；還有一種藏書家買書乃著重研究功能，詳知自己的每一本藏書內容、深諳自己和其他人何以喜歡那些書的道理。凡以上種種性質的書籍（尤其是最後一種），均可在紐頓的藏書之中看到。倒不是說他絲毫不以商業眼光經營藏書，也不是他壓根從沒想過要賣掉那些書，而是當他買書的時候總會小心謹慎，免得身後留下一大堆長物教後代子孫傷透腦筋。很少藏書家能像紐頓先生一樣，對自己的藏書瞭若指掌；亦難以找出一二人能比他更能善用其藏書。綜觀種種因素，我

■「橡丘齋」實景

敢大聲稱紐頓先生為「書叟」[13]。

紐頓先生曾在他為朋友們刊印的某冊聖誕小書（一九二六年那一回[14]）中，約略描述自己的藏書室。那些描述完全不足以傳達實際情況之萬一，因為他在文章中只不過蜻蜓點水似地透露一丁點兒浮光掠影，僅僅提及由他一手擘劃的橡丘齋裡頭的寥寥幾件寶貝。要是換成我來寫他的藏書，保證更洋洋灑灑也更有看頭。不過我們還是姑且先聽聽藏書家自己是怎麼說的吧（儘管行文風格活像「畢戴可」[15]）：

「我的藏書沿牆排架，與尋常書房並無二致，至於東、西兩面皆鑿戶開窗以飽收鎮日充足光線。余之至珍重寶——約書亞・雷諾茲爵士手繪之約翰生博士肖像——高懸於左側。此畫乃博士仙逝前二年受阿賀彭（Ashbourne）之泰勒博士委製。誠然十足精美畫像，艾咪・羅威爾嘗言：此畫靈活神韻實非他作所能比擬，其筆觸道盡博士何以能深得友朋愛戴。余所庋藏之約翰生相關藏品——已歷時四十年矣——則於畫像之下分兩側置架。

■山繆・約翰生博士肖像，約書亞・雷諾茲爵士繪

「左牆[16]泰半架面用以儲放余最鍾愛之作家：狄更斯、蘭姆與戈爾德史密斯等人之作品；而史蒂文生、布雷克、彩色圖版書籍與運動書籍則盤據一角。另一端專置詩集、余之『珍本』、量少然極精的手稿、以及各版聖經；當室特設展示櫃一口於沙發背後，其中陳置忒精緻之裝幀本。右手邊則為我的『套書』與小說，自狄福至哈代依序羅列，尤以十八世紀著作為其大宗也。

「余藏書向來未經任何周詳規劃，然而置於架上卻絲毫不感突兀；能齊聚此批書籍於一室，誠為極端忙碌生涯之中一大樂事。」

不管有沒有系統，紐頓先生的確擁有一批藏書與一批堪用、足供展示、也值得保存的書籍。那些書的價值若干？花費幾何？這種問題可千萬不要當著紐頓先生的面提起。有一回，已故的亨利．E. 杭廷頓和我站在擺滿他花費數百萬元購置而來的珍本、手稿的圖書館內，他這麼對我說：「大家老愛問我究竟花了多少錢購置這些書，說起這事就教我冒一肚子氣。花多花少又有什麼干係？既然我壓根沒打算要賣掉，這些書的價值已非金錢單位所能衡量。」紐頓先生要是聽到人家詢問相同問題，他或許會回答得比較和氣些，但是他同樣也會堆滿一臉痛苦、哀戚的表情，因為紐頓先生——一如約翰．T. 溫特里屈——內心堅信：既然有號子、賭桌可供投機炒作碰運氣，大家千萬別把歪腦筋動到書本上頭。

當紐頓先生在他深愛的倫敦穿街走巷、巡逛舊書店的時候，突然靈機一動，決定動筆寫下自己在當地訪書的種種因緣逸事。既然那些書那麼吸引他的興趣，關於那些書的由來點點滴滴——如何、何時購得、書價若干、書販眾生相等等——何以不能也打動其他人？於是，一回國後他便寫成一篇題為〈海外得書記〉的文章，接著又寫出〈海內得書記〉，他當初原本打算將那兩篇文章合印成一本題為《藏書之樂》的小書，用以分贈親朋好友，就在他於一九一四年七月末將稿子送到印刷廠的當兒——套用他的話說：——「歐洲就風雲變色了，而我們亦惶惶不可終日。於是我從印刷廠把稿子抽回來，擱置一旁。」但是，後來他又覺得世界必須持續運轉（其實其他人也都有相同的想法），即使歐洲正在打仗，喜歡書籍的人卻依舊存在。他身旁的朋友也頻頻鼓勵他把文章投到《大西洋月刊》發表。大家有志一同地指名那份刊物，必然事出有因，大抵是因為他的朋友們全是那本雜誌的忠實讀者，而且也認為那些文章合該刊登在《大西洋月刊》上頭。紐頓先生拗不過眾人起鬨慫恿，只好硬著頭皮在信封上寫了「《大西洋月刊》貴編輯敬啟」（他當時連編輯的名字都不曉得）將稿子寄去，並且「想當然爾地」預先附上郵票方便對方退稿。不料艾勒里．塞吉威克讀過文章之後，回了一封信通知紐頓先生：《大西洋月刊》欣然採用他的大作（並且「想當然爾地」沒收了那幾枚郵票），一張支票亦隨後寄達（面額之高，登時把彌爾頓當年寫《失樂園》的稿酬比了下去）。那篇文章一經披露，紐頓先生馬上收到許多興高采烈的讀者來信，其中不乏好幾位還因此和他成了朋友，雙方卻自始至終未曾謀面。

當時是一九一五年春，直到一九一七年秋天，他才又投了另一篇——〈荒唐哲學家〉——到《大西洋月刊》。那篇文章亦獲得錄用刊載，打那會兒起，那本雜誌接二連三登了好幾篇他的文章。雖然紐頓先生寫文章從來都不是為了賺取稿費，不過那幾筆稿費對一名不停買書的人來說倒是不無小補。後來，那些文章集結成單行本《藏書之樂》（稱之為《紐頓的逸趣大全》亦不為過）隆重出版。

■書叟的漫畫造型，Wyncie King繪

《藏書之樂》甫問世即一炮而紅，此事實在值得大書特書。首版印量三千本——對於一部主題冷僻、出自名不見經傳作者的處女作來說實在不可謂不多。該書一上市沒多久便被「一掃而光」，出版社打鐵趁熱趕緊推出印量更大的第二版。然後第三版、第四版、甚至第五版亦接連付梓應市，前後算一算，那部談書的書總共印行了兩萬五千本。哈佛大學更是成打成打地買去給修「印本書」那堂功課的學生們研讀——後來的成果便是那樁勞什子（哈佛書呆子諸多該死的勾當之一）——正經八百死讀書果然要命。一本有作者親筆落款、附帶一幅額外插圖的首版《藏書之樂》於一九二六年以五十二塊半[17]成交。但是，手裡擁有首版的人暫且稍安勿躁！可不是每一本都能賣到那個價碼。我曾經在某家倫敦書店發行

的目錄上看到一個本子僅僅標價十先令六便士。我那時未能買到或許是因為當我的訂單寄達英國的時候，那本書早就被別人捷足先登了（搞不好早在那封信還在紐約尚未過鹹水之前哩）。話說回來，大家實在不宜將《藏書之樂》當成「二手」書來看待。

曾經有整整三代藏書家奉湯瑪斯・佛洛格納爾・迪柏丁（曾遊遍英國、歐陸各富豪私家圖書館[18]、百折不撓的《書痴》[19]作者）的博學著作為無上瑰寶。從前，迪柏丁的書堪稱關於書籍的書籍之中最傑出的著作，將近一個世紀以來，它們也始終立於獨尊地位不曾動搖。不過，紐頓先生的書既出──套句江湖黑話──「應聲撂倒迪柏丁」。倒不是因為紐頓先生寫的都是現代新書（因為他也談了一大堆古老得不得了的書），而是他的筆調更生趣盎然、更有人情味兒。迪柏丁只不過將上了年紀的古籍善本一一羅列排比，而紐頓先生則為它們個個注入飽滿生氣。紐頓先生的親密摯友，克里斯多佛・摩利，曾來信向我解釋紐頓先生的書如此廣受歡迎的原因（我已將該篇信文收錄在前一陣子出版的紐頓著作目錄[20]之中）──紐頓先生的文章面世碰巧逢上天時地利人和。對摩利先生與其他眾多好友而言，A. 愛德華・紐頓的地位不啻「哈里發」[21]，摩利在信中如此寫道：

「想必你還記得他曾寫過一則絕妙軼事，提及約翰・勃恩斯某日帶領一名美國人、一名加拿大人到下議院附近的河邊茶敘。

「『兩位請看，此乃泰晤士河是也。』

「訪客順著他手指的方向看了一眼。加拿大人開口道：『勃恩斯先生，敢問您可曾見過聖羅倫斯河？』從美國中西部來的客人一聽也不甘示弱：『您看過咱們密西西比河麼？』

「『是的，』勃恩斯說：『我全瞧過。聖羅倫斯河僅是一泓溪水，而密西西比河則只不過是一攤泥水罷了；而兩位眼前這一道，可是源遠流長的歷史呀。』

「著書為文談論古籍珍本的作家所在多有──其中亦不乏機智討喜者。然而咱們哈里發的筆下，閣下，白紙黑字在在俱是鮮活的品性。」

紐頓先生筆下的每一本書，字裡行間莫不攙雜他個人的個性品格。其隨處湧現的如珠妙語；不時娓娓道出的生命哲理，撥動每個美國人的心弦──大抵只有像「大比爾・湯普遜」[22]之流才有能耐完全不為所動。紐頓先生深愛倫敦，然而倫敦之所以如此深深吸引他，非關喬治國王、愛德華國王，亦無涉維多利亞女王；而是高夫廣場（約翰生博士生前蟄居之所在）、吉爾伯特與蘇利文、乃至狄更斯、薩克雷，或甚至溯及更久遠前、僅在「老維克」當中粗淺接觸的莎士比亞。但是當他回頭數落國人粗魯無禮、不懂得善用餘暇時光、一味盲目追求越大越好越快越好；挑剔城鄉景觀的紊亂無章、缺乏整頓、與國會殿堂的荒腔走板（要不是這些事情全都結結實實地影響國家的未來，否則咱們大可盡情捧腹笑個痛快），他完完全全受到佛吉谷[23]及其精神的感召。「他在別處總是頻頻質疑民主制度的運作弊端，但是對於此地則全然虔敬。」

任何人只消讀讀《舉世最偉大的書》的頭一章[24]，必然都可以感受到作者悲天憫人的博愛情操。我個人堅信：他必然是一名聖公會（Episcopal Church）教徒。要是有機會讓紐頓先生帶你走訪佛吉谷，途中路經「大谷浸信會教堂」（Great Valley Baptist Church），他會提起一則關於他的遠房表親，一名人窮志不窮、老家在維吉尼亞的老太太的故事：話說她牽著小孩走在里奇蒙（Richmond）的路上，途經一幢木造小屋，「姥姥，姥姥，」小孩問，「那是什麼教堂？」老婦答道：「那個不是教堂（church），那是一間禮拜堂（chapel）哪。」兩人繼續往前走。過了沒一會兒，小孩又開口道：「姥姥，教堂和禮拜堂有什麼不同？」

「禮拜堂是給浸禮宗教徒（Baptists）做禮拜的地方。」

小孩還是不明白，他想了又想，最後問道：「姥姥，參加浸禮宗的是壞人嗎？」

「不是的，乖孩子，」老婦答道：「不過那是社會的大不幸啊。」

紐頓先生曾經說：「我曾經向一位我認識人品最高潔的基督徒紳士講這則故事。他是個浸禮宗教徒，但我相信他正打算皈依聖公會。」

相對於看待宗教事務的寬容態度，紐頓先生卻自始至終對政治亂象不假辭色，甚至毫不遲疑地將〈獨立宣言〉說成「由某名小頭銳面的政客東拼西湊成的文件，當他信筆寫下『所有人皆生而自由、平等乃天經地義之不悖真理』[25]時，他和咱們一樣，心知肚明那根本全是一派胡言」。只要碰到看不順眼的事，他便用大白話將自己的看法直截了當表達出來。每當他要當頭棒喝當前的政經局勢，總能信手拈來妙字佳句。

正是由於強烈的個人性格灌注於這些內容，方能屢屢喚起讀者反躬自省。儘管紐頓先生文章的主要探討對象是「書籍」，但不難想像，那並非他唯一念茲在茲的主題，不論他所討論的主題為何，他的立論總以某部書為出發點。我們就舉紐頓先生藏書三部曲[26]的最後一部《舉世最偉大的書》為例，雖然他在文中謙虛地引用赫胥黎的句子加以佐證，他的文章依然堪稱有史以來對聖經最崇高的禮讚。由於紐頓先生本人鑽研約翰生甚深，書中自然也少不了談論約翰生博士的文章[27]。他以筆為劍，評議當前國際債權之處置失當；針砭政壇人士的偽善嘴臉；抨擊咱們「惡法亦法」的姑息謬論。接著他筆鋒一轉，侃侃談起甫出版時受到父祖輩寵愛有加、如今卻被眾藏家棄之如敝屣的種種彩色圖版古籍。他那兩篇分別紀念偉大的藏書家——哈利．愛爾金．威德拿與比佛利．周——的絕妙美文，必將在文學史上永久留傳。無論他論及什麼主題，無不揉混了A. 愛德華．紐頓鮮明的個人色彩——即「思想盡匯筆尖」也。

有一位狄茲拉勒先生曾經著書探討寫作的「災禍」與「爭議」。紐頓先生則全心全意闡述其「樂」。凡生而為人，大抵皆有其各自的「災禍」與「爭議」，身為作家的人往往不喜歡別人提醒他們那些煩心的事；而從來不搖筆桿爬格子的人，也沒太多興趣關心作家們有哪些困擾。狄茲拉勒先生的大作至今仍可得見，我發覺其中論點不無道理且值得作為處世的參考。然而紐頓先生開門見山就告訴大家：一旦寫作失去樂趣，他便會立刻封筆。

在紐頓先生第二部著作《洋相百出話藏書》內有一篇文章題為〈走上寫作這條路〉，文中敘述他的第一本書問世後的民眾反應。其中最糟糕的便是讀者們蜂擁來信，寫來的人全是手中有書想脫手、或家裡有幾本「裡頭的s都印得像f」的舊書，他們紛紛要求這位顯然對書本擁有無窮知識的寫作新秀為他們的書本鑒價。每回紐頓先生只要一有新文章在雜誌上發表，這種情形就日益嚴重，為了畢其功於一役，他不得已乾脆準備一份事先印好的信，詳告那些人：估書價的工作甭再找上門，他既非書商亦無意為書商拉生意，更沒興趣下海從事收購舊書的勾當。這些令他不堪其擾的信件，紐頓先生每天都得收到好幾封。許多來信甚至根本連回郵郵資都不附，其下場就統統只能石沉大海。假使各位冀望能收到紐頓先生的正式回函，那麼你在「兜售祖傳百年古書」之餘，千萬不要吝惜那區區幾毛錢的回郵郵資。

還有許多人不厭其煩地致函作者誇讚他的文筆、甚至直接鼓勵他應該再接再厲。此外，五花八門的各種社團也紛紛邀請他去演講並頻頻探詢他的「價碼」。甚至還有幾所大學院校認定此君作為頗值得獲頒「博士」學位——不過我醜話先說在前頭，你最好不要頭一回見面就直呼他紐頓博士，否則到時場面鬧僵可就糗了。紛至沓來的各種學位早已令他應接不暇，每當這位哈里發被人家以「博士」相稱，就算他按捺性子沒當場發飆，給對方一雙白眼總是免不了的。

不過最振奮人心的事情還在後頭：這位董事長不僅榮登人盡皆知的一線作家、掙得「書叟」美稱，更帶動許多人（其中不乏工商鉅子）投入一波藏書熱潮。他鼓舞了年輕的大學生，在他們身上種下藏書的種籽，我敢大膽預言，未來一旦開花結果必可令藏書大業勢不可擋。既然他老早就開宗明義聲稱藏書乃最令人欣喜的消遣或職志，這些錦上添花自然多多益善。

歷史上鼎鼎大名的藏書家——尚・葛羅里亞——曾以一方「四海之內皆兄弟」[28]圖章銘文，說明他的每一部書本皆為他與他的朋友所共享。那句格言倒不是暗示他老兄家裡開圖書館，專門無條件出借書本給大家（要是果真那樣，他豈不損失慘重？）。可是，紐頓先生慷慨披露自己的藏書和他腦袋裡頭關於書籍的寶貴知識，其用心正是為了嘉惠朋友。就在前幾天，我收到某位朋友的來信，他問我是否能夠幫忙找一本第二版的安東尼・特洛羅普《旺代省》[29]（我曾經寫過一篇文章討論那部小說），因為麥可・薩德里爾要在他即將出版的《特洛羅普版本分析》[30]裡頭刊登一幀書影。我手邊不巧也沒有那本書，但是我馬上想到A. 愛德華・紐頓，凡是安東尼・特洛羅普寫的書他每一本都有。於是我建議朋友去找紐頓先生幫忙。結果，我的朋友果然順利拍到他要的照片。順道一提：那本書的第二版比首版更為罕見，薩德里爾先生先前在英國上窮碧落下黃泉，找得人仰馬翻連一本也找不著。這雖然只是一樁小得不能再小的事，卻足以說明「橡丘齋」的

■A. 愛德華・紐頓本尊

收藏多麼博大精深，而其主人厲行藏書之「樂」又是何等仔細徹底。

任何作家要是能爬到紐頓先生這種地位，免不了有一大堆出版社找上門求序，這也是頗令寫作者樂在其中的勞務之一。他所寫的第一篇序文獻給了小克・摩利的《費城巡訪紀行》[31]（該書漂亮地形容那座城市為「由比鐸[32]與卓克塞爾[33]兩大氏族的血脈匯流而成、出奇廣大的一座小城」）。那篇序文可說是紐頓先生對摩利遷離費城、移居紐約的臨別贈言，即便現在還無法堂堂進入「純文學」的殿堂，但它的確是一篇感人肺腑、賺人熱淚的珠玉佳作。其他由紐頓先生作序的書還有：《魯賓遜漂流記刊行始末》[34]——一部飽富哲理的懷古之作而非僅版本論著，據紐頓先生自承：命可以不要，這種書的序文絕不能不寫。要是有人願意試著給威爾拉德・吉布斯的《萬物之均衡》[35]寫點兒說明應該也不錯，此人的「消長定律」(Rule of Phase)完全找不到意義相當的文學詞彙，合著只能用數學公式加以演繹。紐頓先生甚至還成為唯一一位受邀為湯瑪斯・J. 魏斯的九卷本《阿胥禮藏書樓藏品目錄》作序的美國人，此事也讓他得以與李察・裘爾[36]、大衛・尼可・史密斯(David Nicol Smith)、R. W. 查普曼、E. V. 盧卡斯[37]、愛德蒙・葛斯[38]爵士、約翰・尊克瓦特、奧古斯丁・伯雷爾與A. W. 波拉德等文壇名家同列一堂。

紐頓先生身體力行藏書之「樂」之餘，還有一樁值得大書特書的快事——他於每年聖誕節前夕照例會為朋友們準備一件小禮物。此乃他自一九〇七年起便養成的宜人習慣，其中某些出版品現在皆非常罕見且寥若晨星（若換成他鍾愛的約翰生博士，則會說：宛如狗嘴裡頭的象牙[39]）。如果有人能夠每年好好地保存下來，必然是一套絕頂風光傲人的收藏品；要是現在誰還想回頭再去一件一件蒐羅，那就只能等著品嚐徒勞無功的滋味了，就算真能找到其中一、兩件，恐怕也會讓他的荷包成了大窟窿。那些出版品涵蓋的議題可謂包羅萬象，去年聖誕節出品的是《不打不相識》[40]，內容講述一件爭端（紐頓先生某次樂而忘「問」，得罪了畫家高登・羅斯）後來如何成了一樁美事的過程。

我原本可以寫一篇訪談，詢問紐頓先生為什麼要藏書、該如何藏書⋯⋯但是我辦不到，一來篇幅有限，再者，我再怎麼努力，也夠不上他自己寫的一半好，何況，我如果畫蛇添足寫出來，勢必會剝奪讀者自行從他的著作中發掘答案的樂趣。對了，我差點忘了提一件事——紐頓先生曾經表示：伴隨他的第一本書出版而排山倒海湧現的一大堆問題，他完全答不出來，所以他歸納出一個結論：這個世界上的問題太多但答案太少。而他完全不加思索就能答覆的問題，倒是有一個（通常都是不藏書的人問的）：「買古書是一項好投資嗎？」他會立刻回答：「是的。」然後再告訴你他的信念（根據一項老得不能再老的經濟法則——供消需長自然而然帶動價格上揚），而且還會現身說法，申明倘不趁現在買還待何時云云。他曾在他的某部書中敘述一樁陳年舊事——當時（喲，那竟然已經是上個世紀的事兒嘍）他向倫敦有名的書商哈特買了一部章節標成「第壹章」、綠色蝴蝶頁、連一個「版記」都不缺的《耶誕頌歌》，他當時付了三十先令還覺得心疼，那本書現在約值二十基尼。哈特還打算順道賣他一部哈代的《孤注一擲》，開價大約是兩英鎊出頭。紐頓先生如是說：「當時我覺得似乎該等到它的價格升到四十英鎊再買比較好，如果是那個數字，我一定二話不說立刻付錢。」

紐頓先生寫文章的時候並不喜歡議論別人寫的書。一旦文章中必須提及某本書而他手邊又正好沒有的話，他也會先去買來一部再回頭繼續寫那篇文章。用這種方式寫文章免不了就得破費傷財，連帶害他上回到歐洲旅行時只好一路縮衣節食——他啟程前才剛花了六萬兩千五百元向加伯瑞爾．威爾斯買了一部上好的卡里斯福（Carysfort）伯爵藏本莎士比亞第一對開本（因為他正好寫到「第一對開本乃所有完善藏書室的基石」那麼一句話[41]），後來他就再也沒買過任何一部第一對開本了[42]。但是當他寫到舊目錄和新價格的時候，他特地指出該部善本於一七九二年只賣三十二英鎊，又似乎對凡．安特衛普的本子（現在擺在哈佛大學圖書館的威德拿特藏室裡頭）賣不到兩萬元頗有微詞。或許是因為他對於第一對開本的感情也和他早年對《孤注一擲》一樣複雜糾葛吧。

正因為紐頓先生對自己的藏書這麼下工夫去瞭解，他寫起談書文章來才會如此精湛可讀；他下筆也不至於無的放矢；而他對書籍的廣泛品味亦統統反映在他的文章裡頭。只要大家讀通他的書，就不會因為咱們自己沒福氣買到「卡里斯福伯爵藏本第一對開本」（即使它們出現在市場上），就大剌剌地說藏書只是有錢人才玩的把戲。如今出版業蓬勃發展，藏書界也興起一波購藏「現代首版書」——此詞涵蓋一八七一年哈代的《孤注一擲》以降，乃至厄普頓．辛克萊未完成的《波士頓》[43]之間所有作品——的風潮。其實，紐頓個人並不趕流行拚命購買新秀作家的首版書，因為他沒有把握那些書具備不可磨滅的好品質——好比說，像鮑斯威爾的《約翰生傳》那般深沉功力。

他說：「但我對於那些一看到新書就不分青紅皂白一概低估其價值的收藏家也不懷什麼敬意。當初華頓夫人的《伊頓．夫羅姆》[44]或小克．摩利的《帕納瑟斯上路》剛出版時，如果我們一時失察沒買，現在就該趕緊把它們買回來，而且現在買的話，為了彌補咱們的疏忽蹉跎，每一本得花十五元。」他一再強調：所有收藏書本的人應該要潛心研究文學；而且，他也不斷建議大家要和某些優良書商建立交情，這兩項作法他自己皆厲行不懈，並從中獲益甚豐。

當我下筆寫這篇介紹的時候，一直有一股強大的誘惑力驅使自己盡量在A.愛德華．紐頓這個人身上著墨，而不要理會他的作家、藏書家、或董事長身分。我個人始終非常幸運，有緣結識許許多多傑出的藏書家與董事長，可是當我發現有人居然能夠集三種身分於一身，我下筆反倒覺得分身乏術了。和書界中人打交道，能碰上一位藏書的作者兼董事長，夫復何求？紐頓先生喜歡人的程度比愛書更勝一籌，而且他還有一個能耐，能夠做到人如其文，簡直——按照摩利先生的說法——搖身一變成了某位虛構小說裡頭的討喜人物：「他可說是現實世界的匹克威克……對咱們這位哈里發來說，比起稱呼他為高明的散文家或偉大的藏書家，這個形容更形貼切。他不但為人非常真誠且有一副菩薩心腸，更是一位性情中人。」

作為一名愛書人，我實在很難從畢生記憶當中找出另一件事，能比與A. 愛德華．紐頓在「橡丘齋」消磨一個下午，更令我欣喜、更教我難以忘懷。舉目張望「滿牆開架」，低眉細看哈代《遠離狂囂》親筆手稿（那位偉大作家唯一存藏於民間的珍寶）；才一轉眼，《金銀島》地圖赫然近在咫尺（史蒂文生便是根據此圖寫成那部迷人故事的草稿）；幾近無瑕的《匹克威克》善本忽焉捧至面前（套用畢生鑽研狄更斯的約翰．C. 埃克爾證言：紐頓藏本乃存世最佳善本無疑）。你隨手便能任意展讀一套名著；觀覽你夢寐以求的某部古籍；你手上捧著那些書、嘴裡還能悠閒地品評書籍背後的種種軼事——作者掌故、庋藏源流——直到一本本書全都紛紛生動起來，不再任其冷置、成為一方方墳塚，而是鮮活物事，充滿靈氣個性。當你瀏覽過那批絕佳約翰生藏品走到書房角落，可以抽出彌爾頓的《柯摩斯》或是那部幾成孤本的《幕間劇瑟爾西忒斯》[45]或首版大紙本《格列佛》[46]、極其佳善的《釣叟》、或查爾斯．蘭姆的醉人美文〈夢中兒〉手稿，最後來到一口玻璃櫃前，裡頭擺著某部美不勝收、光彩奪目的布雷克傑作。眼見這般光景，你兩手一攤宣告投降，頂多只能學多密尼．桑普生長吁一聲：「嘆—為—觀—止！」[47]

【附錄IIa】
致集藏A. 愛德華・紐頓的諸位同好
TO THE FRIENDS AND COLLECTORS OF A. EDWARD NEWTON

自從拙文──〈書叟A. 愛德華・紐頓〉──承《波士頓晚報》文學版披露以來，許多讀友紛紛來信敦促我務必將它以書籍形態印行。現在，此篇文章即將出版單行本，開本大小一如由本人撰寫的艾咪・羅威爾研究論著[48]。

鑒於鄙作《A. 愛德華・紐頓著作目》甫上市旋即售罄斷版──殆因書前那篇克里斯多佛・摩利的絕妙序文──，本書將特別於書末附錄一份簡目，列出紐頓先生本人所作、以及關於他的出版品標題。

此書開本為十開（寬五・五吋高四・五吋），內文共六十四頁，以十級Goudy Garamond字體印製於高級模造紙上，並用色紙覆板精裝，題簽則另貼於封面之上。

書名頁將特以朱、墨兩色套印，書中並附九幅插圖[49]，其中包括一幀查爾斯・法蘭西斯・葛里非斯夫人[50]新近完成的「落難藏書家」半身塑像（由苟罕公司（Gorham Company）翻製）的照片；還有紐頓先生在書房的留影，以及著名的「橡丘齋」實景。

本書將委由費城愛德華・史德恩公司以充珂羅版精心印製，發行部數限定為六百部，售價則為每部四元五角。各大書局均可受理預約，敬請及早訂購，以免向隅。

【譯註】

1　喬治．H. 薩簡（George Henry Sargent, 1867-1931）：美國記者、作家。一九一三年起為《波士頓晚報》（*Boston Evening Transcript*）撰寫專欄「書中人語」（"Bibliographer"），陸續推介藏書界的人、事，令該報的書籍版面耳目一新，也奠定薩簡文名，亦對二十世紀初美國藏書活動發展有推波助瀾的功效。薩簡本人十分崇拜紐頓，亦蒐集大量紐頓相關文物；薩簡歿後，其大量藏書由其妻Carrie F. Sargent委託哈特曼（Charles Frederick Heartman, 1883-1953）在紐澤西州美塔辰（Metuchen）拍賣，其中第二場（一九三一年十二月十九日）專拍紐頓相關藏品，目錄為《紐頓相關精湛藏品》（*The Library of the Late George H. Sargent. Part II. The Eminent A. Edward Newton Collection*, Metuchen: Heartman, 1931，限量印行二百九十九部）。根據現有可查資料顯示，薩簡於一九二〇年代在《出版人週刊》（*Publisher's Weekly*）撰寫的許多文章，促成了美國大學院校有系統地鼓勵學生藏書。他在文章中提問：「如何催生下一代藏書家？」他自己的解答是：「大學書店責無旁貸。」

2　此書目以薩簡於一九二七年發表的《紐頓著作簡目》（參見本附錄譯註20）為基礎擴編。

3　首版《蒐書之道》除了一般的八開市售版之外，另印行長八開、附作者簽名、比市售版多兩幅圖版的編號限定本（九百九十部）。

4　《戲說約翰生》（*Doctor Johnson: A Play with Words*）：紐頓唯一的劇作。一九二三年波士頓大西洋月刊社出版、一九二四年倫敦J. M. Dent & Sons Ltd.出版。約翰生畢生亦只創作一部劇作《艾琳》（*Irene*），依照紐頓崇拜約翰生的程度，我猜，如果他多活幾年，八成也會寫出（唯一）一部小說來。

5　《首版分冊本匹克威克外傳：存本普查、徹底校點、讎比對照、次評審批》（*Prime Pickwick Papers in Parts: a Census, Complete Collation, Comparison and Comment*）：埃克爾編纂的版本論著，一九二八年倫敦Charles J. Sawyer書店限量印行四百四十部／紐約Edgar H. Wells & Co限量印行四百部。這個極其漂亮的書名可真折煞了譯者。蓋原書名前段各字皆以"P"而後半段則全以"C"為頭韻，由於前段多為定語難以更動，惟有將後段詞首勉強以「ㄘ」或「ㄔ」頭韻瓜代。

6　譚波．史考特（Temple Scott, 1864-1939）：英裔紐約書商、版本專家。

7　《奧立佛．戈爾德史密斯編年著作目錄》（*Oliver Goldsmith, Bibliographically and Biographically Considered; Based on the Collection of Material in the Library of W. M. Elkins, esq.*）：譚波．史考特編纂，一九二八年紐約The Bowling Green Press限量印行一千部。

8　"That best portion of a good man's life? His little, nameless, unremembered acts of kindness and of love."：語出華滋華斯詩作〈一七九八年七月十三日旅中重遊威河沿岸，作於廷特恩修道院遺址前數哩處〉（"Lines Composed a Few Miles above Tintern Abbey, on Revisiting the Banks of Wye During A Tour July 13, 1798"）。廷特恩修道院建立於一一三一年，為英國第二所西多會（Cistercian）修道院；該修道院後來被亨利八世剷平（他為了排除羅馬天主教，一口氣毀掉英國境內數十座修道院）。華滋華斯舊地重遊，卻似乎忘了當年亨利八世假宗教之名進行的各種倒行逆施，不僅絲毫不「出自善意與愛心」，亦與「一名好人生命中最好的部分」扯不上邊。

9　指Robert Barnes發表於一九二七年八月號（第15卷第9號）《全國商業》（*Nation's Business*）上的文章〈玩古書，生意人的消遣〉（"Rare Books, A Busy Man's Pastime"）。

10《人名、事物釋疑》（*Who's Who and What's What*）：一九一三年費城卡特公司出版的業務小冊之一。共三十二頁，概述公司沿革、簡歷及專業名詞解說，由紐頓撰寫。

11《鍍金及雜詩》（*Created Gold and Other Poems*）：亨利・漢比・海（參見第二卷 I 譯註29）的詩作選集。一八九三年紐頓私家印行一百部。

12 其實紐頓涉足出版的時間應早於一八八七年。以「A. 愛德華・紐頓社」（"A. Edward Newton & Co."）掛名出版的書籍，在薩簡編的《紐頓著作簡目》中僅著錄一部（即此處提及的海氏詩集）；賽斯勒書店整理的書目（*Check List of the Works of Mr. Newton*, Philadelphia: C. Sesseler, 1934，賽斯勒趁紐頓新書《賽馬日》上市時編製的八頁小冊）列出七種；約翰・T. 溫特里屈（參見第四卷 I 譯註16）在〈一八八七年至一八九三年A・愛德華・紐頓社刊行物〉（"The Imprints of A. Edward Newton & Co., 1887-1893"，《珂羅封革新版》一九三六年春季號）中則列出：《詩人之故居》（參見第一卷緒論譯註12）、《霍桑佳句消片刻》（*Half Hour with Hawthorne; Descriptions and Quotations*, 1887?）、Edwin R. Champlin的《戀人謳歌》（*Lovers' Lyrics, and Other Songs*, 1888）、Susan Marr Spalding的《冬日玫瑰》（*Winter Roses*, 1888）、Frederick Barnard的《狄更斯筆下人物點描》（*A Series of Character Sketches from Charles Dickens*, 1888）、《薩克雷筆下人物點描》（*A Series of Character Sketches from William Makepeace Thacheray*, 1888）、《愛書人錦囊》（*Book Lover's Portfolio*, 1891?）、《詩人錦囊》（*Poet's Portfolio*, 1891?）、《詩詠淑女》（*Lines to A Lady*, 1891?）、《閒讀喬治・艾略特》（*Moments with George Eliot*, 1893）、亨利・漢比・海的《鍍金及雜詩》等十二種。溫特里屈甚至在文中斷言：實際數量恐怕遠遠不止於此。

◎紐頓於一九三三年印行一份兩頁打字稿〈出版宏願〉（"A. Edward Newton's Efforts as a Publisher"）敘述他對出版的熱情與期盼，並介紹數部「A・愛德華・紐頓社」出版品。

13「書叟」（"The Compleat Collector"）：諧擬以薩克・沃爾頓名著《釣叟智言》用語（參見第一卷緒論譯註18）。

14 即《我的書齋》（*My Library*）。一九二六年紐頓私家印行的十二頁小冊子。該文後來刊登在一九二七年倫敦的《書客雜誌》（第15卷第1號）。中譯全文見《逛書架》（邊城出版社，2004）第184-188頁。

15「畢戴可」（Baedeker）：萊比錫出版商卡爾・畢戴可（Karl Baedeker 1801-1859）於一八二七年領先出版歐洲各國旅遊指南。卡爾・畢戴可歿後其家族繼續其出版事業。「畢戴可旅遊指南」（Baedeker Guides）內容豐富翔實，目前仍是出版地圖、旅遊指南的權威品牌。

◎卡爾・畢戴可

16 此處疑為「右牆」（right wall）之筆誤，蓋上段已說明左牆擺放約翰生藏品。

17 即「落難藏書家拍賣會」中成交的紐頓自藏本。紐頓除了在特別製作的書匣上簽名之外，還在扉頁上寫下：「我祈盼，不論何人購得此書，都能讀得開心，一如我寫得高興——除此之外，言盡於此。A. 愛德華・紐頓識於一九二六年九月二十日。」並附貼一幅彩色圖版「約翰生博士赫布里群島行腳圖」。

18 迪柏丁於一八一八年曾在史賓塞伯爵的授命及資助下，親赴歐陸（德、法兩國）考察公、私藏書機構並順道在當地蒐羅善本。他將期間經歷寫成圖文並茂的《法、德訪書訪古覓奇之旅》

（*Bibliographical, Antiquarian and Picturesque Tour in France and Germany*）三卷。不幸的是，一八二一年首版（London: Payne and Foss, Longman, Hurst and Co.）問世後，即被外界詬病內容頻頻出現訛誤。迪柏丁遂於一八二九年再版（London: Robert Jennings, and John Major）並試圖修訂其中若干內容，但是仍然未盡周全。

19 即迪柏丁名著《書痴書狂——此疑難雜症之久年症狀及其療方》（*The Bibliomania; or Book-Madness; A Bibliographical Romance*）。一八〇九年，倫敦W. Savage首版。

20《A. 愛德華・紐頓著作目》（*The Writings of A. Edward Newton: A Bibliography*）：喬治・薩簡編纂。一九二七年費城羅森巴哈書店編號限量印行作者簽名本一百一十部，書前附摩利導言。

21「哈里發」（"Caliph"）：穆斯林對統治者的尊稱，意指「穆罕默德傳人」、「真主的代言人」。克里斯多佛・摩利曾致贈紐頓一部《第八罪》並在半書名頁背面親筆寫下一段題辭（參見第257頁圖版），抬頭即稱呼紐頓「哈里發」。該題贈落款十分有趣，紐頓後來還將它複印在他的〈版本學與偽版本學〉（Bibliography and Pseudo-Bibliography, 1936）前當成扉畫。我照錄如下以饗眾有心讀友：

To A. E. N. with my love (April 1927)

Dear Caliph — I suddenly realize, seeing this pamphlet again, why it is that the author has no copy of his own primary indiscretion. He has no copy because he gave it to you. But unless there were testimony to that effect it might be supposed that you has obtained the pamphlet by sinister means. And so dear Caliph I rededicate to you this copy of a sheaf of peccadilloes which, when they were innocently committed, never dreamed of reaching a haven (or heaven) of editions and bindings such as Oak Knoll. Your very affectionate　　Kit Morley

22「大比爾・湯普遜」（Big Bill Thompson），即威廉・霍爾・湯普遜（William Hale Thompson, 1868-1944）：美國（共和黨）政客，前後擔任過三任芝加哥市市長（任期一九一五至一九二三、一九二七至一九三一）。湯普遜行事風格強勢乖張、招惹爭議，引發褒貶不一的評價。

23 佛吉谷（Valley Forge）：美國建國重要地標。喬治・華盛頓率領軍隊於獨立戰爭期間與英國軍隊在此地進行多次戰役。

◎「大比爾・湯普遜」

24 指〈一場鬧劇〉（譯本未收）。

25 語出湯瑪士・傑佛遜起草的〈獨立宣言〉（"Declaration of Independence"）起首句："We hold these truth to be self-evident, that all men are created equal, that they are endowed by their Creator with certain unalienable Right, that among these are Life, Liberty and the pursuit of Happiness."

26 指截至此文發表為止已出版的《藏書之樂》、《洋相百出話藏書》、《舉世最偉大的書》三部著作。

27 指〈高夫廣場幽魂未散〉（譯本未收）。

28 原文應為「葛羅里與友人共有」（"Io. Grolierii et amicorum" 薩簡此處作 "Io. Grolier et amicorum"）。

29《旺代省》（*La Vendee*）：安東尼・特洛羅普（根據Madame de la Rochejaquelein的日記與回憶錄）撰寫的歷史演義小說。一八五〇年出版。

30《特洛羅普版本分析》（*Trollope - A Bibliography - An Analysis of the History and Structure of the*

Works of Anthony Trollope, And A General Survey of the Effect of Original Publishing Conditions on a Book's Subsequent Rarity）：麥可・薩德里爾（參見第四卷Ⅱ譯註40）編撰，一九二八年格拉斯哥Robert MacLehose、倫敦Constable出版，限量印行五百部。

31《費城巡訪紀行》（*Travels in Philadelphia*）：摩利的散文著作。一九二〇年費城David McKay Co.出版（插圖由Herbert Pullinger與Frank H. Taylor繪製），紐頓作序。

32 比鐸：參見第一卷Ⅱ譯註74。

33 卓克塞爾（Drexel）：費城顯赫金融家族。代表人物Anthony J. Drexel（1826-1893）曾經提拔過摩根，對於建立美國金融制度厥功甚偉。其後代與比鐸家族通婚，迪士尼電影《快樂的百萬富翁》（*The Happiest Millionaire*, 1967）便是以Anthony J. Drexel Biddle（1876-1948）的事蹟為藍本。

34《一七一九年至一七三一年間魯賓遜漂流記刊行始末》（*Robinson Crusoe and Its Printing 1719-1731*）：Henry Clinton Hutchins編著的版本論著。一九二五年紐約哥倫比亞大學出版社出版。

35《論萬物之均衡》（*On the Equilibrium of Heterogeneous Substances*）：美國學者威爾拉德・吉布斯（Willard Gibbs, 1839-1903）的物理學論著。

36 李察・裘爾（Richard Curle, 1883-1968）：英國學者、旅行家、藏書家。與康拉德有私誼。

37 E. V. 盧卡斯（Edward Verrall Lucas, 1868-1938）：英國評論家、作家。

38 愛德蒙・葛斯（Edmund Gosse, 1849-1928）：英國詩人、評論家。

◎愛德蒙・葛斯爵士肖像，John S. Sargent繪於一八八六年，現藏倫敦肖像藝廊

39 此處前、後原文原為「本地禽鳥的口喙長齒」（the dental apparatus of domestic foles）、「母雞牙」（hen's teeth）。非常抱歉，為了耙順行文，我再度更動了原文的用語。

40《不打不相識》（*A Reprimand and What Came of It*）：紐頓於一九二七年出版的賀歲小冊，內容講述他的運動書籍專用藏書票的來歷。參見述及同一件事的第四卷〈開門幾件事〉內容。該款藏書票圖案見第四卷卷首。

41 此段文字出現在《藏書之樂》中的〈舊目與新價〉（譯本第一卷Ⅲ）一文內。

42 但是紐頓後來收藏許多「第二對開本」與「第三對開本」甚至「第四對開本」……和幾部「四開首版」「八開首版」，族繁不在此贅列。

43《波士頓》（*Boston*）：美國作家厄普頓・辛克萊（Upton Beall Sinclair, 1878-1968）的小說。一九二八年出版。辛克萊曾從事新聞工作，其作品通篇充斥濃烈的社會意識，主旨多為控訴工業文明對人性的剝削。其他作品包括《叢林》（*The Jungle*, 1906）、《煤炭王》（*King Coal*, 1917）、《銅臭味》（*The Brass Check*, 1919）、《石油》（*Oil*, 1927）、《龍牙》（*Dragon's Teeth*, 1942）等。不難理解薩簡為何舉此書為「現代首版書」（modern first editions）的斷代下限，蓋該書問世於這篇文章發表前不久。

44《伊頓・夫羅姆》（Ethan Frome）：美國作家華頓夫人（Edith Wharton, 1862-1937）的小說作品。一九一一年出版。華頓的寫作風格深受摯友亨利・詹姆斯的影響，善於描寫紐約中產階級。其他作品包括《歡樂之家》（*The House of Mirth*, 1905）、《純真年代》（*The Age of*

Innocence, 1920）、《乍見月光》（*Glimpses of the Moon*, 1922）、《哈德遜河匯流》（*Hudson River Bracketed*, 1929）、《普天之下》（*The World Over*, 1936）等。

45《幕間劇瑟爾西忒斯》（*Enterlude called Thersytes*）：法國作家Joannes Ravisius Textor（ca.1480-1524）著作。John Heywood（c.1497?-c.1580?）英譯本書名頁上的標題為《幕間新劇瑟西提斯》（*A New Enterlude Called Thersytes*）。約一五五〇年倫敦John Tysdale出版。

46《格列佛遊記》（*Gulliver's Travels*）：原題《寰宇偏遠列國遊記》（*Travels into Several Remote Nations of the World*），英國作家強納森・司威夫特（Jonathan Swift, 1667-1745）以筆名Lemuel Gulliver發表的幻想小說。薩簡此處所指的版本是更為罕見的倫敦分冊版（年代不詳，大英博物館著錄為一七五〇年），薩簡曾經在「書中人語」專欄撰文詳述此書的發現經過。

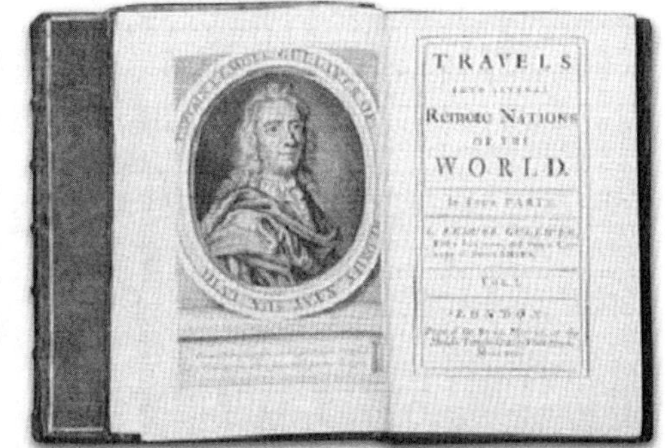

◎一七二六年首版《格列佛遊記》

47 多密尼・桑普生（Dominie Sampson）是華特・史考特爵士劇作《蓋・曼能林》（*Guy Mannering ; or, the Astrologer*, 1815）中的人物。桑普生是故事主人翁Harry Bertram的導師，乃一介粗鄙不文、一貧如洗而又器小眼狹的鄉下老學究，三不五時大呼小叫：「嘆為觀止。」（"Prodigious!"）

48《艾咪・羅威爾面面觀》（*Amy Lowell: A Mosaic*）：喬治・薩簡的著作。一九二六年紐約William Edwin Rudge限量印行四百五十部。

49 原書九幅插圖其中的三幅已分別移往譯本其他處使用。

50 查爾斯・法蘭西斯・葛里非斯（Charles Francis Griffith）夫人，即雕塑家碧翠斯・法克士・葛里非斯（Beatrice Fox Griffith, 1890-?）。

【附錄III】

英倫來鴻

弗烈德利克・李察森

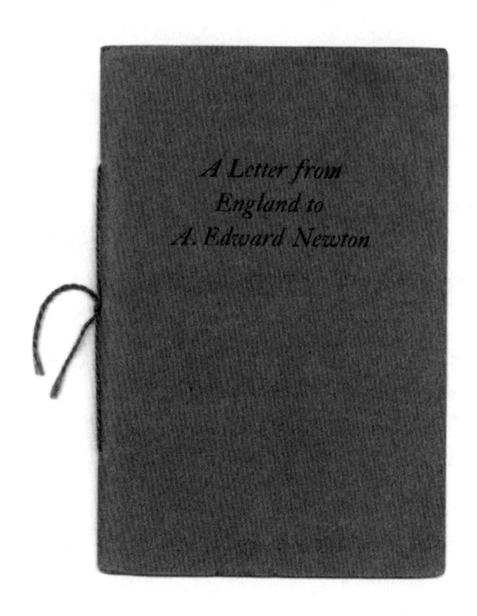

譯按：紐頓於一九四〇年九月辭世，同年十月，其遺族遵循紐頓生前的年末慣例，接手編印一本小冊子（由長子E. 史威夫特・紐頓（E. Swift Newton, 1894-?）主持編纂）寄贈眾親友。此小冊的內容主體為紐頓臨終前兩個星期收到的一封英國來信，執筆人為紐頓的英國朋友弗烈德利克・李察森（Frederick Richardson）。這本小冊子的印製與裝幀形式完全仿照紐頓生前印製的藍色紙面聖誕小書。

九月二十九日星期日，A. 愛德華‧紐頓於沉睡中安詳地與世長辭。

他的逝去一如其生涯——皆充滿戲劇性。

考量斯人已往，我們（即他的家人）冒昧地自作主張，打算邀請眾人與我們同享一則發人深省——至少，對我們而言——的小故事。

在他去世前幾天，他收到一封英國友人弗烈德利克‧李察森的來信。信件寄達時，他因病重不克親自展讀，連叫人唸給他聽的力氣都沒有。九月二十五日星期三那天夜裡，他高燒不退，大家都打心底害怕他將就此長眠、棄我們而去。

翌日清晨，他的熱度才降回常溫，九點鐘的時候，他囑人送上一瓶香檳，要大家圍在床邊，他想同所有人一道舉杯祝福。

我看他那天氣色頗佳，便打電話通知克里斯多佛‧摩利，他聞訊立刻從紐約趕來，陪父親聊了一個鐘頭。好心的小克，他當時見先君身體狀況不錯，便拿出那封信唸給父親聽。

由於一時找不到更恰當的說法，我們姑且稱之為信。但是由於信文內容相當優美感人，我們家人非常希望能加以披露，與大家分享。

一九四〇年九月四日

寄自：桑默斯特伍爾斯頓北凱伯里皮特曼園（Somerset Woolston North Cadbury Pitman's Orchard）

敬愛的紐頓大師：

在下本應於一收到您熱情剴切的來信，趁下一班輪船起錨前便即刻回信，蓋當時尚有餘裕動筆為之。無奈，那封文情並茂的寶貴信函此刻仍兀自擱置於案頭猶待回覆。我目睹閣下秀逸的字跡，宛如恰克塔印地安人[1]屏息凝視壁畫上的玄秘線條，不同的是，字裡行間於我盡是真摯友誼，通篇洋溢希望、勇氣與快樂的回憶點滴……以及——噫！縷縷不絕的悵然心痛。於是我再度取出您的大作，在您的陪伴下，讓自己沉湎其中半個鐘頭，直至屢屢捧腹甚而潸然淚下。我們曾攜手同遊德比（Derby）、共徜埃斯寇（Ascot）、一道於晚間大啖「熱狗」，屢屢在您的嚮導之下，在倫敦市內遊走閒逛的情景更不在話下。

閣下或許認為您今生從此與倫敦無緣……然而倫敦與您緣分尚未斷絕，正如與您的冥友山繆·約翰生、查爾斯·蘭姆、加雷克、老奧[2]、以及其他芸芸諸君亦與倫敦仍緊緊相繫一般。

曾幾何時，世間一切文明彷彿已遭惡寇[3]龐大、醜怪的黑影籠罩。但吾國古聖先賢聲聲呼喚洪亮如鐘，其聲劃破陰霾，宛如舉世久違之尤里庇得斯[4]萬鈞筆力鄭重落紙。英倫呼聲如許支持、激勵、鞭策我們，其間容或驚聲四起，亦不乏雷動歡聲。

1.

凱德蒙[5]與卡斯伯[6]、聖畢德[7]與聖鄧斯丹[8]、

阿弗烈[9]亦曾踩過千古依然之荒煙蔓草與泥濘濕地，

胸臆懷抱壯志，身體譜構鴻圖

盡述吾島風流；發揚璀璨光華。

先烈華路藍縷，召喚英靈前仆後繼，

般般呼籲：「拽緊手中之繮，向前奮勇爭先！」

吾輩豈能兀自扮啞裝聾辜負前人期盼？

2.

「朕即獅心！」理查振臂高喊：

「深入敵營潰擊匪軍，一馬當先驅退強虜！」[10]

「進逼加來（Calais）險阻重重！」亨利大聲疾呼：

「加緊腳步，令敵軍聞風喪膽潰散四逃！」[11]

「吾已希盼良久！」馬爾伯勒狂嘯：

「英倫再由邱吉爾領導。」[12]

「橫掃西班牙大軍！」法蘭西斯爵士發出怒吼：

「填彈連發，小伙子們！開始砲轟敵艦！」[13]

「再次衝鋒登上大橋，」納爾遜昭告兵眾：

其聲歷歷，聞之如此熟悉——

「出其不意攻佔清剿！善用妙術奇招！

輕輕予以一擊，歷代海軍之輕巧出擊！」[14]

3.

英倫呼聲！聲聲疊盪響徹雲霄：

彌爾頓號音充塞四宇穹蒼，

莎翁吟唱宛若魔音曼妙昂揚，

其上尚有法師梅林[15]仙指幻化登場；

夢想家與行動者，無論自發抑或出自神諭，

跨上風雲浪頭指引吾輩大眾持續向前挺進。

* * *

英倫呼聲！英倫呼聲！

汝歷經重重艱苦考驗，未來亦將國隆運昌。

英倫千秋萬歲，而千秋萬歲必長佑英倫！

不才如上，雖則我明白閣下偏愛散文猶勝詩詞，姑以拙詩乙首瓜代令您苦盼良久的回函。

鄙人向閣下及尊夫人雙雙致以最崇敬之問候。

我期盼龍體於今夏已大有起色。

頌祺，

弗烈德利克・李察森誠摯敬筆

致：

A. 愛德華・紐頓先生

賓夕法尼亞州費城山明水秀莊（The Bellevue-Stratford）

老友小克告辭之後，父親長達四十五年的事業夥伴威廉・M. 史考特先生前來探視。他看到父親的病情又漸趨嚴重，明白自己來得不是時候。當他轉身正準備走出房間，A. E. N. 從背後叫住他：「小威，先別忙著走・我有話跟你說。」接著，父親援引約翰生當年臨終前在病榻上向白克說的那句話——父親對著史考特先生說：「若無法再同你們愉悅相處，吾必痛不欲生。」[16]

這句話便是先父的遺言。

E. 史威夫特・紐頓

【譯註】

1 恰克塔（Choctaw）：北美印地安部族，分布在現今密西西比州中、南部、阿拉巴馬州西南部與奧克拉荷馬州東南部。此部族於十九世紀三〇年代被強制遷往印地安保留區。

2 老奧（Old Noll）：奧立佛．克倫威爾（參見第三卷 I 譯註40）的綽號。蓋Oliver的簡稱為“Ol”或（較親暱的）“Ollie”、“Olly”、“Noll”、“Nolly”。

3 原文作「法蘭肯斯坦」（Frankenstein），即瑪麗．雪萊筆下創造科學怪人的喪心病狂博士。此處應指希特勒。

4 尤里庇得斯（Euripides, c.480BC-c.406BC）：希臘悲劇作家。

5 凱德蒙：參見第三卷 I 譯註20。

6 聖卡斯伯（St. Cuthbert, ca.635-687）：盎格魯撒克遜時代隱修士。

7 聖畢德：參見第三卷 I 譯註21。

8 聖鄧斯丹（St. Dunstan, 925?-988?）：盎格魯撒克遜時代修士。

9 阿弗烈王（King Alfred, 849-887）：九世紀盎格魯撒克遜君主。他將摩西十誡與耶穌教義引入英國，奠定文明基石。

10 此段乃指自封「獅心王理查」（Richard Coeur de Lion）的英王理查一世（Richard I，在位期間一一八九年至一一九九年，與法國進行百年戰爭。

11 此段乃指英王亨利五世（Henry V, c.1387-1422）與法國的最後交戰。加來（Calais）淪入法軍之手後，英國在法國境內領土悉數喪失。

12 此段乃指馬爾伯勒公爵一世約翰．邱吉爾（John Churchill, 1st Duke of Marlborough, 1650-1722）於一七〇一年至一七一三年率兵大戰西班牙。

13 此段乃指曾率兵大敗西班牙無敵艦隊的法蘭西斯．蕞克（參見第二卷 II 譯註32）。

14 此段乃指一八〇五年英國海軍將領賀拉修．納爾遜（Horatio Nelson, 1758-1805）率領英國艦隊於特拉法爾加（Trafalgar）一役大破法國、西班牙聯合艦隊，奠定近代英國海上霸權。

15 梅林（Merlin）：英國上古時期塞爾特巫術傳說中的人物。具體形象主要來自十二世紀Geoffrey的著作；最膾炙人口的梅林傳奇應屬十五世紀由湯瑪士．馬羅利爵士（Sir Thomas Malory, ca.1405-1471）改寫的「石中劍」故事（*Le Morte d'Arthur*, Caxton, 1458），將梅林巫術與亞瑟王傳奇附會。梅林傳說深刻影響了後世大部分西方奇幻作品，包括《魔戒》、《哈利．波特》甚至《星際大戰》等系列故事。

16 在鮑斯威爾筆下所形容的約翰生臨終場景，有一幕描寫友人的溫暖關懷。根據蘭登（參見第四卷IV譯註16）的證言，鮑斯威爾提及某日白克（Edmund Burke, 1729-1797）與四、五位友人前來探病。白克對約翰生說：「一行人前來叨擾只怕令先生受罪了。」約翰生聽完馬上回道：「白君此言謬矣，倘非各位令吾如此開心，吾必痛苦不堪矣。」（“No, Sir, it is not so; and I must be in a wretched state, indeed, when your company would not be a delight to me.”）白克聞言大受感動（見《約翰生傳》一七八四年段）。紐頓的遺言（史威夫特．紐頓此處所寫）則是：“I must be miserable indeed if I can no longer find pleasure in your company.”

【附錄IV】

A. 愛德華・紐頓紀念文集

阿契拔・麥克列胥／喬恩西・B. 廷克／克里斯多佛・摩利
威廉・M. 史考特／A. S. W. 羅森巴哈
查爾斯・G. 歐斯古／加伯瑞爾・威爾斯／小阿瑟・A・豪頓

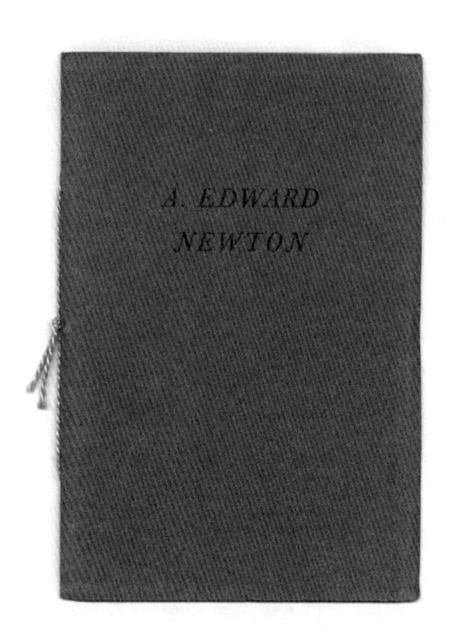

譯按：一九四〇年九月，紐頓因癌症病逝於自宅「橡丘齋」。眾親好友無不哀戚萬分。除了家人為他編印的小冊（見附錄三）之外，紐頓生前好友亦集稿編成一冊，此紀念文集之印製與裝幀形式比照紐頓生前印製的聖誕小書，於一九四〇年十二月由美國國會圖書館善本書室發行，限量印行一千冊。

長達三十三載，每逢聖誕佳節，賓州戴爾斯福A. 愛德華・紐頓先生照例會寄贈一冊應景小書給朋友們——這些小冊儼然成為同好之間見證愛書情誼的絕佳例證。如今紐頓先生已溘然謝世，很難想像還有其他人能夠越俎代庖，代他繼續寄發聖誕小冊。但鑒於長久以來，他堪稱全美最有名望、亦最具影響力的藏書家，對於畢生推廣閱讀不遺餘力且身體力行之愛書人士，國會圖書館自然有義務予以表彰，由敝單位在斯人歿後的頭一個聖誕節印行此紀念小冊或許十分恰當。此小冊內容由紐頓先生的六位親密好友分別執筆，並將援例用以寄贈給過去數十年來持續接獲紐頓小冊的所有友人。

阿契拔・麥克列胥[1]

■A. 愛德華・紐頓（1863-1940）Photo by Arnold Genthe, N. Y.

永懷A. E. N.

「言及令尊大人令我頗感振奮……性雖桀驁卻不輕蔑，言雖尖刻亦無怨懟；即便桀驁、尖刻，乃受之同儕相激；仍分秒嚴守節操，深明何時該見不平而發其言，出口亦謹慎擇言；凡遇位卑之人皆以平等相待；每每能甘於紆尊降貴，以其謙沖令他人倍感榮寵，聆些許美言誇讚即謙遜恭讓毫不引以自滿。」

——摘自《終成眷屬》第一幕第二景[2]

喬恩西・B. 廷克

倘若吾人生命之短長乃依照發揮熱忱、想像力、與厲行良善的程度來評量的話，全天下最長壽也最快樂的人則非愛迪・紐頓莫屬。

趁著一趟稀鬆平常的散步，沿著費城的切斯特納街（Chestnut Street），從大街（Broad Street）走到聯邦大樓之間，短短不過幾條街的距離，他已一派輕鬆、有系統地對我敘述完一段令人興奮不已、我前所未聞的英文文學史，如此提綱挈領、精準扼要，卻不是出自某位顯赫學者（那類人士我認識的並不算少）之口。或許A. E. N當時並未察覺自己在言談中已不經意露了餡，因為我知道他明明正準備前往某家著名的善本書店，花幾千元購置某部精刊佳槧。不管如何，循著他的娓娓敘說，活靈活現的景象一幕接一幕在我的腦海中浮現：兀自沉睡在馬廄蔭蔽角落飽受蟲蛀蟻蝕的凱德蒙[3]、一面垂釣一面梵唱不止的伊利群僧[4]、滿頭鬈髮的海立克捧讀祈禱書口中唸唸有詞宛若釀酒工孜孜埋首勤奮工作，接著，蒲伯槁萎的小腳套著相形巨大的長筒絲襪、哈茲里忒手執一盞冰冷紅茶[5]、唐・馬逵思的血脈悄悄凝結[6]……我已不復記憶當時紐頓用哪些字眼串起那些偉大的歷史事件，但是我當場頓悟：眼前這位穿著方格紋西裝的小胖子正是一位如假包換的偉大導師。

克里斯多佛・摩利

偉哉生意人——A. 愛德華・紐頓

「二十餘年以來，我倆
共負一軛。倘若我們
犁得還算直，必然是
因為我們齊心協力。」

上面這段話寫於一九二一年，是紐頓先生在他的大作《洋相百出話藏書》中的獻辭。拜職場因緣之賜，我得以萬分榮幸蒙邀在此略述數語。

一般人所認識的紐頓先生是一位收藏首版善本書的行家、也是一名寫過好幾部書且風靡廣大讀者的寫作者。然而，遠在他跨入創作領域之前好幾年，紐頓先生即以其獨特多采、雋永睿智的廣告文章在商界享有盛名，這些文章都是為了電器與製造業而作，而他本人堪稱該業界的龍頭老大。

且讓紐頓先生藉由我從那些文章擷取而來的片段來自況。紐頓先生如是論及他經營生意以及他的消遣之由來：

此人之所以獲致成功，絲毫非因其能力過人，而是他盡量避免讓自己在天賦異稟、訓練有素的專業人士跟前礙手礙腳。紐頓先生的法寶便是極盡所能延攬高手，讓他們擔負重責大任，並充分授權，蓋責任與權力必須相輔相成方能開花結果。

紐頓先生屢屢高談闊論安培、伏特，偶爾放膽夸言渦流、磁滯，但是他對於電器術語的熟悉程度依然無法教大眾信服。此君菸不離口，從不運動，對汽車向來不懷好感，看到螺絲起子就頭疼，一見活動扳手就害怕。

能讓他自工作中抽出心思惟有一個辦法——在他的面前擺上一本古書，他便馬上滔滔不絕指出那本書的各項特點，並向你透露它何以能那麼值錢，或換成另一個本子又該值多少錢。撇開藏書這個無傷大雅的毛病不談，他唯一曉得的娛樂就是做生意。

——摘自一九一三年《人名、事物釋疑》

他論及廣告之重要性：

得自高堂膝前的教誨，吾人趁週日履行即可；至於在老頭膝前，我們則被諄諄告以；

早早入睡，早早起床，

賣命工作，勤登廣告。

——摘自一九一〇年《產品保固》[7]

論及提升業界標準：

我們僅有一個野心，即傾力製造臻近完美的產品，未達目標絕不懈怠。

——（出處同上）

我們的中心信念是——精益求精，夙夜匪懈。

——摘自一九一六年《正規安裝程序》（*Typical Installations*）[8]

論及領導統御的代價：

樹立風範絕非易事，身居領導亦非偶然。

——摘自一九二三年《最新產品保固》（*Protection up to Date*）

紐頓先生抨擊同業削價競爭：

請記取以下這則教訓：某酒商有一回運了一批雪利酒給馬爾伯勒公爵（Duke of Marlborough），他特別附上一紙說明，指出那些酒能令公爵大人的痛風大有起色。幾天後，公爵的參事回了一封信給那名酒商——「閣下大鑒：馬爾伯勒公爵對您的雪利酒不甚滿意，他覺得繼續享用痛風還比較快活些。」

——摘自一九二三年《最新產品保固》

他活靈活現地形容某位「說大話」的同業競爭對手——

膨風、吹牛、厚臉皮。

——摘自〈隨錄〉(From Memory)，約一九○六年

論及躍居高位後之心滿意足：

創業之初，我們便打主意在上流地段(Quality Street)購宅家居。彼時該路段並不像現今這般車水馬龍，事實上，當初此路還盡是一片遼闊的平野。但大小諸事接踵而至，等到一一處理妥當，我們終於在上流地段定居，儘管我們的財力不敵同住這條街上的左鄰右舍，但是落戶在此，仍能享受到其他住在城內次級地段的朋友所不能體會的樂趣。

——摘自一九二三年《最新產品保固》

*

在紐頓先生所寫過的書之中，《藏書之樂》與《蒐書之道》這兩部的書名之用意可謂昭然若揭。紐頓先生的處世態度一路走來始終如一，不只體現在他的愛書興趣上，還推及到生活層面、更擴及他所主導經營的生意。紐頓先生不管從事任何活動，都身體力行「樂」。至於他與工作同僚之間的關係，他總是時時設想周到、事事無微不至；在我們為期良久、不曾間斷的合作過程之中，他在在都是——

最親密的朋友、最和藹的人、

時時神采奕奕、無憂無慮且舉止謙和有禮。[9]

工作與藏書在紐頓先生的心目中皆能成「道」，他如此盡情投入於斯，無入而不自得，令全體同仁均受到他的熱情感染，連帶覺得自己負責的每項工作亦各有盎然生氣、值得全心全力奮身投入。

當我們如今之所以能夠看到有效率的生產廠房和井然有序的組織，無一不是因他的主導而發端、茁壯，以下這段節錄文庶幾可資蓋棺論定此一偉哉生意人——A. 愛德華・紐頓：

在聖保羅大教堂——克里斯多佛・鑾恩[10]爵士的不朽傑作、他本人的靈柩亦安奉在此教堂地窖內——的大門上有這麼一句銘記：「你是否苦苦找出祂的聖跡？從你自己身上去尋覓方可得。」謹讓我們以謙卑之心、畢生奉行、期能達致此目標。

——摘自一八九八年〈偶得〉(Realizations)

威廉・M. 史考特

「紐頓年代」

十九世紀初葉，世上出現了一位能言善道、忒愛撰文談論書籍的文士。湯瑪斯・佛洛格納爾・迪柏丁正是當年受到眾多藏書家頂禮膜拜的守護神。他的追隨者泰半多為英國的貴族與上流人士。當名聞遐邇的《書痴》於一八一一年甫面世便旋即在書籍世界引發廣泛回響，而該書亦從此被歷代愛書人奉為經典。那個時代因而姑可名之曰「迪柏丁年代」。

時至一九一八年，在文藝的天空裡，又出現了一顆比一個世紀前迪柏丁的書更璀璨的明星，令所有愛書人更加欣喜若狂，那便是阿弗列・愛德華・紐頓的大作——《藏書之樂》，此書的讀者的數量亦遠遠超過有史以來任何一部關於藏書的作品。更難能可貴的是：紐頓的訴求對象乃是一般閱讀大眾，而非特定的一小撮人。他的出現適逢我國藏書風氣臻至巔峰的關鍵時機。羅勃・郝當時甫過世才短短不到幾年，於他身後舉辦的藏書拍賣會帶動其他藏書家紛紛起身效尤，情形一如迪柏丁當年津津樂道且頻頻形諸筆墨的著名羅克思堡藏書拍賣會。

愛迪・紐頓與數位當代巨擘相知相惜，尤其是「兩位亨利」——亨利・E. 杭廷頓與亨利・C. 佛爾格，此二位前輩對大眾的德澤如今嘉惠了無數學子與研究者。紐頓交往的其他朋友還包括：哈利・愛爾金・威德拿、比佛利・周、溫斯頓・H. 哈堅、克拉倫斯・S. 班門特、R. B. 亞當、艾咪・羅威爾、威廉・哈里斯・阿諾德、法蘭克・B. 貝米斯、賀榭爾・V. 瓊斯……當然，也不可漏掉威廉・M. 艾爾金斯、萊辛・J. 羅森瓦德[11]和法蘭克・J. 霍岡[12]等人。

愛迪・紐頓的文章誠為同類著作的典範。他對於推動藏書事業所做的貢獻，比起國內任何作家都更宏偉卓著，這般稱許如今已是老生常談，但是此乃鐵錚錚的事實。於是乎，吾人大可將過去這四分之一世紀稱為「紐頓年代」。

愛迪・紐頓過世前不久曾寫了一封信給我（他在信中仍一如往常，暱稱我為「小羅」）：

距今大約不到一百年之前，當我下定決心總有一天要累積一批藏書，我的頭一部書便是向你買來的：小牛皮全裝四卷本《哈茲里忒輯註蒙田》[13]，我記得售價好像是四十元。這下好了，我已經沒法子再四處買書。顧念咱們老交情的分上，要是我還不趁一息尚存將你的替身找來，再從你手中買最後一部書，我就算死了也不會瞑目——如此一來，我才能夠自始至終都與你長相左右。

他所謂的「最後一部書」指的是羅勃・蒙哥馬利・柏德最有名的一部小說，一八三七年出版於費城的首版《綠林漢尼克》[14]。

在這段「大約不到一百年」的時間裡，他擁有如許多好東西得以庋藏、寵愛、珍惜。沒有任何目錄能夠盡述他的寶藏。正因他以充滿睿智巧思、亦莊亦諧之生花妙筆一一描述他所珍愛的書籍，才令他的書房中每一部書都栩栩有了生命；也讓愛迪・紐頓的著作在這個世界上顯得如此獨樹一格。

A. S. W. 羅森巴哈

我初識小紐於一九〇七年。當時「社團」[15]成員為了觀賞大學生演出馬羅的《浮士德》[16]，連袂造訪普林斯頓。鄧肯・史畢斯[17]帶領大隊人馬參觀校園，一行人逛著逛著就逛到我的宿舍來了。小紐不隨其他人繼續前往下一站，反而逕自找了張椅子一屁股坐下來，他開口道：「我一找到有人能和我聊約翰生，其他事情都可以擱到一旁涼快去。」在我們兩人交往初期，他曾經在某次來信中寫道：「我對人比對地點來得更有興趣；要是哪個地點能夠吸引我，必然是因為有某人在那兒。而此人倒不一定非得還活著不可。老實說，恐怕我對於作古的人還更感興趣哩。」

他最後一次和我道別是在九月十八日約翰生冥誕當天。從許多方面來說，約翰生扣連了這段友誼的開端與結束（若勉強視之為結束的話）。小紐大量承襲約翰生的滿腔人道精神，並藉此結交無數朋友，而他的言談舉止、字裡行間更是源源流露無遺，進而散播給難以勝數的心靈且將從此深植其中永不軼散。

此刻我以過去式下筆為文讚頌小紐德懿，乍看之下彷彿一則虛構的故事，然而這些事蹟乃千真萬確的真實過往（aorist）。他的過世對於他生前的功業來說絕非損礙、無足掛齒、毫不相干；一如死亡之於馬庫休[18]、費爾丁或約翰生本尊，其憑藉的正是此般生生不息的淋漓元氣與孜孜不倦的勇敢進取。他的思想、智慧和品格，大大地激發、鼓舞了其他後生晚輩前仆後繼且越挫越勇。每位與他熟識的人想必都能從各自的回憶中隨手拈來好幾個善例，足以證明我所言不虛。

他曾在一封早期的來信中如此寫道：「我對大學教授百分之百死心塌地。這種『萬般皆下品，惟有教授高』的觀念可說是我的一大弱點。」對於這種弱點，咱們這些當教授的人合該心懷感激。我們太瞭解學院內如何充斥著令我們習而不察、終至自身亦難以豁免的種種弊病——腦筋打結、情感枯竭、目光如豆、蒼白貧血……於此，小紐可謂一帖解藥，而這帖良方不僅功強、效久且保證藥到病除。每當我在「橡丘齋」度過幾天幾夜快活似神仙的日子（那些天南地北的閒聊時光似乎永遠嫌不夠長）之後返回學店，總覺得自己又蓄飽了充沛的動能、眼界拓寬了不少，而且對於自己的職業也萌生了嶄新的信念。倒不是我們曾經聊過那些主題，我們聊的內容有深度多了。但我現在還是很高興能有機會在這兒記上一筆：小紐對於我的教學、寫作和研究工作都有相當程度的裨益。

在不勝枚舉的天賦背後，他其實仍保有一顆非常溫柔的心（並非多愁善感，而是極易有所感觸、受到感動）。他這一點也頗有約翰生之風——關於朋友的事情總是擺第一優先。我記得，他曾經眼泛淚光、語帶哽咽地對我說：他有一回照例於聖誕節前夕致電問候某位擔任神職的友人，那位朋友以為小紐當時人不在國內，一開口就說他差點兒以為是聖誕天使下凡塵，後來弄清原來是小紐本人打來的電話後才鬆了一口氣，因為那位朋友「老是和天使不對盤」。

某天夜裡，只有我一個人閒坐在「橡丘齋」陪他。我們兩人都專注（但也沒太專注）在各自的書本上，沒有人開口說話。過了一陣子，他放下手中的書本轉頭對我說：「我說查理啊，沒有比現在這一刻更幸福的了——兩個老朋友坐著一塊兒看書。除非某人有事開口，否則兩人都閉不吭聲。儘管從頭到尾沒說半句話，心靈交流卻始終持續不曾間斷。」

查爾斯．G. 歐斯古

A. 愛德華・紐頓是文學資產收藏領域中最受人愛戴的一位奇人。其過人魅力（無論是作為個人或身為愛書人）乃源自豐富的人文關懷，以及對於他所蒐集且頻頻掛在嘴邊、形諸筆墨的各家著作的深刻瞭解。

他的發展脈絡自成一格。在動手針對某位作家的作品展開收集之前，他總會先從各個不同角度遍讀博覽一番。他因而深刻熟悉狄更斯、哈代、蘭姆、特洛羅普、約翰生、雪萊與濟慈等名家，當然，對威廉・布雷克更是徹頭徹尾地瞭若指掌。

他喜歡運用高明的建議與他人親近，他總是毫不保留地傾囊相授。然而並非僅僅如馬克・吐溫所言那般：「當好人固然高尚，但是教導別人如何當好人則更為高尚，也比較不費勁。」[19]（我記得當我最後一次拜訪他的時候，我隨口引用了那句話。他聽了大為驚喜，甚至當場要我拿筆寫下來。）他總是在奉勸別人之前自己即已遵行不悖。他的一切行止皆以正心、誠意為出發點。他個人流露的人道關懷、努力促進文化的理想，吾輩大眾必將時時感念。

此君以其崇高人格與個人魅力，以身作則感動他的追隨者，徒然筆墨無以言傳——此位體現生命之樂的王者也。

加伯瑞爾・威爾斯

我相信，紐頓先生必然會以這本小書為豪。他本人生前便是一位完美主義者，他所珍藏的書籍、他所交往的朋友盡是一時俊彥。既然如此，還有什麼會比一部由他的好朋友們合寫的書對他來得更完美呢？

紐頓先生將永遠與成群老友長相左右。莎士比亞、史賓賽、濟慈與約翰生等人皆如是依然健在人間，而此位飽覽、熟讀那些著作且進而鍾愛之、闡述之的人，亦將秉其一貫追求完美的信念與諸大師同列不朽。

紐頓先生乃一位大方、慈藹、通情達理之人。他深知徒有萬卷藏書卻不善加利用仍一無是處，於是他不僅善用他的善本，更致力於嘉惠眾家好友甚至廣被整個文學界。這本獻給紐頓先生的小書便是友誼與感恩的珍貴銘記。國會圖書館很榮幸能夠出版這本紀念文集以誌一代偉大文學人士。

小阿瑟・A. 豪頓[20]

【譯註】

1　阿契拔・麥克列胥（Archibald MacLeish, 1892-1982）：美國律師、詩人、作家。一九三九年至一九四四年間擔任美國國會圖書館（Library of Congress）第九任館長，任內頗多建樹。

2　此段文字出自莎士比亞的喜劇《終成眷屬》（*All's Well that Ends Well*, 1601-02）第一幕第二景中法王對羅西昂伯爵勃特拉姆說的台詞。

3　「凱德蒙」（Caedmon）：此處指「凱德蒙手稿」（Caedmon manuscript）。參見第三卷 I 譯註20。

4　伊利（Ely，原文誤為Eli）：劍橋郊區小鎮。當地有十二世紀留存至今的教堂古蹟。此處指卡努特一世（King Canute, the Great, 994?-1035）聽聞伊利修道院傳出的梵唄之後，詩興大發譜出的〈伊利群僧之歌〉（“Song of the Monks of Ely”）。

5　據史料記載，哈茲里忒（參見第五卷 I 譯註15）嗜飲濃茶，用以刺激文思。

6　美國記者、詩人、劇作家、報人、幽默散文家唐・馬逵思（Don Marquis, 1878-1937，全名

Donald Robert Perry Marquis）。年輕時從事過許多不同行業，包括鐵路工、養雞場工人、裁縫車推銷員、教師等。後來因投稿地方報紙《胡桃郵快報》（*Walnut Mail and Express*）嶄露頭角。一度修習美術，打算從事報社美編，後來仍立志寫作，赴《華盛頓時報》（*Washington Times*）擔任編輯多年。馬逵思最後服務的單位是《紐約太陽報》（*New York Sun*），他在該報主持專欄「日晷」（“The Sun Dial”）長達十一年，寫下許多膾炙人口的評論亦創作出無數佳句，例如：“Hell is full of fillers, Dogs are full of fleas, And I'm full of motion, As the grip is full of sneeze- Here's a column of them; You can read 'em if you please; Maybe some are caviar, Maybe some are cheese.”。馬逵思因全心全力投入筆耕，於去世前兩年因過度勞累導致中風，後來雖一度稍有起色，但他又不顧健康仍勉強繼續寫作終至再度嚴重中風，由兩位姊姊照料（他的妻子於他第二次中風期間服用大量藥物，比他早一年棄世）。此處所指典故出自克里斯多佛・摩利於一八三八年一月在《星期六文學評論》上發表的一篇紀念悼文〈鮮矣唐・馬逵思〉（O Rare Don Marquis）其中一段：「我曾自他的某位姊姊口中得知：長年臥病期間，他偶爾會自顧笑逐顏開。他無法告訴旁人他到底為什麼笑：因為凝固的血塊如今已拴塞了他原本文思泉湧的腦子——然而我更喜於領受那些無可名狀、不能言傳、只能意會的交流……」（“I remember one of his sisters telling me that sometimes, during his long illness, he was heard laughing to himself. He was not able to communicate the matter of his mirth: the many richnesses of that fine brain had been sealed by some blood-clot: but I like to think of that secret and unsharable communion. Gravity and levity were so mixed in Don's mind that it puzzled even himself, and certainly may have seemed shocking to many well-drilled citizens.”）

7　《產品保固手冊》（*Protection, A Brief Story of the Protection Afforded the Electric Motor and Motor-Driven Tools by the I-T-E Circuit Breaker*）：卡特公司對外宣傳製品的手冊，部分廣告內容由紐頓執筆撰寫。一九一〇年費城卡特公司出版。

8　《正規安裝程序手冊》（*Typical I-T-E Circuit Break Installations*）：卡特公司提供給客戶的操作手冊，部分內容由紐頓執筆撰寫。一九一六年費城卡特公司出版。

9　“The dearest friend to me, the kindest man, / The best condition'd and unwearied spirit / In doing courtesies."：引自莎士比亞創作《威尼斯商人》（*The Merchant of Venice*）第三幕第二景中巴薩尼奧（Bassanio）向鮑西婭（Portia）說的台詞。

10 克里斯多佛・變恩（Christopher Wren, 1632-1723）：英國建築師。一六五七年擔任倫敦格雷沙姆學院天文學教授；一六六一年轉任牛津大學天文學教授。一六六六年倫敦大火後，他受命擘劃全城重建大業；一六六九年設計、興建聖保羅教堂（St. Paul Cathedral）及其他許多倫敦城內的重要公共建築物。一六七三年受封爵士；一六八七年擔任下議院議員。死後榮葬聖保羅教堂。

11 萊辛・J. 羅森瓦德（Lessing J. Rosenwald, 1891-1979）：美國藏書家。

12 法蘭克・J. 霍岡（Frank J. Hogan, 1877-1944）：美國律師、藏書家。

13《哈茲里忒輯註蒙田》（*Hazlitt's Montaigne*）：即一九〇二年倫敦英譯本《蒙田散文集》（*Essays of Montaigne*），由Charles Cotton翻譯、威廉・卡魯・哈茲里忒(參見第五卷 I 譯註15)輯註。

14《綠林漢尼克》（*Nick of the Woods, or The Jibbenainosay: A Tale of Kentucky*）：羅勃・蒙哥馬利・柏德（Robert Montgomery Bird, 1803-1854）的歷史演義小說。一八三七年費城出版，兩卷本。據紐頓藏品拍賣會目錄上的說明，此書為紐頓「生前購置的最後一部書」。

15 指由亨利・漢比・海帶頭的無名社團（參見第三卷題獻文）。

◎首版《浮士德博士悲慘的一生》書名頁圖

16《浮士德博士悲慘的一生》（*The Tragical History of Dr. Faustus*）：英國劇作家馬羅（Christopher Marlowe, 1564-1593）的劇作。約於一五八八年首演。

17 J. 鄧肯・史畢斯（J. Duncan Spaeth）：普林斯頓大學英文文學教授。

18 馬庫休（Mercutio）：莎士比亞《羅密歐與茱麗葉》劇中人物，羅密歐的好友，第三幕第一景即死於械鬥，但他臨終前的詛咒成為全劇揮之不去的陰影。

19 "To be good is noble, and to show others to be good is nobler, and no truble."：語出馬克・吐溫《赤道漫遊記》（*Following the Equator, A Journey Around the World*, 1897）書前的題辭。

20 小阿瑟・A. 豪頓（Arthur Amory Houghton, Jr, 1906-1990）：美國收藏家。

【附錄V】

A. E. N.

E. 史威夫特・紐頓

譯按：一九五四年，紐頓的長子E.史威夫特・紐頓將父親生前自藏的一批紀念品捐給費城公共圖書館(Free Library of Philadelphia)。內容物多為紐頓自己的作品（包括自著的書籍與歷年以來私家印行的小冊子）和友人所作而紐頓作序的書籍，以及一小部分友人相贈的著作（當初並未隨紐頓藏書於一九四一年付諸拍賣）。捐贈儀式於一九五四年十一月八日在圖書館內舉行，典禮中除了公開展示該批藏品，館方並邀請捐贈人蒞臨現場發表演說，追憶其父A. 愛德華・紐頓生平。這篇文章便是E. 史威夫特・紐頓當時的演說稿。他原本將講稿投到《大西洋月刊》，但因故未能如願刊登。後來由費城公共圖書館印行成小冊子，印製與裝幀形式仿照紐頓生前自印的藍色紙面聖誕小冊。

前言

在費城公共圖書館工作的無數樂趣之一，不外乎能夠頻頻接觸許許多多關心文學、熱愛書籍的人士。當梅蓓兒・贊告訴我，史威夫特・紐頓決定將他父親生前自存的紀念品捐給館方的時候，我的第二個反應——頭一個反應當然是立刻打電話給紐頓先生，確定他沒變卦——就是竊喜：我們又要添一筆珍貴的館藏了。

當愛默生・格林納威[1]和我兩人應捐贈人之邀前往位於安瑟爾瑪(Anselma)的宅邸檢視那批藏品，我真是又驚又喜，因為我們發覺：捐贈人不僅對書籍懷抱滿腔熱情，更對父親依然保有無盡的愛戴；他的父親生前不但是一名寫作好手，也是一位多采多姿的人。該批紀念品的珍貴性固然不在話下，但紐頓君慨然相贈尤其義薄雲天，於是我們當場力邀他出席館方屆時舉辦的捐贈儀式（一旦編目妥當，亦會在現場展示所有藏品）。那場典禮十分圓滿成功。A. 愛德華・紐頓生前的許多位老友和大批仰慕者均到場致意。史威夫特・紐頓本人更是獨樹一幟。當時他父親的某位老友對我說：「這孩子完全繼承了他老子的所有優點。」不過我認為史威夫特保有他自己頑皮的一面。

我們大力爭取出版他當時的演說內容（以下各位將可以讀到，其主旨完全圍繞著他父親本人的生平事蹟，反而不是針對他父親的寫作成就）。史威夫特原本屬意將它發表在《大西洋月刊》上自屬合情合理，蓋其先父生前多數文章皆交由該刊物登載。不管如何，幸運之神仍然十分眷顧我們。由於《大西洋月刊》尚有許多傳記文章待登，該刊編輯估計積稿還得花上好幾個月才消化得了，於是公共圖書館得此榮幸率先刊行史威夫特談論愛迪・紐頓的宜人演說稿。我們一致同意，印製形式宜仿照故人生前輯印、受到眾人懷念不已的珍貴聖誕小書。我們亦何其幸運，取得一幀訴盡演說者對父親孺慕深情的照片，刊登於書前扉頁。

以此批捐贈作為基礎，本館希望來日能夠建立更為完整的A. 愛德華・紐頓藏品[2]，以資緬懷一代多才文學泰斗。現在第一批重要藏品已入藏本館。館方及我個人亦因而結識一位風趣、迷人的良友，日後待這段友誼持續滋長，旁及他可愛的千金們[3]，屆時必可再度藉由她們鼎力玉成，大幅擴充本館館藏。

C. 巴爾頓・布魯斯特（C. Barton Brewster）

■E. S. N.與A. E. N.

A. E. N.

布魯斯特先生、格林納威先生、在場的各位圖書館界的先進；也容我在此一併向先父的朋友們致意：

對於方才有幸能聆聽愛迪·伍爾夫[4]講述羅森巴哈博士那場演講的人，希望接下來的時間我能讓各位的腦袋暫時獲得休息。

剛剛的確是一場極為出色、高明的演講，而我所要談論的，不管就主題抑或是內容的深度、廣度，都完全無法相提並論。

畢竟，我還牢牢記得A. E. N.從前老掛在嘴上的一句話：「沒人比得過小羅。」

我先向今晚到場參加典禮卻不曾與先父謀面的部分人士，簡短地描述他的外表：我父親的外貌綜合了溫斯頓·邱吉爾[5]的長相和匹克威克先生的身材。除了上述這兩項特徵之外，我不妨再補充一項：他忒愛穿、也忒會穿方格子西裝。同樣的服裝，穿在他的身上硬是比別人來得有味道。

雖然他和我兩人的個性天差地別，但我們仍是極為親密的朋友。我們從來不曾在任何事情上互相較勁，但是我還是必須承認，我一直妄想能學到他那麼懂得穿方格子西裝的本事。

要是我今晚也穿上那套行頭到這兒來，這會兒講起先父生平事蹟或許會比較得心應手些。

A. E. N.誕生於一八六四年[6]。

他出身自一個富裕之家[7]，或者直接說：市場街以南。

他出生在第二十街和雲杉街交叉口的西北角，一家藥房的樓上，那家藥房現在還在原址營業。

我覺得現代人似乎不像當年那麼在意籍貫、出身。

他曾經在賓州道寧鎮（Downingtown）附近的一所寄宿學校接受過極為粗淺的教育，而在十三歲那一年，他返回費城老家。先父當時究竟在什麼情況下毅然決然放棄學業，老實說我並不清楚。

先父的家中成員包括他的母親、兩位姨媽——卡蘿阿姨和蒂兒阿姨、兩個妹妹——愛蜜麗和莎拉[8]、還有一個舅舅——史威夫特先生[9]，雖然先父每次提到他的時候，總是稱呼他「小姑舅」(maiden-aunt uncle)，但他是父親小時候最喜歡的人。

他的頭一份工作是在鄰近的一家雜貨舖裡打雜。不消說，他在那兒沒待太長時間，不過A. E. N.還是從那兒學回一道好本領，那就是怎樣用最少量的紙張和繩子綑紮包裹。我還記得他曾經在我們面前表演過好幾回，我始終對他那套絕活讚嘆不已。

再往前推幾個月，當他還待在學校的時候，他寫下生平第一篇作文，題目是〈當我的大船駛入港〉[10]。

當我的大船駛入港，我要帶著我的妻子和孩子遠渡重洋到處旅行。我首先要去英國，接著到法國，然後再去瑞士和義大利。等到這幾個地方都遊歷過了之後，我要去埃及和聖域，再穿越印度到中國和日本。然後到加利福尼亞、再把美國境內其他所有有趣的地方都走一趟。等我回到故鄉，我便要開始勤奮工作。我還不清楚自己到底會走哪一行，但是我想大概是和印刷或文具相關的行業。等到我年紀漸漸變老，我想要先賺一大筆錢，就決定以二十萬元為目標好了，然後再退休。

愛迪・紐頓，一八七八年十月七日作

讀了這篇作文，不難想見先父當年在雜貨店工作肯定不太愉快。

他後來果真雲遊四海，如果我沒記錯的話，他還曾經三番兩次煞有介事地進行環球之旅，但是每回都殊途同歸，在座若有人讀過他的《糊塗旅行家》[11]，想必會同意我的說法。每趟旅行往往剛出發沒多久，他就會低聲下氣地說：「我說，女兒呀，」——他總是這麼稱呼家母——「妳覺不覺得……要是咱們能稍微縮短一下原訂行程，現在馬上掉頭去倫敦是不是比較好呢？」

想必家母三不五時便得忍受一次「他的倫敦」。

這並非故作姿態，而是事實俱在。他去世於一九四〇年，說真的，我鮮少聽過有人活到那般歲數還能夠像他一樣，不只在單一領域有所建樹，卻又那麼逍遙自在，或，我不妨這麼形容：那麼遊戲人間。

個性鮮明，是的；為人直率，沒錯；主見極強，也對；不過，他卻（幾乎）從來不擺架子，除了，如果嚴格算起來的話，穿方格子西裝那碼事。

回顧過往種種，先父所跨出的每一步，都是向上向前，原先在雜貨舖裡頭的打雜小廝，如今已搖身一變成了辦公室小弟，他在賽路斯．H. K. 寇提斯先生掛名的出版公司裡頭找到了一個固定的差事。他的主要工作便是抄寫明信片、信封上的收信人姓名地址，外加一個額外任務：守著當今大名鼎鼎的辛巴利斯特太太[12]，當年那個小丫頭老喜歡跑到公司找她爸爸玩耍，我父親負責看住她，以免她到處搗蛋闖禍。

他的妹妹，莎拉．湯瑪斯．紐頓曾告訴我：父親當時利用晚上唸商業學校，沒過多久，由於學到了一丁點簿記的皮毛，他在布朗兄弟公司謀得一個記帳助手的職位，那家卓越的金融公司，直到現在都還在營業。

父親在那兒服務的期間也很短暫，有三個非常合理的原因：首先，他天生對數字沒有半點慧根；再者，就像他生前常說的：幫別人數鈔票實在一點都不好玩；第三個原因，他遇到了生命中的頭一位貴人——接下來的歲月他還陸陸續續碰到好幾位。此人便是和父親上同一所教會的斯柏丁太太[13]，父親日益被她的儀表、舉止吸引，她當時建議父親改行，甚至還幫父親謀得下一個工作。

先父當年可說是一位行為優雅的模範青年，他的頭髮修剪得乾淨利落、一表人才、英姿煥發，再加上一對藍眼珠，而且，信不信由你，因為他的長相實在太嫩了，以至於當他一九〇〇年當上卡特電器製造公司董事長那會兒，曾有一名送電報的郵差說什麼也不肯把一封指名寄給董事長的電報交到他的手裡。甚至，當他有一回陪他的岳父到費城大街上的美景飯店（Bellevue Hotel）的酒吧，人家還不准他點酒喝哩。

廢話我就不多扯了。經由斯柏丁太太的穿針引線，父親結識了當時在兼賣文具與書籍、光鮮的波特與寇提斯書店裡掌管文具部的亨利．D. 奈爾（Henry D. Nell）先生。

事隔約莫七十年再回頭審視，如今我們便可以清楚地看出，A. E. N.之所以能夠與斯柏丁太太建立堅實的友誼，進而開拓事業，正是透過每週規律地上教堂。我個人不禁從中得到一個結論：要是每個安息日大家都能像先父那樣規規矩矩地按時上教堂，或許我們這輩子也都能碰到好幾位貴人呢！

父親在文具部門非常賣力工作，期間認識了兩位受過良好教育的年輕人——掌管書籍部門的威爾・史都華（Well Stewart）和華特・蒙傑司（Walter Mungers），他們也和奈爾先生一樣，全都是文質彬彬的紳士，父親受到他們的影響，開始對書籍萌生興趣。

他是否就是在那段期間失去對於拿破崙的興致，我並不清楚，但是他憑著無比的熱情，毅然決然地摒棄之前持續若干年對拿破崙的傾心崇拜。到此為止，我已經舉了四位改變先父生命目標的貴人，然而，我還要舉出另一位賜予A. E. N.機會的人——住在紐約萊辛頓大道1027號的希爾家的某位千金小姐。當時希爾一家人到費城拜訪先父的卡蘿姨媽，他們對這名頭髮修剪得爽利整齊的藍眼珠年輕人頗生好感，當場答應無條件借貸一筆錢供他自行創業。

於是，父親便著手找人合夥經營時髦玩意的生意，當時，他的公司由約翰・史戴凡（John Steffan）擔任會記兼總務，父親則負責各項商品的開發與行銷。他們的主要商品是銷售到紐約、費城各高級百貨行、供胡勒公司[14]使用的精緻包裝盒和用來裝高級內衣的漂亮盒子，還有供書齋使用的各種皮革製品。希爾家當時到底借了多少資金給父親，很不幸，我從來不知道。

先父亦曾涉足出版。好比說：以「費城A. E. 紐頓出版社」的名義出版了《戀人錦囊》[15]、波特與寇提斯書店特地委印的《海苔集》（*Sea Mosses*），後來他將該書以「胡桃街1012號A. E. 紐頓社」的名義印行更完整的版本。翻檢先父的琊嬛籍冊，我留意到裡頭有兩部《海苔集》，一部以華特曼[16]紙印製，另一部則印在某種類似絲質的紙張上。我注意到他還在其中一冊上頭寫道：「此乃我年少時代在波特與寇提斯書店的一次成功出擊，爾後當我自行創業便從此一帆風順。」

以愛德華・史威夫特這麼一個突發奇想的假名所作的《詩人之故居》，亦由「A. 愛德華・紐頓社」於一八八七年出版。

我看到A. E. N.一冊《詩人之故居》中如此寫道：「此乃再刷本，首版原本附插圖，如：許多幀勞[17]的照片。此書大概是我的首部文字作品。它的膠膜封面均已蒙塵，上頭的圖畫乃出自朱利亞斯．維爾（Julius Weyl）手筆，我當初以二十元購入。此版書中版刻畫由約翰．史隆恩[18]繪製。我原本早已完全忘了還有這部書的存在。上頭的版權註明一八八七年。」

我很高興在此宣布，這幾件藏品均包含在此批紐頓收藏品之中，從今天起將交由這所圖書館永久典藏。

能夠順利完成這筆捐贈，我必須特別表揚梅蓓兒．贊——即先父口中的「親愛的梅寶兒」。幾個月前福至心靈、建議我將這批紐頓藏品捐給這所偉大圖書館的人就是她。

姑且不論史戴凡先生英年早逝，給予父親沉重打擊；也不管父親因而不得不從此一肩扛起他最厭惡的記帳工作，他的生意依然不斷欣欣向榮、蒸蒸日上。而且，倘若我沒記錯的話，他那間小工廠當時還雇用了三十六名女作業員，由一位十分和氣、長得很漂亮又很有氣質的藍眼珠小姐負責管理，那位小姐的芳名我現在已經不記得了，不過我知道她後來嫁給亨利．奈爾先生的獨子。

那會兒父親也到了該成家的年紀，於是他於一八九〇年迎娶卡爾．埃德漢[19]膝下三千金之中的芭蓓特[20]為妻。

我的外祖父是一位博學的紳士，同時也是一位收藏家。舉凡書畫、翰墨、珠寶首飾、織毯版刻……幾乎可說是無所不收。如今回想起來，先父關於這方面的想法、品味似乎正是得自他的真傳。

他們很快地便成為極為親密的知己，兩人常常一塊兒待在外祖父位於西羅根廣場（West Logan Square）202號的書齋，一待就是好幾個鐘頭。

剛剛提到的第二位奈爾先生還在柏格納與安格爾（Bergner and Engle）公司當記帳員的時候，我的外祖父便曾透過他的關係，表示有意投資卡特電器製造公司，柏格納先生先前亦曾投資該公司一筆小錢。不過後來該公司的發展並不順利。在奈爾先生——大家都還記得吧，就是那位把A. E. N.精品公司的「得力左右手」娶回家當老婆的人——和柏格納先生與我的外祖父三人的勸說之下，先父結束了自己的生意，轉而投效電器業，那時是一八九五年。

如同所有的新興產業，電器這一行也經歷過各式各樣的變動，包括人事的更迭，這主要是由於原主事者卡特先生的個人因素。若干年過後，先父和威廉・M.史考特先生合力買下公司所有的股份，並於一九〇〇年被聘為董事長。過了好幾年之後，先父特別將第二部著作獻給那位摯友兼同僚，書前這麼寫著：

二十餘年以來，我倆共負一軛。倘若我們犁得還算直，必然是因為我們齊心協力。

大家都說，他們是當年最傑出的一對事業夥伴，而且我非常清楚，他們兩人從來不會在背後說對方壞話。先父於一九三二年退休。雖然他在電器業界的成就無人不知無人不曉，但是我自始至終都明白A. E. N.心裡頭真正的興趣與喜好之所在。

早在經營精品生意的時候，他就盤算好要盡快累積財富，然後早早退休搬到英國牛津，和他心愛的英國文學一塊兒頤養天年。

於是他斥資——以他的財力和當時的標準而言——買下極大量威爾斯巴哈公司[21]的股票，在座各位或許有些人還記得，那家公司正是當年以煤氣燈照亮每條街的大功臣。威爾斯巴哈的股價迅速竄揚，先父的獲利目標鎖定在十萬元，當然，這個數目在當時是一大筆錢。我相信，當股價爬升到八萬六的時候，那家公司出事了。有道是：希望越高，失望越大，這麼一來，父親不但無法如願提早退休，還不得不回到原點，一切從頭開始。

家父其實始終不怎麼熱中生意相關的事務。他從未像我一樣樂在其中，除了史考特先生之外，另一位生意上的朋友也證實過這件事，那位生意上的朋友名叫路易斯・孔史多克（Louis Comstock），他是紐約的電器承包商，此人的文化水平奇高，而他的太太——迷人的孔史多克夫人在這方面亦不遑多讓。A. E. N.生前並不是八面玲瓏的人，更談不上長袖善舞。他自年輕起就必須鎮日埋首工作，以致無暇養成什麼消遣活動的習慣；雖然他對棒球略感興趣；卻對打牌完全一竅不通，他還曾經因為我過度沉迷橋牌而大為不悅，不過他還是像所有盡職的父親一般，非常小心地控制自己的情緒，避免大發雷霆。

我記得約莫在他去世前十年，他曾經自倫敦寫了一封信給我，他在信中坦承他這輩子一直有個很大的遺憾，就是沒能好好地學會打牌。我不禁揣想：若是他晚年能夠和他的同伴們坐下來打打橋牌，或許他的日子可以過得更愜意些亦未可知——像靄理思．安姆斯．巴拉德，他年老的時候有好幾年被病痛折磨得苦不堪言，但是直到過世前幾個月，他的身旁還是圍繞著許多朋友，不時陪他玩牌解悶。

第一次世界大戰爆發前夕的那個星期天，橡丘齋裡照例高朋滿座：不少大學教授、醫生、律師，和相形之下寥寥可數的幾位音樂家，一屋子有趣的人聊著有意思的話題。

一九一四年八月的那個星期天，我記得很清楚，當天橡丘齋一如往常，來了六到二十位不等的賓客。最近往生的弗列德．畢格羅（Frederick S. Bigelow）也在場——他當年在《星期六晚間郵報》襄助喬治．賀拉斯．羅里瑪[22]甚力。他中途離席接了一通電話，等他回到書房，先叫大家聚攏，他緩緩說道：「各位朋友，開戰了。」[23]而向來以其臨危不亂的英式作風令人歆羨不已、隨時隨地保持穩重、絕不輕易流露自己情緒的父親，一聞此言竟然淚流滿面，他對在場的人說：「朋友們，我所深愛的英國、特洛羅普的英國從此萬劫不復了。」說得好，說得真好！

不過，當然，現在在座的各位嘉賓，一定最想知道A. E. N.如何搖身一變成為一位文壇人士。我剛剛原本想用「最不起眼的文壇角色」，但是這個字眼對他並不公允。遍布各地、無數經由他的文章，進而景仰其品格、分享其見解的所有讀者，肯定都無法苟同我用如此低下的形容詞。

我臨時想起我的表舅媽親身碰過的一樁事。有一回她在日本參加一場晚宴，當時坐在她身邊的一位日本紳士操一口漂亮流利的英語對她說：「我一直渴望能夠赴貴國費城一遊。」我的表舅媽是地道紐約人，一聞此言自然感到十分不是滋味，便問他：「為什麼是費城呢？」那位男士這麼回答她：「因為，倘若有緣的話，或許我能夠與那位名叫A. 愛德華．紐頓的先生在費城謀得一面之雅。」諸如此類的軼事雖然不是多得不勝枚舉，但是由於A. E. N.頻頻將私人事務寫進文章裡頭，正因為太私人了，不論各位相不相信，據先父自己的說法，他因此成天魂不守舍，要是他哪天沒收到十封從全美各地、世界各國看過他某一本書的讀者、大受感動之餘忍不住立刻動筆寫來的信，便表示他的文筆還有待改進。

諸如此類的信件——他老是稱呼那些來信為「情書」——直到現在都還自各地源源不絕地寄來。幾個星期前，我太太——我總叫她「天使」，她的確名副其實——到辛辛那提出席一場女童軍大會[24]，當時她的身邊坐著一位遠道從第蒙[25]來的陌生女士。會開到一半，那位女士轉頭對我太太說：「您該不會那麼湊巧和A. 愛德華．紐頓家族有親戚關係吧？」此事的結果是：天使回家後寄了兩本先父寫的書給那位女士。沒過多久，她就收到對方的回信：「我一坐定，馬上翻到〈英國鄉間覓屋記〉[26]，趕緊找出描寫英國浴缸的造型簡直抄襲自墳墓那段句子。好多年前我去加拿大旅行，隨身帶了一本《大西洋月刊》，路上就是讀到這篇文章。我們當時往甘斯堡（Gainsboro）途中投宿在溫尼伯（Winnipeg），下榻在我們夫妻倆都很喜歡的蓋瑞堡飯店（Fort Garry Hotel），那裡的浴缸大得簡直能在裡頭游泳，於是我們對這麼幽默的說法笑得前俯後仰……去年我們又到睽違二十餘載的蓋瑞堡飯店住了一宿，再度想起這篇文章，因為那本《大西洋月刊》早就不曉得被我丟到哪兒去了，如今重讀彷彿就像見到闊別良久的老朋友一樣……難不成作者有通天本領，能夠在挖苦自己之餘，還能教讀者看了與他同樂而又絲毫不覺得他無的放矢？……在所有我讀過的書籍之中，我認為讓我受益最多的莫過於《藏書之樂》與《蒐書之道》這兩本書。誠然，蒐集任何東西皆可成道，但是蒐羅珍本首版書果然是大異其趣之道。」

聽我講到這兒，相信各位不難發現，雖然A. E. N.仙逝至今已將近十五個年頭，而《藏書之樂》亦遙遙於第一次世界大戰終戰紀念日當天[27]出版，但我以上列舉幾位人士的個人意見，都是先父依然留在許許多多讀者心中的印象，因為我剛剛唸的那封信，書寫日期是一九五三年十一月二十四日。

當然，我把上述這些妙事全部告訴瑪麗．柯爾頓（Mary Colton）小姐，這篇講稿便是仰仗她親自出馬——因為她與先父相識多年——屢次不厭其煩地幫我擬妥的。

就在剛剛一分鐘之前，她臨時提醒我：「不是老有稀奇古怪的人到公司找你爹嗎？」這才又讓我想起接下來這樁軼事。

我前頭向各位報告過，先父生前不善交際，並不是一個長袖善舞的人。他向來不喜歡見陌生人，除非他事先曉得那人跟他有相同的興趣——即十八世紀文藝作品。

有一天，他的秘書走進他的辦公室向他報告：「紐頓先生，外頭有一位紳士想見您。」父親擺出苦瓜臉，抬頭沒好氣地說：「請他進來吧。」

過了一會兒，一名身高約六呎一吋、全身西裝革履、表情靦腆的男子走了進來——我此刻似乎聽到父親劈頭就說——「喏，這位先生有何貴幹？」男子筆直站著，開口道：「紐頓先生，我聽說您前天晚上在紐約市的安德遜藝廊買到一本尤金·菲爾德的首版詩集。」先父一聽便回答——我耳中又彷彿清楚聽到——：「沒錯，敢問這位先生提起這事……？」「呃……」那位紳士說：「我想央求您把那本書讓給我。我知道您當時付了一百五十元，我願意出雙倍價錢向您買。」父親聽完他的話，說：「這位先生，我的書只要一放進書架就絕不再轉手賣人，不過，請包涵我這麼問：敢情您對那部書也有興趣？」那位長得一表人才、靦腆的男子這下子更加面紅耳赤，他說：「那本書裡頭，有一首〈威利尿床時〉[28]……」他原本正想繼續往下說，但是父親打斷他：「我曉得，我就是衝著那首詩才買的。」誰知那位紳士這時悠悠地吐出一句話：「我就是威利。」我猜想，老先生的態度當場被那句話軟化了些，但是那位靦腆的陌生客終究未能如願買到那本書。

我真希望能夠知道當初究竟是哪件事驅使父親，讓他在一九〇七年的聖誕節寄送給朋友那麼特別、那麼不尋常、那麼別出心裁的東西。反正，他當時就是那麼做了，而那份大禮便是「華特·惠特曼月曆」。

那份以惠特曼手稿複製的卡片，正面印的是：「勇往直前，吾親愛之美利堅同胞，鞭策你的駿馬奮力疾馳直至——瘋癲！金錢！政治！——皆敞開所有的門扉隔膜任她暢行無阻——牽動、席捲一切——你終將失速狂奔、欲罷不能。火速枕戈待旦，地不論東西南北，人無分男女老幼。你以雙手創建的無非是一個充斥喪心病狂人民的國家。」[29]

這段話從寫下來距今少說也已經有七十年之久了。這枚紙片是當年賀拉斯・特勞柏無意間在惠特曼書房的地板上發現的，他撿起來後先飛快唸了一遍，而惠特曼等他唸完之後，下了一個結論：「說得稍微太過火了點——不過話說回來！」

當然這段話的確，說得太過火了點——不過話說回來！其中卻點出許多事實，不管我們願不願意承認。

在卡片的背面，則印著先父自己寫下的幾段感言。

這張卡片是因應一九〇七年的股災所做，如此毫不隱晦其中的挑釁成分，我接下來引述紐頓在最後兩段所寫的話：「倘若依照『正常』狀態，現在應該是大家互道『聖誕快樂』和『恭賀新禧』的時節；但是偏偏碰上這個節骨眼，不管高呼什麼都不妥當——拜身居政治界、工業界、金融界要津的所謂『大哥們』之賜，快樂的聖誕節眼見就此泡湯，而愉快的新年似乎也沒了著落。

「大夥兒打起精神，全體舉杯高呼：『敬人丁興旺，飯桶見底一杯！』」

那份惠特曼賀卡寄出之後，博得各界佳評如潮，進而促使先父從此年復一年就各項主題寫出一篇接一篇感言，權充聖誕卡寄送給親朋好友。那些印刷品全由他私人印行，通常都以藍紙封面裝訂成冊。我相信，我若斷言它們今天全成了稀世珍本，應該一點也不為過，而且我敢確定，惠特曼賀卡目前必然存世無幾。我很高興告訴大家，這批捐贈品中就有那麼一件。

我先前說過，第一次世界大戰帶給先父一記沉重的打擊，不曉得各位相不相信，我記得當時居然還流行過一種說法，認為那場仗只消幾個月就會落幕，因為沒有足夠資金能繼續維持下去！一九一四年的聖誕節前夕，正是A. E. N.處於挖空心思撙節開銷的節骨眼，他決定要中止每年例行的小冊印製。

就在這個時候，家姊——卡洛琳・紐頓[30]小姐靈機一動，慫恿父親乾脆從以前聖誕小冊刊登過的文章裡頭隨便挑一篇寄給《大西洋月刊》發表了事，我還記得她當時的說法：「爸爸，反正你頂多只須花兩毛錢買郵票嘛。」結果，艾勒里・塞吉威克不但以一百五十元稿費買下那篇文章，同時立刻來信向父親邀稿，事情發展至此——生米已煮成熟飯矣。白紙印上鉛字，父親從此晉身作家之列，而且後來的歷史亦可證明，他終將成為一位成功的作家。

從大西洋月刊社和利特爾與布朗出版社於一九三七年十二月一日寄達的最後一張版稅支票上得知，父親的書又賣出了七萬四千零六十七部[31]。或許，最令他感到開心的一次出版，應該要算是《藏書之樂》終能以九毛九的平價版印行問世[32]。當年榮任英國國會議員、和先父相知相惜長達二十年的約翰·勃恩斯先生一聽到這個消息，如是打趣：「紐頓真有兩把刷子，我也買一本平價本共襄盛舉吧。」我有一回無意間找到當年蘭登書屋[33]寄給父親的一封信，上頭提及〈現代文庫〉版《藏書之樂》：「敝社很高興能向您報告：短短兩年期間，我們已售出約莫六千部之譜。此數目顯然比其他任何一部〈現代文庫〉都高出甚多，我們將此視為敝社的傑出記錄，同仁們亦異口同聲斷言：國內任何一部相同主題書籍，皆難望紐頓先生名著之項背。」我在此想進一步指出：《藏書之樂》、《約翰生博士》[34]、《蒐書之道》、《舉世最偉大的書》、以及《糊塗旅行家》皆已有點字版問世。

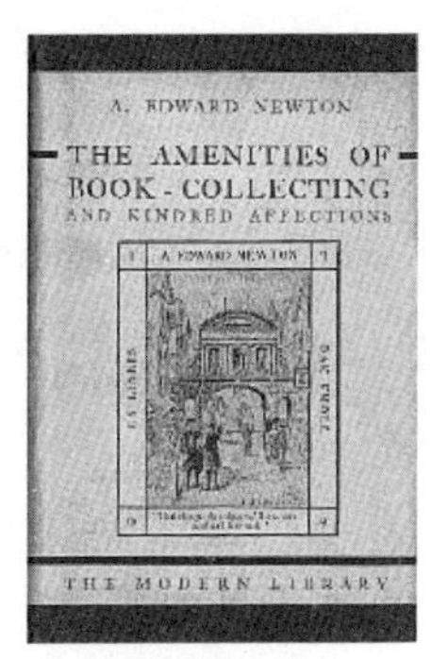

◎定價美金九角九分的「現代文庫」版《藏書之樂》

由於先父在文壇表現不惡，若干知名學府因而決定頒贈榮譽學位給他，其中最令他感到高興的，是一九三二年他受邀成為「$\varphi\beta\kappa$」的榮譽成員。

我一直刻意不提及A. E. N.在藏書事業上的功績。其實，他以嗜好著眼、致力藏書的成果殊甚雄偉；他全心全意獻身於書，其珍愛、護惜書籍之深，只有腋擁幼子於懷抱的慈母差堪比擬；他不遺餘力以珠璣妙語、雋永妙文闡釋發揚其「藏書之樂」，啟發了無數心靈。這些俱為在在有目共睹、絲毫毋庸贅言。

隨便舉個例子來說：我記得《藏書之樂》問世後不久，曾經有一位拘謹、靦腆的英國小伙子走進倫敦某家書店，他一進門便告訴店員他想買一些書。店家立即拿出幾部好書，年輕人一一看過之後，說：「不不不，我要買首版、簡裝、書口未裁的本子。」店家一聽就明白了：「想必閣下是讀了紐頓先生的《藏書之樂》罷？」年輕人回答：「正是，那確實是一部令人為之神往的好書，讀過那部偉大的著作之後，我立志成為一名藏書家。」當他走出那家書店之前，已經買下總價超過五千英鎊的珍本書，此人不是別人，正是維克多・羅斯歇爾德[35]。

俗話說：人怕出名豬怕肥，A. E. N.——一如其他登峰造極的人一般——亦遭到一些非議，主要是由於他對自己的藏書著墨太多。我始終認為這種說法失之偏頗，因為先父不管就先天具備的性格、抑或後天養成的喜好，皆為英文文藝相關物事，當他動筆寫作，自然以其興趣所在為中心加以發揮——正如畫家一貫描繪自己心儀、熟悉的風景，不同的只是，先父的興趣所在即圍繞著他的藏書。

這個世界上，為數眾多的藏書家形形色色自不在話下，但是其中能夠像先父那般推己及人，闡述一己興趣訴諸廣泛大眾，我相信少之又少。

他寫過一篇文章，題為〈純屬個人〉，作為《洋相百出話藏書》一書的序文，我曾經朗誦此文不下百遍——通常是席間話題提及A. E. N.的時候向造訪寒舍的來賓們宣讀。現在，若得各位嘉賓不棄，我想對在座各位再朗讀一次。因為，我相信，這篇文章充分傳達了先父知命樂天的人生觀。

* * *

（譯按：E. S. N.以下朗讀〈純屬個人〉全文，此處不重複刊登，請讀者逕自參見譯本第二卷。）

後記

過程中的一切都令我感到無比愉悦。

藉由嶄新的生命體驗，我得以結識極有意思的人，特別是布魯斯特與格林納威兩位先生。

自從梅蓓兒·贊向我提出建議的那一刻起，隨之而來的嶄新體驗與難能可貴的緣分就令我沉湎不已，直至現在猶欲罷不能。

我相信朋友們都知道我對於人的興趣，遠遠勝過對書籍的興趣！

當晚典禮流程安排極好，我非常高興能獲邀出席並對大家發表淺薄的言論。

更令人雀躍的是，許多到場聆聽的人會後特地走來當面對我說：「一定要把這篇演講稿交給《大西洋月刊》刊登。」

至於我個人，自然不敢如此斗膽抬舉自己區區的綿薄之力——我亦盼望大家切勿溢美。

但該項美意依然令我思緒澎湃洶湧，不禁竊想：萬一真得謬愛刊載豈不大好，原因有二：

其一，光是裡頭提及的華特·惠特曼之先知卓見，即足供茶餘飯後助興談資。

其二，《大西洋月刊》正是當年將先父推向文壇的一大功臣。

不過，等各位看過以下這封泰德·威克[36]的來信，便可明白顯然事與願違。

麻薩諸塞州波士頓阿靈頓街8號
編輯部

§大西洋月刊社用箋§

一九五四年十二月十三日

親愛的史威夫特君：

此篇講稿不僅隨處可見真情流露，亦十分貼切地描繪A. E. N.德懿種種。我雖不忍割愛，但客觀情況恐怕無法盡如人意。我於最近一趟英國差旅期間邀集過多憶舊文章，泰半稿件至今依然堆疊在我的辦公室內，其中若干文稿猶待來春合適時機方能一一安排面世。迫於此一外在因素，使我不得不抱憾將貴稿退回。我希望我當時能在現場聆聽您的演說，並希望我無須奉還您的稿子。

衷心祈祝一切安康

泰德敬上

連同附件 致

E. 史威夫特·紐頓先生

賓夕法尼亞州安瑟爾瑪克羅伊敦篷（Croydon Hutch）647

一收到此函，我馬上回了一封信給泰德，建議他盡快辭去《大西洋月刊》的編輯職務，立即轉赴倫敦擔任我國駐英大使。

一切過程對我皆屬難能可貴的經驗，我很高興自己隨性懷念父親的淺陋雜文能獲費城公共圖書館不棄，並以先父慣用的藍紙裝幀印行。

E. S. N.

【譯註】

1 愛默生・格林納威（Emerson Greenway）：當時費城公共圖書館的館長。

2 目前在費城公共圖書館登錄有案的紐頓藏品共六十二件。從內容上推敲，應該就是當年E. 史威夫特・紐頓捐給館方那批東西，數量上並沒有增加。

3 指E.史威夫特・紐頓與第一任妻子Ethel C. Jennings所生的四名女兒：奧黛麗（Audrey S., 1921-?）、芭蓓特（Babette J., 1922-?，小名「芭比」）、約瑟芬（Josephine, 1923-?）、卡洛（Carol P., 1926-?），即紐頓在《藏書之道》書首題獻的對象（參見第四卷題獻頁）。

4 愛迪・伍爾夫（Eddie Wolf即Edwin Wolf 2nd, 1911-1991）：美國圖書館學者。一九五三年（一說一九五五年）至一九八四年主持the Library Company of Philadelphia（一七三一年創立，專門典藏美國歷史文物的機構），期間對館藏與版本學界頗多建樹、貢獻。

5 溫斯頓・邱吉爾（Winston Leonard Spencer Churchill, 1874-1965）：英國政治家。一九四〇年至一九四五年、一九五一年至一九五五年兩度擔任英國首相。

6 部分資料上所註明的年代是一八六三年（另有一八六五年的說法），此處以家人的說法為準。

7 史威夫特・紐頓此處使用“the right side of the track”，這自然是俗話“the wrong side of the track”（貧民區）的反義。蓋市場街（Market）以南直至雲杉街（Spruce）這個區域向來是費城的精華地段，現今賓州大學即坐落在此。

8 A. 愛德華・紐頓的妹妹分別是：愛蜜麗・瑪褅達（Emily Matilda Newton, 1870-?）與莎拉・湯瑪斯（Sarah Thomas Newton, 1872-?）。

9 「史威夫特」為A. 愛德華・紐頓母親（Maria Louisa Swift）的娘家姓氏。紐頓顯然十分喜歡這位舅舅，他不僅以此為筆名，後來更為自己兒子命名史威夫特。

10 在《糊塗旅行家》最後一篇〈遊千篇一律之鄉〉（“In Standardland”）的開頭，紐頓亦曾引錄這篇少年時代的作文〈當我的大船駛入港〉（“When My Ship Comes In”，俚語「大船駛入港」意即「發了（財）」）。紐頓所謂「千篇一律之鄉」乃指美國。

11 《糊塗旅行家》（*A Tourist in Spite of Himself*）：A. 愛德華・紐頓的遊記作品，共收錄九篇文章，記述紐頓夫婦在世界各地（北歐、巴黎、倫敦、埃及、羅馬、耶路撒冷等地）旅遊的見聞、趣事。一九三〇年九月波士頓利特爾與布朗出版公司出版，書中精采插圖由Gluyas Williams繪製，上市時訂價美金三塊半。此書是紐頓的另一部暢銷書，問世不到半年即已印行第六刷。此書非常逗趣，尤其紐頓描寫夫婦倆之間的互動更令人發噱。我曾接獲若干讀者反映《查令十字路84號》「全書淨寫些有的沒的瑣碎事兒」、「通篇提及一大堆大家根本連聽都沒聽過（也不見得想讀）的古書」、「實在一點意思也沒有」；那麼，不喜歡談論古籍舊書等「枯燥物事」的人趕緊放下手上這本《藏書之愛》（只怕已經來不及了），改讀沒有上述那些「弊病」的《糊塗旅行家》。

12 辛巴利斯特太太（Mrs. Zimbalist即Mary Louise Curtis, 1876-1970）：史威夫特・紐頓發表演說當年的費城名流聞人，賽路斯・H. K. 寇提斯的獨生女。一八九六年嫁給荷蘭裔作家愛德華・巴克（Edward William Bok, 1863-1930），巴克為知名編輯作家，曾創辦《布魯克林雜誌》（*Brooklyn Magazine*，*Cosmopolitan*的前身），並使《仕女家居月報》成為全美女性雜誌的第一品牌，曾以自傳《愛德華・巴克美國化歷程》（*Americanization of Edward Bok*, 1920）一書贏得普立茲獎；Mary Louise Curtis推動音樂教育不遺餘力，一九一七年贊助Settlement Music

School（該校因而將校本部取名The Mary Louise Curtis Branch），一九二四年以娘家姓氏（亦為紀念父親）在費城另行創辦「寇提斯音樂學院」（Curtis Institute of Music）；一九四三年改嫁俄裔小提琴家Efrem Zimbalist（1889-1985），成為辛巴利斯特太太。

13 蘇珊．瑪．斯柏丁（Susan Marr Spaulding, 1841-1908）：美國詩人。

14 胡勒公司（Huyler's）：由紐約人約翰．S. 胡勒（John S. Huyler）在費城創立的甜食公司，生產精緻的薄荷火星糖（Mars candy）、冰淇淋等零食。

15《戀人錦囊》（*Lover's Portfolio*）：此處疑將《戀人謳歌》（*Lover's Lyrics*）或《愛書人錦囊》（*Book Lover's Portfolio*）混為一談。參見附錄II譯註12。

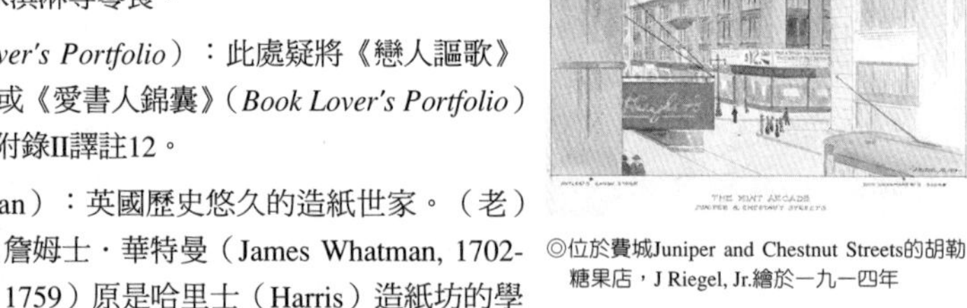

◎位於費城Juniper and Chestnut Streets的胡勒糖果店，J Riegel, Jr.繪於一九一四年

16 華特曼（Whatman）：英國歷史悠久的造紙世家。（老）詹姆士．華特曼（James Whatman, 1702-1759）原是哈里士（Harris）造紙坊的學徒，一七三九年哈里士歿後接掌紙坊，後來一躍成為英國首屈一指的造紙匠。老華特曼歿後傳交其子詹姆士．華特曼（1741-1798）繼承。一七九四年（小）華特曼退休，將紙坊賣給霍林沃斯兄弟（Thomas and Finch Hollingworth），原本在紙坊工作的師傅William Balston則繼續留任，後來並成為合夥人。雖然紙坊對外名稱改為Hollingworth & Balston，但產製的紙張浮水印仍維持老字號「土耳其紙坊J. 華特曼」（J. Whatman, Turkey Mill）直至一八五九年。霍林沃斯與Balston後來分道揚鑣，但「華特曼」已成為某種高級紙張的代稱。目前仍有英國公司生產「華特曼紙」，其中最主要的用途，包括高級水彩圖畫紙，以及供工業場所或醫療實驗室使用的濾紙、試紙等。

◎老詹姆士．華特曼

◎華特曼紙上的浮水印

17 威廉．荷曼．勞（William Herman Rau, 1855-1920）：美國攝影家（費城人）。十九世紀九〇年代先後擔任費城鐵路局（Pennsylvania Railroad）和李亥谷鐵路局（Lehigh Valley Railroad）的專屬攝影師，留下許多美國早期鐵道的攝影作品。除鐵道外，他的攝影題材包含風景、船舶、市容建築物等，其作品現今典藏於國會圖書館、史密森學會（附屬之國立美國藝術博物館）、紐約現代藝術博物館、馬里蘭州立資料館、賓州大學檔案館、蓋提博物館（Getty Museum）與喬治．伊士曼照相博物館（George Eastman House）等單位。

18 約翰．史隆恩（John Sloan, 1871-1951）：美國畫家。

◎約翰．史隆恩自畫像，繪於一九二四年

19 卡爾．埃德漢（Carl Edelheim, 1844-1899）：原籍德國，後來移民美國，在費城經營糕餅甜食公司。費城美術俱樂部（Art Club of Philadelphia）會員。一八六六年與Caroline Fleischmann結婚，育有三個女兒，分別是芭蓓特（參見下則譯註）、安娜．約翰娜（Anna Johanna Edelheim, 1872-1960）與露易絲．奧古斯特（Louis August Edelheim）。

20 芭蓓特．埃德漢（Babette Edelheim, 1867-1941）：卡爾．埃德漢的長女。一八九〇年與紐頓結婚。

21 威爾斯巴哈公司（Welsbach Company）：美國煤氣燈具製造公司。一九一五年費城斥資二百萬美元在全市裝設奧地利人Carl Auer von Welsbach於一八八六年發明的煤氣燈。

22 喬治·賀拉斯·羅里瑪（George Horace Lorimer, 1869-1937）：美國作家、編輯。一八九九年起擔任《星期六晚間郵報》主編直至身故。

23 指一九一四年八月一日德國向俄國宣戰，開啟歐戰序幕。

24 應指一九五三年在俄亥俄州辛辛那提市舉辦的第三十二屆全國女童軍大會（Girl Scouts Convention）。

25 第蒙（Des Moines）：美國愛荷華州首府。

26〈英國鄉間覓屋記〉（"House Hunting in the Country in England"）：收錄在紐頓《糊塗旅行家》中。

27 第一次世界大戰終戰紀念日（Armistice Day of the First World War）為一九一八年十一月十一日。

28〈威利尿床時〉（"When Willie Wet the Bed"）：尤金·菲爾德一八九五年的童詩，詩題應為〈小威利〉（"Little Willie"），「威利尿床時」是該詩各段的尾句。該詩收錄於Robert Conrow編的*Field Days: The Life, Times, & Reputation of Eugene Field*（New York: Charles Scribner's Sons, 1974）。

29 我似乎把惠特曼這則短文譯得「過火了點」。或許我的潛意識裡不無藉機「針砭」台灣現況的意思。

30 卡洛琳·紐頓（Caroline E. Newton, 1891-1975）：美國心理學家，紐頓的長女，後來因緣際會亦成為收藏家。卡洛琳·紐頓曾赴維也納研究佛洛依德；她於一九二九年在柏林初識湯瑪斯·曼，此後與湯瑪斯·曼一直有書信往來；當曼氏因政治問題被迫離開德國後，卡洛琳·紐頓先將他接到羅德島自宅暫住，後來更鼎力協助曼家在美國定居（一九三八年）。湯瑪斯·曼後來執教於普林斯頓大學，曼歿後，卡洛琳·紐頓曾於一九六四年與一九七〇年兩度在普林斯頓大學籌辦追思會。普林斯頓大學於一九七一年出版《湯瑪斯·曼致卡洛琳·紐頓書札》（*The Letters of Thomas Mann to Caroline Newton*）。卡洛琳·紐頓生前珍藏的湯瑪斯·曼藏品（包括信函、手稿、照片）最後捐給普林斯頓大學。順道一提，卡洛琳與史威夫特後來皆卒葬於他們父親生前最尊崇的聖地，佛吉谷。

31 應單指《蝴蝶頁》的最後一版而言。

32《藏書之樂》首版上市時定價為四美元。後來經梅蓓兒·贊提議印行普及版，即「現代文庫」（The Modern Library）版（New York: Random House, 1935），內容依據原Little and Brown版第九刷的本子複印。於一九三五年十二月上市，定價九角九分。出版商當時除了函謝贊之外並送了一本給她，題上：「感激梅蓓兒·贊率先提供點子，將此書列入現代文庫。班奈特·瑟夫謹謝。一九三五年十一月十三日。」（"For Mabel Zahn who first gave me the idea of adding this book to the Modern Library. Gratefully Bennett Cherf. November 13, 1935."）紐頓另加上落款：「現代文庫此鬼點子也硬是要得。A.愛德華·紐頓識。」（"And a damn good idea it was, too, for the Modern Library."）

33 即出版〈現代文庫〉版《藏書之樂》的出版商。

34 指《戲說約翰生》（參見附錄II譯註4）。

35 維克多·羅斯歇爾德（Victor Rothschild, 1910-1990）：英國收藏家。

36 泰德·威克（Ted Week）：於一九三二年至一九七一年間擔任《大西洋月刊》編輯。

Book-Collecting
is a great
game as I have
tried to tell the
world

A. Edward Newton

人名索引

（數字代表該人出現卷次－章目）

-A-

-B-

-C-

-D-

-E-

-F-

-T-

-U-

-V-

-W-

-Y-

-Z-

書名索引

（數字代表該人出現卷次－章目）

-A-

-B-

-C-

-D-

-J-

-K-

-L-

-M-

-N-

-O-

-P-

-Q-

-R-

-S-

-T-

-U-

-V-

-W-

-Y-